ACCESO GRATIS a la Lectura en la Nube

Para visualizar el libro electrónico en la nube de lectura envíe junto a su nombre y apellidos una fotografía del código de barras situado en la contraportada del libro y otra del ticket de compra a la dirección:

ebooktirant@tirant.com

En un máximo de 72 horas laborales le enviaremos el código de acceso con sus instrucciones.

La visualización del libro en **NUBE DE LECTURA** excluye los usos bibliotecarios y públicos que puedan poner el archivo electrónico a disposición de una comunidad de lectores. Se permite tan solo un uso individual y privado

NUEVOS HORIZONTES DE LA MOVILIDAD INTERNACIONAL DE PERSONAS EN EL SIGLO XXI

Libro homenaje a la profesora Mercedes Moya Escudero

NUEVOS HORIZONTES DE LA MOVILIDAD INTERNACIONAL DE PERSONAS EN EL SIGLO XXI

Libro homenaje a la profesora Mercedes Moya Escudero

RICARDO RUEDA VALDIVIA (DIR.)

tirant lo blanch
Valencia, 2023

© Sus Autores

© TIRANT LO BLANCH
EDITA: TIRANT LO BLANCH
C/ Artes Gráficas, 14 - 46010 - Valencia
TELFS.: 96/361 00 48 - 50
FAX: 96/369 41 51
Email:tlb@tirant.com
www.tirant.com
Librería virtual: www.tirant.es
DEPÓSITO LEGAL: V-1550-2023
ISBN: 978-84-1169-058-4
MAQUETA: Disset Ediciones

Si tiene alguna queja o sugerencia, envíenos un mail a: *atencioncliente@tirant.com*. En caso de no ser atendida su sugerencia, por favor, lea en *www.tirant.net/index.php/empresa/politicas-de-empresa* nuestro procedimiento de quejas.

Responsabilidad Social Corporativa: http://www.tirant.net/Docs/RSCTirant.pdf

Índice

RETOS DEL DERECHO INTERNACIONAL PRIVADO ANTE LA MOVILIDAD INTERNACIONAL DE PERSONAS EN EL SIGLO XXI

LA NUEVA REGULACIÓN DEL ACOGIMIENTO TRANSFRONTERIZO DE MENORES EN EL REGLAMENTO BRUSELAS II TER (REGLAMENTO UE N° 2019/1111) 79

Mª PILAR DIAGO DIAGO

RÉGIMEN JURÍDICO DEL DERECHO DE VISITA DE LOS MENORES EN EL DERECHO INTERNACIONAL PRIVADO EUROPEO 93

MARÍA DOLORES ADAM MUÑOZ

EL NOTARIO ESPAÑOL ANTE LA TRAMITACIÓN DE ACTAS DE NOTORIEDAD PARA LA CONSTANCIA REGISTRAL DEL RÉGIMEN ECONÓMICO MATRIMONIAL LEGAL EN SITUACIONES TRANSFRONTERIZAS: ASPECTOS COMPETENCIALES 211

RICARDO RUEDA VALDIVIA

COMPETENCIA ALTERNATIVA EN EL REGLAMENTO (UE) 2016/1104: DE LOS BUENOS PROPÓSITOS A SU EXCESIVA SOFISTICACIÓN 243

PABLO QUINZÁ REDONDO

EFICACIA EXTRATERRITORIAL DE DECISIONES JUDICIALES RELATIVAS AL RÉGIMEN PATRIMONIAL DE LAS UNIONES REGISTRADAS 257

NURIA MARCHAL ESCALONA

RETOS DEL DERECHO DE EXTRANJERÍA Y DE LA NACIONALIDAD ANTE LA MOVILIDAD INTERNACIONAL DE PERSONAS EN EL SIGLO XXI

EL ESTATUTO DEL EXTRANJERO Y SU CATEGORIZACIÓN: DE LA RESPUESTA JURÍDICA Y SU ADAPTACIÓN A LA REALIDAD MIGRATORIA 439

IRENE BLÁZQUEZ RODRÍGUEZ

REFORMA DEL REGLAMENTO DE EXTRANJERÍA: ADAPTACIÓN A UN NUEVO ENTORNO LABORAL PARA EL SIGLO XXI 459

JUAN MANUEL PUERTA VÍLCHEZ

MULTA O EXPULSIÓN PARA EL EXTRANJERO EN SITUACIÓN IRREGULAR. COMPATIBILIDAD DIRECTIVA DE RETORNO-LOEX Y EVOLUCIÓN JURISPRUDENCIAL 471

FRANCISCO JAVIER DURÁN RUIZ

DERECHO DE SUFRAGIO EN LAS ELECCIONES MUNICIPALES DE LOS NACIONALES BRITÁNICOS RESIDENTES EN ESPAÑA 537

MARÍA ÁNGELES SÁNCHEZ JIMÉNEZ

EL DERECHO AL RESPETO A LA VIDA FAMILIAR DE LOS INMIGRANTES EN LA DOCTRINA CONSTITUCIONAL 553

Mª VICTORIA CUARTERO RUBIO
JOSÉ MIGUEL SÁNCHEZ TOMÁS

UCRANIA Y PROTECCIÓN INTERNACIONAL. DE LA DENEGACIÓN A LA PROTECCIÓN SUBSIDIARIA POR CIRCUNSTANCIAS SOBREVENIDAS 577

CARMEN AZCÁRRAGA MONZONÍS

DE PROFESIÓN, ABOGADO: MOVILIDAD INTRAEUROPEA MEDIANTE EL ESTABLECIMIENTO O LA PRESTACIÓN TEMPORAL U OCASIONAL DE UN SERVICIO EN ESPAÑA...................................... **643**

GISELA MORENO CORDERO

EL DELITO DE AYUDA A LA INMIGRACIÓN CLANDESTINA EN EL CÓDIGO PENAL ESPAÑOL **669**

ESTEBAN PÉREZ ALONSO

APATRIDIA Y NACIONALIDAD. TOMEMOS EN SERIO LA NACIONALIDAD ESPAÑOLA.. 693

MÓNICA GUZMÁN ZAPATER

SEMBLANZA PERSONAL

ANA RUBIO CASTRO

Catedrática de Filosofía del Derecho
Universidad de Granada

Mercedes Moya Escudero es parte importante de la historia de la Facultad de Derecho de la Universidad de Granada, y especialmente del Departamento de Derecho internacional privado, al liderar durante toda su trayectoria académica a un equipo humano de enorme valía y reconocimiento académico. Su larga trayectoria profesional, y una docencia marcada por la pasión y el interés constante por el aprendizaje del alumnado, han hecho de ella un referente para muchas generaciones de juristas a nivel andaluz y nacional. Sin embargo, hay que poner de relieve que su influencia y su docencia excede de los límites de la Facultad de Derecho de Granada, al haber impulsado la creación de nuevas asignaturas en titulaciones como Traducción e Interpretación, de cuya Facultad recibió en 2009 la Insignia de Plata y distinción honorífica, o Relaciones Laborales, centro este último en el que, además, y desde 1999, impartió su magisterio en las diferentes ediciones del Experto y Máster en Derecho de Extranjería, por ella impulsado. A estas dos últimas Facultades las ha sentido y siente como propias por todo el afecto y reconocimiento recibido hasta el día de hoy.

Su llegada a la Facultad de Derecho en 1971, siendo aún una adolescente, desde su pueblo de Berja, en Almería, ya hacía presagiar, por su interés por el estudio y el conocimiento del Derecho, un futuro profesional marcado por el éxito y el reconocimiento institucional y personal, siendo la generosidad y la curiosidad intelectual algunos de los muchos valores que caracterizan a esta insigne jurista. Tras obtener una beca de formación del personal investigador concedida por el Ministerio de Educación y Ciencia en enero de 1977, se integra en el entonces Departamento de Derecho internacional público y privado, obteniendo el grado de doctora en 1981. A partir de ese momento desempeñó diferentes cargos académicos hasta la obtención de su Titularidad en 1984, y finalmente su Cátedra en 2011, con la que culminaba una carrera brillante y marcada por una continua colaboración institucional al más alto nivel. El profesorado integrante del Experto y Máster de Derecho de Extranjería que dirigió desde 1999 a 2018, fecha esta última de su edición final, refleja con claridad la actitud colaborativa que siempre ha caracterizado su docencia e investigación, haciendo participes en esta docencia especializada a funcionarios o profesionales de diferentes áreas relacionadas con la inmigración y la extranjería, con objeto de ofrecer al alumnado una imagen plural y compleja de los problemas a analizar.

Prueba de todo lo expuesto fue el Premio a la Excelencia Docente que en 2005 le fue otorgado por la Universidad de Granada en el Área de las Ciencias Sociales, Económicas y Jurídicas. Un premio que representa el reconocimiento público de currículos basados en innovación continuada en el aula universitaria, implicación sistemática en tareas de formación, elaboración y difusión de materiales didácticos, y una labor docente ininterrumpida y reconocida por los diversos estamentos de la Comunidad Universitaria.

Sus responsabilidades docentes e investigadoras las ha hecho compatibles, en algunos momentos de su larga carrera profesional, con la política universitaria, participando activamente en el Claustro de la Universidad de Granada, así como asumiendo tareas administrativas a nivel departamental, como la de ser Directora de Departamento. Asimismo, ha participado de manera activa en tareas de evaluación y de gestión de la calidad docente.

El interés suscitado a nivel social y político por su docencia especializada en Derecho de extranjería, explica las colaboraciones realizadas en diversas instituciones y asociaciones, destacando entre ellas: Cruz Roja Española, Consejería de Justicia y Administración Pública, Consejería de la Presidencia, Consejería de Gobernación, Consejería de Educación, Consejería de Empleo, Consejería de Igualdad y Bienestar Social de la Junta de Andalucía (se citan los nombres que tenían las distintas consejerías en el momento de la colaboración), Ayuntamientos y Diputaciones, Colegios de Abogados, Ministerio de Justicia y Consejo General del Poder Judicial, impartiendo cursos de formación a Jueces y Fiscales, Ministerio de Administraciones Públicas, Fundación Euroárabe de Altos Estudios, entre otras. En este marco colaborativo se debe destacar también su participación como Miembro del Comité Bioético de Andalucía (hasta 2013 Comité Ético y de Investigación de la Consejería de Salud de la Junta de Andalucía) desde el 7 de junio de 2008 hasta 2018. Su talante universitario e inquieto la condujo además a ser miembro fundante del Instituto de Migraciones de la Universidad de Granada, creado por acuerdo del Consejo Social de la Universidad de Granada en junio de 2009.

Las dificultades y obstáculos que forman parte de toda larga carrera profesional no han supuesto nunca para ella motivo de desánimo, o de renuncia al desarrollo de uno de los campos más interesantes y relevantes a nivel social y político, el Derecho internacional privado, en concreto, lo que ha sido su campo de investigación central: el derecho de extranjería. Esta centralidad nunca ha supuesto el abandono, sino todo lo contrario, de los grandes temas del Derecho Internacional Privado, como lo demuestran sus diferentes líneas de trabajo. Su Master en Derecho de Extranjería ha sido durante años reconocido por la prensa nacional como uno de los mejores, reconocimiento que se vio cumplimentado por la propia Universidad de Granada, al ser objeto de distintas valoraciones externas.

El reconocimiento académico de la Profesora Moya Escudero excede su propia área de conocimiento, siendo un referente teórico permanente para quienes tratan de investigar sobre la complejidad que encierran la nacionalidad y la extranjería a nivel nacional y europeo. Sus publicaciones son objeto de análisis e interés en todas aquellas ramas que se dedican a la investigación en materia de ciudadanía y nacionalidad. Sirvan como ejemplo las citas constantes que encontramos de sus obras en el ámbito de la Filosofía jurídica y política española.

Hacer mención a sus publicaciones cuando rondan el centenar se hace realmente una tarea difícil. Pese a ello, quisiéramos poner en valor y destacar, por su amplio reconocimiento e impacto en el ámbito de la abogacía y a nivel institucional, la obra Comentario sistemático a la Ley de Extranjería (L.O. 4/2000 y L.O. 8/2000) (Mercedes Moya Escudero, Coord.), Comares, Granada, 2001, comentarios que, por el éxito obtenido, se reiteraron a lo largo del tiempo, introduciendo en ellos los cambios legislativos y reglamentarios realizados hasta 2006. Pero, además, consideramos necesario referir aquí sus trabajos: "Derecho de custodia y sustracción internacional de menores", Aspectos actuales de la protección jurídica y social del menor: un análisis interdisciplinar, Thomson Reuters Aranzadi, Pamplona, 2008; "Inmigración y ciudadanía de la Unión Europea", Educar para la ciudadanía intercultural y democrática, La Muralla S.A., Madrid, 2008; "Nacionalidad de los nacidos en España de madres marroquíes", La situación jurídico familiar de la mujer marroquí en España, Instituto Andaluz de la Mujer, Sevilla, 2008; "Desplazamiento ilegal a Marruecos de los hijos e hijas de madres marroquíes", La situación jurídico familiar de la mujer marroquí en España, Instituto Andaluz de la Mujer, Sevilla, 2008; "Condición de andaluz o andaluza", Competencias y estrategias de las Comunidades Autónomas en materia de inmigración", Junta de Andalucía, Sevilla, 2009; "El Derecho internacional privado y las migraciones", Globalización y movimientos transnacionales. Las migraciones y sus fronteras, Universidad de Almería, Almería, 2009; "Nacionalidad de los nacidos en Andalucía", La integración de los extranjeros. Un análisis transversal desde Andalucía, Atelier internacional, Barcelona, 2009; "Inmigración y familia", Derecho y familia en el siglo XXI, vol. I, Universidad de Almería, Almería, 2011; "La libertad de circulación en Europa: los nuevos estatutos personales", Nuevas fronteras del Derecho de la Unión Europea, Tirant lo Blanch, Valencia, 2012; "Integración del Convenio de La Haya de 19 de octubre de 1996 en el Reglamento Bruselas II bis", El arreglo pacífico de controversias internacionales, Tirant lo Blanch, Valencia, 2013; "La seguridad y el control: fundamento de las desigualdades en Europa", Libertad de circulación, asilo y refugio en la Unión Europea, Tirant lo Blanch, Valencia, 2014; "Adquisición de la nacionalidad española por los menores no acompañados", Aproximación interdisciplinar a los retos actuales de protección de la infancia dentro y fuera de la familia, Thomson Reuters Aranzadi, 2019; "Derechos e integración de los nacionales de terceros Estados: un camino por andar", Repensar la Unión Europea: Gobernanza, seguridad, mercado interior y ciudadanía, Tirant lo Blanch, Valencia, 2019; "Nacionalidad del nacido en España de progenitor español y extranjero", Plurinacionalidad y Derecho internacional privado de familia y sucesiones (Mercedes Moya Escudero, Dir.), Tirant lo Blanch, Valencia, 2021 e "Igualdad versus seguridad y control: los menores extranjeros en Europa", Nuevo mundo, nueva Europa. La redefinición de la Unión Europea en la era del Brexit, Tirant lo Blanch, Valencia, 2021.

Entre sus proyectos de investigación, nos referiremos tan sólo a la última década, destacando: "La mediación familiar como alternativa en la resolución de conflictos: Su implantación en Andalucía". SEJ-351. Entidad financiadora: Consejería de Innovación, Ciencia y Empresa. Junta de Andalucía. Duración: 16/12/2008 - 16/12/2011. Investigadora principal: Rocío López San Luis; "Saber nombrar, saber convivir. El ABC de la extranjería". CS2009-05496-E. Entidad financiadora: Ministerio de Ciencia e Innovación. Duración: 2009-2010. Investigadoras principales: Pilar Carrasco y Mercedes Moya Escudero; "Análisis transversal de la integración de mujeres y menores extranjeros nacionales de terceros Estados en la sociedad andaluza. Problemas en el ámbito familiar". P09-SEJ- 4738. Entidad financiadora: Consejería de Innovación, Ciencia y Empresa. Junta de Andalucía. Duración: 02/02/2010 - 02/02/2014. Investigadora principal: Mercedes Moya Escudero; "El Derecho ante las formas contemporáneas de esclavitud". DER2011-25796. Entidad financiadora: Ministerio de Ciencia e Innovación. Investigador principal: Esteban Pérez Alonso. Duración: 01/01/2012 – 01/01/2015; "Movilidad internacional de personas: el impacto jurídico-social en España y en la UE de la adquisición de la nacionalidad española por la población inmigrante". DER2016-75573-R. Entidad financiadora: Ministerio de Ciencia e Innovación. Duración: 2017-2020. Investigadora principal: Mercedes Moya Escudero; "Globalizing the Union's Debate: Internal and External Leadership in an Era of Challenges-EUGLOBAL". 599757-EPP-1-2018-1-ES-EPPJMO-PROJECT. Duración: 2018-2020. Proyecto Jean Monet.

No podíamos concluir este breve recorrido sin destacar algunas de sus cualidades académicas más relevantes: la generosidad y la preocupación constante por el equipo humano que, a lo largo de su trayectoria, ha liderado o influenciado. Siempre ha entendido la vida académica, como una vida de entrega y de esfuerzo hacia los demás, tanto de su alumnado como de sus propios compañeros. Por todo ello podemos afirmar que la profesora Mercedes Moya Escudero es un referente teórico-práctico, ejemplo de dedicación, altruismo y un modelo de conducta a seguir por las nuevas y viejas generaciones de juristas, así como de otros profesionales universitarios con los que ha compartido entusiasmo y ganas de aprender.

Su brillante paso como estudiante y como docente por la Facultad de Derecho de la Universidad de Granada, nos llena de orgullo a todos los que nos reconocemos como sus amigas y amigos y compañeros. En nombre de todos ellos y de su familia, quiero expresar públicamente nuestro más profundo afecto y reconocimiento a su persona. Toda su vida, tanto académica como personal, ha estado marcada por la honorabilidad y la altura de miras, no dejándose nunca arrastrar por los obstáculos que forman parte de toda vida exitosa. Como ella misma afirma, "en los momentos más duros de mi vida académica siempre me he llenado de valor y he resurgido como el ave fénix, superando en todo el momento el desánimo, y trabajando aún más". Ese talante luchador y soñador al mismo tiempo le ha permitido superar dificultades personales muy duras, sin queja alguna, y con un ánimo que nos ha llenado de orgullo a quienes la hemos acompañado. Te admiramos y queremos Mercedes.

SEMBLANZA PERSONAL

ANDRÉS RODRÍGUEZ BENOT

Catedrático de Derecho internacional privado
Universidad Pablo de Olavide

Me corresponde el honor de ser uno de los elegidos para glosar, en este libro homenaje, la vida y la obra de Mercedes Moya Escudero, a quien tuve la suerte de conocer a inicios de los noventa, al principio de mi carrera académica, en una actividad de profesores de DIPr. Desde entonces me erigí en presidente de su club de fans. Un puesto muy reclamado, cierto; pero desconfíen: el auténtico soy yo.

El sentimiento que me invade hoy, treinta años después, es doble y contradictorio: por una parte, de tristeza, pues se trata de un momento que nunca hubiera querido que llegase; pero, por otra parte, de júbilo, pues, con esta semblanza personal, tengo la oportunidad de rendir públicamente homenaje a quien ha sido y será una extraordinaria profesora, compañera y amiga.

Concretamente, me corresponde hablar de Mercedes Moya y la docencia del DIPr. En definitiva, me corresponde intervenir sobre su esencia más profunda, porque ella y la docencia son lo mismo: no se entiende a Mercedes Moya sin la docencia, ni se entiende la docencia del DIPr. en la Universidad de Granada sin Mercedes Moya. Es más, mientras enseñaba, ha venido haciendo justicia a la reflexión de Séneca en el volumen VII de sus epístolas morales a Lucio: "*Homines dum docent discunt*", mientras se enseña se aprende. Hasta ir creciendo y creciendo para ser la más grande.

"Algún día vendrá un viento fuerte que me lleve a mi sitio" (León Felipe)

Mercedes nació no hace mucho en la localidad almeriense de Berja, del viejo Reino de Granada, en el seno de una familia laboriosa y feliz. De su padre, oficial del Registro Civil, heredó la vocación por el Derecho, la primera y única que tuvo; de su madre, nada menos que ama de casa, aprendió a ser fuerte y alegre en la vida.

Con 17 años, terminado el Bachillerato con honores, se trasladó a Granada donde se licenció en Derecho en esta Universidad en 1976 con la calificación de sobresaliente y decidió ser pobre de por vida dedicándose a la docencia y a la investigación. Mercedes fue llamada a enseñar desde su juventud.

"Y llegó un viento fuerte"

El ciclón docente que con este libro homenajeamos arrancó como profesora ayudante en la Universidad de Granada en 1978 en la cátedra de su maestro don

Antonio Marín López. Había nacido una estrella el año en que se promulgaba nuestra Constitución, se celebraba el mundial de fútbol en Argentina (que ganó la anfitriona con gol final del sevillista Bertoni) o era elegido Papa San Juan Pablo II.

En 1981 Mercedes alcanzó el grado de Doctora en Derecho con una celebrada tesis acerca del contrato de trabajo en el DIPr. español, calificada con sobresaliente *cum laude* por unanimidad; una obra que ha sido durante años el principal referente científico de un sector poco abordado por la doctrina hasta entonces. Una tesis de las que consagran de por vida a un doctor. Logró, a partir de entonces, consolidar su carrera docente hasta concluirla oficialmente este año.

Entre medio, Mercedes supo construir una maravillosa familia, con su contrapunto y su amor en la vida, José, del que nacieron dos hijas extraordinarias, que felizmente han continuado la senda universitaria. Una familia con la que he tenido el honor de compartir los momentos de tristeza (los menos) y de alegría (la mayoría). Y es que Mercedes me ganó para siempre, tengo que confesarlo públicamente, con un inigualable remojón granadino una noche de primavera en la bodeguilla de su casa de retiro, en compañía de nuestro común amigo José Chamizo. Aún hoy lo recordamos con añoranza cuando coincidimos.

Han sido, pues, 44 años ininterrumpidos de ejercicio académico en la Universidad de Granada. ¿44 años de endogamia, se preguntarán? La respuesta es no: para que concurra esta práctica requiere el vocablo en el diccionario de la Real Academia Española que se dé una actitud de rechazo a la incorporación de miembros ajenos al propio grupo o institución. Mercedes nunca rechazó a nadie, antes al contrario, tuvo siempre abiertas las puertas de su despacho -y de su corazón- a todo el que quisiera incorporarse al área de DIPr. de la Universidad de Granada y trabajar con ella; aunque ello pudiera ir en contra de sus propios intereses personales y académicos. Es lo que tiene ser tan noble y hacer primar el bien del otro sobre el propio.

Pero es que, además, no hay que confundir endogamia, como rechazo del extraño, normalmente para favorecer al local mediocre, con la cantera. Afortunada y acertadamente, la Universidad de Granada supo ver que aquella semilla de mostaza proveniente del poniente almeriense terminaría siendo, como en la parábola evangélica, un inmenso y frondoso árbol, en cuyas ramas anidarían las aves del cielo. Porque el paso de Mercedes por esta Casa ha sido casi medio siglo de dar y de darse, de entregar y de entregarse.

"Y el viento fuerte la llevó a su sitio"

Del tronco de ese firme y robusto árbol fueron naciendo muchas ramas. Me limitaré a observar tres de ellas: la de Mercedes como docente, la de Mercedes como investigadora y la de Mercedes como consejera.

1. Mercedes, decía, ha sido y es la docencia. En mayúscula.

   a) En primer lugar, por su profesionalidad inquebrantable en la preparación de sus clases, por poca relevancia que pudiera tener la que
   le tocara al día siguiente; se debía a sus alumnos y no podía defrau-
   darlos. ¡Qué ejemplo para todos y qué admiración le siguen teniendo los que, en legión, han pasado por sus aulas! Con elegancia y
   humildad, Mercedes nos ha demostrado que la verdadera calidad e
   innovación docentes consisten en enseñar bien, no en cumplimen-
   tar aplicaciones ni colgar evidencias en páginas webs. Esta otra "calidad" está consiguiendo acabar con la docencia de calidad.

   b) En segundo término, Mercedes es la docencia por su capacidad pe-
   dagógica. Ha sido un modelo de enseñar, de transmitir, de ilusionar.
   Recuerdo personalmente un curso de formación de jueces y magistrados del Consejo General del Poder Judicial en Madrid en junio de
   2002 sobre multiculturalidad y Derecho. Pese al elevado nivel de los
   ponentes, el interés de los asistentes no terminaba de despertarse.
   Hasta que llegó ella y, como los grandes toreros en las grandes tardes,
   puso la plaza bocabajo con su intervención sobre el secuestro internacional de menores. Como la faena de Curro Romero a un toro de
   Juan Pedro Domecq en la feria del Corpus de Granada de 1973 que,
   cuentan los ángeles del cielo, paró los relojes de la tierra. Así se enseñaba y así lo aprendí para siempre.

   c) Por fin, el compromiso de Mercedes con la docencia se ha manifestado en su apuesta exigente y arriesgada por un área de DIPr. po-
   tente, presente en el mayor número de titulaciones posibles, con las
   máximas asignaturas que cupiese. Sabedora de que ello requeriría
   obreros para tanta mies, justificó así la incorporación de nueva y rica
   sabia al área. A ello me referiré en un momento.

El mérito global de esta faceta docente de Mercedes se ha manifestado, entre
otros muchos, en dos reconocimientos extraordinarios: el premio a la excelencia
docente 2005 de la Universidad de Granada en el área de Ciencias sociales, económicas y jurídicas; y la insignia de plata y distinción honorífica de la Facultad de
Traducción e Interpretación de la Universidad de Granada en 2009.

2. La segunda rama del frondoso árbol que Mercedes representa a la que
   me referiré es la investigación. No cansaré a los lectores con una relación
   de méritos investigadores en forma de obras científicas, dirección de grupos y proyectos competitivos, participación en comités científicos, organización de actividades, participación en congresos y seminarios, dictado de
   conferencias o transferencia del conocimiento. Me ceñiré a destacar tres

de las líneas de investigación en que Mercedes es un referente científico a nivel nacional o internacional.

a) Es el caso, por ejemplo, del Derecho de la nacionalidad y del Derecho de extranjería. Mercedes tuvo el mérito de elevar a la máxima categoría científica dos sectores en buena medida ignorados y a los que incluso cierta doctrina negaba su adscripción al DIPr. Cuando precisamente, como ha escrito acertadamente nuestra querida Elisa Pérez Vera, ambos conforman nada menos que el estatuto del ser humano en las relaciones privadas internacionales. Culminación de esta línea de trabajo ha sido la dirección de la monumental obra *Movilidad internacional de personas y nacionalidad* publicada en 2021 por Tirant lo Blanch. No menos relevante ha resultado su dirección durante años del Experto y del Máster en Derecho de extranjería de la Universidad de Granada, considerado por el diario El Mundo el mejor de España durante varias ediciones, que ha generado una fértil cantera de profesionales y estudiosos repartidos por toda nuestra geografía o incluso fuera de nuestras fronteras.

b) Otra de las líneas en que sobresale el magisterio investigador de Mercedes es el de la protección de mujeres y de menores extranjeros en todas sus variantes. Ella ha sabido marcar una línea de trabajo creando redes y sumando esfuerzos entre la universidad, las administraciones, las ONGs, la abogacía y la justicia que han hecho de ella un referente insustituible en España en este campo.

c) La tercera línea de investigación a la que me referiré es la relativa al Derecho de familia y de sucesiones. Sobre ellos ha proyectado una visión integral del ser humano en sus relaciones *inter vivos* y *mortis causa* en un mundo globalizado. Atestigua los logros en este fundamental sector la dirección de otra relevante obra recientemente editada asimismo por Tirant lo Blanch: *Plurinacionalidad y Derecho internacional privado de familia y sucesiones.*

3. Junto a las ramas docente e investigadora, la tercera y última que quiero describir de las que nacen del frondoso árbol de Mercedes Moya es la de consejera. Dándose siempre a los demás, ha dedicado su tiempo -el que tenía y el que no tenía- a orientar, a apoyar, a animar o a aconsejar a todo el que se ha acercado a su órbita. De ahí que haya sido capaz de crear una escuela propia de DIPr. que hace de Granada una de las dos grandes de esta disciplina en España. Sobrecoge echar un vistazo a las tesis doctorales dirigidas, no sólo de iure sino también de facto, y a quiénes han sido sus autores: hoy consagrados profesores de DIPr. repartidos por diversas universidades de nuestro Reino.

Y concluyo. La labor universitaria de Mercedes Moya en DIPr. ha sido excepcional por su contenido, profundidad, variedad, orientación, organización y resultados. Pero lo más importante que nos ha enseñado, la principal lección que nos ha transmitido, es una manera de ser y de estar en la vida. Por todo ello habrán comprendido ya que el viento era ella.

Muchas gracias, Mercedes.

RETOS DEL DERECHO INTERNACIONAL PRIVADO ANTE LA MOVILIDAD INTERNACIONAL DE PERSONAS EN EL SIGLO XXI

LOS TÍTULOS NOBILIARIOS EN DERECHO INTERNACIONAL PRIVADO

ANDRÉS RODRÍGUEZ BENOT

Catedrático de Derecho internacional privado
Universidad Pablo de Olavide

I. ASPECTOS INTRODUCTORIOS

Tuve la fortuna de conocer a Mercedes Moya Escudero a finales de los ochenta en un acto académico. Aunque ya había tenido la ocasión de saber de ella -de
su personalidad, de su bonhomía, de su entusiasmo-, el encuentro personal me
produjo un impacto imposible de olvidar. Su manera de ser y de estar en la universidad -en definitiva, en la vida- era diferente a lo que había vivido y conocido
hasta el momento. Desde entonces la tomé como modelo en tantas cosas, a la vez
que he intentado seguir su impronta. En su quehacer académico, se ha de destacar la pasión y la profundidad puestas en los temas objeto de su investigación,
a los que se ha entregado con un convencimiento y una dedicación humanas
allende lo meramente académico. Entre dichos temas se halla el estatuto personal, entendido como la visión integral del régimen del ser humano en un mundo
complejo y global. Ello me ha hecho decantarme por un aspecto singular del mismo para esta obra colectiva: los títulos nobiliarios en tanto parte integrante del
estado civil de ciertas personas. La respuesta al interrogante -lógico- acerca de la
relación de la homenajeada con este sector halla una respuesta fácil: si ha habido
alguna persona noble en nuestro colectivo, en el sentido de honroso, generoso,
singular o estimable (cualidades recogidas en el Diccionario de la Real Academia
Española para este vocablo), es y será siempre Mercedes Moya Escudero.

Son diversas las concepciones sobre los títulos nobiliarios en los sistemas jurídicos que reconocen esta categoría[1]. Un análisis de Derecho comparado nos
pone de manifiesto la existencia, por un lado, de países que nunca los han

---

[1]   Un análisis al respecto puede verse en PERALTA CARRASCO, MANUEL DE, "El Derecho nobiliario en el Derecho internacional. Estudio de la pervivencia y actual vigencia de los títulos nobiliarios

regulado y/o admitido; por otro lado, de Estados que los han regulado y/o aceptado históricamente pero que han dejado de hacerlo (total o parcialmente), como es el caso por ejemplo de Francia, Grecia o Portugal[2]; y, por fin, de países
que aún los reconocen plenamente y los regulan como, por ejemplo, Bélgica,
España, Luxemburgo, Países Bajos o Reino Unido. Ojo: se han reubicado las dos
notas al pie en líneas precedentes

La presencia de un elemento extranjero en un título nobiliario (bien por la
autoridad o país de creación del mismo, bien por la nacionalidad o residencia
habitual de su portador) nos conduce a su tratamiento por el Derecho internacional privado. En esta disciplina es de destacar la ausencia generalizada de normas *ad hoc* (supraestatales o estatales) en los distintos sistemas para determinar la
competencia judicial, el ordenamiento aplicable o sus efectos extraterritoriales;
tal es el caso de España. Ello supone que resulta preciso acudir a otras normas
del sistema para abordar los problemas de Derecho internacional privado de los
títulos nobiliarios; lo que nos conduce, inevitablemente, a la calificación de esta
figura. Una calificación, avanzamos, poliédrica y compleja, lo que marcará el
tratamiento de la misma desde la perspectiva de los distintos aspectos de nuestra
disciplina.

Así, los títulos nobiliarios se incluyen en principio claramente en el estatuto
personal de los individuos; más concretamente formarían parte de los derechos
de la personalidad, en particular del nombre y apellidos, en calidad de accesorio
honorífico (*nomen honoris*) de éstos[3]. Además, los títulos nobiliarios se vinculan

---

en diferentes ordenamientos jurídicos", *Anuario de la Facultad de Derecho de la Universidad de Extremadura*, 2007, pp. 82-98.

[2]   En algunos de estos países surgen peculiaridades en orden a su tratamiento en relación con el
nombre y apellidos de las personas que los ostentan. En Italia la disposición transitoria y final XIV
de la Constitución de 21 de diciembre de 1947 dispone el no reconocimiento de los títulos nobiliarios si bien admite el uso, como parte del nombre y apellidos, de los existentes antes del 28 de
octubre del 1922. En Alemania, el art. 109 de la Constitución de Weimar de 11 de agosto de 1919
dispuso que los títulos nobiliarios únicamente serían válidos en adelante como parte del apellido
y que ya no podían otorgarse nuevos títulos nobiliarios; con arreglo al art. 123, apartado 1, de la
actual Ley Fundamental (*Grundgesetz*), dicha disposición sigue en vigor todavía, con rango de Ley
federal ordinaria.

[3]   *Cfr.* en la doctrina, por todos, AGUILAR BENÍTEZ DE LUGO, MARIANO, "Los títulos nobiliarios", en AA.VV., *Lecciones de Derecho civil internacional*, Tecnos, Madrid, 1996, p. 46. En el plano jurisprudencial, este planteamiento es sostenido asimismo por el Tribunal de Justicia de la UE (*infra*) y
por los órganos judiciales españoles mayoritariamente; en contra la sentencia del Tribunal Supremo de 21 de mayo de 1971, que afirmó que "por naturaleza propia, el título nobiliario no afecta
a los derechos ni deberes de familia, ni atañe al estado, condición, y capacidad de las personas; se
sale fuera del ámbito señalado en el art. 9 C.C." (pronunciamiento que el aludido autor, *loc. cit.*,
explica por el interés del Alto Tribunal de evadir la aplicación a la causa del Derecho venezolano,
que era la Ley personal del interesado); la sentencia del Tribunal Supremo de 17 de noviembre
de 1973 conceptuaría con posterioridad correctamente el problema como atinente al estado civil y
condición de las personas.

asimismo con el Derecho de sucesiones, por cuanto su transmisión *mortis causa* pretende garantizar su continuidad formal, así como el mantenimiento de los mismos en un linaje o grupo familiar[4]. Por último, los títulos nobiliarios atañen de igual modo al Derecho público puesto que su concesión (al igual que su autorización y rehabilitación) y régimen están sometidos a la autoridad igualmente pública.

II. DETERMINACIÓN DE LA AUTORIDAD COMPETENTE

Penetrando en el ámbito del Derecho internacional privado, caso de surgir un asunto acerca de la titularidad o utilización de un título nobiliario, el primer paso en el *iter lógico* de esta materia nos exige abordar la determinación de la autoridad competente para conocer del mismo. En el sistema español, la fragmentación de la institución a la que acabamos de referirnos nos requiere distinguir

---

En Derecho español, el párrafo tercero del art. 135 del Reglamento de la Ley del Registro Civil, aprobado por Decreto de 14 de noviembre de 1958, establece en sede de extensión de los asientos que en éstos "se expresarán los títulos nobiliarios o dignidades cuya posesión legal conste o se justifique debidamente en el acto". Este precepto fue el objeto de la sentencia 262/2012, de 20 de abril de 2012, de la Audiencia Provincial de Madrid (ECLI:ES:APM:2012:5099); en ella, en atención a una interpretación literal e histórica de tal norma, los magistrados decidieron que no se autorizaba que se expresasen en la inscripción de nacimiento los títulos nobiliarios que correspondieran a los progenitores del nacido o a otros parientes de su línea recta ascendente, sino tan solo los títulos o dignidades cuya posesión se justificara debidamente en el acto (estimando de este modo el recurso de apelación de la Abogacía del Estado, que actuó en representación de la Dirección General de los Registros y del Notariado frente a la sentencia del Juzgado de primera instancia nº 6 de Madrid de 22 de julio de 2011).

[4]   La histórica preferencia del hombre sobre la mujer, basada en el privilegio de la masculinidad, quedó definitivamente proscrita en el Derecho español con la Ley 33/2006, de 30 de octubre, sobre igualdad del hombre y la mujer en el orden de sucesión de los títulos nobiliarios, promulgada sobre la base del principio de no discriminación consagrado en el art. 14 de nuestra Constitución así como en la Convención para la eliminación de todas las formas de discriminación contra la mujer, adoptada en Nueva York el 18 de diciembre de 1979 (ratificada por España en 1984); la única excepción a esta doctrina es la representada por la sucesión a la Corona en virtud de lo dispuesto en el art. 57, apartado 1, de nuestra Carta Magna.
En el recorrido expuesto resultó llamativa la sentencia 126/1997, de 3 de julio, del pleno del Tribunal Constitucional, de la que fue ponente JULIO DIEGO GONZÁLEZ CAMPOS, que decidió que no era contraria al art. 14 de la Constitución la legislación entonces vigente, basada en el Derecho histórico (en particular las Partidas: Ley 2, Partida 15, Título II), del que derivaba la regla de preferencia del varón sobre la mujer, en igualdad de línea y grado, en el orden a regular las transmisiones *mortis causa* de títulos nobiliarios (*BOE* nº 171, de 18 de julio de 1997); dicha sentencia ha sido calificada como "inefable" por CALVO CARAVACA, ALFONSO LUIS y CARRASCOSA GONZÁLEZ, JAVIER, "Títulos nobiliarios", en CALVO CARAVACA, ALFONSO LUIS y CARRASCOSA GONZÁLEZ, JAVIER (Dirs.), *Tratado de Derecho internacional privado*, t. I, Tirant lo Blanch, Valencia, 2020, p. 1327. Últimamente, el art. 41 de la Ley 20/2022, de 19 de octubre, de memoria democrática (*BOE* nº 252, de 20 de octubre de 2022) ha suprimido 33 títulos nobiliarios y grandezas de España concedidos entre 1948 y 1978.

distintos aspectos para determinar si las autoridades patrias resultarían competentes; ello teniendo presente la inexistencia de instrumento supraestatal alguno al respecto en nuestro sistema.

1º) En lo que atañe a la concesión (al igual que a su autorización y rehabilitación) y al régimen de un título, dada la naturaleza de Derecho público de la cuestión (*supra*), en ausencia de instrumento supraestatal que vincule a nuestro Reino es preciso acudir al art. 24 de la Ley Orgánica del Poder Judicial. Conforme al principio de la competencia exclusiva de las autoridades del Estado del otorgamiento, tal precepto atribuiría la misma a las españolas si se tratase de una pretensión referida a actos de las administraciones públicas españolas o de los poderes públicos españoles de acuerdo con lo que dispongan las leyes.

2º) En lo que concierne a la perspectiva sustantiva de los títulos en tanto que integrantes del derecho a la personalidad (nombre y apellidos), de nuevo hemos de acudir a la citada Ley Orgánica para verificar la competencia de nuestras autoridades dada la ausencia de instrumento supraestatal que vincule a España en la materia. Más concretamente, de sus arts. 22 ter y 22 quáter se deriva que lo serían cuando el demandado tuviese su domicilio o su residencia habitual en España. Dado que se considera en nuestro sistema que una persona física está domiciliada en España cuando tenga en ella su residencia habitual (arts. 22 ter, apartado 2, de la reiterada Ley Orgánica y 40, párrafo 1, del Código Civil), ambos foros se reducirían a uno solo[5].

3º) En lo que afecta a la transmisión sucesoria de los títulos nobiliarios, es preciso delimitar la doble faceta de la figura, sobre la que nos detendremos en el siguiente capítulo, a los fines de determinar la competencia de las autoridades. En lo que atañe a la naturaleza administrativa de la institución, la intervención pública en este campo en cuanto a la expedición y refrendo de la carta de sucesión nos encamina al citado art. 24 de la Ley Orgánica del Poder Judicial. En lo que concierne a la dimensión substantiva de la

---

[5]   Ante la ausencia de definición oficial de residencia habitual en nuestro ordenamiento invocamos el auto y la sentencia de la Audiencia Provincial de Lérida de 9 de septiembre de 2021 (ECLI:ES:APL:2021:466A) y de 5 de abril de 2022 (ECLI:ES:APL:2022:357), respectivamente, que disponen que el concepto de residencia habitual es adaptable a las circunstancias de hecho, un concepto de textura abierta, que se identifica con el centro de vida de la persona en cuestión, revistiendo el contexto social y jurídico una extrema importancia; en definitiva, la idea básica de la noción de residencia habitual radicaría -según estas dos decisiones- en la integración real o arraigo de la persona en un medio social y jurídico determinado por cuanto refleja la vinculación más estrecha de un sujeto con un país concreto (esto es, un vínculo real entre el sujeto y un medio social específico). Con carácter general, sobre la residencia habitual en Derecho internacional privado puede verse BAETGE, DIETER, *Der gewhönliche Autenhalt im internationalen Privatrecht*, J.C.B. Mohr, Tubinga, 1994 y SEBALHOS JORGE, MARIANA, *A residência habitual no Direito internacional privado*, Arraes, Belo Horizonte, 2018.

sucesión nobiliaria[6], de nuevo es preciso acudir a esta norma para afirmar la competencia de las autoridades españolas si en nuestro territorio se hallase la última residencia habitual del causante (art. 22 quáter)[7].

III. DETERMINACIÓN DEL ORDENAMIENTO APLICABLE

Suponiendo competente a una autoridad española para conocer de un asunto relativo a un título nobiliario con implicación internacional, el siguiente paso del *iter* lógico de nuestra disciplina consiste en determinar el ordenamiento aplicable al fondo de tal asunto. De nuevo el carácter plurifacético de esta institución nos exige distinguir el aspecto concreto para el que habría que concretar la *lex causae*[8].

1°) Si la cuestión versase sobre el acto de concesión (o de autorización o de rehabilitación) o sobre el régimen del título, una vez más la naturaleza pública de la cuestión (*supra*) nos obliga a acudir a las soluciones generales en ausencia de instrumento supraestatal en nuestro sistema. Por ello sería de aplicación la *lex cartae concessionis* u ordenamiento del país de otorgamiento del título[9]. Según ALFONSO LUIS CALVO CARAVACA y JAVIER CARRASCOSA GONZÁLEZ, dicha ley se extendería a los siguientes aspectos[10]: a) a qué persona corresponde el título nobiliario[11]; b) las prerrogativas que comportaría el título nobiliario[12]; c) y la adquisición del título nobiliario, incluida la sucesión en el mismo por fallecimiento del titular (*infra*).

---

[6]   El Reglamento (UE) 650/2012, de 4 de julio de 2012, relativo a la competencia, la ley aplicable, el reconocimiento y la ejecución de las resoluciones, a la aceptación y la ejecución de los documentos públicos en materia de sucesiones *mortis causa* y a la creación de un certificado sucesorio europeo, vigente en nuestro sistema, excluye de su ámbito de aplicación material el estado civil (art. 1, apartado 2, letra a).

[7]   Sobre esta cuestión véase el interesante trabajo de PÉREZ MARTÍN, LUCAS ANDRÉS, "Propuesta de un concepto de residencia habitual de ámbito europeo en situaciones conflictivas de Derecho de familia y sucesiones", *Anuario Español de Derecho Internacional Privado*, 2018, pp. 469-494.

[8]   En palabras de AGUILAR BENÍTEZ DE LUGO, MARIANO, "el supuesto relativo a los títulos nobiliarios no constituye un todo unitario, compacto, monolítico, sino que es fragmentario y se escinde en una pluralidad de planos, de aspectos, que pueden reclamar la utilización de distintas conexiones y la competencia de diferentes ordenamientos jurídicos": *op. cit.*, p. 46.

[9]   AGUILAR BENÍTEZ DE LUGO, MARIANO, *ibidem.*

[10]   "Títulos nobiliarios", *cit.*, p. 1327.

[11]   Hasta el punto de que, según tales autores, las autoridades españolas no pueden declarar nula una carta de sucesión, incluso discriminatoria, otorgada por autoridades extranjeras: *op. cit.*, p. 1328.

[12]   En Derecho español ninguna, según lo indicado en la exposición de motivos de la señalada Ley 33/2006 de 30 de octubre; como recuerdan CALVO CARAVACA, ALFONSO LUIS y CARRASCOSA GONZÁLEZ, JAVIER, "los títulos nobiliarios son distinciones meramente honoríficas que no otorgan ningún estatuto jurídico privilegiado a su titular. Éste dispone, exclusivamente, del derecho a usarlo y a protegerlo frente a terceros" (*op. cit.*, pp. 1326-1327).

2°) Si, en cambio, el asunto se refiriese a la perspectiva del título nobiliario como derecho de la personalidad (nombre y apellidos), la solución establecida en nuestro sistema de Derecho internacional privado consiste en aplicar al fondo la Ley personal del individuo como ordenamiento rector de su estatuto personal. Así se deriva del Convenio de Múnich de 5 de septiembre de 1980 relativo a la Ley aplicable a los nombres y apellidos, en el que España es parte desde 1990, que dispone la aplicación del ordenamiento del Estado de la nacionalidad de la persona en cuestión aunque se trate de un Estado no parte en el Convenio (por cuanto el mismo despliega la denominada eficacia universal o *erga omnes* conforme a lo dispuesto en su art. 2)[13]; con carácter subsidiario dispone el Convenio que, en defecto de nacionalidad, se aplicará la *lex fori*, esto es, el ordenamiento del Estado de la autoridad que estuviera conociendo del asunto, por lo que si fuera competente *in casu* una autoridad patria se aplicaría el Derecho español[14].

3°) Finalmente, si la cuestión concerniese a la transmisión sucesoria del título nobiliario, existe una cierta disparidad doctrinal y jurisprudencial entre nosotros. A nuestro entender habría que deslindar dos aspectos.

a) Si nos referimos a la carta de sucesión, en tanto que acto emanado de autoridad pública el ordenamiento aplicable al fondo sería la misma *lex cartae* a la que nos hemos referido con anterioridad.

b) Si la cuestión versase sobre la perspectiva substantiva de la sucesión, nuestro sistema de Derecho internacional privado carece de instrumento supraestatal en la materia[15]. Pese al reducido ámbito que la *lex cartae* deja a esta materia, sería la *lex successoria* la aplicable conforme

---

No obstante, entendemos que la aplicación en nuestro país de un Derecho extranjero que reconociese alguna prerrogativa al titular de un título nobiliario no sería obligatoriamente contraria a nuestro orden público internacional, pues ello dependería de la naturaleza de tal merced: por ejemplo, debería ser admisible el uso de pasaporte diplomático por portadores de títulos nobiliarios extranjeros en España pese a que el disfrute de su uso por los españoles fue eliminado por el Real Decreto 1023/1984, de 23 de mayo. Más estrictos parecen mostrarse los citados autores, para quienes no debería aplicarse en España, por contrariar nuestro orden público internacional, una ley extranjera que estableciese un "estatuto jurídico privilegiado" para los poseedores del título: *ibidem*, p. 1328.

[13] Ello provoca el desplazamiento o substitución de los arts. 9, apartado 1, de nuestro Código Civil y 219 del Reglamento del Registro Civil que, no obstante, consagran idéntica solución: considerar como *lex personae* el Derecho del país de la nacionalidad del individuo.

[14] RODRÍGUEZ BENOT, ANDRÉS, "El estatuto personal", en RODRÍGUEZ BENOT, ANDRÉS (Dir.), *Manual de Derecho internacional privado*, 9ª ed., Tecnos, Madrid, 2022, p. 169. En contra de la aplicación del Convenio de Múnich a los títulos nobiliarios (y, en general, de someterlos a la ley personal) *cfr.* CALVO CARAVACA, ALFONSO LUIS y CARRASCOSA GONZÁLEZ, JAVIER, "Títulos nobiliarios", *cit.*, p. 1327.

[15] En efecto, como se ha señalado no es de aplicación el Reglamento (UE) 650/2012 ni España es parte en el Convenio de La Haya de 1 de agosto de 1989 sobre la ley aplicable a las sucesiones por causa de muerte.

a lo dispuesto en el art. 9, apartado 8, de nuestro Código Civil[16]; esto es, el ordenamiento del país de la nacionalidad del causante en el momento del otorgamiento del testamento (si la sucesión fuese testada) o en el momento del fallecimiento (si la fuese intestada)[17].

De resultar aplicable un ordenamiento extranjero en los casos de las letras a) o b), contra ello actuaría radicalmente la excepción de orden público del art. 12, apartado 3, del mismo cuerpo legal si aquél resultase contrario a nuestros valores esenciales de orden constitucional en este campo; tal sería el caso del atentado contra el principio de igualdad y no discriminación en la sucesión nobiliaria de mujeres y hombres (*ex* Convención de Nueva York de 18 de diciembre de 1979 y art. 14 de nuestra Constitución, *supra*)[18].

Un adecuado análisis global o de conjunto de la cuestión sucesoria desde la perspectiva del Derecho internacional privado requeriría una toma en consideración cumulativa y coordinada de las leyes aplicables a ambas facetas expuestas, pudiendo ocurrir que ambas confluyeran en un mismo y único ordenamiento[19].

IV. EFECTOS EXTRATERRITORIALES

Abordada la determinación de la autoridad competente y del ordenamiento aplicable a los asuntos que afecten a títulos nobiliarios, la fase final del *iter* lógico que recorre el Derecho internacional privado consiste en los pretendidos efectos

---

[16]   Prácticamente se reduciría a dos supuestos: por un lado, que la Real Carta de concesión permitiera al titular designar el sucesor en el título y, por otro lado, la denominada *sucesión por distribución*, por cuya virtud se atribuiría al poseedor de varios títulos la facultad de distribuirlos entre sus hijos, reservando el principal para el inmediato sucesor, todo ello siempre supeditado a las limitaciones y reglas establecidas en las correspondientes cartas de concesión; en ambos casos la voluntad del titular se manifestaría a través de testamento, a cuyo fin habría que aplicar, además, las correspondientes normas de conflicto en materia de capacidad y de forma. En los casos de *sucesión regular* (aquella que determinan las disposiciones normativas aplicables) y de *sucesión irregular* (aquella en que el orden de sucesión aparece establecido en la Real Carta de concesión del título), no cabría manifestación de voluntad *mortis causa* alguna por parte del tenedor del título. Sobre ello véanse LÓPEZ VILAS, RAMÓN y MARTELO DE LA MAZA GARCÍA, MARCIAL, *Nuevo Derecho nobiliario*, Tirant lo Blanch, Valencia, 2009, pp. 51-52.

[17]   En esta línea *cfr.* las sentencias del Tribunal Supremo de 10 de octubre de 1960, de 21 de mayo de 1971 y de 17 de noviembre de 1973. En contra CALVO CARAVACA, ALFONSO LUIS y CARRAS-COSA GONZÁLEZ, JAVIER, que consideran errónea esta jurisprudencia pues "la sucesión del título nobiliario no se rige por la ley aplicable a la sucesión del causante", *op. cit.*, p. 1327.

[18]   En esta misma línea CALVO CARAVACA, ALFONSO LUIS y CARRASCOSA GONZÁLEZ, JAVIER, *ibidem*, p. 1328.

[19]   Por ejemplo, porque la *lex cartae* y la ley nacional del causante fuesen el ordenamiento de un mismo Estado: es lo ocurrido en el caso resuelto por la sentencia del Tribunal Supremo de 17 de noviembre de 1973.

que puedan desplegar en un Estado los títulos nobiliarios creados al amparo del ordenamiento de otro Estado. Esta cuestión ha de ser analizada desde la base del postulado general de sometimiento a las normas de Derecho público que implica el uso de un título nobiliario en un país concreto; principio que supone la aplicación de la legislación del Estado donde se pretenda ostentar aquél (recuérdese que existen países que impiden o no reconocen el uso de títulos nobiliarios en su territorio)[20]. A partir de este punto distinguiremos entre la utilización de títulos nobiliarios españoles por extranjeros y la utilización de títulos nobiliarios extranjeros en España.

1. La utilización de títulos nobiliarios españoles por extranjeros

Los ciudadanos no españoles tienen derecho a la posesión legal y al disfrute de títulos nobiliarios españoles[21]. Se trata de un derecho que se asienta en el principio de equiparación entre españoles y extranjeros en cuanto al goce de derechos civiles (*ex* art. 27 de nuestro Código Civil). Así lo ha establecido la jurisprudencia de nuestro Tribunal Supremo (sentencia de 10 de octubre de 1960), incluso aunque el país de la nacionalidad del extranjero no reconozca los títulos nobiliarios (sentencia de 21 de mayo de 1971 respecto de un nacional venezolano[22]).

2. La utilización de títulos nobiliarios extranjeros en España

El incremento de las situaciones de tráfico externo en una sociedad globalizada nos conduce al análisis de la pretensión del uso en España de una merced obtenida al amparo de un ordenamiento extranjero[23]. En concreto, el uso de títulos nobiliarios extranjeros en España por nacionales españoles es una práctica

---

[20]   Acerca de esta manifestación del principio de territorialidad, véase la Nota de PECOURT GARCÍA, ENRIQUE, en la *Revista Española de Derecho Internacional*, 1963, nº 1-2, p. 142. En opinión de CALVO CARAVACA, ALFONSO LUIS y CARRASCOSA GONZÁLEZ, JAVIER, se trata de una cuestión de Derecho de extranjería: cada Estado determina si las personas pueden utilizar en su territorio, y en qué condiciones, títulos nobiliarios extranjeros: *op. cit.*, p. 1327.

[21]   AGUILAR BENÍTEZ DE LUGO, MARIANO, *op. cit.*, pp. 45-46

[22]   La misma consideró que la prohibición del art. 61 de la constitución venezolana de 1961, al decir que "No se reconocerán títulos nobiliarios ni distinciones hereditarias", había de interpretarse como que no priva de la libertad de pedir, obtener y usar tales títulos, conforme a la legislación de un país que los admite; llegando a considerar el Alto Tribunal -en cuanto a los efectos- la posibilidad de usar y disponer, por dicho ciudadano extranjero, de la merced -al menos a título privado-, al decir que: "no se reconozcan oficialmente, aunque de modo particular pueden usarse, incluso en la misma Venezuela". Sobre ello véase PERALTA CARRASCO, MANUEL DE, *op. cit.*, p. 86.

[23]   Obsérvese que este supuesto cubriría los casos en que el titulado fuera tanto español como extranjero residente en España: VARGAS-ZÚÑIGA Y MONTERO DE ESPINOSA, ANTONIO DE, *Derecho nobiliario histórico*, ed. Hidalguía, Madrid, 1961, pp. 42 y ss.

extendida en los últimos tiempos dado el deseo de un sector de la población de acceder a la nobleza, por una parte, y la limitación para conseguirlo mediante un título del Reino de España, por otra. Hasta el punto, como tendremos ocasión de abordar más adelante, de aparecer con frecuencia supuestos fraudulentos.

La utilización en España de títulos nobiliarios extranjeros está sometida a los siguientes requisitos[24].

1°) La exigencia de autorización prevista en el art. 17 del Real Decreto de 27 de mayo de 1912 sobre concesión y rehabilitación de Títulos y Grandezas de España[25]. Para conceder tal autorización el precepto requiere que, en el momento de la solicitud, dicha utilización tenga una "significación valiosa para España" (o un "relieve extraordinario para España" según la exposición de motivos del Real Decreto 222/1988, de 11 de marzo, por el que se modifican los Reales Decretos de 27 de mayo de 1912 y 8 de julio de 1922 en materia de Rehabilitación de Títulos Nobiliarios)[26]. Como ha establecido la jurisprudencia, esa significación valiosa o ese relieve extraordinario suponen que el solicitante interesado, en quien recae la carga de la prueba, debe acreditar que el título extranjero posee en sí, por determinadas circunstancias, una existencia significativa y relevante en la sociedad española[27].

2°) La valiosa significación y el relieve extraordinario para España a que nos hemos referido deberá ser apreciada por la Diputación de la Grandeza de España y por el Consejo de Estado, que deben emitir sendos informes preceptivos.

3°) La autorización, en su caso, corresponde concederla al Ministerio de Justicia mediante Orden, que es publicada en el Boletín Oficial del Estado[28]. Denegada la autorización, no podrá reiterarse la solicitud mientras

---

[24] Para mayor detalle *vid.* ATIENZA Y NAVAJAS, JULIO DE, "El reconocimiento en España de los títulos nobiliarios extranjeros", en *Comunicaciones y Conclusiones del III Congreso Internacional de Genealogía y Heráldica*, Instituto Internacional de Genealogía y Heráldica, Madrid, 1955, pp. 173-177.

[25] *Gaceta de Madrid* n° 150, de 29 de mayo de 1912.

[26] *BOE* n° 67, de 18 de marzo de 1998. Más concretamente, dicha exposición de motivos señala que "...las autorizaciones de uso de los españoles de títulos extranjeros han sufrido una desnaturalización de su significado, pasando a configurarse en la actualidad como una corroboración del título extranjero mediante el Real Despacho español y siendo utilizado dicho título extranjero en la vida social con equivalencia a un título del Reino. La situación descrita hace conveniente que la utilización de uso se condicione a un relieve extraordinario para España del título en cuestión".

[27] Así, sentencias de la Audiencia Nacional (Sala de lo Contencioso) 1698/2014, de 14 de abril (ECLI:ES:AN:2014:1698), y del Tribunal Supremo (Sala de lo Contencioso) 5008/2015, de 30 de noviembre (ECLI:ES:TS:2015:5008), a propósito de sendos títulos pontificios de Marqués.

[28] En la web del citado Ministerio aparece un modelo de formulario (con sus instrucciones) para solicitar la autorización de uso de título nobiliario extranjero, que va dirigido a la División de Derechos de Gracia y Otros Derechos, Subsecretaría del Ministerio de Justicia: https://www.mjusticia.gob.es/es/ciudadania/tramites/titulos-nobiliarios-grandezas; a tal División cabe asimismo acudir para

no concurran nuevas circunstancias (y, naturalmente, se prueben por el interesado).

4º) La acreditación fehaciente de la titularidad se efectúa mediante Real Carta de autorización de uso en España, expedida por el Rey (tratándose de un acto graciable por parte de éste)[29] y refrendada por el Ministro de Justicia, previo pago del impuesto de transmisiones patrimoniales.

5º) Los españoles que aspiren a obtener autorización real para ostentar en España títulos extranjeros en calidad de sucesores en línea directa o transversal de quienes previamente habían sido favorecidos con análogas autorizaciones, habrán de solicitarlo en instancia dirigida al Rey[30].

Según anticipábamos, una serie de factores ha dado pie a que de un tiempo a esta parte se generen supuestos fraudulentos o engañosos en la utilización de títulos extranjeros en España. Es el caso, por ejemplo, de títulos obtenidos mediante pago a través de páginas webs, que carecen de nulo valor en España[31]. Otro supuesto nada extraño es el de utilización de títulos nobiliarios otorgados por Casas Reales extranjeras no reinantes, normalmente previo abono de tal merced[32]. En ocasiones se produce el uso de títulos extranjeros o españoles simplemente inventados o inexistentes[33].

A fin de evitar esta picaresca (en particular respecto del último tipo de supuesto referido), el Consejo General del Notariado y la Diputación de la Grandeza de

---

consultar oficialmente el elenco de títulos nobiliarios y grandezas españolas. A modo de ejemplo, la Orden de 2 de julio de 1982 autorizó al conocido empresario José María Ruiz-Mateos Jiménez de Tejada a usar en España el título de Marqués de Olivara, que le había sido otorgado por la República de San Marino (*BOE* nº 202, de 24 de agosto de 1982).

[29]   El art. 62, letra f), de nuestra Constitución dispone que corresponde al Rey "...conceder honores y distinciones con arreglo a las leyes".

[30]   Este procedimiento se regula por la Real Orden del Ministerio de Gracia y Justicia de 26 de octubre de 1922 dictando reglas encaminadas a especificar la forma en que habrán de cursarse expedientes donde se ventile la cuestión jurídica sucesoria en títulos extranjeros que sirva de antecedente a la liquidación fiscal, *Gaceta de Madrid* nº 301, de 28 de octubre de 1922.

[31]   Usuales son las que venden títulos de Baronías o de *Laird* (*Lord*) en Escocia, a veces asociadas a una propiedad inmobiliaria en tal país.

[32]   A título de curiosidad, en septiembre de 2013 se denegó la inscripción en la Oficina Española de Patentes y Marcas de la marca *Asociación Española de la Nobleza Extranjera*, cuya web actualmente está desactivada (www.aene.es).

[33]   Un caso paradigmático es el Principado de Marbella, que ostenta un ciudadano español. Se da la sorprendente circunstancia de que su actual titular compareció ante notario de dicha localidad, que levantó acta de notoriedad de declaración, la cual fue a su vez publicada en el *BOE* (nº 315, de 30 de diciembre de 2016) previo cumplimiento de las obligaciones fiscales ante la Hacienda Pública española; en tal acta se calificaba tal título nobiliario nada menos que como "dignidad principesca del Reino de España con carácter vitalicio". Ese proceder provocó la reacción de la Diputación de la Grandeza de España que, en un comunicado, expuso que "el uso del supuesto título constituye un fraude de ley inadmisible".

España subscribieron un convenio el 28 de mayo de 2019[34]. Su objetivo es evitar que un documento notarial pueda ser utilizado para hacer creer a terceros que se está en posesión de una grandeza de España o de un título del Reino de España; de este modo, ambas entidades desean contribuir a preservar los derechos y prerrogativas reservadas al Rey en la Constitución española (recuérdese el art. 62, letra f) y las competencias atribuidas legalmente al Ministerio de Justicia en la tramitación de los procedimientos administrativos sobre grandezas y títulos nobiliarios. En el acuerdo las partes asimismo manifiestan que desean evitar que los ciudadanos puedan ver lesionados sus derechos e intereses legítimos, incluidos los patrimoniales, cuando bajo la apariencia de la posesión inexistente o ilegítima de un título nobiliario se pretendieran perpetrar actuaciones fraudulentas e, incluso, delictivas. En concreto la Diputación se compromete a tener actualizada la guía de títulos con los poseedores legales de las grandezas de España y los títulos del Reino, así como a atender las consultas que los notarios pudieran hacerles sobre la posesión legal de uno de estos títulos por una persona determinada. Por su parte, el Consejo General del Notariado se obliga a informar a los notarios de las cautelas que deben adoptar para evitar que un documento notarial pueda servir para dar apariencia de titularidad a un título nobiliario falso o falsificado (en particular les alertarán del riesgo de que las actas de manifestaciones, testimonios y legitimación de firmas pudieran usarse para crear una falsa apariencia de titularidad)[35].

No podemos concluir este apartado sin hacer referencia al caso de los laudos arbitrales italianos que dirimen supuestas disputas acerca de la titularidad de un título nobiliario (normalmente de tal país). Aunque existen diferentes técnicas y tácticas, en esencia se pretende que un tal pronunciamiento sea reconocido en España con los efectos que ello pudiera conllevar a los fines de la utilización de un título extranjero en nuestro territorio. El caso más célebre sea quizás el del Condado de la Carrera, que fue objeto del auto de la Audiencia Provincial de Madrid (sección 25) 225/2011, de 16 de diciembre[36]. A raíz de lo establecido

---

[34] El texto puede consultarse en las webs oficiales de ambas instituciones. Con anterioridad, la Junta Directiva del Ilustre Colegio Notarial de Madrid había adoptado el de 2 de junio de 2003 un acuerdo sobre testimonios, legitimaciones y legalizaciones de títulos nobiliarios extranjeros

[35] Ambas instituciones se comprometen a estudiar, además, la realización de seminarios o publicaciones para favorecer el conocimiento por parte de los notarios de la legislación aplicable a los títulos nobiliarios, en especial, sobre su régimen sucesorio.

[36] ECLI:ES:APM:2011:15330A. Se pretendía en España la homologación y reconocimiento del laudo de 27 de marzo de 2010, dictado mediante sentencia por el *Tribunale civile e penale* de Casale Monferrato, en el que se declaraba la titularidad del Condado de la Carrera a favor del solicitante. Del mismo tribunal era la resolución que dio pie al curioso litigio abordado en la sentencia 207/2012, de 7 de mayo, de la Audiencia Nacional (sección 14), ECLI:ES:APM:2012:8090, iniciado a raíz de una acción por intromisión ilegítima en el derecho fundamental al honor que enfrentaba a dos miembros de la Real Academia Matritense de Heráldica y Genealogía.

en esta decisión, se ha de distinguir entre el eventual reconocimiento en España del laudo italiano, por una parte, y la inscripción en España del título objeto del mismo, por otro.

a) En lo que se refiere a la primera cuestión, debe precisarse que no resultaría de aplicación al caso el Reglamento (UE) 1215/2012 relativo a la competencia judicial, el reconocimiento y la ejecución de resoluciones judiciales en materia civil y mercantil (en el que son parte Italia y España) por dos razones. Por una parte, por cuanto este instrumento no se aplica al reconocimiento de laudos arbitrales (considerando 12, párrafo 4, y art. 1, apartado 2, letra d, lo que ha sido ratificado por una reiterada jurisprudencia del Tribunal de Justicia de la UE). Por otra parte, puesto que el Reglamento también excluye de su ámbito de aplicación material el estado de las personas físicas (art. 1, apartado 2, letra a), siendo parte integrante del mismo el nombre y apellidos (y, por consiguiente, los títulos nobiliarios). Podría en cambio valorarse la aplicación a esta cuestión tanto del Convenio sobre reconocimiento y ejecución de sentencias arbitrales extranjeras, hecho en Nueva York el 10 de junio de 1958 (en el que España e Italia son parte), como del Convenio bilateral entre España e Italia sobre asistencia judicial y reconocimiento y ejecución de sentencias en materia civil y mercantil, firmado en Madrid el 22 de mayo de 1973; todo ello, empero, a expensas de lo expuesto en las líneas siguientes.

b) En lo que atañe a la segunda cuestión (la eventual inscripción del título nobiliario extranjero en España), en realidad la pretensión se extiende tanto a solicitar la inscripción del citado título en un registro público español como a la expedición de Real Carta de autorización de uso del mismo en España. A tal objeto, se ha de tener presente lo que sigue.

–   Según lo establecido en el auto de la Audiencia Provincial de Madrid de 16 de diciembre de 2011, la pretensión del solicitante podría atentar contra el orden público internacional español en la materia por contradecir dos normas procesales de carácter imperativo de nuestra Ley de Enjuiciamiento Civil: los arts. 521, apartado 1 ("No se despachará ejecución de las sentencias meramente declarativas ni de las constitutivas") y 559, apartado 1, punto 3° (nulidad radical del despacho de la ejecución por no contener el laudo arbitral pronunciamientos de condena). Lo que impediría, pues, aplicar los dos Convenios a los que se acaba de hacer referencia (arts. V, apartado 2, letra b y 14, apartado 2, respectivamente).

–   Si no se estimase la pretensión del solicitante contraria al orden público internacional en la materia y fuese de aplicación alguno de los Convenios aludidos (el multilateral de 1958 o el bilateral de 1973), según la normativa que regula el uso de títulos extranjeros en España para tal fin se requeriría, recuérdese, 1º la apreciación de que el título en cuestión tenga "significación valiosa" o "relieve extraordinario" para España en el momento de la solicitud; 2º la emisión de dos informes preceptivos (de la Diputación de la Grandeza de España y del Consejo de Estado); y 3º la acreditación fehaciente de la titularidad por Real Carta de autorización de uso en España expedida por el Rey (con carácter graciable) y refrendada por el Ministro de Justicia. Ninguna de estas exigencias concurre en el presente caso o en otros similares planteados en la práctica.

– La pretensión instada podría tratarse, además, de un fraude de ley, que es la tesis de la Abogacía del Estado recogida en el citado auto de la Audiencia Provincial de Madrid de 16 de diciembre de 2011.

En definitiva, el reconocimiento de un título nobiliario cuya titularidad se basase en un laudo declarativo dictado en Italia no procedería en España, por lo que no cabría la expedición del Real Despacho de autorización de uso en España del título extranjero ni su inscripción en un registro público español.

V. LIMITACIONES AL USO DE TÍTULOS NOBILIARIOS EN EL DERECHO DE LA UE

En el marco de la salvaguarda de las libertades comunitarias, el Tribunal de Luxemburgo se ha pronunciado en diversas ocasiones para que las normativas nacionales en materia de apellidos no supongan un obstáculo a un ciudadano de la UE para el libre ejercicio de su derecho a establecerse, a trabajar o a circular libremente por el territorio del espacio europeo conforme a lo dispuesto en el art. 21 del Tratado de funcionamiento de la UE[37]. La doctrina que se extrae de esta jurisprudencia viene a establecer un derecho del ciudadano en cuestión a decidir qué ordenamiento estatal se aplicaría *in casu* en función del principio de no discriminación y del derecho a la libre circulación[38]; todo ello sobre la base

---

[37]   Las sentencias más relevantes han sido las de 30 de marzo de 1993, C-168/91, *Konstantinidis*, ECLI:EU:C:1993:115 (que planteó un problema de transliteración en Alemania del apellido de un ciudadano griego); de 2 de octubre de 2003, C-148/02, *Carlos García Avelló*, ECLI:EU:C:2003:539 (que versaba sobre un asunto en que se planteó la atribución tradicional de dos apellidos a un nacional español ante el registro civil belga, cuyo ordenamiento sólo admite un apellido); de 14 de octubre de 2008, C-353/06, *Grunkin y Paul*, ECLI:EU:C:2008:559 (relativa a las diferencias entre los ordenamientos danés y alemán en la atribución de apellidos con ocasión de un niño nacido en Dinamarca de padres germanos); y de 8 de junio de 2017, C-541/15, *Putnar*, ECLI:EU:C:2017:432 (sobre cambio de apellido de un individuo con las nacionalidades alemana y rumana).

[38]   Véase en este sentido, la Instrucción de la Dirección General de los Registros y del Notariado de 23 de mayo de 2007 sobre apellidos de los extranjeros nacionalizados españoles y su consignación en el Registro Civil español, *BOE* nº 159, de 4 de julio de 2007. A raíz de la sentencia *Grunkin y Paul*,

del respeto del nombre y apellidos válidamente atribuidos en un Estado de la Unión conforme al principio de reconocimiento mutuo[39].

El límite o excepción a este derecho lo representa, precisamente, la inconstitucionalidad de los títulos nobiliarios o de las menciones nobiliarias vinculadas al apellido en ciertos Estados de la Unión; lo que se fundamenta en razones de orden público e interés general. Dos son las resoluciones del Tribunal de Justicia comunitario en que se asienta esta excepción.

1ª) La primera es la sentencia en el asunto C-208/09, *Fürstin von Sayn-Wittgenstein*, de 22 de octubre de 2010[40]. En ella se abordó el caso de una nacional austríaca adoptada por nacional alemán que adquirió el apellido noble de éste. La inscripción de la adoptada en el registro civil austríaco se efectuó en un primer momento con la mención nobiliaria de su padre adoptivo alemán; con posterioridad, dicha inscripción fue rectificada eliminando el título de princesa del apellido de la adoptada por estar abolida la nobleza para los austríacos aun tratándose de títulos extranjeros[41]. El Tribunal de Luxemburgo resolvió la cuestión prejudicial planteada por el Tribunal Constitucional austríaco declarando que en este supuesto cabía una excepción al antes citado art. 21 del Tratado de Funcionamiento de la UE por

---

la misma Dirección General promulgó la Instrucción de 24 de febrero de 2010, sobre reconocimiento de los apellidos inscritos en los Registros Civiles de otros países miembros de la UE (*BOE* nº 60, de 10 de marzo de 2010). En la misma línea, se ha incluido un precepto *ad hoc* en el párrafo 2 del art. 56 Ley del Registro Civil por cuya virtud en el caso de españoles que posean igualmente la nacionalidad de otro Estado miembro de la UE, los cambios de apellidos voluntarios realizados de conformidad con las reglas relativas a la determinación de apellidos aplicables en este último Estado serán reconocidos en España, salvo cuando dicho cambio sea contrario al orden público español o bien cuando, habiendo sido dicho cambio resultado de una resolución judicial, ésta no haya sido reconocida en España.

[39]   La bibliografía sobre el particular es abundante. Entre otros pueden verse, con carácter general, DÍAZ FRAILE, JUAN MARÍA, "Hacia un Derecho europeo de los apellidos. Las contribuciones de la Unión Europea y de la Comisión Internacional del Estado Civil", *Noticias de la Unión Europea*, nº 265 (2007), pp. 75-88 y FILLERS, ALEKSANDRS, "The curious evolution of ECJ's case-law on personal names: beyond the recognition of decisions", *Nederlands Internationaal Privaatrecht*, 2018, nº 4, pp. 19-33.

[40]   ECLI:EU:C:2010:806. Sobre la misma pueden consultarse, entre otros, BESSELINK, LEONARD, "Case C-208/09, Ilonka Sayn-Wittgenstein v. Landeshauptmann von Wien, Judgment of the Court (Second Chamber) of 22 December 2010", *Common Market Law Review*, 2012, nº 2, pp. 671-693; MURPHY, CIAN C.,"Citoyenneté européenne (arrêt Sayn-Wittgenstein)", *Revue du Droit de l'Union Européenne*, 2011, nº 1, pp. 131-138; ORTIZ VIDAL, MARÍA DOLORES, "Ilonka Fürstin von Sayn-Wittgenstein: una princesa en el Derecho internacional privado", *Cuadernos de Derecho Transnacional*, 2011, nº 2, pp. 304-316; y SARMIENTO, DANIEL, "La construcción judicial de la identidad nacional. Comentario a las sentencias Sayn-Wittgenstein y Runevic-Vardyn del Tribunal de Justicia de la UE", en GARCÍA DE ENTERRÍA MARTÍNEZ-CARANDE, EDUARDO y ALONSO GARCÍA, RICARDO (Coords.), *Administración y justicia: un análisis jurisprudencial: liber amicorum Tomás-Ramón Fernández*, vol. 2, Civitas, Madrid, 2012, pp. 3599-3622.

[41]   Tal prohibición fue operada por Ley de 3 de abril de 1919, que tiene rango constitucional con arreglo al art. 149, apartado 1, de la Ley Constitucional Federal de Austria.

cuya virtud un Estado miembro puede negarse a reconocer el apellido de un nacional suyo, tal como ha sido determinado en un segundo Estado miembro, porque dicho apellido incluye un título nobiliario; ello siempre que esté justificado por motivos de orden público (es decir, que sea necesario para la protección de los intereses que se pretenden garantizar) y resulte proporcionado al objetivo legítimamente perseguido.

2ª) La segunda de las sentencias referidas es la dictada por el Tribunal de Luxemburgo en el asunto C-438/14, *Graff von Wolffersdorff Freiherr von Bogendorff*, de 2 junio de 2016[42]. En ella se trataba el supuesto de un nacional alemán, nacido Nabiel Bagdadi, que trasladó su residencia al Reino Unido donde incorporaría a su apellido una mención nobiliaria[43]. Con posterioridad le nació una hija en Alemania con las nacionalidades británica y alemana. En la inscripción de ésta en el registro civil alemán la autoridad local denegó el acceso del apellido con la mención nobiliaria. El Tribunal de Justicia consideró que el art. 21 del Tratado de funcionamiento de la UE debe interpretarse en el sentido de que las autoridades de un Estado miembro (a la sazón Alemania) no están obligadas a reconocer el apellido de un nacional de ese Estado miembro cuando éste posee igualmente la nacionalidad de otro Estado miembro en el que ha adquirido ese apellido libremente elegido por él y que contiene varios elementos nobiliarios, que el Derecho del primer Estado miembro no admite; todo ello si se demuestra que tal denegación de reconocimiento está justificada por motivos de orden público por cuanto resulta apropiada y necesaria para garantizar el respeto del principio de igualdad ante la ley de todos los ciudadanos de dicho Estado miembro.

De ambas sentencias analizadas se deduce, por una parte, la ratificación por el Tribunal de Justicia del principio de la inclusión de los títulos nobiliarios o de las menciones nobiliarias en el estatuto personal, más concretamente en el ámbito del nombre y apellidos; y, por otra parte, que la extraterritorialidad que conlleva la aplicación de la Ley personal que rige estas materias sólo puede ser restringida excepcionalmente por razones de orden público constitucional como las existentes en Alemania o en Austria.

---

[42]   ECLI:EU:C:2016:401. Sobre ella pueden consultarse, entre otros, FORNER DELAYGUA, JOAQUIM, "Ciudadanía de la Unión Europea: apellido que contiene elementos nobiliarios e incompatibilidad con los principios esenciales del Derecho alemán", *Diario La Ley Unión Europea*, nº 42 (30 de noviembre de 2016) y LARA AGUADO, ÁNGELES, "Reconocimiento, sí, *ma non troppo*: el orden público como límite al reconocimiento de títulos nobiliarios en la Unión Europea", *Bitácora Millennium DIPr*, nº 4 (julio-diciembre de 2016).

[43]   En concreto otorgó una declaración (*deed poll*) en julio de 2004, registrada ante los servicios de la *Supreme Court of England and Wales* (Tribunal Supremo de Inglaterra y País de Gales, Reino Unido) y publicada en *The London Gazette*, por cuya virtud, conforme al Derecho inglés, cambió su nombre al de Peter Mark Emanuel Graf von Wolffersdorff Freiherr von Bogendorff.

VI. BIBLIOGRAFÍA

AGUILAR BENÍTEZ DE LUGO, MARIANO, "Los títulos nobiliarios", en AA.VV., *Lecciones de Derecho civil internacional*, Tecnos, Madrid, 1996, pp. 44-47.

ATIENZA Y NAVAJAS, JULIO DE, "El reconocimiento en España de los títulos nobiliarios extranjeros", en *Comunicaciones y Conclusiones del III Congreso Internacional de Genealogía y Heráldica*, Instituto Internacional de Genealogía y Heráldica, Madrid, 1955, pp. 173-177.

BESSELINK, LEONARD, "Case C-208/09, Ilonka Sayn-Wittgenstein v. Landeshauptmann von Wien, Judgment of the Court (Second Chamber) of 22 December 2010", *Common Market Law Review*, 2012, nº 2, pp. 671-693.

CALVO CARAVACA, ALFONSO LUIS y CARRASCOSA GONZÁLEZ, JAVIER, "Títulos nobiliarios" en CALVO CARAVACA, ALFONSO LUIS y CARRASCOSA GONZÁLEZ, JAVIER (Dirs.), *Tratado de Derecho internacional privado*, t. I, Tirant lo Blanch, Valencia, 2020, pp. 1326-1328.

FORNER DELAYGUA, JOAQUIM, "Ciudadanía de la Unión Europea: apellido que contiene elementos nobiliarios e incompatibilidad con los principios esenciales del Derecho alemán", *Diario La Ley Unión Europea*, nº 42 (30 de noviembre de 2016).

LARA AGUADO, ÁNGELES, "Reconocimiento, sí, *ma non troppo*: el orden público como límite al reconocimiento de títulos nobiliarios en la Unión Europea", *Bitácora Millennium DIPr*, nº 4 (julio-diciembre de 2016).

MURPHY, CIAN C., "Citoyenneté européenne (arrêt Sayn-Wittgenstein)", *Revue du Droit de l'Union Européenne*, 2011, nº 1, pp. 131-138.

ORTIZ VIDAL, MARÍA DOLORES, "Ilonka Fürstin von Sayn-Wittgenstein: una princesa en el Derecho internacional privado", *Cuadernos de Derecho Transnacional*, 2011, nº 2, pp. 304-316.

PERALTA CARRASCO, MANUEL DE, "El Derecho nobiliario en el Derecho internacional. Estudio de la pervivencia y actual vigencia de los títulos nobiliarios en diferentes ordenamientos jurídicos", *Anuario de la Facultad de Derecho de la Universidad de Extremadura*, 2007, pp. 81-98.

QUINTANO RIPOLLÉS, ALFONSO, "Protección internacional de títulos nobiliarios", en *Comunicaciones y Conclusiones del III Congreso Internacional de Genealogía y Heráldica*, Instituto Internacional de Genealogía y Heráldica, Madrid, 1955, pp. 541-550

SARMIENTO, DANIEL, "La construcción judicial de la identidad nacional. Comentario a las sentencias Sayn-Wittgenstein y Runevic-Vardyn del Tribunal de Justicia de la UE", en GARCÍA DE ENTERRÍA MARTÍNEZ-CARANDE, EDUARDO y ALONSO GARCÍA, RICARDO (Coords.), *Administración y justicia: un análisis jurisprudencial: liber amicorum Tomás-Ramón Fernández*, vol. 2, Civitas, Madrid, 2012, pp. 3599-3622.

TOMÁS ORTIZ DE LA TORRE, JOSÉ ANTONIO, "Notas sobre el título nobiliario en Derecho internacional privado", *Revista General de Legislación y Jurisprudencia*, t. 240, 1976, pp. 137-168.

VARGAS-ZÚÑIGA Y MONTERO DE ESPINOSA, ANTONIO DE, *Derecho nobiliario histórico*, ed. Hidalguía, Madrid, 1961.

HACIA UNA MAYOR PROTECCIÓN DE NIÑOS, NIÑAS Y MAYORES EN LA UNIÓN EUROPEA

MARÍA GONZÁLEZ MARIMÓN

Profesora Ayudante Doctora de Derecho Internacional privado
Universitat de València

I. INTRODUCCIÓN

La consolidación de un espacio integrado de libertad, seguridad y justicia en el seno de la Unión Europea (en adelante UE) favorece la movilidad de personas y familias en su seno[1]. Se habla de familias transfronterizas, una noción que, entre otros extremos, conlleva que sus miembros han visto alterado su centro vital[2]. Pero ese cambio trae en muchas ocasiones aparejado, de forma ineludible, el traslado de personas necesitadas de una especial protección. Por ello, crecientemente se está focalizando la atención no solo en la movilidad de

---

[1] La Comisión Europea habla así de la existencia actualmente de aproximadamente 16 millones de parejas internacionales en la UE. Información disponible en https://ec.europa.eu/info/policies/justice-and-fundamental-rights/civil-justice/family-law/overview-family-matters_en#crossborderimplicationsinfamilylaw [Consulta: 15.10.2021].

[2] La CDFUE, en su Preámbulo, coloca a la persona en el centro de la actuación de la Unión. La Carta pone de manifiesto que los individuos tienen concedidos derechos, roles y responsabilidades en el marco de la Unión. En primer lugar, en el marco de la creación de un Mercado Interior, la persona es vista como un "agente". No obstante, en el Derecho y las políticas de la UE la noción de persona tiene una connotación moral y social, de forma que crecientemente se estudia la persona desde el punto de vista de la integración social. AZOULAI, LOÏC, BARBOU DES PLACES, SEGOLENE y PATAUT, ETIENNE, "Being a Person in the European Union", en AZOULAI, LOÏC, BARBOU DES PLACES, SEGOLENE y PATAUT, ETIENNE (Eds.), *Constructing the person in EU law. Rights, Roles, Identities*, Hart Publishing, Oxford y Portland, 2016, p. 6.

personas, sino también, de proporcionar un marco jurídico adecuado para la movilidad de personas pertenecientes a grupos vulnerables.

Esta idea se remonta a la etapa de gestación y promulgación de los derechos humanos tras la II Guerra Mundial, tanto en las normas internas de los Estados, con la constitucionalización de los derechos fundamentales, como en tratados internacionales, destacando en este sentido, lógicamente, la labor de Naciones Unidas. Momento histórico en el que germinan con fuerza las teorías, ya existentes con anterioridad, basadas en la idea de que los seres humanos son iguales por su misma condición de seres humanos y merecen igual respeto y dignidad.

La internacionalización, europeización y constitucionalización de los derechos humanos, desde su surgimiento, ha estado en constante evolución, incrementando paulatinamente su capacidad de influencia en el resto del ordenamiento jurídico. En tal sentido, años más tarde, también en el contexto europeo, tanto el Consejo de Europa como la propia UE procederán a impulsar sistemas de protección regional de los derechos humanos.

En este marco, una vez alcanzado un reconocimiento universal de los derechos fundamentales de la persona, la teoría de los derechos humanos fue progresivamente tomando conciencia de la necesidad de especial protección de, y por parte de, ciertos grupos favorables o desfavorecidos. Lo que, con el tiempo desencadenará un proceso de concreción o especificación de los derechos humanos, de auténtica especialización finalista, que desembocará en la articulación de normas específicas tendentes a explicitar y garantizar el respeto de los derechos humanos de las personas pertenecientes a distintos colectivos potencialmente vulnerables, y, por tanto, requeridos de una protección reforzada.

Toda esta evolución se ha visto igualmente plasmada en la disciplina de Derecho internacional privado (en adelante DIPr.)[3], en la que se ha reivindicado la necesidad de reorientar los objetivos y la función del DIPr. de forma que se opte por "unos fundamentos que permitan, no sólo reforzarlo, sino convertirlo en una herramienta ética de prevención y solución de muchos de los conflictos

---

[3]   Sobre la conexión entre los derechos humanos y el DIPr., *vid.*, entre otros, FAWCETT, JAMES J., NÍ SHÚILLEABHÁIN, MAIRE y SHAH, SANCERTA, *Human Rights and Private International Law*, Oxford University Press, Oxford, 2016; BARATTA, ROBERTO, "Derechos fundamentales y Derecho internacional privado de familia", *Anuario Español de Derecho Internacional Privado*, t. XVI, 2016, pp. 103-126; VRELLIS, SPYRIDON, "Quelques réflexions sur l'influence des droits fondamentaux en droit international privé", *Revue Internationale de Droit Comparé*, n.º 1, 2017, pp. 47-64; STALFORD, HELEN, "EU Family Law: a human rights perspective", en AA.VV. (Eds.), *International Family Law for the European Union*, Intersentia, Oxford, 2007, pp. 101- 128; FRANZINA, PIETRO, "The Place of Human Rights in Private International Law of the Union in Family Matters", en AA.VV. (Eds.), *Fundamental Rights and Best Interests of the Child in Transnational Families*, Intersentia, Cambridge – Amberes, – Chicago, 2019, pp. 141-156.

actuales"[4]. Llegando a hablar, incluso, de una "función protectora colectiva de DIPr."[5], la cual impulse la defensa de determinados intereses vulnerables que vayan más allá del individuo, y que se centren en el resultado más que en la norma en sí"[6].

Este trabajo pretende realizar una aproximación a este nuevo enfoque a través de dos grupos vulnerables, para ver cómo, mientras los niños, niñas y adolescentes cuentan con un importante desarrollo legal tanto a nivel internacional como nacional, la protección de los adultos vulnerables se encuentra en una etapa incipiente que, necesariamente, deberá ser desarrollada en las próximas décadas.

II. LA CONSOLIDADA REGULACIÓN DE LA PROTECCIÓN DE LOS NIÑOS, NIÑAS Y ADOLESCENTES EN SITUACIONES TRANSFRONTERIZAS

El menor, y cuando hablamos de menor nos referimos, y así lo entendemos a lo largo de todo este Capítulo, a las niñas, los niños y los adolescentes, se ha convertido en un sujeto de derechos, propios y diferenciados del resto de los miembros de la familia, y de la familia en sí misma. Dotado de una situación de especial fragilidad, sus intereses y expectativas requieren de respuestas propias y diferenciadas y ello, necesariamente, se ha de reflejar en su tratamiento en todos los órdenes; también en el jurídico.

Frente a los cambios sociales y culturales y a los nuevos patrones familiares, que superan el modelo tradicional de familia, la persona del menor adquiere centralidad como sujeto protagonista en todos los asuntos que le afecten. Este cambio de paradigma se ha plasmado en la consolidación del principio del interés superior del menor como principio orientador en toda norma que afecte al menor, incluyendo, por tanto, tanto también a aquellas reguladoras de las situaciones privadas internacionales.

El legislador nacional e internacional, igualmente el europeo, se hacen eco de este cambio y lo incardinan en sus plurales respuestas normativas dando lugar

---

[4]   ESPINOSA CALABUIG, ROSARIO, "Derecho Internacional privado europeo y protección de grupos vulnerables", *Revista General de Derecho Europeo*, n° 54, 2021, p. 2.

[5]   *Ibídem.*

[6]   *Ibídem.* En el mismo sentido, reivindican una mayor atención del DIPr. a los problemas de la sociedad internacional, como los ODS, MICHAELS, RALF, RUIZ ABOU-NIGM, VERÓNICA Y VAN LOON, HANS: "Introduction: The Private Side of Transforming our World : UN Sustainable Development Goals 2030 and the Role of Private International Law", en MICHAELS, RALF, RUIZ ABOU-NIGM, VERÓNICA y VAN LOON, HANS (Eds.), *The Private Side of Transforming our World : UN Sustainable Development Goals 2030 and the Role of Private International Law*, Intersentia, Cambridge – Amberes- Chicago, 2021, pp. 1-27.

a una normativa -en ocasiones, una auténtica maraña normativa- que trasciende la cuestión de la estricta dificultad de concretar, y entender, la respuesta normativa aportada.

1. El reconocimiento universal de los derechos del menor

Si bien la proyección normativa internacional del modelo de protección del menor se caracteriza por la pluralidad de fuentes legales y por su extremada complejidad, existe un rasgo común en que todas ellas coinciden[7]. Todos los textos internacionales en materia de derechos del menor reconocen al interés superior del menor como principio rector supremo en todos los asuntos que le afectan.

La actual configuración de los derechos del menor, de su reconocimiento y de su regulación, es fruto del amplio y profundo desarrollo acaecida en la materia a lo largo del siglo XX, que ha venido protagonizado por la transformación de la mirada de la sociedad respecto a la infancia[8]. Desde una posición de indiferencia legal hacia los menores y sus intereses más allá de una cierta mirada de ternura o caridad, la sociedad industrial fue evolucionando con el transcurso del siglo hacia una concienciación en torno a la especial condición de los menores y la consecuente necesidad de protección de la infancia.

El reconocimiento universal de los derechos del menor ha venido impulsado desde el ámbito internacional al amparo de los instrumentos adoptados en materia de derechos humanos en el escenario histórico posterior a la II Guerra Mundial. En este contexto, los niños, niñas y adolescentes -menores- pasan a ver reconocida su posición peculiar y, pasando a ser considerados como un grupo de especial protección, atendidas las especiales características que les envuelven, y que les sitúa como uno de los colectivos más vulnerables, especialmente expuestos a la discriminación, la marginación o la exclusión. Enfatizándose el ya apuntado hecho de que los menores confrontan ciertos obstáculos que dificultan la plena realización de sus derechos, como puedan ser las limitaciones jurídicas inherentes a la edad y el estado civil que, además, afectan a su capacidad misma de subsistencia[9].

---

[7]   Al respecto *vid.* ESPINOSA CALABUIG, ROSARIO y CARBALLO PIÑEIRO, LAURA, "Child Protection in European Family Law", en AA.VV. (Eds.), *Facilitating Cross-Border Family Life – Towards a Common European Understanding: EUFams II and Beyond*, Heidelberg University Publishing, Heidelberg, 2021, pp. 53 y ss.

[8]   Al respecto *vid.* CHACÓN MARTÍNEZ, ANA, *El interés superior del menor. Historia de un reconocimiento jurídico en los derechos humanos para la infancia (siglos XVIII-XXI)*, Ediciones de la Universidad de Murcia, Murcia, 2019, pp. 19 y ss.

[9]   OFICINA DEL ALTO COMISIONADO, NACIONES UNIDAS, *El sistema de tratados de derechos humanos de las Naciones Unidas*, Folleto Informativo n.º 30, Rev. 1.

El instrumento que consagra los derechos del menor es la Declaración Universal de los Derechos del Niño, de 20 de noviembre de 1989[10] y la aprobación de la Convención de Naciones Unidas sobre Derechos del Niño, de 20 de noviembre de 1989 (en adelante CDN)[11]. Un tratado el que, finalmente, se asume y reconoce de forma explícita, el hecho de que los menores no son solo sujetos necesitados de protección sino también participantes activos de la vida social y política[12]. El cual, gracias a su carácter vinculante y a su ratificación cuasi-universal, ha sido el desencadenante de un reconocimiento del estatus del menor en el plano internacional[13]. Así, la CDN constituye el primer instrumento internacional de naturaleza, insistimos, vinculante que desgrana y ampara todos los derechos humanos del menor, desde un tratamiento global e omnicomprensivo[14].

El núcleo central de la Convención viene articulado, sin duda, en torno a su art. 3.1, que consagra el derecho del niño a que su interés superior sea una consideración primordial en cualquier aproximación a su figura y condición[15]. De forma literal, el precepto señala que: *"en todas las medidas concernientes a los niños que tomen las instituciones públicas o privadas de bienestar social, los Tribunales, las autoridades administrativas o los órganos legislativos, una consideración primordial a que se atenderá será el interés superior del niño"*.

---

[10]   Aprobada por la Resolución de la Asamblea General de las Naciones Unidas 1836 (XIV), de 20 de noviembre de1989.

[11]   La Convención ha sido completada por una serie de protocolos facultativos desarrollados en años posteriores: Protocolo Facultativo sobre la participación de los niños en conflictos armados (aprobado el 25 de mayo de 2000, entró en vigor el 12 de febrero de 2002); el Protocolo Facultativo sobre la venta de niños, prostitución infantil y la utilización de los niños en la pornografía (aprobado el 25 de mayo de 2000, entró en vigor el 18 de enero de 2002); y el Protocolo relativo a un procedimiento de comunicaciones, (aprobado el 19 de diciembre de 2011, entró en vigor el 14 de abril de 2014).

[12]   COWDEN, MHAIRI, *Children's Rights. From Philosophy to Public Policy*, Gewerbestrasse (Switzerland), Palgrave Macmillan, Basingstoke, Hampshire (Inglaterra), 2016, p. 8.

[13]   Es un tratado internacional con fuerza vinculante que obliga a los Estados parte respetar sus disposiciones, debiendo inspirar la legislación nacional, así como sus políticas en relación con la infancia. En este sentido, los Estados deben adaptar su legislación interna a los mandatos de la Convención, además de garantizar el cumplimiento efectivo de los derechos contenidos por la misma, tanto a nivel judicial como administrativo.

[14]   BUCK, TREVOR, *International Child Law*, Routledge, Londres, 3ª ed., 2005, p. 47; CARMONA LUQUE, M. DEL ROSARIO, *La Convención sobre los Derechos del niño: Instrumento de progresividad en el Derecho Internacional de los Derechos Humanos*, Dykinson, Madrid, 2011, p. 52.

[15]   La consideración primordial del interés superior del niño es uno de los valores fundamentales de la Convención. Conforma uno de los cuatro principios generales en la interpretación y aplicación de los derechos del niño, junto con el derecho a la no discriminación, el derecho a la vida y el desarrollo y el derecho del niño a ser escuchado. En este sentido, COMITÉ DE DERECHOS DEL NIÑO, "Observación General nº 5 (2003) relativa a las Medidas generales de aplicación de la Convención sobre los Derechos del Niño (arts. 4 y 42 y párrafo y del art. 44)", 2003, CRC/GC/2003/5, párr. 12.

2. El reconocimiento de los derechos del menor en la UE

Paralelamente al movimiento pro-derechos humanos protagonizado en el plano universal y en el que la organización de las Naciones Unidas, como hemos visto, ha jugado un papel de liderazgo, algunas de las distintas organizaciones internacionales de ámbito regional surgidas tras la II Guerra Mundial han procedido, igualmente, a diseñar sistemas de protección regional de los derechos humanos.

En concreto, en el ámbito europeo, el reconocimiento de la figura del menor como sujeto de derechos vino principalmente desarrollado en el Consejo de Europa dentro de su labor de protección de los derechos humanos, uniéndose más tarde la UE a esta tarea. En este marco, el Consejo de Europa ha impulsado multitud de trabajos relativos al reconocimiento de los derechos del menor[16]. De entre todos ellos, ocupa un lugar central el Convenio europeo sobre el ejercicio de los derechos de los niños, hecho en Estrasburgo el 25 de enero de 1996[17], concebido en su día un complemento y desarrollo de los derechos contenidos en la CDN. Ello ha supuesto la articulación de un doble sistema europeo de protección de derechos humanos que debe coexistir y compatibilizarse, cuestión que no siempre resulta fácil y, de hecho, se ha mostrado en ocasiones como problemática[18].

A. La UE y los derechos de los menores

En el marco del cambio de los textos fundamentales de la UE y del juego de competencias amparados por este cambio y de la conformación de un espacio europeo de libertad, seguridad y justicia, en el seno de la UE se ha tomado una mayor concienciación y preocupación respecto a la necesidad de proteger los derechos de los niños, niñas y adolescentes. En tal sentido, y conforme los intereses de la UE fueron dejando de ser exclusivamente económicos y se ampliaron hacia otros objetivos sociales, los derechos de los menores cobraron visibilidad, y fueron adquiriendo un mayor interés para las instituciones de la UE.

---

[16]   Sin ánimo de exhaustividad, destacan los siguientes textos sobre el reconocimiento de los derechos del menor: Recomendación 874(79) relativa a una Carta Europea de derechos de la infancia de 4 de octubre de 1979; Recomendación R (84)4 sobre responsabilidades paternas; Recomendación 1121 (1990) relativa a los derechos de los niños de 1 de febrero de 1990; Convenio europeo sobre el estatuto jurídico de los niños nacidos fuera del matrimonio, de 15 de octubre de 1975; Convenio europeo sobre adopción de menores (revisado), de 27 de noviembre de 2008; Convenio europeo relativo al reconocimiento y a la ejecución de decisiones en materia de custodia de menores, así como al restablecimiento de dicha custodia, de 20 de mayo de 1980; Convenio europeo sobre las relaciones personales del menor, de 15 de mayo de 2003; Programa transversal "Construir una Europa para y con los niños", elaborado en 2006; o "Estrategia sobre los derechos del niño 2012-2015".

[17]   España firmó el Convenio el 5 de diciembre de 1997 pero no lo ha ratificado hasta el 18 de febrero de 2015 (*BOE* nº 45, de 21 de febrero de 2015).

[18]   BUCK, TREVOR, *International Child Law, cit.*, p. 107.

Será, así, en el Tratado de Ámsterdam[19] donde los menores aparecerán, por primera vez, explícitamente mencionados en una fuente primaria de derecho de la UE[20]. Avanzado el tiempo, el Tratado de Maastricht de 1992[21] introducirá el concepto de ciudadanía de la UE que, sin embargo, se articula como un derecho de los adultos, no así de los menores. A pesar de que los menores tienen permitido moverse libremente, dependen de su familia o de los adultos. Lo que, por este motivo, permite seguir afirmando que los derechos de los menores en la UE siguen estando situados en el marco de los derechos de sus progenitores o de sus familias[22]. Finalmente, será en el Tratado de Lisboa[23] donde se plasmarán de forma definitiva el reconocimiento y la protección de los derechos de los menores como uno de los objetivos de la UE, no solo de la política interna sino también de la política externa. En este sentido, el art. 3.5 del Tratado de Lisboa contiene una referencia explícita a la protección de los derechos del niño[24].

Junto con su mención expresa en los Tratados Constitutivos de la UE, la protección de los derechos de los menores también se encuentra en otra fuente de Derecho originario de la UE, como es la Carta de los Derechos Fundamentales de la Unión Europea[25] (en adelante CDFUE). En efecto, los derechos de los menores en el marco de la UE han sido impulsados gracias a la tendencia general de fortalecimiento de los derechos humanos desde las instituciones de la UE. Esto supuso una nueva dirección de la legislación de la UE, que, correlativamente, también se focalizó en una mejor regulación de los derechos de los menores.

A partir de los derechos contenidos en la Carta, fundamentalmente, en el art. 24, dedicado a los derechos de los menores[26], y también en el art. 7, el cual

---

[19]   Tratado de Ámsterdam por el que se modifican el Tratado de la Unión Europea, los Tratados Constitutivos de las Comunidades Europeas y determinados actos conexos, *DO* C 340, de 10.11.1997.

[20]   Concretamente en el art. 13- combatir la discriminación- y en el art. 29 -medidas interguberna- mentales para luchar contra el crimen contra niños, protección del niño como sujeto vulnerable y pasivo-.

[21]   Tratado de la Unión Europea, *DOCE* C 191, 29 de julio de 1992.

[22]   PETRAŠEVIĆ, TUNJICA, "The Rights of Children in the EU", *European Scientific Journal*, 2016, p. 51.

[23]   Tratado por el que se modifican el Tratado de la Unión Europea y el Tratado Constitutivo de la Comunidad Europea, *DOUE* C 306, de 17 de diciembre de 2007.

[24]   Art. 3.5 del Tratado de Lisboa: "*en sus relaciones con el resto del mundo, la Unión afirmará y promoverá sus valores e intereses y contribuirá a la protección de sus ciudadanos. Contribuirá a la paz, la seguridad, el desarrollo sostenible del planeta, la solidaridad y el respeto mutuo entre los pueblos, el comercio libre y justo, la erradicación de la pobreza y la protección de los derechos humanos, especialmente los derechos del niño, así como al estricto respeto y al desarrollo del Derecho internacional, en particular el respeto de los principios de la Carta de las Naciones Unidas*".

[25]   *DOUE* C 326/391, de 26.10.2012.

[26]   El art. 24 que señala que: "*1. Los niños tienen derecho a la protección y a los cuidados necesarios para su bienestar. Podrán expresar su opinión libremente. Ésta será tenida en cuenta para los asuntos que les afecten, en función de su edad y madurez.*
2. En todos los actos relativos a los niños llevados a cabo por autoridades públicas o instituciones privadas, el interés superior del niño constituirá una consideración primordial.

recoge el derecho al respeto de su vida privada y familiar, se puede inferir que, en el Derecho de la UE, los menores son tratados como sujetos independientes, dotados de sus propios intereses y necesidades, poniendo fin, de esta manera, a su pasada invisibilidad para el legislador europeo[27].

El Tribunal de Justicia de la Unión se ha hecho eco, de forma continuada, de esta prevalencia en su jurisprudencia en materia de menores. Así, y de modo paradigmático, la STJUE de 14 de enero de 2021, en el asunto C-441/19, *TQ y Staatssecretaris van Justitie en Veiligheid*[28] (en adelante asunto *TQ*), el Tribunal, en un supuesto de retorno de un menores de nacionales de un tercer estado que se encuentra en situación irregular en un Estado miembro, afirma de forma taxativa que el "*el artículo 24, apartado 2, de la Carta establece que, en todos los actos relativos a los niños llevados a cabo por autoridades públicas o por instituciones privadas, el interés superior del niño constituirá una consideración primordial. Esta disposición, en relación con el artículo 51, apartado 1, de la Carta, afirma el carácter fundamental de los derechos del niño*"[29] incluso, insiste, en un supuesto de esta naturaleza. El presupuesto es que, por sus propias y peculiares características "*un menor no acompañado no puede ser tratado sistemáticamente como un adulto*"[30] lo que exige, en cualquier caso en que aparezca involucrado un menor, "*una apreciación general y exhaustiva de la situación del menor*"[31] para poder identificar el "*interés superior del niño*"[32] y decidir la vía concreta de actuación en la materia de que se trate.

B. El principio del interés superior del menor como valor material de las normas de DIPr. de la UE

A su vez, y además del reconocimiento de los derechos de los menores en el Derecho originario de la UE, desde sus instituciones se han llevado innumerables iniciativas para mejorar la protección de los menores y garantizar sus derechos[33], y

---

3. *Todo niño tiene derecho a mantener de forma periódica relaciones personales y contactos directos con su padre y con su madre, salvo si ello es contrario a sus intereses*".

[27]   PETRAŠEVIĆ, TUNJICA, "The Rights of Children in the EU", *cit.*, p. 52.

[28]   ECLI:EU:C:2021:9.

[29]   Asunto *TQ*, párr. 45.

[30]   *Ibíd.*, párr. 43.

[31]   *Ibíd.*, párr. 46.

[32]   *Ibídem.*

[33]   Sin ánimo de exhaustividad, algunos ejemplos de programas y planes específicos son: Plan de Acción de la Comisión Europea para los menores no acompañados, en el que aparece una referencia expresa al interés superior del menor; Plan de Acción de la Comisión para la aplicación del Programa de Estocolmo, con una referencia a la mejor protección de los menores en el siglo XXI; en el marco de los trabajos de la Comisión europea, destacan las "Directrices de la UE para la promoción y protección de los derechos del menor"; a su vez, diversas Directivas del Consejo aluden al principio del interés superior del menor en relación con las familias migrantes y los menores migrantes no acompañados, como por ejemplo, la Directiva 2003/9/CE del Consejo, de 27 de enero de 2003 por la

un número relevante de instrumentos europeos que les vinculan o afectan, especialmente los relativos al DIPr., se han hecho eco de estos derechos y la necesidad de preservar el interés superior del menor al diseñarlos, interpretarlos y aplicarlos en todos sus extremos.

En el caso de Europa, al igual que la teoría de los derechos humanos ha impregnado a los ordenamientos jurídicos europeos, también ha influido en gran medida en la proyección de los valores materiales en las distintas normas de DIPr., también, lógicamente, las relativas al menor y a todo el elenco de relaciones y situaciones en que se ven envueltos. Los valores y objetivos articulados en el marco de este discurso de derechos humanos se han ido incardinando paulatinamente en las normas de DIPr. como valores materiales, materializándolas; con el ejemplo paradigmático, precisamente, del principio del interés superior del menor en las normas relativas a la protección de menores[34]. En línea con ello, los diversos instrumentos jurídicos impulsados desde la UE para facilitar la resolución de los procesos con elemento extranjero que involucran al menor asumen y vienen inspirados en el principio del interés superior del menor y en su necesaria salvaguarda.

Dicho cambio de paradigma, también en lo relativo al reconocimiento de una mayor centralidad del menor, se ha plasmado en las relaciones paterno-filiales. En este sentido, la "responsabilidad parental" del menor, como noción europea y abarcadora, representa un ejemplo paradigmático del cambio de perspectiva de la "autoridad" de los progenitores "sobre" sus hijos e hijas, hacia una "responsabilidad hacia" cualquier niño, niña o adolescente en relación con cualquier potestad, derecho y responsabilidad en relación con los mismos, ejercidos tanto por sus progenitores como por un tercero, y en los que debe primar su interés superior[35].

En este marco, encontramos el que, hasta fechas recientes, ha sido el instrumento de la UE de referencia en la materia, como es el Reglamento (CE) nº 2201/2003 del Consejo, de 27 de noviembre de 2003, relativo a la competencia, el reconocimiento y la ejecución de resoluciones judiciales en materia

---

que se aprueban las normas mínimas para la acogida de los solicitantes de asilo; Por último, también encontramos múltiples resoluciones del Parlamento Europeo en materia de menores, entre las que destaca la relativa a la Carta Europea de Derechos del Niño, de 10 de julio de 1992, *DOC.* A3-0172/92, aunque carece de carácter vinculante, hace referencias a problemas y posibles soluciones que pueden ser adoptados por los distintos organismos bajo su competencia. El principio del interés superior del menor aparece en el párrafo 15 de la Carta.

[34]   HERRANZ BALLESTEROS, MÓNICA, *El interés del menor en los Convenios de La Haya de Derecho Internacional Privado*, Lex Nova, Valladolid, 2004, p. 118.

[35]   Sobre la noción de la responsabilidad parental del menor *vid.*, por todos, GONZÁLEZ MARIMÓN, MARÍA, *Menor y responsabilidad parental en la Unión Europea*, Tirant lo Blanch, Valencia, 2021, pp. 48 y ss.

matrimonial y de responsabilidad parental, por el que se deroga el Reglamento (CE) n° 1347/2000[36] (en adelante Reglamento Bruselas II bis), el cual articula sus normas y soluciones buscando la protección de aquel[37]. Así, esta idea se refleja claramente en el Considerando 12 del Reglamento, al afirmar que las normas de competencia judicial internacional recogidas en el texto reglamentario *"están concebidas en función del interés superior del menor, y en particular en función del criterio de proximidad…"*[38]. Así lo ha corroborado el TJUE, entre otras, en su STJUE de 1 de octubre de 2014, en el asunto C-436/13, *E.*, de 1 de octubre de 2014[39] (en adelante asunto *E.*) al señalar que *"la competencia en materia de responsabilidad parental debe determinarse, ante todo, en función del interés superior del menor"*[40].

Como no podía ser de otra forma, este anclaje en el amparo y satisfacción del interés superior del menor es igualmente reiterado en el Reglamento (UE) 2019/1111 del Consejo, de 25 de junio de 2019, relativo a la competencia, el reconocimiento y la ejecución de resoluciones en materia matrimonial y de responsabilidad parental, y sobre la sustracción internacional de menores[41] (en adelante Reglamento Bruselas II ter), el cual ha entrado en funcionamiento el 1 de agosto de 2022[42], y que es el resultado del proceso de reforma del Reglamento Bruselas II bis. Es más, el nuevo Reglamento, en su Considerando 19, no solo se reitera la idea de que las normas de competencia judicial internacional en materia de responsabilidad parental están concebidas *"en función del interés superior del menor, y deben aplicarse de acuerdo con este"*; sino que, además, se enfatiza una vez más que *"cualquier referencia al interés superior del menor debe interpretarse a la luz del artículo 24 de la Carta de los Derechos Fundamentales de la Unión Europea (en lo sucesivo, «Carta») y de la Convención de las Naciones Unidas sobre los Derechos del Niño, de 20 de noviembre de 1989, tal y como son aplicadas por las legislaciones y procedimientos nacionales"*.

Esta norma refleja claramente como, actualmente, el interés superior del menor constituye el principio rector sobre el que se articulan las normas del DIPr.

---

[36]   *DOUE* L 338, de 23 de diciembre de 2003.

[37]   Junto con este instrumento, de gran trascendencia es igualmente el Convenio de La Haya de 19 de octubre de 1996 relativo a la competencia, la ley aplicable, el reconocimiento, la ejecución y la cooperación en materia de responsabilidad parental y medidas de protección de los niños, *BOE* n° 291, de 2 de diciembre de 2010.

[38]   Esta mención al principio del interés superior del menor también se plasma en los Considerandos 13 *"Para atender al interés del menor, el presente Reglamento…"* y 33 *"El presente Reglamento reconoce los derechos fundamentales y observa los principios consagrados en la Carta de los Derechos Fundamentales de la Unión Europea. Concretamente, pretende garantizar el respeto de los derechos fundamentales del menor enunciados en el artículo 24 de dicha Carta"* y se hace patente en los arts. 15 y 23 del Reglamento Bruselas II bis.

[39]   ECLI:EU:C:2014:2246.

[40]   Asunto *E.*, párr. 45.

[41]   *DOUE* L 178, de 2 de julio de 2019.

[42]   *Vid.* art. 100.1 Reglamento Bruselas II ter.

que afectan a los menores. En efecto, la doctrina se refiere a este principio como eje de cualquier norma, también las de DIPr., que incida sobre un menor o regule cualquier situación o relación que le afecte, constituyendo el "principio rector" y "principio axiológico básico en la interpretación y aplicación de las normas de DIPr. y de Derecho material"[43].

Se habla así de la instauración del interés superior del menor como valor material de las normas de DIPr., como ejemplo paradigmático del proceso de materialización que, con carácter general, ha protagonizado esta disciplina jurídica, patentizándose en diversos ámbitos de ésta[44].

Esta transformación debe entenderse desde la óptica de que el DIPr. viene influido por la evolución de la sociedad, de forma que el DIPr. actual debería ser comprendido a la luz del desarrollo no solo de las relaciones privadas internacionales desde ese momento histórico, sino también de las transformaciones del Estado y de la ciencia jurídica[45].

Uno de los factores que motivará esta evolución, entre otros, será la tendencia hacia la protección de la parte débil en determinadas situaciones, articulando normas que protejan a una determinada categoría de personas. En concreto, en aquellos asuntos en los que se vea involucrado un menor –del que es evidente su calificación como parte débil y objeto de protección[46]- se hará patente la necesidad de su protección en todos aquellos asuntos en los que se vea involucrado. También en aquellas situaciones que incorporen elementos de internacionalidad. El incremento de la movilidad de personas, y, por tanto, al aumento de menores extranjeros en Estados distintos de los de su residencia habitual, permite discernir con claridad la –novedosa, tanto en su existencia como en su forma de articularse- preocupación del Estado por regular y proteger a los menores que, por las razones que sean, aparecen vinculados a distintos ordenamientos jurídicos.

---

[43]   ESPINOSA CALABUIG, ROSARIO, *Custodia y visita de menores en el espacio judicial europeo*, Marcial Pons, Madrid, 2007, p. 31.

[44]   Sobre este proceso *vid.*, por todos, GONZÁLEZ CAMPOS, JULIO, "Diversification, spécialisation, flexibilisation et matérialisation des régles de droit international privé. Cours général", *Recueil des Cours*, t. 287, 2000, nº 224.

[45]   GONZÁLEZ CAMPOS, JULIO., "Diversification, spécialisation, ...", *cit.*, pp. 22-23, nº 4.

[46]   BORRÁS RODRÍGUEZ, ALEGRÍA, "El «interés del menor» como factor de progreso y unificación del Derecho internacional privado (discurs d'ingrés)", Acadèmia de jurisprudencia i legislació de Catalunya, Barcelona, 1993, p. 14.

III. UNA MIRADA A FUTURO: LA NECESARIA PROTECCIÓN DE ADULTOS VULNERABLES EN SITUACIONES TRANSFRONTERIZAS

Mientras que la protección de los menores cuenta ya con una amplia trayectoria, tanto desde el punto de vista legislativo como doctrinal, la protección internacional de los adultos vulnerables está, en la actualidad, en pleno desarrollo. No se quiere decir con esta afirmación que esta materia no estuviera regulada con anterioridad. Sin embargo, lo cierto es que, en la actualidad, el foco de atención se está situando, con mucha mayor intensidad, que en épocas anteriores[47].

1. La paulatina concienciación sobre la necesidad de proteger a los adultos vulnerables en situaciones transfronterizas

No es de extrañar que paulatinamente, el legislador, tanto nacional como europeo, sea consciente de la necesidad de ofrecer un marco adecuado de protección para las personas adultas vulnerables, no solo en situaciones internas, sino también, transfronterizas. Mediante la expresión "adultos vulnerables", siguiendo a Franzina, nos referimos a "la protección de adultos que, por razón de disfunción o insuficiencia en sus facultades personales, no se encuentran en posición de proteger sus intereses por sí mismos"[48].

Dentro de este grupo, y sin ánimo de exhaustividad, quedarían incluidas las personas con discapacidad, pero también, el foco de atención debe centrarse los importantes cambios demográficos y sociales acontecidos en los países desarrollados y su particular afectación a situaciones transfronterizas: el gran reto del envejecimiento progresivo de la población y la prolongación de la esperanza de vida, y, el desarrollo de enfermedades ligadas a la edad, como el *Alzheimer*[49]. Y, en consecuencia, el potencial incremento de personas susceptibles de encontrarse en situaciones de vulnerabilidad en algún momento de su trayectoria vital[50].

A ello habría que sumarle la creciente movilidad transfronteriza de personas, sobre todo en la UE, y, por tanto, el creciente número de personas que dejan su

---

[47]   En detalle sobre esta problemática *vid.*, por todos, GARCÍA GARNICA, M. CARMEN, "La protección jurídica de las personas mayores: un reto para el siglo XXI", *Revista de Derecho UNED*, nº 23, 2018, pp. 59-97.

[48]   FRANZINA, PIETRO, "La protección internacional de adultos vulnerables: un llamamiento a la acción a nivel de la UE", *Anuario Español de Derecho Internacional Privado*, t. XVI, 2016, p. 128.

[49]   VON HEIN, JAN, "Adults, Protection of", en AA.VV. (Eds.), *Encyclopedia of Private International Law*. vol. I, Edward Elgar Publishing, Cheltenham, 2017, pp. 21-28.

[50]   Se prevé que una quinta parte de la población de la UE tenga algún tipo de discapacidad de aquí a 2050. CONSEJO DE LA UE, "Conclusiones sobre la protección de los adultos vulnerables en el conjunto de la Unión Europea", Bruselas, 27 de mayo de 2021, *DOUE C* 330 I/2, de 17 de agosto de 2021, p. 7.

Estado de origen en búsqueda de trabajo en su juventud, y a mediana edad, y posteriormente deciden no volver a su Estado de origen tras su jubilación, sino pasar el resto de sus días en el lugar en el que han establecido su residencia habitual. A lo anterior habría que sumarle las personas que deciden cambiar de hogar, precisamente, una vez han alcanzado la edad de jubilación, también llamado gerontomigración o movilidad transfronteriza de personas mayores[51].

Así, por ejemplo, si estas personas comienzan a sufrir limitaciones en sus facultades personales que les dificulta defender sus intereses por si mismos, surgen una serie de problemas desde la perspectiva del Derecho Internacional privado[52]. En este contexto, los legisladores, tanto en el ámbito interno como en el internacional, están crecientemente concienciados sobre la necesidad de ofrecer un marco jurídico adecuado para la protección de los adultos vulnerables[53].

Esta situación es susceptible de afectar a la capacidad jurídica de los adultos vulnerables, quienes se enfrentan a retos para proteger sus derechos, defender sus intereses o acceder a la justicia. Las dificultades mencionadas se incrementan en situaciones transfronterizas, debido, por ejemplo, a obstáculos adicionales como la lengua, la representación o el acceso al sistema judicial y a los servicios públicos en general[54].

En el seno de la UE, con el aumento de la movilidad de personas de toda índole, el legislador de la UE está crecientemente concienciado sobre la necesidad de garantizar la movilidad de todas las personas, incluyendo la protección de los grupos vulnerables. Y ello porque los ordenamientos jurídicos de los distintos Estados presentan importantes diferencias en la regulación de esta materia. Desde la propia terminología, delimitación y alcance de las personas "incapaces", hasta

---

[51]   Terminología empleada por ECHEZARRETA FERRER, MAYTE, *El Lugar Europeo de Retiro. Indicadores de excelencia para administrar la gerontoinmigración de ciudadanos de la Unión Europea en municipios españoles*, Comares, Granada, 2005; ECHEZARRETA FERRER, MAYTE, "La gerontomigración: una propuesta de investigación global para abordar el fenómeno complejo de la movilidad transfronteriza de personas mayores. Dimensión jurídica de las relaciones transfronterizas derivadas de la gerontomigración", *Revista Española de Derecho Internacional*, vol. 70, n° 2, 2018, pp. 223-229. Estos procesos migratorios en este estadio vital podrían justificarse por diversas razones: por un lado, algunas personas mayores se trasladan buscando evitar impuestos elevados en sus Estados y la consecuente carga sobre sus herederos; otros podrían intentar evadir otras restricciones de las legislaciones sucesorias nacionales, por ejemplo la legítima; otros simplemente quieren pasar el resto de sus días en los climas más suaves del Mediterráneo; o buscar los menores costes de vida de algunas zonas del este de Europa. VON HEIN, JAN, "Adults, Protection of", *cit.*, pp. 21 y ss.

[52]   ¿Qué autoridades o tribunales tienen competencia para adoptar medidas de protección sobre un adulto o sus propiedades? ¿Qué ley se aplica a tales medidas? ¿Bajo qué condiciones se pueden reconocer o ejecutar en un Estado medidas de protección adoptadas en otro? VON HEIN, JAN, "Adults, Protection of", *cit.*, p. 22.

[53]   En la misma línea *vid.* CHÉLIZ INGLÉS, M. CARMEN, "Medidas de protección a los mayores de edad discapacitados, en un entorno internacional", *Diario La Ley*, n° 9541, 2019, p. 3.

[54]   CONSEJO DE LA UE, "Conclusiones sobre la protección de los adultos...", *cit.*, p. 8.

las distintas medidas de protección previstas[55]. Esta divergencia genera un clima de inseguridad jurídica que susceptible de minar la protección de las personas vulnerables envueltas en situaciones transnacionales.

Por estos motivos, frente al olvido de este colectivo, en la actualidad se reivindica la necesidad urgente de mejorar su protección en contextos transfronterizos. Para ello, Diago Diago identifica tres objetivos[56]: el primer objetivo se refiere a garantizar la continuidad en el espacio de la protección de los adultos vulnerables, frente a los posibles cambios en la Ley aplicable y la consecuente afectación en las medidas de protección adoptadas. En segundo lugar, se debe asegurar el reconocimiento de los poderes otorgados por el adulto en previsión de una necesidad de apoyo. En tercer lugar, se hace referencia a la protección de los terceros de buena fe en la contratación con adultos vulnerables en situaciones transfronterizas.

En este marco, es evidente la necesidad de proporcionar una regulación que garantice una adecuada protección de los adultos vulnerables en situaciones transfronterizas, la cual, necesariamente, debe enmarcarse en el ámbito de la cooperación transfronteriza entre Estados.

2. La protección de los adultos vulnerables en el ámbito internacional: el Convenio de La Haya del 2000

Cuando hablamos de protección de adultos vulnerables, el instrumento que ha impulsado su reconocimiento ha sido siguiendo la Convención sobre los Derechos de las Personas con Discapacidad y Protocolo Facultativo, hecha en Nueva York el 13 de diciembre de 2006[57] (en adelante, Convenio sobre los Derechos de las Personas con Discapacidad)[58].

Tomando esta Convención como referencia, y desde el punto de vista del Derecho Internacional privado, es evidente que la disparidad existente entre los distintos ordenamientos jurídicos en la materia tratada hace necesario el impulso de mecanismos de cooperación que la superen. En este contexto, desde la Conferencia de La Haya de Derecho internacional privado se impulsó el Convenio de La Haya sobre protección internacional de adultos, de 13 de enero de

---

[55]   *Ibíd*, p. 9.
[56]   DIAGO DIAGO, PILAR, "La nueva regulación de la protección de adultos en España en situaciones transfronterizas e internas", *Diario La Ley*, nº 9779, 2021, p. 5.
[57]   *BOE* nº 96, de 21 de abril de 2008.
[58]   El cual define a las personas con discapacidad en su art. 1 *in fine* de como "*aquellas que tengan deficiencias físicas, mentales, intelectuales o sensoriales a largo plazo que, al interactuar con diversas barreras, puedan impedir su participación plena y efectiva en la sociedad, en igualdad de condiciones con las demás*".

2000[59] (en adelante Convenio de La Haya del 2000). Este instrumento aborda los tres sectores del DIPr., es decir, competencia judicial internacional, ley aplicable y reconocimiento y ejecución de medidas de protección de los adultos vulnerables[60]. La necesidad de protección se determina de forma fáctica, esto es, no es un requisito que la persona haya sido declarada incapaz. Con carácter general, el Convenio está pensado para la adopción de medidas de protección debido a alguna deficiencia mental, aunque igualmente, alguna discapacidad física también puede justificar su aplicación[61].

Mientras que tradicionalmente las legislaciones nacionales optaban por el criterio de la nacionalidad para la resolución de estos casos[62], siguiendo la tendencia de los instrumentos de DIPr. de la UE, el Convenio de La Haya del 2000 opta por la residencia habitual como criterio general, tanto en competencia judicial internacional como en ley aplicable.

El Convenio refleja este cambio de paradigma al enfatizar la consideración primordial de la dignidad y la autonomía de la persona adulta[63]. Otro elemento adicional de las nuevas tendencias en esta materia es el creciente papel de la autonomía de la voluntad. Así, por ejemplo, se permite la elección de la ley aplicable al poder de representación que una persona hace cuando aún está en el pleno ejercicio de sus facultades mentales[64].

---

[59]   Sobre este Convenio *vid.*, por todos, BORRÁS RODRÍGUEZ, ALEGRÍA, "Una nueva etapa en la protección internacional de adultos", *Geriatrianet (Revista Electrónica de Geriatría)*, vol. 2, nº 1, 2000; LAGARDE, PAUL, "La convention de La Haye du 13 janvier 2000 sur la protection internationale des adultes", *Revue critique de droit international privé*, nº 2, 2000, pp. 159-179.

[60]   En concreto, este instrumento tiene por objeto "*la protección de los adultos que, por una disminución o insuficiencia de sus facultades personales, no están en condiciones de velar por sus intereses*". *Vid.* art. 1.1 Convenio de La Haya del 2000.

[61]   El art. 3 del Convenio de La Haya del 2000 enumera las medidas de protección susceptibles de ser adoptadas: "*a) la determinación de la incapacidad y el establecimiento de un régimen de protección; b) la colocación del adulto bajo la protección de una autoridad judicial o administrativa; c) la tutela, la curatela y otras instituciones análogas; d) la designación y funciones de toda persona u organismo encargado de ocuparse de la persona o de los bienes del adulto, de representarlo o de asistirlo; e) la colocación del adulto en un centro u otro lugar en el que pueda prestársele protección; f) la administración, conservación o disposición de los bienes del adulto; g) la autorización de una intervención puntual para la protección de la persona o de los bienes del adulto*".

[62]   El criterio de la nacionalidad para la resolución de estos casos presenta algunos problemas, entre otros, procedimientos más lentos, costes más altos, fricciones entre las normas procesales y materiales VON HEIN, JAN, "Adults, Protection of", *cit.*, p. 22.

[63]   *Vid.* Preámbulo Convenio de La Haya del 2000.

[64]   *Vid.* art. 15 Convenio de La Haya del 2000.

3. La nueva estrategia de la UE para la protección de adultos vulnerables

No obstante, el Convenio de La Haya del 2000 no ha resultado lo exitoso que esperaba ser, ya que cuenta con un número bastante limitado de Estados parte. De entre ellos, solo lo han ratificado diez Estados miembros de la UE[65].

La UE es consciente de esta problemática. En este marco, el Parlamento europeo solicitó a la Comisión que ejerciera presión política en el Consejo y en los Estados miembros para que aumentara el número de ratificaciones del Convenio de La Haya del 2000. Además, pidió a la Comisión que presentara una propuesta de Reglamento ante el Consejo antes del 31 de marzo de 2018[66]. Este proceso ha avanzado con la aprobación, el 21 de junio de 2021, de las "Conclusiones del Consejo sobre la protección de los adultos vulnerables en el conjunto de la UE", tanto en materia civil como penal[67].

Las citadas Conclusiones han impulsado una doble estrategia de actuación: no solo se anima a los Estados miembros a la ratificación del Convenio de La Haya, sino que, además, se está estudiando la elaboración de normas institucionales que ofrezcan una protección más garantista de los derechos de las personas adultas vulnerables[68]. En concreto, se trataría de un nuevo Reglamento inspirado en el Convenio de La Haya, pero con unos objetivos más ambiciosos[69]. Al respecto, recientemente se ha publicado un informe del Instituto de Derecho Europeo, en el que se incluye una propuesta de Reglamento basada en el mantenimiento del Convenio de La Haya sobre protección de adultos como texto de referencia, pero a su vez, introduciendo ciertas mejoras en su funcionamiento dentro de la UE[70].

4. Los avances en la protección de los adultos vulnerables en la legislación española

En el caso español, el primer hecho que resulta sorprendente, y que es clara manifestación del déficit de regulación en la materia, es la no ratificación por parte de España del Convenio de La Haya sobre protección de adultos.

---

[65]   Alemania, Austria, Bélgica, Chipre, Estonia, Finlandia, Francia, Letonia, Portugal, República Checa, Para consultar el Estado actual de ratificaciones *vid.* https://www.hcch.net/es/instruments/conventions/status-table/?cid=71

[66]   Informe con recomendaciones a la Comisión sobre la protección de los adultos vulnerables (2015/2085 (INL) PE593.997v02-00).

[67]   CONSEJO DE LA UE, "Conclusiones sobre la protección de los adultos…", *cit.*

[68]   *Ibíd*, p. 13.

[69]   Sobre este proceso *vid.* FRANZINA, PIETRO, "La protección internacional…", *cit.*, pp. 127-145.

[70]   EUROPEAN LAW INSTITUTE, "The Protection of Adults in International Situations Report of the European Law Institute", [en línea], (2020), Disponible en https://www.europeanlawinstitute.eu/fileadmin/user_upload/p_eli/Publications/ELI_Protection_of_Adults_in_International_Situations.pdf [Consulta: 6/9/2022].

Por tanto, para la resolución de estos casos se aplica la normativa interna. A pesar de dicha ausencia, lo cierto es que hay indicadores positivos de la creciente preocupación del legislador español de los adultos vulnerables, como la reciente promulgación de la Ley 8/2021, de 2 de junio, por la que se reforma la legislación civil y procesal para el apoyo a las personas con discapacidad en el ejercicio de su capacidad jurídica (en adelante Ley 8/2021)[71], cuyo objetivo fundamentar es adecuar nuestra legislación al Convenio sobre los Derechos de las Personas con Discapacidad[72], gracias a un cambio significativo cambio de terminología y enfoque[73], y que es continuadora de las reformas iniciadas con la Ley 26/2011, de 1 de agosto, de adaptación normativa a la Convención Internacional sobre los Derechos de las Personas con Discapacidad[74], entre otras[75].

Desde la óptica del DIPr., la nueva legislación reforma los arts. 9.6 del Código Civil, relativo a la ley aplicable a las personas adultas, y 10.8 del mimo, el cual versa sobre la excepción del interés nacional. Según un sector de la doctrina estas modificaciones no lograrían alcanzar los objetivos mínimos de una regulación avanzada de protección de adultos, tanto para situaciones internas como transfronterizas[76]. No obstante, lo cierto es que esta iniciativa es un claro reflejo del creciente interés del legislador por abordar este fenómeno en auge.

---

[71]   *BOE* nº 132, de 3 de junio de 2021. En profundidad sobre esta reforma *vid.* DIAGO DIAGO, PILAR, "La nueva regulación ...", *cit.*, pp. 9 y ss.

[72]   Ley 8/2021, Preámbulo: "*La presente reforma de la legislación civil y procesal pretende dar un paso decisivo en la adecuación de nuestro ordenamiento jurídico a la Convención internacional sobre los derechos de las personas con discapacidad, hecha en Nueva York el 13 de diciembre de 2006, tratado internacional que en su artículo 12 proclama que las personas con discapacidad tienen capacidad jurídica en igualdad de condiciones con las demás en todos los aspectos de la vida, y obliga a los Estados Partes a adoptar las medidas pertinentes para proporcionar a las personas con discapacidad acceso al apoyo que puedan necesitar en el ejercicio de su capacidad jurídica. El propósito de la convención es promover, proteger y asegurar el goce pleno y en condiciones de igualdad de todos los derechos humanos y libertades fundamentales por todas las personas con discapacidad, así como promover el respeto de su dignidad inherente*".

[73]   A título de ejemplo, los términos "*incapaz*" o "*incapacitación*" se sustituyen por otras referencias. También la expresión de la LJV de "*personas cuya capacidad está modificada judicialmente*" se sustituye ahora por "*persona con discapacidad con medidas de apoyo para el ejercicio de su capacidad jurídica*" (art. 7.20 Ley 8/2021).

[74]   *BOE* nº 184, de 2 de agosto de 2011.

[75]   También cabría citar, sin ánimo de exhaustividad, el Real Decreto Legislativo 1/2013, de 29 de noviembre, por el que se aprueba el Texto Refundido de la Ley General de derechos de las personas con discapacidad y de su inclusión social, *BOE* nº 289, de 3 de diciembre de 2013; o la Ley 15/2015, de 2 de julio, de la Jurisdicción Voluntaria, *BOE* nº 158, de 3 de julio de 2015.

[76]   Fundamentalmente, expone dos motivos: por un lado, porque la nueva regulación no introduce reformas en la dimensión judicial; y, por otro, tampoco modifica el art. 10.11 del Código Civil, relativo a la ley aplicable a la representación legal y a la voluntaria. DIAGO DIAGO, PILAR, "La nueva regulación ...", *cit.*, pp. 2 y 3. Esplugues Mota también destaca la escasa calidad técnica de la nueva regulación. ESPLUGUES MOTA, CARLOS, "Lección 12ª. Capacidad, régimen de incapacidades y protección del menor", en ESPLUGUES MOTA, CARLOS, PALAO MORENO, GUILLERMO e IGLESIAS BUHIGUES, JOSÉ LUIS (Eds.), *Derecho Internacional Privado*, Tirant Lo Blanch, Valencia, 16ª ed., 2022, pp. 419 y ss.

IV. REFLEXIONES FINALES

Las actuales sociedades globalizadas, con un constante incremento de la movilidad de las personas, hacen frente constantemente a nuevos retos y realidades. En este contexto, paulatinamente se está tomando una concienciación sobre la necesidad de proteger la movilidad de las personas, pero también, de todas las personas, incluyendo la protección de los grupos vulnerables.

Como ejemplo evidente de esta realidad, encontramos la instauración del principio del interés superior del menor como valor material en las normas de DIPr., y que se ha instaurado en la legislación en la materia. Frente a ello, destaca la escasa atención tradicionalmente otorgada a los adultos vulnerables. Realidad que, sin embargo, debe – y hemos encontrado atisbos de cambio- modificarse por las propias exigencias del cambio demográfico de la población. De forma que llegue a plantearse la instauración de un valor material que consista en la protección de este grupo vulnerable, quizá, por qué no, tomando como referencia el marco jurídico de protección de los menores, y por tanto, en la búsqueda de una máxima articulada en torno a la protección del "interés superior de los adultos vulnerables".

V. BIBLIOGRAFÍA

AZOULAI, LOÏC, BARBOU DES PLACES, SEGOLENE y PATAUT, ETIENNE, "Being a Person in the European Union", en AZOULAI, LOÏC, BARBOU DES PLACES, SEGOLENE y PATAUT, ETIENNE (Eds.), *Constructing the person in EU law. Rights, Roles, Identities,* Hart Publishing, Oxford y Portland, 2016, pp. 3-11.

BARATTA, ROBERTO, "Derechos fundamentales y Derecho internacional privado de familia", *Anuario Español de Derecho Internacional Privado,* t. XVI, 2016, pp. 103-126.

BORRÁS RODRÍGUEZ, ALEGRÍA, "El «interés del menor» como factor de progreso y unificación del Derecho internacional privado (discurs d'ingrés)", Acadèmia de jurisprudencia i legislació de Catalunya, Barcelona, 1993.

BORRÁS RODRÍGUEZ, ALEGRÍA, "Una nueva etapa en la protección internacional de adultos", *Geriatrianet (Revista Electrónica de Geriatría),* vol. 2, nº 1, 2000.

BUCK, TREVOR, *International Child Law,* Routledge, Londres, 3ª ed., 2005.

CARMONA LUQUE, M. DEL ROSARIO, *La Convención sobre los Derechos del niño: Instrumento de progresividad en el Derecho Internacional de los Derechos Humanos,* Dykinson, Madrid, 2011.

CHACÓN MARTÍNEZ, ANA, *El interés superior del menor. Historia de un reconocimiento jurídico en los derechos humanos para la infancia (siglos XVIII-XXI)*, Ediciones de la Universidad de Murcia, Murcia, 2019.

CHÉLIZ INGLÉS, M. CARMEN, "Medidas de protección a los mayores de edad discapacitados, en un entorno internacional", *Diario La Ley*, n° 9541, 2019, pp. 1-15.

CONSEJO DE LA UE, "Conclusiones sobre la protección de los adultos vulnerables en el conjunto de la Unión Europea", Bruselas, 27.5.2021, *DOUE C* 330 I/2, de 17 de agosto de 2021.

COWDEN, MHAIRI, *Children's Rights. From Philosophy to Public Policy*, Palgrave Macmillan, Basingstoke, Hampshire (Inglaterra), 2016.

DIAGO DIAGO, PILAR, "La nueva regulación de la protección de adultos en España en situaciones transfronterizas e internas", *Diario La Ley*, n° 9779, 2021, pp. 1-22.

ECHEZARRETA FERRER, MAYTE, "La gerontomigración: una propuesta de investigación global para abordar el fenómeno complejo de la movilidad transfronteriza de personas mayores. Dimensión jurídica de las relaciones transfronterizas derivadas de la gerontomigración", *Revista Española de Derecho Internacional*, vol. 70, n° 2, 2018, pp. 223-229.

ECHEZARRETA FERRER, MAYTE, *El Lugar Europeo de Retiro. Indicadores de excelencia para administrar la gerontoinmigración de ciudadanos de la Unión Europea en municipios españoles*, Comares, Granada, 2005.

ESPINAR VICENTE, JOSÉ MARÍA, *El matrimonio, las familias y la protección del menor en el ámbito internacional*, Dykinson, Madrid, 2019.

ESPINOSA CALABUIG, ROSARIO, *Custodia y visita de menores en el espacio judicial europeo*, Marcial Pons, Madrid, 2007.

ESPINOSA CALABUIG, ROSARIO, "Derecho internacional privado europeo y protección de grupos vulnerables", *Revista General de Derecho Europeo*, n° 54, 2021, pp. 1-18.

ESPINOSA CALABUIG, ROSARIO y CARBALLO PIÑEIRO, LAURA, "Child Protection in European Family Law", en AA.VV. (Eds.), *Facilitating Cross-Border Family Life – Towards a Common European Understanding: EUFams II and Beyond*, Heidelberg University Publishing, Heidelberg, 2021, pp. 49-90.

ESPLUGUES MOTA, CARLOS, "Lección 12ª. Capacidad, régimen de incapacidades y protección del menor", en ESPLUGUES MOTA, CARLOS, PALAO MORENO, GUILLERMO e IGLESIAS BUHIGUES, JOSÉ LUIS (Eds.), *Derecho Internacional Privado*, Tirant lo Blanch, Valencia, 16ª ed., 2022, pp. 423-481.

EUROPEAN LAW INSTITUTE, "The Protection of Adults in International Situations Report of the European Law Institute", [en línea], (2020), Disponible en https://www.europeanlawinstitute.eu/fileadmin/user_upload/p_eli/Publications/ELI_Protection_of_Adults_in_International_Situations.pdf [Consulta: 6/9/2022].

FAWCETT, JAMES J., NÍ SHÚILLEABHÁIN, MAIRE y SHAH, SANCERTA, *Human Rights and Private International Law*, Oxford University Press, Oxford, 2016.

FRANZINA, PIETRO, "La protección internacional de adultos vulnerables: un llamamiento a la acción a nivel de la UE", *Anuario Español de Derecho Internacional Privado*, t. XVI, 2016, pp. 127-145.

FRANZINA, PIETRO, "The Place of Human Rights in Private International Law of the Union in Family Matters", en AA.V.V. (Eds.), *Fundamental Rights and Best Interests of the Child in Transnational Families*, Intersentia, Cambridge – Amberes – Chicago, 2019, pp. 141-156.

GARCÍA GARNICA, M. CARMEN, "La protección jurídica de las personas mayores: un reto para el siglo XXI", *Revista de Derecho UNED*, n° 23, 2018, pp. 59-97.

GONZÁLEZ CAMPOS, JULIO, "Diversification, spécialisation, flexibilisation et matérialisation des régles de droit international privé. Cours général", *Recueil des Cours*, t. 287, 2000, n° 224.

GONZÁLEZ MARIMÓN, MARÍA, *Menor y responsabilidad parental en la Unión Europea*, Tirant lo Blanch, Valencia, 2021.

HERRANZ BALLESTEROS, MÓNICA, *El interés del menor en los Convenios de La Haya de Derecho Internacional Privado*, Lex Nova, Valladolid, 2004.

LAGARDE, PAUL, "La convention de La Haye du 13 janvier 2000 sur la protection internationale des adultes", *Revue critique de droit International privé*, n° 2, 2000, pp. 159-179.

MICHAELS, RALF, RUIZ ABOU-NIGM, VERÓNICA y VAN LOON, HANS, "Introduction: The Private Side of Transforming our World: UN Sustainable Development Goals 2030 and the Role of Private International Law", en MICHAELS, RALF, RUIZ ABOU-NIGM, VERÓNICA y VAN LOON, HANS (Eds.), *The Private Side of Transforming our World: UN Sustainable Development Goals 2030 and the Role of Private International Law*, Intersentia, Cambridge – Amberes - Chicago, 2021, pp. 1-27.

OFICINA DEL ALTO COMISIONADO, NACIONES UNIDAS, *El sistema de tratados de derechos humanos de las Naciones Unidas*, Folleto Informativo n° 30, Rev. 1.

PETRAŠEVIĆ, TUNJICA, "The Rights of Children in the EU", *European Scientific Journal*, 2016, pp. 44-57.

STALFORD, HELEN, "EU Family Law: a human rights perspective", en AA.VV. (Eds.), *International Family Law for the European Union*, Intersentia, Oxford, 2007, pp. 101- 128.

VON HEIN, JAN, "Adults, Protection of", en AA.VV. (Eds.), *Encyclopedia of Private International Law* vol. I, Edward Elgar Publishing, Cheltenham, 2017, pp. 21-28.

VRELLIS, SPYRIDON, "Quelques réflexions sur l'influence des droits fondamentaux en droit international privé", *Revue Internationale de Droit Comparé*, n° 1, 2017, pp. 47-64.

LA NUEVA REGULACIÓN DEL ACOGIMIENTO TRANSFRONTERIZO DE MENORES EN EL REGLAMENTO BRUSELAS II TER (REGLAMENTO UE Nº 2019/1111)

Mª PILAR DIAGO DIAGO

Catedrática de Derecho internacional privado
Universidad de Zaragoza[*]

SUMARIO: I. CONSIDERACIONES PRELIMINARES Y OBJETO DE ESTUDIO: EL ACOGIMIENTO TRANSFRONTERIZO DE MENORES EN EL DERECHO INTERNACIONAL PRIVADO DE LA UNIÓN EUROPEA. II. COORDENADAS PARA LA INTERPRETACIÓN DE LA NUEVA REGULACIÓN DEL ACOGIMIENTO TRANSFRONTERIZO DEL REGLAMENTO BRUSELAS II TER. III. ÁMBITO DE APLICACIÓN DEL ARTÍCULO 82 DEL REGLAMENTO BRUSELAS II TER: ACOGIMIENTO TRANSFRONTERIZO DE MENORES. IV. LÓGICA DEL SISTEMA: UNIFORMIDAD DEL PROCEDIMIENTO Y NECESARIA APROBACIÓN DEL ACOGIMIENTO. V. PROCEDIMIENTO GENERAL: SOLICITUD DE APROBACIÓN Y REQUISITOS. VI. SUPUESTOS QUE NO SIGUEN EL PROCEDIMIENTO GENERAL. VII. DERECHOS DEL MENOR Y MEDIDAS ADECUADAS. VIII. CONSECUENCIAS QUE DEVENDRÁN DEL NO SEGUIMIENTO DEL PROCEDIMIENTO GENERAL. IX. CONSIDERACIONES FINALES. X. BIBLIOGRAFÍA.

A la Profesora Mercedes Moya en reconocimiento sincero a su brillante trayectoria académica y a su calidad humana.

Con agradecimiento eterno por abrirnos camino y enseñarnos que hay vida en el sueño de construir una sociedad y una Universidad mejor y que el momento para ello siempre es el ¡ahora!

I. CONSIDERACIONES PRELIMINARES Y OBJETO DE ESTUDIO: EL ACOGIMIENTO TRANSFRONTERIZO DE MENORES EN EL DERECHO INTERNACIONAL PRIVADO DE LA UNIÓN EUROPEA

El objeto de este estudio es la regulación del acogimiento trasfronterizo de menores en otro Estado miembro desde el Derecho Internacional Privado de la Unión Europea. No es el análisis de las medidas que, desde el Derecho de

[*]   La profesora Diago Diago es asimismo responsable editorial de la Revista científica *Bitácora Millennium DIPr* (*http://www.millenniumdipr.com/bitacora*), y miembro del Instituto de investigación IEDIS y del grupo de investigación *Ius Familiae*.

extranjería, se pueden articular para dar cobertura a las estancias temporales de menores extranjeros procedentes de terceros Estados[1].

Desde que la ofensiva militar rusa contra el pueblo de Ucrania se ha producido, una de las palabras más escuchadas para tratar de paliar la crisis humanitaria que ha desencadenado, ha sido la de "acogimiento". Una oleada de solidaridad ha recorrido la Unión Europea y se han tomado medidas para acoger a las personas desplazadas a causa del conflicto bélico en Ucrania[2]. Muchas de estas personas son menores de edad y requieren una especial atención y cuidado.

Las diversas ONG despliegan sus mecanismos de acogida y alertan a la población de que cualquier medida debe seguir unos parámetros legales y cumplir con procedimientos que establece cada Estado miembro y en España[3], las distintas Comunidades Autónomas. El *Derecho de extranjería es el marco en el que operan las peticiones de refugio y asilo, los* visados, acogimientos temporales y guardas administrativas.

El acogimiento del menor que regula el Reglamento tiene un marco territorial cerrado, esto es, sólo podrá producirse en otro Estado miembro, por lo que quedan fuera de su ámbito de aplicación las situaciones descritas.

El actual Reglamento Bruselas II ter[4] introduce una nueva regulación del acogimiento que ancla sus antecedentes más inmediatos en el art. 56 de su Reglamento predecesor (Reglamento Bruselas II bis[5]) con la aspiración de mejorar el procedimiento. Al respecto es importante recordar que la Comisión Europea identificó, precisamente, los acogimientos transfronterizos y su procedimiento,

---

[1]   Entre las que se encuentran los visados para desplazamiento temporal de menores extranjeros a España por motivo de vacaciones, tratamiento médico y escolarización. *Vid.* sobre este tema ADROHER BIOSCA, SALOMÉ, "Estancias temporales de menores extranjeros en España: régimen jurídico y desafíos de futuro" en *Cuadernos de Derecho Transnacional,* vol. 11, nº 1, 2019, pp. 51-62.

[2]   Decisión de Ejecución (UE) 2022/382 del Consejo de 4 de marzo de 2022 por la que se constata la existencia de una afluencia masiva de personas desplazadas procedentes de Ucrania en el sentido del artículo 5 de la Directiva 2001/55/CE y con el efecto de que se inicie la protección temporal. *DOUE* nº 71, de 4 de marzo de 2022, pp. 1-6.

[3]   *Vid.* Plan de acogida para personas desplazadas procedentes de Ucrania del Gobierno de España disponible en https://www.lamoncloa.gob.es/serviciosdeprensa/notasprensa/inclusion/Documents/2022/150322-plan_acogida-ucrania.pdf

[4]   Reglamento (UE) 2019/1111 del Consejo, de 25 de junio de 2019, relativo a la competencia, el reconocimiento y la ejecución de resoluciones en materia matrimonial y de responsabilidad parental, y sobre la sustracción internacional de menores. Publicado en el *DOUE* nº 178, de 2 de julio de 2019.

[5]   Reglamento (CE) 2201/2003 del Consejo, de 27 de noviembre de 2003, relativo a la competencia, el reconocimiento y la ejecución de resoluciones judiciales en materia matrimonial y de responsabilidad parental, por el que se deroga el Reglamento (CE) nº 1347/2000. Publicado en el *DOUE* nº 338, de 23 de diciembre de 2003.

como una de las seis deficiencias en materia de responsabilidad parental[6]. Por lo que la evolución a una nueva regulación que simplificara el complejo procedimiento establecido, se imponía como una necesidad, habida cuenta de la importancia que en la práctica presenta la medida del acogimiento.

Como se va a tener ocasión de comprobar en este estudio, el sistema ha mejorado y se han logrado paliar graves deficiencias de funcionamiento. Ahora bien, la compleja técnica legislativa que emplea el Reglamento hace necesario una interpretación orientada del precepto que regula el acogimiento, el art. 82 del mencionado cuerpo legal.

En este trabajo se proporciona una visión completa de la interpretación del precepto, y del procedimiento diseñado por el Reglamento[7]. Para ello se presentan las coordenadas que deben guiar la interpretación y la lógica del sistema. Se analiza, a su vez, el procedimiento y sus excepciones. También se abordan los requisitos formales y temporales que establece el Reglamento, así como el respeto de los derechos del menor que requiere de una especial atención.

II. COORDENADAS PARA LA INTERPRETACIÓN DE LA NUEVA REGULACIÓN DEL ACOGIMIENTO TRANSFRONTERIZO DEL REGLAMENTO BRUSELAS II TER

La ubicación del art. 82 dentro del Reglamento Bruselas II ter responde al sentido mismo de la regulación que ofrece del acogimiento de menores. Se incorpora al capítulo V relativo a la cooperación en materia de responsabilidad parental. Ello ya da pistas de su contenido. Lo que regula el Reglamento, es el procedimiento que debe seguirse para proceder al acogimiento transfronterizo de un menor, cuando sea posible y cumpliendo los requisitos correspondientes. Así es como sigue la estela de la regulación que marcaba (en el ámbito del Convenio de La Haya de 1996), el art. 33. Es por ello, que lo establecido en el precepto orbita dentro del ámbito de la cooperación y que el corte de lo establecido es procedimental.

La regulación material relativa a las condiciones de acogimiento, indicadores, motivos de denegación etc. serán las que regulen los Derechos materiales de los

---

[6]   COMISIÓN EUROPEA, "Propuesta de Reglamento del Consejo relativo a la competencia, el reconocimiento y la ejecución de resoluciones en materia matrimonial y de responsabilidad parental, y sobre la sustracción internacional de menores (refundición)" {SWD(2016) 207 final} {SWD(2016) 208 final}, Bruselas, 30.6.2016, COM(2016) 411 final 2016/0190 (CNS).

[7]   Este estudio toma como base el comentario de la autora al art. 82 del Reglamento Bruselas II ter en PALAO MORENO, GUILLERMO (Dir.), *El nuevo marco europeo en materia matrimonial, responsabilidad parental y sustracción de menores*, Tirant lo Blanch, Valencia, 2022, pp. 665-676.

diferentes Estados miembros implicados en el acogimiento. Al respecto debe tenerse en cuenta en el ámbito español la modificación de la Ley Orgánica 1/1996,
de 15 de enero, de protección jurídica del menor por la Ley Orgánica 8/2021,
de 4 de junio, de protección integral a la infancia y a la adolescencia frente a la
violencia. En especial, los artículos dedicados a la tramitación de las solicitudes
de acogimiento transfronterizo de menores remitidas por un Estado miembro de
la UE y los motivos de denegación[8].

Una vez aclarado el sentido procedimental de la regulación, se debe abordar
el ámbito de aplicación del precepto. Antes de abordarlo, conviene realizar una
advertencia que sirve para la interpretación de todo el Reglamento y que deviene
de la técnica legislativa empleada por el legislador de la Unión Europea.

El Reglamento ha resultado ser una norma complicada, basta retener un dato, cuenta con 98 considerandos, frente a 105 artículos. La consecuencia no es
otra que numerosos preceptos requieren de una minuciosa orientación a la luz
de la información que proporcionan los considerandos. Ello complica, significativamente, la tarea del operador jurídico[9].

Un ejemplo de las consecuencias de la utilización de esta técnica legislativa lo
ofrece el mismo art. 82 regulador del acogimiento transfronterizo. Este precepto ha crecido respecto de su antecesor. Mientras que el art. 56 del Reglamento
Bruselas II bis contenía cuatro apartados, el precepto actual, art. 82, duplica su
tamaño con ocho apartados. Ello no pasa de ser anecdótico y está justificado por
el mayor detalle que presenta el procedimiento descrito en el actual artículo.
Sin embargo, lo que debe retenerse es que de la simple lectura del precepto no
puede realizarse una buena interpretación y por lo tanto, aplicación del mismo.

La comprensión completa del artículo exige acudir a los considerandos que
operaran como coordenadas para aplicarlo correctamente; sin olvidar la necesidad de acudir al conjunto del Reglamento y a sus principios inspiradores, con
mención destacada para el interés del menor. Todo ello debe ser tenido en cuenta a la hora de aplicar esta y otras normas del Reglamento de la Unión Europea,
a la práctica forense.

---

[8]   Y también de un Estado parte del Convenio de La Haya de 1996. *Vid.* arts. 20 ter a 20 quinquies.
      BOE nº 134, de 5 de junio del 2021.

[9]   Al respecto *vid.* GARAU SOBRINO, FEDERICO, "¿Qué Derecho Internacional Privado queremos
      para el S. XXI?", *Cuadernos de Derecho Transnacional,* vol. 4. nº 2, 2012, pp. 140-158, de total vigencia
      a la luz de las nuevas normativas procedentes de la Unión Europea.

III. ÁMBITO DE APLICACIÓN DEL ARTÍCULO 82 DEL REGLAMENTO BRUSELAS II TER: ACOGIMIENTO TRANSFRONTERIZO DE MENORES

Las coordenadas que deben ser tenidas en cuenta para delimitar correctamente el ámbito de aplicación del precepto de referencia, vienen dadas por el considerando 11 y por el art. 1 del Reglamento. Es obvio que el ámbito de aplicación se refiere a los acogimientos transfronterizos de menores, pero las primeras preguntas que deben hacerse son ¿qué debe entenderse por acogimiento de un menor? ¿A qué tipología de acogimientos se refiere el precepto? ¿Existen excepciones? En su caso, ¿cuáles son?

El art. 1 del Reglamento, dedicado al ámbito de aplicación y a las definiciones, señala en su primer apartado que el Reglamento *"se aplicará a las materias civiles relativas* b) *a la atribución, el ejercicio, la delegación, la restricción o la finalización de la responsabilidad parental,* y el apartado segundo letra d) indica *que las materias contempladas pueden incluir el acogimiento de un menor en un establecimiento o un hogar de acogida".*

Ahora bien, el concepto de acogimiento transfronterizo requiere de una mayor clarificación que la de acomodación en un establecimiento u hogar de acogida. El concepto del que parte el art. 1 es amplio y el concepto del que parte el art. 82 en más limitado[10]. La primera limitación la ofrece el mismo precepto en su apartado segundo, cuando dispone que *"no se aplicará cuando el menor deba ser acogido por un progenitor".* Por tanto, no podrá activarse el acogimiento transfronterizo en estos concretos supuestos. Tampoco incluirá otros supuestos, si bien no aparecen descritos en el art. 82.

Es necesario acudir a las coordenadas que proporciona el considerando 11 para lograr una delimitación exacta del tipo de acogimiento que el Reglamento prevé en el precepto. En principio, la delimitación se corresponde con lo establecido en el artículo, si bien se introducen excepciones. El considerando 11 se refiere a:

> *"Cualquier tipo de acogimiento del menor en un hogar de acogida, es decir, según el Derecho y los procedimientos nacionales, por una o más personas, o en una institución, por ejemplo, en un orfanato o en un centro de acogida de menores, en otro Estado miembro debe quedar incluido en el ámbito de aplicación del presente Reglamento".*

Dentro del concepto de acogimiento también se incluirán los llamados "educativos" con el acuerdo de los progenitores del menor o a petición de estos como consecuencia de un comportamiento anómalo. Con una excepción expresa que señala el considerando 11:

---

[10]   *Vid.* estas delimitaciones junto con el carácter transfronterizo en el comentario citado *supra.*

> *"Únicamente deben quedar excluidos los casos en que el acogimiento, ya sea educativo o punitivo, haya sido ordenado o concertado como consecuencia de un acto del menor que, de haber sido cometido por un adulto, podría ser constitutivo de delito con arreglo al Derecho penal nacional, con independencia de si en este caso concreto puede conducir a una condena".*

A esta exclusión hay que añadir más excepciones. La ya mencionada y recogida en el mismo artículo 82, la del acogimiento por un progenitor o *"cuando corresponda, por cualquier otro pariente cercano conforme a lo declarado por el Estado miembro receptor"*, a la que se refiere el considerando 11. A la que se une la del acogimiento con vistas a la adopción, que también es recogida en el considerando 11.

Así pues, para recurrir al procedimiento diseñado por el art. 82 es necesario que el tipo de acogimiento no constituya una de estas excepciones y, además, debe ser un acogimiento transfronterizo *ad intra* de la Unión Europea. Sólo se atenderán a los acogimientos en otro Estado miembro, lo que resulta coherente con el sistema de cooperación en el que, como se ha visto, se enmarca el procedimiento.

A su vez, el acogimiento sólo será de menores. Al respecto debe señalarse la novedad introducida por el Reglamento que delimita lo que se debe entender por menor en su art. 2.2 6):

> *"Toda persona que tenga menos de 18 años".*

La coordenada de este artículo la ofrece el considerando 17[11], que establece una precisión importante:

> *"(…) incluso cuando hayan adquirido capacidad antes de esa edad en virtud de su ley personal, por ejemplo, en casos de emancipación por matrimonio".*

---

[11]   El considerando 17 señala que *"el presente Reglamento, al igual que el Convenio de La Haya de 19 de octubre de 1996 relativo a la competencia, la ley aplicable, el reconocimiento, la ejecución y la cooperación en materia de responsabilidad parental y de medidas de protección de los niños (en lo sucesivo, "Convenio de La Haya de 1996"), debe aplicarse a todos los menores de 18 años, incluso cuando hayan adquirido capacidad antes de esa edad en virtud de su ley personal, por ejemplo en casos de emancipación por matrimonio. Esto debe evitar toda posible superposición con el ámbito de aplicación del Convenio de La Haya de 13 de enero de 2000 sobre Protección Internacional de los Adultos, que se aplica desde los 18 años en adelante, y al mismo tiempo, evitar lagunas entre los dos instrumentos. En el caso de los menores de hasta 16 años, debe seguir aplicándose el Convenio de La Haya de 1980 y, por lo tanto, también el capítulo III del presente Reglamento, que complementa la aplicación del Convenio de La Haya de 1980 en las relaciones entre los Estados miembros".*

IV. LÓGICA DEL SISTEMA: UNIFORMIDAD DEL PROCEDIMIENTO Y NECESARIA APROBACIÓN DEL ACOGIMIENTO

Antes de entrar en el examen del procedimiento general articulado en el art. 82 del precepto, es importante detenerse, aun brevemente, en la lógica del sistema. Como se va a ver, los requisitos de la solicitud y la transmisión de la misma, junto con el ítem temporal aparecen bien descritos en el precepto. Ello es muy importante porque se crea un sistema de solicitud que es el mismo para todos los Estado miembros. De esta manera se logra uniformidad en el procedimiento.

No obstante, no debe perderse de vista que el concreto procedimiento para recabar la aprobación del acogimiento se regirá por el Derecho nacional del Estado miembro requerido, tal y como establece el apartado siete del art. 82, y al que ya se ha hecho referencia anteriormente. Este será el marco normativo que deberá ser tenido en cuenta.

A partir de aquí, es necesario aprehender la idea nuclear que inspira y orienta, en el fondo, todo el procedimiento. Sólo podrá concertarse u ordenarse el acogimiento en otro Estado miembro, después de que la autoridad competente del Estado miembro requerido haya aprobado el acogimiento (apartado 5). De ahí que el art. 82 insista ya en su primer apartado, en que primero se deberá obtener la aprobación de la autoridad competente de ese otro Estado miembro.

Esta lógica del sistema parece obvia pues lo natural es que si no ha existido aprobación no pueda ordenarse el acogimiento, sin embargo, la realidad previa de la práctica desvela la mala *praxis* que se había seguido hasta ahora. La explicación se encuentra en ocasiones se dilataban tanto los procedimientos que se llegaban a producir acogimientos sin la debida aprobación[12]. Es por ello, que el precepto insiste tanto en la aprobación de la solicitud, como condición *sine qua non* para el acogimiento del menor en otro Estado miembro y es por ello que debe resaltarse la lógica del sistema por más que resulte evidente.

A ello hay que añadir otro dato y es que no existe una obligación de aceptar la solicitud, por parte de las autoridades del Estado miembro requerido. Obsérvese que si esa obligación existiese, el procedimiento carecería de sentido y se convertiría en un mero trámite burocrático. Se ignoraría las circunstancias del caso concreto y podría no proporcionarse la mejor situación de cuidado para el menor, lo que iría en contra del principio fundamental de velar por su interés, los que configura el núcleo duro del sistema.

---

[12]   *Vid.* FORCADA MIRANDA, FRANCISCO JAVIER, *Comentarios prácticos al Reglamento UE 2019/1111*, Sepin, Madrid, 2020 pp. 492-494.

V. PROCEDIMIENTO GENERAL: SOLICITUD DE APROBACIÓN Y REQUISITOS

El art. 82 describe con detalle la información mínima que debe contener la solicitud de aprobación del acogimiento: el informe sobre el menor, los motivos de su propuesta de acogimiento o asistencia e información sobre cualquier dotación financiera prevista, así como la duración prevista del acogimiento.

Respecto de la información relativa a la duración del procedimiento, cabe señalar que este dato es consignado por el art. 82 como ejemplo de "otra información que se considere pertinente". La coordenada, esta vez, la proporciona el considerando 83 que, de una manera más oportuna, indica que la solicitud debe contener, al menos, la duración prevista del acogimiento.

En cuanto a qué otra información puede contener la solicitud que se considere pertinente, de nuevo, el considerando 83 proporciona las coordenadas. En él se contiene un listado de ejemplos de datos útiles que pueden conformar la información pertinente "*como la supervisión prevista de la medida, las modalidades de los contactos con los progenitores, otros parientes u otras personas con las que el menor tenga una relación estrecha, o las razones por las que no se prevén tales contactos habida cuenta del artículo 8 del Convenio Europeo para la protección de los Derechos Humanos y de las Libertades Fundamentales*".

Por lo que se refiere a las autoridades competentes para transmitir la solicitud, el art. 82 deja claro que son las autoridades centrales las encargadas de transmitir la solicitud con el informe y el resto de documentación complementaria. Así pues, será la autoridad central del Estado requirente la que transmitirá la solicitud de aprobación a la autoridad del Estado miembro requerido[13]. Al respecto, debe recordarse que el art. 79 marca, dentro de las tareas específicas de las autoridades centrales requeridas, las de:

> "*f) proporcionar toda la información y la asistencia que puedan ser de utilidad para la aplicación por los órganos jurisdiccionales y las autoridades competentes del artículo 82*".

Para ello "*adoptarán, ya sea directamente o por conducto de los órganos jurisdiccionales, las autoridades competentes u otros organismos, todas las medidas adecuadas*".

En relación con ello, debe destacarse que el último apartado del art. 82 se refiere a la posibilidad de que las autoridades centrales, o las autoridades competentes de los Estados miembros, suscriban convenios o mantengan los que estén

---

[13] Respecto de la intervención de las autoridades centrales *vid.* HERRANZ BALLESTEROS, MÓNICA, "El acogimiento transfronterizo en la propuesta de refundición del Reglamento Bruselas II bis", *La Ley Unión Europea*, nº 44, 2017, p. 6.

vigentes. El objetivo de los mismos será simplificar el procedimiento de consulta, en el ámbito de las relaciones mutuas[14].

Por lo que se refiere a los requisitos formales, el Reglamento expone los relativos a la traducción que debe cumplir tanto la solicitud como todos los documentos complementarios: traducción a la lengua oficial del Estado miembro requerido. A su vez, el apartado 4 del art. 82 dispone que, en caso de que existan varias lenguas oficiales en dicho Estado miembro, la traducción puede ser "*a la lengua oficial o una de las lenguas oficiales del lugar en el que se vaya a cursar la solicitud, o a cualquier otra lengua que el Estado miembro requerido haya indicado de forma expresa que puede aceptar*".

Los Estados miembros deben comunicar la aceptación a la Comisión, en virtud del art. 103 apartado i)[15]. También es importante recordar, a efectos prácticos, (puesto que la solicitud puede acompañarse de documentos suplementarios) que el Reglamento no exige legalización ni formalidad análoga (art. 90).

En cuanto a los requisitos temporales, el Reglamento acierta en marcar un plazo breve para comunicar a la autoridad central requirente si se otorga o deniega la aprobación (art. 82.6). Con ello se espera corregir la *praxis* del Reglamento Bruselas II bis, que en numerosas ocasiones se caracterizaba por la lentitud de los procedimientos. Para evitar esta grave distorsión, el legislador de la Unión introduce el plazo de "*tres meses después de la recepción de la solicitud*". Bien entendido que se trata de un plazo máximo, con la salvedad de "*que existan circunstancias excepcionales que lo impidan*".

El cumplimiento de plazos cortos requiere que los diferentes Estados miembros establezcan procedimientos rápidos de actuación. Ello supondrá, en algunos casos, implementar estos procedimientos nacionales con la finalidad de garantizar la celeridad y también, muy importante, la seguridad jurídica[16].

Pudiera darse el caso que en la práctica se sobrepasase el plazo máximo de tres meses. En principio, esto sólo debería ocurrir cuando concurriesen circunstancias excepcionales. Las autoridades centrales, dentro de su papel de proporcionar información y asistencia, podrían, en su caso, dar cuenta de las incidencias.

En este punto es necesario retomar la lógica del sistema que se exponía en el apartado anterior, de forma que el retraso en la aprobación o la ausencia de contestación no se debe interpretar como una aprobación tácita. Debe recordarse que el acogimiento únicamente podrá ordenarse, cuando haya aprobación

---

[14]   Se debe alentar la firma de estos acuerdos para lograr un procedimiento más rápido, seguro y eficaz.

[15]   Téngase en cuenta que el Reglamento dedica el art. 91 a la lengua.

[16]   A ello hace referencia el considerando 83.

expresa de dicho acogimiento por la autoridad competente del Estado miembro requerido[17] y no cabe ninguna excepción.

Por último, cabe referirse a otra situación que vendría alterar el sistema. El acogimiento se aprobó con una duración determinada y el periodo de tiempo ha transcurrido. En estos casos no cabe una prórroga automática del acogimiento. El procedimiento correcto es cursar una nueva solicitud y así lo viene a indicar el considerando 83 que, como se está viendo, ofrece coordenadas importantes para resolver los problemas que la práctica ya ha generado en la etapa anterior del Reglamento Bruselas II bis.

Obsérvese que el éxito del procedimiento depende en gran medida de la celeridad del mismo (tres meses) y por supuesto, del estricto cumplimiento de su lógica: sin aprobación, no hay acogimiento.

VI. SUPUESTOS QUE NO SIGUEN EL PROCEDIMIENTO GENERAL

Como se ha tenido ocasión de exponer el procedimiento comienza con la solicitud y continua con la aprobación o denegación de la misma. Se fijan plazos rápidos y se establecen condiciones que permitan generar seguridad jurídica. No obstante, no todos los supuestos deben transitar por el camino fijado por el procedimiento general.

El acogimiento por un progenitor constituye la excepción principal y a ella alude el mismo art. 82. En estos casos, no habrá lugar a aplicar el procedimiento general. Téngase en cuenta que los estrechos lazos familiares justifican el que no sea menester desplegar todo el procedimiento.

Además de los progenitores, existen otros familiares muy cercanos al menor que pueden ser idóneos para el acogimiento transfronterizo. En estos supuestos y, por las mismas razones expuestas, podrá no ser necesaria la aprobación para proceder al acogimiento transfronterizo, siempre que concurran dos condiciones:

Por un lado, serán los mismos Estados miembros los que decidan la no necesidad de aprobación para los acogimientos dentro de su territorio. Por otro lado, serán los mismos Estados miembros los que determinen las categorías de parientes cercanos que acogerán al menor, sin necesidad de aprobación. Al respecto cabe recordar que el apartado 2 del art. 82 dispone que estas categorías serán comunicadas a la Comisión en virtud del art. 103.

En relación con estos supuestos (como se verá en el apartado siguiente), debe ser tenido en cuenta que se articulan vías para obtener información muy valiosa,

---

[17]   *Vid.* considerando 83.

a los efectos de localizar a personas adecuadas para acoger al menor en otro Estado miembro: progenitores, parientes u otras personas que pudieran resultar adecuadas para el cuidado del menor.

VII. DERECHOS DEL MENOR Y MEDIDAS ADECUADAS

Como ya se ha indicado, toda la lógica del sistema que articula el Reglamento Bruselas II ter tiene como núcleo el interés superior del menor. Pese a que en ningún momento el precepto de referencia lo mencione, este principio orienta tanto el procedimiento como la aplicación del mismo. Así pues, en el acogimiento transfronterizo debe ser tenido en cuenta el interés superior del niño y en concreto, debe respetarse sus derechos dentro de la situación concreta que se genera.

Son dos los derechos que, de manera especial, deben ser respetados en la situación de traslado del menor a otro Estado miembro: el derecho a conservar la identidad y el derecho a mantener contacto con los progenitores[18] o con otros parientes, conforme a los arts. 8, 9 y 20 de la Convención de las Naciones Unidas sobre los Derechos del Niño.

De nuevo debe recurrirse a la coordenada fijada por los considerandos para proyectar el respeto de estos derechos en el procedimiento. En este caso, será el considerando 84 el que proporcione las pautas. En concreto, dispone que los órganos jurisdiccionales que estén valorando una resolución de acogimiento del menor, estudiarán lo antes posible, las medidas adecuadas para asegurar los derechos del menor, y en especial, los dos que se han indicado.

Debe tenerse en cuenta, además, que existirán casos en los que (como relata el considerando citado) el órgano jurisdiccional tenga conocimiento de la existencia de un vínculo estrecho con otro Estado miembro. En estos casos, "*las medidas adecuadas podrían incluir, en particular, una notificación a la oficina consular de dicho Estado miembro cuando sea aplicable el artículo 37, letra b), de la Convención de Viena sobre Relaciones Consulares*".

En este mismo sentido, el apartado 3 del art. 82 establece que:

> *"La autoridad central de otro Estado miembro podrá informar a un órgano jurisdiccional o a una autoridad competente que considere el acogimiento de un menor sobre un vínculo estrecho del menor con ese Estado miembro".*

---

[18]   HERRANZ BALLESTEROS, MÓNICA, "Cross-border placement of children: The current situation in Spain", *Yearbook of Private International Law,* vol. XVII, 2015/2016, p. 459.

Dentro de las medidas adecuadas que ejemplifica el considerando, en esta misma línea, puede incluirse también "*una solicitud, dirigida a dicho Estado miembro para obtener información sobre un progenitor, un pariente u otras personas que pudieran resultar adecuadas para el cuidado del menor. Asimismo, en función de las circunstancias, el órgano jurisdiccional también podría solicitar información sobre los procedimientos y resoluciones relativos a uno de los progenitores o hermanos del menor*".

Es importante retener que todo ello no afectará ni a la legislación, ni a los procedimientos nacionales del Estado miembro que considere el acogimiento. Así lo especifica expresamente el art. 82 y, con especial rotundidad, el considerando 84 cuando señala que:

> "*…ninguna de estas medidas debe afectar a la legislación y los procedimientos nacionales aplicables a cualquier resolución de acogimiento dictada por el órgano jurisdiccional o la autoridad competente en el Estado miembro que considere el acogimiento. En particular, estas disposiciones no deben suponer obligación para las autoridades del Estado miembro competente a disponer que el acogimiento del menor se lleve a cabo en el otro Estado miembro ni a asociar en mayor medida a este último a la resolución o al procedimiento de acogimiento*".

En definitiva, siempre se deberá examinar las circunstancias del caso concreto, a la luz del interés del menor. Ello es fundamental para procurar su mejor cuidado. Un automatismo en la aprobación de una solicitud de acogimiento, basada únicamente en la existencia de vínculos con otro Estado miembro, podría generar una perversión del sistema. De ahí, que se evite una obligatoriedad automática de ordenar el acogimiento transfronterizo del menor, aun cuando concurran vínculos estrechos con otro Estado miembro, de los cuales se ha dado cuenta[19].

VIII. CONSECUENCIAS QUE DEVENDRÁN DEL NO SEGUIMIENTO DEL PROCEDIMIENTO GENERAL

Una vez analizado el procedimiento y proporcionadas las pautas de interpretación y la lógica del sistema, es el momento de preguntarse por las consecuencias que generará el no seguimiento del procedimiento, en los supuestos que deben estar sometidos al mismo.

De nuevo, nos encontramos con que la respuesta a esta pregunta no aparece en el art. 82. En este caso, la coordenada se encuentra en otro precepto anterior del Reglamento. Hay que retroceder al art. 39, dedicado a los motivos de denegación del reconocimiento, y a su apartado primero para hallar la respuesta.

---

[19]   DIAGO DIAGO, Mª PILAR, *op. cit.*, p. 674.

El precepto señala que:

> "1. Se denegará el reconocimiento de una resolución en materia de responsabilidad parental:
> (…) f) si no se ha respetado el procedimiento previsto en el artículo 82".

Por lo tanto, se trata de un motivo de denegación de reconocimiento.

IX. CONSIDERACIONES FINALES

La regulación que ofrece el Reglamento Bruselas II ter del acogimiento transfronterizo de menores es más clara, más simple y mejor descrita que la que contenía su predecesor. Todo ello, debe valorarse positivamente[20]. No obstante, la técnica legislativa empleada complica sobremanera la correcta interpretación y, con ello, se complica la tarea del operador jurídico.

Cuando se deba poner en práctica el procedimiento, conviene tener presentes las coordenadas que aparecen en los considerandos y en otros artículos del Reglamento. Además, deberá siempre atenerse a la lógica del sistema y al núcleo duro del mismo, que no es otro que el de velar por el interés del menor en el acogimiento transfronterizo.

Será la puesta en práctica del procedimiento la que finalmente de cuenta del éxito del sistema y, en su caso, de la necesidad de su perfeccionamiento posterior.

X. BIBLIOGRAFÍA

ADROHER BIOSCA, SALOMÉ, "Estancias temporales de menores extranjeros en España: régimen jurídico y desafíos de futuro", *Cuadernos de Derecho Transnacional*, vol. 11, nº 1, 2019, pp. 51-62.

DIAGO DIAGO, Mª PILAR, "Comentario legislativo del artículo 82 del Reglamento Bruselas II ter", en PALAO MORENO, GUILLERMO (Dir.) *El nuevo marco europeo en materia matrimonial, responsabilidad parental y sustracción de menores*, Tirant lo Blanch, Valencia 2022, pp. 665-676.

FORCADA MIRANDA, FRANCISCO JAVIER, *Comentarios prácticos al Reglamento UE 2019/1111*, Sepin, Madrid, 2020.

---

[20]   En esta misma línea *vid.* GONZÁLEZ MARIMÓN, MARÍA, *Menor y responsabilidad parental en la Unión Europea*, Tirant lo Blanch, Valencia, 2021, p. 461.

GARAU SOBRINO, FEDERICO, "¿Qué Derecho Internacional Privado queremos para el S. XXI?", *Cuadernos de Derecho Transnacional*, vol. 4, nº 2, 2012, pp. 140-158.

GONZÁLEZ MARIMÓN, MARÍA, *Menor y responsabilidad parental en la Unión Europea*, Tirant lo Blanch, Valencia, 2021.

HERRANZ BALLESTEROS, MÓNICA, "Cross-border placement of children: The current situation in Spain", *Yearbook of Private International Law*, vol. XVII, 2015/2016, pp. 449-.462.

HERRANZ BALLESTEROS, MÓNICA, "El acogimiento transfronterizo en la propuesta de refundición del Reglamento Bruselas II bis", *La Ley Unión Europea*, nº 44, 2017.

RÉGIMEN JURÍDICO DEL DERECHO DE VISITA DE LOS MENORES EN EL DERECHO INTERNACIONAL PRIVADO EUROPEO

MARÍA DOLORES ADAM MUÑOZ

Catedrática de Derecho internacional privado
Universidad de Córdoba

SUMARIO: I. CONCEPTO DE DERECHO DE VISITA DE LOS MENORES Y DETERMINACIÓN DEL MISMO. II. TRASLADO LEGAL DE LA RESIDENCIA HABITUAL DEL MENOR A OTRO ESTADO MIEMBRO POR EL PROGENITOR QUE OSTENTA LA GUARDA Y CUSTODIA SOBRE EL MISMO. III. EL RÉGIMEN PRIVILEGIADO DE LA RESOLUCIÓN REFERENTE AL DERECHO DE VISITA. 1. Requisitos para la realización por el órgano jurisdiccional competente de la certificación privilegiada del derecho de visita. 2. Modificación y revocación por el órgano jurisdiccional competente de la certificación privilegiada del derecho de visita. IV. EL RECONOCIMIENTO DE LA RESOLUCIÓN PRIVILEGIADA DEL DERECHO DE VISITA. V. FUERZA EJECUTIVA Y EJECUCIÓN DE LA RESOLUCIÓN PRIVILEGIADA REFERENTE AL DERECHO DE VISITA. 1. Procedimiento para la ejecución de la resolución privilegiada del derecho de visita. 2. La suspensión y la denegación de la ejecución. A. Suspensión de la ejecución de la resolución privilegiada. B. Denegación de la ejecución. VI. TRASLADO ILEGAL DE LA RESIDENCIA HABITUAL DEL MENOR A OTRO ESTADO MIEMBRO POR EL PROGENITOR QUE OSTENTA LA GUARDA Y CUSTODIA SOBRE EL MISMO. VII. BIBLIOGRAFÍA.

I. CONCEPTO DE DERECHO DE VISITA DE LOS MENORES Y DETERMINACIÓN DEL MISMO

Para una mayor eficacia en la aplicación de los instrumentos internacionales por los Estados miembros que forman parte de los mismos, éstos suelen contener definiciones de las diferentes figuras jurídicas a las que se refieren independientes de las que proporcionan los derechos nacionales de los diferentes Estados. De esta forma se garantiza en el ámbito internacional la aplicación uniforme del texto en cuestión, dotándolo de una mayor garantía y seguridad.

Partiendo de esta premisa, el Reglamento (UE) 2019/1111, de 25 de junio de 2019 relativo a la competencia, el reconocimiento y ejecución de resoluciones en materia matrimonial y de responsabilidad parental, y sobre la sustracción internacional de menores (en adelante Reglamento Bruselas II ter)[1], indica que se aplica al derecho de custodia y al derecho de visita (art. 1.2 a), entendiendo por derecho de visita el derecho de llevar a un menor a otro lugar diferente al

---

[1] *DOUE* nº L 178/1 de 2 de julio de 2019. Este Reglamento es de aplicación desde el 1 de agosto de 2022 y sustituye al Reglamento 2201/2003 sobre la misma materia.

de su residencia habitual[2] por un periodo de tiempo limitado (art. 2.2, 10)[3]. El Reglamento Bruselas II ter adopta así una calificación autónoma, diseñando el supuesto de la manera más amplia posible para dar cabida a cualquier institución de derecho de visita prevista en el ordenamiento de cualquier Estado Miembro (en adelante EM), si bien la ha concretado únicamente en la facultad del titular del derecho[4] en trasladar a un menor a un lugar diferente al de su residencia habitual por un periodo de tiempo limitado[5].

En este sentido hemos de tener en cuenta que, a diferencia del derecho de guarda y custodia, el cual se puede adquirir, por resolución judicial, por ministerio de la ley o por un acuerdo con efectos jurídicos, el derecho de visita en nuestro ordenamiento necesariamente ha de surgir de un acuerdo con efectos jurídicos o de una resolución judicial, ya sea ésta provisional o definitiva, en tanto en cuanto el mismo se otorga a uno de los progenitores cuando existe un procedimiento de crisis matrimonial entre los progenitores, o bien, una disolución de una pareja de hecho, registrada o no[6].

---

[2]   La determinación de la residencia habitual del menor se torna fundamental en los supuestos de determinación de la competencia judicial internacional a tenor de los preceptos del Reglamento Bruselas II ter. *Vid.* GONZÁLEZ MARIMÓN, MARÍA, *Menor y responsabilidad parental en la Unión Europea*, Tirant lo Blanch, Valencia, 2021, pp. 110 y ss.

[3]   En este mismo sentido el anterior Reglamento Bruselas II bis (art. 2.10) y el Convenio de La Haya de 25 de octubre 1980 sobre aspectos civiles de la sustracción internacional de menores (art. 5.1.b) (en adelante CH 1980).

[4]   En relación con el titular de este derecho, el TJUE, en su Sentencia de 31 de mayo de 2018, asunto C-335/17, Valcheva/Babanarakis (ECLI:EU:C:2018:359), indica que el concepto de derecho de visita incluye no solo el derecho de los progenitores, sino también de otras personas con las que resulte importante que el menor mantenga relaciones personales, y en particular sus abuelos, sean o no titulares de la responsabilidad parental.

[5]   RODRÍGUEZ BENOT, ANDRÉS, "Artículo 2. Definiciones", en PALAO MORENO, GUILLERMO (Dir), *El nuevo marco europeo en materia matrimonial, responsabilidad parental y sustracción de menores*, Tirant lo Blanch, Valencia, 2022, p. 79

[6]   Así, el art. 771 de la Ley de Enjuiciamiento Civil (en adelante LEC), referido a "Medidas provisionales previas a la demanda de nulidad, separación o divorcio. Solicitud, comparecencia y resolución", establece que: "El cónyuge que se proponga demandar la nulidad, separación o divorcio de su matrimonio puede solicitar los efectos y medidas a que se refieren los artículos 102 y 103 del Código Civil ante el tribunal de su domicilio". Y el art. 103. 1º del Código Civil indica que: "Admitida la demanda, el Juez, a falta de acuerdo de ambos cónyuges aprobado judicialmente, adoptará, con audiencia de éstos, las medidas siguientes: 1.ª Determinar, en interés de los hijos, con cuál de los cónyuges han de quedar los sujetos a la patria potestad de ambos y tomar las disposiciones apropiadas de acuerdo con lo establecido en este Código y, en particular, la forma en que el cónyuge que no ejerza la guarda y custodia de los hijos podrá cumplir el deber de velar por éstos y el tiempo, modo y lugar en que podrá comunicar con ellos y tenerlos en su compañía. Excepcionalmente, los hijos podrán ser encomendados a los abuelos, parientes u otras personas que así lo consintieren y, de no haberlos, a una institución idónea, confiriéndoseles las funciones tutelares que ejercerán bajo la autoridad del juez. Cuando exista riesgo de sustracción del menor por alguno de los cónyuges o por terceras personas podrán adoptarse las medidas necesarias y, en particular, las siguientes: a) Prohibición de salida del territorio nacional, salvo autorización judicial previa. b) Prohibición de

Los derechos de guarda y visita se consideran, no como unos derechos que pertenecen a la persona mayor, que ésta ostenta y los puede oponer frente a cualquier persona, sino muy al contrario de lo que en un principio puede parecer, se estima que son derechos que pertenecen al menor y que es éste el titular de los mismos. Así lo establece el Convenio de Naciones Unidas sobre los Derechos del Niño de 20 de noviembre de 1989[7], cuyo art. 1.1 impone a los Estados parte la obligación de adoptar "medidas para luchar contra los traslados ilícitos de niños al extranjero y la retención ilícita de niños en el extranjero". El art. 9.3 del referido convenio reconoce el derecho del niño que está separado de uno o de ambos progenitores a mantener relaciones personales y contacto directo con ambos de modo regular, salvo si ello es contrario al interés superior del niño. Finalmente, el art. 10.2 del texto convencional señala que: "El niño, cuyos padres residan en Estados diferentes, tendrá derecho a mantener periódicamente, salvo circunstancias excepcionales, relaciones personales y contactos directos con ambos padres. Con tal fin (...) los Estados respetarán el derecho del niño y de sus padres a salir de cualquier país, incluido el propio, y de entrar en su propio país (...)"[8].

Así, a tenor de los preceptos del Reglamento Bruselas II ter, los órganos competentes para conocer de la responsabilidad parental[9], en tanto en cuanto el derecho de visita está incluido en esta institución jurídica, serán los indicados para determinar a qué progenitor le corresponde el derecho de guarda y custodia y a

---

expedición del pasaporte al menor o retirada del mismo si ya se hubiere expedido. c) Sometimiento a autorización judicial previa de cualquier cambio de domicilio del menor.

[7]   Ratificado por España, *BOE* nº 313, de 1 de diciembre de 1990.

[8]   Un análisis más detallado sobre esta cuestión puede verse MOYA ESCUDERO, MERCEDES, *Aspectos internacionales del derecho de visita de los menores*, Comares, Granada 1998, pp. 11-21.

[9]   La responsabilidad parental se define en el Reglamento Bruselas II ter como "los derechos y obligaciones conferidos a una persona física o jurídica en virtud de una resolución, por ministerio de la ley o por un acuerdo con efectos jurídicos, en relación con la persona o los bienes de un menor, incluidos, en particular, los derechos de custodia y visita" (art. 2.2, 7º). Y el Convenio de La Haya de 1996 relativo a la ley aplicable, el reconocimiento, la ejecución y la cooperación en materia de responsabilidad parental y de medidas de protección de los niños (en adelante CH1996), indica que, a los fines del convenio, la expresión «responsabilidad parental» comprende la autoridad parental o cualquier otra relación de autoridad análoga que determine los derechos, poderes y obligaciones de los padres, tutores o de otro representante legal respecto a la persona o los bienes del niño (art. 1.2). Sobre este concepto *vid.* ADAM MUÑOZ, MARÍA DOLORES, "La nueva regulación de la filiación natural en el Derecho internacional privado español", *Cuadernos de Derecho Transnacional,* vol. 8, nº 2, 2016, pp. 34-54; DURÁN AYAGO, ANTONIA, "Responsabilidad parental, relaciones paterno-filiales y protección de menores ¿tres denominaciones para tres realidades diferentes?" en GUZMÁN ZAPATER, MÓNICA y ESPLUGUES MOTA, CARLOS (Dirs.), *Persona y familia en el nuevo modelo español de Derecho internacional privado*, Tirant lo Blanch, Valencia, 2017, pp. 353-363; *id.,* "La competencia judicial internacional en materia de responsabilidad parental. La regla general (artículo 7)", en CAMPUZANO DÍAZ, BEATRIZ (Dir.), *Estudio del Reglamento (UE) 2019/1111 sobre crisis matrimoniales, responsabilidad parental y sustracción internacional de menores*, Tirant lo Blanch, Valencia, 2022, pp. 71-77.

cuál el derecho de visita[10]. En este sentido, serán los tribunales del EM en el que el menor tenga su residencia habitual (art. 7), los que los progenitores hayan elegido como competentes (*prorrogatio fori*, art. 10), los tribunales del EM en los que el menor esté presente (art. 11) o los tribunales del EM que estén mejor situados para conocer de esta cuestión y hayan aceptado la competencia judicial internacional (en adelante CJI), sea como consecuencia de la remisión de la competencia por el órgano del EM competente o viceversa (arts. 12 y 13). Y si con arreglo a estos criterios no se deduce la CJI de ningún órgano jurisdiccional de ningún EM, la CJI se determinará con arreglo a las normas del EM ante cuyos tribunales se suscite la cuestión (CJI residual, art. 14). Si el derecho de visita se adopta como medida provisional, los tribunales competentes serán los del EM al cual se refiere el art. 15 del Reglamento Bruselas II ter[11].

---

[10] No obstante, el TJUE, en el asunto C-335/17, Valcheva/Babanarakis, señala que los derechos de visita han de interpretarse de manera autónoma y no a tenor de los derechos nacionales, de manera que interpretando el art. 2.10 del Reglamento 2201/2003 a la luz de los trabajos preparatorios, así como a otros actos de la Unión y del Derecho internacional, el derecho de visita no queda únicamente circunscrito a los progenitores en relación con sus hijos, sino que debe ampliarse a otras personas con las que resulte importante que el menor mantenga relaciones personales, en particular con sus abuelos, sean o no titulares de la responsabilidad parental. *Vid* comentario a esta sentencia realizado por ALVAREZ GONZÁLEZ, SANTIAGO y AMMERMAN YEBRA, JUAN, "El derecho del niño a ser visitado por sus abuelos y el Reglamento 2201/2003. Comentario breve a la STJ de 31 de mayo de 2018, C-335/17, *Christos Babanarakis*". *La Ley Unión Europea*, nº 61, 2018, pp. 1-11.

[11] Este precepto indica que: "1. En caso de urgencia, aunque el órgano jurisdiccional de otro Estado miembro sea competente para conocer del fondo del asunto, los órganos jurisdiccionales de un Estado miembro tendrán competencia para adoptar medidas provisionales, incluidas las cautelares, que puedan estar previstas en el Derecho de este Estado miembro en relación con: a) un menor presente en dicho Estado miembro; o b) los bienes de un menor que se encuentran en dicho Estado miembro. 2. En la medida en que la protección del interés superior del menor lo exija, el órgano jurisdiccional que ha adoptado las medidas mencionadas en el apartado 1 del presente artículo informará de ellas sin demora al órgano jurisdiccional o a la autoridad competente del Estado miembro que tenga competencia en virtud del artículo 7 o, en su caso, a cualquier órgano jurisdiccional de un Estado miembro competente para conocer del fondo del asunto en virtud del presente Reglamento, ya sea directamente conforme al artículo 86 o por conducto de las autoridades centrales designadas en virtud del artículo 76. 3. Las medidas tomadas en virtud del apartado 1 dejarán de aplicarse tan pronto como el órgano jurisdiccional del Estado miembro competente en virtud del presente Reglamento para conocer del fondo del asunto haya adoptado las medidas que considere apropiadas. En su caso, dicho órgano jurisdiccional informará de su decisión al órgano que adoptó las medidas provisionales, incluidas las cautelares, ya sea directamente conforme al artículo 86 o por conducto de las autoridades centrales designadas en virtud del artículo 76".

II. TRASLADO LEGAL DE LA RESIDENCIA HABITUAL DEL MENOR A OTRO ESTADO MIEMBRO POR EL PROGENITOR QUE OSTENTA LA GUARDA Y CUSTODIA SOBRE EL MISMO

Una de las prerrogativas que lleva implícito el derecho de guarda y custodia del menor es la decisión sobre el lugar en el que va a establecer su residencia habitual, de manera que el progenitor custodio, puede cambiar legalmente el lugar de residencia habitual del menor a tenor, por ejemplo, de la obtención de un permiso judicial. En este supuesto puede que el derecho de visita que estaba configurado de una manera determinada atendiendo a la disponibilidad del menor y del progenitor, a la situación escolar y laboral de aquél y de éste, a las infraestructuras existentes en un determinado territorio, etc., se vea alterado por dicho cambio, de manera que las expectativas del progenitor que ostenta este derecho se vean alteradas sustancialmente en cuanto al ejercicio de su derecho. En este supuesto, el Reglamento Bruselas II ter establece en su art. 8 que la CJI para conocer de las pretensiones del progenitor cuyo derecho de visita se vea alterado recaerán en el órgano jurisdiccional del EM del lugar en el que el menor tenía su residencia habitual antes del cambio[12]. El establecimiento de este foro de CJI resulta lógico si tenemos en cuenta que la determinación del derecho de visita se ha configurado en el EM de la anterior residencia habitual del menor atendiendo a unas determinadas circunstancias, de forma que el órgano jurisdiccional que así lo estableció es conocedor de las mismas y es el que goza de mejor posición para determinar con arreglo a qué parámetros ha de modificar el derecho de visita. Teniendo en cuenta que el Reglamento Bruselas II ter no contiene una regulación al respecto, será el Derecho interno de cada EM[13] el que se pronuncie en cada supuesto sobre esta cuestión[14].

Se le otorga así al progenitor que ha visto alterado su derecho de visita y que ha sido perjudicado en relación con sus expectativas, la posibilidad de actuar ante los tribunales de su residencia habitual y evitar tener que desplazarse a otro EM a litigar en relación con esta cuestión, como así lo hace el Convenio de La

---

[12]   La posibilidad que tienen los progenitores de acudir a un tribunal para que se modifique su derecho de visita cuando el progenitor custodio decide el cambio de la residencia habitual del menor a otro Estado de forma legal, se denomina en Derecho Anglosajón *"Relocation disputes"*. Vid. ESPINOSA CALABUIG, ROSARIO, "Art. 8: Mantenimiento de la competencia en relación con los derechos de visita" en PALAO MORENO, GUILLERMO (Dir.), *El nuevo marco europeo en materia matrimonial, responsabilidad parental y sustracción de menores, op. cit.,* p. 134.

[13]   Así, por ejemplo, la Sentencia de la AP de Palma de Mallorca de 9-mayo-2017 (JUR/2017/165121), deniega el cambio de residencia habitual de España a Paraguay de la madre con su hijo.

[14]   GONZÁLEZ BEILFUSS, CRISTINA, "El traslado lícito de menores: las denominadas *relocation disputes"*, *REDI*, n° 2, 2010, pp. 51-75 y RODRÍGUEZ PINEAU, ELENA, "Revisión de la adjudicación de la custodia y la reubicación internacional del menor en interés superior del menor", *Cuadernos Cívitas de Jurisprudencia Civil*, 2018, n° 106, pp. 9-21.

Haya de 1996 relativo a la competencia, la ley aplicable, el reconocimiento y la cooperación en materia de responsabilidad parental y de medidas de protección de los niños (en adelante CH1996), cuyo art. 5.2 señala que serán competentes los tribunales de la nueva residencia habitual del menor[15]. Nos encontramos así ante la consagración del principio de la *perpetuatio jurisdictionis*, el cual se basa en dos presupuestos: en primer lugar, que se produzca un cambio legal de la residencia habitual del menor de un EM a otro EM, y, en segundo lugar, que exista una previa resolución sobre el derecho de visita en el EM en el que el menor tenía su residencia habitual antes del cambio. Si concurren estos dos presupuestos, para que este foro de CJI resulte operativo, es necesario que se cumplan los tres siguientes requisitos de forma cumulativa:

En primer lugar, se ha de dar un elemento temporal: entre el momento en que el menor ha cambiado de residencia habitual y aquél en que el progenitor presenta su solicitud no pueden transcurrir más de tres meses. En segundo lugar, ha de concurrir un requisito territorial: el progenitor ha de seguir viviendo en el lugar en el que el menor tenía su anterior residencia habitual. Y, por último, ha de concurrir una condición subjetiva: que el progenitor no haya aceptado la CJI de los tribunales del EM de la nueva residencia habitual del menor[16].

La permanencia de este foro de CJI en este nuevo Reglamento Bruselas II ter es del todo idónea desde el momento en que permite a los progenitores acordar cambios en el régimen de visitas del menor antes de que se produzca el traslado del mismo a otro EM en el que establecerá su nueva residencia habitual, teniendo en cuenta además que los tribunales del EM que dictaron la resolución sobre el derecho de visita son los que están en mejores condiciones para proceder a su adaptación como consecuencia de que también son los que mejor conocen la

---

[15]   Sobre esta cuestión *vid.* CAMPUZANO DÍAZ, BEATRIZ, "El nuevo Reglamento (UE) 2019/1111: análisis de las mejoras en las relaciones con el Convenio de La Haya de 19 de octubre de 1996 sobre responsabilidad parental", *Cuadernos de Derecho Transnacional*, vol. 12, n° 1, 2020, pp. 110-111.

[16]   Como condición para la aplicación de estos preceptos, los cuales ya se contemplaban en el anterior Reglamento, es necesaria la existencia de una resolución acerca del derecho de visita del progenitor dictada por los tribunales del EM en el que el menor tenía su antigua residencia habitual. No es posible que los tribunales del EM en el cual ha seguido viviendo el progenitor que ahora reclama la custodia se pronuncien sobre este particular *ex novo*, si ya han pasado más de tres meses desde que el menor cambió de residencia habitual. Sobre este particular *vid.* GLUHAIA, DIANA, "Residencia habitual del menor y tribunales competentes para modificar una resolución judicial sobre el derecho de visita. Aplicación jurisprudencial de los artículos 8 y 9 del Reglamento (CE) 2201/2003". *Cuadernos de Derecho Transnacional*, n° 1, 2019, pp. 751-757. La autora comenta el auto 66/2018 de la Audiencia Provincial de las Islas Baleares en el que se ponen de manifiesto estos extremos, señalando a tal efecto que, al no haber una resolución referente al derecho de visita del progenitor, el mismo debe acudir a los tribunales alemanes y solicitar ante los mismos dicha medida, ya que éstos son los competentes al haber pasado más de tres meses desde que la hija cambió de residencia habitual de España a Alemania.

situación del menor[17]. De este modo se pretende proteger el ejercicio transfronterizo del derecho de visita del titular, en el supuesto en que exista una determinada resolución en el EM de origen referente al derecho de visita[18] y también se da cobertura al derecho que el menor tiene de educarse y estar en compañía de ambos progenitores[19].

Por último, aun en el caso de que se cumplan todos los requisitos señalados, no tiene por qué aplicarse el art. 8. Tal como señala este precepto en su apdo. 2º, no se aplicará "si el titular del derecho de visita… ha aceptado la competencia de los órganos jurisdiccionales del Estado miembro de la nueva residencia habitual del menor al participar en un procedimiento ante dichos órganos jurisdiccionales sin impugnar su competencia". Esta situación podría darse en una doble circunstancia: cuando el titular del derecho de visita haya decidido iniciar el procedimiento en el EM de la nueva residencia habitual del menor o cuando se haya personado en el procedimiento iniciado por la otra parte sin impugnar la competencia[20].

III. EL RÉGIMEN PRIVILEGIADO DE LA RESOLUCIÓN REFERENTE AL DERECHO DE VISITA

La Sección Segunda del Capítulo IV (arts. 42 a 50) regula el "reconocimiento y ejecución de determinadas resoluciones privilegiadas", al igual que lo hacía el Reglamento 2201/2003 (en adelante Reglamento Bruselas II bis), en el cual ya habían recibido esta cualificación algunas decisiones en materia de

---

[17]   Comisión Europea, Dirección General de Justicia, *Guía práctica para la aplicación del Reglamento Bruselas II bis*, Oficina de Publicaciones, 2016, https://data.europa.eu/doi/10.2838/28785

[18]   No obstante, este foro de CJI puede ser completado con lo que indica el considerando 21 del Reglamento Bruselas II ter, el cual establece que: "Cuando no haya aún procedimientos en curso en materia de responsabilidad parental y la residencia habitual del menor cambie a raíz de un traslado lícito del menor, la competencia debe seguirle con el fin de mantener la proximidad. Para los procedimientos que ya estén en curso, la seguridad jurídica y la eficiencia de la justicia justifican el mantenimiento de la competencia hasta que los procedimientos hayan desembocado en una resolución definitiva o hayan concluido de otra forma. El órgano jurisdiccional en el que se esté sustanciando el procedimiento debe, no obstante, estar facultado en determinadas circunstancias para transferir la competencia al Estado miembro en el que el menor esté viviendo a raíz de un traslado lícito". De este *dictum* se puede deducir que es posible que todavía no exista en el EM de origen resolución alguna sobre el derecho de visita o que, si existe y está en curso, la CJI recae sobre el órgano del EM que está conociendo del mismo.

[19]   RODRÍGUEZ PINEAU, ELENA, "El nuevo Reglamento (UE) 2019/1111 en materia matrimonial, responsabilidad parental y sustracción internacional de menores", *Revista La Ley Derecho de familia*, nº 26, 2020, pp. 1-26.

[20]   En este sentido ESPINOSA CALABUIG, ROSARIO, *Custodia y visita de menores en el espacio judicial europeo*, Marcial Pons, Madrid, 2007, pp. 132-133.

responsabilidad parental[21]. No obstante, hemos de señalar que se trata de un régimen potestativo el cual no impide que una parte solicite el reconocimiento y la ejecución de conformidad con las disposiciones previstas en la Sección Primera de este Capítulo (art. 42.2), las cuales contemplan un régimen general de reconocimiento y ejecución[22].

Para que la resolución sobre el derecho de visita goce de un régimen privilegiado ha de ser certificada conforme al Anexo V del Reglamento Bruselas II ter (art. 47) por la autoridad del EM que la dictó, de manera que las resoluciones que rechazan la petición del derecho de visita quedarían sometidas al régimen general[23]. El objetivo de la supresión del exequatur de determinadas resoluciones se justifica en este caso concreto por la necesidad de que se ejercite con normalidad el derecho de visita transfronterizo.

El certificado no goza de una naturaleza jurídica inamovible, sino que, en aras del interés superior del menor y, teniendo en cuenta algunas deficiencias que el mismo ha tenido en la práctica durante la aplicación del anterior Reglamento Bruselas II bis, el nuevo texto permite que la autoridad que lo expidió pueda rectificarlo o revocarlo si lo expidió de forma indebida (art. 48) y que el tribunal del EM ante el que se solicita su ejecución pueda, bajo la condición del cumplimiento de determinados requisitos, denegarla (art. 56.6).

1. Requisitos para la realización por el órgano jurisdiccional competente de la certificación privilegiada del derecho de visita

El órgano jurisdiccional del EM competente para conocer del derecho de visita, podrá expedir un certificado, ya siempre a instancia de parte y no de oficio, como contemplaba el anterior Reglamento Bruselas II bis utilizando el modelo que se contiene en el Anexo V. Hemos de tener presente que este órgano competente deberá poner el mayor cuidado y atención para que las circunstancias acaecidas durante el procedimiento sean reflejadas con exactitud en dicho certificado y cumplir de forma escrupulosa las condiciones que señala el art. 47.3 , ya que en caso contrario y, de observarse algún error o falta de coincidencia entre los datos o hechos, el certificado podrá ser objeto de rectificación o revocación (art. 48), incluso si no se ajusta a las mismas, la determinación del derecho de

---

[21]   Para un análisis del régimen de las resoluciones privilegiadas *vid.* RODRÍGUEZ VÁZQUEZ, Mª ÁNGELES, "Supresión del exequátur y ejecución de resoluciones en materia de responsabilidad parental: la convivencia de dos soluciones en el Reglamento (UE) 2019/1111", *REDI*, vol. 74, nº 2, 2022, pp. 50-75.

[22]   Otra de las resoluciones que gozan de un régimen privilegiado son aquellas que impliquen la restitución del menor, dictadas con arreglo al art. 29 (art. 42.1 b).

[23]   *Guía práctica para la aplicación del Reglamento Bruselas II bis, op. cit.,* p. 43.

visita perderá su carácter de resolución privilegiada, debiendo de seguir para su reconocimiento el régimen general, limitando así su fuerza ejecutiva (art. 49).

A tenor del art. 47.3, las condiciones que se han de dar para que la autoridad competente emita el certificado son las siguientes:

1ª) Todas las partes afectadas han tenido la oportunidad de ser oídas. Este requisito se refiere fundamentalmente a los progenitores o personas allegadas de forma directa con el menor, ejercientes de su pretensión del derecho de visita, a las que ya nos hemos referido en líneas anteriores y, al propio menor, siempre y cuando el mismo tenga suficiente discernimiento para expresar sus opiniones.

2ª) Que al menor se le ha dado la oportunidad de expresar libremente sus opiniones, bien directamente o bien a través de sus representantes legales, de conformidad con la legislación y los procedimientos instituidos en los EEMM, y siempre que el menor tenga capacidad para formarse sus propios juicios. Esta opinión necesariamente tendrá que tenerse en cuenta por el órgano jurisdiccional en cuestión de acuerdo con la edad y madurez del menor (art. 21). El cumplimiento de este requisito es de suma importancia, ya que su no observancia puede conllevar la denegación del reconocimiento (art. 39.2). Asimismo, y en caso de no acatamiento, la resolución no podrá ser certificada ni ejecutada directamente[24].

Para el cumplimiento de este requisito, hemos de diferenciar si el menor con suficiente discernimiento para expresar sus opiniones se encuentra o no en el mismo EM que el progenitor que ha instado la pretensión acerca del derecho de visita. En el primer caso, no existirán verdaderos problemas para que el mismo ejercite su derecho a ser oído por el tribunal competente. Sin embargo, si la residencia habitual del menor ha sido cambiada de forma legal y ya no se encuentra en el mismo EM que el progenitor que ejercita la pretensión del derecho de visita, la garantía de su derecho a ser oído resulta mucho más complicada de cumplir. No obstante, estimamos que se podría utilizar el mismo mecanismo propuesto por la *Guía práctica para la aplicación del Reglamento Bruselas II bis*[25] para el caso en que estemos frente a una resolución privilegiada de restitución del menor en el supuesto de traslado ilícito; es decir, se podrían utilizar los mecanismos previstos en el Reglamento (CE) 1206/2001 del Consejo, de 28 de mayo de 2001, relativo a la cooperación entre los órganos jurisdiccionales de los

---

[24] Sobre el derecho del menor a ser oído y su implementación en el Reglamento Bruselas II ter, *vid.* GONZÁLEZ MARIMÓN, MARÍA, *Menor y responsabilidad parental...*, *op. cit.*, pp. 461-501.

[25] *Guía práctica para la aplicación del Reglamento Bruselas II bis*, *op. cit.*, p. 44.

Estados miembros en el ámbito de la obtención de pruebas en materia civil o mercantil[26].

3ª) Si la resolución se ha dictado en rebeldía de la persona en cuestión, se tiene que dar una de estas dos circunstancias para que sea posible la emisión del certificado:

    a) Que se haya notificado o trasladado a dicha persona el escrito de demanda o un documento equivalente de forma tal y con la suficiente antelación para que pueda organizar su defensa, o

    b) Que se haya establecido de forma inequívoca que esa persona ha aceptado la resolución.

Con el establecimiento de estos requisitos, el Reglamento Bruselas II ter pretende, a la vez que fortalecer el derecho de defensa, potenciar el que la rebeldía buscada no surta efectos en cuanto a la validez de la resolución y, por tanto, del certificado.

El certificado se rellenará y será expedido en la lengua de la resolución (art. 47.2), si bien se podrá expedir también en una legua oficial de las instituciones europeas, solicitada por alguna de las partes, y sus efectos quedarán limitados al carácter ejecutivo de la resolución (art. 47.5), de tal manera que si la resolución deja de ser ejecutiva o su fuerza ejecutiva se suspende o se limita, se expedirá un certificado para indicar la falta o la limitación de la fuerza ejecutiva, previa solicitud dirigida en cualquier momento al órgano jurisdiccional del EM de origen, utilizando el formulario normalizado del Anexo VII (art. 49).

En nuestro ordenamiento jurídico, hasta la fecha, y a tenor de la Disposición Final 22ª, número 2 de la LEC, la certificación relativa a las resoluciones judiciales sobre derecho de visita prevista en el Reglamento Bruselas II bis se expide por el juez de forma separada y mediante providencia, cumplimentando el formulario contenido en el Anexo III de dicho Reglamento. Consideramos que en este mismo sentido se debe dirigir nuestra normativa cuando se produzca su adaptación al nuevo Reglamento Bruselas II ter.

---

[26] Dicho Reglamento ha sido sustituido por el Reglamento (UE) 2020/1783 del Parlamento Europeo y del Consejo, de 25 de noviembre de 2020, relativo a la notificación y traslado en los Estados miembros de documentos judiciales y extrajudiciales en materia civil o mercantil, *DOUE* nº L 405/40, de 2 de diciembre de 2020.

2. Modificación y revocación por el órgano jurisdiccional competente de la certificación privilegiada del derecho de visita

El último párrafo del art. 47 del Reglamento Bruselas II ter establece que contra la expedición del certificado solo podrán interponerse los recursos consagrados en el art. 48 y este precepto se refiere a la posibilidad de que, a petición de parte o de oficio, se inste la modificación o la revocación del certificado. Esta facultad supone una mejora en relación con la regulación que proporcionaba el anterior Reglamento Bruselas II bis, en tanto en cuanto solo permitía la rectificación por parte del juez de origen si el mismo observaba que había cometido algún error al rellenar el certificado de forma que no reflejase de manera real el contenido de la resolución. Asimismo, con esta regulación, el nuevo Reglamento Bruselas II ter intenta despejar la incógnita sobre la posibilidad de que el certificado sea controlado por las autoridades del EM en el que el mismo se pretende hacer valer, dejando claro que ese control pertenece únicamente a las autoridades del EM que lo han expedido[27], mediante la revocación del mismo. Así, el art. 48.1 nos indica en relación con la rectificación que ésta se podrá realizar de oficio[28] en caso de que la autoridad que lo expidió observe que se ha producido un error material o una omisión o que hay discrepancias entre la resolución y el certificado, o bien a instancia de parte si advierte que se dan las circunstancias antes mencionadas. En este último caso no constituye una potestad, sino un mandato legal. Lo mismo sucede en el caso de la revocación, la cual será imperativa, ya se produzca ésta de oficio o a instancia de parte, si el certificado se ha expedido de manera indebida, no observando los requisitos contemplados en el art. 47, a los cuales nos hemos referido en líneas anteriores, de manera que se suspenderá o limitará su fuerza ejecutiva (art. 48.2).

Las normas que regirán el procedimiento para la modificación o rectificación del certificado serán las normas procesales de los diferentes EEMM. A tenor del nº 4 de la Disposición Final 22ª de la LEC, serán las contenidas en los tres primeros números del art. 267 de la Ley Orgánica del Poder Judicial[29], sin que quepa

---

[27]   FORCADA MIRANDA, FRANCISCO JAVIER, *Comentarios prácticos al Reglamento (UE) 2019/1111. Competencia, Reconocimiento y Ejecución de Resoluciones en materia Matrimonial, Responsabilidad Parental y Sustracción Internacional de Menores*, Sepin, Madrid, 2021, p. 282.

[28]   España comunicó a la Comisión, a tenor del art. 103 del Reglamento Bruselas II ter, que el órgano competente para proceder a la modificación será el Juzgado de Primera Instancia territorialmente competente.

[29]   Este precepto indica que: "1. Los tribunales no podrán variar las resoluciones que pronuncien después de firmadas, pero sí aclarar algún concepto oscuro y rectificar cualquier error material de que adolezcan. 2. Las aclaraciones a que se refiere el apartado anterior podrán hacerse de oficio dentro de los dos días hábiles siguientes al de la publicación de la resolución, o a petición de parte o del Ministerio Fiscal formulada dentro del mismo plazo, siendo en este caso resuelta por el tribunal dentro de los tres días siguientes al de la presentación del escrito en que se solicite la aclaración.

recurso alguno contra la resolución que procede a la aclaración o rectificación de dicho certificado.

En el caso en que prospere la revocación, la resolución dejará de ser privilegiada, pudiendo solicitarse su reconocimiento y ejecución conforme al régimen general previsto para las resoluciones en materia de responsabilidad parental[30].

IV. EL RECONOCIMIENTO DE LA RESOLUCIÓN PRIVILEGIADA DEL DERECHO DE VISITA

El nuevo Reglamento Bruselas II ter sigue manteniendo la regla del reconocimiento automático al señalar en su art. 43.1 que "las resoluciones contempladas en el art. 42, apartado 1, dictadas en un Estado miembro serán reconocidas en los demás Estados miembros sin que se requiera ningún procedimiento especial y sin que sea posible oponerse a su reconocimiento a menos y en la medida en que la resolución sea declarada irreconciliable con una resolución posterior a que se refiere el art. 50". Estas resoluciones irreconciliables se refieren fundamentalmente al mantenimiento en este Reglamento del *proceso preferente* o *mecanismo de la última palabra*, pero no afectan a las resoluciones referidas al derecho de visita[31], ya que, siguiendo la regulación de los foros del Reglamento Bruselas II ter, es poco probable que se plantee la inconciliabilidad en este supuesto[32].

Los documentos que habrá de presentar la parte interesada en el reconocimiento ante el órgano jurisdiccional del EM ante el que solicite el mismo, se recogen en el art. 43.2 y son: copia de la resolución que reúna las condiciones necesarias para establecer su autenticidad, y certificado expedido de conformidad con el art. 47 (Anexo V), aplicándose en consecuencia los apartados 2 y 3 del art. 31[33].

---

3. Los errores materiales manifiestos y los aritméticos en que incurran las resoluciones judiciales podrán ser rectificados en cualquier momento".

[30]   En este sentido, CARRILLO POZO, LUIS, *Responsabilidad parental: un estudio de Derecho procesal civil internacional,* Tirant lo Blanch, Valencia, 2021, p. 324.

[31]   Si consultamos el art. 50 del Reglamento Bruselas II ter podemos comprobar como el mismo se refiere al *procedimiento preferente* en relación con la resolución de restitución del menor; es decir, a aquellos casos en los que el tribunal de un EM ha dictado una resolución de restitución del menor en caso de traslado ilícito y la parte afectada insta su reconocimiento en el EM al cual ha sido trasladado el menor. Si en este último EM se está llevando a cabo un procedimiento sobre guarda y custodia del menor y el tribunal del mismo otorga la custodia al progenitor que ha procedido al traslado del menor, esta última resolución resultará irreconciliable con la que determina la restitución del menor al EM en el que el menor tenía su residencia habitual antes de su traslado ilícito.

[32]   *Vid.* en este sentido CARRILLO POZO, LUIS, *Responsabilidad parental...*, *op. cit.*, p. 326 y FORCADA MIRANDA, FRANCISCO JAVIER, *Comentarios prácticos al Reglamento (UE) 2019/1111...*, *op. cit.*, p. 368.

[33]   Art. 31.2.: "El órgano jurisdiccional o la autoridad competente ante la que se invoque una resolución dictada en otro Estado miembro podrá, si es necesario, requerir a la parte que la haya

V. FUERZA EJECUTIVA Y EJECUCIÓN DE LA RESOLUCIÓN PRIVILEGIADA REFERENTE AL DERECHO DE VISITA

La especialidad de la resolución privilegiada del derecho de visita se ve también reflejada en cuanto a su fuerza ejecutiva y al procedimiento para su ejecución. En tal sentido, el art. 45.1 del Reglamento Bruselas II ter indica que las resoluciones contempladas en el art. 42, apartado 1 (las referidas a la restitución del menor y las que se refieren al derecho de visita) dictadas en un EM que fueren ejecutivas en dicho EM *serán ejecutivas* en los demás EEMM sin que sea necesaria una declaración de fuerza ejecutiva y, el número 2 de este mismo precepto (art. 45) se refiere exclusivamente a dicha fuerza ejecutiva en relación con las resoluciones privilegiadas del derecho de visita señalando que: "a efectos de la ejecución de este tipo de resoluciones en otro EM, los órganos jurisdiccionales del EM de origen podrán declarar la resolución provisionalmente ejecutiva, sin perjuicio de cualquier posible recurso". Los documentos que habrá de presentar la parte que solicita la ejecución son los mismos que el Reglamento Bruselas II ter establece para la solicitud del reconocimiento y a los que ya nos hemos referido anteriormente (art. 46).

1. *Procedimiento para la ejecución de la resolución privilegiada del derecho de visita*

El procedimiento de ejecución se contiene en la Sección Tercera del Capítulo IV (arts. 51 a 63). Estas normas son comunes a todas las resoluciones en materia de responsabilidad parental, sean estas privilegiadas o no, que sean ejecutivas en el EM de origen. El Reglamento Bruselas II ter opta por combinar las reglas procedimentales nacionales para la ejecución utilizables en cada uno de los EEMM con reglas de armonización específicas y propias del Reglamento para lograr una mayor efectividad en el ámbito de la ejecución[34]. Como consecuencia de esta conjunción, en los procedimientos sobre ejecución habrá que combinar los diferentes Derechos nacionales de los EEMM con las nuevas disposiciones del

---

invocado que presente, de conformidad con el artículo 91, una traducción o una transcripción del contenido traducible de los campos de texto libre del certificado contemplado en el apartado 1, letra b), del presente artículo". Art. 31.3. "El órgano jurisdiccional o la autoridad competente ante la que se invoque una resolución dictada en otro Estado miembro podrá requerir a la parte que presente, de conformidad con el artículo 91, una traducción o una transcripción de la resolución, además de una traducción o una transcripción del contenido traducible de los campos de texto libre del certificado, si no puede continuar sus diligencias sin dicha traducción o transcripción".

[34]   RODRÍGUEZ VÁZQUEZ, Mª ÁNGELES, "La reforma del Reglamento (CE) nº 2201/2003: análisis de las soluciones propuestas en materia de reconocimiento y ejecución de resoluciones, *AEDIPr*, nº 17, 2017, pp. 767-784.

Reglamento Bruselas II ter[35]. En tal sentido, el art. 51.1 establece que "a reserva de lo dispuesto en la presente sección, el procedimiento de ejecución de las resoluciones dictadas en otro Estado miembro se regirá por el Derecho del Estado miembro de ejecución. Sin perjuicio de lo dispuesto en los artículos 41, 50, 56 y 57, las resoluciones dictadas en un Estado miembro que tengan fuerza ejecutiva en el Estado miembro de origen serán ejecutadas en el Estado miembro de ejecución en las mismas condiciones que una resolución dictada en dicho Estado miembro"[36]. Las normas armonizadoras y específicas del Reglamento Bruselas II ter, como señala el art. 51.1, son los motivos de denegación del art. 39 (para las resoluciones sometidas al régimen general), y los del art. 50 (para las resoluciones privilegiadas), así como los motivos comunes para ambas resoluciones de suspensión o denegación previstos por el propio Reglamento Bruselas II ter en el art 56 o los que se establezcan en las distintas legislaciones estatales (art. 57)[37].

La solicitud de ejecución se presentará "ante la autoridad competente para la ejecución" con arreglo a la legislación del Estado miembro de ejecución comunicada por dicho Estado a la Comisión (art. 52), acompañada de la documentación señalada en los arts. 35 o 46 (copia de la resolución que reúna las condiciones necesarias para establecer su autenticidad y el correspondiente certificado). En nuestro Estado, a tenor de lo preceptuado en el art. 545.3 de la LEC, se presentará ante el Juzgado de Primera Instancia del lugar que corresponda con arreglo a lo dispuesto en el art. 50 de esta misma Ley. Una vez presentada la solicitud, se notificará a la persona contra quien se insta la ejecución el certificado apropiado expedido de acuerdo con el art. 47, antes de la primera medida de ejecución. El certificado se acompañará de la resolución, si aún no ha sido notificada a dicha persona (art. 55.1)[38]. Asimismo, y cuando proceda, se le notificarán también los detalles a los que se refiere el art. 54.1. En relación con este último requisito, resulta de suma relevancia la referencia a la notificación de dichos detalles, ya que se refieren a la adopción por parte de las autoridades competentes del EM de ejecución de las medidas necesarias para organizar el derecho de visita, si la resolución dictada por los órganos jurisdiccionales del EM competentes para conocer del fondo del asunto no hubieran establecido en absoluto las disposiciones

---

[35]　　CORNELOUP, SABINE y KRUGER, THALIA, "Le Règlement 2019/1111, Bruxelles II: La protection des enfants gagne du terrain", *Revue critique de droit international privé*, nº 2, 2020, p. 235.

[36]　　La justificación de esta solución radica en el principio de territorialidad y porque el carácter coactivo que las medidas de ejecución implican, está íntimamente vinculado a la soberanía de los Estados. *Vid.* JIMÉNEZ BLANCO, PILAR, "La ejecución forzosa de las resoluciones judiciales en el marco de los Reglamentos europeos", *REDI*, vol. 70, nº 1, 2018, p. 101.

[37]　　RODRÍGUEZ VÁZQUEZ, Mª ÁNGELES, "El régimen de las resoluciones privilegiadas", en CAMPUZANO DÍAZ, BEATRIZ (Dir.), *Estudio del Reglamento (UE) 2019/1111…, op. cit.*, pp. 237-250.

[38]　　En el punto 10 del Anexo V se indica que el órgano de origen deberá marcar si en la fecha de expedición del certificado, la resolución se ha notificado o trasladado a la parte contra la que se pide la ejecución y la lengua en que se ha realizado.

necesarias o lo hubieran hecho de manera insuficiente, y siempre y cuando se respeten los elementos esenciales de dicha resolución[39]. Estas medidas dejarán de tener efecto cuando los órganos jurisdiccionales del EM competentes para conocer del fondo se pronuncien a través de una resolución posterior. La finalidad del precepto radica en que efectivamente se ejercite por vía ejecutiva el derecho de visita[40], ya que es posible encontrar resoluciones a ejecutar que, por no contener las disposiciones necesarias, o por insuficiencia de las mismas, pudieran llegar a no poder ejecutarse[41]. Hemos de tener en cuenta que esta facultad no supone la posibilidad de que el órgano ante el que se insta la ejecución sustituya las medidas establecidas por el Estado de origen por otras existentes en su ordenamiento, sino que ha de utilizar la técnica de la adaptación, en tanto en cuanto ha de buscar las medidas que en su sistema jurídico cumplan la misma función que las decretadas en el EM de origen.

La notificación de los documentos significados a la parte contra la cual se insta la ejecución resulta fundamental, en tanto en cuanto supone un trámite esencial en aras de que la misma pueda ejercitar de un modo efectivo su derecho de defensa. En esta misma línea se sitúa el requisito contemplado en el apartado 2 del art. 55, el cual establece que cuando la notificación deba efectuarse en un EM distinto del EM de origen, la persona contra quien se insta la ejecución podrá solicitar una traducción o una transcripción de la resolución o de los campos de texto libre del certificado. Si se solicita la traducción, y hasta que se le proporcione, no podrán adoptarse medidas de ejecución distintas de medidas cautelares

---

[39]   En el punto 6 del Anexo V han de indicarse los derechos de visita reconocidos de conformidad con la resolución y modalidades prácticas de su ejercicio (en la medida en que se indique en la resolución).

[40]   El considerando 61 establece que: "Con objeto de facilitar la ejecución de las resoluciones de otro Estado miembro sobre el ejercicio de los derechos de visita, las autoridades competentes para la ejecución o los órganos jurisdiccionales del Estado miembro de ejecución deben estar facultados para precisar las circunstancias prácticas o las condiciones legales necesarias con arreglo al Derecho del Estado miembro de ejecución. Los procedimientos previstos en el presente Reglamento deben facilitar la ejecución, en el Estado miembro de ejecución, de resoluciones que, de lo contrario, podrían no ser ejecutables por su imprecisión, de tal manera que la autoridad competente para la ejecución o el órgano jurisdiccional de ejecución puedan concretar la resolución y hacerla más precisa. Con el mismo objetivo deben definirse cualesquiera otros procedimientos destinados a cumplir los requisitos legales en virtud de la normativa interna en materia de ejecución del Estado miembro de ejecución, como, por ejemplo, la participación de una autoridad de protección de menores o de un psicólogo en la fase de ejecución. Sin embargo, tales procedimientos no deben interferir con los elementos fundamentales de la resolución sobre los derechos de visita, ni ir más allá de esos elementos. Asimismo, la facultad para adaptar medidas de conformidad con el presente Reglamento no debe permitir al órgano jurisdiccional de ejecución sustituir medidas que son desconocidas en el Derecho del Estado miembro de ejecución por otras medidas diferentes".

[41]   SANTANA PÁEZ, EMELINA, "Art. 54: Disposiciones para el ejercicio del derecho de visita", en PALAO MORENO, GUILLERMO (Dir.), *El nuevo marco europeo en materia matrimonial, responsabilidad parental y sustracción de menores, op. cit.,* p. 473.

(art. 55.3). El problema que esta garantía procesal puede conllevar es que la intención de la parte contra la que se pide la ejecución sea la de dilatar el procedimiento y no la de tener un conocimiento exacto de los documentos notificados, en tanto en cuanto la misma entiende el idioma en el que están redactados[42].

2. La suspensión y la denegación de la ejecución

Hemos de tener en cuenta que nos encontramos ante una resolución privilegiada por la cual se concede el derecho de visita a una determinada persona, normalmente un progenitor, por este motivo nos vamos a referir únicamente a los motivos de suspensión o denegación de ejecución de este tipo de resoluciones.

A. Suspensión de la ejecución de la resolución privilegiada

Los motivos de suspensión y denegación de la ejecución se contemplan de forma conjunta para las resoluciones privilegiadas y las generales en el art. 56. Las personas u organismos legitimados para proceder a la suspensión o solicitar la misma varían en atención a la razón que las inspira, así:

1°) Si en el EM de origen la resolución perdiera o se suspendiera su fuerza ejecutiva, se procederá a la suspensión de la ejecución, tanto de oficio, como a instancia de la persona contra la cual se insta la ejecución, así como si así lo establece el derecho nacional del EM en el que se va a proceder a la ejecución (art. 56.1). Ello es posible porque, como ya hemos indicado, no es necesario que la resolución sea firme en el EM de origen para pedir su ejecución en otro EM, de manera que resulta lógica la suspensión si en el primer EM prosperó un recurso en un sentido contrario a la primitiva resolución.

2°) Si la resolución es objeto de recurso ordinario en el EM de origen, si todavía no se ha cumplido el plazo de interposición de dicho recurso ordinario, si se ha presentado una solicitud de denegación de la ejecución al amparo de los arts. 41, 50 o 57, o si la persona contra la que se insta la ejecución ha solicitado a tenor del art. 48 la revocación de un certificado expedido con arreglo al art 47 (derecho de visita). En estos cuatro supuestos podrá acordar la suspensión de la ejecución el órgano competente del EM para proceder a la misma, bien a instancia de la parte contra la que se inste la

---

[42]   En opinión de RODRIGUEZ VAZQUEZ, Mª ÁNGELES, "El procedimiento de ejecución", en CAMPUZANO DÍAZ, BEATRIZ (Dir.), *Estudio del Reglamento (UE) 2019/1111...*, *op. cit.*, pp. 258-260. Hemos de esperar a la implementación del Reglamento para saber el plazo en el que puede solicitarse y aportarse la traducción, aunque pueden ser orientativos los fijados en la Disposición Final 25ª de la LEC por la que se facilita la aplicación en España del Reglamento 1215/2012.

ejecución, o bien cuando así se establezca en la legislación nacional. La suspensión podrá ser total o parcial (art. 56.2). En este segundo supuesto la suspensión ya no es imperativa, sino potestativa.

3º) En casos excepcionales en que la ejecución exponga al menor a un daño grave de carácter psíquico o físico, debido a impedimentos temporales que hayan surgido después de que la resolución haya sido dictada, o en virtud de cualquier otro cambio significativo de circunstancias, la autoridad competente del EM de ejecución podrá suspender la misma a instancia de la parte contra la que se insta la ejecución o cuando así se establezca en la legislación nacional, bien del menor afectado, o bien de cualquier parte interesada que actúe atendiendo al interés superior del menor. La ejecución se reanudará cuando ese riesgo grave desaparezca, estando obligado el órgano jurisdiccional del EM de ejecución a tomar las medidas oportunas para facilitar la ejecución de conformidad con la legislación nacional, atendiendo al interés superior del menor (art. 56.4)[43]. Como podemos comprobar, el Reglamento Bruselas II ter otorga un gran poder discrecional al órgano jurisdiccional del EM requerido en cuanto a la apreciación de un riesgo grave para el menor, ya sea éste de carácter físico o psíquico, y que haya sobrevenido después de que en el EM de origen se dictara la resolución. Esta facultad se instituye para velar por la consecución del interés superior del menor, de forma tal que, aun habiendo sido dictada una determinada resolución, ya definitiva en un EM, ésta puede ser objeto de suspensión en cuanto a su ejecución en otro EM, o incluso podrá conllevar la denegación de la misma, como seguidamente analizaremos, a la luz de la aparición de nuevas circunstancias que pueden ser perjudiciales para el interés superior del menor. Así, por ejemplo, en relación con una resolución sobre el derecho de visita dictada por un tribunal de un determinado EM, a la luz de una realidad y de unas circunstancias concretas, la ejecución podrá verse suspendida, o en su caso denegada, si las condiciones han cambiado, por ejemplo, porque el progenitor ha perpetrado un delito de violencia doméstica en relación con la progenitora, porque el progenitor que ostenta el derecho de visita ha incurrido en una adición a alguna sustancia, al juego, etc., y ese cambio de la situación suponga un grave riesgo para el menor[44].

---

[43]   El considerando 67 señala que: "en los procedimientos de ejecución que afecten a menores, es importante que las autoridades de ejecución o los órganos jurisdiccionales puedan reaccionar rápidamente ante un cambio relevante de circunstancias, incluida la impugnación de la resolución en el Estado miembro de origen, la pérdida de fuerza ejecutiva de la resolución y los obstáculos situaciones de emergencia que puedan afrontar en la fase de ejecución".

[44]   Los casos de traslado ilícito de menores por esta causa van en aumento, según pone de relieve WEINER, MERLE H., "International child abduction and the escape from domestic violence". *Fordham*

4º) Suspensión por los motivos previstos en la legislación nacional (art. 57). Estos motivos serán de aplicación únicamente si no son incompatibles con la existencia de una resolución posterior inconciliable (art. 41) y con los motivos expresados en los arts. 50 y 56.

B. Denegación de la ejecución

Ésta sólo tendrá lugar si el riesgo grave de carácter psíquico o físico sobrevenido en relación con el menor, al cual se refiere el art. 56 en sus núm. 4 y, a pesar de todas las medidas adoptadas por el órgano jurisdiccional del EM requerido, perdura en el tiempo de manera que adquiere un carácter duradero. La denegación podrá tener lugar en este caso a instancia de la parte contra la cual se solicita, la cual deberá presentar la solicitud ante el órgano jurisdiccional que haya comunicado cada Estado miembro a la Comisión en virtud del artículo 103, acompañándola de la resolución y el certificado de resolución privilegiada. El órgano jurisdiccional competente podrá instar a la parte solicitante a que proceda a la traducción de dichos documentos. El procedimiento para la denegación de la ejecución se llevará a cabo de acuerdo con las normas nacionales del EM requerido.

VI. TRASLADO ILEGAL DE LA RESIDENCIA HABITUAL DEL MENOR A OTRO ESTADO MIEMBRO POR EL PROGENITOR QUE OSTENTA LA GUARDA Y CUSTODIA SOBRE EL MISMO

En ocasiones puede suceder que el progenitor que ostenta la guarda y custodia del menor traslade la residencia habitual de éste de manera ilegal, de manera que el progenitor que goza del derecho de visita ve alteradas sus expectativas en cuanto a su relación con el menor, al igual que el menor en relación con su progenitor. Este derecho necesita también ser respetado en beneficio del menor, que tiene derecho a relacionarse con sus dos progenitores, y es también uno de los derechos que con más frecuencia queda conculcado por uno de los mismos. En efecto, la persona que tiene la custodia impide que la otra se relacione con el menor mediante el derecho de visita, reteniéndolo con exclusividad en su compañía, sin posibilidad de que el menor conviva con el otro progenitor. Hay que tener en cuenta que la única posibilidad de relación entre el progenitor que no

Law Review, 2000, vol. 69, nº 2, pp. 593-706. Para una visión más amplia de esta cuestión, *vid.* ADAM MUÑOZ, MARÍA DOLORES, "La cooperación internacional de autoridades como mecanismo para la consecución del interés superior del menor", en CAMPUZANO DÍAZ, BEATRIZ (Dir.), *Estudio del Reglamento (UE) 2019/1111…, op. cit.*, pp. 283-310.

tiene la custodia y el menor es a través del derecho de visita, comprendiendo éste periodos de tiempo a veces muy cortos, los cuales no pueden quedar eliminados por voluntad unilateral del progenitor que tiene la custodia. Ante este panorama, la vía que posee la persona que reclama el cumplimiento del derecho de visita es utilizar los cauces que ya hemos señalado a lo largo de este trabajo y que se encuentran en el Reglamento Bruselas II ter; es decir, acudir a las autoridades del EM de la antigua residencia habitual del menor antes de que transcurran tres meses, o bien a las autoridades del EM al que el menor ha sido trasladado y establecido su nueva residencia habitual para que restablezcan este derecho, o bien para que lo establezcan, si es que no se encontraba aún determinado. No obstante, hemos de tener muy en cuenta, y esto es de suma importancia, que el cambio operado en la residencia habitual del menor no se ha producido de forma legal, muy al contrario, se ha llevado a cabo única y exclusivamente por voluntad unilateral del progenitor custodio, sin cumplir los requisitos legales establecidos para proceder al desplazamiento del menor a otro EM.

Con independencia de las definiciones que el Reglamento Bruselas II ter contiene en relación con el derecho de custodia y el derecho de visita[45], el considerando 18 termina indicando que: "En algunos sistemas jurídicos que mantienen los términos de «custodia» y «visita», el progenitor que no tiene la custodia puede conservar de hecho importantes responsabilidades en cuanto a decisiones que afectan al menor y que van más allá del mero derecho de visita". Precisamente es esto lo que sucede en nuestro sistema jurídico de forma general, de tal manera que las decisiones relevantes en cuanto a la vida del menor y a su desarrollo como persona han de ser adoptadas por acuerdo de ambos progenitores, con independencia de que uno de ellos goce del derecho de guarda y custodia y el otro del derecho de visita, en tanto en cuanto y, a tenor del art. 154 del Código Civil, la patria potestad se ejerce de forma conjunta por ambos progenitores en interés superior del menor. Ello incluye el lugar en el que se va a encontrar la residencia habitual del menor, lo cual reviste una importancia capital para determinar si el traslado del menor a otro EM ha sido lícito o ilícito[46].

---

[45] El considerando 18 establece que: "A efectos del presente Reglamento, se debe considerar que una persona tiene «derechos de custodia» cuando, con arreglo a una resolución, por ministerio de la ley o por un acuerdo con efectos jurídicos en virtud del Derecho del Estado miembro donde reside habitualmente el menor, un titular de la responsabilidad parental no pueda decidir sobre el lugar de residencia del menor sin el consentimiento de dicha persona, con independencia de los términos utilizados en la legislación nacional".

[46] HERRANZ BALLESTEROS, MÓNICA, "El Reglamento (UE) 2019/1111 relativo a la competencia, el reconocimiento y la ejecución de resoluciones en materia matrimonial y de responsabilidad parental y sobre la sustracción internacional de menores (versión refundida) principales novedades", *REDI,* vol. 73, n° 2, 2021, pp. 229-260.

El Reglamento Bruselas II ter define el traslado o retención ilícitos del menor cuando: "a) ese traslado o retención se haya producido con infracción de un derecho de custodia adquirido por resolución, por ministerio de la ley o por un acuerdo con efectos jurídicos de conformidad con la legislación del Estado miembro en donde el menor tenía su residencia habitual inmediatamente antes de su traslado o retención; y b) en el momento del traslado o de la retención, el derecho de custodia se ejercía de forma efectiva, separada o conjuntamente, o se habría ejercido de no haberse producido dicho traslado o retención" (art. 2.11)[47]. Como podemos comprobar, esta situación únicamente tiene lugar cuando el derecho que se infringe es el de guarda y custodia, pero no el de visita, a pesar de la importancia que este puede tener en algunos ordenamientos, como la tiene en el nuestro, en la vida y desarrollo del menor. Teniendo en cuenta estos parámetros, todo un mecanismo de protección y de cuidado se instituye en los diferentes textos jurídicos para lograr la pronta restitución del menor al EM en el que el mismo tenía su residencia habitual en el momento anterior al traslado[48], considerando que con estos instrumentos queda cubierto el interés superior del menor. Sin embargo, en relación con la inobservancia del derecho de visita, estos mecanismos no son tan rápidos ni gozan de preferencia. Si bien es verdad que las resoluciones emitidas por los diferentes EEMM en esta materia gozan de carácter privilegiado, al igual que las que determinan la restitución del menor (art. 47), también lo es que los procedimientos para el restablecimiento de estos derechos a los progenitores contienen diferencias significativas en cuanto a su preferencia y celeridad, con el riesgo de no ser lo suficientemente eficaces en el logro de el interés superior del menor.

Teniendo en cuenta la relación existente entre el Reglamento Bruselas II ter y el CH1980[49], acudimos a éste en demanda de algún tipo de información al

---

[47]   El Reglamento Bruselas II bis indicaba además en relación con este concepto que: "Se considera que la custodia es ejercida de manera conjunta cuando, en virtud de una resolución judicial o por ministerio de la ley, uno de los titulares de la responsabilidad parental no pueda decidir sin el consentimiento del otro titular sobre el lugar de residencia del menor". El art 7.2 del CH1996 señala que: "El desplazamiento o la retención del niño se considera ilícito: a) cuando se haya producido con infracción de un derecho de guarda, atribuido, separada o conjuntamente, a una persona, a una institución o a cualquier otro organismo, con arreglo al Derecho vigente en el Estado en que el niño tenía su residencia habitual inmediatamente antes de su traslado o de su retención; y b) este derecho se ejercía de forma efectiva, separada o conjuntamente, en el momento del desplazamiento o de la retención, o lo hubiera sido si no se hubieran producido tales acontecimientos. El derecho de guarda a que se refiere la letra a) puede resultar, en particular, de una atribución de pleno derecho, de una decisión judicial o administrativa o de un acuerdo vigente según el Derecho de dicho Estado".

[48]   CALZADO LLAMAS, ANTONIO J., "Secuestro internacional de menores: el procedimiento de restitución" en CAMPUZANO DÍAZ, BEATRIZ (Dir.), *Estudio del Reglamento (UE) 2019/1111…, op. cit.,* pp. 169-193.

[49]   El art. 96 del nuevo Reglamento reproduce lo establecido en el art. 60 e) del anterior Reglamento y a tal efecto indica que: ""Cuando un menor esté retenido o haya sido trasladado ilícitamente a

respecto, y observamos que en su art. 29 indica que: "El presente Convenio no excluirá que cualquier persona Institución u Organismo que pretenda que ha habido una infracción del derecho de custodia o de los derechos de visita, en el sentido previsto en los artículos 3 ó 21, reclame directamente ante las autoridades judiciales o administrativas de un Estado Contratante, en aplicación o no de las disposiciones del presente Convenio". El art. 3 se refiere al traslado o retención ilícitos infringiendo el derecho de custodia; sin embargo, el art. 21 otorga la posibilidad a la persona que ha visto afectado su derecho de visita de presentar ante las Autoridades Centrales de los Estados contratantes una demanda para la restitución del menor, teniendo la obligación de colaborar dichas Autoridades Centrales en aras de asegurar el disfrute pacífico del derecho de visita y el cumplimiento de todas las condiciones a que pueda estar sometido el ejercicio de ese derecho[50].

Así, en nuestro ordenamiento jurídico, el Capítulo IV Bis del Libro IV de la LEC, que lleva por rúbrica "Medidas relativas a la restitución o retorno de menores en los supuestos de sustracción internacional", establece en el art. 778 *quáter*, apartado 1 que: "1. En los supuestos en que, siendo aplicables un convenio internacional o las disposiciones de la Unión Europea, se pretenda la restitución de un menor o su retorno al lugar de procedencia por haber sido objeto de un traslado o retención ilícito y se encuentre en España, se procederá de acuerdo con lo previsto en este Capítulo. No será de aplicación a los supuestos en los que el menor procediera de un Estado que no forma parte de la Unión Europea ni sea parte de algún convenio internacional". Y en el apartado 3 enumera las personas o entidades que están legitimadas para instar este procedimiento de restitución, señalando a tal efecto que: " Podrán promover el procedimiento la persona, institución u organismo que tenga atribuida la guarda y custodia o un régimen de estancia o visitas, relación o comunicación del menor, la Autoridad Central española encargada del cumplimiento de las obligaciones impuestas por

---

un Estado miembro distinto del Estado miembro en donde el menor tenía su residencia habitual inmediatamente antes de su traslado o retención ilícitos, seguirán aplicándose las disposiciones del Convenio de La Haya de 1980 tal y como quedan completadas con las disposiciones de los capítulos III y IV del presente Reglamento. Cuando una resolución por la que se ordene la restitución de un menor con arreglo al Convenio de La Haya de 1980 haya sido dictada en un Estado miembro y deba reconocerse y ejecutarse en otro Estado miembro tras el traslado o la retención ilícitos del menor, será de aplicación el capítulo IV".

[50]   Este precepto continúa señalando en sus párrafos 2º y 3º que: "Las Autoridades centrales estarán vinculadas por las obligaciones de cooperación establecidas en el artículo 7 para asegurar el disfrute pacífico de los derechos de visita y el cumplimiento de todas las condiciones a que pueda estar sometido el ejercicio de esos derechos. Las Autoridades centrales adoptarán las medidas necesarias para eliminar, en la medida de lo posible, todos los obstáculos para el ejercicio de esos derechos. Las Autoridades centrales, directamente o por conducto de intermediarios, podrán incoar procedimientos o favorecer su incoación con el fin de organizar o proteger dichos derechos y a asegurar el cumplimiento de las condiciones a que pudiera estar sometido el ejercicio de esos derechos".

el correspondiente convenio, en su caso, y, en representación de ésta, la persona que designe dicha autoridad".

A tenor de lo expuesto observamos una ausencia significativa en el nuevo Reglamento respecto de la posibilidad de instar un procedimiento de restitución del menor cuando lo que se ha infringido no es solamente el derecho de guarda y custodia, sino también el derecho de visita[51], toda vez que el ejercicio del mismo puede ser relevante para la contribución a lograr el interés superior del menor. Cuando se produce la elaboración del CH1980 se está pensando en un caso tipo en el que el padre, descontento con la resolución judicial adoptada con ocasión de la ruptura de pareja, decide de manera unilateral trasladar al niño o la niña fuera de la jurisdicción. Dicha conducta se produciría típicamente con ocasión del ejercicio transnacional del derecho de visita, motivo por el cual este instrumento normativo resulta de aplicación no solo a los casos de traslado ilícito, sino también a aquéllos otros en que, siendo lícito el traslado, se produce una retención del niño fuera de su Estado de residencia habitual más allá del periodo de visitas pactado[52]. Sin embargo, la realidad es bien distinta y la práctica nos demuestra que los casos de sustracción de menores tienen un variado perfil. Así, por ejemplo, la sustractora puede ser una mujer, la cual, aunque haya obtenido por medio de una resolución judicial el derecho de guarda y custodia de su hijo, regresa a su país de origen impidiéndole al otro progenitor que ejercite su derecho de visita. Sin embargo, los instrumentos normativos europeos y, en concreto el Reglamento Bruselas II ter, siguen sin afrontar esta nueva perspectiva. No obstante, en nuestra opinión y, para salvar esta laguna legal, podríamos acudir al Capítulo III del Reglamento Bruselas II ter, el cual se refiere a la "Sustracción in-

---

[51]   La Circular 6/2015 de la Fiscalía General del Estado, de 17 de noviembre sobre "Aspectos civiles de la sustracción internacional de menores" (https://www.fiscal.es/documents/20142/79c1a677-8c8f-bd7f-304a-0afac6aeeb25) indica que la sustracción internacional de menores tiene lugar cuando "... un menor es trasladado ilícitamente por uno de los progenitores a un país distinto de donde reside habitualmente violando el derecho de custodia atribuido a una persona o a una institución, y en aquellos casos en que uno de los progenitores se traslada con el menor para residir en otro país, tomando tal decisión de forma unilateral y vulnerando el derecho a decidir sobre el lugar de residencia del menor". Como podemos observar este concepto es mucho más amplio y describe situaciones diferentes a las contempladas en el Reglamento, ya que la misma puede acaecer cuando el progenitor que no tiene la custodia sustrae al menor durante el periodo de visita y lo trasladaba a otro país, o bien en el caso en el que ambos progenitores comparten la custodia y uno de ellos traslada al hijo común a otro país, de modo que así impide que el otro ejerza su derecho de custodia y, por último, cuando el progenitor que tiene la guarda del menor traslada a éste desde el país de su residencia habitual a otro estado distinto y así impide que el progenitor que tiene el derecho de visita pueda seguir ejerciéndolo. Esta diversidad de supuestos motiva que el retorno del menor pueda ser demandado, tanto por el progenitor que tenga un derecho de custodia, como también por aquél al que se le impide el ejercicio del régimen de visitas.

[52]   GONZÁLEZ BEILFUSS, CRISTINA, "Sustracción internacional de niños y ejercicio transnacional de los derechos de visita" en ADAM MUÑOZ, MARÍA DOLORES y GARCÍA CANO, SANDRA (Coords.), *Sustracción internacional de menores y adopción internacional*, Colex, Madrid, 2004, p. 89.

ternacional de Menores" (arts. 22 a 29), en donde se vuelve a recordar el carácter complementario del Reglamento 2019/1111 con respecto al CH1980 (art. 22). Basándonos en este carácter, se podría interpretar de una manera amplia que cabe la aplicación del art. 29 del CH1980 para solicitar la restitución de menor en el caso en que lo que haya sido objeto de inobservancia sea el derecho de visita concedido a uno de los progenitores.

VII. BIBLIOGRAFÍA

ADAM MUÑOZ, MARÍA DOLORES, "La cooperación internacional de autoridades como mecanismo para la consecución del interés superior del menor", en CAMPUZANO DÍAZ, BEATRIZ (Dir.), *Estudio del Reglamento (UE) 2019/1111 sobre crisis matrimoniales, responsabilidad parental y sustracción internacional de menores*, Tirant lo Blanch, Valencia, 2022, pp. 283-310.

ADAM MUÑOZ, MARÍA DOLORES, "La nueva regulación de la filiación natural en el Derecho internacional privado español", *Cuadernos de Derecho Transnacional,* vol. 8, nº 2, 2016, pp. 34-54.

ÁLVAREZ GONZÁLEZ, SANTIAGO y AMMERMAN YEBRA, JUAN, "El derecho del niño a ser visitado por sus abuelos y el Reglamento 2201/2003. Comentario breve a la STJ de 31 de mayo de 2018, C-335/17, *Christos Babanarakis*", *La Ley Unión Europea*, nº 61, 2018, pp. 1-11.

CALZADO LLAMAS, ANTONIO J., "Secuestro internacional de menores: el procedimiento de restitución" en CAMPUZANO DÍAZ, BEATRIZ (Dir.), *Estudio del Reglamento (UE) 2019/1111 sobre crisis matrimoniales, responsabilidad parental y sustracción internacional de menores*, Tirant lo Blanch, Valencia 2022, pp. 169-193.

CAMPUZANO DÍAZ, BEATRIZ, "El nuevo Reglamento (UE) 2019/1111: análisis de las mejoras en las relaciones con el Convenio de La Haya de 19 de octubre de 1996 sobre responsabilidad parental", *Cuadernos de Derecho Transnacional,* vol. 12, nº 1, 2020, pp. 97-117.

CARRILLO POZO, LUIS, *Responsabilidad parental: un estudio de Derecho procesal civil internacional*, Tirant lo Blanch, Valencia, 2021.

Comisión Europea, Dirección General de Justicia, *Guía práctica para la aplicación del Reglamento Bruselas II bis*, Oficina de Publicaciones, 2016, https://data.europa.eu/doi/10.2838/28785

CORNELOUP, SABINE y KRUGER, THALIA, "Le Règlement 2019/1111, Bruxelles II: La protection des enfants gagne du terrain", *Revue critique de droit international privé*, nº 2, 2020, pp. 215-245.

DURÁN AYAGO, ANTONIA, "La competencia judicial internacional en materia de responsabilidad parental. La regla general (artículo 7)", en CAMPUZANO DÍAZ, BEATRIZ (Dir.), *Estudio del Reglamento (UE) 2019/1111 sobre crisis matrimoniales, responsabilidad parental y sustracción internacional de menores*, Tirant lo Blanch, Valencia, 2022, pp. 71-77.

DURÁN AYAGO, ANTONIA, "Responsabilidad parental, relaciones paterno-filiales y protección de menores ¿tres denominaciones para tres realidades diferentes?" en GUZMÁN ZAPATER, MÓNICA y ESPLUGUES MOTA, CARLOS (Dir.), *Persona y familia en el nuevo modelo español de Derecho internacional privado*, Tirant lo Blanch, Valencia, 2017, pp. 353-363.

ESPINOSA CALABUIG, ROSARIO, "Art. 8: Mantenimiento de la competencia en relación con los derechos de visita", en PALAO MORENO, GUILLERMO (Dir.), *El nuevo marco europeo en materia matrimonial, responsabilidad parental y sustracción de menores*, Tirant lo Blanch, Valencia, 2022, pp. 128-140.

ESPINOSA CALABUIG, ROSARIO, *Custodia y visita de menores en el espacio judicial europeo*, Marcial Pons, Madrid, 2007.

FORCADA MIRANDA, FRANCISCO JAVIER, *Comentarios prácticos al Reglamento (UE) 2019/1111. Competencia, Reconocimiento y Ejecución de Resoluciones en materia Matrimonial, Responsabilidad Parental y Sustracción Internacional de Menores*, Sepin, Madrid 2021.

GLUHAIA, DIANA, "Residencia habitual del menor y tribunales competentes para modificar una resolución judicial sobre el derecho de visita. Aplicación jurisprudencial de los artículos 8 y 9 del Reglamento (CE) 2201/2003", *Cuadernos de Derecho Transnacional*, nº 1, 2019, pp. 751-757.

GONZÁLEZ BEILFUSS, CRISTINA, "El traslado lícito de menores: las denominadas *relocation disputes*", *REDI*, nº 2, 2010, pp. 51-75.

GONZÁLEZ BEILFUSS, CRISTINA, "Sustracción internacional de niños y ejercicio transnacional de los derechos de visita", en ADAM MUÑOZ, MARÍA DOLORES y GARCÍA CANO, SANDRA (Coords.), *Sustracción internacional de menores y adopción internacional*, Colex, Madrid, 2004, pp. 89-114.

GONZÁLEZ MARIMÓN, MARÍA, *Menor y responsabilidad parental en la Unión Europea*, Tirant lo Blanch, Valencia, 2021.

HERRANZ BALLESTEROS, MÓNICA, "El Reglamento (UE) 2019/1111 relativo a la competencia, el reconocimiento y la ejecución de resoluciones en materia matrimonial y de responsabilidad parental y sobre la sustracción internacional de menores (versión refundida) principales novedades", *REDI*, vol. 73, nº 2, 2021, pp. 229-260.

JIMÉNEZ BLANCO, PILAR, "La ejecución forzosa de las resoluciones judiciales en el marco de los Reglamentos europeos", *REDI*, vol. 70, nº 1, 2018, pp. 101-125.

MOYA ESCUDERO, MERCEDES, *Aspectos internacionales del derecho de visita de los menores*, Comares, Granada, 1998.

RODRÍGUEZ BENOT, ANDRÉS, "Artículo 2. Definiciones", *en* PALAO MORENO, GUILLERMO (Dir), *El nuevo marco europeo en materia matrimonial, responsabilidad parental y sustracción de menores*, Tirant lo Blanch, Valencia, 2022, pp. 55-84.

RODRÍGUEZ PINEAU, ELENA, "El nuevo Reglamento (UE) 2019/1111 en materia matrimonial, responsabilidad parental y sustracción internacional de menores". *Revista La Ley Derecho de familia*, n° 26, 2020, pp. 1-26.

RODRÍGUEZ PINEAU, ELENA, "Revisión de la adjudicación de la custodia y la reubicación internacional del menor en interés superior del menor", *Cuadernos Cívitas de Jurisprudencia Civil*, 2018, n° 106, pp. 9-21.

RODRÍGUEZ VÁZQUEZ, Mª ANGELES, "Supresión del exequátur y ejecución de resoluciones en materia de responsabilidad parental: la convivencia de dos soluciones en el Reglamento (UE) 2019/1111", *REDI*, vol. 74, n° 2, 2022. pp. 50-72.

RODRÍGUEZ VÁZQUEZ, Mª ÁNGELES, "La reforma del Reglamento (CE) N° 2201/2003: análisis de las soluciones propuestas en materia de reconocimiento y ejecución de resoluciones. *AEDIPr*, n° 17, 2017, pp. 767-784.

RODRÍGUEZ VÁZQUEZ, Mª ÁNGELES, "El procedimiento de ejecución", en CAMPUZANO DÍAZ, BEATRIZ (Dir.), *Estudio del Reglamento (UE) 2019/1111 sobre crisis matrimoniales, responsabilidad parental y sustracción internacional de menores*, Tirant lo Blanch, Valencia, 2022, pp. 251-266.

RODRÍGUEZ VÁZQUEZ, Mª ÁNGELES, "El régimen de las resoluciones privilegiadas" en CAMPUZANO DÍAZ, BEATRIZ (Dir.), *Estudio del Reglamento (UE) 2019/1111 sobre crisis matrimoniales, responsabilidad parental y sustracción internacional de menores*, Tirant lo Blanch, Valencia, 2022, pp. 237-250.

SANTANA PÁEZ, EMELINA, "Art. 54: Disposiciones para el ejercicio del derecho de visita", en PALAO MORENO, GUILLERMO (Dir), *El nuevo marco europeo en materia matrimonial, responsabilidad parental y sustracción de menores*, Tirant lo Blanch, Valencia, 2022, pp. 469-476.

WEINER, MERLE H., "International child abduction and the escape from domestic violence", *Fordham Law Review*, 2000, vol. 69, n° 2, pp. 593-706.

EL DERECHO INTERNACIONAL PRIVADO DE FAMILIA EN LA UNIÓN EUROPEA: UN CAMINO COMPLEJO[*]

JOSÉ MANUEL VELASCO RETAMOSA

Profesor Titular de Derecho internacional privado
Universidad de Castilla-La Mancha

I. INTRODUCCIÓN

Son muchos los textos que han sido elaborados en el contexto europeo para dar cobertura jurídica a la familia en general y a sus miembros en particular. Factores como los nuevos modelos familiares, la intensificación de las relaciones internacionales, la fragilidad de las fronteras o la inmigración y los flujos asociados a ésta influyen sobre el contenido del Derecho de la Unión Europea (UE) y los Derechos nacionales en este sector. La familia es una institución que se mueve y viaja junto a las personas que la integran lo que, a pesar de la resistencia que puedan mostrar los ordenamientos nacionales y la propia UE, supone la circulación de los diferentes modelos jurídicos[1] y la necesidad de legislar para proteger los derechos de sus integrantes parte de una institución en constante transformación[2].

En el contexto europeo, tanto la UE como el Consejo de Europa, junto a otras instituciones y Organizaciones Internacionales, llevan años trabajando en

---

[*] Trabajo realizado en el marco del Proyecto nacional I+D+i: *"El derecho al respeto a la vida familiar transfronteriza en una Europa compleja: cuestiones abiertas y problemas de la práctica"*, PID2020-113061GB-I00, financiado por MICIN/AEI/10.13039/501100011033.

[1] MUIR WATT, HORATIA, "Les modèles familiaux à l'èpreuve de la mondialisation (Aspects de Droit International Privé)", en CALVO CARAVACA, ALFONSO LUIS e IRIARTE ÁNGEL, JOSÉ LUIS (Eds.), *Mundialización y familia*, Colex, Madrid, 2001, pp. 11 y ss.

[2] MOURA RAMOS, RUI MANUEL y RODRÍGUEZ BENOT, ANDRÉS, *Evolución reciente del Derecho internacional privado de familia en los Estados miembros de la Unión Europea*, Fundación Coloquio Jurídico Europeo, Madrid, 2016, pp. 105 y ss.

la protección y el reconocimiento de derecho a la vida familiar. Textos como el Convenio Europeo de Derechos Humanos (CEDH) que, en su art. 8, recoge expresamente el Derecho al respeto a la vida privada y familiar o el art. 16 de la Carta Social europea, que define a la familia como célula fundamental de la sociedad, determinan un marco general y, junto a otras, como el art. 7 de la Carta de los Derechos Fundamentales de la Unión Europea (CDFUE)[3] son en punto de partida en el desarrollo de una estructura normativa de alcance supranacional que pretende dar cobertura a la institución familiar en la Unión[4].

La familia y sus integrantes se mueven estableciendo en sus relaciones sociales y familiares un elemento internacional que determina, justifica y requiere la protección de la institución no mediante normas de alcance interno sino supranacional. En un mundo globalizado y, sobre todo, en un contexto como el comunitario, los Estados Miembros (EEMM) deben elaborar normas de colaboración y alcance supraestatal que eliminen obstáculos y garanticen dicha protección[5]. En este contexto surge el Derecho internacional privado (DIPr.) de la UE, como una herramienta jurídica orientada a la protección y el reconocimiento del Derecho a la familia, a la vida familiar y a sus integrantes en un ámbito territorial donde se pretende la libre circulación de personas o el establecimiento de un Espacio Europeo Único de Justicia e Interior.

Junto a las normas de DIPr., en las que nos centraremos, no olvidemos que la influencia que la UE puede ejercer en un área a priori excluida de su ámbito regulatorio es relevante a pesar de que sus instituciones estén privadas de competencia directa para legislar armonizando desde arriba los Derechos nacionales de los EEMM en materia de familia. En este sentido, este sector no escapa a las intervenciones indirectas de las Instituciones de la UE basadas, por ejemplo, en actuaciones respecto a principios y derechos fundamentales, a través de los cuales es evidente que la UE influye en el ámbito del Derecho de familia. No debemos olvidar que, por ejemplo, la Unión en el desarrollo normativo de la libre circulación de personas ha afectado a cuestiones de tanta trascendencia para la

---

[3]　El derecho regulado en el art. 7 se corresponde al que garantiza el art. 8 del CEDH, y a tenor de lo que regula el 52.3 de la CDFUE, su sentido y alcance serán iguales al derecho regulado en el CEDH.

[4]　Igualmente, otras normas elaboradas en el seno de la ONU y referidas a cuestiones concretas (infancia, discapacitados…) o generales (*Acuerdos sobre los Derechos del hombre*) hacen expresa referencia a la familia y a la necesidad de legislar para protegerla. En este sentido, si bien es cierto que todos estos textos de carácter internacional resultan de gran importancia y son una guía para la UE y sus EEMM, se podría decir que, salvo que se trate de textos con rango de Tratado o Convenio internacional, en muchas ocasiones son considerados como una referencia a la hora de formular cualquier norma vinculada con el Derecho de familia, determinando un marco en que deben encuadrarse los procesos legislativos que pretendan un reconocimiento en este ámbito.

[5]　GUZMÁN ZAPATER, MÓNICA (Dir.), *Lecciones de Derecho internacional privado*, Tirant lo Blanch, Valencia, 2021, p. 355.

vida familiar como el derecho de reagrupación, aunque que estas normas no hayan cumplido plenamente los objetivos perseguidos[6].

Tradicionalmente el Derecho de familia de alcance supranacional se ubica en el ámbito de actuación del DIPr. De ahí la evidente la necesidad que surge en la Unión de trabajar implementando las normas de dicho sector a fin de lograr la mayor unificación posible. En este sentido, la UE lleva más de dos décadas elaborando normas de DIPr. cuyo fin ha sido a regular diferentes cuestiones que afectan a la institución familiar y a sus integrantes a través de actos legislativos de diverso rango[7]. Junto a las instituciones comunitarias existen otras muchas Organizaciones que, como la UE, realizan una importante labor normativa en la regulación de la institución familiar y los derechos vinculados a ésta. Resulta necesario destacar los trabajos del Consejo de Europa, ya que es una OI de la que forman parte los veintisiete EEMM de forma individual, así como la propia UE como Organización de Integración Económica. Esta Organización ha elaborado gran cantidad de Recomendaciones, Resoluciones y Convenios, como el de 1980 relativo al reconocimiento y ejecución de decisiones en materia de custodia de menores[8]. De igual forma debe destacarse el trabajo de la Conferencia de la Haya de Derecho internacional privado, organismo del que también forman parte los EEMM y la propia UE, que ha contribuido notablemente en el desarrollo de un Derecho de familia supranacional con gran cantidad de textos convencionales regulatorios de distintas cuestiones vinculadas a la familia y sus integrantes[9].

---

[6]   MOYA ESCUDERO, MERCEDES, "Derechos e integración de los nacionales de terceros Estados: un camino por andar", en CORNAGO, NOÉ y otros (Eds.), *Repensar la Unión Europea: Gobernanza, seguridad, mercado interior y ciudadanía*, Tirant lo Blanch, Valencia, 2019, p. 408.

[7]   *Cfr.* BASEDOW, JÜRGEN, "Le droit uniforme de l´Union Européenne : essai sur l´interprétation et le comblement des lacunes des Règlements de l´Union et des Conventions internationales de Droit privé uniforme ratifiée par celle-ci", en *Relaciones transfronterizas, globalización y Derecho. Homenaje al Profesor Doctor José Carlos Fernandez Rozas,* Civitas-Thomson Reuters, Madrid, 2020, pp. 1006 y ss.

[8]   *Vid.* la gran cantidad de textos jurídicos que ha producido el Consejo de Europa en materia de familia, algunos muy significativos, en el *Doc CJ-FA (2008) 2, Family Law and the protection of children,* elaborado por el Secretariat of the Directorate General of Human Rights and Legal Affairs del Consejo de Europa.

[9]   Por ejemplo, Convenio de 24 de octubre de 1956 sobre Ley Aplicable a las Obligaciones Alimenticias respecto a Menores; Convenio de 15 de noviembre de 1965 sobre Competencia de Autoridades, Ley Aplicable y Reconocimiento de Decisiones en Materia de Adopción; Convenio de 5 de octubre de 1961 sobre Competencia de Autoridades y Ley Aplicable en Materia de Protección de Menores; Convenio de 1 de junio de 1970 sobre el Reconocimiento de Divorcios y de Separaciones Legales; Convenio de 2 de octubre de 1973 sobre la Administración Internacional de las Sucesiones; Convenio de 14 de marzo de 1978 relativo a la Celebración y al Reconocimiento del Matrimonio; Convenio de 2 de octubre de 1973 sobre Ley Aplicable a las Obligaciones Alimenticias; Convenio de 2 de octubre de 1973 sobre Reconocimiento y Ejecución de Resoluciones relativas a las Obligaciones Alimenticias; Convenio de 25 de octubre de 1980 sobre los Aspectos Civiles de la Sustracción Internacional de Menores; Convenio de 29 de mayo de 1993 relativo a la Protección del Niño y a la Cooperación en materia de Adopción Internacional; Convenio de 19 de octubre de 1996 Relativo a la Competencia, la Ley Aplicable, el Reconocimiento, la Ejecución y la Cooperación

Finalmente, otros organismos, como la Comisión Internacional del Estado civil[10], ha elaborado Convenios como el de 1962, referido a la determinación de la filiación, o el de 1964, tendente a facilitar la celebración de matrimonios en el extranjero.

II. LAS NORMAS DE DERECHO INTERNACIONAL PRIVADO DE FAMILIA EN LA UE: UN MÉTODO ADAPTADO A UN CONTEXTO COMPLEJO

El licito objetivo de impulsar normas comunes en este sector se origina por la necesidad de que los ciudadanos europeos no se vean afectados, en el ejercicio de sus derechos, por el hecho de residir en uno u otro país de la UE al hacer uso de las libertades en que se basa la construcción de la UE. Pero no debemos olvidar que la creación de un sistema uniforme de DIPr. a través de normas que regulan distintas cuestiones que afectan a la familia y la vida familiar debe ser observada en la consideración de un contexto de competencia con los distintos sistemas nacionales. En tal sentido, debe apreciarse que los esfuerzos realizados para unificar las reglas de DIPr. sobre cuestiones familiares no soluciona determinados conflictos que se originan en este sector. Las divergencias existentes respecto al concepto de determinadas instituciones vinculadas a la familia, así como la existencia de otras tantas que no encuentran reflejo en todos los EEMM siguen siendo un obstáculo, en ocasiones, para la protección y el reconocimiento de derechos a la familia y sus miembros en un contexto transfronterizo. Las instituciones básicas del Derecho de familia mantienen un significado muy específico en cada Estado y, en ocasiones, ponen de manifiesto la distancia que existe entre los conceptos que las definen (matrimonio, patria potestad, responsabilidad parental, regímenes económicos matrimoniales, uniones registradas...). El problema más importante, dada la diversidad de preceptos nacionales, se encuentra en el sector de las normas de conflicto, cuya unificación supone en determinadas cuestiones el acuerdo de ordenamientos cuyos criterios nacionales distan mucho entre sí. En este sentido, para resolver los conflictos en los que hay derechos en juego requeriría, como *prius*, establecer unos conceptos unificados que hoy no existen.

No debemos olvidar que muchas cuestiones objeto del DIPr. que afectan a la familia siguen siendo ejemplo de la manifestación del principio de soberanía.

---

en materia de Responsabilidad Parental y de Medidas de Protección de los Niños; Convenio de 23 de noviembre de 2007 sobre Cobro Internacional de Alimentos para los Niños y otros Miembros de la Familia y el Protocolo de 23 de noviembre de 2007 sobre la Ley Aplicable a las Obligaciones Alimenticias.

10   Los EEMM de la UE parte de esta Comisión son: Alemania, Bélgica, España, Francia, Grecia, Hungría Italia, Luxemburgo, Países Bajos, Polonia, Portugal y Reino Unido.

La razón más importante la encontramos en la existencia de particularidades en cada uno de los sistemas jurídicos internos en esta rama del Derecho[11]. En este sentido, el proceso de unificación de las normas sobre conflicto de leyes está resultando mucho más lento y complicado que el de las cuestiones referidas a la competencia judicial internacional, apreciándose con claridad en este proceso el método de "pequeños pasos" que, impulsado por Jean Monet, se han dado para intentar consolidar un sistema común de DIPr[12].

Esta tarea de coordinación y unificación encomendada a la UE ha hecho evolucionar las fuentes del DIPr. y, en ocasiones, los principios que tradicionalmente han inspirado esta rama del Derecho. Así, si bien para el ámbito del Derecho de familia la UE ha seguido utilizando los principios clásicos provenientes tanto de los ordenamientos internos como del Consejo de Europa, la Conferencia de la Haya y otras organizaciones internacionales, es evidente que las Instituciones comunitarias llevan años trabajando en sus procesos normativos con nuevos criterios en los que prevalece la visión comunitaria frente a la nacional. Con su acción política y legislativa, la UE pretende generar un contexto de armonización donde de manera gradual se vayan dando las condiciones necesarias para llegar a la unificación de normas de DIPr. en cuestiones de familia. Con ese fin la Unión ha ido adaptando las herramientas de que dispone dentro de su ámbito competencial para desarrollar su tarea legislativa en materia de resolución de los conflictos vinculados a la familia y la institución familiar a través de normas armonizadoras y unificadoras.

El art. 81.3 TFUE impone un procedimiento especial para la adopción de medidas de Derecho de familia con implicaciones transfronterizas con lo que habría sido posible por las Instituciones llegar a una definición del Derecho de familia. Sin embargo, esto no ha sucedido probablemente porque una definición común de familia es una operación compleja, debido a la variedad de situaciones que abarca y porque el Derecho de familia sustantivo es competencia de los EEMM. Por lo tanto, una definición común de la institución con implicaciones transfronterizas por parte de la Unión no existe y, de momento, se tercia prácticamente

---

[11]   HOHNERLEIN, EVA MARIA, "Konturen eines einheitlichen europäischen Familienund Kindschaftsrecht – die Rolle der Europäischen Menschenrechts-Konvention", *The European Legal Forum*, n°. 4, 2000/01, pp. 252 y ss.; MARTINY, DIETER, "Is Unification of Family Law Feasible or even Desirable?", *Towards a European Civil Code*, 2ª ed., Martinus Nijhoff, La Haya/Londres/Boston, 1998, pp. 151 y ss.

[12]   *Vid.*, en este sentido, y en relación con las diferentes polémicas doctrinales que esta cuestión ha motivado, BADIALI, GIORGIO, "Le droit international privé des Communautés européennes", *Rec. des Cours*, vol. 191, 1985, pp. 9 y ss.; CALVO CARAVACA, ALFONSO LUIS, "El Derecho Internacional privado de la Comunidad Europea", *Anales de Derecho*, Universidad de Murcia, n° 21, 2003, pp. 49 y ss.; STRUYCKEN, ANTOON V.M., "Les conséquences de l'intégration européenne sur le développement du droit international privé", *Rec. des Cours*, vol. 232, 1992, pp. 257 y ss.

imposible[13]. El concepto de familia en DIPr. europeo está así conformado por los Reglamentos adoptados y las Decisiones dictadas que, en algunos casos, llegan a transmitir una cierta concepción de la familia.

No cabe duda de que dar respuesta a una situación familiar internacional a través de normas de DIPr. puede plantear dificultades ante determinados supuestos en los que la resolución y el reconocimiento de los derechos implicados, con independencia del Estado miembro en que se plantee el conflicto, encontraría una solución más apropiada si existiese una unificación de conceptos referida a las instituciones familiares y al ejercicio del derecho a la vida familiar. Debe recordarse que las normas de DIPr. de la UE tienen como finalidad facilitar el ejercicio de las libertades comunitarias a través del mecanismo del reconocimiento y la ejecución de decisiones judiciales en Europa y establecer conceptos institucionales o nociones jurídicas comunes es necesario cuando hay que traducirlos en derecho subjetivo. En tal sentido, la operación de calificación al momento de aplicar las normas de DIPr. puede plantear un problema grave cuando los derechos en cuestión son radicalmente diferentes. Además, no debemos olvidar que, si la solución en DIPr. se basa en el reconocimiento y la posibilidad de ejecutar decisiones judiciales en el entorno europeo, en muchas ocasiones éste encuentra obstáculos a la hora de cumplir sus fines por razones de política pública o de principios fundamentales que tradicionalmente se invocan como un obstáculo procesal o fundamental para el reconocimiento de instituciones o decisiones extranjeras.

En todo caso, el DIPr. de la UE en materia familiar está impregnado de una filosofía basada en el respeto a los principios de igualdad y libre circulación de personas. Éstos han guiado a las autoridades comunitarias en el desarrollo de normas de familia y han generado un entorno favorecedor para llevar a cabo procesos de armonización y unificación. En este sentido, si bien estos esfuerzos no han eliminado las fronteras nacionales en este ámbito, por respeto a la diversidad de derechos sustantivos, lo que si se ha conseguido es hacerlas más permeables ya que, junto a la unificación producida por normas adoptadas y aplicadas por todos los EEMM, también se ha producido una intervención que ha procurado la armonización de los regímenes internos respecto a determinadas cuestiones referidas a esta rama del Derecho. Además, a la luz de los textos de producción comunitaria que afectan al Derecho de familia los problemas expuestos pueden relativizarse y confirmamos la voluntad, a pesar de los inconvenientes, de los

---

[13]   VELASCO RETAMOSA, JOSÉ MANUEL, "La cooperación reforzada en derecho aplicable a la separación y el divorcio: El reglamento Roma III. Diez años de aplicación", en CUARTERO RUBIO, Mª VICTORIA y VELASCO RETAMOSA, JOSÉ MANUEL (Dirs.), *La vida familiar internacional en una Europa compleja: Cuestiones abiertas y problemas de la práctica*, Tirant lo Blanch, Valencia, 2021, p. 295.

EEMM de unificar y armonizar este sector[14] aunque en ocasiones para alguno de éstos haya supuesto un cambio en el criterio utilizado en sus normas de competencia judicial internacional y de conflicto internas[15].

Resulta evidente que el DIPr. de familia de la Unión no escapa a los problemas que en esta materia surgen en los Derechos nacionales contemporáneos. Quizás esta es la razón por la cual, en los distintos intentos de la Unión, por acometer normas de DIPr. de familia, el fruto ha sido, a pesar de los compromisos entre los EEMM, un resultado fragmentado en distintas normas donde, en ocasiones, puede resultar difícil encontrar coherencia y coordinación entre ellas[16]. La Unión ha trabajado en este sector a partir de realidades nacionales complejas, lo que no ha facilitado la redacción de las normas comunitarias donde concurren problemas terminológicos respecto a las instituciones familiares que en ocasiones no facilitan ni su interpretación ni su aplicación, yendo justo en el sentido contrario al fin perseguido de simplificar la vida de los ciudadanos, argumento recurrente en los Considerandos de todos los Reglamentos en materia de familia.

Además, junto a esta complejidad, debemos pensar que a pesar de la importancia y la necesidad de elaborar normas de DIPr. en materia de familia impulsada por el Tratado de Lisboa para cubrir las necesidades del buen funcionamiento del mercado interior[17] el ejercicio de competencia por la Unión en esta materia ha estado siempre en el debate político[18] con el argumento de que solo puede justificarse bajo el cumplimiento de los principios de subsidiariedad y proporcionalidad habida cuenta del vínculo entre el Derecho de familia y la cultura jurídica y social de cada EEMM[19]. Sin embargo, estos no deben ser un límite para las instituciones comunitarias a la hora de elaborar normas de este sector cuando

---

[14]   GARCIMARTÍN ALFÉREZ, FRANCISCO JOSÉ, *Derecho internacional privado*, 6ª ed., Civitas-Thomson Reuters, Pamplona, 2021, p. 39, en referencia a la denominada "europeización" del DIPr.

[15]   Así, por ejemplo, en los ordenamientos de *Common law*, donde existe el criterio de favorecer al deudor de alimentos, este no fue un impedimento para que, por ejemplo, Irlanda adoptase, en su día, el Reglamento 4/2009 en materia de obligaciones de alimentos (*DOUE* nº 7, de 10 de enero de 2009, pp. 1-79).

[16]   LAGARDE, PAUL, "Réflexions conclusives", en FULCHIRON, HUGHES y BIDAUD-GARON, CHRISTINE (Dirs.), *Vers un statut européen de la famille*, Dalloz, París, 2014, p. 268 : "*Le moins que l'on puisse dire est qu'il n'y a pas eu en la matière de plan d'ensemble. Certes, il y a eu des «programmes» […], mais on ne peut pas dire qu'il s'agit d'une construction systématique qui se serait bâtie par étapes. On a assisté bien plus à une série de petits pas formant peu à peu une sorte de toile d'araignée qui envahit, en s'y substituant, le droit international privé de la famille en vigueur dans chaque État membre*".

[17]   Mientras que el art. 65 TCE, resultante del Tratado de Ámsterdam, supeditaba la adopción de medidas en este ámbito a su «necesidad para el buen funcionamiento del mercado interior», la adición del adverbio «en particular» al tenor del art. 81 TFUE parece procurar un impulso necesario.

[18]   MOYA ESCUDERO, MERCEDES, "Integración del Convenio de la Haya de 19 de octubre de 1996 en el Reglamento Bruselas IIbis", en VÁZQUEZ GÓMEZ, EVA MARÍA y otros (Coords.), *El arreglo pacífico de controversias internacionales*, Tirant lo Blanch, Valencia, 2013, p. 570.

[19]   Estos principios, enunciados respectivamente en los arts. 5.3 y 5.4 TUE, regulan el ejercicio de las competencias de la Unión.

el fin sea eliminar obstáculos a la libre circulación de personas[20]. El fundamento de un DIPr. de familia de la Unión debe basarse en las normas que regulan las relaciones entre la Unión y los EEMM y debe ser proporcional los medios utilizados y los fines perseguidos[21]. No se trata de poner en duda la legitimidad de la UE para elaborar normas de DIPr. de familia, pero debe reconocerse que la codificación[22] fraccionada que se está efectuando de esta rama del Derecho no está exenta de problemas.

III. UN CAMBIO EN LOS PRINCIPIOS QUE INSPIRAN EL DERECHO INTERNACIONAL PRIVADO DE FAMILIA EN LA UE

1. Introducción

No es posible entender el DIPr. de la UE sin los principios que orientan la tarea legislativa y las normas de este sector creadas para vivir en un escenario de cambio constante en el que los textos jurídicos deben acompañar a las nuevas realidades. Producto de los distintos ordenamientos (comunitario, internacional o nacional) encuentran su origen en la consideración de distintos factores por parte de quien tiene encomendada la tarea legislativa que en última instancia es quien lo construye e interpreta ante la necesidad de utilizarlo[23]. El DIPr. de la UE se está produciendo en un contexto cambiante, donde los desafíos jurídicos

---

[20]   CALVO CARAVACA, ALFONSO LUIS y CARRASCOSA GONZÁLEZ, JAVIER, *Tratado de Derecho internacional privado*, t. I, Tirant lo Blanch, Valencia, 2020, pp. 223 y ss.

[21]   BASEDOW, JÜRGEN, "Spécificité et coordination du droit international privé communautaire", en *Droit international privé : Travaux du Comité français de Droit international privé*, 16e année, 2002-2004. 2005, pp. 277 y ss.

[22]   La codificación del DIPr. es un objetivo de las Instituciones de la UE que se explicita por la Comisión en su Agenda de Justicia 2020, *Cfr.* Comunicación de la Comisión al Parlamento Europeo, al Consejo, al Comité Económico y Social Europeo y al Comité de las Regiones–La Agenda de Justicia de la UE para 2020–Reforzar la confianza, la movilidad y el crecimiento en la Unión de 11 de marzo de 2014, COM(2014) 144 final, punto 4, p. 6 y punto 4.2, p. 8). La Comisión no se refiere expresamente al Derecho de familia, se refiere en general a la codificación de la "derecho civil y mercantil". Pero, teniendo en cuenta el objetivo de esta codificación "*facilitar el conocimiento, la comprensión y la aplicación de la legislación, la mejora de la confianza mutua y la coherencia y seguridad jurídicas, contribuyendo al mismo tiempo a la simplificación y reducción de los trámites administrativos.... proporcionar coherencia y claridad legislativa a los ciudadanos y usuarios de la ley en general*" las cuestiones relativas a los conflictos de Derecho de familia parecen estar dentro del ámbito de dicha codificación.

[23]   ESPLUGUES MOTA, CARLOS, PALAO MORENO, GUILLERMO e IGLESIAS BUHIGUES, JOSÉ LUIS, *Derecho internacional privado*, 16ª ed., Tirant Lo Blanch, Valencia, 2022, pp. 99 y ss.; LAGARDE, PAUL, "Les principes de Droit international privé hier, aujourd´hui et demain", en *Principios, objetivos y métodos del Derecho internacional privado. Balance y perspectivas de una década*, Cuartas Jornadas de Derecho internacional privado, Madrid, 1993, pp. 17 y ss.

y legislativos y los principios que deben guiar la codificación e interpretación constituyen una herramienta irrenunciable y necesaria a fin de dar la respuesta más conveniente.

En tal sentido, junto a los principios que se encuentran en los orígenes y que imbuyeron las primeras normas de DIPr. de familia, aparecen otros que, vinculados a esa nueva realidad, inspiran y afectan su actual desarrollo en un contexto en que prevalece el Derecho institucional frente al convencional o el nacional y que requiere la conversión de conceptos jurídicos clásicos en principios[24]. Todos ellos constituyen un elemento primordial que permite entender y adecuar, en parte, el DIPr. de familia a las nuevas realidades. Así, su identificación y evolución ha sido notable, sobre todo, en el caso de aquellos que, de manera habitual, han aparecido vinculados al proceso legislativo de las normas de DIPr. y nos han permitido entenderlo. Desde esta visión observamos lo sucedido con los principios de territorialidad[25], soberanía[26], proximidad[27]o autonomía de la voluntad[28]. Todos ellos informan de manera destacada las normas e instituciones de esta rama del Derecho y, junto a otros comunes o presentes en otras disciplinas jurídicas, son piedra angular para su construcción y entendimiento.

Por supuesto, la UE, en su tarea normativa, no sólo atiende a principios vinculados de manera especial al DIPr., sino que también toma en consideración muchos otros enraizados en la concepción del Estado social y democrático de Derecho, como el de legalidad, jerarquía normativa, igualdad, eficacia y otros muchos que informan todas las instituciones jurídicas que conforman el ordenamiento comunitario. Éstos, además, están sometidos a matizaciones y delimitaciones como consecuencia esencial del proceso de integración de la UE y de la globalización.

---

[24]   ANCEL, BERTRAND "Le principe de bonne foi et les conflicts de lois", en *Pacis Artes: Obra homenaje al Profesor Julio D. González Campos*, Edifer, Madrid, 2005, pp. 1217 y ss.

[25]   GARCIMARTÍN ALFÉREZ, FRANCISCO JOSÉ, *Derecho internacional privado, op. cit.*, p. 64 y VANBRABANT, BERNARD y WAUTELET, PAUL, "Territorialité et Droit international privé", en CABAY, JULIEN y otros (Coords.), *20 ans de nouveau droit d'auteur*, Anthemis, Limal, 2015, pp. 327-381.

[26]   LAGARDE, PAUL, "Le principe de proximité dans le Droit international privé contemporain", *Rec. des Cours*, vol. 196, 1986, pp. 49 y ss. y "Les principes de Droit international privé hier...", *op. cit.*, pp. 28 y ss.

[27]   LAGARDE, PAUL, "Le principe de proximité...", *cit.*, pp. 25 y ss. y "Les principes de Droit international privé hier...", *op. cit.*, pp. 19 y ss.

[28]   ÁLVAREZ GONZÁLEZ, SANTIAGO, "Breves notas sobre la autonomía de la voluntad en Derecho internacional privado", en VARGAS GÓMEZ-URRUTIA, MARINA y SALINAS DE FRÍAS, ANA (Coords.), *Soberanía del Estado y Derecho internacional, Homenaje al Profesor Carrillo Salcedo*, t. 1, Servicio de Publicaciones Universidad de Córdoba, Editorial Universidad de Sevilla, Universidad de Málaga, Sevilla, 2005, pp. 137 y ss; GARCIMARTÍN ÁLFEREZ, FRANCISCO JOSÉ, *Derecho internacional privado, op. cit.*, p. 68; KOHLER, CHRISTIAN, "L'autonomie de la volonté en droit international privé: un principe universel entre libéralisme et étatisme", *Rec. des Cours*, vol. 359, 2013, pp. 303 y ss.

2. La preeminencia de la autonomía de la voluntad y la proximidad en las normas comunitarias de familia

Principios como los de soberanía y territorialidad han construido las normas de DIPr. nacionales y convencionales desde los orígenes, y durante décadas nos han permitido comprender y transmitir las instituciones, normas y consecuencias del DIPr. (por ejemplo, el no reconocimiento de una decisión extranjera por contrariar el orden público, o instituciones como la inmunidad de jurisdicción o la *derogatio fori*). Igualmente, la UE ha tenido que considerarlos en sus desarrollos normativos. Ligados entre sí, han orientado tradicionalmente el Derecho internacional en general, y particularmente los inicios del DIPr., y ambos aparecen vinculados a esta rama del Derecho por su propia naturaleza. Los conceptos de soberanía estatal y territorialidad han impregnado las normas internas y gran cantidad de textos convencionales de competencia judicial internacional y de Derecho aplicable. Soberanía y territorio, vinculados entre sí, han sido utilizados tradicionalmente por el legislador como criterios de conexión idóneos del supuesto internacional privado con un tribunal o con una ley. Resulta evidente que los términos que dan nombre a ambos principios son consustanciales de la noción de Estado. No resulta extraña, por tanto, sino lógica su influencia en la materia, máxime si tenemos en cuenta que uno de los caracteres que identifican al DIPr. es la estatalidad[29]. Recordemos que este sector jurídico no solo es propio de cada nación, sino que procede del ejercicio de su soberanía en forma de normas que en cada Estado se determinan para regular las situaciones privadas internacionales en su territorio. Así, en el sector de la competencia judicial internacional, por ejemplo, la regulación de foros exclusivos ha obedecido al reconocimiento de estos principios. Igual sucede con las reglas de Derecho aplicable que siguen el criterio de *lex loci protectionis, lex situs o lex rei sitae*. Ambos también están en el espíritu de las normas que impiden aplicar una ley o reconocer una decisión extrajera por cuestiones de orden público[30].

En este momento, sin perder por completo su papel respecto a la regulación de determinadas instituciones de DIPr. en el sector de las relaciones familiares, la territorialidad y la soberanía, como principios de inspiración normativa, están dando paso a otros más acordes con las circunstancias (sociales, políticas, laborales, económicas…) sobre todo en el ámbito de la UE. En el origen de la

---

[29]   CALVO CARAVACA, ALFONSO LUIS y CARRASCOSA GONZÁLEZ, JAVIER, *Tratado de Derecho internacional privado, op. cit.*, p. 96; ESPLUGUES MOTA, CARLOS, PALAO MORENO, GUILLERMO y IGLESIAS BUHIGUES, JOSÉ LUIS, *Derecho internacional privado, op. cit.*, p. 99.

[30]   ALCAIDE FERNÁNDEZ, JOAQUÍN, "Orden público internacional y soberanía de los estados", en BOUZA VIDAL, NURIA y otros (Coords.), *La gobernanza del interés público global: XXV Jornadas de la Asociación Española de Profesores de Derecho Internacional y Relaciones Internacionales*, Tecnos, Madrid, 2015, pp. 120 y ss.

transición está la crisis de la soberanía estatal cuya proyección normativa en un contexto como el actual puede ser contraria al objetivo buscado, sobre todo al tratarse de la protección y el reconocimiento de derechos en un contexto que rebasa fronteras[31]. En realidad, no se trata de renunciar a estos principios, sino de darles el alcance solicitado por nuestra sociedad global, más centrada en reglas y conceptos acordes con las nuevas situaciones privadas internacionales y que cumplen mejor el fin de esta rama del Derecho. En este relevo lógico, los principios clásicos se encuentran con la autonomía de la voluntad y la proximidad como criterios más acordes con los objetivos y fines del DIPr. actual.

Si la territorialidad y la soberanía fueron el punto de partida, la autonomía de la voluntad y la proximidad han tomado el relevo en la actualidad y junto a otros como el de relatividad o el de mutuo reconocimiento se perfilan como inspiradores del DIPr. de la UE. La autonomía de la voluntad es un criterio al alza en las normas comunitarias actuales[32] que permite, en su translación conceptual y normativa, la posibilidad de que las partes del supuesto internacional privado determinen con libertad, limitada o no, la jurisdicción competente y la ley aplicable. Es cierto que no ha tenido la misma influencia ni en todas las cuestiones que afronta el DIPr., ni en todas las situaciones a que éste da respuesta. Resulta indudable la importancia de su papel en los sistemas contemporáneos de conflictos de leyes y jurisdicciones[33] e indiscutiblemente ha tenido su mayor exponente en el ámbito de las obligaciones, de manera particular en el ámbito contractual, donde ha sido vertebrador desde hace décadas[34]; sin embargo, en el Derecho de familia y persona su incursión es mucho más actual[35].

En el caso de la regulación de las relaciones familiares, personales y patrimoniales, fuertemente vinculadas a cada Estado, han quedado durante mucho tiempo al margen de la integración de este principio[36]. La autonomía de la voluntad ha encontrado diferentes restricciones en su aplicación a las distintas cuestiones que afronta el DIPr. de este sector, por ejemplo, en supuestos donde con el fin

---

[31]   CARRASCOSA GONZALEZ, JAVIER, "Nuevos modelos de familia y Derecho internacional privado en el siglo XXI", *Anales de Derecho*, Universidad de Murcia, n° 21, 2003, p. 134.

[32]   CALVO CARAVACA, ALFONSO LUIS y CARRASCOSA GONZÁLEZ, JAVIER, *Tratado de Derecho internacional privado, op. cit.*, p. 246.

[33]   KOHLER, CHRISTIAN, "L'autonomie de la volonté en droit international privé...", *op. cit.*, pp. 305 y ss.

[34]   Considerando 11 Reglamento Roma I: "*La libertad de las partes de elegir la ley aplicable debe constituir una de las claves del sistema de normas de conflicto de leyes en materia de obligaciones contractuales*"

[35]   DIAGO DIAGO, Mª PILAR, "El matrimonio y su crisis ante los nuevos retos de la autonomía de la voluntad conflictual", *REDI*, vol. LXVI, n° 2, 2014, pp. 53 y ss. y SOUSA GONÇALVES, ANABELA SUSANA de, "El principio de la autonomía de la voluntad en los Reglamentos europeos sobre Derecho de familia y sucesiones", *Diario La Ley*, n° 40, 2016, pp. 1 y ss.

[36]   KOHLER, CHRISTIAN, "L'autonomie de la volonté en Droit international privé...", *op. cit.*, pp. 398 y ss. y PEARI, SAGY, "Choice-of-Law in Family Law: Kant, Savigny and the Parties' Autonomy Principle", *Nederlands Internationaal Privaatrecht*, 2012, pp. 597 y ss.

de salvaguardar los intereses de las partes ha actuado como límite el orden público. Sin embargo, la autonomía ha ganado importancia en la reglamentación de las cuestiones económicas y familiares del DIPr. de la UE con el fin de ofrecer previsibilidad y continuidad a las situaciones familiares transnacionales. Las actuales normas en materia de divorcio, separación o alimentos atienden a este principio[37] en la idea de que ante supuestos del ámbito familiar el elemento privado debe primar sobre el público que de manera tradicional hacia prevalecer la soberanía y territorialidad sobre la voluntad de las partes. Hemos de considerar y reconocer que en el actual contexto de globalización las personas forman parte de un orden que excede fronteras y éstas deben tener la posibilidad de elegir de entre los sistemas jurídicos existentes a cuál vinculan sus relaciones personales y familiares[38].

La expansión de la autonomía de la voluntad en el DIPr. de familia elaborado por la UE es la consecuencia lógica de la libertad cada vez mayor que se otorga a los actores en cualquier cuestión vinculada a su ámbito privado[39]. La consideración de este principio en la construcción de un Derecho de familia comunitario se observa en la actualidad en positivo, como un elemento que aporta eficiencia y seguridad jurídica[40] en la solución de las relaciones privadas familiares internacionales, ya que permite a los interesados actuar con sus propias reglas, procurando, por ejemplo, la coordinación entre sectores del DIPr.[41] en aras a lograr una mejor solución. En todo caso, debe apreciarse que, ante determinados supuestos, la autonomía de las partes en el ámbito del Derecho de familia puede procurar un efecto no deseable, si la observamos como la posibilidad de que su utilización pueda permitir escapar de la aplicación de normas que pudieran procurar una mayor protección ante el supuesto de DIPr. Así, la admisión de la

---

[37]   ÁLVAREZ GONZÁLEZ, SANTIAGO, "Una visión general posible del Derecho internacional privado de familia en la UE", *La Ley Derecho de familia,* nº 17, enero-marzo 2018, p. 7.

[38]   MIGUEL ASENSIO, PEDRO ALBERTO de, "El Derecho internacional privado ante la Globalización", *AEDIPr,* t. I, 2001, pp. 37-87.

[39]   WAUTELET, PAUL, "Party Autonomy in International Family Relationships: A Research Agenda", en CAUFFMAN, CAROLINE y SMITS, JAN (Eds.), *The Citizen in European Private Law: Norm-setting, Enforcement and Choice,* Intersentia, Cambridge, 2016, pp. 23 y ss.

[40]   *Vid.,* en este sentido, por ejemplo, cómo el legislador comunitario, en el Reglamento 1259/2010 (*DOUE* nº 343, de 29 de diciembre de 2010, pp. 10-16), y en el Considerando 15, apela a la necesidad de reconocer este principio por seguridad jurídica: "*Aumentar la movilidad de los ciudadanos requiere, por una parte, más flexibilidad y, por otra, mayor seguridad jurídica. Para contribuir a este objetivo, el presente Reglamento debe reforzar la autonomía de las partes en materia de divorcio y de separación judicial, dejándoles cierto margen para elegir la ley aplicable a su divorcio o separación*", o en el Reglamento 4/2009 el Considerando 19: "*Para aumentar la seguridad jurídica, la previsibilidad y la autonomía de las partes, el presente Reglamento debería permitir a las partes elegir de común acuerdo el órgano jurisdiccional competente en función de factores de vinculación determinados*"

[41]   JIMÉNEZ BLANCO, PILAR, "Alcance de la autonomía de la voluntad en los procesos sobre persona y familia", en GUZMÁN ZAPATER, MÓNICA y ESPLUGUES MOTA, CARLOS (Dirs.), *Persona y familia en el nuevo modelo español de Derecho internacional privado,* Tirant lo Blanch, Valencia, 2017, p. 73.

derogatio fori en materia de familia en determinados supuestos, o la posibilidad de escapar de la aplicación de normas imperativas, podría procurar soluciones inapropiadas. En el sector de la competencia judicial internacional este principio se manifiesta en el reconocimiento de la sumisión, brindando a las partes la posibilidad de elegir el tribunal competente de entre una lista de posibilidades[42]; y en el sector del Derecho aplicable, la autonomía de la voluntad está presente en las normas que posibilitan a las partes elegir la ley aplicable al supuesto de manera plena o limitada[43] de entre un conjunto de leyes que puedan estar vinculadas con el supuesto[44], como sucede en los textos comunitarios referidos al Derecho de familia[45].

Junto a la autonomía de la voluntad, la proximidad razonable es utilizada habitualmente en la codificación de las normas del DIPr. de la UE en materia de familia[46]. El principio de proximidad, que opera de manera alternativa a la autonomía de la voluntad en el Derecho de la Unión[47], se fundamenta en conectar mediante determinados criterios una relación jurídica con un tribunal o una ley[48] en la consideración de los vínculos que los diferentes elementos de la situación privada internacional puedan tener con un ordenamiento[49]. El espíritu de este principio es que el DIPr. sea entendido como un Derecho que determina

---

[42]   Por ejemplo, arts. 3 y 10 Reglamento 2019/1111 (*DOUE* nº 178, de 2 de julio de 2019, pp. 1-115) o art. 4 Reglamento 4/2009.

[43]   La limitación de la autonomía de la voluntad en las normas de DIPr. de la UE sobre familia encuentra su explicación en el efecto negativo que ésta pudiera tener ante determinadas situaciones. *Cfr.* GONZÁLEZ BEILFUSS, CRISTINA, "Reflexiones en torno a la función de la autonomía de la voluntad conflictual en el Derecho internacional privado de familia", *REDI*, vol. LXXII, nº 1, 2020, p. 114.

[44]   GRAY, JACQUELINE, *Party Autonomy in EU Private International Law*, Intersentia, Cambridge, 2021, p. 30.

[45]   Art. 5 Reglamento 1259/2010; art. 8 Protocolo de la Haya sobre alimentos de 2007 (*DOUE* nº 331, de 16 de diciembre de 2009, pp. 17-23); art. 22 Reglamento 2016/1103 (*DOUE* nº 183, de 8 de julio de 2016, pp. 1-29) y art. 22 Reglamento 2016/1104 (*DOUE* nº 183, de 8 de julio de 2016, pp. 30-56).

[46]   CALVO CARAVACA, ALFONSO LUIS, "El Derecho internacional privado de la Comunidad...", *op. cit.*, p. 49 y ss.; FALLON, MARC, "Le principe de proximité dans le droit de l'Union européenne", en *Mélanges P. Lagarde*, Dalloz, París, 2005, pp. 241-262; LAGARDE, PAUL, "Le principe de proximité...", *op. cit.*, pp. 150 y ss; OTERO GARCÍA-CASTRILLÓN, CARMEN, "Problemas de aplicación de las normas de competencia judicial internacional en el Derecho español y comunitario: reflexiones en torno a la doctrina del *forum non conveniens*", *Revista de la Facultad de Derecho de la Universidad Complutense*, nº 94, 2000, pp. 99 y ss., y VIRGÓS SORIANO, MIGUEL y GARCIMARTÍN ALFÉREZ, FRANCISCO JOSÉ, *Derecho Procesal Civil Internacional. Litigación Internacional*, 2ª ed., Aranzadi, Pamplona, 2007, p. 55.

[47]   ARENAS GARCÍA, RAFAEL, "Principios inspiradores del sistema actual de competencia judicial internacional en materia de persona y familia", en GUZMÁN ZAPATER, MÓNICA y ESPLUGUES MOTA, CARLOS (Dirs.), *Persona y familia en el nuevo modelo español...*, *op. cit.*, p. 43.

[48]   LAGARDE, PAUL, "Le principe de proximité dans le Droit international privé...", *op. cit.*, pp. 49 y ss.

[49]   Al hablar de elementos hacemos referencia, por ejemplo, a: el domicilio de las partes, el lugar de producción de pruebas, el lugar donde se practicarán medidas cautelares o los sujetos involucrados.

la conexión idónea del supuesto con un Estado y del litigio con unos tribunales y una ley.

El legislador comunitario se ha caracterizado a la hora de impregnar las normas de DIPr. con este principio por el uso de criterios como el de residencia habitual[50] o por la inclusión de expresiones como la de los vínculos más estrechos, lo que permite valorar de manera más flexible la relación del supuesto con un ordenamiento y obtener un resultado mucho más puntual y quizás más eficaz. Este modelo impulsa una flexibilización y es la tendencia actual cuando se trata de formular normas sustentadas por este principio. La proximidad encuentra su mejor exponente, dentro del sector del Derecho aplicable, en las cláusulas de excepción donde su admisión supone la eliminación de criterios rígidos que pueden impedir la obtención de la mejor solución, más apegada a la realidad y satisfactoria para las partes.

El fin de utilizar la proximidad como criterio en las normas de DIPr. es procurar la solución más apropiada en cada supuesto. En este sentido, una noción muy amplia, o muy limitada, podría procurar resultados no buscados. Así, en el ámbito de las normas de competencia judicial internacional, resulta igual de peligroso que la interpretación del criterio de proximidad razonable atribuya competencia de una forma exorbitante como que no la atribuya nunca. Igual pasa en las normas de Derecho aplicable, pues no parece admisible que el criterio pueda ser entendido de manera que la ley de un determinado Estado no se aplique nunca o se aplique siempre. Una interpretación de extremos resultaría contraria al espíritu del DIPr., que en vez de ofrecer respuestas y facilitar las relaciones jurídicas internacionales, las obstaculizaría.

Así, en este relevo de principios en el orden comunitario, la proximidad que ofrece un punto de conexión como la residencia habitual ha tomado el relevo a otros, como el de la nacionalidad, muy arraigado en el ámbito del Derecho de familia, ofreciendo una solución más apropiada ante el supuesto de DIPr[51]. Insertado en las normas de la Unión, atinentes a cuestiones de familia, ofrece una mejor solución al determinar la actuación de los ordenamientos en que la familia y sus integrantes desarrollan su vida y son destinatarios de derechos y deberes. Sin embargo, este concepto debe ser interpretado para entender y aplicar cada una de las normas en materia de Derecho de familia, ya que en torno a él giran,

---

[50]   Considerandos 20 del Reglamento 2019/1111: "*Para salvaguardar el interés superior del menor, la competencia debe en primer lugar determinarse con arreglo al criterio de proximidad. Por consiguiente, son los órganos jurisdiccionales del Estado miembro en el cual el menor tiene su residencia habitual los que deben ser competentes*", o 21 "*Cuando no haya aún procedimientos en curso en materia de responsabilidad parental y la residencia habitual del menor cambie a raíz de un traslado lícito del menor, la competencia debe seguirle con el fin de mantener la proximidad*".

[51]   RODRIGUEZ BENOT, ANDRÉS, "El criterio de conexión para determinar la ley personal: un renovado debate en Derecho internacional privado", *CDT*, vol. 2, n° 1, 2010, p. 199.

junto con las que utilizan la autonomía de la voluntad, las reglas más importantes en materia de competencia judicial internacional y Derecho aplicable. Surge de nuevo el problema conceptual y la necesidad de una interpretación uniforme y específica para cada norma, independiente de la que, ante el supuesto de familia internacional, puedan ofrecer la *lex fori* o la *lex causae*. Las distintas normas europeas que regulan cuestiones de DIPr. de familia y utilizan el criterio de residencia habitual deberían hacerlo sobre la base de los mismos parámetros. De no ser así, podría resultar complicado, en algunos casos, llegar a su determinación cumpliendo los objetivos de cada Reglamento. En la gran casuística que podemos encontrarnos, lo que resulta evidente es la necesidad de valorar elementos propios del ámbito personal, familiar o patrimonial, dependiendo del supuesto para precisar el concepto en relación con cada una de las normas. Debe precisarse que los distintos reglamentos no incorporan una definición de residencia habitual, con el fin de dejar a discreción de la autoridad la valoración de la cuestión sobre la base de una serie de factores. Con tal planteamiento, a falta de un concepto comunitario común, cada norma en materia de familia que utiliza este criterio de proximidad determina una noción especializada de residencia habitual enfocada a facilitar el cumplimiento de los objetivos en cada supuesto.

Este principio se manifiesta en textos que regulan la competencia judicial internacional en materia de divorcio, responsabilidad parental o alimentos[52], y también en aquellos que, por conexidad, atribuyen competencia a los tribunales de un Estado para casos que presentan entre sí vínculos estrechos de naturaleza procesal[53]. En el caso del Derecho aplicable la actuación de este principio se visualiza en todas aquellas normas donde la ley llamada a regular el supuesto se determina por un criterio de proximidad[54] basado en los vínculos estrechos de la ley a aplicar con la situación privada internacional[55].

IV. CONCLUSIONES

La vinculación del DIPr. de familia de la UE con la consecución del objetivo de la libre circulación de las personas ha determinado el desarrollo de este sector sobre la base de principios y criterios comunitarios. Aunque la familia y sus derechos no son objeto de la acción de las instituciones de la UE, éstas han basado su intervención en la necesidad de construir un espacio de libertad, seguridad y justicia sin fronteras interiores. La UE ha buscado en un contexto jurídico, social

---

[52]   Art. 3 Reglamento 4/2009 y arts. 3 y 7 Reglamento 2019/1111.
[53]   Art.13 Reglamento 4/2009.
[54]   Art. 3 Protocolo sobre ley aplicable a obligaciones alimenticias.
[55]   *Vid.* Considerando 14 Reglamento 1259/2010.

y económico de globalización en el que se viene produciendo un debilitamiento de la soberanía de los EEMM la uniformidad del Derecho de familia sobre la base de realidades nacionales complejas y muy diferentes.

La adopción de Reglamentos sucesivos, y la imposibilidad de que en la última década existan acuerdos amplios entre los EEMM en torno a algunos de estos textos, permite entrever las dificultades que, desde que viese la luz la primera norma en la materia, siguen persistiendo. En un contexto desfavorable a la unificación, el DIPr. europeo de familia se basa principalmente en normas adoptadas en el marco de la cooperación judicial en materia civil. En estas circunstancias, podemos decir que la uniformidad conseguida es insuficiente respecto al objetivo marcado en materia de DIPr. de familia.

El balance que se puede hacer de la última década que tras el Tratado de Lisboa debía redefinir los objetivos del espacio judicial europeo, en general en el ámbito de la cooperación judicial en materia civil y en particular en materia de familia no puede considerarse exitoso. Observar los procedimientos seguidos para lograr la conversión del Reglamento 2201/2003 en el Reglamento 2019/1111 y el contenido del nuevo texto nos permite visualizar los grandes escollos en los que tropieza la construcción del DIPr. de familia.

En tal contexto, lo que sí han hecho las Instituciones en su labor legislativa es procurar una transición en los principios que sustentan las normas en materia de familia. Resulta evidente la preeminencia de unos criterios sobre otros a la hora de vertebrar los Reglamentos comunitarios de este ámbito jurídico, ya que la nacionalidad, sin haber sido desterrada por completo, aparece como un vínculo subsidiario frente a la autonomía de la voluntad o la proximidad a los que el legislador de la UE les ha otorgado un papel fundamental en el desarrollo normativo del DIPr. de familia de la Unión.

V. BIBLIOGRAFIA

ALCAIDE FERNÁNDEZ, JOAQUÍN, "Orden público internacional y soberanía de los estados", en BOUZA VIDAL, NURIA y otros (Coords.), *La gobernanza del interés público global: XXV Jornadas de la Asociación Española de Profesores de Derecho Internacional y Relaciones Internacionales,* Tecnos, Madrid, 2015, pp. 120-145.

ÁLVAREZ GONZÁLEZ, SANTIAGO, "Breves notas sobre la autonomía de la voluntad en Derecho internacional privado", en VARGAS GÓMEZ-URRUTIA, MARINA y SALINAS DE FRÍAS, ANA (Coords.), *Soberanía del Estado y Derecho internacional, Homenaje al Profesor Carrillo Salcedo,* t. 1, Servicio de Publicaciones Universidad de Córdoba, Editorial Universidad de Sevilla, Universidad de Málaga, Sevilla, 2005, p. 137-154.

ÁLVAREZ GONZÁLEZ, SANTIAGO, "Una visión general posible del Derecho internacional privado de familia en la UE", *La Ley Derecho de familia*, nº 17, enero-marzo 2018, pp. 1-17.

ANCEL, BERTRAND, "Le principe de bonne foi et les conflicts de lois", en *Pacis Artes: Obra homenaje al Profesor Julio D. González Campos*, Edifer, Madrid, 2005, pp. 1217-1239.

ARENAS GARCÍA, RAFAEL, "Principios inspiradores del sistema actual de competencia judicial internacional en materia de persona y familia", en GUZMÁN ZAPATER, MÓNICA y ESPLUGUES MOTA, CARLOS (Dirs.), *Persona y familia en el nuevo modelo español de Derecho internacional privado*, Tirant lo Blanch, Valencia, 2017, pp. 21-50.

BADIALI, GIORGIO, "Le droit international privé des Communautés européennes", *Rec. des Cours*, vol. 191, 1985, pp. 9-182.

BASEDOW, JÜRGEN, "Spécificité et coordination du droit international privé communautaire", en *Droit international privé : Travaux du Comité français de Droit international privé*, 16e année, 2002-2004. 2005, pp. 275-305.

BASEDOW, JÜRGEN, "Le droit uniforme de l´Union Européenne : essai sur l´interprétation et le comblement des lacunes des Règlements de l´Union et des Conventions internationales de Droit privé uniforme ratifiée par celle-ci", en *Relaciones transfronterizas, globalización y Derecho*, Civitas-Thomson Reuters, Madrid, 2020, pp. 1005-1018.

CALVO CARAVACA, ALFONSO LUIS y CARRASCOSA GONZÁLEZ, JAVIER, *Tratado de Derecho internacional privado*, t. I, Tirant lo Blanch, Valencia, 2020.

CALVO CARAVACA, ALFONSO LUIS, "El Derecho Internacional privado de la Comunidad Europea", *Anales de Derecho*, Universidad de Murcia, nº 21, 2003, pp. 49-69.

CARRASCOSA GONZÁLEZ, JAVIER, "Nuevos modelos de familia y Derecho internacional privado en el siglo XXI", *Anales de Derecho*, Universidad de Murcia, nº 21, 2003, pp. 109-143.

DIAGO DIAGO, Mª PILAR, "El matrimonio y su crisis ante los nuevos retos de la autonomía de la voluntad conflictual", *REDI*, vol. LXVI, nº 2, 2014, pp. 49-79.

ESPLUGUES MOTA, CARLOS, PALAO MORENO, GUILLERMO e IGLESIAS BUHIGUES, JOSÉ LUIS, *Derecho internacional privado*, 16ª ed., Tirant lo Blanch, 2022.

FALLON, MARC, "Le principe de proximité dans le droit de l'Union européenne", en *Mélanges P. Lagarde*, Dalloz, París, 2005, pp. 241-262.

GARCIMARTÍN ALFÉREZ, FRANCISCO JOSÉ, *Derecho Internacional privado*, 6ª ed., Aranzadi, Pamplona, 2021.

GONZÁLEZ BEILFUSS, CRISTINA, "Reflexiones en torno a la función de la autonomía de la voluntad conflictual en el Derecho internacional privado de familia", *REDI*, vol. LXXII, n° 1, 2020, Madrid, pp. 101-115.

GRAY, JACQUELINE, *Party Autonomy in EU Private International Law*, Intersentia, Cambridge, 2021.

GUZMÁN ZAPATER, MÓNICA (Dir.), *Lecciones de Derecho internacional privado*, Tirant lo Blanch, Valencia, 2021.

HOHNERLEIN EVA MARIA, "Konturen eines einheitlichen europäischen Familienund Kindschaftsrecht – die Rolle der Europäischen Menschenrechts-Konvention", *The European Legal Forum*, n° 4, 2000/01, pp. 252-260.

JIMÉNEZ BLANCO, PILAR, "Alcance de la autonomía de la voluntad en los procesos sobre persona y familia", en GUZMÁN ZAPATER, MÓNICA y ESPLUGUES MOTA, CARLOS (Dirs.), *Persona y familia en el nuevo modelo español de Derecho internacional privado*, Tirant lo Blanch, Valencia, 2017, pp. 51-74.

KOHLER, CHRISTIAN, "L'autonomie de la volonté en droit international privé: un principe universel entre libéralisme et étatisme", *Rec. des Cours*, vol. 359, 2013, pp. 285-478.

LAGARDE, PAUL, "Le príncipe de proximité dans le Droit international privé contemporain", *Rec. des Cours*, vol. 196, 1986, pp. 1-237.

LAGARDE, PAUL, "Les principes de Droit international privé hier, aujourd´hui et demain", en *Principios, objetivos y métodos del Derecho internacional privado. Balance y perspectivas de una década*, Cuartas Jornadas de Derecho internacional privado, Madrid, 1993, pp. 15-33.

LAGARDE, PAUL, "Réflexions conclusives", en FULCHIRON, HUGHES y BIDAUD-GARON, CHRISTINE (Dirs.), *Vers un statut européen de la famille*, Dalloz, París, 2014, pp. 267-276.

MARTINY, DIETER, "Is Unification of Family Law Feasible or even Desirable?", *Towards a European Civil Code*, 2ª ed., Martinus Nijhoff, La Haya/Londres/Boston, 1998, pp. 151-171.

MIGUEL ASENSIO, PEDRO A. de, "El Derecho internacional privado ante la Globalización", *AEDIPr*, t. I, 2001, pp. 37-87.

MOURA RAMOS, RUI MANUEL y RODRÍGUEZ BENOT, ANDRÉS, *Evolución reciente del Derecho internacional privado de familia en los Estados miembros de la Unión Europea*, Fundación Coloquio Jurídico Europeo, Madrid, 2016.

MOYA ESCUDERO, MERCEDES, "Derechos e integración de los nacionales de terceros Estados: un camino por andar", en CORNAGO, NOÉ y otros (Eds.), *Repensar la Unión Europea: Gobernanza, seguridad, mercado interior y ciudadanía*, Tirant lo Blanch, Valencia, 2019, pp. 403-410.

MOYA ESCUDERO, MERCEDES, "Integración del Convenio de la Haya de 19 de octubre de 1996 en el Reglamento Bruselas II bis", en VÁZQUEZ GOMEZ, EVA MARÍA y otros (Coords.), *El arreglo pacífico de controversias internacionales*, Tirant lo Blanch, Valencia, 2013, pp. 569-581.

MUIR WATT, HORATIA, "Les modèles familiaux à l'èpreuve de la mondialisation (Aspects de Droit International Privé)", en CALVO CARAVACA, ALFONSO LUIS e IRIARTE ÁNGEL, JOSÉ LUIS (Eds.), *Mundialización y familia*, Colex, Madrid, 2001, pp. 11-22.

OTERO GARCÍA-CASTRILLÓN, CARMEN, "Problemas de aplicación de las normas de competencia judicial internacional en el Derecho español y comunitario: reflexiones en torno a la doctrina del *forum non conveniens*", *Revista de la Facultad de Derecho de la Universidad Complutense*, n° 94, 2000, pp. 99-128.

PEARI, SAGY, "Choice-of-Law in Family Law: Kant, Savigny and the Parties' Autonomy Principle", *Nederlands Internationaal Privaatrecht*, 2012, pp. 597–604.

RODRIGUEZ BENOT, ANDRÉS, "El criterio de conexión para determinar la ley personal: un renovado debate en Derecho internacional privado", *CDT*, vol. 2, n° 1, 2010, pp. 186-202.

SOUSA GONÇALVES, ANABELA SUSANA de, "El principio de la autonomía de la voluntad en los Reglamentos europeos sobre Derecho de familia y sucesiones", *Diario La Ley*, n° 40, 2016, pp. 1-23.

STRUYCKEN, ANTOON V. M., "Les conséquences de l'intégration européenne sur le développement du droit international privé", *Rec. des Cours*, vol. 232, 1992, pp. 257-383.

VANBRABANT, BERNARD y WAUTELET, PAUL, "Territorialité et Droit international privé", en *20 ans de nouveau droit d'auteur*, Anthemis, Limal, 2015, pp. 327-381.

VIRGÓS SORIANO, MANUEL y GARCIMARTÍN ALFÉREZ, FRANCISCO JOSÉ, *Derecho Procesal Civil Internacional Litigación Internacional*, 2ª ed., Aranzadi, Pamplona, 2007.

VELASCO RETAMOSA, JOSÉ MANUEL, "La cooperación reforzada en derecho aplicable a la separación y el divorcio: El reglamento Roma III. Diez años de aplicación", en CUARTERO RUBIO, Mª VICTORIA y VELASCO RETAMOSA, JOSÉ MANUEL (Dirs.), *La vida familiar internacional en una Europa compleja: Cuestiones abiertas y problemas de la práctica*, Tirant lo Blanch, Valencia, 2021, pp. 293-322.

WAUTELET, PAUL, "Party Autonomy in International Family Relationships: A Research Agenda", en CAUFFMAN, CAROLINE y SMITS, JAN (Eds.), *The Citizen in European Private Law: Norm-setting, Enforcement and Choice*, Intersentia, Cambridge, 2016, pp. 23-48.

LA FRAGILIDAD DE LAS RELACIONES PRIVADAS INTERNACIONALES Y SUS EFECTOS SOBRE EL DERECHO A UNA VIDA PRIVADA Y FAMILIAR

ROSARIO ESPINOSA CALABUIG

Catedrática de Derecho internacional privado
Universitat de València

I. FRAGILIDAD DE LAS RELACIONES PRIVADAS INTERNACIONALES EN UN ENTORNO DE CRISIS GLOBAL

Acontecimientos recientes como la crisis sanitaria provocada por el Covid-19 o la guerra entre Rusia y Ucrania nos sirven, desgraciadamente, como ejemplo para evidenciar la fragilidad de las relaciones privadas internacionales y la necesidad y, en ocasiones limitaciones, de las técnicas del Derecho internacional privado (DIPr.).

De una parte, la crisis sanitaria mundial provocada por el Covid-19 ha puesto de manifiesto las dificultades inherentes al ejercicio de algunos derechos en relación con la protección internacional del menor, ya que las restricciones en los viajes y los cierres de fronteras, no solo reforzaron el principio de nacionalidad, sino que pusieron fin al ejercicio de derechos fundamentales como la reunificación familiar, los derechos de visita o el ejercicio del derecho a una vida privada y familiar. La excepcionalidad de esta situación no minimiza una realidad como es la mencionada fragilidad de las situaciones transfronterizas en relación con sectores como el derecho de familia y la protección de sujetos como el menor u otros miembros de la familia.

De otra parte, la Guerra con Ucrania ha tenido innegables consecuencias no sólo sobre el mismo ejercicio de los derechos de visita antes mencionado, sino con otros fenómenos como, por ejemplo, el de la gestación por sustitución, con madres gestantes de menores, que han quedado en un limbo jurídico atrapados en Ucrania y cuya solución a nivel estatal e internacional sigue suscitando mucha discusión. También otros sectores como el derecho de la extranjería, en cuanto materia incidental del DIPr., se ha visto sensiblemente afectado con la crisis de los refugiados ucranianos que han huido a países como España.

Y aunque la respuesta hacia los refugiados ucranianos ha sido aplaudida, no ocurre lo mismo con la situación de miles de extranjeros desplazados de sus países desde hace años. En los últimos tiempos parece que el legislador, sin ir más lejos el de la UE, está favoreciendo en nuestros países la discriminación y el rechazo al extranjero, no sólo de aquél que llega intentando alcanzar una residencia legal en países de la UE, sino también de extranjeros de terceros países que residen legalmente en la UE. Asistimos en los últimos tiempos, como denuncia Mercedes Moya, al desarrollo de una diversidad de estatutos jurídicos para los residentes que "volatilizan el principio de igualdad de trato y de no discriminación, bajo el amparo de ciertas directivas. La discrecionalidad que tales directivas otorgan a los Estados Miembros de la UE está produciendo tal nivel de injusticia social y de segmentación humana, que se pone en riesgo la seguridad y la justicia europea".[1]

Nos encontramos ante un rechazo progresivo hacia "el extranjero" y "lo extranjero" en un entorno en que nuestras fronteras diarias (internet) se difuminan, que no sólo favorece el trato discriminatorio a ciertos extranjeros, sino también la inaplicación del derecho de un tercer Estado (en particular de base islámica) como forma de frenar el avance de ciertas culturas, políticas o ideologías contraria a las occidentales. En palabras de Carlos Esplugues, nos encontramos ante "uno de esos casos de inextricable confusión y riqueza extraordinaria que caracterizan a esta disciplina. Una novela —con ribetes de folletín— en la que interactúan la tradicional permeabilidad del Derecho internacional privado hacia los acontecimientos sociales y políticos, con la desconfianza hacia el papel jugado por los jueces a la hora de aplicar el Derecho, el miedo hacia un futuro que no necesariamente se prevé mejor que el pasado, una marcada radicalización del discurso político o una cierta difuminación de la idea de división de poderes".[2]

---

[1]   MOYA ESCUDERO, MERCEDES, "Un código de derechos para los nacionales de terceros estados residentes legales en la UE. Un avance en el derecho antidiscriminatorio". *REEI*, nº 34, 2017. Véase igualmente, MOYA ESCUDERO, MERCEDES, "Igualdad versus seguridad y control: Los menores extranjeros en Europa", en MARTÍN RODRÍGUEZ, PABLO JESÚS (Dir.), *Nuevo mundo, nueva Europa. La redefinición de la Unión Europea en la era del Brexit, XXVIII Jornadas de la Asociación Española de Profesores de Derecho Internacional y Relaciones Internacionales*, Tirant lo Blanch, Valencia, 2020, pp. 219-248.

[2]   ESPLUGUES MOTA, CARLOS, "¿Nuevos derroteros del Derecho internacional privado? El caso de la normativa estatal americana", *InDret*, nº 2, 2015, p. 6.

Tanto el Derecho de familia internacional y, en concreto, el ejercicio de los derechos de visita por alguno de los titulares de la responsabilidad parental, como el derecho de la extranjería, han sido objeto de un análisis exhaustivo por parte de la profesora Mercedes Moya a los que se ha dedicado, entre otras muchas materias, con vocación y pasión durante toda tu trayectoria académica. En uno de estos sectores me centro en este trabajo como parte de mi particular homenaje a dicha trayectoria y por la influencia que ha tenido sobre mí. En concreto, mi estudio aborda el derecho a un ejercicio transfronterizo de los derechos de visita, partiendo de otro derecho fundamental como es el del respecto a una vida privada y familiar. Todo ello pone sobre la mesa la necesidad de defender intereses tan relevantes como el del menor, pero también otros como el de la mujer u otros sujetos que se hayan involucrado en las relaciones privadas familiares y se encuentren en una situación de vulnerabilidad[3].

II. UN ELEMENTO CLAVE A DEBATE: EL DERECHO AL RESPETO A UNA VIDA PRIVADA Y FAMILIAR AL HILO DE LA STDH 1.09.2022 Y LA DEFENSA DE INTERESES VARIOS

Los Reglamentos de la UE, tanto el 2019/1111 (Bruselas II ter)[4] como su antecesor 2201/2003 (Bruselas II bis)[5], han optado por una definición amplia de los derechos de custodia y visita como forma de respetar el concreto alcance y significado que cada Estado miembro les otorga y, por ende, las diferencias legislativas entre todos ellos[6]. Al Reglamento no le interesa tanto si el ejercicio de la custodia es compartido por ambos progenitores o por uno sólo de ellos, cuanto saber qué persona decide el lugar de residencia habitual del menor La determinación de dicho lugar puede considerarse, incluso, como uno de los derechos del menor, de modo que, como se hizo sentir en el asunto *Baumbast y R*[7], éste tiene derecho a residir en el Estado miembro donde se haya instalado como consecuencia del

---

3   Ver ESPINOSA CALABUIG, ROSARIO, "Derecho internacional privado europeo y protección de grupos vulnerables", *RGDE*, nº 54, 2021, p. 9.

4   Reglamento (UE) 2019/1111 del Consejo, de 25 de junio de 2019, relativo a la competencia, el reconocimiento y la ejecución de resoluciones en materia matrimonial y de responsabilidad parental, y sobre la sustracción internacional de menores (versión refundida) (*DO* L 178/1, de 2 de julio de 2019).

5   Reglamento (CE) 2201/2003 del Consejo, de 27 de noviembre de 2003, relativo a la competencia, el reconocimiento y la ejecución de resoluciones judiciales en materia matrimonial y de responsabilidad parental por el que se deroga el Reglamento (CE) 1347/2000 (*DO* L 338, de 23 de diciembre de 2003).

6   ESPINOSA CALABUIG, ROSARIO, *Custodia y visita de menores en el espacio judicial europeo*, Marcial Pons, Barcelona, Madrid, 2007, pp. 125 y ss.

7   Sentencia del TJUE de 2 de octubre de 2003 (Asunto C-148/02: *García Avello*), ECLI:EU:C:2003:539.

ejercicio del derecho de libre circulación de cualquiera de sus progenitores[8], lo que a su vez conecta con el derecho a respetar la vida privada y familiar del art. 8 del Convenio Europeo de Derecho Humanos (CEDH)[9].

El art. 8 del CEDH[10] se ha puesto de nuevo de manifiesto con ocasión del reciente asunto *Z c. Croacia*, en la sentencia del Tribunal Europeo de los Derechos Humanos (TEDH) de 1 de septiembre de 2022[11], en relación con una posible sustracción internacional de menores. Dicha sentencia se une al proceso iniciado por el TEDH en la interpretación del art. 8 del CEDH y en el debate que ha mantenido con el TJUE en la valoración del interés superior del menor, con casos muy conocidos en el ámbito de la sustracción internacional de menores[12]. En dicho contexto, el art. 8 del CEDH puede jugar un papel relevante en la concepción de aquello que constituya, en efecto y en cada caso concreto, el interés superior del menor.

Pero el art. 8 del CEDH se ha visto además invocado en otro tipo de relaciones privadas internacionales objeto del DIPr., como es el de la gestación por sustitución al que luego nos referimos. También en estos casos, el art. 8 puede desempeñar un rol importante en la balanza de intereses en conflicto según que los *intended parents* tengan o no vínculo genético con el menor.

1. El respeto a una vida privada y familiar en el contexto del traslado "ilícito" internacional

El Comité de los Derechos del Niño destaca que el interés superior del menor es un concepto complejo pues, por un lado, es un derecho sustantivo por el

---

8   En dicha ocasión se interpretó como un derecho del menor vinculado al derecho del progenitor no europeo que tenía atribuida la custodia. A este respecto, GONZÁLEZ BEILFUSS, CRISTINA, "Relaciones e interacciones entre Derecho comunitario, Derecho internacional privado y Derecho de familia europeo en la construcción de un espacio judicial común", *AEDIPr.*, t. IV, 2004, pp. 182-183.

9   Argumento utilizado entre otros con ocasión del asunto *Carpenter*, STJUE de 11 de julio de 2002. Ver URSO, ELENA, "Il Diritto di famiglia nella prospettiva europea", en BRUNETTA D'USSEAUX, FRANCESCA (Dir.), *Il Diritto di famiglia nell'Unione europea: formazione, vita e crisi della coppia*, Cedam, Pádua, 2005, pp. 532-535.

10   Bajo el título "Derecho al respeto a la vida privada y familiar" se señala que: 1. "Toda persona tiene derecho al respeto de su vida privada y familiar, de su domicilio y de su correspondencia" y 2. "No podrá haber injerencia de la autoridad pública en el ejercicio de este derecho, sino en tanto en cuanto esta injerencia esté prevista por la ley y constituya una medida que, en una sociedad democrática, sea necesaria para la seguridad nacional, la seguridad pública, el bienestar económico del país, la defensa del orden y la prevención del delito, la protección de la salud o de la moral, o la protección de los derechos y las libertades de los demás".

11   Caso n° 21347/21, Sección 1ª del TEDH, *Z c. Croacia*, https://hudoc.echr.coe.int/eng?i=001-218939.

12   Entre otros, la STEDH de 18 de junio de 2013, demanda n° 3890/11, *Sofia Povse and Doris Povse c./ Austria*, http://hudoc.echr.coe.int/eng?i=001-122449. Anteriormente el TJUE había resuelto con sentencia de 1 de julio de 2010 (Asunto C-211/10 PPU, *Povse*), ECLI:EU:C:2010:400.

cual el menor tiene derecho a que su interés superior se considere principalmente sobre otros intereses en juego. Por otro, constituye un principio jurídico fundamental que impulsa cualquier interpretación hacia el resultado que mejor sirva al interés de dicho menor. Dicho principio, además, influye en que las decisiones que se adopten incluyan una evaluación de las posibles repercusiones que pueda haber sobre el menor y sobre cómo se ha sopesado frente a cualquier otra consideración[13]. Es lógico, pues, que el vínculo entre el principio del interés del menor y el basado en el criterio de la proximidad influya en la práctica en la definición de la residencia habitual del menor[14]. Sin embargo, no siempre tiene por qué ser así.

La práctica demuestra innumerables discrepancias en cuanto a la valoración del interés superior del menor y su conexión con la residencia habitual, que se han reflejado en la jurisprudencia del TJUE y del TEDH en relación con casos de sustracción de menores en la UE. Si bien el TEDH ha prestado atención al fondo del asunto al interpretar el interés superior del menor, el TJUE ha optado por una interpretación formal basada en la defensa a ultranza del principio de reconocimiento mutuo[15]. De hecho, estos diferentes enfoques muestran la tensión entre los sistemas que favorecen el retorno cuasi automático del menor y aquellos que prestan mayor atención al interés superior del menor valorado en particular. En cambio, el TEDH ha optado por examinar si las decisiones de retorno vulneran el derecho a la vida personal y familiar consagrado en el art. 8 del CEDH,[16] es decir, si la no devolución del menor al país de su residencia habitual originaria equivale a su interés superior, independientemente del cumplimiento del Convenio de La Haya de 1980 sobre la sustracción de menores[17].

---

[13]   Comité de los Derechos del Niño de las Naciones Unidas (CDN), Observación general N° 14 (2013) sobre el derecho del niño a que se tenga en cuenta su interés superior como consideración primordial (art. 3, párrafo 1), 29 de mayo de 2013, CRC/C/GC/14, https://www.refworld.org/docid/51a84b5e4.html

[14]   El Tribunal Supremo español ha considerado esencial el interés superior del menor para decidir si se autoriza o no el traslado de la residencia habitual del menor en caso de oposición de uno de los progenitores. Ver STS 536/2014, Sala de lo Civil, de 20 de octubre de 2014, ECLI: ES:TS:2014:4072. En el caso, el padre español no autorizó el traslado del menor a Brasil con su madre brasileña y el tribunal de apelación tampoco lo autorizó teniendo en cuenta la nacionalidad española del padre y del menor. Sin embargo, el Tribunal Supremo no confirmó esta sentencia al considerar que no había tenido en cuenta ni el interés superior del menor ni la realidad cada vez más habitual en España de los matrimonios mixtos.

[15]   Sobre dicho debate y la jurisprudencia en este contexto ver ESPINOSA CALABUIG, ROSARIO, "Traslado o retención ilícitos de menores tras la reforma de 2015: rapidez, especialización y... algunas ausencias", *REDI*, vol. LXVIII, n° 2, 2016, pp. 347-357.

[16]   Ver HERRANZ BALLESTEROS, MÓNICA, "Los Tribunales de Estrasburgo y Luxemburgo ante la protección de los Derechos fundamentales en supuestos de sustracción internacional de menores", *RGDE*, n° 44, 2012, pp. 41-42.

[17]   Convenio de La Haya de 25 de octubre de 1980 sobre aspectos civiles del secuestro internacional de menores, *BOE* n° 202, de 24 de agosto de 1987, corr. errores *BOE* n° 155, de 30 de junio de 1989 y *BOE* n° 21, de 24 de enero de 1996.

En esta última línea interpretativa se integra el reciente asunto *Z c. Croacia,* resuelto por el TEDH el 2 de septiembre de 2022. El asunto alude, en concreto, a un litigio sobre la responsabilidad parental de los hijos de una pareja no casada, que habían nacido en Croacia y que vivieron con sus padres entre 2008 y 2018 en diferentes países como, además de Croacia, Grecia, Eslovaquia, Hungría, Suecia y Francia. En 2018 se rompió la relación entre el solicitante y la madre de sus hijos, quien ese mismo año había dado su consentimiento para que el padre se llevara a los hijos a Alemania donde residían con él desde el 3 de diciembre de 2018 y estaban escolarizados. En 2019 la madre revocó este consentimiento, llevándose a los hijos a Croacia con ocasión de las vacaciones de verano, y negándose a que luego regresaran a Alemania. A partir de ahí empieza un conflicto en relación con la custodia de los hijos y la determinación tanto de aquél que tiene el derecho a decidir el lugar de su residencia, como la decisión del pertinente retorno de los menores en el caso de considerar ilícito el traslado de éstos por su madre a Croacia. Al hilo de dicho conflicto se discute si ha habido o no infracción del art. 8 del CEDH.

El asunto *Z c. Croacia* pone en tela de juicio cuál de los progenitores tenía la capacidad para establecer el lugar de residencia de los menores y para, en función de ello, determinar si había habido o no un traslado ilícito internacional en el sentido del Convenio de La Haya de 1980 sobre sustracción de menores, según cual fuera la ley aplicable.[18] Para el TEDH sí que ha habido una vulneración del art. 8, no existiendo razones pertinentes y suficientes por parte de los tribunales croatas para denegar el retorno de los hijos del solicitante a Alemania, después de su traslado por la madre a Croacia, al considerar inaplicable el Convenio de

---

[18]   El padre (sin perjuicio del procedimiento de retorno luego iniciado) solicitó la adopción de unas medidas provisionales previas ante los tribunales alemanes, quien decidieron tanto la atribución al padre de la capacidad para determinar el lugar de residencia de los hijos (por estimarse competentes para ello), como una orden de retorno de los hijos a Alemania por parte de la madre. En esto último, sin embargo, carecían de competencia, al no seguir el procedimiento previsto en el Convenio de La Haya de 25 de octubre de 1980. En lo que es la petición referente a la determinación de quién tenía la capacidad de determinar el lugar de residencia de los menores, el tribunal alemán la desestimó, al entender que no concurrían circunstancias de urgencia, si bien con referencia expresa a la legislación croata y la previsión de la misma referente a que la responsabilidad parental respecto de hijos de progenitores no casados corresponde a ambos, destacando que el solicitante tenía la responsabilidad parental respecto de los hijos y que la había adquirido conforme a la ley croata, a pesar de que estos se hubieran trasladado a Alemania con el padre y establecido allí su residencia habitual. En paralelo, se tramitó el procedimiento de retorno de los menores ante los tribunales de Croacia (que motiva el recurso al TEDH), en el que se estableció la no susceptibilidad de aplicar el Convenio de La Haya de 1980 porque, conforme al Derecho alemán, que se estimaba aplicable, la responsabilidad parental sobre los hijos de progenitores no casados sólo correspondía en un caso como el aquí contemplado a la madre, y no al padre, con lo que no existía una situación de sustracción de menores, ya que sólo era la madre podía decidir sobre la residencia de los hijos. No se explicó (ni en instancia ni apelación) el motivo por el que no se consideraba aplicable el Derecho croata que si atribuía responsabilidad parental también al padre y que este alegó.

La Haya de 1980. En opinión del TEDH, el art. 8 CEDH se habría visto vulnerado en línea con otra jurisprudencia anterior como el asunto *X c. Letonia* al que alude[19].

Con el asunto *Z c. Croacia*, el TEDH destaca que la injerencia primordial en el derecho del demandante al respeto de su vida familiar no puede atribuirse a una acción u omisión del Estado demandado, sino más bien a las acciones de la madre de los menores, una parte privada, que los retuvo en Croacia. Teniendo presente otros asuntos como *Vladimir Ushakov c. Rusia*, nº 15122/17, § 85, 18 de junio de 2019 (Ver ap. 80 asunto *Z c. Croacia*), se considera que el disfrute mutuo por un progenitor y un hijo de la sociedad del otro constituye un elemento fundamental de la vida familiar protegida por el art. 8 CEDH. De ahí que el precepto resulte aplicable en el presente asunto *Z c. Croacia*. Para el TEDH toda injerencia en el derecho al respeto de la vida familiar constituye una violación de dicho precepto, a menos que sea "conforme a la ley", persiga un objetivo legítimo y pueda considerarse "necesaria en una sociedad democrática" (ap. 82). Todo ello exige un examen en torno a si existe o no una ponderación adecuada entre los intereses en juego (de los hijos, progenitores y orden público).

De forma específica, el TEDH precisa que, en cuanto al Convenio de La Haya de 1980, la vulneración del art 8 del CEDH se produce, no sólo cuando se ofrecen unos argumentos insuficientes respecto del rechazo de los motivos invocados a favor del retorno de los menores, sino también cuando la motivación insuficiente afecta a lo que es la no aplicación del propio Convenio de La Haya de 1980[20].

En línea con el asunto *Z c. Croacia*, el TEDH ha reivindicado el respeto del art. 8 del CEDH en otras ocasiones en litigios sobre sustracción de menores,

---

[19]   ([GC], nº 27853/09, §§ 92-108, CEDH 2013). Para el gobierno croata, sin embargo, el art. 8 del CEDH era inaplicable en el presente asunto por considerar que las obligaciones derivadas de dicho precepto, que se imponían a los Estados contratantes en los casos internacionales sobre sustracción de menores, debían interpretarse a la luz del Convenio de La Haya de 1980. Sin embargo, en esta ocasión los tribunales nacionales habían considerado que la retención de los hijos en Croacia por su madre no había sido ilícita en el sentido del art. 3.1 de dicho Convenio. Por lo tanto, el asunto no se refería a una sustracción internacional de menores en el sentido de dicho Convenio, que, en consecuencia, no era aplicable y, por consiguiente, el art. 8 del CEDH tampoco se aplicaba. Para el Gobierno croata la reclamación era, además, incompatible *ratione personae* con las disposiciones del Convenio de La Haya, porque la presunta violación cometida no podía atribuirse al Estado demandado. Ver apartados 24 a 25, 27 y 29 a 30 de la sentencia en el asunto *Z c. Croacia*).

[20]   Para el TEDH los tribunales croatas no ofrecieron una motivación razonable sobre el rechazo de la aplicabilidad del Convenio de La Haya de 1980, al no analizar ni dar respuesta a la argumentación del padre-demandante favorable a la aplicación de la ley croata sobre la regulación de la responsabilidad parental, tal como había expuesto el tribunal alemán (ley que si concedía al padre la responsabilidad parental sobre sus hijos, lo que motivaba que sí fuera aplicable el Convenio de La Haya de1980). Es por ello que entiende el TEDH que existe una vulneración del art. 8 del CEDH.

como fue el asunto *Neulinger & Shuruk/Suiza*[21], que resulta paradigmático en este contexto. En particular, el TEDH ha destacado que el tribunal, de oficio, debe examinar, en cada caso concreto, si la restitución del menor puede ordenarse porque redunda en el interés superior de éste[22], pues de lo contrario la decisión constituye una infracción del art. 8 del CEDH. Conclusión reiterada más adelante con ocasión del asunto *Raban/Romania*.[23] Con estas decisiones el TEDH opta por un enfoque sustantivo que prioriza el interés del menor, valorado *in concreto*, sobre el enfoque procesal adoptado por el Convenio de La Haya de 1980, que atiende al interés del menor *in abstracto*.[24] El problema es que esta jurisprudencia enfrenta al Convenio de La Haya de 1980 con el art. 8 del CEDH, lo que da lugar a cuestiones de difícil interpretación[25].

En cambio, en el asunto *M.R & M.L/Estonia*,[26] el TEDH alineó su jurisprudencia con el Convenio de La Haya de 1980 al no estimar la demanda presentada por la madre que trasladó al menor, destacando que las autoridades nacionales simplemente habían cumplido con el Convenio. Por lo tanto, la decisión de retorno no infringía en esta ocasión el art. 8 del CEDH[27].

Más adelante, en el caso *X/Latvia*,[28] la Gran Sala del TEDH abordó la relación entre el CEDH y el Convenio de La Haya de 1980, afirmando que la doctrina de

---

[21]   STEDH de 6 de julio de 2010, demanda n° 41615/07, *Neulinger y Shuruk c./ Suiza*, http://hudoc.echr.coe.int/eng-press?i=003-3192833-3555735. Ver GONZÁLEZ BEILFUSS, CRISTINA, "STEDH as. Neulinger and Shuruk vs. Switzerland", *REDI*, vol. LXII, n° 2, 2010, pp. 232-235.

[22]   Ver ESPINOSA CALABUIG, ROSARIO, "Competencia general. Artículo 7", en PALAO MORENO, GUILLERMO (Dir.), *El nuevo marco europeo en materia matrimonial, responsabilidad parental y sustracción de menores. Comentarios al Reglamento (UE) n° 2019/1111*, Tirant lo Blanch, Valencia, 2022, pp. 117-131.

[23]   STEDH 9 de septiembre de 2010, demanda n° 25437/08, *Raban c./ Rumanía*, http://hudoc.echr.coe.int/eng?i=001-101471

[24]   Ver LÓPEZ GUERRA, LUIS, "El Tribunal Europeo de Derechos Humanos, el Tribunal de Justicia de la UE y 'Le mouvement nécessaire des choses'", en *Teoría y Realidad Constitucional*, n° 39, 2017, pp. 163–188, en especial p. 185.

[25]   Ver GONZÁLEZ MARIMÓN, MARÍA, "El principio del interés superior del menor en supuestos de sustracción ilícita internacional: la jurisprudencia del TJUE y del TEDH, en GARCÍA GARNICA, Mª CARMEN y MARCHAL ESCALONA, NURIA (Dirs.), *Aproximación interdisciplinar a los retos actuales de protección de la infancia dentro y fuera de la familia*, Aranzadi Thomson Reuters, Madrid, 2019, pp. 642-648.

[26]   STEDH de 15 de mayo de 2012, demanda n° 13420/12, *M. R. and M. L./Estonia*.

[27]   Cabe destacar que el TEDH ni siquiera consideró que la madre pudiera regresar al país de residencia habitual del menor. Ver ESPINOSA CALABUIG, ROSARIO y CARBALLO PIÑEIRO, LAURA, "Child protection in European Family Law", en PFEIFFER, THOMAS, LOBACH, QUINCY C. y RAPP, TOBIAS (Eds.), *Facilitating Cross-Border Family Life – Towards a Common European Understanding. EUFams II and Beyond*, Heidelberg University Publishing, Heidelberg 2021, pp. 59-60 (disponible en DOI: https://doi.org/10.17885/heiup.853.c11710).

[28]   STEDH de 26 de noviembre de 2013, demanda n° 27853/09, *X c./ Letonia*, nota 106. http://hudoc.echr.coe.int/eng?i=001-138939. Ver GONZÁLEZ MARIMÓN, MARÍA, "El "diálogo" entre el TJUE y el TEDH en torno a la eliminación del exequátur del mecanismo de retorno del Reglamento Bruselas II bis, en MARTÍN RODRÍGUEZ, JOSÉ MIGUEL y GARCÍA ÁLVAREZ, LAURA (Dirs.),

Neulinger y Shuruk/Suiza no era una obligación dirigida a los tribunales nacionales de aplicar el Convenio de La Haya, sino un recordatorio de la obligación de conocer todos los motivos admisibles para denegar la restitución del menor, en particular en casos de grave riesgo para su bienestar.[29] Más concretamente, el TEDH consideró que los órganos jurisdiccionales del país de ejecución debían tener en cuenta todos los factores que pudieran excepcionar la restitución del menor para poder así adoptar una decisión suficientemente motivada. Si se determinaba que el retorno del menor era en su interés, debía haber garantías de que el país de residencia habitual del menor adoptaría las medidas de protección adecuadas.[30] Aspecto, este último, que se habría reforzado en el Reglamento Bruselas II ter para garantizar el interés superior del menor, en el caso de que se ordene su retorno al Estado en que tenía su residencia habitual antes de su traslado o retención ilícitos.

2. El respeto a una vida privada y familiar en el contexto de la gestación subrogada

El respeto a una vida privada y familiar se ha reivindicado asimismo en un tema controvertido como es el de la gestación por sustitución, si bien con argumentos algo discutibles. El conflicto de intereses producido en este contexto (el interés de ser padre/madre, el interés del menor y el interés de la madre gestante) ha provocado decisiones relevantes por parte del TEDH con casos como, por ejemplo, *Mennesson v. Francia* y *Paradiso et Campanelli v. Italia*[31]. El 10 de abril de 2019 el TEDH, bajo petición del Tribunal Supremo francés, pronunció el primer Informe consultivo sobre el status de los hijos nacidos por maternidad subrogada. Toda esta situación ha conducido a que, además, la Conferencia de La Haya de DIPr. se haya planteado la necesidad de regular este fenómeno[32].

La mayoría de propuestas legales existentes en los Estados se centran principalmente en el interés del menor o incluso en la idea de familia, pero parecen pasar por alto aspectos primordiales como los derechos de las mujeres y la

---

El mercado único en la Unión europea. Balance y perspectivas jurídico-políticas, Dykinson, Madrid, 2019, pp. 86–94.

[29] Ver LÓPEZ GUERRA, LUIS, *op. cit.*, p. 186.

[30] Ver GONZÁLEZ MARIMÓN, MARÍA, *Menor y responsabilidad parental en la Unión Europea*, Tirant lo Blanch, Valencia, 2021, pp. 104-125.

[31] Respectivamente, Mennesson v. Francia, App n° 65192/11 (STEDH de 26 de junio de 2014) y Paradiso et Campanelli v. Italia, App n° 25358/12 (STEDH de 24 de enero de 2017). Sobre el mencionado Informe consultivo ver "Petición n. P16-2018-001, relatif à la reconnaissance en droit interne d'un lien de filiation entre un enfant né d'une gestation pour autrui pratiquée à l'étranger et la mère d'intention" (en https://hudoc.echr.coe.int/eng#{"itemid":["003-6380431-8364345"}).

[32] Ver ESPINOSA CALABUIG, ROSARIO, "La (olvidada) perspectiva de género en el Derecho internacional privado", *Freedom, Security & Justice: European Legal Studies*, n° 3, 2019, pp. 50-55 (en www.fsjeurostudies.eu).

vulneración de éstos por la progresiva existencia de un turismo reproductivo. En este sentido, el Parlamento Europeo ha incluido la gestación por sustitución entre "Otras formas de explotación" en su Informe sobre la aplicación de la Directiva 2011/36/UE de prevención y combate de tráfico de seres humanos y protección de sus víctimas (2020/2029(INI)). Al mismo tiempo, sin embargo, el Fondo de población de las Naciones Unidas, en el *Estado de la población mundial 2021* bajo el título "Mi cuerpo me pertenece" (https://www.unfpa.org/sites/default/files/pub-pdf/SoWP2021_Report-ES_-_v3312.pdf) parece mostrar una opinión favorable a dicha técnica dentro de un apartado titulado "El parto como trabajo" (pp. 66-69).

Por el momento, la excepción del orden público se ha convertido en el ultimo obstáculo para reconocer el vínculo entre el menor nacido por gestación subrogada y los llamados *intended parents* o padres intencionales. En la práctica, el discurso en torno a la existencia o no del vínculo genético, de un lado, y el respeto del *status familiae* del art. 8 del CEDH, de otro, parece tener una gran influencia sobre la función efectiva final del orden público. En 2023 la mayoría de países europeos prohiben o no regulan la gestación por sustitución. Otros, como el Reino Unido, Grecia o Portugal, son pioneros en regularla, si bien sujeta a varias condiciones y al carácter altruista de la misma. Fuera del territorio europeo son cada vez más los Estados que están permitiendo esta téncica reproductiva[33].

A la luz de casos como los mencionados, el TEDH ha considerado contrarias a la CEDH las decisiones de autoridades estatales que rechacen por motivos de orden público el reconocimiento del vínculo de la filiación entre una pareja y el menor nacido a través de la subrogación. En el caso de Francia, las decisiones de las autoridades posteriores al caso *Menesson* se han limitado a reconocer los vínculos entre el menor y el progenitor que lo es genéticamente, dejando desprotegida a la madre intencional no biológica, cuyos derechos además no están salvaguardados por la Convención, según estableció el mismo Tribunal de Estrasburgo, la cual incluso podría perder su derecho al contacto con el menor en caso, por ejemplo, de ruptura con su pareja. Pero, asimismo, los menores que no tienen un vínculo genético con el progenitor intencional quedarían fuera de dicha casuística.

---

[33]   El ultimo país en regularlo ha sido Cuba. Ver ALBORNOZ, Mª MERCEDES, "Nuevo Código de las Familias de Cuba: la gestación solidaria", blog *Derecho en Acción*, División de Estudios Jurídicos del CIDE, 28 de septiembre de 2022 (en https://derechoenaccion.cide.edu/nuevo-codigo-de-las-familias-de-cuba-la-gestacion-solidaria/). Asimismo, "La filiación y la gestación por sustitución en el trabajo de la Conferencia de La Haya de Derecho Internacional Privado", en GONZÁLEZ MARTÍN, NURIA (Ed.), *Filiación, gestación por sustitución, responsabilidad parental e interés superior de la niñez. Perspectivas de derecho comparado*, UNAM, Instituto de Investigaciones Jurídicas, México, 2021, pp. 1-25 (en https://archivos.juridicas.unam.mx/www/bjv/libros/13/6432/3.pdf).

Por su parte, las autoridades italianas con ocasión del caso *Paradiso Campanelli*, a diferencia de las francesas, no se limitaron a denegar el reconocimiento del certificado ruso de nacimiento del menor. Fueron más allá al trasladar a éste a una familia de acogida tras estar ocho meses bajo la custodia de los padres intencionales. Tras varios recursos las autoridades italianas pasaron a centrarse en el vínculo genético entre el padre y el menor. Al haber sido éste concebido sin material genético de ninguno de los *intended parents*, el TEDH consideró aceptable el traslado del menor por no haberse establecido todavía una vida familiar. Como se observa, la calificación de lo que constituye dicha vida familiar en el sentido del art. 8 del CEDH resulta más que discutible, pues se centra en la existencia de un vínculo genético con el menor concebido mediante la subrogación. En cambio, la posible vulneración del *status familiae* del art. 8 del CEDH fue puesto de manifiesto con ocasión del caso *Menesson* para argumentar el derecho del menor a quedarse con sus *intended parents*.

El debate más reciente en este contexto parece centrarse en defender un modelo de reconocimiento sujeto al control de diferentes condiciones como, por ejemplo, que los padres intencionales hayan elegido el país para el nacimiento del menor sobre una base altruista y no commercial, y que la madre gestante haya dado su consentimiento libremente (pensemos en la regulación de Portugal). Este modelo podría alcanzarse, si bien con dificultades, mediante las técnicas estatales del DIPr., en el sentido de que, si no es posible verificar la política del país donde se lleva a cabo la gestación por sustitución, el Estado en cuyo territorio se solicita su reconocimiento tendrá dos posibilidades: bien aceptar sus efectos por consideración del interés del menor o bien oponerse conforme a la excepción del orden público. Se alega que ello podría promover la cooperación internacional en línea con el Proyecto de la Conferencia de la Haya. Sin embargo, no parece una solución muy realista, además de que no resuelve cuestiones como el rol del orden público en los casos en que no existe vínculo genético entre el menor y los padres intencionales, tal como ocurrió en el asunto *Paradiso Campanelli*[34].

Mientras no se consiga una regulación lo más uniforme posible, los legisladores nacionales y, sobre todo, las autoridades seguirán teniendo un amplio margen de apreciación en el reconocimiento de una decisión extranjera que establezca la paternidad de personas con o sin vínculo genético con el menor. Ello genera una gran incertidumbre tanto para este último como para los potenciales padres y, sobre todo, refleja que los derechos de las mujeres, tanto de la madre gestante como de la madre sin vínculo genético, quedan una vez más en el aire.

---

[34]   Ver ESPINOSA CALABUIG, ROSARIO, "Derecho internacional privado europeo...", *op. cit.*, p. 9.

III. FRAGILIDAD DEL EJERCICIO TRANSFRONTERIZO DE LOS DERECHOS DE VISITA DEL MENOR

El Reglamento 2019/1111 define los derechos de custodia en relación con los derechos y obligaciones que afectan al cuidado de la persona del menor y, en particular, el derecho a decidir sobre su lugar de residencia. Por lo general, el progenitor con la custodia del menor es quien tiene el derecho a fijar la residencia habitual de este último, aspecto de gran relevancia puesto que el modelo de competencia judicial internacional del Reglamento se estructura en torno a la noción de dicha residencia y es, además, una definición muy próxima a la dada por el art. 5 del Convenio de La Haya de 1980, aunque éste sólo la utilice para los supuestos de sustracción internacional de menores. De hecho, la calificación del carácter ilícito de un traslado o retención de un menor se realiza en función del lugar donde el menor tenía su residencia habitual antes de dicho acto y de quien ejerce legalmente los derechos de custodia sobre dicho menor, tal como se ha puesto de manifiesto en la STEDH antes comentada del asunto *Z c. Croacia*.

Las limitaciones al derecho de custodia que impiden que el titular que lo ejerce pueda trasladar al menor a otro país sin el consentimiento del otro titular o sin autorización judicial, son de gran relevancia porque inciden sobre el concepto que tanto el Convenio de La Haya de 1980 como el Reglamento Bruselas II ter otorgan al derecho de custodia elaborado en torno al correlativo derecho a fijar la residencia habitual del menor. Tales limitaciones pueden tener diversas finalidades[35]. Por una parte, como medida provisional adoptada en el marco de un proceso matrimonial en el que también se decide la cuestión de la responsabilidad parental. Dicha utilidad se le concede, por ejemplo, en la práctica anglosajona que atribuye la custodia y, por ende, el derecho a fijar la residencia del menor a los tribunales, cuando existe un proceso pendiente sobre la custodia, y que actuaría como medida cautelar para garantizar la efectividad de la decisión de fondo que se va a dictar en el proceso sobre la custodia. Por otra parte, cumpliría una función de protección del derecho de visita del otro titular, de modo que aquél que ejerza la custodia no pueda impedir el ejercicio del derecho de visita mediante un traslado a otro país. Por último, las limitaciones a la custodia pueden formar parte de un acuerdo entre los titulares de la responsabilidad parental sobre la custodia compartida o para salvaguardar el derecho de visita. A todo ello se une la función protectora última del interés del menor[36].

---

[35]   Ver MOYA ESCUDERO, MERCEDES, "El secuestro internacional de menores", *Cuadernos de Derecho Judicial*, nº 8, 2002, pp. 411-460.

[36]   Ver JIMÉNEZ BLANCO, PILAR, "Modificación del régimen de visitas y solicitud de salida del menor de España", *AEDIPr.*, t. V. 2005, pp. 960-970.

1. Especial relevancia de los derechos de visita (y contacto) del menor

A diferencia del originario Reglamento 1347/2000, el Reglamento 2201/2003 y el actual 2019/1111 ponen especial énfasis en los derechos de visita, dada su estrecha conexión con los derechos de custodia y la necesidad de garantizar los derechos de los titulares de ambos derechos, sobre todo ante el riesgo de sustracciones ilícitas trasfronterizas. En concreto, el Reglamento 2019/1111 se refiere al "derecho de llevar a un menor a otro lugar diferente al de su residencia habitual por un período de tiempo limitado" (art. 2.10) [37].

En la práctica, las limitaciones que se realizan de los derechos de visita suelen tener como fin principal la evicción de una posible sustracción ilícita, sobre todo si existen claros indicios de que pueda producirse sin el consentimiento del otro titular de la responsabilidad parental o con riesgos para el menor. Una limitación que se extiende no sólo al mismo titular del derecho de visita -y al riesgo de que sea él quien, haciendo uso de ese derecho, cometa el acto ilícito-, como al titular de la custodia que, por ejemplo, decida volver a su país de origen tras la ruptura de la pareja realizando él en este caso el traslado ilícito del menor. Una casuística esta última que ha aumentado en los últimos tiempos, sobre todo en casos de violencia contra la mujer que traslada ilícitamente al menor como forma de escapar del maltratador[38].

El derecho de visita debe complementarse con el derecho a mantener el contacto periódico con ambos padres, en línea con la Carta de derechos fundamentales de la UE de 2000 (art. 24.3), el Convenio de las Naciones Unidas de 1989 sobre derechos del niño (arts. 9.3 y 10.2) o el antes mencionado CEDH y el art. 8. Dicha puntualización no se prevé en el Reglamento 2019/1111, como tampoco en el 2201/2003, si bien se presupone unido al derecho de visita. En este contexto, el Convenio europeo sobre relaciones personales concernientes a los niños, aprobado el 15 de mayo de 2003 en el seno del Consejo de Europa (y en vigor desde el 1 de septiembre de 2005), prioriza el derecho del contacto y la adopción por los Estados miembros de las medidas necesarias para asegurar el cumplimiento de dicho derecho. El Convenio prefiere el término "relaciones personales concernientes a los niños" como alternativo a los "derechos de visita", de modo que, partiendo del respeto de los intereses del menor, se garantice el contacto de éste con ambos padres y con otras personas con el que el niño tenga

---

[37]   Ver RODRÍGUEZ BENOT, ANDRÉS, "Definiciones. Artículo 2", en PALAO MORENO, GUILLE-MO (Dir.), *op. cit.*, pp. 155-169.

[38]   A este respecto, ESPINOSA CALABUIG, ROSARIO, "Combatiendo la violencia contra la mujer en casos de sustracción internacional de menores: el ODS nº 5.2." en BORRÁS PENTINAT, SUSA-NA, FONT MAS, MARÍA, GONZÁLEZ BONDIA, ALFONS, MARÍN CONSARNAU, DIANA y PI-GRAU SOLER, ANTONI (Dirs.), *La Comunidad internacional ante el desafío de los objetivos de desarrollo sostenible. XXIX Jornadas de la AEPDIRI*, Tirant lo Blanch, Valencia, 2022, pp. 507-527.

"vínculos familiares" (art. 2.d), convirtiéndose así en beneficiario de tal derecho[39]. No se centra, como hace el Reglamento europeo, en el derecho de un progenitor a trasladar la residencia del menor, sino en el derecho de este último a mantener el contacto con todo aquél con quien tenga alguna relación estrecha.

No obstante, la práctica existente durante mucho tiempo respecto al funcionamiento del Convenio de La Haya de1980 ha demostrado que, aunque el Convenio se ocupa de los derechos de visita, no resuelve los problemas y dificultades que suelen suscitarse para lograr un ejercicio efectivo de los mismos[40]. De este modo, el Convenio, "que surge para resolver un problema fáctico, puede únicamente dilatarlo en el tiempo si no se procede a solucionar jurídicamente, en un marco de cooperación, los problemas posteriores; entre otros, las perspectivas de reconocimiento y, en su caso, ejecución en otros Estados de la sentencia que establezca o modifique la atribución de los derechos de guarda y de visita"[41]. Ello explica que se propusiera en su momento la limitación de la competencia judicial internacional y la proclamación de la residencia habitual del menor como foro prevalente lo que, al mismo tiempo, permite satisfacer el interés del menor respecto al ejercicio de su derecho de relación transfronterizo[42]. Esta es la solución consagrada por el Reglamento 2019/1111, así como en textos como el Convenio de La Haya de 1996.

2. El derecho a fijar la residencia habitual del menor y su relación con el derecho al respeto a una vida privada y familiar

Como se ha indicado, los Reglamentos de la UE, tanto Bruselas II ter como su antecesor Bruselas II bis, en consonancia con el Convenio de La Haya de 1996[43], han optado por la residencia habitual del menor como foro general de competencia judicial[44]. Dicha opción se remonta a la Conferencia de La Haya de DIPr.,

---

[39]   Ver http://conventions.coe.int

[40]   Ver PÉREZ VERA, ELISA, "El Convenio de La Haya sobre la Sustracción Internacional de Menores, Veinte Años Después", *Etudos em Homenagem à Professora Doutora Isabel de Magalháes Collaço*, vol. I, Almedina, Coimbra, 2002, pp. 561-584.

[41]   Según indica MOYA ESCUDERO, MERCEDES en "Sustracción internacional de menores y derecho de relación transfronterizo", *La Ley*, nº 1, 1998, p. 1780 y en "El secuestro internacional...", *op. cit.*, pp. 420-440.

[42]   MOYA ESCUDERO, MERCEDES, "Sustracción internacional...", *cit.*, p. 1780. Asimismo, BORRÁS RODRIGUEZ, ALEGRÍA y PÉREZ VERA, ELISA, "Conferencia de La Haya de Derecho Internacional Privado: 1ª Comisión Especial para la Modificación del Convenio de Protección de Menores (26 de mayo a 3 de junio de 1994)", *REDI*, vol. XLVI, nº 2, 1994, p. 916.

[43]   Convenio de La Haya de 19 de octubre de 1996 relativo a la competencia, la ley aplicable, el reconocimiento, la ejecución y la cooperación en materia de responsabilidad parental y de medidas de protección de los niños, *BOE* nº 291, de 2 de diciembre de 2010.

[44]   Ver MOYA ESCUDERO, MERCEDES, "Competencia judicial y reconocimiento de decisiones en materia de responsabilidad parental: el reglamento Bruselas II", *La Ley: Revista jurídica española de*

a partir del Convenio de La Haya sobre alimentos de 1956, y en la actualidad se ha consolidado en los Convenios más recientes y relevantes en este sector, como el mencionado Convenio de La Haya de 1996[45].

El legislador de la UE ha optado por la residencia habitual del menor como criterio general de la competencia judicial en materia de responsabilidad parental, siempre que esté situada en un Estado miembro de la UE en el momento de la interposición de la demanda ante el órgano jurisdiccional, según establece el art. 7 del Reglamento Bruselas II ter. No obstante, dicha regla está sujeta a diferentes excepciones o matizaciones en circunstancias específicas. En concreto en: a) los casos de traslado "lícito" del menor cuando se proceda a una modificación de los derechos de visita del menor por el tribunal de la residencia habitual anterior a dicho traslado, durante un período de tres meses (art. 8 Bruselas II ter); b) los casos de traslado o retención "ilícitos" del menor (art. 9 Bruselas II ter); c) los casos en que haya prórroga de la competencia (art. 10 Bruselas II ter) y d) los casos en que se produzca una transferencia de la competencia a los tribunales de otro Estado miembro (art. 12 Bruselas II ter).

Todas ellas son reflejo de la práctica que ofrece multitud de situaciones que pueden llevar a matizar la regla general de la residencia habitual del menor. Situaciones en las que la residencia del menor se ve alterada –de modo legal o ilegal- y situaciones en las que se excepciona la regla general en favor de otros criterios distintos, como puede ser la autonomía de la voluntad[46]. Todas estas reglas otorgan al Reglamento una alta probabilidad de aplicación al cubrirse un gran número de hipótesis y todas ellas están pensadas para garantizar al máximo el interés superior del menor.

Desde un principio se consideró que la residencia habitual era el factor elegido para demostrar los "vínculos suficientemente profundos con el territorio de uno de los Estados miembros" y así se recogió en el primigenio Reglamento 1347/2000 (Bruselas II)[47]. En su momento, la opción por la residencia habitual del menor habría querido, de una parte, favorecer los supuestos en que el tribunal que resuelve un procedimiento matrimonial decidiera también aquello que fuera mejor para el menor. De otra, se aspiraba a disminuir el riesgo de la sustracción internacional de menores, a través del mantenimiento de la residencia habitual del menor anterior a su traslado o retención ilícita como foro de

---

doctrina, jurisprudencia y bibliografía, n° 6, 2002, pp. 1713-1724.

[45]   Ver ESPINOSA CALABUIG, ROSARIO, *Custodia y visita de menores...*, *op. cit.*, pp. 123 y ss.

[46]   Ver GONZÁLEZ MARIMÓN, MARÍA, *Menor y responsabilidad parental...*, *op. cit.*, pp. 110 y ss.

[47]   Sobre los antecedentes, ESPINOSA CALABUIG, ROSARIO, "La responsabilidad parental y el nuevo Reglamento "Bruselas II bis": entre el interés del menor y la cooperación judicial interestatal", *Riv.dir.int.priv.proc.*, vol. 39, n° 4, 2003, pp. 735-782.

competencia[48]. Con posterioridad, los Reglamentos Bruselas II bis y Bruselas II ter han corroborado la relevancia de la proximidad como criterio para justificar la competencia judicial en este ámbito, unido al del interés superior del menor[49].

Ello justifica que un posible cambio de competencia en el sentido del actual art. 9 de Bruselas II ter se deba interpretar en sentido estricto, *ya* que dicho cambio puede proporcionar una ventaja procesal al autor del acto ilícito tal como ha señalado el TJUE con ocasión del asunto *MCP*[50]. La regla especial de competencia establecida en dicho precepto "neutraliza el efecto" de la aplicación del foro general de la residencia habitual del menor en caso de que se produzca una sustracción ilícita de éste[51].

En general, la concreción de la residencia habitual del menor se ve sujeta a una serie de circunstancias fácticas que, a su vez, comportan una apreciación de intereses materiales y morales del menor que pueden determinar el lugar donde éste tiene su centro efectivo de vida[52]. Estas circunstancias, que varían según los casos, dificultan la adopción de una respuesta uniforme aplicable a todos los supuestos.[53]

La determinación de la residencia habitual del menor debe partir, en todo caso, del interés y bienestar de éste[54], dejándose habitualmente a la libre apreciación del juez (concepto autónomo), que deberá reconstruir dicha figura de manera uniforme respecto a otras jurisdicciones, con las dificultades que ello comporta. Debe procurarse, en este sentido, que dicha apreciación judicial se base, en la mayor medida posible, en el significado que la residencia habitual tenga en un contexto internacional, lejos de consideraciones excesivamente nacionalistas[55] y teniendo en cuenta el mencionado bienestar del menor. De este modo, el contenido de la residencia habitual se concretará a partir de elementos objetivos y subjetivos, desligado de los ordenamientos jurídicos internos[56]. Elementos que

---

[48]   Ver NICHOLLS, MICHAEL, "Children and Brussels II", *Fam.Law*, vol. 31, 2001, p. 368.

[49]   Considerando 12 Reglamento Bruselas II bis.

[50]   STJUE de 24 de marzo de 2021 (Asunto C-603/20 PPU, *MCP*), *cit.*

[51]   Asunto *MCP*, párr. 45.

[52]   Ver FRANCHI, MARINA, *Protezione dei Minori e Diritto Internazionale Privato*, Giuffrè, Milán, 1997, p. 23.

[53]   Ver ESPINOSA CALABUIG, ROSARIO y CARBALLO PIÑEIRO, LAURA, *op. cit.*, pp. 65-67; PÉREZ MARTÍN, LUCAS ANDRÉS, "Propuesta de un concepto de residencia habitual de ámbito europeo en situaciones conflictivas de derecho de familia y sucesiones, *AEDIPr.*, t. 18, 2018, pp. 469-494.

[54]   Ver FALLON, MARC y LHOEST, OLIVIER, "La Convention de La Haye sur les aspects civils de l'enlèvement international d'enfants. Entrée en vigueur d'un instrument éprouvé", *Rev.tr.dr.fam.*, vol. 1, 1999, p. 44.

[55]   FRANCHI, MARINA, *op. cit.*, p. 23.

[56]   MOYA ECUDERO, MERCEDES, "Sustracción internacional...", *op. cit.*, p. 1781.

se extraerán del análisis de consideraciones de toda índole: individuales, sociales y familiares en los que la vida del menor se desarrolle[57].

3. El derecho a conservar los derechos de visita del menor en casos de un traslado lícito de éste

El foro general del art. 7 del Reglamento Bruselas II ter, basado en la residencia habitual del menor en un determinado Estado miembro, puede verse excepcionado en diferentes situaciones. Una de ellas viene regulada en el art. 8 y alude a los casos de "traslado lícito" del menor a otro Estado miembro, esto es, cuando se produce el cambio de residencia habitual de un Estado miembro a otro con carácter legal. Situación que hay que distinguir de aquélla en la que dicho traslado es ilícito dentro del fenómeno de la sustracción internacional de menores regulada en el art. 10 (y el art. 9 para la regla de competencia).

En la práctica, el menor puede trasladarse a otro Estado miembro en hipótesis varias[58], bien porque su familia se traslada a otro país por razones varias o bien porque quien se traslada con el menor es sólo uno de los titulares de la responsabilidad parental, pero con el acuerdo del otro titular. En principio, este tipo de situaciones no tienen por qué plantear problemas en el caso de que emerja alguna cuestión relativa a la responsabilidad parental pudiendo ser competente el órgano jurisdiccional de la antigua o de la nueva residencia habitual del menor[59].

A. El caso de las *relocation disputes*

Junto a las hipótesis mencionadas están aquéllas más complejas en las que el menor se traslada a otro Estado por decisión de uno sólo de los titulares de la responsabilidad parental quien, para poder realizar dicho traslado, necesita la autorización del otro titular. Es lo que en el Derecho anglosajón se conoce como "*relocation disputes*" para referirse a los casos en que los titulares de la responsabilidad parental acuden a los órganos jurisdiccionales de la residencia habitual del menor anterior a su traslado para solventar el litigio y decidir si éste puede o no

---

[57]	Dentro de las consideraciones estrictamente personales, como podría ser la misma voluntad del menor a favor de quedarse en un país diferente al de su residencia habitual legal, la práctica demuestra que, aunque puede tenerse en cuenta, por lo general, no será decisivo. Ver MOYA ECUDERO, MERCEDES, "Sustracción internacional...", *op. cit.*, p. 1781. Se requiere todo un conjunto de apreciaciones de carácter social y familiar del menor. Ver FRANCHI, MARINA, *op. cit.*, pp. 24-25.

[58]	BORRÁS, ALEGRÍA, "Article 9. Continuing jurisdiction of the child's former habitual residence", en MAGNUS, ULRICH y MANKOWSKI, PETER (Eds.), *European Commentaries on Private International Law*, vol. IV, *Brussels IIbis Regulation*, Otto Scmidt KG Verlag, Colonia, 2017, p. 120.

[59]	ESPINOSA CALABUIG, ROSARIO, "Mantenimiento de la competencia en relación con los derechos de visita. Artículo 8", en PALAO MORENO, GUILLERMO (Dir.), *op. cit.*, pp. 133 y ss.

trasladarse a otro país según lo que se considere mejor para su interés superior. Dada la ausencia de solución uniforme al respecto, es el Derecho interno de cada Estado el que dará la respuesta en cada caso[60].

En este contexto, para dar una solución a los casos de cambio legal de residencia habitual del menor, el art. 8 del Reglamento Bruselas II ter (como antes el art. 9 de Bruselas II bis) contempla la hipótesis en que el menor se traslada de un Estado miembro a otro y adquiere en este último su nueva residencia habitual. En este caso, los órganos jurisdiccionales del primer Estado –donde residía habitualmente con anterioridad al traslado- seguirán siendo competentes durante los 3 meses siguientes al cambio de residencia.

Dicha solución se contempla con una única finalidad, como es la de modificar una resolución judicial sobre el derecho de visita atribuido a uno de los titulares de la responsabilidad parental, que ha sido dictada en el país en que el menor residía antes de su cambio a otro Estado y siempre que el titular de dicho derecho continúe residiendo habitualmente en el Estado miembro de la anterior residencia del menor. Se trata, así, de una *perpetuatio jurisdictionis* sujeta a un triple límite: de carácter temporal (3 meses),[61] espacial (el titular del derecho de visita debe continuar residiendo en el Estado de origen del menor) y subjetivo (dicho titular no debe haber aceptado la competencia del Estado de la nueva residencia del menor).[62]

---

[60]   Ver GONZÁLEZ BEILFUSS, CRISTINA, "El traslado lícito de menores: las denominadas relocation disputes", *REDI*, vol. LXII, n° 2, 2010, pp. 51-75, concr. p. 54; RODRÍGUEZ PINEAU, ELENA, "Revisión de la atribución de custodia y la reubicación internacional del menor en interés superior del menor", *Cuadernos Civitas de jurisprudencia civil*, n° 106, 2018, pp. 9-21.

[61]   Tal como se señaló en la SAP de Madrid 276/2020, de 27 de mayo de 2020, ECLI: ES:APM:2020:4731A: "Conforme al Reglamento, existe una *perpetuatio iurisdictionis* de la jurisdicción española durante un límite temporal de tres meses, siempre que el titular del derecho de visita continúe residiendo en España, y éste no haya aceptado la competencia del Estado miembro de la nueva residencia habitual. Con ello se evita que el progenitor no custodio tenga que desplazarse a otro Estado, en este caso, Bélgica, para instar una modificación de medidas, para lo cual se le da ese plazo de tres meses, siempre que no se someta expresamente a los Tribunales de la nueva residencia del menor, en cuyo caso, no se aplicaría tal excepción conforme al párrafo 2 de dicho precepto. Así pues, los Tribunales españoles siguieron siendo competentes durante los tres meses siguientes al cambio de residencia, esto es, hasta el 1 de diciembre de 2016, si el cambio se produjo en la fecha señalada en la resolución judicial. A partir de la fecha resultante, la competencia para la modificación corresponde a los Tribunales belgas, por ser el lugar de la residencia habitual de los niños" (F.J. 2°). En el mismo sentido, la SAP de Asturias 56/2018, de 23 de mayo de 2018, ECLI:ES:APO:2018:641ª, considera incumplido el plazo de los tres meses por entender que "se trata de una regla que no resulta aplicable al caso examinado al haber transcurrido ampliamente dicho plazo desde finales del 2013 en que tuvo lugar el traslado de la residencia a Portugal hasta la presentación de la demanda que nos ocupa" (F.J. 2°). Ver GONZÁLEZ MARIMÓN, MARÍA, *Menor y responsabilidad parental...*, *op. cit.*, 169.

[62]   Siguiendo a QUIÑONES ESCÁMEZ, ANA, "Nuevas normas comunitarias en materia de responsabilidad parental (Reglamento (CE) n° 2201/2003 del Consejo, de 27.11.2003), *InDret*, n° 4, 2004, p. 7.

Se trata de una norma que pretende adaptar la existencia de una decisión ya dictada sobre la visita del menor a un posible cambio de circunstancias. De hecho, el art. 8 sólo se aplicará si el titular del derecho de visita aspira a modificar una resolución previa sobre dicho derecho. En su momento fue una norma innovadora concebida para animar a los titulares de la responsabilidad parental a *"acordar los ajustes necesarios del derecho de visita antes del cambio y, si esto resulta imposible, a solicitar al órgano jurisdiccional competente que resuelva el conflicto"*[63]. De este modo, el precepto estaría protegiendo el ejercicio transfronterizo del derecho de visita del titular del mismo y, a la vez, el derecho del niño a mantener el contacto con ambos titulares de la responsabilidad parental, en línea con el art. 18 del Convenio sobre los derechos del niño[64].

Recordemos que el foro general del art. 7 del Reglamento Bruselas II ter señala que los órganos de un Estado miembro serán competentes en materia de responsabilidad parental respecto de un menor que resida habitualmente en dicho Estado miembro *"en el momento en que se acuda al órgano jurisdiccional"*. Por lo tanto, el traslado del menor a otro Estado realizado después de iniciado el asunto no afectará a la competencia judicial asumida por el órgano jurisdiccional. Así lo confirma el mismo el TJUE, en el asunto *Mercredi*, al señalar que la residencia habitual de menor debe determinarse en el momento en el que se presenta el asunto ante el órgano jurisdiccional en cuestión[65].

De modo diferente al Reglamento, el Convenio de La Haya de 1996 señala en su art. 5.2. que *"en caso de cambio de la residencia habitual del niño a otro Estado contratante, son competentes las autoridades del Estado de la nueva residencia habitual"*. Por tanto, en caso de traslado lícito de la residencia del menor a otro Estado que sea miembro del Convenio las autoridades de la nueva residencia habitual del menor serán competentes desde el momento mismo del cambio, sin que opere la mencionada *perpetuatio fori*[66].

En su momento se planteó si el art. 9 del Reglamento Bruselas II bis (actual art. 8 Bruselas II ter) se oponía a que los tribunales del Estado de la nueva residencia del menor pudieran ser asimismo competentes en materia de derechos

---

[63]   Según expuso la Comisión Europea en la *Guía práctica para la aplicación del nuevo "Reglamento Bruselas II bis*, p. 15. Disponible en http://publications.europa.eu/resource/cellar/f7d39509-3f10-4ae2-b993- 53ac6b9f93ed.0007.01/DOC_1.

[64]   Más ampliamente RODRÍGUEZ PINEAU, ELENA, "El nuevo Reglamento (UE) 2019/1111 en materia matrimonial, responsabilidad parental y sustracción internacional de menores", *La Ley Derecho de familia*, n° 26, 2020, pp. 1-26.

[65]   STJUE de 22 de noviembre de 2010 (Asunto C-497/10 PPU, *Mercredi*), ECLI:EU:C:2009:225.

[66]   Ver BORRÁS, ALEGRÍA, *op. cit.*, pp. 117-118 y 119-122; LOWE, NIGEL y NICHOLLS, MICHEL, *The 1996 Hague Convention on the protection of children*, Jordan publishing limited/Family Law, Bristol, 2012, p. 38.

de visita durante los tres meses mencionados[67], lo que fue negado categóricamente por la Comisión[68]. Además, el mismo precepto prevé expresamente la posible aceptación por el titular del derecho de visita de la competencia de los tribunales del Estado de la nueva residencia[69]. En todo caso, el riesgo de procedimientos paralelos y decisiones incompatibles en materia de derechos de visita deben entenderse reducidos por aplicación del art. 20 relativo a la excepción de litispendencia, al menos en el interior de la UE[70]. Igualmente se han expresado los temores de que el mantenimiento de los tres meses pueda entorpecer el empleo por tribunales como los británicos de la doctrina del *forum conveniens* o *forum non conveniens,* en ese lapso de tiempo, entre tribunales a los que resulta aplicable el Reglamento[71].

Ahora bien, las diferentes soluciones del Reglamento y el Convenio de La Haya de 1996 pueden plantear problemas de colisión entre ellos, en particular respecto a los menores que se trasladen desde un Estado miembro de la UE a un tercer Estado miembro sólo del Convenio de 1996. Así se apuntó durante el proceso de reforma del Reglamento Bruselas II bis, en particular con la Propuesta de reforma presentada en 2016[72], pero que finalmente quedó en nada[73]. De

---

[67]   Los tres meses se computan desde la fecha en que el menor abandona físicamente el Estado miembro de origen donde residía habitualmente. La fecha del traslado no debe confundirse con la de adquisición de la residencia habitual en el nuevo Estado miembro. Ver *Guía práctica... cit.,* p. 15.

[68]   Ver *Guía Práctica...., cit,* p. 17.

[69]   Ver MAGRONE, EMILIA MARIA, "La Disciplina del Diritto de visita nel Regolamento (CE) n. 2201/2003", *Riv.dir.int.priv.proc.,* 2005, pp. 339-370, concr. p. 352; McELEAVY, PETER, "Brussels II bis: Matrimonial Matters, Parental-Responsability, Child Abduction and Mutual Recognition", *I.C.L.Q.,* 2004, pp. 503-512, concr. pp. 508-509; PERTEGÁS SENDER, MARTA, "La responsabilité parentale, l'enlèvement d'enfants et les obligations alimentaires", en WAUTELET, PATRICK (Coord.), *Actualités du contentieux familial international,* De Boeck et Larcier S.A., Bruselas, 2005, p. 193. En caso de apelación, será el tribunal encargado del litigio el que en ese momento realice la valoración temporal de la residencia habitual del menor.

[70]   PERTEGÁS SENDER, MARTA, *op. cit.,* p. 193.

[71]   Según FLAUSS-DIEM, JACQUELINE, "Quelques observations sur l'introduction du règlement "Bruxelles II bis" au Royaume-Uni", en FULCHIRON, HUGUES y NOURISSAT, CYRIL (Dirs.), *Le nouveau droit communitaire du divorce et de la responsabilité parentale,* Dalloz, París, 2005, pp. 286-287.

[72]   Se propuso reformar el precepto en el sentido de que "cuando un menor cambie legalmente de residencia de un Estado miembro a otro y adquiera una nueva residencia habitual en este último, serán competentes las autoridades del Estado miembro de la nueva residencia habitual". Ver *Comisión Europea, Propuesta de reglamento del Consejo relativo a la competencia, el reconocimiento y la ejecución de resoluciones en materia matrimonial y de responsabilidad parental, y sobre la sustracción internacional de menores (refundición)* {SWD (2016) 207 final} {SWD (2016) 208 final}, Bruselas, 30.6.2016, COM (2016) 411 final 2016/0190 (CNS), p. 39.

[73]   Ver las observaciones de CAMPUZANO DÍAZ, BEATRIZ, "El nuevo Reglamento (UE) 2019/1111: análisis de las mejoras en las relaciones con el Convenio de La Haya de 19 de octubre de 1996 sobre responsabilidad parental", CDT, vol. 12, nº 1, 2020, p. 109; VAN LOON, HANS, "The Brussels IIa Regulation: towards a review?", en Parlamento Europeo, Cross-border activities in the EU- Making life easier for citizens, Workshop for the JURI Committee, Directorate General for internal policies. Policy Department C: Citizens' Rights and Constitutional Affairs, 2015, p. 192 (http://www.

haberse alineado con la solución del Convenio y haberse matizado de este modo la *perpetuatio jurisdictionis,* las consecuencias sobre la jurisdicción de los órganos de la antigua residencia habitual del menor hubieran podido ser relevantes[74].

B. Aceptación de la competencia por el titular del derecho de visita

La regla del art. 8.1. del Reglamento Bruselas II ter no se aplicará si el titular del derecho de visita acepta la competencia de los órganos jurisdiccionales del Estado miembro de la nueva residencia del menor al participar en un procedimiento ante dichos órganos sin impugnar la competencia. Se contempla, pues, la posibilidad de la autonomía de la voluntad mediante esta referencia a la aceptación de la competencia por uno de los titulares de la responsabilidad parental, en concreto del derecho de visita, siempre que ésta no se impugne por el otro titular de la responsabilidad parental.

En el proceso de reforma de Bruselas II bis se produjo un debate entre la Comisión y el Parlamento europeo en torno al alcance de la autonomía de la voluntad que debía darse al actual art. 8. En este sentido, el Parlamento aceptó la enmienda para añadir al texto de la Comisión que "*a menos que las partes acuerden, antes del cambio de residencia, que sigan siendo competentes las autoridades del Estado miembro en el que el menor residía habitualmente hasta entonces*". Y propuso, además, incluir la matización de que "*en caso de causas pendientes en materia de derechos de custodia y visita, seguirán siendo competentes las autoridades del Estado miembro de origen hasta la conclusión del proceso, a menos que las partes acuerden que se debe poner fin al proceso*"[75].

De este modo, el Parlamento aceptaba el juego de la autonomía de la voluntad en la decisión de la determinación de la competencia en los casos de traslado lícito de la residencia habitual del menor. Al final el Parlamento rechazó la proposición de la Comisión de remitir la competencia a los Tribunales del Estado miembro de la nueva residencia habitual del menor, aunque se hubiera iniciado un procedimiento en el Estado miembro de su anterior residencia habitual, si

---

europarl.europa.eu/RegData/etudes/STUD/2015/510003/IPOL_STU(2015)510_003_EN.pdf). Interesantes las críticas hechas por DE BOER, THEODORUS MARTINUS, "What we should not expect from a recast of the Brussels IIbis Regulation", Nederlands Internationaal Privaatrecht, n° 1, 2015, pp. 15 -19.

[74]   Ver RODRÍGUEZ PINEAU, ELENA, "La refundición del Reglamento Bruselas II bis: de nuevo sobre la función del Derecho Internacional privado europeo", *REDI,* vol. LXIX, n° 1, 2017, p. 158.

[75]   *Parlamento Europeo, Resolución legislativa del Parlamento Europeo sobre la propuesta de Reglamento del Consejo relativo a la competencia, el reconocimiento y la ejecución de resoluciones en materia matrimonial y de responsabilidad parental, y sobre la sustracción internacional de menores (refundición),* [COM(2016)0411 – C8-0322/2016 – 2016/0190(CNS)], Bruselas, 18 de enero de 2018. Enmienda a los considerandos n° 35 y n° 36 respectivamente.

bien dejando a la voluntad de las partes la decisión final sobre la transferencia o no de la competencia judicial·

La solución final recogida en el actual art. 8 de Bruselas II ter viene explicada a través del considerando 21 del Reglamento, lo que permite una mejor comprensión del precepto. En particular, se ha matizado que *"cuando no haya aún procedimiento en curso en materia de responsabilidad parental y la residencia habitual del menor cambie a raíz de un traslado lícito del menor, la competencia debe seguirle con el fin de mantener la proximidad. Para los procedimientos que ya estén en curso, la seguridad jurídica y la eficacia de la justicia justifican el mantenimiento de la competencia hasta que los procedimientos hayan desembocado en una resolución definitiva o hayan concluido de otra forma. El órgano jurisdiccional en el que esté sustanciado el procedimiento debe, no obstante, estar facultado en determinadas circunstancias para trasferir la competencia al Estado miembro en el que el menor esté viviendo a raíz de un traslado lícito"*. De dicho considerando se deducen dos situaciones[76]:

a) Situaciones en que no hay ningún procedimiento pendiente en el Estado de residencia del menor anterior a su traslado lícito. En ese caso se posibilita el cambio de competencia en favor de los tribunales de la nueva residencia del menor por razones de proximidad. Solución que no se preveía en Bruselas II bis.

b) Situaciones en que sí hay un procedimiento pendiente en el Estado de residencia del menor anterior a su traslado lícito. En ese caso serán los tribunales de dicho Estado los que seguirán con el procedimiento. Se rechaza así la propuesta de la Comisión favorable a transferir la competencia a los tribunales del Estado de la nueva residencia del menor, como también la autonomía de la voluntad de las partes en dicho sentido.

Como se aprecia en el considerando, si bien de un modo ambiguo, es que el órgano jurisdiccional *"debe, no obstante, estar facultado en determinadas circunstancias para trasferir la competencia al Estado miembro en el que el menor esté viviendo a raíz de un traslado lícito"*. Dicha posibilidad de trasferencia de la competencia judicial se contempla, aunque sometida a una serie de condiciones muy específicas, en los arts. 12 y 13 de Bruselas II ter.

La aceptación del cambio de competencia por el titular del derecho de visita se entiende en sentido amplio en relación con dicho titular, esto es, personas diferentes al progenitor, como los abuelos u otro familiar, según las circunstancias. No es, en todo caso, la única vez que Bruselas II ter prevé la autonomía de voluntad, pues el foro general del art. 7, basado en la residencia habitual del menor, se

---

[76]   GONZÁLEZ MARIMÓN, MARÍA, *Menor y responsabilidad parental...*, *op. cit.*, pp. 164-165.

puede excepcionar en favor de otros tribunales elegidos por las partes conforme a unas condiciones concretas, según se regula en el Reglamento[77].

IV. VALORACIÓN FINAL

La fragilidad de las relaciones privadas internacionales se ha puesto de manifiesto en los últimos tiempos en varios sectores del DIPr., entre ellos el Derecho de familia internacional. Las restricciones sufridas en el ejercicio de ciertos derechos como los de visita de un menor por uno de sus progenitores se han evidenciado, tanto durante la crisis pandémica derivada del Covid-19, como durante la guerra entre Rusia y Ucrania. Estas restricciones ponen sobre la mesa la fragilidad, esta vez interpretativa, de otro derecho como es el relativo al respeto a una vida privada y familiar y las dificultades para su concreción. Todo ello está vinculado, a su vez, con la determinación del sujeto que tiene el derecho a fijar la residencia habitual del menor en los litigios familiares internacionales.

Son evidentes las repercusiones que sobre el derecho a una vida familiar regulado en el art. 8 del CEDH puede tener el traslado de un menor por uno de los titulares de la responsabilidad parental, desde un Estado a otro dentro de la Unión Europea. El debate producido entorno a la figura del interés superior del menor y la calificación de su traslado como ilícito -o no-, con la consecuente aplicación en su caso del Convenio de La Haya de 1980, se ve superado por otro debate como es el generado en torno a la posible vulneración del art. 8 del CEDH. Al final parece que el elemento clave definitivo en muchas decisiones adoptadas en este contexto tiene que ver con la concreción de las repercusiones efectivas que el traslado de un menor, de un Estado a otro, tiene sobre el derecho a una vida privada y familiar del menor respecto a su integración con una u otra de las partes del litigio.

Con ocasión del asunto *Z c. Croacia*, resuelto en septiembre de 2022, el TEDH ha vuelto a examinar si la no devolución de los menores al país de su residencia habitual originaria equivale a la defensa de su interés superior. El traslado de los menores se ha interpretado, una vez más, como una vulneración del derecho a una vida privada y familiar, sin que existan razones suficientes por parte de los tribunales nacionales para denegar el retorno de los menores al país donde residían con el padre solicitante.

El respeto a una vida privada y familiar se ha puesto de manifiesto asimismo en un tema controvertido como es el de la gestación por sustitución, si bien con planteamientos bastante discutibles. Así, con ocasión del célebre caso *Paradiso*

---

[77]   ESPINOSA CALABUIG, ROSARIO y CARBALLO PIÑEIRO, LAURA, *op. cit.*, pp. 63-67.

Campanelli, el respeto del *status familiae* sirvió para argumentar el derecho del menor a quedarse con sus *intended parents.* En cambio, en otras ocasiones el TEDH ha considerado aceptable el traslado de un menor nacido por subrogación a una familia de acogida por no haberse establecido todavía una vida familiar con los *intended parents* y ello como consecuencia de haber sido concebido sin material genético de ninguno de ellos (asunto *Menesson*).

La calificación de lo que constituye el derecho a una vida familiar en el sentido del art. 8 del CEDH resulta más que discutible pues, como se observa, parece centrarse únicamente en la existencia de un vínculo genético con el menor concebido mediante la subrogación, más que en aquello que en efecto puede calificarse como respeto de una vida familiar. La perplejidad que suscita este tipo de interpretaciones del art. 8 del CEDH en un contexto como el de la gestación por sustitución incrementa, más aún si cabe, las incertidumbres que puede generar esta práctica en la realidad.

V. BIBLIOGRAFÍA

ALBORNOZ, Mª MERCEDES, "La filiación y la gestación por sustitución en el trabajo de la Conferencia de La Haya de Derecho Internacional Privado", en GONZÁLEZ MARTÍN, NURIA (Ed.), *Filiación, gestación por sustitución, responsabilidad parental e interés superior de la niñez. Perspectivas de derecho comparado,* UNAM, Instituto de Investigaciones Jurídicas, México, 2021, pp. 1-25 (en https://archivos.juridicas.unam.mx/www/bjv/libros/13/6432/3.pdf).

ALBORNOZ, Mª MERCEDES, "Nuevo Código de las Familias de Cuba: la gestación solidaria", blog *Derecho en Acción,* División de Estudios Jurídicos del CIDE, 28 de septiembre de 2022 (en https://derechoenaccion.cide.edu/nuevo-codigo-de-las-familias-de-cuba-la-gestacion-solidaria/).

BORRÁS RODRIGUEZ, ALEGRÍA y PÉREZ VERA, ELISA, "Conferencia de La Haya de Derecho Internacional Privado: 1ª Comisión Especial para la Modificación del Convenio de Protección de Menores (26 de mayo a 3 de junio de 1994)", *REDI,* vol. XLVI, nº 2, 1994, pp. 916-918.

BORRÁS, ALEGRÍA, "Article 9. Continuing jurisdiction of the child's former habitual residence", en MAGNUS, ULRICH y MANKOWSKI, PETER (Eds.), *European Commentaries on Private International Law,* vol. IV, *Brussels IIbis Regulation,* Otto Scmidt KG Verlag, Colonia, 2017, p. 120.

CAMPUZANO DÍAZ, BEATRIZ, "El nuevo Reglamento (UE) 2019/1111: análisis de las mejoras en las relaciones con el Convenio de La Haya de 19 de octubre de 1996 sobre responsabilidad parental", *CDT,* vol. 12, nº 1, 2020, pp. 97-117.

DE BOER, THEODORUS MARTINUS, "What we should not expect from a recast of the Brussels IIbis Regulation", *Nederlands Internationaal Privaatrecht*, nº 1, 2015, pp. 15 -19.

ESPINOSA CALABUIG, ROSARIO, "La responsabilidad parental y el nuevo Reglamento "Bruselas II bis": entre el interés del menor y la cooperación judicial interestatal", *Riv.dir.int.priv.proc.*, vol. 39, nº 4, 2003, pp. 735-782.

ESPINOSA CALABUIG, ROSARIO, *Custodia y visita de menores en el espacio judicial europeo*, Marcial Pons, Barcelona, Madrid, 2007.

ESPINOSA CALABUIG, ROSARIO, "Traslado o retención ilícitos de menores tras la reforma de 2015: rapidez, especialización y… algunas ausencias", *REDI*, vol. LXVIII, nº 2, 2016, pp. 347-357.

ESPINOSA CALABUIG, ROSARIO, "La (olvidada) perspectiva de género en el Derecho internacional privado", *Freedom, Security & Justice: European Legal Studies*, nº 3, 2019, pp. 50-55 (en www.fsjeurostudies.eu).

ESPINOSA CALABUIG, ROSARIO, "Derecho internacional privado europeo y protección de grupos vulnerables", *RGDE*, nº 54, 2021.

ESPINOSA CALABUIG, ROSARIO, "Combatiendo la violencia contra la mujer en casos de sustracción internacional de menores: el ODS nº 5.2." en BORRÁS PENTINAT, SUSANA, FONT MAS, MARÍA, GONZÁLEZ BONDIA, ALFONS, MARÍN CONSARNAU, DIANA y PIGRAU SOLER, ANTONI (Dirs.), *La Comunidad internacional ante el desafío de los objetivos de desarrollo sostenible. XXIX Jornadas de la AEPDIRI*, Tirant lo Blanch, Valencia, 2022, pp. 507-527.

ESPINOSA CALABUIG, ROSARIO, "Competencia general. Artículo 7", en PALAO MORENO, GUILLERMO (Dir.), *El nuevo marco europeo en materia matrimonial, responsabilidad parental y sustracción de menores. Comentarios al Reglamento (UE) nº 2019/1111*, Tirant lo Blanch, Valencia, 2022, pp. 117-131.

ESPINOSA CALABUIG, ROSARIO, "Mantenimiento de la competencia en relación con los derechos de visita. Artículo 8", en PALAO MORENO, GUILLERMO (Dir.), *El nuevo marco europeo en materia matrimonial, responsabilidad parental y sustracción de menores. Comentarios al Reglamento (UE) nº 2019/1111*, Tirant lo Blanch, Valencia, 2022, pp. 133-140.

ESPINOSA CALABUIG, ROSARIO y CARBALLO PIÑEIRO, LAURA, "Child protection in European Family Law", en PFEIFFER, THOMAS, LOBACH, QUINCY C. y RAPP, TOBIAS (Eds.), *Facilitating Cross-Border Family Life − Towards a Common European Understanding. EUFams II and Beyond*, Heidelberg University Publishing, Heidelberg 2021, pp. 49-90 (disponible en DOI: https://doi.org/10.17885/heiup.853.c11710).

ESPLUGUES MOTA, CARLOS, "¿Nuevos derroteros del Derecho internacional privado? El caso de la normativa estatal americana", *InDret*, nº 2, 2015.

FALLON, MARC y LHOEST, OLIVIER, "La Convention de La Haye sur les aspets civils de l'enlèvement international d'enfants. Entrée en vigueur d'un instrument éprouvé", *Rev.tr.dr.fam.*, vol. 1, 1999, pp. 7-53.

FLAUSS-DIEM, JACQUELINE, "Quelques observations sur l'introduction du règlement "Bruxelles II bis" au Royaume-Uni", en FULCHIRON, HUGUES y NOURISSAT, CYRIL (Dirs.), *Le nouveau droit communitaire du divorce et de la responsabilité parentale*, Dalloz, París, 2005, pp. 283-292.

FRANCHI, MARINA, *Protezione dei Minori e Diritto Internazionale Privato*, Giuffrè, Milán, 1997.

GONZÁLEZ BEILFUSS, CRISTINA, "Relaciones e interacciones entre Derecho comunitario, Derecho internacional privado y Derecho de familia europeo en la construcción de un espacio judicial común", *AEDIPr.*, t. IV, 2004, pp. 117-190.

GONZÁLEZ BEILFUSS, CRISTINA, "El traslado lícito de menores: las denominadas relocation disputes", *REDI*, vol. LXII, nº 2, 2010, pp. 51-75.

GONZÁLEZ BEILFUSS, CRISTINA, "STEDH as. Neulinger and Shuruk vs. Switzerland", *REDI*, vol. LXII, nº 2, 2010, pp. 232-235.

GONZÁLEZ MARIMÓN, MARÍA, "El principio del interés superior del menor en supuestos de sustracción ilícita internacional: la jurisprudencia del TJUE y del TEDH, en GARCÍA GARNICA, Mª CARMEN y MARCHAL ESCALONA, NURIA (Dirs.), *Aproximación interdisciplinar a los retos actuales de protección de la infancia dentro y fuera de la familia*, Aranzadi Thomson Reuters, Madrid, 2019, pp. 637-658.

GONZÁLEZ MARIMÓN, MARÍA, "El "diálogo" entre el TJUE y el TEDH en torno a la eliminación del exequátur del mecanismo de retorno del Reglamento Bruselas II bis, en MARTÍN RODRÍGUEZ, JOSÉ MIGUEL y GARCÍA ÁLVAREZ, LAURA (Dirs.), *El mercado único en la Unión europea. Balance y perspectivas jurídico-políticas*, Dykinson, Madrid, 2019, pp. 81–94.

GONZÁLEZ MARIMÓN, MARÍA, *Menor y responsabilidad parental en la Unión Europea*, Tirant lo Blanch, Valencia, 2021.

HERRANZ BALLESTEROS, MÓNICA, "Los Tribunales de Estrasburgo y Luxemburgo ante la protección de los Derechos fundamentales en supuestos de sustracción internacional de menores", *RGDE*, nº 44, 2012.

JIMÉNEZ BLANCO, PILAR, "Modificación del régimen de visitas y solicitud de salida del menor de España", *AEDIPr.*, t. V. 2005, pp. 960-970.

LÓPEZ GUERRA, LUIS, "El Tribunal Europeo de Derechos Humanos, el Tribunal de Justicia de la UE y 'Le mouvement nécessaire des choses'", en *Teoría y Realidad Constitucional*, nº 39, 2017, pp. 163-188.

LOWE, NIGEL y NICHOLLS, MICHEL, *The 1996 Hague Convention on the protection of children*, Jordan publishing limited/Family Law, Bristol, 2012.

MAGRONE, EMILIA MARIA, "La Disciplina del Diritto de visita nel Regolamento (CE) n. 2201/2003", *Riv.dir.int.priv.proc.*, 2005, pp. 339-370.

McELEAVY, PETER, "Brussels II bis: Matrimonial Matters, Parental-Responsability, Child Abduction and Mutual Recognition", *I.C.L.Q.*, 2004, pp. 503-512.

MOYA ESCUDERO, MERCEDES, "Sustracción internacional de menores y derecho de relación transfronterizo", *La Ley*, nº 1, 1998, pp. 1779-1791.

MOYA ESCUDERO, MERCEDES, "Competencia judicial y reconocimiento de decisiones en materia de responsabilidad parental: el reglamento Bruselas II", *La Ley: Revista jurídica española de doctrina, jurisprudencia y bibliografía*, nº 6, 2002, pp. 1713-1724.

MOYA ESCUDERO, MERCEDES, "El secuestro internacional de menores", *Cuadernos de Derecho Judicial*, nº 8, 2002, pp. 411-460.

MOYA ESCUDERO, MERCEDES, "Un código de derechos para los nacionales de terceros estados residentes legales en la UE. Un avance en el derecho antidiscriminatorio". *REEI*, nº 34, 2017.

MOYA ESCUDERO, MERCEDES, "Igualdad versus seguridad y control: Los menores extranjeros en Europa", en MARTÍN RODRÍGUEZ, PABLO JESÚS (Dir.), *Nuevo mundo, nueva Europa. La redefinición de la Unión Europea en la era del Brexit, XXVIII Jornadas de la Asociación Española de Profesores de Derecho Internacional y Relaciones Internacionales*, Tirant lo Blanch, Valencia, 2020, pp. 219-248.

NICHOLLS, MICHAEL, "Children and Brussels II", *Fam.Law*, vol. 31, 2001, p. 368.

PERTEGÁS SENDER, MARTA, "La responsabilité parentale, l'enlèvement d'enfants et les obligations alimentaires", en WAUTELET, PATRICK (Coord.), *Actualités du contentieux familial international*, De Boeck et Larcier S.A., Bruselas, 2005, pp. 183-218.

PÉREZ MARTÍN, LUCAS ANDRÉS, "Propuesta de un concepto de residencia habitual de ámbito europeo en situaciones conflictivas de derecho de familia y sucesiones, *AEDIPr.*, t. 18, 2018, pp. 469-494.

PÉREZ VERA, ELISA, "El Convenio de La Haya sobre la Sustracción Internacional de Menores, Veinte Años Después", *Etudos em Homenagem à Professora Doutora Isabel de Magalháes Collaço*, vol. I, Almedina, Coimbra, 2002, pp. 561-584.

QUIÑONES ESCÁMEZ, ANA, "Nuevas normas comunitarias en materia de responsabilidad parental (Reglamento (CE) nº 2201/2003 del Consejo, de 27.11.2003), *InDret*, nº 4, 2004.

RODRÍGUEZ BENOT, ANDRÉS, "Definiciones. Artículo 2", en PALAO MORENO, GUILLEMO (Dir.), *El nuevo marco europeo en materia matrimonial, responsabilidad parental y sustracción de menores. Comentarios al Reglamento (UE) n°* *2019/1111*, Tirant lo Blanch, Valencia, 2022, pp. 155-169.

RODRÍGUEZ PINEAU, ELENA, "La refundición del Reglamento Bruselas II bis: de nuevo sobre la función del Derecho Internacional privado europeo", *REDI*, vol. LXIX, n° 1, 2017, pp. 139-165.

RODRÍGUEZ PINEAU, ELENA, "Revisión de la atribución de custodia y la reubicación internacional del menor en interés superior del menor, *Cuadernos Civitas de jurisprudencia civil*, n° 106, 2018, pp. 9-21.

RODRÍGUEZ PINEAU, ELENA, "El nuevo Reglamento (UE) 2019/1111 en materia matrimonial, responsabilidad parental y sustracción internacional de menores", *La Ley Derecho de familia*, n° 26, 2020, pp. 1-26.

URSO, ELENA, "Il Diritto di famiglia nella prospettiva europea", en BRUNETTA D'USSEAUX, FRANCESCA (Dir.), *Il Diritto di famiglia nell'Unione europea: formazione, vita e crisi della coppia*, Cedam, Pádua, 2005, pp. 515-609.

VAN LOON, HANS, "The Brussels IIa Regulation: towards a review?", en *Parlamento Europeo, Cross-border activities in the EU- Making life easier for citizens, Workshop for the JURI Committee*, Directorate General for internal policies. Policy Department C: Citizens' Rights and Constitutional Affairs, 2015 (http://www.europarl.europa.eu/RegData/etudes/STUD/2015/510003/IPOL_STU(2015)510 003_EN.pdf).

MOVILIDAD INTERNACIONAL DE PAREJAS POR LA UNIÓN EUROPEA[*]

MERCEDES SOTO MOYA

Profesora Titular de Derecho internacional privado
Universidad de Granada

I. MERCEDES MOYA COMO FIGURA INSPIRADORA

Si me pidieran que definiese solo con una frase a Mercedes Moya quizás podría decir que ella es "una mujer libre que ha procurado la libertad para los suyos". Libre en la más extensa de sus acepciones, según la RAE, "que no es esclavo", "independiente", "atrevido" y, a pesar de que no lo contemple la Real Academia, podríamos incluir "pionera", "valiente" y "sin miedo". Como pueden suponer, esta valentía le ha acarreado no pocos sinsabores, pero también le ha permitido crear escuela y capitanear a lo largo de los años a un extensísimo equipo transversal y multidisciplinar del que forman parte personas a lo largo y ancho de todo el territorio nacional.

Con una fuerza volcánica imposible de alcanzar, siempre con una visión adelantada a su tiempo y siendo una trabajadora incansable, ha sabido transmitir como nadie su pasión por la disciplina. No diré desde mi más tierna infancia, porque podría ser algo exagerado, pero sí mucho antes del inicio de mi Licenciatura, Mercedes Moya me había convencido plenamente de que el Derecho ha de estar al servicio de la persona. Y haciendo una reflexión pausada, como la que ha sido necesaria para escribir estas líneas, y que tanta falta nos hace en estos

---

[*] Trabajo realizado en el marco del Proyecto de I+D+i "Retos de la regulación jurídico-patrimonial del matrimonio y de otras realidades (uniones de hecho) en los planos supraestatal y estatal (REJURPAT)", PID2019-106496RB-I00, de los Programas Estatales de Generación de Conocimiento y Fortalecimiento Científico y Tecnológico del Sistema de I+D+i. IP: Andrés Rodríguez Benot.

tiempos, he llegado a la conclusión de que en realidad esa idea ha sido el *leitmotiv* de mi carrera universitaria, docente e investigadora.

Por esta razón he considerado que mis reflexiones en estas páginas tenían que tener dos características esenciales. En primer lugar, girar en torno al Derecho de familia internacional como máxima expresión del Derecho al servicio de la persona. Siendo conscientes del hecho evidente de que el individuo, cuando circula de un Estado a otro, lleva consigo sus relaciones familiares, constituidas conforme a normas jurídicas diferentes a las del Estado de recepción. Esto puede provocar que una relación jurídicamente válida en un Estado no lo sea en otro. Es cierto que el problema de las situaciones claudicantes no es nuevo (es un problema tradicional de DIPr.), pero cobra especial interés cuando se trata de uniones que pretenden desplazarse por el territorio de la UE.

En segundo lugar, intentando plasmar en este trabajo una de las incontables ideas inspiradoras que siempre nos ha transmitido la Profesora Moya: "que la división en compartimentos estancos proporciona una visión muy limitada de la realidad y, sobre todo, de las soluciones plausibles que pueden aportarse". Siguiendo este axioma, en las siguientes páginas realizaré un análisis de las dificultades que pueden encontrar las parejas internacionales para circular por la UE desde diversas perspectivas. El punto de partida es la constatación de la falta de una regulación unitaria en la UE de las uniones de pareja, lo que conduce a la necesidad de utilizar una suerte de ejercicio de funambulismo jurídico para dilucidar, por ejemplo, si entran en el ámbito de aplicación de una determinada norma o si pueden circular libremente por el territorio de todos los Estados miembros, hayan regulado éstos o no las uniones de pareja. Expondré, en primer lugar, las cuestiones relacionadas con los instrumentos jurídicos de DIPr. de familia de la UE, y, en segundo lugar, las dificultades que pueden surgir en relación con el ejercicio de la libre circulación de personas.

II. UNIONES DE PAREJA Y DERECHO INTERNACIONAL PRIVADO DE FAMILIA DE LA UE

Eliminar los obstáculos a la libre circulación de personas y facilitar su movilidad por el territorio de los Estados miembros, es uno de los objetivos fundamentales que han definido el desarrollo normativo de la UE en las últimas décadas en materia de DIPr. El papel que han jugado, sin embargo, las uniones de pareja para la consecución de este objetivo, ha sido dispar, a pesar de el gran número de parejas que residen y circulan por el territorio de la UE. Así, hay normas de la UE que directamente las excluyen de su ámbito de aplicación, otras que las ignoran y, alguna, en las que son las auténticas protagonistas. Analizaremos en las próximas líneas qué consecuencias tiene para la libre circulación de personas, la invisibilidad que, en la mayoría de las ocasiones, parecen tener las uniones de pareja en la regulación de los aspectos más importantes del DIPr. de familia de la UE.

1. Instrumentos jurídicos que excluyen o ignoran a las uniones de pareja

Tal como acabamos de indicar, hay algunas normas de DIPr. de la UE que afectan a la movilidad internacional de las parejas que directamente las excluyen de su ámbito de aplicación personal, o, en línea de lo que sucede con los matrimonios entre personas del mismo sexo, las ignoran[1]. Entre las primeras se encuentra el Reglamento (UE) 2019/1111 (Bruselas II ter)[2], por lo que respecta a las crisis matrimoniales, o el Reglamento (UE) 1259/2010 (Rom III)[3]. Entre las segundas, podemos citar el Reglamento (UE) 4/2009 (Bruselas III)[4] o el propio Bruselas II ter, en la parte relativa a la responsabilidad parental.

Analizado individualmente, podría parecer lógico que, en una línea continuista con su inmediato antecesor (el Reglamento 2201/2003)[5], el nuevo Reglamento Bruselas II ter se aplique únicamente a las parejas matrimoniales, no a las registradas. Así lo podemos inferir de la lectura de su artículo 1.1 a). El citado precepto establece que se aplica a los procedimientos civiles relativos al divorcio, a la separación judicial y a la nulidad *matrimonial*. Exactamente igual contempla el considerando 9º del Reglamento, que establece que "*la presente norma sólo debe aplicarse a la disolución del matrimonio*". No hay, en este caso, mucho margen para la interpretación, las parejas no matrimoniales quedan excluidas[6]. No obstante, esta lógica continuista tiene que convivir con el hecho de que el Reglamento

---

[1]   En este sentido pueden consultarse trabajos anteriores como SOTO MOYA, MERCEDES, "La aplicación de los Reglamentos 2201/2003 (Bruselas II bis) y 1259/2010 (Roma III) a los matrimonios del mismo sexo", *El arreglo pacífico de las controversias internacionales: XXIV Jornadas de la Asociación Española de Profesores de Derecho internacional y Relaciones internacionales,* Valencia, Tirant lo Blanch, 2013, pp. 595-606.

[2]   Reglamento (UE) 2019/1111, del Consejo, de 25 de junio de 2019, relativo a la competencia, el reconocimiento y la ejecución de resoluciones en materia matrimonial y de responsabilidad parental, y sobre la sustracción internacional de menores, *DOUE* L 178, de 2 de julio de 2019.

[3]   Reglamento (UE) nº 1259/2010 del Consejo, de 20 de diciembre de 2010 por el que se establece una cooperación reforzada en el ámbito de la ley aplicable al divorcio y a la separación judicial, *DOUE* L 343, de 29 de diciembre de 2010.

[4]   Reglamento (UE) nº 4/2009 del Consejo, de 18 de diciembre de 2008, relativo a la competencia, la ley aplicable, el reconocimiento y la ejecución de las resoluciones y la cooperación en materia de obligaciones de alimentos, *DOUE* L 7, 10 de enero de 2009.

[5]   Reglamento (UE) nº 2201/2003, del Consejo, de 23 de diciembre de 2003, relativo a la competencia, el reconocimiento y la ejecución de resoluciones judiciales en materia matrimonial y de responsabilidad parental, *DOCE* L 338, de 23 de diciembre de 2003.

[6]   En esta misma línea, y por idénticas razones, el Reglamento 1259/2010 excluye de su ámbito de aplicación a las uniones de pareja.

Bruselas II ter no es un instrumento jurídico aislado flotando en el universo normativo de la UE. Muy al contrario, forma parte de un amplio conjunto de reglamentos en materia de DIPr. que es necesario interrelacionar para lograr una aplicación coherente y uniforme del sistema, tarea que, en ocasiones, puede resultar harto complicada para cualquier operador jurídico. Así, no podemos soslayar el hecho de que, durante la elaboración y negociación del articulado del Reglamento Bruselas II ter, ya se encontraba en vigor el Reglamento (UE) 2016/1104, sobre efectos patrimoniales de las uniones registradas[7].

Dicha norma prevé en su art. 5 la acumulación de competencias a los órganos judiciales del Estado miembro de disolución de la pareja, en correlación con su Reglamento gemelo, el 2016/1103, sobre régimen económico matrimonial[8]. El legislador de la Unión, entendiendo que en múltiples ocasiones las cuestiones relacionadas con el régimen patrimonial de las parejas registradas se presentarán, como resultado de la disolución de la unión, ha previsto la concentración de la competencia en la autoridad que conozca de este asunto[9]. Así, establece que "*los efectos patrimoniales de las uniones registradas que se produzcan en conexión con procedimientos pendientes ante el órgano jurisdiccional de un Estado miembro, ante el que se presente una demanda de disolución o anulación de una unión registrada, deberán ser resueltos por los órganos jurisdiccionales de dicho Estado miembro, cuando las partes así lo acuerden*".

No obstante, la diferencia entre la *vis atractiva* del Reglamento sobre régimen económico del matrimonio y el de efectos patrimoniales de las parejas registrales es abismal. En el caso del Reglamento (UE) 2016/1103, la acumulación es obligatoria, mientras que, en el ámbito de la disolución de la pareja, tiene que haber un acuerdo entre las partes[10]. La razón es obvia: no existe una norma común de

---

[7]   Reglamento (UE) 2016/1104 del Consejo, de 24 de junio de 2016, por el que se establece una cooperación reforzada en el ámbito de la competencia, la ley aplicable, el reconocimiento y ejecución de resoluciones en materia de regímenes patrimoniales de las uniones registradas, *DOUE* L 183, de 8 de julio de 2016.

[8]   Reglamento (UE) 2016/1103 del Consejo, de 24 de junio de 2016, por el que se establece una cooperación reforzada en el ámbito de la competencia, la ley aplicable, el reconocimiento y ejecución de resoluciones en materia de regímenes económicos matrimoniales, *DOUE* L 183, de 8 de julio de 2016.

[9]   *Vid.* Considerando 32 Reglamento 2016/1104: "A fin de tener en cuenta la movilidad creciente de las parejas y facilitar la buena administración de la justicia, las normas de competencia recogidas en el presente Reglamento deben permitir que los diferentes procedimientos conexos de los ciudadanos se sustancien ante los órganos jurisdiccionales de un mismo Estado miembro. Para ello, el presente Reglamento debe tratar de concentrar la competencia en materia de efectos patrimoniales de las uniones registradas en aquellos Estados miembros ante cuyos órganos jurisdiccionales deba sustanciarse la sucesión de un miembro de la unión registrada, de conformidad con el Reglamento (UE) 650/2012, o la disolución o anulación de la unión registrada".

[10]   En materia de crisis matrimoniales, en el ámbito del Reglamento (UE) 2016/1103, la obligación depende del criterio de competencia del Reglamento Bruselas II ter invocado. La prórroga automática de la competencia está prevista para los casos en que la competencia para el divorcio se base en

la UE sobre competencia judicial internacional en materia de disolución de la pareja registrada, pero sí relativa a la disolución del vínculo matrimonial. Por tanto, no es posible que la norma prevea una acumulación de asuntos obligatoria.

Consideramos que esta disfunción podría haberse corregido en el nuevo Reglamento (UE) 2019/1111, incluyendo a las uniones de pareja en su ámbito de aplicación personal, pero se ha optado por su exclusión. Una de las razones fundamentales es el particularismo estatal que todavía domina esta materia[11]. Hay que recordar que la UE no tiene competencia exclusiva en este ámbito y no puede imponer a los Estados miembros normas que les obliguen a transformar sus legislaciones internas. Cada Estado realiza, en su caso, la regulación de manera autónoma. En este sentido es cada vez es más amplia la lista de Estados de la UE que han elaborado una legislación sobre parejas registradas: Dinamarca, Suecia, Finlandia, Países Bajos, Bélgica, Francia, Portugal, Alemania, Luxemburgo, Polonia, Eslovenia, República Checa, Hungría, Austria, Estonia, Malta, Croacia, Chipre y Grecia[12]. De ellos, la mayoría están vinculados por el Reglamento (UE) 2016/1104, sobre régimen patrimonial de la pareja registrada. No obstante, se trata de un fenómeno heterogéneo que se refleja en una diversidad notable de soluciones de Derecho material y en un limitado número de reglas de DIPr.[13].

Sí resulta interesante comprobar, no obstante, cómo a pesar de no haberse podido llegar a un consenso sobre la inclusión de las uniones de pareja en el Reglamento (UE) 2019/1111 (ni en su antecesor), hay algunos países que han

---

cualquiera de los cuatro primeros criterios del art. 3, apartado 1, letra a), del Reglamento Bruselas II ter. Sin embargo, para los dos últimos criterios se requiere el consentimiento de las partes.

[11] PALAO MORENO, GUILLERMO, "Los Reglamentos europeos en materia de familia: cuestiones abiertas y problemas prácticos", *La vida familiar internacional en una Europa compleja. Cuestiones abiertas y problemas de la práctica*, Tirant lo Blanch, Valencia, 2021, pp. 23-46, pp. 24-25. Sobre la unificación del Derecho de familia comunitario y la competencia o incompetencia de la UE para abordar esta labor *vid.* ESPINOSA CALABUIG, ROSARIO, "Evolution and Progress in the Unification of European Family Law. Account of the Success in the Two European Projects, 'EUFam's I' and 'EUFam's II'", *REDI*, vol. 72, n° 2, 2020, pp. 351-357; BOELE WOELKI, KATHARINA, *Unifying and Harmonizing Substantive Law and the Role of Conflicts of Law*, Martinus Nijhoff Publishers, The Netherlands, 2010; *id.*, "The Road Towards a European Family Law", *Electronic Journal of Comparative Law*, vol. 1, nov. 1997; ANTOKOLSKAIA, MASHA, "Would the Harmonisation of Family Law Enlarge the Gap between the Law in the Books and the Law in Action?", *FamPra.*, 2002, pp. 261-292; *id.*, "The Harmonisation on Family Law: Old and New Dilemas", *ERPL*, 2003, pp. 28-49; WILHELMSSON, THOMAS, "Private Law in the EU: Harmonised or Fragmented Europeanisation?", *ERPL*, 2002, pp. 77-94; KHOLER, CHRISTIAN, "Unification of private international law in family matters in the European Union cultural issues", en VIARENO, ILARIA y VILLATA, FRANCESCA (Eds.), *Planning the future of cross border families: A Path Through Coordination*, Hart Publishing, Oxford, 2020, pp. 3-22.

[12] https://europa.eu/youreurope/citizens/family/couple/

[13] RODRÍGUEZ PINEAU, ELENA, "Los efectos patrimoniales de las uniones registradas: algunas consideraciones sobre la propuesta de Reglamento del Consejo", *AEDIPr*, t. XI, 2011, pp. 937–955, p. 938. Para un análisis de las legislaciones sobre parejas registradas en la UE, puede verse GARETTO, ROBERTO, "Registered partnerships and property consequences", *Property relations of cross-border couples in the European Union*, Edizioni Scientifiche Italiane, Nápoles, 2020.

considerado que debían incluirlo en su DIPr. autónomo. Así lo hizo en su día, por ejemplo, el Reino Unido. El Reglamento 2201/2003 no se aplicó de forma directa a las parejas registradas, pero sí se tomó expresamente como modelo para la adopción de disposiciones nacionales para la determinación de la competencia de las autoridades británicas en la disolución de una pareja registrada y para el reconocimiento de las sentencias provenientes de otro Estado miembro en relación con dichas uniones. El Capítulo 3 de la *Civil Partnership Act 2014* está por entero dedicado al desarrollo de esta materia (sec. 219-238)[14].

2. Normas de DIPr. de la UE en las que se hace una especial referencia a las uniones de pareja

Del análisis realizado hasta el momento se podría colegir erróneamente que la UE no se ha ocupado de manera específica de la regulación de ningún aspecto de la vida "familiar" de las uniones de pareja. No obstante, esto no es así. El 29 de enero de 2019 entró en vigor el Reglamento (UE) 2016/1104 sobre régimen patrimonial de las parejas registradas, que puede considerarse un hito en la construcción del Derecho internacional privado de la UE, ya que nunca antes se había elaborado una norma de estas características que tuviera como protagonista a las uniones de pareja.

Si bien es cierto que el Reglamento surge ante la imposibilidad de regular de una manera unitaria, en un solo instrumento jurídico, el régimen económico matrimonial y el de la pareja, esto no obsta para que se reconozcan los aspectos positivos de su regulación en solitario[15]. Entre otros, se garantiza a las parejas registradas la protección de sus derechos en sus relaciones transfronterizas dentro de un nuevo marco de cooperación judicial civil en la UE. Además, son las protagonistas por primera vez de una norma de la UE, lo que implica otorgarles un cierto reconocimiento como institución. Y, aunque sólo sea por estos motivos,

---

[14]   El Capítulo 3 de la *Civil Partnership Act* fue reformado el 31 de diciembre de 2020 por *The Civil Partnership and Marriage (Same Sex Couples) (Jurisdiction and Judgments) (Amendment etc.) (EU Exit) Regulations 2019*. Puede consultarse en https://www.legislation.gov.uk/ukpga/2004/33/part/5/chapter/3/2022-02-28.

[15]   Aunque finalmente se optó por desdoblar la regulación para los matrimonios y las parejas registradas a través de dos instrumentos jurídicos distintos, el germen de ambos fue el "Proyecto de medidas para la aplicación del principio de reconocimiento mutuo de las resoluciones judiciales en materia civil y mercantil", que preveía la elaboración de un instrumento sobre la "competencia judicial, el reconocimiento y la ejecución de las resoluciones en materia de los regímenes matrimoniales y las consecuencias patrimoniales de la separación de parejas no casadas" (*DOCE* C 12 de 15 de enero de 2001, p. 1). La razón esgrimida por la Comisión para hacerlo es que el matrimonio y la unión registrada son figuras jurídicas diferentes en la UE. El matrimonio es una institución jurídica tradicional en todos los Estados miembros, mientras que la unión registrada es una figura más reciente reconocida solamente en quince de ellos.

el Reglamento (UE) 2016/1104 constituye una aportación esencial en el ámbito del DIPr. patrimonial de la familia.

A pesar de que en este Reglamento sí se tienen en cuenta los problemas específicos de las uniones registradas, las soluciones que aporta no son omnímodas y sus dificultades de aplicación en los países de la UE que del mismo son parte se están revelando harto complicadas[16]. Entre los más comunes podemos citar los problemas de calificación o los de remisión a sistemas plurilegislativos.

A. Problemas de calificación

Por lo que respecta a los problemas de calificación, éstos surgen a la hora de identificar las reglas aplicables a una determinada situación privada internacional como matrimonio o como unión registrada[17]. Podemos tomar de muestra la legislación belga, la portuguesa o la eslovena. El Código de DIPr. belga, por ejemplo, distingue entre las normas relativas al matrimonio y las relativas a la pareja registrada, definiendo estas últimas como "una situación de cohabitación que requiere de un registro ante una autoridad pública" (art. 58)[18]. Se establece que han de tratarse como matrimonio aquellas instituciones extranjeras que regulen la pareja de idéntica manera a la unión conyugal, siempre que la ley nacional del país de constitución de la unión no les permita contraer matrimonio[19]. Por

---

[16]   Para conseguir que el Reglamento saliera adelante se ha tenido que recurrir a la vía de la cooperación reforzada. Este mecanismo permite a un mínimo de nueve Estados miembros de la UE avanzar en materias distintas de los ámbitos de competencia exclusiva y de la Política Exterior y de Seguridad Común, de acuerdo con lo establecido en el art. 20 TUE y en los arts. 326 y ss. TFUE. En la actualidad solo forman parte de los Reglamentos Bélgica, Bulgaria, República Checa, Grecia, Alemania, España, Francia, Croacia, Chipre, Italia, Luxemburgo, Malta, Países Bajos, Austria, Portugal, Eslovenia, Finlandia y Suecia. Tal como señala RODRÍGUEZ BENOT, ANDRÉS, "Los efectos patrimoniales de los matrimonios y de las uniones registradas en la Unión Europea", *CDT*, vol. 11, nº 1, 2019, pp. 8-50, p. 26, "en buena medida, la decisión de Hungría y de Polonia en la sesión del Consejo JAI de diciembre de 2015 de no participar en este instrumento -y tampoco en el paralelo 2016/1103- estuvo fundada en la idea de no admitir -siquiera indirectamente las consecuencias de los matrimonios o de las uniones registradas entre personas del mismo sexo válidas en otros sistemas; ello derivó en la necesidad de recurrir a la cooperación reforzada para la aprobación de ambos Reglamentos.

[17]   BONOMI, ANDREA, KESSLER, GUILLAUME y WAUTELET, PATRICK, "Article 3. – Definitions", in BONOMI, ANDREA y WAUTELET, PATRICK (Eds.), *Le droit européen des relations patrimoniales de couple. Commentaire des Règlements (UE) n° 2016/1103 et 2016/1104*, Bruylant, Bruselas, 2021, pp. 209-257, p. 246.

[18]   ROSENAU, VINCIANE y THIENPONT, DELPHINE, "Regulations 2016/1103 and 2016/1104 in practice: analysis from a belgian perspective", en CAZORLA GONZÁLEZ, MARÍA JOSÉ y RUGGERI, LUCÍA (Coords.), *Cross-border couples property regimes in action before courts: Understanding the EU regulations 1103/2016 and 1104/2016 in practice*, Dykinson, Madrid, 2022, pp. 77-92, p. 87.

[19]   Circulaire modifiant la circulaire du 23 septembre 2004 relative aux aspects de la loi du 16 juillet 2004 portant le Code de droit international privé, M.B., 31 mai 2007 (Disponible en https://etaamb.openjustice.be/fr/circulaire-du-29-mai-2007_n2007009513.html).

su parte, en Portugal, el "no registro" de la pareja es imprescindible para que se considere una "união de facto", por lo que la institución "unión registrada" no está regulada en su Derecho material[20]. Si surge una controversia ante los órganos jurisdiccionales portugueses respecto a una pareja registrada transfronteriza, no resultará, por tanto, sencillo, calificarla como matrimonio o unión registrada. En Eslovenia, las uniones de facto se equiparan a los matrimonios en lo que respecta, no solo a las cuestiones patrimoniales, sino a otras muchas, siempre que la legislación así lo contemple[21]. Sin embargo, no entran tampoco en el ámbito de aplicación del Reglamento sobre régimen patrimonial de las uniones registradas[22].

En todos estos casos, la pregunta que surge es la misma: ¿se aplicará el Reglamento 1104/2016 o el 1103/2016? La elección de uno u otro Reglamento no es una cuestión baladí, habida cuenta de las notables diferencias entre los dos, sobre todo por lo que respecta a la ley aplicable. Así, el Reglamento 1103/2016 sobre régimen económico matrimonial establece en su artículo 26.1 una serie de puntos de conexión en cascada para determinar la ley aplicable en defecto de un acuerdo de elección por las partes. A saber: a) la ley del Estado de la primera residencia habitual común de los cónyuges tras la celebración del matrimonio; en su defecto, b) la ley de la nacionalidad común de los cónyuges en el momento de la celebración del matrimonio y, en su defecto, c) la ley con la que ambos cónyuges tengan la conexión más estrecha en el momento de la celebración del matrimonio, teniendo en cuenta todas las circunstancias. En cambio, el Reglamento 1104/2016, también en su artículo 26, establece como única posibilidad la aplicación de la ley del Estado donde se haya creado la unión. Esto resulta extremadamente relevante en el ámbito de las uniones del mismo sexo. En relación con estas parejas, tanto la conexión nacionalidad como la residencia habitual podrían suponer la aplicación de leyes que desconozcan la institución "pareja registrada", teniendo en cuenta que las normas sobre ley aplicable del Reglamento presentan carácter universal. No se puede olvidar que la pareja registrada a la que se aplica el Reglamento (UE) 2016/1104 se ha de constituir mediante un acto formal ante autoridad pública, y en muchos ordenamientos jurídicos no se

---

[20]   Lei n.º 7/2001, de 11 de Maio, Protecção das uniões de facto (disponible en https://www.pgdlis-boa.pt/leis/lei_mostra_articulado.php?nid=901&tabela=leis). MOTA, HELENA, "Os efeitos patrimoniais do casamento e das uniões de facto registadas no Direito Internacional Privado da União Europeia. Breve Análise dos Regulamentos (UE) 2016/1103 e 2016/1104, de 24 de Junho", *Revista Eletrónica de Direito*, n° 2, 2017, p. 25.

[21]   Véase DOUGAN, FILIP, "Interplay of UE and domestic private international law-property relations of cross-border couples in Slovenia", en CAZORLA GONZÁLEZ, MARÍA JOSÉ y RUGGERI, LUCÍA (Coords.), *Cross-border couples property regimes…, op. cit.*, pp. 243-254, p. 250.

[22]   *"A de facto union (zunajzakonska skupnost) is defined in the Family Code as a long-term living union between a man and a woman who have not concluded marriage and there are no grounds for the marriage between them to be void".*

exige ningún período de convivencia previo. Las partes, en consecuencia, han podido constituir su unión en un Estado y tener su residencia habitual en otro, en el momento de la constitución o en un momento posterior. La conexión residencia habitual, por tanto, no garantizaba en todas las ocasiones la aplicación de una ley que, aunque estuviese estrechamente vinculada a la pareja, conociera la institución que habían constituido. De ahí lo acertado del Reglamento al establecer el país de constitución como punto de conexión, pues se asegura que la institución no será desconocida, al tiempo que aporta a las partes mayor seguridad jurídica[23].

Si se admite que a una misma unión se le puedan aplicar o no los preceptos contenidos en las normas de la UE según la calificación de la institución, dependiendo del Estado miembro donde se encuentren, se rompe la uniformidad pretendida. Esta situación incide directamente en el derecho fundamental que la UE reconoce a sus ciudadanos y a los miembros de su familia —independientemente de su nacionalidad— a circular y residir libremente en el territorio de los Estados miembros.

B. Problemas de remisión a sistemas plurilegislativos

Otro problema de aplicación del Reglamento que se habrá de resolver, especialmente si resulta de aplicación al supuesto la legislación española, es el de la remisión a sistemas plurilegislativos[24].

El Reglamento (UE) 2016/1104 otorga a las partes la posibilidad de elegir la ley que quieren que resulte aplicable a la liquidación de su régimen patrimonial en el artículo 22. Eso sí, se trata de una autonomía de la voluntad limitada solo a leyes vinculadas con el supuesto, esto es: a) la ley del Estado en el que los miembros o futuros miembros de la unión registrada, o uno de ellos, tengan su residencia habitual en el momento de la celebración del acuerdo; b) la ley del Estado de la nacionalidad de cualquiera de los miembros o futuros miembros de la unión registrada en el momento en que se celebre el acuerdo, o c) la ley

---

[23]   SOTO MOYA, MERCEDES, "Ámbito de aplicación personal del Reglamento 2016/1104 sobre régimen patrimonial de la pareja registrada", *Revista Internacional de Doctrina y Jurisprudencia*, n° 23, 2020.

[24]   Hay que precisar que en el momento de entrega de este trabajo (noviembre de 2022), en España todavía no existe jurisprudencia relativa a la aplicación del Reglamento (UE) 2016/1104. Sí existen, no obstante, algunas resoluciones judiciales en las que se hace referencia a la norma de la UE, pero de una manera colateral, refiriéndose al concepto de pareja registrada que contiene el Reglamento a efectos de solicitar la pensión de viudedad, y en supuestos internos, no internacionales, y, además, nunca para determinar la competencia judicial internacional o la ley aplicable a un determinado supuesto. A modo de ejemplo, STSJ Madrid (Social), sec. 1ª, de 7 de junio de 2019,, n° 644/2019, rec. 1322/2018; STSJ Cataluña (Social), sec. 1ª, de 9 de febrero de 2021, n° 805/2021, rec. 4230/2020.

del Estado conforme a cuya ley se haya creado la unión registrada. Por tanto, si los miembros de la pareja tuviesen su residencia habitual en España o hubiesen constituido aquí su unión, podrían elegir como ley aplicable la ley española.

En defecto de elección de ley, si las partes no hubiesen decidido nada a este respecto, resultaría de aplicación el artículo 26, en el que se establece que: "*en defecto de un acuerdo sobre la elección de la ley aplicable con arreglo a lo dispuesto en el artículo 22, la ley aplicable a los efectos patrimoniales de la unión registrada será la ley del Estado conforme a cuya ley se haya creado la unión registrada*".

En ambos casos (esto es, tanto si hay elección como si no), habrá que concretar cuál será la ley aplicable de entre aquellas vigentes en un Estado plurilegislativo como es España. Esto es algo que en el DIPr. comparado se ha abordado utilizando varios métodos. La "remisión directa" y la "indirecta" son los dos modelos primarios[25]. La combinación de ambos, con carácter complementario o suplementario, puede dar lugar al sistema "mixto". El Reglamento 1104/2016, en su art. 33, opta, precisamente, por este último. El modelo de remisión indirecto acogido a título principal en este precepto implica que, en primer lugar, para determinar la ley aplicable en un sistema plurilegislativo, habrán de ser de aplicación las normas del Estado en cuestión sobre conflictos internos de leyes (art. 33.1). En segundo lugar, a falta de estas normas, el Reglamento prevé recurso a los criterios subsidiarios en el previstos en orden a la determinación del concreto ordenamiento interno aplicable (art. 33.2). Se trata de un precepto muy similar a los contenidos en otros Reglamentos, por lo que, en principio, su aplicación práctica no debería originar ningún problema[26].

Por tanto, en primer lugar, habría que acudir a las normas sobre conflictos internos española, que, en ausencia de una específica ley de Derecho interregional, gira en torno al art. 16 Código Civil (CC), que remite a lo establecido en el Capítulo IV del Título Preliminar del propio CC. El problema radica en que el Capítulo IV no contiene ninguna norma de conflicto relativa al régimen económico de las parejas. Ciertamente, la remisión que lleva a cabo el art. 16 CC se podría interpretar en sentido amplio, recurriendo a las soluciones dadas por el propio Reglamento (UE) 2016/1104. Y, aunque el art. 35 de este último

---

[25]   La remisión indirecta deja en manos de los instrumentos jurídicos del Estado cuya ley es reclamada por la norma de conflicto la identificación de la concreta normativa llamada a ser aplicada. La remisión directa, por el contrario, obvia las reglas de solución de los conflictos de leyes internos y utiliza los puntos de conexión empleados por la norma de conflicto aplicada como criterios identificativos de la concreta normativa que ha de resultar de aplicación. Esta última solución resulta problemática cuando el punto de conexión es la nacionalidad o cuando el Estado plurilegislativo lo es de base personal (ÁLVAREZ GONZÁLEZ, SANTIAGO, "El Reglamento 650/2012, sobre sucesiones y la remisión a un sistema plurilegislativo: algunos casos difíciles o simplemente llamativos", *Revista de Derecho Civil*, vol. II, nº 4, 2015, pp. 7-28).

[26]   Entre otros, los anteriormente citados: Reglamento (CE) nº 4/2009 (art. 15), el Reglamento 650/2012 (art. 36) y el Reglamento (UE) 2016/1103 (art. 33).

establece que *"los Estados miembros que comprendan varias unidades territoriales con sus propias normas jurídicas en materia de efectos patrimoniales de las uniones registradas no estarán obligados a aplicar el presente Reglamento a los conflictos de leyes que se planteen entre dichas unidades territoriales exclusivamente"*, de una lectura del precepto a *sensu contrario* bien se podría concluir que no hay nada que impida la aplicación del Reglamento a los conflictos puramente interregionales. Es decir, que podría resultar aplicable a todo tipo de conflictos del régimen patrimonial de la pareja, tanto internacionales, como interregionales.

Hay otra solución, desde nuestro punto de vista, menos enrevesada, que sería la de entender que las normas sobre conflictos de leyes españolas (Capítulo IV CC) no se adaptan al supuesto concreto, lo que llevaría a tener que aplicar los criterios subsidiarios previstos por el Reglamento (UE) 1104/2016 (art. 33.2). En nuestra opinión, resultaría de aplicación el tercer apartado del referido art. 33.2, que establece que *"en defecto de tales normas internas en materia de conflicto de leyes: c) toda referencia a la ley del Estado mencionada en el apartado 1 se entenderá, a efectos de determinar la ley aplicable con arreglo a cualesquiera otras disposiciones relativas a otros elementos que sean puntos de conexión, como una referencia a la ley de la unidad territorial en la que esté ubicado el elemento pertinente"*. En este caso, el "elemento pertinente" es la legislación de la Comunidad Autónoma donde se haya constituido la pareja. Una vez determinada qué norma es la aplicable de entre las diferentes suscritas por cada una de las Comunidades Autónomas, surge indefectiblemente otro problema: habrá que estar a su contenido material, y resulta que no en todas las legislaciones autonómicas se prevé cuál será el régimen patrimonial de la pareja[27].

En síntesis, si las normas del Reglamento nos conducen a aplicar la legislación de una determinada Comunidad Autónoma, lo primero será determinar si la referida legislación contiene una definición de pareja que se ajuste a la contemplada en su art. 3.1, que no solo se exige el registro de la unión, sino también que la ley le atribuya efectos patrimoniales, lo que no sucede en todos los casos. En segundo lugar, habría que analizar si la concreta norma autonómica contempla una regulación material del régimen económico de la pareja. De no cumplirse estos presupuestos, las opciones en liza para la autoridad competente podrían ser las siguientes: a) considerar que el supuesto no se puede incluir dentro del ámbito de aplicación del Reglamento (UE) 1104/2016 y optar por tratar a la pareja como una unión de hecho. Las soluciones, en tal caso, serían las que hasta el momento se han venido arbitrando: recurrir, de forma simultánea o complementaria, a diversas figuras o instituciones, tales como la normativa societaria, la renta vitalicia, la comunidad de bienes, el enriquecimiento sin causa, la retribución

---

[27]   Para un análisis más extenso de la cuestión puede consultarse SOTO MOYA, MERCEDES, "(Practical) Application of Regulation (EU) 2016/1104 in Spain", en CAZORLA GONZÁLEZ, MARÍA JOSÉ y RUGGERI, LUCÍA (Coords.), *Cross-border couples property regimes...*, *op. cit.*, pp. 269-278.

por servicios prestados, etc; b) aplicar analógicamente las normas relativas al régimen económico matrimonial, aunque resulta complicada la adopción de esta solución, dada la falta de identidad de la unión de hecho con el matrimonio, y, sobre todo, al hecho de que existen Reglamentos diferentes para cada una de estas instituciones, y c) ante la inexistencia de regulación, aplicar el Derecho del foro, de estar conociendo la autoridad de un Estado miembro que sí tenga una regulación al respecto. La base jurídica para ello podría ser el recurso al orden público, previsto en el art. 31 del Reglamento.

En cualquier caso, lo que resulta evidente es que con el sistema actual no queda garantizada la protección de los derechos de las parejas registradas en sus relaciones transfronterizas dentro del marco de cooperación judicial civil en la UE. Y las singularidades del sistema español, con la heterogénea regulación autonómica de las uniones registradas, complican aún más su aplicación en nuestro país, sobre todo a la hora de determinar la ley aplicable al régimen patrimonial de las uniones de pareja.

III. UNIONES DE PAREJA Y DERECHO A CIRCULAR Y RESIDIR LIBREMENTE POR EL TERRITORIO DE LA UE

La norma de referencia elaborada por el legislador de la UE relativa al derecho de los ciudadanos de la Unión y de los miembros de sus familias a circular y residir libremente en el territorio de los Estados miembros, es la Directiva 2004/38[28]. En ella se hace referencia expresa no solo a la pareja registrada, como ocurre en el Reglamento (UE) 2016/1104, sino también a la pareja estable del ciudadano de la Unión; eso sí, no la incluye dentro de la "familia nuclear", sino en la "familia extensa"[29]. Sin embargo, esta inclusión tanto de la pareja registra-

---

[28]   Directiva 2004/38, de 29 de abril de 2004, relativa al derecho de los ciudadanos de la Unión y de los miembros de sus familias a circular y residir libremente en el territorio de los Estados miembros, *DOUE* L 158, de 30 de abril de 2004. Esta norma desarrolla lo preceptuado en el art. 21 TFUE: "Todo ciudadano de la Unión tendrá derecho a circular y residir libremente en el territorio de los Estados miembros, con sujeción a las limitaciones y condiciones previstas en los Tratados y en las disposiciones adoptadas para su aplicación". Y es completada por el Reglamento (CE) nº 492/2011 del Consejo, de 5 de abril de 2011, relativo a la libre circulación de los trabajadores dentro de la Unión, *DOUE* L 141, de 27 de mayo de 2011.

[29]   Como puso de manifiesto el Tribunal de Justicia en el asunto Rahman y otros, se desprende tanto del tenor del art. 3.2 de la Directiva como de la estructura general de la norma que se ha buscado establecer una distinción entre los miembros de la familia del ciudadano UE que, en determinadas condiciones, se benefician de un derecho de entrada y de residencia en el Estado miembro de acogida del ciudadano, y los otros miembros de la familia extensa, cuya entrada y residencia únicamente han de ser facilitadas por dicho Estado miembro (Sentencia de 5 de septiembre de 2012, Asunto C-83/11: *Secretary of State for the Home Department c. Muhammad Sazzadur Rahman y otros*, ECLI:EU:C:2012:519).

da como de la de hecho en la literalidad del articulado, no exime a la autoridad competente de tener que realizar un esfuerzo interpretativo extraordinario en múltiples ocasiones, habida cuenta, entre otras cosas: a) de la heterogénea o nula regulación que realiza cada Estado miembro de las uniones de pareja, y b) de la deficitaria transposición que han hecho algunos Estados miembros de dicha Directiva. Todo esto menoscaba el objetivo fundamental de la norma, que es el de garantizar la libre circulación de personas en el territorio de la UE. Por ello, y en numerosas ocasiones, ha tenido que ser el TJUE o, incluso la Comisión Europea, quien, ante una aplicación restrictiva de la norma o una discutible transposición de la misma, haya corregido la actuación de los Estados miembros.

1. Consecuencias de la heterogénea o nula regulación que realiza cada Estado miembro de las uniones de pareja

Uno de los problemas que se suscita con la aplicación del a Directiva 2004/38, como acabamos de poner de relieve, es el de la injustificada limitación a la libre circulación de personas que puede suponer el que un Estado miembro no reconozca la pareja válidamente constituida en otro, aunque solo sea a efectos de libre movilidad, bien por no contar con una regulación al respecto en su ordenamiento jurídico, o bien por regularla de manera diferente a como lo hace el Estado de origen de constitución de la pareja. Y, aunque en principio, según se ha indicado *supra*, la UE no puede imponer a los Estados miembros normas que les obliguen a transformar sus legislaciones internas en materia de Derecho de familia, el TJUE ha abierto un interesante camino a través de la espesura de la competencia exclusiva de los Estados en esta materia en el famoso asunto *Coman*. Si bien es cierto que la sentencia versa sobre la libre circulación por el territorio de la UE de un matrimonio del mismo sexo, sus tesis principales pueden ser extrapoladas, bajo nuestro punto de vista, a las parejas registradas[30]. El Alto Tribunal aborda el caso de un ciudadano rumano (Coman) que contrajo matrimonio en Bruselas con un nacional norteamericano (Hamilton). El Sr. Hamilton deseaba trasladarse a vivir a Rumanía con su cónyuge, el Sr. Coman, al amparo de la Directiva 2004/38/CE de 29 abril 2004 relativa al derecho de los ciudadanos de la Unión y de los miembros de sus familias a circular y residir libremente en el territorio de los Estados miembros. Las autoridades rumanas denegaron la petición de residencia del Sr. Hamilton en Rumanía porque el Código Civil de dicho país prohíbe los matrimonios entre personas del mismo sexo y no reconoce tales matrimonios en Rumanía, aunque se hayan celebrado válidamente en otros países.

---

[30]   STJUE de 5 de junio de 2018, Asunto C-673/16: *Coman-Hamilton*, ECLI:EU:C:2018:385.

El TJUE sostuvo en dicha sentencia que el estado civil de las personas, en el que se incluyen las normas relativas al matrimonio, constituye una materia objeto de competencia exclusiva de los Estados miembros. Éstos pueden libremente admitir o rechazar en sus legislaciones el matrimonio entre personas del mismo sexo. No obstante, al ejercitar dicha competencia, no pueden vulnerar las libertades de circulación de los ciudadanos de la UE. Es decir, el TJUE obliga al reconocimiento de ese matrimonio y de ese cónyuge únicamente a efectos de conceder un derecho de residencia derivado a un nacional de un tercer Estado, indicando que esto no atenta contra la identidad nacional ni amenaza el orden público del Estado miembro afectado[31].

El argumento del TJUE puede ser también válido para las uniones de pareja, manteniéndose que una unión válidamente constituida en un Estado miembro tiene que ser reconocida en otro Estado miembro, aunque sea a los solos efectos de garantizar la libre circulación de personas. Y, aunque esto no suponga la unificación de conceptos ni la injerencia en los Derechos de familia nacionales de cada Estado, sí abre la puerta a tener que reconocer la unión válidamente creada en un Estado miembro, lo que puede generar una cierta homogeneización de conceptos en la UE a través de esta vía indirecta[32].

---

[31]   Para un análisis de esta sentencia véanse, entre otros, ÁLVAREZ GONZÁLEZ, SANTIAGO, "¿Matrimonio entre personas del mismo sexo para toda la UE? A propósito de las conclusiones del Abogado General en el Asunto Coman", *La Ley Unión Europea*, nº 56, 2018; REQUENA CASANOVA, MILLÁN, "Libre circulación de los matrimonios del mismo sexo celebrados en el territorio de la Unión Europea: consecuencias del asunto "Coman y otros", *Revista de Derecho Comunitario Europeo*, nº 62, 2019; JIMÉNEZ BLANCO, PILAR," La movilidad transfronteriza de matrimonios entre personas del mismo sexo: la UE da un paso: Sentencia del Tribunal de Justicia de 5 de junio de 2018, asunto C- 673/18: Coman", *La Ley Unión Europea*, nº 61, 2018; STOPPIONI, EDOARDO, "Une analyse critique de l'arrêt Coman: déconstruction de la consécration de l'obligation de reconnaissance du droit de séjour du conjoint homosexuel", *European Papers, European Forum*, 27 de febrero de 2019, pp. 1 y ss; STEHLÍK, VLADIMIR, "The CJEU crossing the Rubicon on the same-sex marriages? Commentary on Coman case", *International and Comparative Law Review*, vol. 18, nº 2, 2018, pp. 85-99.

[32]   De vital importancia también, la STJUE de 14 de diciembre de 2021. Asunto C-490/20: *Pancharevo*, ECLI:EU:C:2021:1008. La cuestión debatida abordaba la oposición de las autoridades búlgaras a emitir un documento de identidad a una menor, de muy corta edad, nacida en España de matrimonio formado por madre británica y madre búlgara, residentes en España, sobre la base de un certificado de nacimiento emitido por el Registro Civil español, que, por razón del respeto a la intimidad de las progenitoras, de conformidad con nuestro Derecho, no identificaba a la madre biológica. Las autoridades búlgaras, que no reconocen en su Derecho nacional la unión de personas del mismo sexo, exigieron la identificación de la maternidad biológica a fin de conocer cuál de las dos progenitoras es nacional búlgara, causante de que a su hija se le atribuya la nacionalidad. El TJUE, falló que, el Estado miembro del que el menor es nacional está obligado, por un lado, a expedirle un documento de identidad o un pasaporte, sin necesidad de que sus autoridades nacionales establezcan previamente un certificado de nacimiento y, por otro lado, debe reconocer el documento emanado del Estado miembro de acogida que permite al menor ejercer, con cada una de sus progenitoras (aunque una sea nacional de tercer Estado), su derecho a circular y residir libremente en el territorio de los Estados miembros.

Pero no solo la nula regulación de la unión de pareja puede suponer una injustificada limitación a la libre circulación de personas, sino que también la falta de uniformidad puede ser un hándicap para la aplicación de la Directiva 2004/38. Un buen ejemplo de ello puede ser el caso español[33]. La norma de transposición española, el RD 240/2007, establecía en su art. 2, entre los requisitos que debía de tener la pareja para ser incluida en el régimen comunitario, el haber sido objeto de "un registro que impidiera la posibilidad de dos registros simultáneos en dicho Estado"[34]. Es decir, la norma española solo consideraba pareja susceptible de someterse al régimen comunitario a aquella pareja inscrita en un Estado miembro que tuviera establecido un sistema de registro único. Y se daba precisamente la paradoja de que en España ese registro único no existe, dada la ausencia de normativa estatal al respecto. De hecho, la inactividad del legislador estatal en este punto ha originado que proliferen las legislaciones en las diferentes Comunidades Autónomas. Todas han elaborado leyes sobre parejas (estables, no casadas, registradas…, cada una con su denominación concreta)[35]. Cuestiones tales como el concepto y naturaleza del registro, si este presenta o no carácter constitutivo, si se trata de un registro único o pueden convivir varios registros diferentes dentro del mismo Estado, si hay posibilidad de que sea un Registro administrativo o tiene que ser un Registro civil, si es necesario que constituya una publicidad fiable frente a terceros o no, los requisitos para la inscripción registral, las autoridades competentes para practicar las inscripciones, y la posibilidad de que se aplique a parejas del mismo sexo, han acabado, por tanto, teniendo un tratamiento atomizado. De ahí que los diferentes Registros

---

[33]   Para un estudio en profundidad del régimen aplicable a los familiares de españoles puede verse MARÍN CORSARNAU, DIANA, "Nuevos y heredados desafíos en el contexto del regreso al país de origen del ciudadano de la Unión y su familia", *REDI,* vol. 73, nº 2, 2021, pp. 131-146.

[34]   RD 240/2007, de 16 de febrero, sobre entrada y permanencia en España de ciudadanos de los Estados miembros de la Unión Europea y otros Estados parte en el Espacio Económico Europeo, *BOE* nº 51, de 28 de febrero de 2007.

[35]   En Cataluña, la Ley 10/1998, de 15 de julio, de uniones estables de pareja; en Aragón, la Ley 6/1999, de 26 de marzo, relativa a las parejas estables no casadas; en Navarra, la Ley Foral 6/2000, de 3 de julio, para la igualdad jurídica de las parejas estables; en Baleares, la Ley 18/2001, de 19 de diciembre, sobre normas reguladoras de las parejas estables; en el País Vasco, Ley 2/2003, de 7 de mayo, reguladora de las parejas de hecho; en la Comunidad Valenciana, la Ley 1/2001, de 6 de abril, por la que se regulan las unciones de hecho; en el Principado de Asturias, la Ley 4/2002, de 23 de mayo, de Parejas estables; en Andalucía, la Ley 5/2002, de 16 de diciembre, de parejas de hecho; en Castilla y León, el Decreto 117/2002, de 24 de octubre, por el que se crea el registro de uniones de hecho de Castilla y León y se regula su funcionamiento; en Extremadura, la Ley 5/2003, de 20 de marzo, de parejas de hecho de la Comunidad Autónoma de Extremadura; en la Comunidad de Madrid, la Ley 11/2001, de 19 de diciembre, sobre parejas de hecho; en Canarias, la Ley 5/2003, de 6 de marzo, para la regulación de las parejas de hecho en la Comunidad Autónoma de Canarias; en Cantabria, la Ley 1/2005, de 16 de mayo, de parejas de hecho de la Comunidad Autónoma de Cantabria; en Murcia, la Ley 7/2018, de 3 de julio, de Parejas de Hecho de la Comunidad Autónoma de la Región de Murcia, y en La Rioja, el Decreto 30/2010, de 14 de mayo, por el que se crea el Registro de Parejas de Hecho de La Rioja.

de parejas estables existentes en las Comunidades Autónomas o Ayuntamientos españoles no se consideraran válidos como prueba del vínculo de pareja, ya que no impedían la posibilidad de dos registros simultáneos en España[36].

El Tribunal Supremo anuló tal exigencia al considerar que excedía de los establecido en la Directiva 2004/38, que, para definir a los "miembros de la familia", sólo se refiere a la "pareja con la que el ciudadano de la Unión ha celebrado una unión registrada, con arreglo a la legislación de un Estado miembro", sin más exigencias[37]. Razona el TS que, si bien la supresión de este requisito puede derivar en situaciones de multiplicidad registral, ello no obsta para que las vías de fraude puedan resolverse por otros cauces. Y en todo caso corresponde a la administración competente decidir si existe o no fraude. Por tanto, en la actualidad, el certificado del registro realizado en una Comunidad Autónoma es totalmente válido a efectos de concesión de la tarjeta de residente comunitario[38].

2. Deficitaria transposición de la Directiva 2004/38: obligación de incluir a la pareja estable en el concepto de "familia extensa"

No solo la falta de homogeneidad en la regulación de las parejas registradas en los Estados miembros puede limitar la libre circulación de personas, sino que también resulta esencial para la libre movilidad la "calidad" de la transposición que se haga de la Directiva 2004/38. En efecto, algunos Estados no han incluido en sus legislaciones internas la posibilidad de conceder una Tarjeta de familiar de comunitario a "*la pareja con la que el ciudadano de la Unión mantiene una relación estable, debidamente probada* (art. 3.2 b)". Prueba de ello es, por ejemplo, lo establecido por el TJUE en la Sentencia de 12 de julio de 2018, Asunto C-89/17[39], en relación con el derecho de los ciudadanos de la Unión y de los miembros de sus familias a circular y residir libremente en el territorio de los Estados miembros, garantizando este derecho cuando el ciudadano de la Unión vuelve con su familia a su país de origen[40].

---

36   Instrucción DGI/SGRJ/03/2007.

37   Sentencia de 1 de junio de 2010, de la Sala Tercera del Tribunal Supremo, por la que se anulan varias expresiones de los artículos 2, 3, 4, 9 y 18 y disposición final tercera del Real Decreto 240/2007, de 16 de febrero, sobre entrada, libre circulación y residencia en España de ciudadanos de los Estados miembros de la U.E. y de otros Estados parte en el Acuerdo sobre el Espacio Económico Europeo (*BOE* nº 266, de 3 de noviembre de 2010).

38   Instrucción DGI/SGRJ/03/2010 sobre aplicación de la sentencia del TS de 1 de junio de 2010, relativa a la anulación de varios apartados del RD 240/2007, sobre entrada y permanencia en España de ciudadanos de los Estados miembros de la Unión Europea y otros Estados parte en el Espacio Económico Europeo, de 4 de noviembre de 2010.

39   ECLI:EU:C:2018:570.

40   STRUMIA, FRANCESCA, "The Family in EU Law After the *SM* Ruling: Variable Geometry and Conditional Deference European Papers", *European Forum*, vol. 4, nº 1, 2019, pp. 389-393; PERELLI,

En este asunto, la Sra. Banger, de nacionalidad sudafricana, y su pareja, el Sr. Philip Rado, nacional del Reino Unido, convivieron en Sudáfrica de 2008 a 2010. En mayo de 2010 el Sr. Rado aceptó un puesto de trabajo en los Países Bajos, Estado miembro en el que convivió con la Sra. Banger hasta 2013, y en el que se expidió a esta última una tarjeta de residencia de familiar de ciudadano de la Unión, como "miembro de la familia extensa" de un ciudadano de la UE, por ser considerados ambos pareja estable. En 2013, la Sra. Banger y el Sr. Rado decidieron instalarse en el Reino Unido. La Sra. Banger solicitó al Ministerio del Interior de este Estado miembro que se le expidiese una tarjeta de residencia, la cual le fue denegada por ser la pareja no casada del Sr. Rado, ya que la normativa británica de transposición de la Directiva 2004/38, disponía que únicamente podía considerarse miembro de la familia de un ciudadano británico a su cónyuge o pareja registrada, y no a la pareja de hecho.

El TJUE, en su sentencia, confirma que el art. 21 TFUE, apartado 1, debe interpretarse en el sentido de que obliga al Estado miembro del que es nacional un ciudadano de la Unión a facilitar la concesión de una tarjeta de residencia a la pareja no registrada, nacional de un tercer Estado, con la que el ciudadano de la Unión mantiene una relación estable, debidamente probada, cuando dicho ciudadano de la Unión regresa con ella al Estado miembro del que es nacional, para residir en este tras haber ejercido su derecho de libre circulación para trabajar en un segundo Estado miembro, conforme a los requisitos establecidos en la Directiva 2004/38/CE del Parlamento Europeo y del Consejo, de 29 de abril de 2004, relativa al derecho de los ciudadanos de la Unión y de los miembros de sus familias a circular y residir libremente en el territorio de los Estados miembros[41].

En España ocurría igual que en el Reino Unido. Hasta el 9 de diciembre de 2015 no se consideraba a la pareja estable como parte de los familiares a los que se podía incluir en el régimen comunitario. El RD 240/2007 tuvo que ser reformado (debido a un requerimiento de la Comisión Europea por deficiente transposición de la Directiva 2004/38) para ampliar el concepto de "familia" a la que le resultaba de aplicación el régimen comunitario. La reforma se articuló introduciendo un nuevo art. 2 bis) en la norma de transposición, incluyendo de esta manera, en el régimen comunitario, a la denominada "familia extensa". Se considera como tal, por una parte, a todos los miembros de la familia no incluidos en el art. 2 RD 240/2007 y, por otra parte, a la pareja de hecho. En

---

ANDREA, "Coppie di fatto e libertà di circolazione", *DPCE Online*, v. 37, n° 4, enero 2019. Disponible en: http://www.dpceonline.it/index.php/dpceonline/article/view/601; SPALDING, AMANDA, "Where Next After Coman?", *European Journal of Migration and Law*, vol. 21, 2019, pp. 117-139.

[41]   Para un análisis de la jurisprudencia del TJUE, CRESPO NAVARRO, ELENA, "La libertad de circulación y residencia de los ciudadanos de la Unión y de sus familiares a la luz de la jurisprudencia reciente del Tribunal de Justicia de la Unión Europea", *Revista General de Derecho Europeo*, n°. 49, 2019, pp. 52-130.

este último supuesto es necesario probar que se mantiene una relación estable. Se considerará como tal: *"aquella que acredite la existencia de un vínculo duradero. En todo caso, establece el precepto, se entenderá la existencia de este vínculo si se acredita un tiempo de convivencia marital de, al menos, un año continuado, salvo que tuvieran descendencia en común, en cuyo caso bastará la acreditación de convivencia estable debidamente probada"*. Desde nuestro punto de vista, los casos que pueden incluirse dentro de este concepto son: a) los matrimonios sin inscribir: no pueden estar incluidos en el concepto de cónyuge porque, para probar el vínculo conyugal, es requisito imprescindible el certificado del Registro correspondiente del Estado de la UE de la nacionalidad del comunitario. Se entiende que el matrimonio en sí es prueba suficiente de ser una pareja con relación estable, y si a ello unimos que tienen hijos en común o una antigüedad del matrimonio superior al año, no se les exigiría nada más que acreditar que se reúnen o acompañan y el certificado de matrimonio (no inscrito); b) las parejas de hecho no inscritas con hijos en común: tan solo se debe aportar certificado de convivencia actual de la pareja y la acreditación de la descendencia común (certificados de nacimiento, libros de familia, etc.); c) las parejas de hecho no inscritas sin hijos en común: acreditar que la convivencia marital es superior a un año (empadronamientos conjuntos, contratos de arrendamientos en común, adquisición de viviendas en común, cuentas bancarias comunes, etc.); d) parejas de hecho no inscritas sin hijos en común y sin convivencia marital superior a un año: se puede aportar cualquier prueba válida admitida en derecho que permita acreditar que, a pesar de no haber tenido una convivencia marital, se trata de un vínculo duradero (un noviazgo consolidado sin convivencia previa o que la convivencia marital sea inferior a un año). Este supuesto requiere la aportación de abundantes pruebas y un estudio muy casuístico; e) las parejas estables que tengan vínculos anteriores sin disolver: mientras el ciudadano comunitario no haya utilizado ese vínculo anterior para regularizar la situación administrativa de esa otra pareja, es válido.

IV. CONCLUSIONES

Al comenzar estas páginas me refería a la inspiración que había supuesto la figura de Mercedes Moya en mi vida académica y de cómo me había convencido de que "el Derecho había de estar al servicio de la persona". Para rendirle homenaje, he considerado que lo más acertado era, tomando como base esta idea, realizar una reflexión pausada sobre uno de los temas de investigación que han marcado mi trayectoria profesional: el estudio de la movilidad de las uniones transfronterizas. La pregunta latente ha sido siempre si sería necesaria una regulación homogénea en la UE de las uniones de pareja que evitara la dispar aplicación de las normas europeas. No obstante, tanto al comienzo de mi carrera universitaria (hace ya casi 20 años) como en la actualidad, se antoja un objetivo harto complicado. Así, se ha puesto de relieve en este trabajo que los intentos del legislador de la UE por lograr la consecución de la libre circulación de personas se topan de frente con la competencia exclusiva de los Estados en materia de familia. No obstante, se ha conseguido avanzar en algunas materias, tanto legislativa como jurisprudencialmente.

Se han analizado, en primer lugar, las consecuencias que tiene para la libre circulación de personas el que algunas normas de DIPr. de familia hayan excluido de su ámbito de aplicación o, ignorado, a las uniones de pareja. Sobre todo, en relación con la discontinuidad de las relaciones en el espacio y con las discordancias que se generan entre los propios instrumentos jurídicos. No obstante, la UE sí se ha ocupado de regular un aspecto específico de la vida familiar de las parejas registradas a través del Reglamento (UE) 2016/1104: su régimen económico. Sin embargo, como se ha puesto de manifiesto, su aplicación en los países que son parte se está revelando harto complicada, sobre todo por los problemas de calificación y de remisión a sistemas plurilegislativos como el español.

En segundo lugar, y por lo que respecta a la libre circulación de personas, hemos comprobado como el TJUE ha abierto una línea de actuación cada vez más definida (asuntos *Coman, Banger y Pancharevo*, por ejemplo) tendente a afirmar que la falta de homogeneización en la regulación de las uniones de pareja en los diferentes Estados miembros no debe afectar a la libre circulación de personas. Esto puede llevarnos a afirmar que una institución válidamente constituida en un Estado miembro tiene que ser reconocida en otro Estado miembro, aunque solo sea a los efectos de obtener la tarjeta de residente comunitario. Y a pesar de que esto no suponga la unificación de conceptos, ni la injerencia en los Derechos de familia nacionales de cada Estado, sí abre la puerta a tener que reconocer la institución creada, lo que puede generar una cierta homogeneización de conceptos en la UE por vía indirecta.

V. BIBLIOGRAFÍA

ÁLVAREZ GONZÁLEZ, SANTIAGO, "El Reglamento 650/2012, sobre sucesiones y la remisión a un sistema plurilegislativo: algunos casos difíciles o simplemente llamativos", *Revista de Derecho Civil*, vol. II, n° 4, 2015, pp. 7-28.

ÁLVAREZ GONZÁLEZ, SANTIAGO, "¿Matrimonio entre personas del mismo sexo para toda la UE? A propósito de las conclusiones del Abogado General en el Asunto Coman", *La Ley Unión Europea*, n° 56, 2018.

ANTOKOLSKAIA, MASHA, "Would the Harmonisation of Family Law Enlarge the Gap between the Law in the Books and the Law in Action?", *FamPra.*, 2002, pp. 261-292.

ANTOKOLSKAIA, MASHA, "The Harmonisation on Family Law: Old and New Dilemas", *ERPL*, 2003, pp. 28-49.

BOELE WOELKI, KATHARINA, "The Road Towards a European Family Law", *Electronic Journal of Comparative Law*, vol. 1, nov. 1997.

BOELE WOELKI, KATHARINA, *Unifying and Harmonizing Substantive Law and the Role of Conflicts of Law*, Martinus Nijhoff Publishers, The Netherlands, 2010.

BONOMI, ANDREA, KESSLER, GUILLAUME y WAUTELET, PATRICK, "Article 3. – Definitions", in BONOMI, ANDREA y WAUTELET, PATRICK (Eds.), *Le droit européen des relations patrimoniales de couple. Commentaire des Règlements (UE) n° 2016/1103 et 2016/1104*, Bruylant, Bruselas, 2021, pp. 209-257.

CRESPO NAVARRO, ELENA, "La libertad de circulación y residencia de los ciudadanos de la Unión y de sus familiares a la luz de la jurisprudencia reciente del Tribunal de Justicia de la Unión Europea", *Revista General de Derecho Europeo*, n° 49, 2019, pp. 52-130.

DOUGAN, FILIP, "Interplay of UE and domestic private international law-property relations of cross-border couples in Slovenia", en CAZORLA GONZÁLEZ, MARÍA JOSÉ y RUGGERI, LUCÍA (Coords.), *Cross-border couples property regimes in action before courts: Understanding the EU regulations 1103/2016 and 1104/2016 in practice*, Dykinson, Madrid, 2022, pp. 243-254.

ESPINOSA CALABUIG, ROSARIO, "Evolution and Progress in the Unification of European Family Law. Account of the Success in the Two European Projects, 'EUFam's I' and 'EUFam's II'", *REDI*, vol. 72, n° 2, 2020, pp. 351-357.

GARETTO, ROBERTO, "Registered partnerships and property consequences", *Property relations of cross-border couples in the European Union*, Edizioni Scientifiche Italiane, Nápoles, 2020.

JIMÉNEZ BLANCO, PILAR, "La movilidad transfronteriza de matrimonios entre personas del mismo sexo: la UE da un paso: Sentencia del Tribunal de Justicia de 5 de junio de 2018, asunto C- 673/18: Coman", *La Ley Unión Europea*, n° 61, 2018.

KHOLER, CHRISTIAN, "Unification of private international law in family matters in the European Union cultural issues", en VIARENO, ILARIA y VILLATA, FRANCESCA (Eds.), *Planning the future of cross border families: A Path Through Coordination*, Hart Publishing, Oxford, 2020, pp. 3-22.

MARÍN CORSARNAU, DIANA, "Nuevos y heredados desafíos en el contexto del regreso al país de origen del ciudadano de la Unión y su familia", *REDI*, vol. 73, n° 2, 2021, pp. 131-146.

MOTA, HELENA, "Os efeitos patrimoniais do casamento e das uniões de facto registadas no Direito Internacional Privado da União Europeia. Breve Análise dos Regulamentos (UE) 2016/1103 e 2016/1104, de 24 de Junho", *Revista Eletrónica de Direito*, n° 2, 2017.

PALAO MORENO, GUILLERMO, "Los Reglamentos europeos en materia de familia: cuestiones abiertas y problemas prácticos", *La vida familiar internacional en una Europa compleja. Cuestiones abiertas y problemas de la práctica*, Tirant lo Blanch, Valencia, 2021, pp. 23-46.

PERELLI, ANDREA, "Coppie di fatto e libertà di circolazione", *DPCE Online*, v. 37, n° 4, enero 2019.

REQUENA CASANOVA, MILLÁN, "Libre circulación de los matrimonios del mismo sexo celebrados en el territorio de la Unión Europea: consecuencias del asunto "Coman y otros", *Revista de Derecho Comunitario Europeo*, n° 62, 2019.

RODRÍGUEZ BENOT, ANDRÉS, "Los efectos patrimoniales de los matrimonios y de las uniones registradas en la Unión Europea", *CDT*, vol. 11, n° 1, 2019, pp. 8-50.

RODRÍGUEZ PINEAU, ELENA, "Los efectos patrimoniales de las uniones registradas: algunas consideraciones sobre la propuesta de Reglamento del Consejo", *AEDIPr*, t. XI, 2011, pp. 937–955.

ROSENAU, VINCIANE y THIENPONT, DELPHINE, "Regulations 2016/1103 and 2016/1104 in practice: analysis from a belgian perspective", en CAZORLA GONZÁLEZ, MARÍA JOSÉ y RUGGERI, LUCÍA (Coords.), *Cross-border couples property regimes in action before courts: Understanding the EU regulations 1103/2016 and 1104/2016 in practice*, Dykinson, Madrid, 2022, pp. 77-92.

SOTO MOYA, MERCEDES, "La aplicación de los Reglamentos 2201/2003 (Bruselas II bis) y 1259/2010 (Roma III) a los matrimonios del mismo sexo", *El arreglo pacífico de las controversias internacionales: XXIV Jornadas de la Asociación Española de Profesores de Derecho internacional y Relaciones internacionales*, Tirant lo Blanch, Valencia, 2013, pp. 595-606.

SOTO MOYA, MERCEDES, "Ámbito de aplicación personal del Reglamento 2016/1104 sobre régimen patrimonial de la pareja registrada", *Revista Internacional de Doctrina y Jurisprudencia*, n° 23, 2020.

SOTO MOYA, MERCEDES, "(Practical) Application of Regulation (EU) 2016/1104 in Spain", en CAZORLA GONZÁLEZ, MARÍA JOSÉ y RUGGERI, LUCÍA (Coords.), *Cross-border couples property regimes in action before courts: Understanding the EU regulations 1103/2016 and 1104/2016 in practice*, Dykinson, Madrid, 2022, pp. 269-278.

SPALDING, AMANDA, "Where Next After Coman?", *European Journal of Migration and Law*, vol. 21, 2019, pp. 117-139.

STEHLÍK, VLADIMIR, "The CJEU crossing the Rubicon on the same-sex marriages? Commentary on Coman case", *International and Comparative Law Review*, vol. 18, n° 2, 2018, pp. 85-99.

STOPPIONI, EDOARDO, "Une analyse critique de l'arrêt Coman: déconstruction de la consécration de l'obligation de reconnaissance du droit de séjour du conjoint homosexuel", *European Papers, European Forum*, 27 de febrero de 2019.

STRUMIA, FRANCESCA, "The Family in EU Law After the *SM* Ruling: Variable Geometry and Conditional Deference European Papers", *European Forum*, vol. 4, 2019, n° 1, 2019, pp. 389-393.

WILHELMSSON, THOMAS, "Private Law in the EU: Harmonised or Fragmented Europeanisation?", *ERPL*, 2002, pp. 77-94.

ASPECTOS TRANSFRONTERIZOS DEL PROTOCOLO FAMILIAR CON ESPECIAL INCIDENCIA A LAS CAPITULACIONES MATRIMONIALES[*]

DAVID CARRIZO AGUADO

Profesor Contratado Doctor de Derecho internacional privado
Universidad de León

I. A MODO DE INTRODUCCIÓN: LA EXPANSIÓN DE LA EMPRESA FAMILAR AL ÁMBITO INTERNACIONAL

Las empresas familiares son actores clave en la economía europea toda vez que representan un amplio y diverso colectivo en el Mercado único[1] , pues generan actividad, riqueza y empleo. Estas constituyen una parte sumamente importante del sector económico de los países desarrollados y continuarán siéndolo, por cuanto es propio de la libertad humana, el querer emprender y determinante de los padres de familia, preocuparse por la formación y seguridad económica de sus hijos[2].

A consecuencia de la importancia socioeconómica que ostenta la empresa familiar en la mayoría de las economías mundiales, así como la particular

---

[*] Trabajo realizado en el marco del Proyecto de I+D+i *"Retos de la regulación jurídico-patrimonial del matrimonio y de otras realidades (uniones de hecho) en los planos supraestatal y estatal (REJURPAT)"*, PID2019-106496RB-I00, de los Programas Estatales de Generación de Conocimiento y Fortalecimiento Científico y Tecnológico del Sistema de I+D+i. IP: Andrés Rodríguez Benot.

[1] *VIII Barómetro Europeo de la Empresa Familiar* elaborado por KPMG, y las asociaciones territoriales vinculadas al Instituto de Empresa Familiar –IEF–, 2019, 40 pp.

[2] La empresa, cuando está bien orientada, es un medio que la familia puede emplear eficazmente en la consecución de sus fines, *vid. in extenso*, GALLO LAGUNA DE RINS, MIGUEL ÁNGEL, "Tipologías de las empresas familiares", *Revista empresa y humanismo*, vol. 7, nº 2, 2004, p. 256.

incidencia que viene causando la progresiva internacionalización de la actividad empresarial, es lógico que cada vez se les preste una mayor atención[3]. De este modo, se puede aseverar que, las empresas familiares no son ajenas al fenómeno de la globalización, es más, se ven afectadas de forma muy singular por él[4].

En este contexto, cada vez son más las empresas familiares que están siendo conscientes de que la universalización no debe ser concebida como una estrategia agresiva, costosa y plagada de riesgos, sino más bien al contrario, pues estas están entendiendo que aquella es una estrategia de supervivencia. Evidentemente, el planteamiento de mundialización es el más complejo que puede abordar una empresa, ya que para competir con éxito en los mercados internacionales es preciso tener recursos estratégicos y, en particular, conocimientos valiosos que puedan proporcionar una ventaja competitiva en ellos[5].

Hay que admitir que la empresa familiar se enfrenta a un doble desafío: por un lado, crecer y expandir actividades más allá del territorio donde está domiciliada la empresa, y por otro, el mantenimiento del control empresarial en manos del grupo familiar propietario. En definitiva, se hallan dos fuerzas encontradas, estabilidad *vs.* expansión transfronteriza[6].

Ahora bien, el insuficiente nivel de internacionalización de las empresas familiares españolas se debe principalmente al retraso con el que el país llegó al proceso de construcción del Mercado único europeo. La creciente presencia de multinacionales familiares en cada uno de los mercados extranjero demuestra que, ni la cultura española ni la de las empresas familiares representan una barrera. Sí que lo ha sido, en cambio, la situación política e institucional que en el

---

[3] La presencia de un elemento internacional tiene que interpretarse en un aspecto amplio que posibilite englobar toda situación afectada por la confluencia de una pluralidad de ordenamientos dentro de un mismo país, *vid.* BELINTXON MARTÍN, UNAI, *La transmisión de la empresa familiar. Cuestiones de Derecho Europeo e Internacional*, Thomson Reuters Aranzadi, Cizur Menor, 2022, p. 31.

[4] La globalización económica obliga a las empresas familiares a asumir la internacionalización de sus actividades si desean mantener la competitividad. En su desarrollo de la actividad internacional, las alianzas estratégicas constituyen la mejor alternativa para las empresas familiares al objeto de alcanzar una posición competitiva en el mercado de destino, *vid.* GARCÍA LUPIOLA, ASIER, "La empresa familiar ante el proceso de internacionalización: retos, oportunidades y estrategias", *Actas del 12.º Congreso de Economía de Castilla y León*, Junta de Castilla y León, Consejería de Economía y Hacienda, 2011, p. 208.

[5] Para competir con éxito en los mercados internacionales es preciso tener recursos estratégicos y, en particular, conocimientos valiosos que puedan proporcionar una ventaja competitiva sobre las empresas locales, *vid.* FERNÁNDEZ RODRÍGUEZ, ZULIMA y NIETO SÁNCHEZ Mª JESÚS, "La estrategia de internacionalización de la empresa familiar", en CASILLAS BUENO, JOSÉ CARLOS (Coord.), *La internacionalización de la empresa familiar*, Cátedra de Empresa Familiar Universidad de Sevilla, Sevilla, 2008, p. 94; GUISADO TATO, MANUEL, *Internacionalización de la empresa familiar. Estrategias de entrada en los mercados extranjeros*, Pirámide, Madrid, 2002, pp. 121-124.

[6] CASILLAS BUENO, JOSÉ CARLOS, ACEDO GONZÁLEZ, FRANCISCO JOSÉ y MORENO MENÉNDEZ, ANA MARÍA, "La empresa familiar ante la globalización de los mercados", en CASILLAS BUENO, JOSÉ CARLOS (Coord.), *La internacionalización de la empresa familiar, op. cit.*, pp. 8-9.

pasado mermaba sus posibilidades para competir en igualdad con las compañías de otros países[7].

II. LA PERVIVENCIA DE LA EMPRESA FAMILIAR A TRAVÉS DEL PROTOCOLO FAMILIAR

1. Parámetro inicial

Claro está que la continuidad de la compañía familiar es un proceso estratégico fundamental[8], pues ante cualquier fracaso del ente empresarial va asociado a la familia, debido a la conjunción e interrelación de dos sistemas que, en su naturaleza poseen distintas lógicas y valores: la familia está gobernada por la unidad, permanencia, lealtad y unión[9]. Por el contrario, la empresa se asienta sobre la diversidad, la coyuntura y la competencia. Al fin y al cabo, constituyen realidades de sustantividad diferente que, con ocasión de la sucesión, han de adaptarse, o al menos, converger lo máximo posible[10].

---

[7]   Según entienden los expertos en la gestión de la empresa familiar, cuando esta se plantea su internacionalización resulta vital que tenga en cuenta una serie de factores: su nivel de profesionalización, las capacidades de su equipo directivo y del Consejo de Administración, la posible existencia de barreras de entrada, el «momento familiar», su estructura financiera, el marco fiscal y la implicación del conjunto de la familia. En general, aunque condicione la estrategia elegida, no es relevante la dimensión de la empresa, *vid.* QUINTANA NAVÍO, JAVIER, "La internacionalización de la empresa familiar española", *ICE: Revista d Economía*, n° 839, 2007, p. 120.

[8]   La sucesión es uno de los momentos más delicados en la vida de una empresa familiar. Enfrentarse al traspaso del control o la propiedad del negocio a la siguiente generación requiere anticipación, *vid.* BEIRED, ESTHER, "La empresa familiar no está suficientemente preparada para la sucesión", https://www.tendencias.kpmg.es/2020/01/empresa-familiar-sucesion-preparacion/, 7 de enero de 2021. El proceso de sucesión constituye un momento de extrema importancia porque muchas empresas no consiguen culminar con éxito el tránsito de una generación a otra, *vid.* al respecto, BANEGIL PALACIOS, TOMÁS M., HERNÁNDEZ LINARES, REMEDIOS y BARRIUSO IGLESIAS, CRISTINA, "El protocolo familiar y sus instrumentos de desarrollo en las empresas familiares de Extremadura", *Tourism & Management Studies*, n° 8, 2012, p. 141.

[9]   La solidaridad en la empresa familiar, que es siempre con motivo de la profunda unión, ofrece un mayor número de facetas que en las compañías no familiares. En efecto, todo miembro de la familia que trabaja en la empresa debe cuidar el bien común de toda la familia al considerar que trabaja para la comunidad de personas que es la familia, es decir, se trabaja para la familia, y ha de saber cómo equilibrar ambos bienes comunes: el de la familia y el de la empresa, *cfr.* GALLO LAGUNA DE RINS, MIGUEL ÁNGEL, "Empresa familiar: incrementar su supervivencia", *Tribuna plural: la revista científica*, n° 15, 2017, p. 131.

[10]   DE LA TORRE GARCÍA, ALBERTO ENRIQUE, CONDE VIÉITEZ, JORGE ALBERTO y SÁNCHEZ-ANGUITA MUÑOZ, ÁNGEL, "Sucesión e internacionalización de la empresa familiar. Situación actual", en VELARDE ARAMAYO, M.ª SILVIA (Coord.), *Derecho económico e internacionalización empresarial*, Ratio Legis, Salamanca, 2006, p. 382. En realidad, la resiliencia siempre ha sido un atri-

El Protocolo Familiar se constituye como un instrumento específico de las empresas familiares para regular todos aquellos aspectos que faciliten su continuidad, anticipándose a las eventuales discrepancias que puedan surgir en su seno y garantizando el mantenimiento de las coordenadas básicas particulares de la empresa.

2. Aproximación conceptual

El Protocolo Familiar puede ser definido teóricamente como un acuerdo marco o norma fundamental de una empresa familiar[11], mediante el cual se regulan las relaciones económicas y profesionales de sus miembros y de la propia empresa[12], con el fin último de garantizar la continuidad y desarrollo de esta, en armonía con las aspiraciones económicas y personales de los componentes[13]. O, dicho de otro modo, es una guía, una hoja de ruta, un compromiso de acciones de futuro, una forma de programar en el tiempo la adopción de las decisiones

---

buto que ha marcado la diferencia en las compañías. Especialmente en las familiares, en las que su vocación de perdurabilidad las ha hecho testigo de los cambios del paso del tiempo en la economía y la sociedad. A lo largo de su historia las empresas familiares han sabido adaptarse, afrontando los retos con optimismo y tenacidad para convertirlos en una oportunidad de crecimiento, *vid.* FAURA BORRUEY, MIGUEL ÁNGEL, "La empresa familiar ante su mayor prueba de resiliencia", https://www.tendencias.kpmg.es/2021/03/la-empresa-familiar-ante-su-mayor-prueba-de-resiliencia/, febrero 2021.

[11]   En palabras de Vicent Chuliá, es el documento básico de organización de la sociedad familiar que planifica las relaciones entre el grupo familiar, la propiedad familiar y la empresa o sociedad familiar fijando las reglas a observar sobre multitud de temas. VICENT CHULIÁ, FRANCISCO, "Organización jurídica de la sociedad familiar", en NAVARRO SALINAS, ANA (Ed.), *Derecho de sociedades: libro homenaje al profesor Fernando Sánchez Calero*, McGraw-Hill Interamericana de España, Madrid, 2002, p. 4565.

[12]   La doctrina latinoamericana entiende que, los acuerdos de mayor trascendencia que normalmente integran los Protocolos Familiares son aquellos dirigidos a regular la integración de los órganos de dirección y gobierno de la empresa y la política de transmisión de la propiedad (control de acceso a la propiedad, limitación para terceros, etc.), *vid.* por todos, DELUCCHI, ANDREA, "Gobierno y sucesión en la empresa familiar latinoamericana", *IEEM Revista de Negocios*, año 15, nº 4, 2012, p. 94.

[13]   Desde esta perspectiva ofrecida, el alcance y eficacia del Protocolo serán tan amplia como dispongan los integrantes de la compañía familiar que quieran adherirse a él. Por ende, constituye un documento para dotar de eficacia la implementación de diversos negocios jurídicos, PECOURT GOZÁLBEZ, ENRIQUE, "Aspectos civiles del Protocolo Familiar", en AA.VV., *Claves para la continuidad de la Empresa Familiar. Comunicación, aspectos económicos y jurídicos*, 1ª ed., Federación Asturiana de Empresarios y Septem Ediciones, Oviedo, 2006, pp. 192-193; FERNÁNDEZ-SANCHO TAHOCES, ANA SUPAYA, "La sucesión en la empresa familiar: el protocolo familiar y su publicidad registral", *Revista Aranzadi de Derecho Patrimonial*, nº 23, 2009, versión on line. BAREA MARTÍNEZ, Mª TERESA, "El protocolo familiar ", *Cuadernos de derecho y comercio*, nº extra 1, 2017, p. 302.

que mejor se adaptan a la voluntad de hacer compatible la continuidad del binomio empresa-familia[14].

En el Derecho positivo español se halla definido por el párrafo primero del art. 2 del Real Decreto 171/2007, de 9 de febrero, por el que se regula la publicidad de los protocolos familiares[15]. El legislador lo delimita como un pacto suscrito por los socios entre sí o con terceros con los que guardan vínculos familiares que afectan a una sociedad no cotizada, en la que tengan un interés común en orden a lograr un modelo de comunicación y consenso en la toma de decisiones para regular las relaciones entre familia, propiedad y empresa que afectan a la entidad.

Ahora bien, este concepto no tiene carácter omnicomprensivo, sino que se acuña a los solos efectos de señalar qué se entiende por Protocolo Familiar como negocio jurídico que puede ser objeto de publicidad registral[16]. La norma *supra* señalada permite –siempre con carácter voluntario– hacer públicos en el Registro Mercantil los acuerdos que los socios alcancen entre sí o con terceros, si conviene a su estrategia empresarial[17]. En este sentido, el Protocolo solo podrá

---

[14]   CORONA RAMÓN concluye que es una guía familiar sobre el futuro de la empresa para mantenerla precisamente en el marco de la propia familia, *vid.* CORONA ARAGÓN, JUAN, "Reconocimiento jurídico del protocolo familiar", *Escritura pública*, n° 45, 2007, p. 49. Se vislumbra un conjunto de pactos con visos de perdurabilidad, pero no inamovibles, así lo expresa CABAÑETE POZO, ROSARIO, "La publicidad de los protocolos familiares", en HERRERA CAMPOS, RAMÓN y BARRIENTOS RUIZ, MIGUEL ÁNGEL (Eds.), *Derecho y familia en el siglo XXI*, Universidad de Almería, Almería, 2011, p. 539.

[15]   *BOE* n° 65, de 16 de marzo de 2007. Tal norma se aplica únicamente a las Sociedades Familiares mercantiles no admitidas a cotización. Además, se implementa al Protocolo Familiar formulado tanto en Sociedades Familiares personalistas como capitalistas, de ello advierten DÍAZ GÓMEZ, Mª ANGUSTIAS y DÍAZ GÓMEZ, ELICIO, "La empresa familiar y su organización en forma de sociedad mercantil, con especial referencia a la sociedad de responsabilidad limitada", *Pecunia: Revista de la Facultad de Ciencias Económicas y Empresariales*, n° 12, 2011, p. 170. Las sociedades familiares de capital con base personalista se caracterizarían por tratar de conjugar la estructura corporativa típica de una sociedad de capital con elementos de personificación que relativicen aquella estructura, sin que ello suponga la pérdida de sus «rasgos de identidad» como tal sociedad de capital. La presencia de ese *intuitu personae* supondría que se trata de sociedades con un número tendencialmente reducido de socios; en este sentido, se entiende que el principio de personalidad de los socios alcanzan el grado de principio básico para estos modelos empíricos, *vid.* VIERA GONZÁLEZ, ARÍSTIDES JORGE, "Algunas reflexiones sobre el "Proyecto de Real Decreto regulador de la publicidad de los protocolos familiares" y la empresa familiar", *Revista Derecho de Sociedades*, n° 26, 2006, versión on line.

[16]   SÁNCHEZ CRESPO CASANOVA, ANTONIO J., *El Protocolo Familiar. Una aproximación práctica a su preparación y ejecución*, Gofer, Madrid, 2009, pp. 144-145.

[17]   El acceso registral puede llevarse a cabo mediante tres modalidades: en primer lugar, la mera mención de la existencia de un protocolo, con referencia a sus datos identificativos y no a su contenido en el asiento de inscripción. En segundo término, es posible publicitar el depósito del protocolo o parte de él, con ocasión de la presentación de las cuentas anuales. Finalmente, también podrá inscribirse en el Registro Mercantil un documento público o como consta en el Real Decreto, hacer constar "la escritura de elevación a público de acuerdos sociales que contenga cláusulas

publicarse cuando, previamente a la decisión sobre su ajuste al interés social que debe tomar el órgano de administración, así lo hayan decidido todas y cada una de sus partes[18].

En términos generales, con este enfoque se persigue otorgar a la empresa familiar la máxima flexibilidad para decidir la publicidad del Protocolo en función de los intereses deseados[19].

3. Implementación en el tráfico jurídico

De todo lo anterior se deduce que la naturaleza del mismo es poliédrica, pues debe ser concebido como un instrumento para el buen gobierno de la empresa familiar en el que se enmarcan las reglas del juego que armonizan los valores, funciones y los intereses propios de la familiar y la empresa[20].

Además, es usual que vaya acompañado de otros instrumentos con gran trascendencia para terceros, como son las capitulaciones matrimoniales en donde se establece, en su caso, el régimen económico matrimonial elegido por el matrimonio que ostentan la condición de empresarios -cuestión que será desarrollada en el epígrafe III-, sin olvidar que, a pesar de no ser objeto de la presente investigación, revisten importancia tales como las estipulaciones testamentarias, los pactos parasociales o los mecanismos extrajudiciales de resolución de conflictos[21].

---

inscribibles, en ejecución del protocolo". Desde el campo de la práctica empresarial se aprecia que, dado lo complejo de la elaboración de un Protocolo serán pocas las empresas que se lancen a hacer públicos sus acuerdos, por ello, se prevé que la fórmula de acceso al Registro Mercantil más utilizada sea la mera mención, *vid.* FERNÁNDEZ, PEDRO MARÍA, "La publicidad de los protocolos familiares", *Escritura pública*, n° 45, 2007, p. 48. Para un análisis individualizado de cada vía, *vid.* RODRÍGUEZ DÍAZ, ISABEL, "El protocolo familiar y su publicidad: de las iniciativas comunitaria y española al Real Decreto 171/2007, de 9 de febrero, por el que se regula la publicidad de los protocolos familiares", *Revista de Derecho Mercantil*, n° 266, 2007, versión on line.

[18]   Los sujetos del Protocolo son los únicos legitimados no solo para impulsar su publicidad, sino también para decidir, en principio, cual haya de ser la forma de esa publicidad. Así queda razonado por FERNÁNDEZ DE CÓRDOVA CLAROS, ÍÑIGO, "La publicidad registral del protocolo familiar", *Academia Sevillana del Notariado*, t. 18, 2009, p. 94.

[19]   CAMISÓN ZORNOZA, CÉSAR y RÍOS NAVARRO, ALEJANDRO, *El Protocolo Familiar: metodologías y recomendaciones para su desarrollo e implantación*, Tirant lo Blanch, Valencia, 2016, p. 54.

[20]   El Protocolo Familiar es un negocio jurídico de contenido heterogéneo y complejo con una fuerte pretensión de ordenar, prever y solucionar de manera unitaria y global, todos los problemas que pudieran surgir en el seno de la empresa familiar. Para una delimitación minuciosa, *vid.* BAREA MARTÍNEZ, Mª TERESA, "El protocolo familiar ", *cit.*, pp. 302-304.

[21]   Así lo entiende PÉREZ-FADÓN, en tanto que su contenido puede ser muy amplio, pero en todo caso debe enfocarse al objetivo de mantener la propiedad y el control de la empresa en el grupo familiar. ..." los avatares del matrimonio de los miembros "natos" de la familia no deberá influir negativamente en el propio grupo familiar, ni en la empresa, *cfr.* PÉREZ-FADÓN MARTÍNEZ, JOSÉ JAVIER, *La empresa familiar. Fiscalidad, organización y protocolo familiar*, CISS, Valencia, 2005, pp. 40-47, esp. 44.

Claramente, todo este lote de elementos hará más fácil no solo la organización y gestión de la empresa familiar, sino también la continuidad de la misma[22], ya que muchas de las dificultades que pudieran surgir entre la familia, propiedad y empresa, permanecerían paliadas[23].

4. Eficacia, contenido y naturaleza jurídica del Protocolo Familiar

Una de las cuestiones más fundamentales del Protocolo desde la óptica jurídica es, sin duda alguna, lo atinente al establecimiento de mecanismos que permitan garantizar de la manera más eficaz, el carácter jurídicamente vinculante de sus previsiones.

Conviene indicar que, en la medida en que las previsiones contenidas en el Protocolo Familiar hayan tenido acceso a los diversos instrumentos negociales indicados anteriormente –régimen económico matrimonial, las cuestiones sucesorias y los pactos parasociales-[24], su cumplimiento podrá ser exigido a través de los cauces previstos por el ordenamiento jurídico, tanto interno como europeo, con el objeto de garantizar la eficacia de los mismos, no solo entre el propio núcleo familiar sino también frente a terceros –acreedores, socios ajenos al Protocolo, beneficiarios de cláusulas testamentarias…[25]-.

---

[22]   …el protocolo familiar tiene como finalidad garantizar la continuidad de la empresa familiar en manos de la familia propietaria, evitando los conflictos o, de darse dichos conflictos, contando con mecanismos para solucionarlos, *vid*. ECHAIZ MORENO, DANIEL, "El protocolo familiar. La contractualización en las familias empresarias para la gestión de las empresas familiares", *Boletín Mexicano de Derecho Comparado*, n° 127, 2010, p. 129. O, dicho de otro modo, … los protocolos tienen la finalidad de dar un orden de acción y de facilitar la toma de decisiones, que en organizaciones donde se involucran la propiedad, la familia y la empresa, se vuelven mucho más complejas. Por ello, su objetivo básico es guiar a los líderes organizacionales en un proceso mesurado, equilibrado y justo pero apegado a la norma establecida, *vid*. VANONI MARTÍNEZ, GIUSEPPE y PÉREZ, Mª JOSÉ, "Protocolo: un instrumento para mediar conflictos en empresas familiares", *Revista de la Facultad de Ciencias Económicas, Administrativas y Contables de la Universidad Simón Bolívar-Barranquilla-Colombia*, vol. 7, n° 2, 2015, p. 94.

[23]   De ello dan cuenta, SÁNCHEZ CRESPO CASANOVA, ANTONIO J. y CALERO ARTERO, JOSÉ F., *La empresa familiar. Guía práctica de organización y funcionamiento. Desde el punto de vista familiar, civil – matrimonial y sucesorio–, societario y fiscal*, Comares, Granada, 2000, p. 34. Tal y como afirma VALERO LÓPEZ, la finalidad primordial del protocolo familiar es lograr que la familia y la empresa formen un solo bloque cohesionado, unido por lazos de afectividad, conciencia social y profesionalidad y que las normas que se establezcan resuelvan al mismo tiempo las inquietudes o necesidades legítimas de los miembros de la familia, *vid*. VALERO LÓPEZ, MIGUEL ÁNGEL, "El Protocolo de una empresa familiar debe armonizar todos los intereses", *Técnica contable y financiera*, n° 1, 2017, p. 141.

[24]   VICENT CHULIÁ, FRANCISCO, "Protocolo familiar, organización jurídica y relevo generacional de la empresa familiar", en AA.VV., *La empresa familiar y su relevo generacional*, Marcial Pons, Madrid, 2011, p. 129.

[25]   Esta actividad está sustentada por el principio de la autonomía de la voluntad; si bien, es habitual que sea vea reforzada con la inserción de cláusulas penales que impongan al eventual incumplidor, la obligación de satisfacer una indemnización en concepto de sanción: *vid*. DÍEZ SOTO, CARLOS

Como puede atisbarse, la esencia del mismo puede ser tan amplia y variada como las necesidades de la familia y empresa presenten[26], pues no tiene un contenido predefinido ya que se trata de un documento dinámico, abierto y flexible[27]. A saber, el Protocolo Familiar no puede ser un documento estándar sino uno *ad hoc* que recoge y contempla las especificidades y particularidades de la empresa familiar en cuestión[28]. Con toda razón, la doctrina privatista entiende que será el juego del principio de la autonomía de la voluntad[29], sin obviar el límite estipulado por el art. 1255 CC -en consonancia con los intereses de cada empresa-, el que en cada momento concreto el contenido del Protocolo, con base en los términos en que cada familia entienda en función de si es útil o necesario en cada caso concreto[30].

Por consiguiente, en cada supuesto concreto se debe que crear y desarrollar *ex profeso*[31], de manera clara y concreta, un orden jurídico particular para cada familia de modo tal que, al interior de la misma, se provean las herramientas necesarias para que, junto con la armonía familiar y la trascendencia del linaje, estas

---

MANUEL, "El Protocolo Familiar: naturaleza y eficacia jurídica", en SÁNCHEZ RUIZ, MERCEDES (Coord.), *Régimen jurídico de la Empresa Familiar*, Civitas Thomson Reuters, Navarra, 2010, p. 181.

26   El éxito del Protocolo dependerá si se parte de una fase inicial de reflexión acerca de la dinámica de la familia y las circunstancias específicas de cada uno de sus miembros, así lo entienden desde la óptica de la ciencia económico-empresarial, *vid.* TÀPIES, JOSEP y CEJA, LUCÍA, *Los protocolos familiares en países de habla hispana: cómo son y para que se utilizan*, IESE Business School y Cátedra de Empresa Familiar, Navarra, 2011, p. 17.

27   Expertos prácticos afirman que no existe un modelo único de Protocolo Familiar. Todas las familias son diferentes, por ende, para el diseño de un Protocolo Familiar, deben considerarse las características particulares de cada familia, su composición, visión, intereses, necesidades personales de los integrantes, valores, etc. Además, las expectativas de los integrantes de la empresa familiar no son estáticas y no están ligadas a la vida activa de la empresa ni a sus resultados concretos: *vid.* DELUCCHI, ANDREA, "Empresas Familiares –Conflictos–: El Protocolo Familiar", *XI Congreso Argentino de Derecho Societario*, 2010, pp. 34-35.

28   GRANJO ORTIZ, ANIA, "La virtualidad jurídica del protocolo de la empresa familiar. Pactos para la contratación laboral de familiares y externos", en PLAZA PENADÉS, JAVIER (Dir.), *Cuestiones Jurídicas de la Empresa Familiar en España y en Cuba*, 1ª ed., Thomson Reuters Aranzadi, Navarra, 2016, versión on line.

29   La inmensa mayoría de los sistemas jurídicos del mundo han potenciado el principio de la autonomía de la voluntad en el Derecho privado. Magistralmente CALVO CARAVACA delimita las ventajas, críticas y razones de esta en el sector contractual: *vid.* CALVO CARAVACA, ALFONSO LUIS, "Fundamentos teóricos de la autonomía de la voluntad en los contratos internacionales", *Revista Jurídica del Notariado*, nº 111, 2020, pp. 163-180.

30   GALLEGO DOMÍNGUEZ, IGNACIO, "El protocolo familiar. Un instrumento para la vida y el relevo generacional en la empresa familiar", en JIMÉNEZ LIÉBANA, DOMINGO (Coord.), *Estudios de derecho civil en homenaje al profesor José González García*, Thomson Reuters Aranzadi y Universidad de Jaén, Navarra, 2012, p. 402.

31   El Protocolo debe perfilarse partiendo de las necesidades concretas de esta, configurándose como un elemento con identidad propia, que ha de resultar apoyado por cuantos instrumentos jurídicos sean necesarios para dotar las pautas adoptadas de efectividad: *cfr.* BARRÓN LÓPEZ, Mª CARMEN, *Arbitraje y Mediación en la empresa familiar*, Tirant lo Blanch, Valencia, 2021, p. 122.

vayan también ligadas a una especie de trascendencia y transmisión patrimonial en beneficio de todos los miembros de la familia, tanto de los actuales, así como de las sucesivas generaciones[32].

Sea como fuere, se deduce que es un medio para conseguir el conjunto de objetivos inherentes a la empresa familiar, sin olvidar que debe perfilarse adecuadamente para alcanzar que tal documento constituya un verdadero contrato exigible[33]. Ahora bien, la naturaleza contractual del Protocolo Familiar, entendiendo por este, el convenio familiar escrito mediante el cual se obligan las personas que lo suscriben con la fuerza jurídica propia de un contrato, generando pues, derechos y obligaciones para los firmantes, y su configuración como pacto parasocial, hace que sus efectos queden circunscritos al ámbito subjetivo de los contratantes, por ende, es manifiesto que la fuerza jurídica del protocolo familiar quede debilitada por ese carácter contractual[34]. Asimismo, su inoponibilidad frente a terceros o el carácter voluntario de su publicidad registral puede provocar, en ocasiones, una escasa utilidad del documento[35].

---

[32]   Este planteamiento lo matiza ÁLVAREZ DE LINERA a través de la idea de que cada familia es distinta y ofrece diversos niveles de complejidad, por lo que en la medida en que las familias se tornan más complejas es necesario trabajar mucho más en la manera en que se cuidará y conservará el orden familiar a través de las generaciones, *vid.* por todos, ÁLVAREZ DE LINERA GRANDA, PABLO, "Familia empresaria y empresa familiar", *Actualidad Civil*, n° 7-8, 2018, versión on line.

[33]   En atención a la doctrina pura civilista, de considerar al Protocolo como un contrato debería calificarse como atípico, pues en él se combinan dos o más tipos de contratos de los que legalmente establece el Código Civil. *Vid.* por todos, CUCURULL POBLET, TATIANA, *El protocolo familiar "mortis causa"*, Dykinson, Madrid, 2015, pp. 111-113 y bibliografía allí citada. Por ello, desde un punto de vista puramente jurídico, resulta imposible atribuir al Protocolo Familiar una naturaleza unitaria, así lo denota DÍEZ SOTO, CARLOS MANUEL, "El protocolo familiar", en MONREAL MARTÍNEZ, JUAN, SÁNCHEZ MARÍN, GREGORIO, MEROÑO CERDÁN, ÁNGEL LUIS y SABATER SÁNCHEZ, RAMÓN (Coords.), *La gestión de las empresas familiares. Un análisis integral*, Thomson Reuters, Navarra, 2009, p. 318.

[34]   Es importante subrayar que el alcance de este tipo de entendimientos se limita a las partes que lo suscriban y que es muy difícil que estos puedan trascender de manera vinculante con respecto a terceros, incluyendo los miembros de las nuevas generaciones de la propia familia. Así, para que estos acuerdos también sean vinculantes -con efectos de /ex ínter partes- con respecto a las nuevas generaciones, será necesario que cada una de las personas que se vaya agregando manifieste su adhesión y ratificación expresa al mismo. Oportuno y sensatamente queda anotado por ÁLVAREZ DE LINERA GRANDA, PABLO, "Familia empresaria y empresa familiar", *cit.* También ha de tenerse en consideración que, desde una perspectiva societaria, y aunque dependerá del contenido en cada caso, puede entenderse que, en general, el Protocolo Familiar tiene la naturaleza contractual de pacto de socios, y como tal, una parte del mismo suele contener los aspectos propios de este tipo de acuerdos: *vid.* PEREA ORTEGA, RAFAEL, "El protocolo como instrumento de buen gobierno en la empresa familiar", *eXtoikos*, n° 21, 2018 p. 18.

[35]   La publicidad es un instrumento que redunda en la transparencia de información respecto de la organización empresarial familiar, *vid.* CABAÑETE POZO, ROSARIO, "La publicidad de los protocolos familiares", en HERRERA CAMPOS, RAMÓN y BARRIENTOS RUIZ, MIGUEL ÁNGEL (Eds.), *Derecho y familia en el siglo XXI*, Universidad de Almería, Almería, 2011, p. 545. No debe ignorarse que solo los acuerdos inscribibles en virtud de un Protocolo Familiar gozarán de fe pública registral. En cuanto al acceso del Protocolo al Registro Mercantil, su calificación registral y efectos

Atendiendo a su cariz contractual conviene señalar que, evidentemente, existe un acuerdo de voluntades –art. 1254 CC–, pero no es menos cierto que es algo más que un simple contrato, tanto por su contenido, así como por la necesidad de desarrollo ulterior en otros instrumentos jurídicos. De ahí, a que se pueda identificar una naturaleza y contenido plural como documento marco, como contrato y como contrato preparatorio[36].

Sentado lo anterior, las partes del contrato en que el Protocolo Familiar reposa, pueden serlo o bien, solamente los socios, o bien, terceros, no socios, con tal de que unidos entre sí por «vínculos familiares» exista un interés común en la sociedad[37].

Así las cosas, el protocolo es ciertamente un instrumento de valor jurídico contractual pero está, además, dotado de una eficacia reguladora que pudiéramos denominar «dinámica» en el ámbito sistémico-familiar y societario, o sea, un contrato con eficacia obligacional interna, que representa para la empresa familiar un *tertium genus*, cuestión cualitativamente diferente de una cláusula estatutaria de una sociedad familiar y de un documento jurídico contractual clásico de carácter estático y eficacia *inter partes*[38].

Como se ha venido observando, para alcanzar su máxima y deseada eficacia como pilar central de la empresa familiar, resulta esencial adaptar el contenido del Protocolo a determinados documentos de carácter societario y civil que, entre los más adecuados, se hallan los estatutos sociales de la compañía, los acuerdos parasociales, la modificación de los órganos de gobierno, los testamentos, los pactos sucesorios o las capitulaciones matrimoniales, y de este modo extender su fuerza vinculante no solo a los firmantes, sino también a cuantos se incorporen a la empresa[39].

---

de dicha publicidad, *vid.* FERNÁNDEZ-SANCHO TAHOCES, ANA SUPAYA, "La nueva publicidad del protocolo familiar", en HERRERA CAMPOS, RAMÓN y BARRIENTOS RUIZ, MIGUEL ÁNGEL (Eds.), *Derecho y familia en el siglo XXI, op. cit.*, pp. 599-602.

[36]   En estos términos es precisado por GALLEGO DOMÍNGUEZ, IGNACIO, "El protocolo familiar. Un instrumento para la vida y el relevo generacional en la empresa familiar", en JIMÉNEZ LIÉBANA, DOMINGO (Coord.), *Estudios de derecho civil en homenaje al profesor José González García*, Thomson Reuters Aranzadi y Universidad de Jaén, Navarra, 2012, p. 398.

[37]   FERNÁNDEZ DE CÓRDOVA CLAROS, ÍÑIGO, "La publicidad registral del protocolo familiar", *cit.*, p. 85.

[38]   Así lo determina, LUQUIN BERGARECHE, RAQUEL, "Actualidad de la empresa familiar: protocolos, planificación estratégica y cláusulas ADR como instrumentos jurídicos de continuidad y empowerment", *Aranzadi civil-mercantil. Revista doctrinal*, nº 11, 2017, versión on line.

[39]   DÍEZ SOTO, CARLOS MANUEL, "El protocolo familiar", en MONREAL MARTÍNEZ, JUAN, SÁNCHEZ MARÍN, GREGORIO, MEROÑO CERDÁN, ÁNGEL LUIS y SABATER SÁNCHEZ, RAMÓN (Coords.), *La gestión de las empresas familiares. Un análisis integral*, Thomson Reuters, Navarra, 2009, p. 335; GARCÍA COMPANYS, ANNA, "El Protocolo Familiar: La solución jurídica para la empresa familiar", *Cuadernos Prácticos de Empresa Familiar*, vol. 5, nº 1, 2017, pp. 9-10; BARRÓN LÓPEZ, Mª CARMEN, "Reflexiones sobre el protocolo familiar jurídico", *Revista Bo-*

III. LA ORGANIZACIÓN DEL RÉGIMEN ECONÓMICO MATRIMONIAL A TRAVÉS DE CAPITULACIONES MATRIMONIALES EN EL ÁMBITO DEL DERECHO PRIVADO EUROPEO

1. Aspectos preliminares

Conviene tener presente que, en el actual orden social globalizado, en el que prima la diversidad familiar y es habitual el elemento transnacional se requiere una variedad de marcos regulatorios que se adecúen mejor y más justamente a las necesidades concretas de los diversos modelos familiares, como es la empresa familiar[40]. Modelos que, sin duda alguna, transmutan y demandan un mayor de ámbito de autorregulación de las relaciones jurídicas familiares, sobre todo entre los cónyuges, promoviendo reformas legales *ad hoc* que llegan, siempre, a remolque de esas transformaciones sociales[41].

2. Marco regulatorio

De todos es muy bien sabido que, en los supuestos con elementos extranjeros, el régimen económico matrimonial se rige, para todos los Estados miembros de la Unión Europea que participan en el mismo, por la ley designada a través de las normas de conflicto contenidas en el *Reglamento (UE) 2016/1103 del Consejo, de 24 de junio de 2016, por el que se establece una cooperación reforzada en el ámbito de la competencia, la ley aplicable, el reconocimiento y la ejecución de resoluciones en materia de regímenes económicos matrimoniales*[42]. Dicha norma comunitaria se aplica íntegramente, en general, a matrimonios celebrados tras el día 29 enero 2019.

---

liviana de Derecho, n° 30, 2020, pp. 622-639; ALONSO-MUÑUMER, MARÍA ENCISO, "El protocolo familiar", en ORTEGA BURGOS, ENRIQUE (Dir.), *Tratado jurídico y fiscal de la Empresa Familiar*, Tirant lo Blanch, Valencia, 2021, p. 139.

[40] ...el modelo de familia de la sociedad global no responde, ni mucho menos, a una concepción única. *Vid.* URREA SALAZAR, MARTÍN JESÚS, "Las crisis familiares en el sistema español de Derecho Internacional Privado: ¿coherencia o barroquismo?", *Actualidad Civil*, n° 2, 2020, versión on line.

[41] En tanto la facultad de autorregulación se ejercite por los cónyuges libremente y dentro de los límites impuestos por la ley, éstos deben poder normar las relaciones patrimoniales de su matrimonio en la esfera más amplia posible. Ese mayor ámbito de cooperación exige, sin duda, la posibilidad de ajustar tales reglas a las distintas circunstancias que pueda atravesar la economía conyugal, *vid.* PAÑOS PÉREZ, ALBA, "Hacia una mayor autonomía privada en capitulaciones matrimoniales con marco transfronterizo", *Cuadernos de Derecho Transnacional*, vol. 13, n° 2, 2021, p. 441.

[42] *DOUE* L 183/1, de 8 de julio de 2016. Un sugestivo estudio en torno a su aplicación y la interacción con otros instrumentos normativos, *vid.* VIARENGO, ILARIA, "The Coordination of Jurisdiction and Applicable Law in Proceedings Related to Economic Aspects of Family Law", *Rivista di diritto internazionale privato e processuale*, n° 2, 2022. En cuanto a su doble dimensión, internacional e interregional, *vid.* CARRILLO POZO, LUIS F., "The Application of Regulation 2016/1103 in

El único precepto dedicado a las capitulaciones matrimoniales es el art. 25[43], dado que el Reglamento no dispone nada en relación con la capacidad de los cónyuges para otorgarlas válidamente[44]. El Reglamento (UE) 2016/1103 recoge con esta figura la realidad de la admisión en la mayor parte de los Estados miembros de virtualidad a la voluntad de los interesados en la ordenación de su régimen presente o futuro, aun cuando se produzcan variaciones entre ellos[45]. Lo cual se enmarca en un contexto de evolución general de las mentalidades de reconocer una mayor autonomía y responsabilidad a las personas en el Derecho de familia[46].

Spain", en CAZORLA GONZÁLEZ, MARÍA JOSÉ y RUGGERI, LUCÍA (Eds.), *Cross-border couples property regimes in action before courts. Understanding the EU regulations 1103/2016 and 1104/2016 in practice*, Dykinson, Madrid, 2022, pp. 255-256.

[43]   Nada se indica de los llamados acuerdos prematrimoniales: RODRÍGUEZ BENOT, ANDRÉS, "Los reglamentos europeos sobre consecuencias patrimoniales de los matrimonios y de las uniones registradas: justificación, caracteres generales, ámbito de aplicación y definiciones" en SERRANO NICOLÁS, ÁNGEL (Coord.), *Los Reglamentos UE 2016/1103 y 2016/1104 de regímenes económicos matrimoniales y efectos patrimoniales de las uniones registrada*, Colegio Notarial de Cataluña y Marcial Pons, Madrid, 2020, p. 41-42. En torno a esta figura *vid. in extenso* entre otros, ANTÓN JUÁREZ, ISABEL, *Acuerdos prematrimoniales internacionales*, Tirant lo Blanch, Valencia, 2019; SILLERO CROVETTO, BLANCA, "Acuerdos prematrimoniales: Legalidad y contenido", en CERVILLA GARZÓN, MARÍA DOLORES y LASARTE ÁLVAREZ, CARLOS (Dirs.), *Ordenación económica del matrimonio y de la crisis de pareja*, Tirant lo Blanch, Valencia, 2018, pp. 385-412; MORENO SÁNCHEZ-MORALEDA, ANA, "Los conflictos jurisdiccionales y de leyes en los efectos patrimoniales de las uniones de hecho", en CERVILLA GARZÓN, MARÍA DOLORES y LASARTE ÁLVAREZ, CARLOS (Dirs.), *Ordenación económica del matrimonio...*, op. cit., pp. 861-878; PÉREZ VALLEJO, ANA MARÍA, "Notas sobre la aplicación del Reglamento (UE) 2016/1103 a los pactos prematrimoniales en previsión de la ruptura matrimonial.", *Revista Internacional de Doctrina y Jurisprudencia*, nº 21, 2019, pp. 105-121.

[44]   RODRÍGUEZ RODRIGO, JULIANA, *Relaciones económicas de los matrimonios y las uniones registradas en España, antes y después de los reglamentos (UE) 2016/1103 y 2016/1104*, Tirant lo Blanch, Valencia, 2019, p. 175.

[45]   Con un objetivo claramente tuitivo, así como con el fin de que las partes puedan adoptar una decisión informada y plenamente consciente de las consecuencias que se derivan del juego de la autonomía de la voluntad, el Reglamento requiere que la *electio iuris* cumpla con las exigencias formales previstas en determinados ordenamientos estatales que se ven conectados con la relación: *Cfr.* PALAO MORENO, GUILLERMO, "La determinación de la ley aplicable en los reglamentos en materia de régimen económico matrimonial y efectos patrimoniales de las uniones registradas 2016/1103 y 2016/1104", *Revista Española de Derecho Internacional*, vol. 71, nº 1, 2019, p. 102; VINAIXA I MIQUEL, MÓNICA, "La autonomía de la voluntad en los recientes reglamentos UE en materia de regímenes económicos matrimoniales (2016/1103) y efectos patrimoniales de las uniones registradas (2016/1104)", *El orden público interno, europeo e internacional civil. Acto en homenaje a la Dra. Núria Bouza Vidal, catedrática de Derecho internacional privado*, Indret, nº 2, 2017, p. 290; VIARENGO, ILARIA, "The Coordination of Jurisdiction and Applicable Law in Proceedings Related to Economic Aspects of Family Law", *Rivista di diritto internazionale privato e processuale*, nº 2, 2022, pp. 257-282.

[46]   RODRÍGUEZ BENOT, ANDRÉS, "Los efectos patrimoniales de los matrimonios y de las uniones registradas en la Unión Europea", *Cuadernos de Derecho Transnacional*, vol. 11, nº 1, 2019, p. 27. A decir verdad, la autonomía de la voluntad de las partes se limita a un conjunto de leyes que guardan una relación suficiente con uno o ambos cónyuges y que reflejan sus lazos de integración o de identidad; la proximidad tradicionalmente seguida por las normas de Derecho internacional privado

3. Conceptualización

Los pactos o capitulaciones matrimoniales son contratos celebrados entre los cónyuges, antes o después del matrimonio y en cuya virtud tales cónyuges establecen, modifican o sustituyen el régimen económico de sus bienes[47]. Son, por tanto, contratos que regulan el régimen jurídico de la economía matrimonial, esto es, reglas que rigen la propiedad y administración de los bienes de los cónyuges, las aportaciones que los cónyuges o terceras personas deben hacer, en su caso, a la sociedad conyugal o al uso y disfrute común por parte de los miembros de la familia, y disposiciones similares[48].

Concretamente, a tenor del art. 3.1 b) y el considerando 48 del Reglamento (UE) 2016/1103, las capitulaciones matrimoniales son un tipo de disposición sobre el patrimonio matrimonial cuya admisibilidad y aceptación varía entre los Estados miembros[49]. A efectos formales, las capitulaciones matrimoniales deben expresarse por escrito fechado y firmado por ambas partes[50]. También deben cumplir los requisitos adicionales previstos en la ley aplicable al régimen

---

[47] no se abandona por completo en detrimento de los intereses puramente privados: *Cfr.* OPREA, ELENA ALINA, "Party autonomy and the law applicable to the matrimonial property regimes in Europe", *Cuadernos de Derecho Transnacional*, vol. 10, n° 2, 2018, p. 596.

Lo determinante para su determinación no es la ubicación de los acuerdos, sino su contenido y la función que estos cumplen. *Vid.* JIMÉNEZ BLANCO, PILAR, "Ley aplicable a los regímenes económicos matrimoniales en el Reglamento (UE) 2016/1103", en ÁLVAREZ RUBIO, JUAN JOSÉ, DE CASTRO RUANO, JOSÉ LUIS y SOROETA LICERAS, JUAN (Dirs.), *Cursos de Derecho Internacional y Relaciones Internacionales de Vitoria-Gasteiz*, n° 1, 2018, p. 138.

[48] De este modo, se puede afirmar que el régimen jurídico de estos pactos o capitulaciones matrimoniales en Derecho internacional privado español se recoge en dos preceptos legales: los párrafos 2 y 3 del art. 9 CC. Además, tales acuerdos pueden regular el entero régimen económico del matrimonio o sólo un aspecto o parcela del mismo, tal y como señalan CALVO CARAVACA, ALFONSO LUIS y CARRASCOSA GONZÁLEZ, JAVIER, "Los artículos 9.2 y 9.3 del Código Civil y el régimen económico matrimonial en Derecho internacional privado español. Valores, métodos y técnicas", *Cuadernos de Derecho Transnacional*, vol. 12, n° 2, 2020, pp. 208 y ss.

[49] La voluntad de los cónyuges puede manifestarse en distintos ámbitos del régimen económico del matrimonio. Así, puede serlo para elegir entre los distintos regímenes legales secundarios previstos en un sistema, o para diseñar un régimen ad hoc en aquello no prohibido por las normas imperativas o no dispositivas del régimen legal primario; o, incluso en el plano internacional, para determinar la competencia de autoridades y/o el ordenamiento aplicable a los efectos patrimoniales del matrimonio: *Cfr.* RODRÍGUEZ BENOT, ANDRÉS, "El proceso de elaboración normativa en la Unión Europea: A propósito de los reglamentos sobre régimen económico matrimonial y de las uniones registradas", en CUARTERO RUBIO, Mª VICTORIA y VELASCO RETAMOSA, JOSÉ MANUEL (Dirs.), *La vida familiar internacional en una Europa compleja. Cuestiones abiertas y problemas de la práctica*, Tirant lo Blanch, Valencia, 2021, pp. 171-172.

[50] No debe caer en baldío que, cualquier comunicación por medios electrónicos que proporcione un registro duradero del acuerdo se considerará equivalente a un escrito: *vid.* GRIECO, CRISTINA, "The role of party autonomy under the regulations on matrimonial property regimes and property consequences of registered partnerships. Some remarks on the coordination between the legal regime established by the new regulations and other relevant instruments of European Private International Law", *Cuadernos de Derecho Transnacional*, vol. 10, n° 2, 2018, p. 474.

económico matrimonial que determine la propia norma reglamentaria y en la ley del Estado miembro en el que los cónyuges tengan su residencia habitual. Igualmente, el Reglamento determina la ley ha de regular la validez material de las capitulaciones matrimoniales.

4. Exigencias de fondo y forma

El legislador ha previsto ciertas garantías contempladas en los arts. 23 y 25[51], referentes a las formalidades de dichos acuerdos, cuya función esencial no es sino actuar como garante de las relaciones entre los propios cónyuges y respecto de los terceros[52]. Nótese que, pese a que las soluciones ofrecidas en ambas normas de conflicto son prácticamente idénticas, el supuesto de hecho resulta distinto: el art. 23 se refiere al acuerdo de elección de ley, mientras que su art. 25 se refiere a las capitulaciones matrimoniales, es decir, a los acuerdos en que los cónyuges eligen, con carácter protagonista, un determinado régimen económico matrimonial en sentido material[53].

Las reglas relativas a la forma son complejas pues combinan, de una parte, la aplicación de los requisitos formales establecidos directamente por los Reglamentos con los que en su caso pudiere establecer la ley rectora del fondo y los que pudiera prescribir la ley del Estado miembro participante en el que los

---

[51]   El art. 25, en dos números que contienen conjuntamente cuatro párrafos, duplica literalmente el contenido del art. 23. Cierra el precepto un tercer ordinal en el que se da entrada a la ley aplicable al régimen económico matrimonial cuyos requisitos formales serán, además, de aplicación a la validez formal de las capitulaciones matrimoniales. Ripoll Soler critica, por un lado la opción de política legislativa basada en la introducción de los requisitos formales adicionales previstos por la ley aplicable al régimen económico matrimonial, y por otro, la absoluta falta de motivación en los considerandos de tal apuesta legal En consecuencia, este disenso acarreará inseguridad en las relaciones entre los cónyuges y mermará uno de los objetivos de los Reglamentos que es el relativo a facilitar la libre circulación de ciudadanos por el territorio de la Unión, *cfr.* RIPOLL SOLER, ANTONIO, "Artículo 25. Validez formal de las capitulaciones matrimoniales de la unión registrada", en IGLESIAS BUHIGUES, JOSÉ LUIS, y PALAO MORENO, GUILLERMO (Dirs.), *Régimen económico matrimonial y efectos patrimoniales de las uniones registradas en la Unión Europea. Comentarios a los Reglamentos (UE) nº 2016/1103 y 2016/1104,* Tirant lo Blanch, Valencia, 2019, p. 239 y 243.

[52]   Acerca de la protección a terceros, *vid.* entre otros, QUIÑONES ESCÁMEZ, ANA, "La protección de los terceros en los nuevos reglamentos (UE) de DIPr., sobre el régimen de bienes del matrimonio y de la unión registrada", en SERRANO NICOLÁS, ÁNGEL (Coord.), *Los Reglamentos UE 2016/1103 y 2016/1104 de regímenes económicos matrimoniales y efectos patrimoniales de las uniones registrada,* Colegio Notarial de Cataluña y Marcial Pons, Madrid, 2020, pp. 159-190.

[53]   Apreciación sabiamente realizada por QUINZÁ REDONDO, PABLO, "La unificación -fragmentada- del Derecho internacional privado de la Unión Europea en materia de régimen económico matrimonial. El Reglamento 2016/1103", *Revista General de Derecho Europeo,* nº 41, 2017, p. 206.

cónyuges o miembros de la pareja tuvieran su residencia habitual en el momento del otorgamiento[54].

5. Limitaciones

Solo los acuerdos relativos al régimen económico matrimonial quedan incluidos en el Reglamento (UE) 2016/1103, ya sea con vistas a organizar las relaciones patrimoniales durante el matrimonio o con vistas a su disolución. Entre otras, se encontrarían las cláusulas que establecen el régimen matrimonial, fijan la posesión o el uso de los bienes que integraban sociedad conyugal o una determinada forma de liquidación del régimen. Lo determinante para la calificación no es la ubicación de los acuerdos en un documento de capitulaciones matrimoniales, sino su contenido y la función que estos acuerdos cumplen.

Es relevante el momento de otorgamiento de las capitulaciones porque ello puede incidir en las modificaciones de la ley rectora impuesta por el Reglamento (UE) 2016/1103. Un cambio en la ley elegida es una modificación de voluntades que prevalece sobre los pactos materiales realizados en las capitulaciones y cuya validez futura quedará, por tanto, sometida a la nueva ley rectora. La posibilidad de que las capitulaciones puedan verse afectadas retroactivamente por la nueva ley elegida queda supeditada al acuerdo entre los cónyuges en ese sentido y, en todo caso, sin perjuicio de tercero[55].

6. Eficacia práctica

Los efectos que se pueden derivar del régimen económico matrimonial en la empresa familiar desempeñada por uno o dos de los cónyuges serán de vital importancia en tanto si se disuelve el matrimonio, la empresa continúe con su actividad comercial. En consecuencia, la posible situación de interrelación entre el

---

[54]   De esta manera queda expuesto por GONZÁLEZ BEILFUSS, CRISTINA, "La autonomía de la voluntad en los reglamentos europeos sobre régimen económico matrimonial y efectos patrimoniales de las parejas registradas", en SERRANO NICOLÁS, ÁNGEL (Coord.), *Los Reglamentos UE 2016/1103 y 2016/1104..., op. cit.,* p. 119.

[55]   Como apunta Jiménez Blanco, dado que el sometimiento del Reglamento (UE) 2016/1103 se realiza únicamente a la ley rectora del mismo, en cuanto a su validez material y con peso también en la validez formal, lo más práctico para los cónyuges cuando otorgan capitulaciones es que elijan una ley rectora de la norma europea con el fin de poder adecuar desde el principio sus acuerdos a la ley rectora aplicable. Si, dentro del margen de opción que les permite el art. 22, eligen la ley nacional, deben tener en cuenta que adicionalmente tendrán que respetar las exigencias de forma de la ley del Estado miembro de la residencia habitual común de los cónyuges, o de uno de ellos, si la tienen en Estados miembros diferentes. JIMÉNEZ BLANCO, PILAR, *Regímenes económicos matrimoniales transfronterizos: Un estudio del Reglamento (UE) Nº 2016/1103,* Tirant lo Blanch, Valencia, 2021, pp. 95-97.

patrimonio familiar y empresarial se producirá de forma generalizada, por ende el otorgamiento de capitulaciones matrimoniales ayudará a delimitar las obligaciones contraídas por los cónyuges en el ejercicio de la actividad mercantil. Tales acuerdos económicos entre los miembros del matrimonio, sustentados por el principio de libertad de pacto, permitirán modular el régimen patrimonial de la pareja. Con ello, se pueden estipular las condiciones de propiedad de la empresa familiar con independencia del régimen matrimonial que adopten sus socios.

Así las cosas, el legislador europeo con la promulgación del Reglamento (UE) 2016/1103, otorga bajo sus postulados la deseada seguridad jurídica que ofrece el mercado interior, permitiendo que los cónyuges sepan de antemano cuál será la ley aplicable a su régimen económico matrimonial. Por ello, unas normas armonizadas en materia de conflicto de leyes a fin de evitar resultados contradictorios son, indubitadamente, la piedra angular en esta materia. La norma debe garantizar que el régimen económico matrimonial se rija por una ley previsible con la que tenga una estrecha conexión a fin de evitar la fragmentación del régimen económico matrimonial.

IV. BIBLIOGRAFÍA

ALONSO-MUÑUMER, MARÍA ENCISO, "El protocolo familiar", en ORTEGA BURGOS, ENRIQUE (Dir.), *Tratado jurídico y fiscal de la Empresa Familiar*, Tirant lo Blanch, Valencia, 2021, pp. 127-158.

ÁLVAREZ DE LINERA GRANDA, PABLO, "Familia empresaria y empresa familiar", *Actualidad Civil*, nº 7-8, 2018, versión on line.

ANTÓN JUÁREZ, ISABEL, *Acuerdos prematrimoniales internacionales*, Tirant lo Blanch, Valencia, 2019.

BAÑEGIL PALACIOS, TOMÁS M., HERNÁNDEZ LINARES, REMEDIOS y BARRIUSO IGLESIAS, CRISTINA, "El protocolo familiar y sus instrumentos de desarrollo en las empresas familiares de Extremadura", *Tourism & Management Studies*, nº 8, 2012, pp. 139-150.

BAREA MARTÍNEZ, Mª TERESA, "El protocolo familiar", *Cuadernos de Derecho y Comercio*, nº extra 1, 2017, pp. 297-344.

BARRÓN LÓPEZ, Mª CARMEN, "Reflexiones sobre el protocolo familiar jurídico", *Revista Boliviana de Derecho*, nº 30, 2020, pp. 622-639.

BARRÓN LÓPEZ, Mª CARMEN, *Arbitraje y Mediación en la empresa familiar*, Tirant lo Blanch, Valencia, 2021.

BEIRED, ESTHER, "La empresa familiar no está suficientemente preparada para la sucesión", https://www.tendencias.kpmg.es/2020/01/empresa-familiar-sucesion-preparacion/, 7 de enero de 2021.

BELINTXON MARTÍN, UNAI, *La transmisión de la empresa familiar. Cuestiones de Derecho Europeo e Internacional*, Thomson Reuters Aranzadi, Cizur Menor, 2022.

CABAÑETE POZO, ROSARIO, "La publicidad de los protocolos familiares", en HERRERA CAMPOS, RAMÓN y BARRIENTOS RUIZ, MIGUEL ÁNGEL (Eds.), *Derecho y familia en el siglo XXI*, Universidad de Almería, Almería, 2011, pp. 533-545.

CALVO CARAVACA, ALFONSO LUIS, "Fundamentos teóricos de la autonomía de la voluntad en los contratos internacionales", *Revista Jurídica del Notariado*, nº 111, 2020, pp. 163-180.

CALVO CARAVACA, ALFONSO LUIS y CARRASCOSA GONZÁLEZ, JAVIER, "Los artículos 9.2 y 9.3 del Código Civil y el régimen económico matrimonial en Derecho internacional privado español. Valores, métodos y técnicas", *Cuadernos de Derecho Transnacional*, vol. 12, nº 2, 2020, pp. 186-225.

CAMISÓN ZORNOZA, CÉSAR y RÍOS NAVARRO, ALEJANDRO, *El Protocolo Familiar: metodologías y recomendaciones para su desarrollo e implantación*, Tirant lo Blanch, Valencia, 2016.

CARRILLO POZO, LUIS F., "The Application of Regulation 2016/1103 in Spain", en CAZORLA GONZÁLEZ, MARÍA JOSÉ y RUGGERI, LUCÍA (Eds.), *Cross-border couples property regimes in action before courts. Understanding the EU regulations 1103/2016 and 1104/2016 in practice*, Dykinson, Madrid, 2022, pp. 255-268.

CASILLAS BUENO, JOSÉ CARLOS, ACEDO GONZÁLEZ, FRANCISCO JOSÉ y MORENO MENÉNDEZ, ANA MARÍA, "La empresa familiar ante la globalización de los mercados", en CASILLAS BUENO, JOSÉ CARLOS (Coord.), *La internacionalización de la empresa familiar*, Cátedra de Empresa Familiar Universidad de Sevilla, Sevilla, 2008, pp. 3-35.

CORONA ARAGÓN, JUAN, "Reconocimiento jurídico del protocolo familiar", *Escritura pública*, nª 45, 2007, pp. 48-49.

CUCURULL POBLET, TATIANA, *El protocolo familiar "mortis causa"*, Dykinson, Madrid, 2015.

DE LA TORRE GARCÍA, ALBERTO ENRIQUE, CONDE VIÉITEZ, JORGE ALBERTO y SÁNCHEZ-ANGUITA MUÑOZ, ÁNGEL, "Sucesión e internacionalización de la empresa familiar. Situación actual", en VELARDE ARAMAYO, MARÍA SILVIA (Coord.), *Derecho económico e internacionalización empresarial*, Ratio Legis, Salamanca, 2006, pp. 375-389.

DELUCCHI, ANDREA, "Empresas Familiares –Conflictos–: El Protocolo Familiar", *XI Congreso Argentino de Derecho Societario*, 2010, pp. 29-37.

DELUCCHI, ANDREA, "Gobierno y sucesión en la empresa familiar latinoamericana", *IEEM Revista de Negocios*, año 15, nº 4, 2012, pp. 68-78.

DÍAZ GÓMEZ, Mª ANGUSTIAS y DÍAZ GÓMEZ, ELICIO, "La empresa familiar y su organización en forma de sociedad mercantil, con especial referencia a la sociedad de responsabilidad limitada", *Pecunia: revista de la Facultad de Ciencias Económicas y Empresariales*, nº 12, 2011, pp. 91-118.

DÍEZ SOTO, CARLOS MANUEL, "El protocolo familiar", en MONREAL MARTÍNEZ, JUAN, SÁNCHEZ MARÍN, GREGORIO, MEROÑO CERDÁN, ÁNGEL LUIS y SABATER SÁNCHEZ, RAMÓN (Coords.), *La gestión de las empresas familiares. Un análisis integral*, Thomson Reuters, Navarra, 2009, pp. 291-314.

DÍEZ SOTO, CARLOS MANUEL, "El Protocolo Familiar; naturaleza y eficacia jurídica", en SÁNCHEZ RUIZ, MERCEDES (Coord.), *Régimen jurídico de la Empresa Familiar*, Civitas Thomson Reuters, Navarra, 2010, pp. 167-202.

ECHAIZ MORENO, DANIEL, "El protocolo familiar. La contractualización en las familias empresarias para la gestión de las empresas familiares", *Boletín Mexicano de Derecho Comparado*, nº 127, 2010, pp. 101-130.

FAURA BORRUEY, MIGUEL ÁNGEL, "La empresa familiar ante su mayor prueba de resiliencia", https://www.tendencias.kpmg.es/2021/03/la-empresa-familiar-ante-su-mayor-prueba-de-resiliencia/, febrero 2021.

FERNÁNDEZ DE CÓRDOVA CLAROS, ÍÑIGO, "La publicidad registral del protocolo familiar", *Academia Sevillana del Notariado*, t. 18, 2009, pp. 79-120.

FERNÁNDEZ, PEDRO MARÍA, "La publicidad de los protocolos familiares", *Escritura pública*, nº 45, 2007, pp. 46-48.

FERNÁNDEZ RODRÍGUEZ, ZULIMA y NIETO SÁNCHEZ Mª JESÚS, "La estrategia de internacionalización de la empresa familiar", en CASILLAS BUENO, JOSE CARLOS (Coord.), *La internacionalización de la empresa familiar*, Cátedra de Empresa Familiar Universidad de Sevilla, Sevilla, 2008, pp. 83-103.

FERNÁNDEZ-SANCHO TAHOCES, ANA SUPAYA, "La sucesión en la empresa familiar: el protocolo familiar y su publicidad registral", *Revista Aranzadi de Derecho Patrimonial*, nº 23, 2009, versión on line.

FERNÁNDEZ-SANCHO TAHOCES, ANA SUPAYA, "La nueva publicidad del protocolo familiar", en HERRERA CAMPOS, RAMÓN y BARRIENTOS RUÍZ, MIGUEL ÁNGEL (Eds.), *Derecho y familia en el siglo XXI*, Universidad de Almería, Almería, 2011, pp. 593-602.

GALLEGO DOMÍNGUEZ, IGNACIO, "El protocolo familiar. Un instrumento para la vida y el relevo generacional en la empresa familiar", en JIMÉNEZ LIÉBANA, DOMINGO (Coord.), *Estudios de derecho civil en homenaje al profesor José González García*, Thomson Reuters Aranzadi y Universidad de Jaén, Navarra, 2012, pp. 395-418.

GALLO LAGUNA DE RINS, MIGUEL ÁNGEL, "Tipologías de las empresas familiares", *Revista empresa y humanismo*, vol. 7, nº 2, 2004, pp. 241-258.

GALLO LAGUNA DE RINS, MIGUEL ÁNGEL, "Empresa familiar: incrementar su supervivencia", *Tribuna plural: la revista científica*, nº 15, 2017, pp. 121-150.

GARCÍA COMPANYS, ANNA, "El Protocolo Familiar: La solución jurídica para la empresa familiar", *Cuadernos Prácticos de Empresa Familiar*, vol. 5, nº 1, 2017, pp. 5-28.

GARCÍA LUPIOLA, ASIER, "La empresa familiar ante el proceso de internacionalización: retos, oportunidades y estrategias", *Actas del 12.º Congreso de Economía de Castilla y León*, Junta de Castilla y León, Consejería de Economía y Hacienda, 2011.

GONZÁLEZ BEILFUSS, CRISTINA, "La autonomía de la voluntad en los reglamentos europeos sobre régimen económico matrimonial y efectos patrimoniales de las parejas registradas", en SERRANO NICOLÁS, ÁNGEL (Coord.), *Los Reglamentos UE 2016/1103 y 2016/1104 de regímenes económicos matrimoniales y efectos patrimoniales de las uniones registrada*, Colegio Notarial de Cataluña y Marcial Pons, Madrid, 2020, pp. 103-124.

GRANJO ORTIZ, ANIA, "La virtualidad jurídica del protocolo de la empresa familiar. Pactos para la contratación laboral de familiares y externos", en PLAZA PENADÉS, JAVIER (Dir.), *Cuestiones Jurídicas de la Empresa Familiar en España y en Cuba*, 1ª ed., Thomson Reuters Aranzadi, Navarra, 2016, versión on line.

GRIECO, CRISTINA, "The role of party autonomy under the regulations on matrimonial property regimes and property consequences of registered partnerships. Some remarks on the coordination between the legal regime established by the new regulations and other relevant instruments of European Private International Law", *Cuadernos de Derecho Transnacional*, vol. 10, nº 2, 2018, pp. 457-476.

GUISADO TATO, MANUEL, *Internacionalización de la empresa familiar. Estrategias de entrada en los mercados extranjeros*, Pirámide, Madrid, 2002.

JIMÉNEZ BLANCO, PILAR, "Ley aplicable a los regímenes económicos matrimoniales en el Reglamento (UE) 2016/1103", en ÁLVAREZ RUBIO, JUAN JOSÉ, DE CASTRO RUANO, JOSÉ LUIS y SOROETA LICERAS, JUAN (Dirs.), *Cursos de Derecho Internacional y Relaciones Internacionales de Vitoria-Gasteiz*, nº 1, 2018, pp. 103-188.

JIMÉNEZ BLANCO, PILAR, *Regímenes económicos matrimoniales transfronterizos: Un estudio del Reglamento (UE) Nº 2016/1103*, Tirant lo Blanch, Valencia, 2021.

LUQUIN BERGARECHE, RAQUEL, "Actualidad de la empresa familiar: protocolos, planificación estratégica y cláusulas ADR como instrumentos jurídicos de continuidad y empowerment", *Aranzadi civil-mercantil. Revista doctrinal*, nº 11, 2017, versión on line.

MORENO SÁNCHEZ-MORALEDA, ANA, "Los conflictos jurisdiccionales y de leyes en los efectos patrimoniales de las uniones de hecho", en CERVILLA

GARZÓN, MARÍA DOLORES y LASARTE ÁLVAREZ, CARLOS (Dirs.), *Ordenación económica del matrimonio y de la crisis de pareja*, Tirant lo Blanch, Valencia, 2018, pp. 861-878.

OPREA, ELENA ALINA, "Party autonomy and the law applicable to the matrimonial property regimes in Europe", *Cuadernos de Derecho Transnacional*, vol. 10, n° 2, 2018, pp. 579-596.

PALAO MORENO, GUILLERMO, "La determinación de la ley aplicable en los reglamentos en materia de régimen económico matrimonial y efectos patrimoniales de las uniones registradas 2016/1103 y 2016/1104", *Revista Española de Derecho Internacional*, vol. 71, n° 1, 2019, pp. 89-117.

PAÑOS PÉREZ, ALBA, "Hacia una mayor autonomía privada en capitulaciones matrimoniales con marco transfronterizo", *Cuadernos de Derecho Transnacional*, vol. 13, n° 2, 2021, pp. 440-471.

PECOURT GOZÁLBEZ, ENRIQUE, "Aspectos civiles del Protocolo Familiar", en AA.VV., *Claves para la continuidad de la Empresa Familiar. Comunicación, aspectos económicos y jurídicos*, 1ª ed., Federación Asturiana de Empresarios y Septem Ediciones, Oviedo, 2006, pp. 192-193.

PEREA ORTEGA, RAFAEL, "El protocolo como instrumento de buen gobierno en la empresa familiar", *eXtoikos*, n° 21, 2018, pp. 17-21.

PÉREZ VALLEJO, ANA MARÍA, "Notas sobre la aplicación del Reglamento (UE) 2016/1103 a los pactos prematrimoniales en previsión de la ruptura matrimonial.", *Revista Internacional de Doctrina y Jurisprudencia*, n° 21, 2019, pp. 105-121.

PÉREZ-FADÓN MARTÍNEZ, JOSÉ JAVIER, *La empresa familiar. Fiscalidad, organización y protocolo familiar*, CISS, Valencia, 2005.

QUINTANA NAVÍO, JAVIER, "La internacionalización de la empresa familiar española", *ICE: Revista de Economía*, n° 839, 2007, pp. 113-120.

QUINZÁ REDONDO, PABLO, "La unificación -fragmentada- del derecho internacional privado de la unión europea en materia de régimen económico matrimonial. El reglamento 2016/1103", *Revista General de Derecho Europeo*, n° 41, 2017, pp. 180-222.

QUIÑONES ESCÁMEZ, ANA, "La protección de los terceros en los nuevos reglamentos (UE) de DIPr., sobre el régimen de bienes del matrimonio y de la unión registrada", en SERRANO NICOLÁS, ÁNGEL (Coord.), *Los Reglamentos UE 2016/1103 y 2016/1104 de regímenes económicos matrimoniales y efectos patrimoniales de las uniones registrada*, Colegio Notarial de Cataluña y Marcial Pons, 2020, Madrid, pp. 159-190.

RIPOLL SOLER, ANTONIO, "Artículo 25. Validez formal de las capitulaciones matrimoniales/ de la unión registrada", en IGLESIAS BUHIGUES, JOSÉ LUIS y PALAO MORENO, GUILLERMO (Dirs.), *Régimen económico matrimonial y efectos patrimoniales de las uniones registradas en la Unión Europea. Comentarios a los Reglamentos (UE) nº 2016/1103 y 2016/1104*, Tirant lo Blanch, Valencia, 2019, pp. 241-246.

RODRÍGUEZ BENOT, ANDRÉS, "Los efectos patrimoniales de los matrimonios y de las uniones registradas en la Unión Europea", *Cuadernos de Derecho Transnacional*, vol. 11, nº 1, 2019, pp. 8-50.

RODRÍGUEZ BENOT, ANDRÉS, "Los reglamentos europeos sobre consecuencias patrimoniales de los matrimonios y de las uniones registradas: justificación, caracteres generales, ámbito de aplicación y definiciones", en SERRANO NICOLÁS, ÁNGEL (Coord.), *Los Reglamentos UE 2016/1103 y 2016/1104 de regímenes económicos matrimoniales y efectos patrimoniales de las uniones registrada*, Colegio Notarial de Cataluña y Marcial Pons, Madrid, 2020: pp. 15-48.

RODRÍGUEZ BENOT, ANDRÉS, "El proceso de elaboración normativa en la Unión Europea: A propósito de los reglamentos sobre régimen económico matrimonial y de las uniones registradas", en CUARTERO RUBIO, Mª VICTORIA y VELASCO RETAMOSA, JOSÉ MANUEL (Dirs.), *La vida familiar internacional en una Europa compleja. Cuestiones abiertas y problemas de la práctica*, Tirant lo Blanch, Valencia, 2021, pp. 147-176.

RODRÍGUEZ DÍAZ, ISABEL, "El protocolo familiar y su publicidad: de las iniciativas comunitaria y española al Real Decreto 171/2007, de 9 de febrero, por el que se regula la publicidad de los protocolos familiares", *Revista de Derecho Mercantil*, nº 266, 2007, versión on line.

RODRÍGUEZ RODRIGO, JULIANA, *Relaciones económicas de los matrimonios y las uniones registradas en España, antes y después de los reglamentos (UE) 2016/1103 y 2016/1104*, Tirant lo Blanch, Valencia, 2019.

SÁNCHEZ CRESPO CASANOVA, ANTONIO J., *El Protocolo Familiar. Una aproximación práctica a su preparación y ejecución*, Gofer, Madrid, 2009.

SÁNCHEZ CRESPO CASANOVA, ANTONIO J. y CALERO ARTERO, JOSE F., *La empresa familiar. Guía práctica de organización y funcionamiento. Desde el punto de vista familiar, civil —matrimonial y sucesorio—, societario y fiscal*, Comares, Granada, 2000.

SILLERO CROVETTO, BLANCA, "Acuerdos prematrimoniales: Legalidad y contenido", en CERVILLA GARZÓN, MARÍA DOLORES y LASARTE ÁLVAREZ, CARLOS (Dirs.), *Ordenación económica del matrimonio y de la crisis de pareja*, Tirant lo Blanch, Valencia, 2018, pp. 385-412.

TÀPIES, JOSEP y CEJA, LUCÍA, *Los protocolos familiares en países de habla hispana: cómo son y para que se utilizan*, IESE Business School y Cátedra de Empresa Familiar, Navarra, 2011.

URREA SALAZAR, MARTÍN JESÚS, "Las crisis familiares en el sistema español de Derecho Internacional Privado: ¿coherencia o barroquismo?", *Actualidad Civil*, n° 2, 2020, versión on line.

VALERO LÓPEZ, MIGUEL ÁNGEL, "El Protocolo de una empresa familiar debe armonizar todos los intereses", *Técnica contable y financiera*, n° 1, 2017, pp. 138-147.

VANONI MARTÍNEZ, GIUSEPPE y PÉREZ, Mª JOSÉ, "Protocolo: un instrumento para mediar conflictos en empresas familiares", *Revista de la Facultad de Ciencias Económicas, Administrativas y Contables de la Universidad Simón Bolívar-Barranquilla-Colombia*, vol. 7, n° 2, 2015, pp. 81-99.

VIARENGO, ILARIA, "The Coordination of Jurisdiction and Applicable Law in Proceedings Related to Economic Aspects of Family Law", *Rivista di diritto internazionale privato e processuale*, n° 2, 2022, pp. 257-282.

VICENT CHULIÁ, FRANCISCO, "Organización jurídica de la sociedad familiar", en NAVARRO SALINAS, ANA (Ed.), *Derecho de sociedades: libro homenaje al profesor Fernando Sánchez Calero*, McGraw-Hill Interamericana de España, Madrid, 2002, pp. 4529-4752.

VICENT CHULIÁ, FRANCISCO, "Protocolo familiar, organización jurídica y relevo generacional de la empresa familiar", en AA.VV., *La empresa familiar y su relevo generacional*, Marcial Pons, Madrid, 2011, pp. 144 -149.

VIERA GONZÁLEZ, ARÍSTIDES JORGE, "Algunas reflexiones sobre el "Proyecto de Real Decreto regulador de la publicidad de los protocolos familiares" y la empresa familiar", *Revista de Derecho de Sociedades*, n° 26, 2006, versión on line.

VINAIXA I MIQUEL, MÓNICA, "La autonomía de la voluntad en los recientes reglamentos UE en materia de regímenes económicos matrimoniales (2016/1103) y efectos patrimoniales de las uniones registradas (2016/1104)", *El orden público interno, europeo e internacional civil. Acto en homenaje a la Dra. Núria Bouza Vidal, catedràtica de Derecho internacional privado*, Indret, n° 2, 2017, pp. 274-313.

EL NOTARIO ESPAÑOL ANTE LA TRAMITACIÓN DE ACTAS DE NOTORIEDAD PARA LA CONSTANCIA REGISTRAL DEL RÉGIMEN ECONÓMICO MATRIMONIAL LEGAL EN SITUACIONES TRANSFRONTERIZAS: ASPECTOS COMPETENCIALES*

RICARDO RUEDA VALDIVIA

Profesor Titular de Derecho internacional privado
Universidad de Granada

SUMARIO: I. INTRODUCCIÓN. II. INAPLICABILIDAD DEL RÉGIMEN COMPETENCIAL DEL REGLAMENTO (UE) 2016/1103. III. RECURSO AL SISTEMA ESTATAL DE COMPETENCIA INTERNACIONAL. IV. DESAJUSTES ENTRE LOS CRITERIOS DE COMPETENCIA INTERNACIONAL Y LOS DE COMPETENCIA TERRITORIAL INTERNA. V. PROPUESTAS *DE LEGE FERENDA*. VI. BIBLIOGRAFÍA.

Quisiera comenzar estas páginas manifestando mi satisfacción de poder participar en la presente obra colectiva, con la que se rinde homenaje, con ocasión de su jubilación, a quien, sin lugar a dudas, ha sido una extraordinaria profesora universitaria: nuestra querida Mercedes Moya Escudero. A ella puedo decir que debo ser lo que soy y estar donde estoy. Mercedes no solo fue la persona que despertó en mí el interés por la disciplina del Derecho internacional privado, cuando, en el curso académico 1989-1990, mientras estudiaba mi quinto año de la Licenciatura en Derecho en la Facultad de Derecho de Granada, la tuve como profesora de la asignatura, cautivándome desde el primer momento por el entusiasmo de su magisterio, sino que, además, fue quien me abrió las puertas del que habría de ser mi futuro profesional, al invitarme a comenzar de su mano una carrera docente e investigadora en la UGR, por lo que siempre le estaré profundamente agradecido. Con ilusión y total compromiso, Mercedes asumió la dirección de mi tesis, que, aunque acabé dedicando al estudio de la ley aplicable representación voluntaria en la contratación internacional, inicialmente tuvo

* Trabajo realizado en el marco del Proyecto de I+D+I: *"Retos de la regulación jurídico-patrimonial del matrimonio y de otras realidades (uniones de hecho) en los planos supraestatal y estatal (REJURPAT)"*, PID2019-106496RB-I00, de los Programas Estatales de Generación de Conocimiento y Fortalecimiento Científico y Tecnológico del Sistema de I+D+i. IP: Andrés Rodríguez Benot.

por objeto la, por aquel entonces, recién aprobada reforma de la regulación del régimen económico matrimonial en DIPr. español, investigación esta última que, tras el cambio en el tema de tesis, acabó sirviendo de base para la publicación, en coautoría con mi directora, del capítulo correspondiente a las "Relaciones entre los cónyuges" en las ediciones 7ª y 8ª del manual de la disciplina del profesor Antonio Marín López. Precisamente con mi contribución a la presente obra pretendo volver a mis inicios, abordando en ella el estudio de un tema claramente enmarcado en el ámbito material de las relaciones patrimoniales entre los cónyuges, como es el de la competencia internacional de los notarios españoles para tramitar, en situaciones de tráfico externo, actas de notoriedad destinadas a la constancia registral del régimen económico matrimonial legal. ¡Va por ti, Mercedes!

I. INTRODUCCIÓN

La nueva legislación española sobre registro civil atribuye a los notarios de nuestro país un papel de primer orden en la publicidad registral del régimen económico del matrimonio, sea este legal o pactado, publicidad a la que, además, condiciona la oponibilidad frente a terceros del régimen en cuestión. Y ello con independencia de que se esté ante una situación de tráfico interno o externo.

Para comenzar, hay que recordar que, desde la entrada en vigor el 30 de abril de 2021 de la Ley 20/2011, de 21 de julio, del Registro Civil (en adelante LRC), y de conformidad con lo dispuesto en su art. 60.1, deviene obligatoria la inscripción en el Registro Civil español, junto al matrimonio[1], del régimen económico matrimonial, legal o pactado, por el que aquél se rija, así como de los pactos, resoluciones judiciales y demás hechos que puedan afectar al referido régimen. Y, precisamente a tal efecto, el art. 58.6 de la LRC impone a la autoridad (obviamente española) que intervenga en la autorización del matrimonio [autorización que, como establecen tanto el art. 58.2 de la LRC como el art. 51.1 del Código Civil (en adelante CC), puede efectivamente corresponder a un Notario, mediante la tramitación del acta matrimonial prevista en el art. 51 de la Ley del Notariado (en adelante LN)[2], aunque también a un Letrado de la Administración de Justi-

---

[1]   Siempre, claro está, que se trate de un matrimonio que afecte a españoles, cualquiera que sea el lugar en que se haya celebrado, o, de afectar solo a extranjeros, de haberse celebrado aquél en España (art. 9 LRC).

[2]   Respecto a la intervención del notario en la autorización del matrimonio civil *vid.* más ampliamente RUIZ DE LA HERMOSA GUTIÉRREZ, JOSÉ ANTONIO y LÓPEZ RIBAGORDA, DAVID, "El notario en el nuevo modelo de Registro Civil. Procedimiento de autorización de matrimonio", *Notario del Siglo XXI*, nº 97, 2021, pp. 18-23, disponible en https://www.elnotario.es/hemeroteca/

cia o a un Encargado del Registro Civil -o, en su caso, funcionario diplomático o consular responsable del Registro Civil consular-, mediante la instrucción del correspondiente expediente] la obligación de concretar en su decisión final el régimen económico matrimonial que habrá de resultar de aplicación al futuro matrimonio, sea este el legal o el que, mediante capitulaciones prenupciales, hubieran podido pactar los contrayentes (siempre, claro está, de resultar este último conocido por la autoridad interviniente)[3]. Con ese mismo propósito, y, a nuestro entender, tanto para los supuestos en que el matrimonio cuya inscripción en el Registro Civil español se pretenda se haya celebrado ante autoridad extranjera (sea en España o en el extranjero), como para aquéllos otros en los que la unión matrimonial haya tenido lugar en España en forma religiosa permitida por la legislación española pero sin tramitación de acta o expediente matrimonial previo (art. 59.2 y 3 LRC)[4], el legislador establece un segundo mandato, dirigido en esta ocasión al Encargado de Registro Civil en el que se haya de practicar la inscripción del matrimonio en cuestión, al disponer en el primer inciso del párrafo 1° del art. 60.2 de la LRC que, salvo que los cónyuges presenten escritura de capitulaciones por la que convengan el régimen económico de su matrimonio (ya se haya otorgado aquélla en España o en el extranjero)[5], se inscribirá como

---

revista-97/10766-el-notario-en-el-nuevo-modelo-de-registro-civil-procedimiento-de-autorizacion-de-matrimonio

[3]   Respecto a la determinación por el notario del régimen económico matrimonial en el acta en el que acabe aquél autorizando la celebración de matrimonio, y sobre los posibles desajustes entre el régimen económico especificado en el acta y el régimen económico "real" del matrimonio, *vid.* RIVERO SÁNCHEZ-COVISA, FERNANDO JOSÉ, "Determinación del régimen económico matrimonial en las actas previas notariales", *Notario del Siglo XXI*, n° 97, 2021, pp. 24-31, disponible en https://www.elnotario.es/opinion/10765-determinacion-del-regimen-economico-matrimonial-en-las-actas-previas-notariales. Téngase presente, como destaca este autor, que el acta previa matrimonial no es el instrumento adecuado ni para operar una elección de la ley aplicable al régimen económico matrimonial, ni para que los contrayentes pacten este último. Y ello por cuanto tanto la elección de la ley aplicable, como la estipulación del futuro régimen económico, implican declaraciones de voluntad por parte de los contrayentes que, de conformidad con lo previsto en el art. 49 de la Ley del Notariado, se han de formalizar necesariamente en escritura pública, ya sea ante el mismo notario que tramite el acta previa o ante otro notario distinto. Esos documentos, de existir al tiempo del otorgamiento del acta matrimonial, deberán ser considerados por el notario al emitir su juicio final respecto al régimen económico del futuro matrimonio, siempre y cuando, claro está, tenga aquél conocimiento de los mismos.

[4]   Tal sería el caso, concretamente, del matrimonio celebrado en forma católica. Igual cabría decir los matrimonios celebrados en peligro de muerte (art. 52 CC), en los que tampoco existe expediente previo.

[5]   Adviértase, no obstante, que para el caso en que los cónyuges hayan otorgado capitulaciones en España en fecha posterior al 30 de abril de 2021, el art. 60.2 de la LRC, en su párrafo 2°, establece dos previsiones que asegurarán el conocimiento por parte del Encargado del Registro Civil en que se vaya a llevar a cabo la inscripción del matrimonio de la existencia de las capitulaciones otorgadas, haciendo, por tanto, innecesaria la presentación por parte de los cónyuges en el Registro en cuestión de tales capitulaciones.

régimen económico matrimonial legal el que fuera supletorio de conformidad con la legislación aplicable[6].

Por otra parte, y para el caso en que los cónyuges o futuros cónyuges cuyo matrimonio, *ex* art. 9 de la LRC, o haya sido o deba ser inscrito en el Registro Civil español, otorguen ante notario español escritura de capitulaciones matrimoniales, el legislador garantiza la constancia registral del régimen económico matrimonial pactado al imponer en el art. 60.2, párrafo 2º de la LRC al notario autorizante la obligación de remitir, en el mismo día del otorgamiento de la escritura, copia autorizada electrónica de la misma al Encargado del Registro Civil correspondiente, para su constancia en la inscripción de matrimonio (primer inciso)[7], disponiendo igualmente que, en el supuesto de que el matrimonio no se hubiera llegado a celebrar aún en la fecha de recepción de la escritura de capitulaciones matrimoniales, el Encargado del Registro deberá proceder a su anotación en el registro individual de cada contrayente (segundo inciso)[8].

---

[6]   Desde nuestro punto de vista, es esto lo que se desprende de la lectura conjunta de lo dispuesto en los arts. 58.6 y 60.1 y 2 de la LRC. La aplicación de esta disposición procedería igualmente en aquellas ocasiones en que se solicitara la inscripción en el Registro Civil español de un matrimonio celebrado ante autoridad civil española, dándose la circunstancia excepcional de que, en el expediente matrimonial previo, no hubiera sido posible averiguar el régimen económico matrimonial aplicable a los contrayentes y, pese a ello, el responsable de la tramitación del expediente hubiera decidido no paralizar tal tramitación por este motivo.

[7]   Téngase5 presente lo dispuesto en la Disposición transitoria cuarta de la LRC, que, debemos recordar, fue modificada por el art. único.23 de la Ley 6/2021, de 28 de abril.

[8]   Queda en el aire la cuestión de saber si tendrán o no acceso al Registro Civil español las capitulaciones matrimoniales que dos ciudadanos extranjeros, casados asimismo en el extranjero, y cuyo matrimonio, por ende, ni conste, ni pueda constar en nuestro Registro Civil, puedan acabar otorgando ante notario español. Una lectura conjunta de lo establecido en los apartados 1 y 2 del art. 60 de la LRC podría llevarnos de primeras a excluir tal posibilidad, en la medida en que la obligación que el párrafo 2º del apartado 2 impone al notario autorizante de remitir al Registro Civil copia de las escrituras de capitulaciones en cuyo otorgamiento intervenga, parece quedar limitada a los supuestos en los que el matrimonio de los otorgantes figure en el Registro Civil español, al disponerse que la inscripción del régimen económico matrimonial pactado se habrá de llevar a cabo junto a la inscripción de matrimonio. Pero no podemos dejar de recordar que el legislador, en el mismo párrafo 2º del art. 60.2, contempla asimismo el acceso al Registro Civil de las capitulaciones prenupciales, disponiendo respecto de estas su anotación en el registro individual de cada contrayente. De ahí que bien se pueda hablar de una obligación general de los notarios de nuestro país de remitir al Registro Civil copia de todas aquellas capitulaciones en cuyo otorgamiento aquéllos intervengan, y ello con independencia de que el matrimonio de los otorgantes figure o no en el Registro Civil español. De constar en este último el matrimonio, la capitulación otorgada accederá al Registro como inscripción, junto a la inscripción del matrimonio. En cambio, de no hallarse el matrimonio inscrito, la capitulación accedería asimismo al Registro, pero pasaría simplemente a quedar anotada en el registro individual de los otorgantes, registro que, de tratarse de ciudadanos extranjeros no nacidos en nuestro país, habría que llevar a cabo a efectos precisamente de poder practicar la anotación de la capitulación otorgada en nuestro país. Tal conclusión, además, vendría refrendada por la lectura conjunta de otros dos preceptos de la LRC, en concreto del art. 9, en cuyo párrafo 1º establece que "En el Registro Civil constarán los hechos y actos inscribibles que afectan a los españoles y los referidos a extranjeros, acaecidos en territorio español", así como del art. 4 de la

Pero, dicho todo esto, no podemos dejar de destacar que la exigencia de inscripción registral del régimen económico matrimonial impuesta por el art. 60.1 de la LRC solo resulta de aplicación a los matrimonios celebrados a partir de la fecha de entrada en vigor de esta Ley (30 de abril de 2021), no así a los que se hubieran celebrado e inscrito con anterioridad[9], matrimonios estos cuya inscripción en el Registro Civil se debió llevar a cabo a la luz de lo dispuesto la legislación registral anterior (Ley de Registro Civil de 8 de junio de 1957[10]), debiéndose recordar a este respecto que la referida legislación únicamente contemplaba la publicidad del régimen económico matrimonial pactado, y en ningún caso del legal, atribuyendo además a la referida publicidad -operada mediante asiento de indicación, que no mediante inscripción- carácter voluntario (art. 77 LRC de 1957 y art. 266 Reglamento de 1958)[11].

Consciente de esta realidad, el legislador, en la vigente LRC, contempla la posibilidad de que aquellos cónyuges cuyo matrimonio se hubiera celebrado con anterioridad a la entrada en vigor de la citada Ley y que, por ende, hubiera sido objeto de inscripción en el Registro Civil español en aplicación de lo previsto en la legislación registral anterior, no constando en él régimen económico matrimonial alguno, puedan, si así lo desean, dejar constancia expresa en el mencionado Registro del régimen económico legal aplicable a su matrimonio, requiriendo a tal efecto la tramitación, con carácter previo, de un expediente de jurisdicción

---

misma Ley, donde se declara que "tienen acceso al Registro Civil los hechos y actos que se refieren a la identidad, estado civil y demás circunstancias de la persona...", incluyéndose entre los hechos y actos inscribibles "8º. El régimen económico matrimonial legal o pactado".

[9]   Si atendemos a lo establecido en la Disposición transitoria primera de este mismo texto legal, en relación con lo dispuesto en el art. 59.1, la referida exigencia no será tampoco aplicable a aquellos matrimonios que hayan sido celebrados con posterioridad al 30 de abril de 2021 ante autoridad civil española o en forma religiosa civil permitida por la legislación española, pero en los que el expediente matrimonial previo se hubiera empezado a tramitar en fecha anterior. Tal exigencia, a nuestro entender, sí resultará en cambio de aplicación a aquellos matrimonios celebrados con anterioridad, sea ante autoridad extranjera, o en España en forma religiosa permitida por la legislación española, pero sin tramitación de acta o de expediente matrimonial previo, y cuya inscripción en el Registro Civil español pretendan los interesados llevar a cabo en una fecha posterior. *Vid.* en este mismo sentido PRETEL SERRANO, JUAN JOSÉ, "La publicidad del régimen económico matrimonial legal en el Registro Civil: el Acta de Notoriedad para su "constancia"", 21/04/2016, https://www.notariosyregistradores.com/web/secciones/oficina-notarial/otros-temas/la-publicidad-del-regimen-economico-matrimonial-legal-en-el-registro-civil-el-acta-de-notoriedad-para-su-constancia/

[10]   Ley cuyo art. 15 se pronunciaba exactamente en los mismos términos que el actual art. 9 de la LRC.

[11]   La dispar redacción que, con respecto a estos dos preceptos, presentaba el art. 1333 del CC, en la redacción dada a este último por el art. 3 de la Ley 11/1981, de 13 de mayo, dio lugar a un debate doctrinal respecto al carácter voluntario u obligatorio de la publicidad en el Registro Civil de régimen económico matrimonial pactado, si bien es verdad que tanto la jurisprudencia como la DGRN se pronunciaron abiertamente a favor del carácter voluntario de dicha publicidad. *Vid.* al respecto QUINZÁ REDONDO, PABLO, *Régimen económico matrimonial. Aspectos sustantivos y conflictuales*, Tirant lo Blanch, Valencia, 2016, pp. 203-207.

voluntaria, que, bajo la forma de acta de notoriedad, encomienda a las autoridades notariales de nuestro país (art. 60.2, párrafo 2°, segundo inciso LRC)[12]. La tramitación del acta en cuestión, cuya regulación ya recogía la Ley del Notariado (en adelante LN) desde 2015 (art. 53)[13] -aunque hasta la entrada en vigor de la LRC no ha cobrado plena operatividad-[14], tiene en todo caso como presupuesto el que los cónyuges no hayan otorgado escritura de capitulaciones (el art. 53 de la LN, en el párrafo 1° de su apartado 2, exige concretamente que, junto a la solicitud de inicio del acta, se acredite "la inexistencia de un régimen económico matrimonial inscrito"), si bien no cabe descartar la posibilidad de que un acta de esta naturaleza se acabe tramitando también en un supuesto en que, contando los cónyuges con capitulaciones, la existencia de estas no conste en el Registro, siéndole además ocultada por los solicitantes al notario interviniente (situación sin duda factible de tratarse de capitulaciones otorgadas con anterioridad al 30 de abril de 2021[15], aunque también en los casos en que, habiendo convenido los

---

[12]   Respecto al acta en cuestión y su tramitación *vid.* JIMÉNEZ GALLEGO, CARLOS, *Función notarial y jurisdicción voluntaria*, Tirant lo Blanch, Valencia, 2015, pp. 93 y ss., quien además considera que no hay nada en principio que impida que este acta se pueda llegar a tramitar incluso con respecto a matrimonios que no pueden ser inscritos en el Registro Civil español por haberse celebrado en el extranjero y afectar exclusivamente a extranjeros, siempre y cuando, claro está, que el notario español se pueda reputar internacionalmente competente (pp. 94 y 105). Asimismo, puede verse ZAMORA IPAS, ALMUDENA, "Acta de notoriedad para la constancia del régimen económico matrimonial legal", en BARRIO DEL OLMO, CONCEPCIÓN PILAR (Coord.), *Jurisdicción voluntaria notarial: estudio práctico de los nuevos expedientes en la Ley de la Jurisdicción Voluntaria, Ley Hipotecaria y Ley de Navegación Marítima*, Aranzadi Thomson Reuters, Cizur Menor, 2015, pp. 323 y ss.

[13]   Recuérdese que el art. 53 de la LN fue introducido a través de la disposición final 11ª de la Ley 15/2015, de 2 de julio, de Jurisdicción Voluntaria (LJV).

[14]   Cierto es que, desde la entrada en vigor el 23 de julio de 2015 de la LJV, y de conformidad con lo previsto en la disposición final 21 de esta última, nada impedía a los notarios españoles tramitar un acta de notoriedad del art. 53 de la LN, precepto que, en la fecha antes mencionada, había pasado a cobrar plena vigencia (así lo corroboran JIMÉNEZ GALLEGO, CARLOS, *op. cit.*, p. 94; ZAMORA IPAS, ALMUDENA, *loc. cit.*, p. 327, y SERRANO DE NICOLÁS, ÁNGEL, en FERNÁNDEZ DE BUJÁN, ANTONIO (Dir.), *Comentarios a la Ley 15/2015, de la Jurisdicción Voluntaria*, Civitas Thomson Reuters, Cizur Menor, 2016, p. 1500). Pero también lo es que, al no poder practicarse la inscripción en el Registro Civil del régimen económico matrimonial legal determinado con tales actas hasta en tanto entrara en vigor la nueva LRC, que es la que contempla el acceso al Registro Civil del régimen económico matrimonial legal, el uso que en la práctica se vino haciendo del acta en cuestión con anterioridad al 30 de abril de 2021 fue prácticamente nulo.

[15]   Efectivamente, al atribuir la legislación registral anterior carácter facultativo a la publicidad del régimen matrimonial pactado, podría ciertamente suceder que los cónyuges hubieran optado por no inscribir en el Registro Civil las capitulaciones otorgadas (ya lo hubieran sido en España o en el extranjero), siendo en un momento posterior al 30 de abril de 2021 cuando tomen aquéllos la decisión de recurrir a un notario español para la tramitación de un acta del art. 53 de la LN. Aunque, de conformidad con lo dispuesto en el párrafo 1° del apartado 2 de este precepto, los cónyuges, a la solicitud de inicio del acta, han de acompañar, junto a otros documentos, certificación registral acreditativa de la inexistencia de régimen económico matrimonial inscrito, al no figurar en el Registro Civil español las capitulaciones por aquéllos otorgadas, el notario al que los cónyuges hayan decidido acudir, desconocedor de la existencia de tales capitulaciones, accedería sin más a la

cónyuges sus relaciones patrimoniales en fecha posterior, el acuerdo alcanzado se hubiera formalizado ante fedatario público extranjero[16]). Además, pese a la literalidad del art. 53.2.1º de la LN, consideramos que en principio no tiene por qué haber obstáculo para que, aun constando en el Registro Civil la existencia de capitulaciones otorgadas en un momento posterior a la celebración del matrimonio, los cónyuges que tengan interés en que se declare, para su constancia en el Registro, cuál era el régimen económico matrimonial legal por el que se regían con anterioridad a las capitulaciones, puedan recurrir con tal propósito a la tramitación de un acta del art. 53 de la LN.

La LN, es preciso subrayar, al exigir la acreditación de "la inexistencia de un régimen económico matrimonial inscrito", no hace distinción según que este último sea legal o pactado, por lo que resulta igualmente imposible la tramitación del acta del art. 53 en los casos en que, junto a la inscripción de un matrimonio celebrado antes del 30 de abril de 2021, conste ya su régimen económico matrimonial legal, sea por haberse establecido a través de un acta de notoriedad tramitada con anterioridad[17], o por haber quedado fijado a través de resolución judicial. De hecho, en este punto, hay que recordar que, cuando la pretensión de los cónyuges sea rectificar el contenido del Registro Civil, por entender que el régimen económico matrimonial publicado en este último tras la tramitación de un acta del art. 53 de la LN está equivocado, la vía a la que aquéllos han de acudir a tal efecto no es en ningún caso la tramitación de un nuevo acta, sino la sustanciación del procedimiento judicial de rectificación de los asientos del Registro Civil del art. 781 bis de la Ley 1/2000, de 7 de enero, de Enjuiciamiento Civil (en adelante LEC), al que se remite el art. 90 de la LRC.

Nuestro propósito en las próximas páginas no es otro que efectuar una aproximación al primero de los problemas de DIPr. a los que se habrá de enfrentar el notario español cuya intervención sea requerida para la tramitación de un acta de notoriedad del art. 53 de la LN en cualquier supuesto de tráfico externo,

---

tramitación del acta solicitada. Y ultimada el acta, y en aplicación de lo previsto en el art. 53.3 de la LN, el notario interviniente remitiría copia de aquélla al Registro Civil correspondiente, por lo que acabaría siendo el régimen económico matrimonial legal determinado en aquélla el que se hiciera constar en el Registro Civil y, por ende, el que resultaría oponible frente a terceros.

[16]   De formalizarse la escritura de capitulaciones ante notario español, este, como se viera, vendrá obligado a remitir copia autorizada de la misma al Encargado del Registro Civil en el que se halle inscrito el matrimonio (art. 60.2, 2º LRC), procediendo este último a la inscripción de la capitulación junto a la inscripción del matrimonio. Y, puesto que para la tramitación del acta de notoriedad prevista en el art. 53 de la LN, los cónyuges, como se acaba de señalar, deben acompañar a su solicitud certificación del Registro Civil acreditativa de la inexistencia de régimen económico matrimonial inscrito, está claro que el notario al que aquéllos recurran a tal efecto, a la vista del certificado aportado, rechazará la solicitud formulada por los interesados.

[17]   El acta en cuestión se podía haber llegado a otorgar incluso antes del 30 de abril de 2021, de conformidad con lo indicado *supra* nota 14.

como es el relativo a su competencia internacional para intervenir en este tipo de expedientes, competencia cuyo control deberá aquél llevar a cabo como presupuesto para poder aceptar tal intervención, y que necesariamente deberá ir seguido del preceptivo control de su competencia territorial interna[18]. En nuestro estudio, además de identificar la normativa a la que, para la fundamentación de su competencia internacional, deberán atender las autoridades notariales españolas, procederemos a examinar la regulación que en dicha normativa se ofrece, contrastándola con la que está llamada a ser aplicada por parte de los jueces, que es diferente, al tiempo que pondremos de relieve la falta de correspondencia existente entre las soluciones acogidas en aquella normativa y las previstas en la normativa a la que nuestros notarios han de atender para la determinación de su competencia territorial interna. Cerraremos nuestra exposición efectuando una serie de propuestas *de lege ferenda* tendentes a solucionar los desajustes actualmente existentes entre las diferentes normativas consideradas, para, de este modo, evitar aquellas situaciones paradójicas que, como se verá, y a consecuencia precisamente de los referidos desajustes, se pueden llegar a plantear en la práctica.

II. INAPLICABILIDAD DEL RÉGIMEN COMPETENCIAL DEL REGLAMENTO (UE) 2016/1103

Las normas sobre competencia internacional contenidas en el Capítulo II del Reglamento (UE) n° 2016/1103 del Consejo, de 24 de junio de 2016, por el que se establece una cooperación reforzada en el ámbito de la competencia, la ley aplicable, el reconocimiento y la ejecución de resoluciones en materia de regímenes matrimoniales (en adelante RREM)[19], como deja bien claro el legislador europeo, están llamadas a ser aplicadas por los "órganos jurisdiccionales" de los Estados miembros, debiéndose recordar aquí que, de conformidad con lo dispuesto en el art 3.2 del citado Reglamento, tienen la consideración de "órgano jurisdiccional" a los efectos de la aplicación de este último, además de las autoridades judiciales de tales países, aquellas autoridades y profesionales del Derecho que, a la luz de sus respectivas legislaciones nacionales, tengan reconocida competencia en materia de regímenes económicos matrimoniales, siempre que

---

[18]   Recuérdese que tanto la competencia internacional como la territorial deben ser apreciadas o verificadas de oficio por parte del notario (art. 16 LJV).

[19]   Para un estudio pormenorizado de tales normas pueden verse, entre otros, JIMÉNEZ BLANCO, PILAR, *Regímenes económicos matrimoniales transfronterizos. Un estudio del Reglamento (UE) n° 2016/1103*, Tirant lo Blanch, Valencia, 2021, pp. 243 y ss. y FRANZINA, PIETRO, "Jurisdiction in matters relating to property regimes under EU Private International Law", *Yearbook of Private International Law*, vol. XIX, 2017-2018, pp. 159-194.

cumplan las tres siguientes condiciones: 1) que ejerzan funciones jurisdiccionales o actúen por delegación de poderes de una autoridad judicial o bajo su control; 2) que ofrezcan garantías en los que respecta a su imparcialidad y al derecho de todas las partes a ser oídas, y 3) que sus resoluciones, adoptadas con arreglo al Derecho del Estado miembro en el que actúan: a) puedan ser objeto de recurso o revisión ante la autoridad judicial; b) que tengan una fuerza y unos efectos similares a los de una resolución judicial sobre la misma materia[20].

Que en los notarios españoles, a los que la legislación de nuestro país encomienda en exclusiva la tramitación del expediente de jurisdicción voluntario destinado a la determinación del régimen económico matrimonial legal de aquellos matrimonios ya inscritos sin ninguna referencia a su régimen económico matrimonial, concurren las condiciones expuestas en segundo y tercer lugar, es algo que queda fuera de toda duda. La cuestión, sin embargo, está en saber si el notario español, al tramitar el acta de notoriedad regulada en el art. 53 de la LN, interviene o no ejerciendo una función jurisdiccional, ya que está claro que, en tales expedientes, aquél no actúa ni por delegación de poderes de una autoridad judicial, ni bajo su control. Y, para dar respuesta a la mencionada cuestión, se impone necesariamente atender a lo declarado por el TJUE en las dos sentencias que, en relación con el Reglamento (UE) nº 650/2012 del Parlamento Europeo y del Consejo, de 4 de julio de 2012, sobre sucesiones (cuyo art. 3.2, al definir lo que por "tribunal" se ha de entender, se pronuncia exactamente en los mismos términos que el art. 3.2 del RREM), ha dictado aquél respecto a la competencia de los notarios de determinados Estados parte, en concreto de Polonia y de Lituania, para intervenir en la expedición de certificados nacionales de derechos sucesorios. Nos referimos, por una parte, a la sentencia de 23 de mayo de 2019 (Asunto C-658/17: *WB*), dictada en respuesta a una petición de decisión prejudicial planteada por el Tribunal Regional de Gorzów Wielkopolski (Polonia)[21], y, por otra, a la sentencia de 16 de julio de 2020 (Asunto C-80/19: *E.E.*), en la que el TJUE venía a resolver una cuestión prejudicial planteada por el Lietuvos Aukščiausiasis Teismas (Tribunal Supremo de lo Civil y Penal de Lituania)[22], ya

---

[20]   Respecto al concepto de "órgano jurisdiccional" acogido en el art. 3.2 del RREM *vid*. RODRÍGUEZ BENOT, ANDRÉS, "Artículo 3. Definiciones", en IGLESIAS BUIGUES, JOSÉ LUIS y PALAO MORENO, GUILLERMO (Dirs.), *Régimen económico matrimonial y efectos patrimoniales de las uniones registradas en la Unión Europea. Comentarios a los Reglamentos (UE) nº 2016/1103 y 2016/1104*, Tirant lo Blanch, Valencia, 2019, pp. 62-64; *id.*, "Los efectos patrimoniales de los matrimonios y de las uniones registradas en la Unión Europea", pp. 30-32; *id.*, "Los reglamentos europeos sobre consecuencias patrimoniales de los matrimonios y de las uniones registradas justificación, caracteres generales, ámbito de aplicación y definiciones", en SERRANO DE NICOLÁS, ÁNGEL (Coord.), *Los Reglamentos UE 2016/1103 y 2016/1104 de regímenes económicos matrimoniales y efectos patrimoniales de las uniones registradas*, Marcial Pons, Madrid, 2020, pp. 45-48.

[21]   ECLI:EU:C:2019:444

[22]   ECLI:EU:C:2020:569

que en ambas decisiones el TJUE mantiene el mismo planteamiento respecto a los requisitos necesarios para poder considerar que una autoridad no judicial, como es el notario, ejerce "funciones jurisdiccionales".

En la primera de estas dos decisiones, de la que para nada se separa la segunda, el TJUE venía a acoger una interpretación autónoma y uniforme de la expresión "funciones jurisdiccionales" empleada en el art. 3.2 del Reglamento (UE) nº 650/2012, recordando que aquél, en decisiones anteriores, ya había declarado que "el ejercicio de funciones jurisdiccionales implica disponer de la facultad de resolver en virtud de su propia potestad sobre los posibles puntos controvertidos que existan entre las partes en cuestión" (Sentencia de 2 de junio de 1994, Asunto C 414/92: *Solo Kleinmotoren*[23], apartados 17 y 18), y que "para que se considere que una autoridad, habida cuenta de la naturaleza específica de la actividad que lleva a cabo, ejerce una función jurisdiccional, esta autoridad debe tener reconocida la facultad de resolver un eventual litigio" (Auto de 24 de marzo de 2011, Asunto C-344/09: *Bengtsson*[24], apartado 19 y jurisprudencia allí citada). Y extendiendo este planteamiento al ámbito de las sucesiones, el TJUE acabó considerando que solo es posible entender que una autoridad que interviene en materia sucesoria ejerce "funciones jurisdiccionales" cuando aquélla sea competente (incluso) de existir una controversia, o, lo que es lo mismo, de tener reconocida facultad resolutoria (apartado 56), y ello, además, con independencia de que el procedimiento que se siga sea de naturaleza contenciosa o de jurisdicción voluntaria. Y al no ser esto lo que acontece ni en el caso de los notarios polacos ni en el de los lituanos, cuando a los mismos se recurre para la expedición de un certificado nacional de derechos sucesorios, al no disponer en los respectivos expedientes nacionales de facultad o capacidad para resolver en virtud de su propia potestad sobre los posibles puntos controvertidos que se pudieran llegar a suscitar entre las partes, el TJUE concluyó declarando que la intervención de los referidos notarios en los referidos expedientes nacionales en ningún caso se podía considerar una manifestación del ejercicio de "funciones jurisdiccionales".

Teniendo presente lo declarado por el TJUE en las dos decisiones a las que se acaba de aludir, y a la vista de la regulación que del expediente destinado a la constancia del régimen económico matrimonial legal lleva a cabo el legislador español en el art. 53 de la LN, en particular de lo establecido en el apartado 3º de este último precepto[25], bien podemos concluir que el notario español, cuando su

---

[23]   ECLI:EU:C:1994:221
[24]   ECLI:EU:C:2011:174
[25]   Según este último apartado (cuya redacción resulta a todas luces claramente mejorable), efectuadas por el notario las diligencias a las que alude el apartado 2º (aseveración por los solicitantes de la certeza de los hechos positivos y negativos en que se deba fundar el acta, aportación de la documentación que estimen conveniente para la determinación de los hechos y, en su caso, acompaña-

intervención sea requerida para la tramitación de un expediente de esta naturaleza, en modo alguno se podrá considerar que ejerce "función jurisdiccional"[26]. Tal conclusión, es verdad, se podría decir que viene corroborada por el hecho de que nuestro país, en cumplimiento de lo previsto en los arts. 3.2 *in fine* y 65.1 del RREM, notificara a la Comisión que "En España no existen autoridades con las características y alcance del artículo 3.2 en el ámbito de aplicación de este Reglamento"[27], aun cuando no debemos olvidar que, como declarara el TJUE en el Asunto C-658/17: *WB*, la notificación efectuada por los Estados miembros respecto a la existencia o no en estos de autoridades no judiciales que, de conformidad con su legislación nacional, ejerzan funciones jurisdiccionales, en ningún caso resulta determinante a efectos de poder o no calificar a tales autoridades como "tribunales" u "órganos jurisdiccionales".

Descartada la consideración del notario español como "órgano jurisdiccional" en la tramitación del acta del art. 53 de la LN, deviene, evidentemente, imposible la invocación por parte de aquél de las normas del Capítulo II del RREM en orden a la fundamentación de su competencia internacional para intervenir en el otorgamiento de este tipo de actas en situaciones de tráfico externo (lo cual, a su vez, llevará aparejada una consecuencia inmediata: la imposibilidad de atribuir al acta con que el notario español ponga fin al correspondiente expediente la consideración de resolución, determinando que aquélla haya de circular por los restantes Estados miembros del RREM como documento público). De ahí que

---

miento en su caso de los documentos acreditativos de su vecindad civil en el momento de contraer matrimonio o, de no ser esto último posible, aportación de información de, al menos, dos testigos que aseguren la realidad de los hechos de los que se derive la aplicación del régimen económico matrimonial legal), aquél hará constar su juicio de conjunto sobre si quedan acreditados por notoriedad los hechos y, de considerar que así es, y que, por tanto, cabe identificar el régimen económico legal del matrimonio, especificará cuál sea este último, remitiendo ese mismo día, y por medios telemáticos, copia electrónica del acta al Registro Civil correspondiente. De considerar en cambio el notario que no quedan acreditados por notoriedad los hechos, aquél cerrará igualmente el acta, pudiendo los interesados que no estén conformes con la decisión de aquél ejercer su derecho a que su régimen económico matrimonial quede determinado en el juicio que corresponda.

[26]   La redacción del art. 53.3 de la LN no deja lugar a dudas: el notario español, cuando interviene en este tipo de expedientes, carece de competencia para resolver sobre los posibles puntos controvertidos que se puedan llegar a suscitar entre las partes y para, sobre la base de lo manifestado por una de ellas, en detrimento de lo manifestado por la otra, acabar determinando el régimen económico matrimonial legal de los solicitantes. Dicha competencia queda reservada a los jueces. Una posición también contraria a considerar que los notarios españoles ejercen función jurisdiccional cuando su intervención es requerida en materia de régimen económico matrimonial ha sido asimismo mantenida por PEITEADO MARISCAL, PILAR, "Competencia internacional por conexión en materia de régimen económico matrimonial y de efectos patrimoniales de uniones registradas. Relación entre los Reglamentos UE 2201/2003, 650/2012, 1103/2016 y 1104/2016", *CDT*, vol. 9, nº 2, 2017, p. 312 y RODRÍGUEZ RODRIGO, JULIANA, *Relaciones económicas de los matrimonios y las uniones registradas en España, antes y después de los Reglamentos (UE) 2016/1103 y 2016/1104*, Tirant lo Blanch, Valencia, 2019, p. 54.

[27]   https://e-justice.europa.eu/559/ES/matters_of_matrimonial_property_regimes?SPAIN&member=1

el notario español al que, en tales situaciones, decidan los cónyuges acudir para la tramitación de un acta de esta naturaleza, se vea en la necesidad de recurrir a tal efecto a lo previsto en el sistema estatal sobre competencia internacional en la materia[28].

III. RECURSO AL SISTEMA ESTATAL DE COMPETENCIA INTERNACIONAL

En el sistema estatal de DIPr., la competencia internacional de las autoridades españolas, entre ellas las notariales, para intervenir en los expedientes de jurisdicción voluntaria previstos en nuestra legislación, como es precisamente el aquí considerado, se halla regulada en el art. 9 de la Ley 15/2015, de 2 de julio, de Jurisdicción Voluntaria (en adelante LJV). Este precepto, es verdad, literalmente se refiere a los "órganos judiciales españoles", lo que, de primeras, podría llevar a pensar que su aplicación queda descartada en aquellos expedientes de jurisdicción voluntaria en los que la autoridad cuya intervención venga requerida sea una autoridad no judicial. Pero no debemos olvidar que el citado precepto se enmarca en el Título I de la Ley, que lleva por rúbrica "De las normas comunes en materia de tramitación de los expedientes de jurisdicción voluntaria", lo que permite defender su aplicabilidad a los distintos expedientes de jurisdicción voluntaria a los que se hace referencia en el mencionado texto legal, ya se trate de los regulados en su articulado o de aquéllos a los que se refieren las disposiciones finales de modificación de otras leyes que en aquél se recogen, imponiéndose, por tanto, una interpretación amplia del término "órgano judicial" en la que tengan cabida las distintas autoridades (Jueces, Letrados de la Administración de Justicia, Notarios y Registradores de la Propiedad y Mercantiles) a las que la LJV encomienda la tramitación de los diferentes expedientes de esta naturaleza que en la misma se contemplan[29].

---

[28]   En la doctrina española, no obstante, hay quien considera que el notario, en la tramitación de este acta, debe atender a los criterios de competencia internacional previstos en el RREM (JIMÉNEZ GALLEGO, CARLOS, *op. cit.*, p. 105). Asimismo, hay quien entiende que el notario, a la hora de decidir su competencia internacional para intervenir en la tramitación de este acta en situaciones de tráfico externo, debe servirse de los criterios de competencia territorial previstos en el propio art. 53 de la LN (JIMÉNEZ BLANCO, PILAR, *op. cit.*, pp. 163-164).

[29]   En este mismo sentido, DE MIGUEL ASENSIO, PEDRO, "Ley de la Jurisdicción Voluntaria y Derecho internacional privado", *AEDIPr*, t. XVI, 2016, pp. 163-164. Téngase presente que, ya con anterioridad a la adopción de la LJV, la DGRN se había manifestado a favor de la aplicación por los notarios de las disposiciones de la LOPJ para decidir su competencia internacional en materia sucesoria, en concreto en las declaraciones de herederos *abintestato*. *Vid.* la Resolución de la DGRN de 18 de enero de 2005 (Fundamento de Derecho nº 6), disponible en https://www.notariosyregistradores.com/CORTOS/actasdenotoriedad.pdf. En contra, no obstante, de la aplicación por los notarios de las normas de competencia internacional de la LOPJ, y a favor de la utilización por aquéllos de las normas de competencia territorial previstas en la LN también como normas de competencia internacional (aunque en relación con los expedientes sucesorios para los que no propugna

El art. 9, en el párrafo 2° de su apartado 1, para los casos en que no exista normativa institucional ni convencional susceptible de ser aplicada, se limita a establecer que la competencia internacional para conocer de este tipo de expedientes se habrá de determinar con arreglo a los criterios previstos en la Ley Orgánica 6/1985, de 1 de julio, de Poder Judicial (en adelante LOPJ), cuya redacción, debemos recordar, fue modificada por la Ley Orgánica 7/2015, de 21 de julio. Y por lo que concierne a la materia que ahora nos ocupa (relaciones patrimoniales entre los cónyuges) se impone necesariamente estar a lo dispuesto en la letra c) del art. 22 quáter de la LOPJ, precepto en el que el legislador (como ya hiciera en el art. 22.3 de la versión original de la Ley) regula de manera unitaria la competencia de las autoridades españolas[30] para conocer de cuanto concierne a las relaciones personales y patrimoniales entre los cónyuges, de un lado, y de la nulidad, de la separación y del divorcio, de otro, previendo para todas estas cuestiones los mismos criterios competenciales. Y lo hace, además, con una redacción bastante desafortunada, que sin duda puede inducir a confusión[31]. Concretamente, la aplicación de esta disposición legal por parte de los notarios españoles a los que, en un supuesto de tráfico externo, se acuda para la tramitación de un acta de notoriedad del art. 53 de la LN -adaptando, claro está, la literalidad de la norma al hecho de estar ante un expediente de jurisdicción voluntaria, donde no existen partes enfrentadas-, permitirá que tales autoridades se puedan reputar internacionalmente competentes de concurrir cualquiera de las siguientes circunstancias: a) cuando ambos cónyuges posean residencia habitual en España al tiempo de la presentación de la correspondiente solicitud; b) cuando los cónyuges hubieran tenido en España su última residencia habitual común y uno de ellos siga residiendo en nuestro país; c)

---

la aplicación de las normas de competencia del Reglamento n° 650/2012), BLANCO-MORALES LIMONES, PILAR, "La competencia internacional en el Reglamento sucesorio europeo", *Diario La Ley*, n° 8590, 24 de julio de 2015, p. 11.

[30]   El art. 22 quáter, es verdad, utiliza el término "tribunales españoles", pero, dado que la aplicación de los criterios de competencia internacional previstos por la LOPJ a los expedientes de jurisdicción voluntaria, como es el previsto en el art. 53 de la LN, viene reclamada por el art. 9.1 de la LJV, está claro que el término en cuestión se ha de interpretar de manera amplia, incluyendo también en él a las autoridades no judiciales a las que se encomiende la tramitación de este tipo de expedientes.

[31]   El legislador, justo antes de enunciar los criterios en los que las autoridades españolas podrán fundamentar su competencia internacional, establece la siguiente precisión: "siempre que ningún otro Tribunal extranjero tenga competencia". Y esta precisión, de ser tomada en consideración al pie de la letra, llevaría a una conclusión, a nuestro juicio, del todo inconcebible, pues limitaría extraordinariamente la posibilidad de que las autoridades españolas, con base en los criterios competenciales previstos en el art. 22 quáter c), pudieran llegar a conocer de cualquiera de las cuestiones a las que en este último precepto se alude, reduciéndola a los supuestos en que se tuviera constancia de que ningún tribunal extranjero (cualquiera que sea el país al que dicho tribunal pertenezca), con arreglo a la legislación que le sea a aquél de aplicación, resulta competente para conocer de tales cuestiones. Además, no podemos ignorar la importante carga que para nuestras autoridades supondría el tener que llevar a cabo tal comprobación como presupuesto para poder invocar los criterios competenciales previstos en la LOPJ como fundamento de su competencia internacional.

de presentarse la solicitud por ambos cónyuges, cuando en España resida uno de ellos o d) cuando ambos cónyuges tengan nacionalidad española[32].

Los foros en los que, como acabamos de exponer, podrán los notarios españoles fundamentar su competencia internacional para intervenir en la tramitación de un acta de esta naturaleza, resultan ser muy parecidos a los que, desde el 29 de enero de 2019, y en aplicación de lo previsto en los art. 6 del RREM, deben servir de fundamento a los jueces españoles para conocer de cualquier cuestión relativa al régimen económico de un matrimonio en situaciones no vinculadas ni a la sucesión de uno de los cónyuges, ni al divorcio, separación judicial o anulación de dicho matrimonio[33], y que serán precisamente los foros a los que deberán atender los jueces de nuestro país cuando, habiendo recurrido los cónyuges a un notario para la tramitación de un acta del art. 53 de la LN, aquél haya cerrado esta última declarando no acreditados por notoriedad los hechos necesarios para la determinación del régimen económico matrimonial legal, y los interesados, no conformes con ello, opten por acudir a la vía judicial para el ejercicio de su derecho, aunque también en aquellas otras ocasiones en que, habiendo cerrado el notario el acta solicitada con la determinación del régimen económico matrimonial legal al que, a su juicio, quedan sujetos los cónyuges, éstos se muestren disconformes con la determinación llevada a cabo y decidan impugnar judicialmente el acta en cuestión[34][35]. Sin embargo, no podemos pasar por alto la existencia de dos

---

[32] Al ser el expediente notarial aquí considerado un expediente de jurisdicción voluntaria, en el que no es posible hablar de demandante y demandado, devienen inaplicables aquellos foros previstos en el art. 22 quáter c) en los que se alude a la residencia habitual de cualquiera de ellos, quedando, por tanto, igualmente descartada la aplicación del foro general del domicilio del demandado del art. 22 ter de la LOPJ. Asimismo, y por este mismo motivo, quedaría excluida la posibilidad de invocar el foro de la sumisión tácita del art. 22 bis de la LOPJ, si bien es verdad que la utilización de este foro, al igual que la del foro de la sumisión expresa previsto en ese mismo precepto, a la vista del encabezamiento que presentan tanto el art. 22 bis, como los arts. 22 quáter y 22 quinquies de la LOPJ, parece quedar excluida en nuestra legislación en la materia nos ocupa (régimen económico matrimonial).

[33] El art. 6, además de los criterios competenciales expuestos, y en tercera posición, contempla asimismo el foro de la residencia habitual del demandado, foro este último que solo cobra efectividad en procedimientos judiciales de carácter contencioso.

[34] En este caso, a diferencia del anterior, no se impugna si los hechos han quedado o no acreditados, sino la aplicación que, a partir de tales hechos, ha llevado a cabo el notario de la norma destinada a la determinación de la ley aplicable al régimen económico matrimonial legal. De ahí que la impugnación, en este último supuesto, solo sea posible en la medida en que se alegue por los cónyuges que la aplicación de la norma efectuada por el notario ha llevado a conclusiones ilógicas, absurdas o carentes de sentido. *Vid.* en este mismo sentido PRETEL SERRANO, JUAN JOSÉ, *loc. cit.* Además, no debemos dejar de recordar aquí la posibilidad de una interrupción y cierre anticipados del acta, que será lo que acontezca de acreditarse ante el notario que se ha entablado demanda en juicio declarativo con respecto al hecho cuya notoriedad se pretenda establecer (art. 209 Reglamento Notarial).

[35] En cualquiera de los supuestos a los que nos acabamos de referir, la posibilidad reconocida a los interesados no conformes de "ejercer su derecho en el juicio que corresponda" necesariamente se ha de entender como una remisión a lo establecido en el art. 20.2 de la LJV en relación con los ex-

importantes elementos diferenciales entre uno y otro sistema competencial: 1º) la relación que guardan entre sí los criterios o foros de competencia previstos en el art. 6 del RREM es de jerarquía, mientras que en el caso del art. 22 quáter c) de la LOPJ los criterios o foros de competencia presentan carácter alternativo, y 2º) el RREM, en su art. 7, contempla la posibilidad de que los cónyuges acuerden o convengan por escrito[36] la competencia de los órganos jurisdiccionales de un determinado Estado (posibilidad en cualquier caso limitada, puesto que solo se les permite optar entre los órganos jurisdiccionales del Estado miembro[37] cuya legislación esté en el caso llamada a ser aplicada de conformidad con lo previsto en la normativa conflictual cuya intervención venga en el caso reclamada[38], o

---

pedientes tramitados por los Letrados de la Administración de Justicia, esto es, como la posibilidad de plantear un recurso de revisión ante el Juez competente en los términos establecidos en la LEC (art. 454 bis).

[36]   El acuerdo en cuestión, según el art. 7.2, deberá estar fechado y firmado por las partes. Asimismo, según el mencionado precepto, se considerará escrito toda comunicación efectuada por medios electrónicos que proporcione un registro duradero del acuerdo.

[37]   Recuérdese que el RREM, como Reglamento de cooperación reforzada, no resulta de aplicación en todos los Estados de la UE, sino solo en 18 de ellos: Alemania, Austria, Bélgica, Bulgaria, República Checa, Chipre, Croacia, Eslovenia, España, Finlandia, Francia, Grecia, Italia, Luxemburgo, Malta, Países Bajos, Portugal y Suecia.

[38]   El art. 7, es verdad, se refiere a la normativa conflictual prevista en el propio RREM, y, en concreto, a la contenida en los arts. 22 y 26.1, letras a) o b) (respecto a la referida normativa puede verse, más ampliamente, JIMÉNEZ BLANCO, PILAR, *op. cit.*, pp. 67 y ss., y PALAO MORENO, GUILLERMO, "La determinación de la ley aplicable en los reglamentos en materia de régimen económico matrimonial y efectos de las uniones registradas 2016/1103 y 2016/1104", *REDI*, vol. 71, nº 1, 2019, pp. 89-117). Pero no cabe pasar por alto en este punto lo que, en relación con la aplicación de la normativa conflictual del RREM, establece la disposición transitoria de este último, recogida en su art. 69, que en su apartado 3 declara que las disposiciones sobre ley aplicable del Capítulo III "solo serán aplicables a los cónyuges que hayan celebrado su matrimonio o que hayan especificado la ley aplicable al régimen económico matrimonial el 29 de enero de 2019 o después de esta fecha". De ahí que en aquellos supuestos en que el matrimonio cuyo régimen económico matrimonial legal sea objeto de consideración por parte de nuestras autoridades judiciales resulte ser un matrimonio celebrado con anterioridad al 29 de enero de 2019, la normativa conflictual a la que tales autoridades deberán atender para decidir si la ley aplicable es o no la española, y, por ende, si cabe o no reputar válido un acuerdo de sumisión expresa que, a favor de los órganos jurisdiccionales españoles, hayan alcanzado los cónyuges, no pueda ser en principio la prevista en el RREM, sino la establecida en nuestra reglamentación conflictual de origen estatal, en concreto en el art. 9.2 del CC – precepto este último, hemos de recordar, cuya redacción actual, data de la Ley 11/1990, de 15 de octubre, debiéndose asimismo recordar aquí los problemas de Derecho transitorio que nuestra normativa conflictual sobre régimen económico matrimonial ha venido suscitando- (respecto al referido precepto y a los problemas de Derecho transitorio suscitados en la materia, pueden verse, entre otros, RODRÍGUEZ PINEAU, ELENA, *Régimen económico matrimonial. Aspectos internacionales*, Comares, Granada, 2002, pp. 27 y ss.; QUINZÁ REDONDO, PABLO, *Régimen económico matrimonial...*, *op. cit.*, pp. 167 y ss., RODRÍGUEZ RODRIGO, JULIANA, *op. cit.*, pp. 111 y ss. y CALVO CARAVACA, ALFONSO LUIS y CARRASCOSA GONZÁLEZ, JAVIER, "Los artículos 9.2 y 9.3 del Código Civil y el régimen económico matrimonial en Derecho internacional privado español. Valores, métodos y técnicas", *CDT*, vol. 12, nº 2, pp. 192 y ss.). La única excepción se daría en aquellos casos en que el matrimonio cuyo régimen económico matrimonial legal sea objeto de consideración, pese a haberse celebrado antes del 29 de enero de 2019, hubiera alcanzado en cual-

por los correspondientes al Estado miembro de celebración del matrimonio[39]), atribuyendo con ello a tales órganos jurisdiccionales competencia exclusiva, y, de este modo, dejando sin efecto lo previsto en el art. 6[40]. Sin embargo, esta posibilidad no parece quedar permitida en la LOPJ, ya que, atendiendo a la literalidad de sus normas sobre competencia, la sumisión expresa del art. 22 bis solo se considera admisible en "las materias en que una norma expresamente lo permita", y a tal sumisión solo se hace mención expresa en el encabezamiento del art. 22 quinquies (precepto este último referido a las obligaciones de naturaleza contractual y extracontractual, así como a los derechos reales sobre bienes muebles), pero no así en el art. 22 quáter[41]. En cualquier caso, no podemos dejar de resaltar aquí nuestra posición contraria a la exclusión que de la sumisión expresa lleva a cabo el legislador estatal en relación con algunas de las materias incluidas en el art. 22 quáter, como es precisamente la que ahora nos ocupa, ya que

---

quier momento posterior a esta fecha un acuerdo de elección de ley en los términos previstos en los arts. 22 a 24 del RREM, ya que en tales supuestos, y de conformidad con lo establecido en el art. 69.3 del RREM, será la normativa conflictual establecida en este último instrumento la que habrá de recibir aplicación. Asimismo, será a esta última normativa conflictual a la que habrá que atender cuando el matrimonio cuyo régimen económico matrimonial legal se pretenda determinar se hubiera celebrado el 29 de enero de 2019 o en cualquier momento posterior, pero antes, claro está, del 30 de abril de 2021, pues, como se ha visto, es ésta la fecha de entrada en vigor de la nueva LRC y, por ende, la fecha a partir de la cual deviene obligatoria la inscripción, junto a los matrimonios que se celebren, de su régimen económico matrimonial legal o pactado, matrimonios estos para los que, como asimismo se ha apuntado, resulta inaplicable el acta de notoriedad del art. 53 de la LN a la que nos referimos en este trabajo.

[39]   La posibilidad de elección del órgano jurisdiccional competente quedaría restringida a esta última en los supuestos en que la determinación de la ley aplicable se hubiera de llevar a cabo en atención de lo dispuesto en el art. 26.1, letra c), procediendo la aplicación de la ley "con la que ambos cónyuges tengan la conexión más estrecha en el momento de la celebración del matrimonio".

[40]   El art. 8 del RREM contempla asimismo la posibilidad de que los órganos jurisdiccionales de un Estado miembro puedan llegar a conocer de una cuestión relativa al régimen económico matrimonial por sumisión tácita, aunque restringe tal posibilidad a los casos en que la sumisión se produzca a favor de los órganos jurisdiccionales del país cuya legislación esté llamada a ser aplicada de conformidad con lo previsto en el art. 22 o del art. 26.1, letras a) o b) del RREM (remisión que, de venir referida la cuestión del régimen económico matrimonial -y en concreto del legal- a un matrimonio celebrado con anterioridad al 29 de enero de 2019, en atención a lo dispuesto en el art. 69.3 del RREM, nuestras autoridades judiciales deberán entender efectuada al art. 9.2 del CC). Pero hay que tener presente que es este un foro que solo resultará operativo en procedimientos judiciales contenciosos.

[41]   La exclusión de la sumisión expresa en la LOPJ en relación con las cuestiones relativas al régimen económico matrimonial es asimismo destacada por JIMÉNEZ GALLEGO, CARLOS, *op. cit.*, p. 106. Por contra, y a partir de una interpretación conjunta de los arts. 22 quáter c) y 22 ter de la LOPJ, defiende la viabilidad en esta última ley de la sumisión expresa como foro atributivo de competencia en materia de régimen económico matrimonial, RODRÍGUEZ RODRIGO, JULIANA, *op. cit.*, pp. 102-103.

consideramos que tal exclusión, en relación con las referidas materias, resulta claramente injustificada[42].

Ambos instrumentos, es preciso destacar, dejan la puerta abierta a una posible intervención de nuestras autoridades en situaciones en las que, no concurriendo ninguno de los criterios anteriormente expuestos, los cónyuges soliciten tal intervención, y se dé la circunstancia de que el supuesto presente alguna vinculación con nuestro país, si bien es verdad que esa competencia "residual" de nuestras autoridades aparece configurada de manera diferente en el RREM y en la LOPJ.

El primero de estos instrumentos condiciona esa posible intervención "residual" de nuestras autoridades judiciales a la previa comprobación de que los criterios competenciales previstos en los arts. 6 y 7 del RREM no atribuyen competencia a ningún órgano jurisdiccional de cualquier otro Estado miembro. Comprobado este extremo, las autoridades judiciales españolas podrán conocer de la cuestión relativa al régimen económico matrimonial siempre que en nuestro país se localice algún bien inmueble de uno o de ambos cónyuges, aunque en tal caso, añade el RREM, la competencia de nuestras autoridades quedará limitada al inmueble en cuestión (art. 10). Y en el supuesto de que ni siquiera quepa localizar en nuestro país ningún bien inmueble de alguno de los cónyuges, la intervención de nuestras autoridades (y ya sin limitación) se podrá igualmente considerar fundada en la medida en que el asunto presente una conexión "suficiente" con España y aquéllas hayan corroborado que el asunto en cuestión, o no se puede plantear en el tercer Estado con el que presente una conexión "estrecha", o, de poder plantearse, la incoación del correspondiente procedimiento o su desarrollo no se puedan llevar a cabo de una manera que quepa considerar como "razonable" (art. 11).

La LOPJ, por su parte, supedita en todos los casos la intervención "residual" de nuestras autoridades notariales a la previa verificación de los dos siguientes extremos: 1º) que el asunto presente vinculación con España (no se exige que sea "suficiente", lo que exime a nuestras autoridades notariales de tener que llevar a cabo un juicio de suficiencia de la vinculación del asunto en cuestión con nuestro país) y 2º) que las autoridades (judiciales o no judiciales) de los distintos Estados (cualesquiera que éstos sean) que se hallen conectados con el asunto hayan declinado su competencia para conocer de este último. Y este último presupuesto, si atendemos a la literalidad del precepto donde se consagra esta competencia "residual" (art. 22 octies.3, 2º), exigirá necesariamente que los interesados hayan planteado el asunto ante las autoridades de los distintos países con los que aquél guarde conexión, y que todas esas autoridades hayan declinado su

---

[42]   En este mismo sentido, FERNÁNDEZ ROZAS, JOSÉ CARLOS y SÁNCHEZ LORENZO, SIXTO, *Derecho internacional privado*, 12ª ed., Civitas Thomson Reuters, Cizur Menor, 2022, p. 122.

competencia para conocer del mismo, extremo este último que, además, cabe entender que deberán los interesados acreditar ante la autoridad notarial española cuya intervención a título residual hayan solicitado.

A la vista de cuanto se acaba de exponer respecto a la regulación competencial prevista en la LOPJ, de aplicación por los notarios de nuestro país a los que se acuda para la tramitación de un acta del art. 53 de la LN en situaciones transfronterizas, en contraste con la contenida en el RREM, y a la que, para la fundamentación de su competencia internacional, deben atender las autoridades judiciales españolas a las que, en caso de disconformidad con el acta notarial otorgada, decidan recurrir los cónyuges en su pretensión de conseguir la determinación de su régimen económico matrimonial legal, necesariamente hemos de destacar que la existencia de una distinta regulación para la determinación de la competencia internacional de unas y otras autoridades puede acabar conduciendo a resultados, a nuestro juicio, del todo inadmisibles. Así, puede llegar a suceder que un notario español pueda reputarse competente para tramitar un acta de notoriedad para la constancia del régimen económico matrimonial legal de un matrimonio inscrito en nuestro Registro Civil, pero, sin embargo, no quepa considerar competentes a las autoridades judiciales de nuestro país a las que, por disconformidad de los cónyuges con el acta notarial otorgada, puedan aquéllos recurrir para la determinación de su régimen matrimonial. Piénsese, p.e., en el caso de una pareja de ciudadanos españoles cuyo matrimonio, celebrado en Francia, hubiera sido inscrito en el Registro Civil español antes de la entrada en vigor de la LRC, y que, desde el momento de la celebración de su matrimonio, haya tenido su residencia habitual común también en Francia. De pretender los cónyuges dejar constancia en el Registro Civil español de su régimen económico matrimonial legal, está claro que van a poder acudir a tal efecto a un notario español para la determinación de dicho régimen a través de un acta de notoriedad. Y ello por cuanto aquél, sobre la base de lo dispuesto en el art. 22 quáter c) de la LOPJ (donde, como se ha destacado, los criterios de competencia se estructuran de forma alternativa), tiene garantizada su competencia al ser la española la nacionalidad común de ambos cónyuges al tiempo de la presentación de la solicitud. Sin embargo, de no estar los cónyuges conformes con el acta otorgada por el notario al que a tal efecto hayan acudido, se dará la paradoja de que no les estará a aquéllos permitido recurrir a tal fin a las autoridades judiciales españolas, ya que, en aplicación de lo dispuesto en el art. 6 a) del RREM, la competencia para conocer de cualquier cuestión relacionada con el régimen económico de su matrimonio (por la relación jerárquica que guardan entre sí los criterios de competencia recogidos en el mencionado precepto) corresponderá en todo caso a los órganos jurisdiccionales franceses. En tal supuesto, quedaría asimismo descartada la posibilidad de que, por sumisión expresa, pudieran los cónyuges atribuir competencia a los órganos jurisdiccionales españoles y, de este modo, exceptuar el juego del art. 6, pues al ser la ley francesa la ley reguladora del régimen económico matrimonial *ex* art. 26.1 a) del RREM, y, además, haberse celebrado el matrimonio en Francia, la única sumisión posible, de conformidad con lo dispuesto en el art. 7 del RREM, sería a favor de los órganos jurisdiccionales franceses. Igualmente, al darse la circunstancia de que los órganos jurisdiccionales de un Estado miembro, como son en el caso los franceses, gozan, *ex* art. 6 del RREM, de competencia para conocer de las cuestiones relativas al régimen económico del matrimonio, deviene imposible el recurso por parte de las autoridades judiciales de nuestro país a los criterios de competencia residuales previstos en los arts. 10 u 11 de la reglamentación europea.

Asimismo, podría llegar a darse el caso de que las autoridades notariales españoles, en atención a lo previsto en el art. 22 quáter c) de la LOPJ, se vean en la imposibilidad, por falta de competencia internacional, de tramitar un acta de notoriedad del art. 53 de la LN[43], pero, sin embargo, se dé la circunstancia de que nuestras autoridades judiciales, en aplicación de lo dispuesto en el RREM, sí que tengan competencia para conocer de cualquier cuestión relativa al régimen económico del matrimonio. Sirva de ejemplo el caso de una pareja mixta de español y portuguesa que, tras contraer matrimonio en nuestro país y quedar este inscrito en nuestro Registro Civil (con anterioridad, claro está, a la entrada en vigor de la LRC), fijan su residencia conyugal en Suiza, contando el cónyuge español en España con una finca rústica recibida en herencia. Los notarios españoles, en este supuesto, está claro que no podrán, por falta de competencia internacional, tramitar, a solicitud de los cónyuges, un acta de notoriedad para la constancia de su régimen económico matrimonial legal. Y ello al no concurrir en el caso ninguno de los criterios de competencia que, con carácter alternativo, se recogen en el art. 22 quáter c) de la LOPJ. Además, en este supuesto, al quedar garantizada la competencia de las autoridades suizas para conocer de cualquier cuestión relativa al régimen económico de dicho matrimonio, en base a lo dispuesto en la Ley Federal suiza de Derecho internacional privado de 18 de diciembre de 1987[44] [en concreto en su art. 46, por remisión del art. 51 c)][45], quedará descartada la posibilidad de que los notarios españoles acaben fundando su competencia internacional en el criterio de competencia residual o foro de necesidad del art. 22 octies.3, 2º de la LOPJ. Sin embargo, no hay duda de que, en este supuesto, y

---

[43] Recuérdese que, en los casos en que un Notario se niegue a intervenir en la tramitación del acta, como sucederá, precisamente, de considerar aquél que carece de competencia internacional a tal efecto, su negativa será recurrible ante su superior jerárquico, esto es, ante la Dirección General de Seguridad Jurídica y Fe Pública (y ello pese a la declaración de nulidad que, a través de la STS de 20 de mayo de 2008, se llevara a cabo de diversos apartados del art. 145 del RN, tras su modificación de este último operada por el art. 1.70 del Real Decreto 45/2007, de 19 de enero).

[44] https://www.fedlex.admin.ch/eli/cc/1988/1776_1776_1776/fr

[45] Las autoridades judiciales o administrativas suizas, según el art. 46, se reputarán competentes siempre que en Suiza se localice el domicilio o, a falta de domicilio, la residencia habitual de alguno de los cónyuges.

a la luz de lo previsto en el RREM, los órganos jurisdiccionales españoles sí que tienen asegurada la competencia para conocer de cualquier cuestión relativa al régimen económico del citado matrimonio. Y ello, o bien en virtud de un acuerdo de elección de foro adoptado por los cónyuges en aplicación de lo previsto en el art. 7 del RREM, plenamente válido por haber sido España el país de celebración del matrimonio, o bien, a falta de tal acuerdo, por el hecho de concurrir en nuestro país el que el art. 10 del RREM califica como foro de competencia subsidiaria: localización en España de un bien inmueble perteneciente a uno de los cónyuges.

Para evitar todas estas situaciones a las que acabamos de aludir, garantizando que en todas aquellas ocasiones en que las autoridades notariales españolas acaben interviniendo en la tramitación de un acta de notoriedad del art. 53 de la LN instada por un matrimonio en el que concurran elementos extranjeros, quede igualmente asegurada la competencia internacional de las autoridades judiciales españolas para conocer de la eventual pretensión de aquellos cónyuges disconformes con el acta notarial expedida de obtener la determinación judicial de su régimen matrimonial, no cabe más alternativa que propiciar que sean los mismos los criterios de competencia internacional que hayan de aplicar tanto las autoridades notariales como judiciales de nuestro país cuando la intervención de unas u otras sea requerida en materia de régimen económico matrimonial. Y puesto que la normativa sobre competencia internacional contenida en el RREM, como se ha apuntado, queda reservada a las autoridades judiciales, quedando descartada su aplicación por parte de los notarios de nuestro país a los que, en cualquier supuesto de tráfico externo, se acuda para la tramitación de un acta destinada a la determinación del régimen económico matrimonial legal, consideramos que la única solución posible pasa por incorporar a la LOPJ las mismas soluciones competenciales previstas en el RREM, en concreto las establecidas en sus arts. 6, 7, 10 y 11.

IV. DESAJUSTES ENTRE LOS CRITERIOS DE COMPETENCIA INTERNACIONAL Y LOS DE COMPETENCIA TERRITORIAL INTERNA

El notario español al que, en una situación con elementos extranjeros, se recurra para la tramitación de un acta de notoriedad del art. 53 de la LN, además de verificar la concurrencia en el caso de alguna de las circunstancias que, como se acaba de exponer, permitirán a aquél considerar fundada su competencia internacional para la tramitación del acta en cuestión, deberá igualmente verificar su competencia territorial, atendiendo a tal efecto a lo dispuesto en el apartado 1º del art. 53 de la LN. Y, según este último precepto, para la tramitación de este tipo de actas, el o los requirentes tendrán la posibilidad de optar entre alguno de los siguientes notarios: a) el correspondiente a cualquiera de los lugares donde el matrimonio haya tenido su domicilio conyugal; b) el del domicilio o residencia habitual de cualquiera de los cónyuges; c) el del lugar donde estuvieran la mayor parte de los bienes de los cónyuges o d) el del lugar donde estos últimos desarrollen su actividad laboral o empresarial. Asimismo, se reconoce al o a los interesados la posibilidad de acudir a un notario de un distrito colindante a los anteriores[46].

Como se puede apreciar, existe una clara falta de correspondencia entre los criterios de competencia internacional previstos en la LOPJ y los de competencia territorial interna fijados en la LN, lo que puede determinar que haya supuestos en que, siendo internacionalmente competente el notario español al que los interesados recurran para la tramitación de un acta de notoriedad destinada a la determinación de su régimen económico matrimonial legal, al concurrir a su favor alguno de los criterios que, como se ha visto, la LOPJ contempla, aquél, sin embargo, no se pueda considerar territorialmente competente a la luz de los criterios establecidos en el art. 53.1 de la LN. Piénsese, p.e., en los casos en que la intervención de la autoridad notarial española a la que se acuda para la tramitación de un acta del art. 53 de la LN en un supuesto de tráfico externo encuentre su fundamento en el foro de la nacionalidad común española de los cónyuges, residentes ambos en el extranjero, dándose además la doble circunstancia de que en nuestro país no se localice ninguno de los bienes de la pareja y de que ninguno de los cónyuges desarrolle tampoco aquí su actividad laboral o empresarial. En tales supuestos, y a la vista de lo establecido en el art. 53.1 de la LN, resultará imposible la identificación del notario territorialmente competente. Pero lo que está claro es que, cuando sea esto lo que suceda, en ningún caso cabrá denegar la intervención de la autoridad notarial española cuya competencia internacional quede garantizada por lo dispuesto en el art. 22 quáter c) de la LOPJ. Una solución para estas situaciones, es verdad, la encontramos en el art. 9.2 de la LJV, donde el legislador, consciente de los desajustes existentes entre competencia internacional y territorial en el ámbito de la jurisdicción voluntaria, dispone con carácter general que, en los supuestos en que las autoridades españolas, con arreglo a las normas de competencia internacional que en el caso

---

[46]   Respecto a los criterios de competencia territorial previstos en el art. 53 de la LN y su precisión, *vid.* JIMÉNEZ GALLEGO, CARLOS, *op. cit.*, pp. 96-98. La existencia de diversos criterios de competencia territorial de carácter alternativo brinda, ciertamente, a los cónyuges que pretendan tramitar un acta de notoriedad para la constancia del régimen económico matrimonial legal, la posibilidad de optar por cualquiera de los notarios ejercientes en aquella o aquellas localidades en las que concurra alguno de los referidos criterios. Además, se podría dar el caso de que se tramitaran de simultáneamente más de un acta por notarios distintos, aunque, de llegar a acreditarse tal circunstancia, y en aplicación de lo dispuesto en el art. 6 de la LJV (a falta de disposición específica en la LN), sería el notario que primero la hubiere iniciado quien continuaría la tramitación, cerrándola aquel otro que la hubiera iniciado en un momento posterior.

resulten aplicables, sean competentes en relación con cualquiera de los expedientes de jurisdicción voluntaria previstos en la Ley (como es precisamente el regulado en el art. 53 de la LN, introducido en este último texto legal a través de la disposición final 11ª de la LJV), pero resulte imposible concretar la autoridad territorialmente competente con arreglo a los criterios establecidos en la LJV, se considerará que la competencia territorial corresponde a la autoridad del lugar donde el acto de jurisdicción voluntaria del que se trate deba producir sus efectos principales o el de su ejecución. Dicha autoridad, en el caso del expediente que nos ocupa, no sería otra que la del lugar donde se encuentre la Oficina del Registro Civil en que se halle inscrito el matrimonio cuyo régimen económico matrimonial legal pretendan los cónyuges determinar por acta de notoriedad, para, una vez concretado dicho régimen, proceder a su inscripción, junto al matrimonio, en el Registro Civil en cuestión. Pero, desde nuestro punto de vista, la atribución de competencia territorial al notario correspondiente al lugar en que se halle la Oficina del Registro Civil donde figure inscrito el matrimonio, no debería configurarse sin más como una solución excepcional, únicamente admisible en los supuestos en que, por falta de correspondencia entre las diferentes normativas competenciales existentes (internacional y territorial), nuestras autoridades notariales resulten ser internacionalmente competentes, pero no sea posible la determinación de la autoridad notarial territorialmente competente, sino que debería pasar a recogerse en el art. 53.1 de la LN como un criterio de competencia territorial más, válido para todos los supuestos.

Esta falta de concordancia entre los criterios de competencia previstos en la LOPJ y en la LN podría asimismo colocar al notario español ante otro tipo de situaciones, igualmente paradójicas, como serían aquéllas en que, constatando el notario la concurrencia de alguno de los criterios de competencia territorial previstos en el apartado 1º del art. 53 de la LN, susceptibles de servir fundamento a su intervención en la tramitación de un acta de notoriedad en situaciones puramente internas, aquél, sin embargo, se vea en la necesidad de declinar su intervención al advertir la presencia en el caso de cualquier elemento extranjero que determine la aplicación de las normas de DIPr., y, por ende, la obligación de verificar con carácter previo la concurrencia de alguno de los criterios de competencia internacional previstos en la LOPJ, y comprobar la no concurrencia en el supuesto particular de ninguno de ellos. Baste pensar en el caso de un matrimonio mixto celebrado en España que, desde su celebración, o haya tenido su domicilio conyugal en el extranjero, o no haya llegado a tener en ningún momento un domicilio conyugal común por tener ambos cónyuges, por razones laborales o profesionales, su domicilio o residencia en lugares diferentes, localizándose estos en países extranjeros. De darse la circunstancia de que los cónyuges cuenten con bienes en nuestro país, está claro que concurriría el tercero de los criterios de competencia territorial interna previstos en el art. 53.1 de la LN para que los cónyuges, de desear hacer constar en el Registro Civil español el régimen patrimonial legal correspondiente a su matrimonio, puedan acudir a tal efecto al notario del lugar donde se hallen situados la mayor parte de tales bienes. Pero claro igualmente está que, salvo en el supuesto excepcional de que pudiera acabar recibiendo aplicación el foro de necesidad del art. 22 octies.3, 2º de la LOPJ (lo que, como se viera, quedaría supeditado a la previa acreditación por los interesados de que las autoridades de los distintos Estados conectados con el supuesto han acabado declinando su competencia), en el caso no concurre ninguno de los criterios de competencia internacional previstos en el art. 22 quáter c) de la LOPJ. Y, dado que la verificación por parte de las autoridades de nuestro país (sean estas judiciales o no judiciales) de su competencia internacional presenta necesariamente carácter previo a la comprobación de su competencia territorial, de poco servirá que en nuestro supuesto concurra alguno de los criterios previstos en la LN para la determinación de la que estaría llamada a ser la autoridad territorialmente competente, pues, de advertir el notario la no concurrencia en el caso de ninguno de los criterios de competencia internacional establecidos en la LOPJ, aquél, inevitablemente, deberá declinar su intervención en la tramitación del acta solicitada por los cónyuges.

Todas estas situaciones a las que acabamos de aludir se seguirán inevitablemente planteando mientras subsista la falta de concordancia existente en la actualidad entre los criterios de competencia internacional y los de competencia territorial interna, falta de concordancia cuya solución, a nuestro entender, pasa necesariamente por una modificación en la regulación que de la competencia territorial del notario en este tipo de expedientes se lleva a cabo en estos momentos en el art. 53.1 de la LN, con la inclusión en aquélla de los criterios competenciales que se consideren necesarios para asegurar que, en todas aquellas ocasiones en las que nuestras autoridades notariales resulten ser internacionalmente competentes, será igualmente posible la identificación, al menos, de un notario con competencia territorial para tramitar el correspondiente expediente.

V. PROPUESTAS *DE LEGE FERENDA*

A la vista de cuanto se acaba de exponer, son varias las propuestas *de lege ferenda* que, consideramos, cabe efectuar, para conseguir poner fin a los desajustes normativos actualmente existentes, y evitar con ello las situaciones paradójicas que, como consecuencia precisamente de los referidos desajustes, se pueden llegar a plantear:

1ª) Modificación del art. 22 quáter de la LOPJ mediante el establecimiento en el mismo de una regulación diferenciada de la competencia internacional en materia de relaciones patrimoniales entre los cónyuges con respecto a la prevista para las crisis matrimoniales, regulación esta última que bien podría seguir recibiendo aplicación a cuanto tiene que ver con las relaciones personales entre los cónyuges. Como régimen regulador de las relaciones patrimoniales entre los cónyuges, cuya aplicación en la práctica procedería precisamente en los casos en que se requiera la intervención de un notario español para la tramitación, en una situación de tráfico externo, del único expediente de jurisdicción voluntaria sobre la materia que nuestra legislación encomienda en exclusiva a las autoridades notariales de nuestro país, como es el del art. 53 de la LN[47] (recuérdese que los jueces, tanto en los procedimientos de naturaleza contenciosa como voluntaria sobre la materia que ante los mismos se susciten, quedan obligados desde el pasado 29 de enero de 2019 a dar aplicación a las normas sobre competencia internacional contenidas en el RREM), sería necesario diseñar un sistema competencial que descanse básicamente en criterios similares a los previstos en el Capítulo

---

[47]   Los notarios españoles, no se olvide, se han de enfrentar igualmente a la cuestión relativa al régimen económico del matrimonio en otros dos expedientes de jurisdicción voluntaria en los que el legislador prevé también su intervención -si bien es verdad que con carácter ya no exclusivo-, como son: 1) el acta de autorización de matrimonio (arts. 51 LN y 58.6 LRC) y 2) la escritura pública de separación matrimonial o divorcio (arts. 54 LN y 82, 87 y 90.1 e) CC). En el primer caso está claro que la determinación por el notario del que, a su juicio, resultará ser el régimen económico del matrimonio que, una vez autorizado, se acabe celebrando, se habrá de llevar a cabo como parte del contenido del acta en la que la intervención de aquél sea requerida, una vez corroborada la concurrencia a su favor del criterio de competencia territorial, a la par que internacional, al que tanto en el art. 51.1 de la LN como en el también art. 51.1 del CC condicionan tal intervención (domicilio de cualquiera de los contrayentes), sin sujeción, por tanto, a ningún criterio competencial específico que le habilite específicamente para pronunciarse sobre la cuestión relativa al régimen económico matrimonial. Sin embargo, no cabe decir lo mismo de la intervención del notario en la escritura de separación matrimonial o de divorcio, puesto que aquél, cuando se enfrenta a la aprobación de la liquidación del régimen económico del matrimonio llevada a cabo por los cónyuges en el correspondiente convenio regulador, sin duda queda sujeto a normas de competencia tanto internacional como territorial. Por lo que respecta a las primeras, y teniendo en cuenta, a la vista de lo establecido en el art. 90.2, párrafo 4º del CC, que el notario, al aprobar el convenio regulador, lejos está de ejercer "funciones jurisdiccionales" en el sentido exigido por el art. 3.2 del RREM para poder recibir la consideración de "órgano jurisdiccional", cabe concluir que en ningún caso podrán ser las establecidas en el Capítulo II del RREM, debiendo aquél necesariamente atender a las disposiciones previstas en el sistema estatal de competencia internacional, esto es, en la LOPJ (a favor, no obstante, de la aplicación por los notarios de los criterios del RREM a la hora de decidir su competencia para refrendar la liquidación del régimen económico matrimonial propuesta por los cónyuges en su convenio regulador, QUINZÁ REDONDO, PABLO, "La unificación -fragmentada- del Derecho internacional privado de la Unión Europea en materia de régimen económico matrimonial: el Reglamento 2016/10013", *RGDE*, nº 41, 2017, pp. 189-190 y JIMÉNEZ BLANCO, PILAR, *op. cit.*, pp. 243-244 y 317-320). Y en cuanto a la competencia territorial, a falta de criterios competenciales específicos, entendemos que deberán ser los mismos criterios que en el caso, y de conformidad con lo dispuesto en el art. 54.1 de la LN, justifiquen la intervención del notario en el otorgamiento de la correspondiente escritura de separación matrimonial o divorcio, los que habrán de servir igualmente de base para que aquél pueda además refrendar lo acordado por las partes en su convenio regulador en relación con la liquidación del que haya sido su régimen económico matrimonial.

II del RREM[48], y, más concretamente, en sus arts. 6, 7 y 10, con exclusión, claro está, de aquellos criterios que presupongan la existencia de un procedimiento con partes enfrentadas. La redacción del nuevo inciso que consideramos habría que incluir en el art. 22 quáter de la LOPJ, justo después del apartado c) [que quedaría circunscrito a la regulación de la competencia en materia de relaciones personales entre los cónyuges, nulidad matrimonial, separación y divorcio], y como nuevo apartado d) [el resto de los actuales apartados del art. 22 quáter de la LOPJ pasarían, obviamente, a ser los apartados e), f), g) y h)], tomando en todo caso como modelo -aunque con matizaciones- la incorporación que de los criterios competenciales previstos en el Reglamento (UE) nº 650/2021 llevara a cabo el legislador español en el último de los apartados del art. 22 quáter en relación con la competencia en materia de sucesiones, bien podría ser la siguiente:

"En materia de relaciones patrimoniales entre los cónyuges, cuando ambos cónyuges tengan su residencia habitual en España al tiempo de la interposición de la demanda. De no ser así, y siempre que, en aplicación de lo dispuesto en el Reglamento (UE) nº 2016/1103, la competencia no corresponda a la jurisdicción de otro Estado miembro de este último Reglamento, cuando en España hayan tenido los cónyuges su última residencia habitual y uno de ellos siga residiendo allí al tiempo de la interposición de la demanda. Y de no concurrir tampoco en España esta última circunstancia, ni hacerlo tampoco a favor de la jurisdicción de ningún otro Estado miembro del Reglamento (UE) nº 2016/1103, cuando ambos cónyuges tengan nacionalidad española. También serán competentes cuando los cónyuges, mediante acuerdo hecho por escrito, fechado y firmado por ambos, se hubieran sometido a los Tribunales españoles, siempre que, o bien sea la ley española la ley aplicable a las relaciones patrimoniales entre los cónyuges, o bien el matrimonio se hubiera celebrado en España (y a lo cual añadiríamos, yendo más allá de lo previsto en el art. 7 del RREM) o se hallare inscrito en el Registro Civil español. Cuando ninguna jurisdicción de un Estado miembro del Reglamento (UE) nº 2016/1103 sea competente con arreglo a los criterios anteriores, ni tampoco lo sean los Tribunales españoles, estos lo serán respecto de los bienes, muebles o inmuebles (y en este punto volvemos a ir más allá de lo previsto en el RREM, cuyo art. 10 solo alude a los bienes inmuebles)[49], *de uno o ambos cónyuges que se encuentren en España".*

La regulación propuesta, está claro, excluiría en principio la competencia de las autoridades notariales españolas en aquellas situaciones en que, concurriendo a favor de tales autoridades el segundo de los criterios planteados, el primero,

---

[48]   Reglamento que, hay que recordar, aún no se había adoptado en la fecha en que se operara la modificación de la LOPJ a través de la Ley Orgánica 7/2015, ofreciéndose al art. 22 quáter c) la redacción que actualmente presenta.

[49]   Tratamos de este modo de asegurar la necesaria concordancia entre los criterios de competencia internacional y los de competencia territorial, pues el legislador, en el enunciado que de estos últimos lleva a cabo en el art. 53.1 de la LN, se refiere al lugar de situación de la mayoría de los bienes de los cónyuges, sin distinguir según se trate de bienes muebles o inmuebles.

sin embargo, atribuyera competencia a las autoridades de cualquier otro Estado miembro del RREM, de igual manera que quedaría también excluida su competencia en aquellas otras situaciones en las que, teniendo ambos cónyuges nacionalidad española, éstos no tuvieran residencia conyugal común al tiempo de la presentación de la demanda (o solicitud) y se diera además la circunstancia de que los cónyuges hubieran tenido su última residencia habitual común en otro Estado miembro del RREM, y en dicho Estado, al tiempo de la demanda (o solicitud), siguiera residiendo uno de ellos. Y decimos que ello sería así "en principio" por cuanto, de conformidad con la regulación propuesta, quedaría en todo caso abierta la posibilidad de que la competencia de nuestras autoridades viniera garantizada por un acuerdo de elección de foro alcanzado por los cónyuges, acuerdo este que se consideraría válido tanto de ser la española la ley que, en aplicación de lo dispuesto en la normativa conflictual a la que en el caso se deba dar efecto[50], esté llamada a regir las relaciones patrimoniales entre los cónyuges, como en aquellos casos en que el matrimonio en cuestión se hubiera celebrado en España o, de haberse celebrado en el extranjero, se hallare en inscrito en el Registro Civil de nuestro país por ostentar alguno de los cónyuges la nacionalidad española[51]; y siempre y cuando, además, el acuerdo en cuestión se lleve a cabo por escrito y se halle fechado y firmado por ambos cónyuges. De no existir tal sumisión a las autoridades españolas[52], o en el caso de que, habiendo alcanzado los cónyuges un acuerdo en tal sentido, éste no sea válido por no concurrir las condiciones a las que, como se ha expuesto, se supedita su validez sustancial o formal, a aquéllos no les quedaría más alternativa que asumir las consecuencias que su decisión (sea la de no pactar un acuerdo atributivo de competencia, o, de haberlo alcanzado, la de no ajustarse a las condiciones exigidas para su validez) necesariamente se han de derivar: que para la solución de la cuestión relativa a su régimen económico matrimonial (en nuestro caso, para la determinación

---

[50]   *Vid. supra* nota 38.

[51]   Recuérdese que, en atención a lo que establecía el art. 15 de la LRC de 1957 (y que, prácticamente con los mismos términos, viene a reproducir el art. 9 de la vigente LRC), han tenido (y siguen teniendo) acceso al Registro Civil español todos los matrimonios que afecten a los españoles, cualquiera que sea el lugar de su celebración, así como los acaecidos en territorio español, aun cuando afecten a extranjeros.

[52]   Téngase presente que el tenor literal del art. 53 de la LN parece dejar abierta la posibilidad de que sea un solo cónyuge quien solicite la tramitación del acta a la que el citado precepto se refiere, tal y como se desprende de la utilización del término "requirente" en singular que lleva a cabo el legislador tanto en el apartado 1, como en el párrafo 1° del apartado 2 del referido precepto. Y ello pese al empleo en los demás apartados del mismo precepto de fórmulas en plural ("Quienes deseen hacer constar..." -apartado 1-; "Los solicitantes deberán aseverar..." -apartado 2, párrafo 2°-; "los interesados no conformes podrán ejercer su derecho..." -apartado 3-). Lo que sí que en todo caso parece quedar claro es que, aun en el supuesto de que sea uno solo de los cónyuges quien solicite la tramitación del acta, el notario, durante su tramitación, requerirá la intervención de ambos cónyuges.

del que resulte ser el régimen patrimonial legal del matrimonio) se vean en la necesidad de acudir a autoridades extranjeras, en concreto a aquéllas que, con arreglo a lo previsto en su propia legislación de DIPr., puedan resultar internacionalmente competentes para conocer de las cuestiones relativas a las relaciones patrimoniales entre los cónyuges[53]. Además, han de tener presente los cónyuges que tales autoridades, a la hora de determinar el régimen legal al que el matrimonio quede sometido en sus relaciones patrimoniales, necesariamente habrán de atender a lo dispuesto en la normativa conflictual que en la legislación de DIPr. de dicho país regule los efectos patrimoniales del matrimonio[54]. Y ciertamente puede suceder que la referida normativa conflictual dé acogida a criterios de conexión distintos de los previstos en la normativa conflictual española[55], por lo que podría darse la circunstancia de que el régimen económico matrimonial legal identificado por la autoridad extranjera a la que los cónyuges acaben a tal efecto acudiendo, nada tenga que ver con el que, en aplicación de la normativa conflictual española, habrían identificado como tal las autoridades notariales españolas, de haberse podido tramitar ante éstas un acta del art. 53 de la LN[56]. De

---

[53]		Al tratarse de Estados miembros del RREM, de ser autoridades judiciales las que, según la legislación de dicho Estado, tengan atribuida competencia para la determinación del régimen económico matrimonial legal de los cónyuges, o bien autoridades no judiciales que, por cumplir los requisitos previstos en el art. 3.2 del RREM, puedan recibir la consideración de "órganos jurisdiccionales", las autoridades de dicho país habrían de fundamentar su competencia internacional en los criterios de competencia previstos en el Capítulo II del RREM. Ahora bien, de venir reclamada en el país en cuestión la intervención de una autoridad no judicial que, a la luz de lo dispuesto en el art. 3.2 del RREM, no tenga la consideración de "órgano jurisdiccional", dicha autoridad debería fundamentar su competencia en lo dispuesto en la legislación interna sobre competencia internacional en vigor en el país de que se trate.

[54]		Pese a tratarse de un país miembro del RREM, dependerá de cuál sea la fecha de celebración del matrimonio, y, de ser éste anterior al 29 de enero de 2019, del hecho de que los cónyuges, en algún momento posterior a esta fecha, hayan alcanzado o no un acuerdo de elección de la ley aplicable de conformidad con lo previsto en los arts. 22 a 34 del RREM, el que las autoridades del país en cuestión, para la determinación del régimen patrimonial legal de dicho matrimonio, atiendan a lo dispuesto en la normativa conflictual prevista en el Capítulo III de este último instrumento o, en su lugar, den aplicación a lo previsto en su normativa conflictual de origen estatal.

[55]		Respecto a la diversidad de las soluciones conflictuales acogidas en las legislaciones estatales de los Estados miembros de la UE, y entre estos, los pertenecientes al RREM, puede verse QUINZÁ REDONDO, PABLO, *Régimen económico matrimonial, op. cit.*, pp. 122 y ss y pp. 279 y ss. (páginas estas últimas referidas a la regulación contenida en el Convenio de La Haya de 14 de marzo de 1978 sobre ley aplicable a los regímenes matrimoniales, del que forman parte Francia, Luxemburgo y Países Bajos). Respecto a las soluciones conflictuales previstas en las referidas legislaciones *vid.* igualmente la información que sobre las mismas se contiene en VERWILGHEN, MICHEL (Dir.), *Régimes matrimoniaux, susccessions et libéralités dans les relations internationales et internes*, Bruylant, Bruselas, 2003, tomos I, II y III.

[56]		Para una aproximación a los regímenes económicos matrimoniales legales en Derecho comparado *vid.* VERWILGHEN, MICHEL (Dir.), *op. cit.*; SIMÓ SANTONJA, VICENTE, *Compendio de regímenes matrimoniales*, Tirant lo Blanch, Valencia, 2005; GÓMEZ CAMPELO, ESTHER, *Los regímenes matrimoniales en Europa y su armonización*, Reus, Madrid, 2008; QUINZÁ REDONDO, PABLO, *Régimen económico matrimonial…, op. cit.*, pp. 39 y ss., y OLIVA IZQUIERDO, ALEXIA, OLIVA RODRÍGUEZ,

llegar a darse el caso al que acabamos de aludir, consideramos que no debería haber impedimento para que el régimen económico matrimonial legal identificado por la autoridad extranjera pudiera terminar accediendo al Registro Civil español donde el matrimonio figure inscrito, aunque para ello sería necesario que los cónyuges solicitaran la inscripción de la resolución o del correspondiente documento extranjero en el Registro Civil de que se trate[57]. No obstante, una vez practicada la inscripción registral del régimen económico matrimonial legal determinado, quedaría en todo caso abierta la posibilidad de que cualquiera de los cónyuges, o incluso un tercero que acreditara un interés legítimo, procediera a impugnar judicialmente la inscripción en cuestión recurriendo a tal efecto al correspondiente procedimiento de rectificación de asientos del Registro Civil (arts. 781 bis LEC y 90 LRC).

Dicho lo anterior, no podemos dejar de destacar que, a la luz de la nueva reglamentación propuesta, en aquellos supuestos en que no exista un acuerdo válido entre los cónyuges a favor de la competencia de las autoridades españolas, y se dé además la circunstancia de que ninguno de los tres criterios propuestos a título principal concurran a favor ni de las autoridades españolas ni de las autoridades de ningún otro Estado miembro del RREM, quedaría en cualquier caso abierta la posibilidad de que las autoridades notariales de nuestro país acabaran considerándose competentes para tramitar un acta del art. 53 de la LN de localizarse en territorio español cualquier bien, mueble o inmueble, de uno o ambos cónyuges.

2ª) Modificación del art. 22 octies.3, 2º de la LOPJ mediante la sustitución de la condición a la que actualmente se supedita el juego del foro de necesidad en él previsto (como es la de que los tribunales de los distintos Estados conectados con el supuesto hayan declinado su competencia) por esta otra, más ajustada a lo previsto en los distintos Reglamentos europeos (entre ellos el RREM) que contemplan un foro necesidad: la comprobación de que las autoridades del (tercer) Estado con el que el asunto mantenga una relación estrecha, o no puedan conocer de aquél, o, de poder hacerlo, el procedimiento en cuestión no se pueda desarrollar de manera razonable. Además, sería conveniente modificar la exigencia actual de que el asunto presente sin más vinculación con España para que pueda entrar en funcionamiento el foro de necesidad, añadiendo el requisito de que tal vinculación resulte suficiente. Este foro, incorporadas las modificaciones

---

ANTONIO MANUEL y OLIVA IZQUIERDO, ANTONIO MANUEL, *Los regímenes económicos matrimoniales del mundo,* Centro de Estudios del Colegio de Registradores de la Propiedad y Mercantiles de España, Madrid, 2017.

[57] Adviértase, en cualquier caso, que de venir fijado el régimen matrimonial legal en documento expedido por autoridad extranjera a la que no quepa atribuir la consideración de "órgano jurisdiccional", el acceso del referido régimen legal al Registro Civil español se podría encontrar con el obstáculo que supondría la aplicación de lo previsto en el art. 97.3º de la LRC.

sugeridas, sería el que podría acabar sirviendo de fundamento a la competencia de los notarios españoles en aquellos supuestos en que, no concurriendo a favor de aquéllos ninguno de los foros previstos en el que proponemos como nuevo art 22 quáter d), se solicite su intervención en la tramitación de un acta de notoriedad del art. 53 de la LN en relación con cualquier matrimonio que figure inscrito en el Registro Civil (circunstancia esta que, a nuestro entender, debería en todo caso llevar al notario requerido a considerar la solicitud formulada suficientemente vinculada con nuestro país como para aceptar su intervención), previa comprobación, eso sí, de que las autoridades del tercer Estado con el que el matrimonio y sus relaciones patrimoniales presentan una relación estrecha, o no pueden conocer de la cuestión relativa al régimen económico del matrimonio o, de llegar a conocer, el procedimiento en cuestión no se podría desarrollar de manera razonable.

3ª) Modificación del art. 53.1 de la LN con la inclusión en este último de un nuevo criterio de competencia territorial. Bastaría con añadir a los criterios allí ya previstos, y en último lugar (justo antes de "a elección del requirente"), de este otro criterio: "o donde se hallare inscrito el matrimonio". De este modo, no solo se aseguraría que en aquellas situaciones de tráfico externo en las que, a día de hoy, se pueden producir desajustes entre los criterios de competencia internacional y los de competencia territorial interna, sea siempre posible la identificación de un notario territorialmente competente (objetivo que, como hemos apuntado, ya garantiza en estos momentos nuestro legislador con la previsión contenida en el art. 9.2 de la LJV), sino que, además, vendría a ampliar el ya de por sí amplio abanico de criterios de competencia territorial que la legislación actual ofrece a los interesados en la tramitación de este tipo de expedientes, al brindarles también la posibilidad de recurrir a los notarios de un lugar que, sin ningún tipo de duda, guardan una estrecha relación con el asunto para el que la intervención de aquéllos es requerida: los del lugar donde consta inscrito el matrimonio cuyo régimen económico matrimonial legal pretenden los cónyuges determinar, con el fin precisamente de dejar constancia de este último junto a la inscripción de matrimonio.

VI. BIBLIOGRAFÍA

BLANCO-MORALES LIMONES, PILAR, "La competencia internacional en el Reglamento sucesorio europeo", *Diario La Ley*, nº 8590, 24 de julio de 2015.

CALVO CARAVACA, ALFONSO LUIS y CARRASCOSA GONZÁLEZ, JAVIER, "Los artículos 9.2 y 9.3 del Código Civil y el régimen económico matrimonial en Derecho internacional privado español. Valores, métodos y técnicas", *CDT*, vol. 12, nº 2, pp. 186-225.

DE MIGUEL ASENSIO, PEDRO, "Ley de la Jurisdicción Voluntaria y Derecho internacional privado", *AEDIPr*, t. XVI, 2016, pp. 147-197.

FERNÁNDEZ ROZAS, JOSÉ CARLOS y SÁNCHEZ LORENZO, SIXTO, *Derecho internacional privado*, 12ª ed., Civitas Thomson Reuters, Cizur Menor, 2022.

FRANZINA, PIETRO, "Jurisdiction in matters relating to property regimes under EU Private International Law", *Yearbook of Private International Law*, vol. XIX, 2017-2018, pp. 159-194.

GÓMEZ CAMPELO, ESTHER, *Los regímenes matrimoniales en Europa y su armonización*, Reus, Madrid, 2008.

JIMÉNEZ BLANCO, PILAR, Regímenes económicos matrimoniales transfronterizos. Un estudio del Reglamento (UE) n° 2016/1103, Tirant lo Blanch, Valencia, 2021.

JIMÉNEZ GALLEGO, CARLOS, *Función notarial y jurisdicción voluntaria*, Tirant lo Blanch, Valencia, 2015.

OLIVA IZQUIERDO, ALEXIA, OLIVA RODRÍGUEZ, ANTONIO MANUEL y OLIVA IZQUIERDO, ANTONIO MANUEL, *Los regímenes económicos matrimoniales del mundo*, Centro de Estudios del Colegio de Registradores de la Propiedad y Mercantiles de España, Madrid, 2017.

PALAO MORENO, GUILLERMO, "La determinación de la ley aplicable en los reglamentos en materia de régimen económico matrimonial y efectos de las uniones registradas 2016/1103 y 2016/1104", *REDI*, vol. 71, n° 1, 2019, pp. 89-117.

PEITEADO MARISCAL, PILAR, "Competencia internacional por conexión en materia de régimen económico matrimonial y de efectos patrimoniales de uniones registradas. Relación entre los Reglamentos UE 2201/2003, 650/2012, 1103/2016 y 1104/2016", *CDT*, vol. 9, n° 2, 2017, pp. 300-326.

PRETEL SERRANO, JUAN JOSÉ, "La publicidad del régimen económico matrimonial legal en el Registro Civil: el Acta de Notoriedad para su "constancia"", 21/04/2016, https://www.notariosyregistradores.com/web/secciones/oficina-notarial/otros-temas/la-publicidad-del-regimen-economico-matrimonial-legal-en-el-registro-civil-el-acta-de-notoriedad-para-su-constancia/

QUINZÁ REDONDO, PABLO, *Régimen económico matrimonial. Aspectos sustantivos y conflictuales*, Tirant lo Blanch, Valencia, 2016.

QUINZÁ REDONDO, PABLO, "La unificación -fragmentada- del Derecho internacional privado de la Unión Europea en materia de régimen económico matrimonial: el Reglamento 2016/10013", *RGDE*, n° 41, 2017, pp. 180-222.

RIVERO SÁNCHEZ-COVISA, FERNANDO JOSÉ, "Determinación del régimen económico matrimonial en las actas previas notariales", *Notario del Siglo XXI*, n° 97, 2021, pp. 24-31, disponible en https://www.elnotario.es/

opinion/10765-determinacion-del-regimen-economico-matrimonial-en-las-actas-previas-notariales

RODRÍGUEZ BENOT, ANDRÉS, "Artículo 3. Definiciones", en IGLESIAS BUIGUES, JOSÉ LUIS y PALAO MORENO, GUILLERMO (Dirs.), *Régimen económico matrimonial y efectos patrimoniales de las uniones registradas en la Unión Europea. Comentarios a los Reglamentos (UE) n° 2016/1103 y 2016/1104*, Tirant lo Blanch, Valencia, 2019, pp. 47-64.

RODRÍGUEZ BENOT, ANDRÉS, "Los efectos patrimoniales de los matrimonios y de las uniones registradas en la Unión Europea", *CDT*, vol. 11, n° 1, 2019, pp. 8-50.

RODRÍGUEZ BENOT, ANDRÉS, "Los reglamentos europeos sobre consecuencias patrimoniales de los matrimonios y de las uniones registradas justificación, caracteres generales, ámbito de aplicación y definiciones", en SERRANO DE NICOLÁS, ÁNGEL (Coord.), *Los Reglamentos UE 2016/1103 y 2016/1104 de regímenes económicos matrimoniales y efectos patrimoniales de las uniones registradas*, Marcial Pons, Madrid, 2020, pp. 15-48.

RODRÍGUEZ PINEAU, ELENA, *Régimen económico matrimonial. Aspectos internacionales*, Comares, Granada, 2002.

RODRÍGUEZ RODRIGO, JULIANA, *Relaciones económicas de los matrimonios y las uniones registradas en España, antes y después de los Reglamentos (UE) 2016/1103 y 2016/1104*, Tirant lo Blanch, Valencia, 2019.

RUIZ DE LA HERMOSA GUTIÉRREZ, JOSÉ ANTONIO y LÓPEZ RIBAGORDA, DAVID, "El notario en el nuevo modelo de Registro Civil. Procedimiento de autorización de matrimonio", *Notario del Siglo XXI*, n° 97, 2021, pp. 18-23, disponible en https://www.elnotario.es/hemeroteca/revista-97/10766-el-notario-en-el-nuevo-modelo-de-registro-civil-procedimiento-de-autorizacion-de-matrimonio

SERRANO DE NICOLÁS, ÁNGEL y OTROS, "Disposición final undécima. Uno", en FERNÁNDEZ DE BUJÁN, ANTONIO (Dir.), *Comentarios a la Ley 15/2015, de la Jurisdicción Voluntaria*, Civitas Thomson Reuters, Cizur Menor, 2016, pp. 1442-1694.

SIMÓ SANTONJA, VICENTE, *Compendio de regímenes matrimoniales*, Tirant lo Blanch, Valencia, 2005.

VERWILGHEN, MICHEL (Dir.), *Régimes matrimoniaux, succcessions et libéralités dans les relations internationales et internes*, Bruylant, Bruselas, 2003, tomos I, II y III.

ZAMORA IPAS, ALMUDENA, "Acta de notoriedad para la constancia del régimen económico matrimonial legal", en BARRIO DEL OLMO, CONCEPCIÓN PILAR (Coord.), *Jurisdicción voluntaria notarial: estudio práctico de los nuevos expedientes en la Ley de la Jurisdicción Voluntaria, Ley Hipotecaria y Ley de Navegación Marítima*, Aranzadi Thomson Reuters, Cizur Menor, 2015, pp. 323-362.

COMPETENCIA ALTERNATIVA EN EL REGLAMENTO (UE) 2016/1104: DE LOS BUENOS PROPÓSITOS A SU EXCESIVA SOFISTICACIÓN

PABLO QUINZÁ REDONDO

Profesor Contratado Doctor de Derecho internacional privado
Universitat de València

SUMARIO: I. BREVES PALABRAS SOBRE LA PROFESORA MERCEDES MOYA. II. OBJETO DEL TRABAJO. III. EL REGLAMENTO (UE) 2016/1104 Y SUS FOROS DE COMPETENCIA JUDICIAL INTERNACIONAL. IV. EL FORO DE LA COMPETENCIA ALTERNATIVA. 1. Justificación y objetivo. 2. El órgano jurisdiccional que se inhibe. A. Foros que pueden dar lugar a la inhibición. B. La no previsión de la institución de la unión registrada en el derecho del foro como base para inhibirse. C. Iniciativa y momento para la inhibición. D. Imposibilidad de inhibición. 3. Los órganos jurisdiccionales que resuelven el asunto. A. Primera situación. B. Segunda situación. V. A MODO DE CONCLUSIÓN. VI. BIBLIOGRAFÍA.

I. BREVES PALABRAS SOBRE LA PROFESORA MERCEDES MOYA

"Conocí" a la profesora Mercedes Moya cuando hice mi primera estancia de investigación en el Instituto Max Planck de Hamburgo en el año 2012. Por aquel entonces estaba realizando una búsqueda preliminar de bibliografía para mi tesis doctoral, enfocada en el régimen económico matrimonial, cuando encontré un manual en el que la profesora Mercedes Moya era la autora del capítulo VI, titulado "Relaciones entre los cónyuges"[1]. Créanme si les digo que la claridad de ideas que encontré en el mencionado capítulo fue todo un apoyo en ese momento inicial de incertidumbre que toda tesis doctoral conlleva. "Si me perdía" siempre podía releerlo, que allí encontraría una estructura organizada y una exposición doctrinal ciertamente inspiradora respecto de los arts. 9.2 y 9.3 Cc. Es posible que, visto el enorme legado de trabajos que la profesora Mercedes Moya nos deja, este capítulo fuera solo uno más para ella, pero no sabe cuánto significó para quien hoy suscribe estas líneas diez años después.

A lo largo de esta década -y, por supuesto, mucho antes-, la profesora Mercedes Moya nos ha visitado en numerosas ocasiones en Valencia. Conferencias, tesis doctorales, concursos, oposiciones, etc. Siempre aceptando amable y

---

[1] MARÍN LÓPEZ, ANTONIO; MOYA ESCUDERO, MERCEDES; TRINIDAD GARCÍA, Mª LUISA y CARRASCOSA GONZÁLEZ, JAVIER, *Derecho internacional privado II. Parte especial. Derecho civil internacional*, 7ª edición, Granada 1991.

desinteresadamente la invitación de sus colegas valencianos. Y esto es algo que me gustaría poner de relieve: la profesora Mercedes Moya siempre ha sido una persona cercana, que ha tratado a todos por igual y que, además, siempre ha hecho gala, en público y en privado, de la importancia de ir incluyendo e insertando a las nuevas generaciones en los proyectos "de los mayores". En definitiva, por su calidez humana e inspiración para los que nos encontramos en el inicio del camino de nuestra carrera académica, la profesora Mercedes Moya es y será un referente en el que mirarnos.

II. OBJETO DEL TRABAJO

Como se acaba de mencionar, son muchos y variados los temas que la profesora Mercedes Moya ha tratado brillantemente a lo largo de su carrera. Destacan, especialmente, el Derecho de extranjería y el Derecho de familia -en sentido amplio-, abordados y recogidos en libros, artículos de revistas, obras colectivas y proyectos de investigación por ella dirigidos. En tal elenco, la profesora Mercedes Moya siempre ha llevado por bandera la protección, por un lado, de los colectivos más vulnerables y, por otro, la de los modelos de familia "menos comunes". Precisamente la presente contribución se va a centrar en uno de estos últimos, como son las uniones no matrimoniales, y particularmente en un foro que, para la determinación de la competencia judicial internacional referente a los efectos patrimoniales que su creación y disolución o anulación conlleva, prevé el Reglamento (UE) 2016/1104[2], particularmente su art. 9, titulado "Competencia alternativa".

III. EL REGLAMENTO (UE) 2016/1104 Y SUS FOROS DE COMPETENCIA JUDICIAL INTERNACIONAL

Se cumplen, en el momento de escribir este trabajo, casi 4 años desde que el Reglamento (UE) 2016/1104 resultó aplicable tanto en España, como en otros 17 Estado miembro, fruto de la cooperación reforzada, y lo cierto es que el *shock*

---

[2]   Reglamento (UE) 2016/1104 del Consejo, de 24 de junio de 2016, por el que se establece una cooperación reforzada en el ámbito de la competencia, la ley aplicable, el reconocimiento y la ejecución de resoluciones en materia de efectos patrimoniales de las uniones registradas (*DOUE* L 183, de 8 de julio de 2016). Téngase presente la existencia, igualmente, de su reglamento "gemelo", el Reglamento (UE) 2016/1103 del Consejo, de 24 de junio de 2016, por el que se establece una cooperación reforzada en el ámbito de la competencia, la ley aplicable, el reconocimiento y la ejecución de resoluciones en materia de regímenes económicos matrimoniales (*DOUE* L 183, de 8 de julio de 2016).

inicial que la introducción de nuevas normas de Derecho internacional privado en esta materia supuso, parece ya superado. Esto no significa, sin embargo, que no se siga mirando con cierto recelo y desconfianza -e incluso vértigo- muchas de ellas, como ocurre con las de la competencia judicial internacional. Y es que, tras la aparente sencillez perseguida por el legislador de la Unión Europea mediante la introducción de bloques temáticos referentes a materias conexas–conflictos relacionados con los efectos patrimoniales de las uniones registradas como consecuencia del fallecimiento de sus miembros (art. 4) o a raíz de la disolución o nulidad de su vínculo jurídico (art. 5)-, que persiguen "…permitir que los diferentes procedimientos de los ciudadanos se sustancien ante los órganos jurisdiccionales de un mismo Estado miembro…" (cdo. 32), se encuentran igualmente diferentes disposiciones referentes a otros casos (arts. 6, 7 y 8), que ciertamente suponen un verdadero galimatías de escenarios posibles[3].

Junto con los mencionados foros de competencia judicial internacional, el Reglamento (UE) 2016/1104, consciente de la heterogeneidad regulatoria respecto de la figura jurídica de las uniones registradas, ofrece en su art. 9 una norma de competencia judicial internacional cuyo objetivo es, precisamente, obtener un balance razonable entre la posibilidad de que un órgano jurisdiccional de un Estado miembro que participe en la cooperación reforzada se abstenga de conocer el caso y el que las partes encuentren un Estado miembro, también vinculado por dicho instrumento institucional, donde poder sustanciar el asunto. Se trata de una disposición ciertamente novedosa en los reglamentos de Derecho internacional privado de familia de la Unión Europea, "piloto" en cierto modo, pues el propio legislador de la Unión Europea ha previsto una revisión-evaluación más temprana de la misma (a más tardar, el 29 de enero de 2024) en comparación con la general (límite, 29 de enero de 2027). Parece pues oportuno plantearse, ahora que nos encontramos en el "intermedio" entre el inicio de su aplicación y su posible actualización, los caracteres básicos de la misma[4].

---

[3]   Analizando tales tres bloques en clave de plurinacionalidad, RUEDA VALDIVIA, RICARDO, "Plurinacionalidad y régimen económico matrimonial en el Derecho internacional privado español", en MOYA ESCUDERO, MERCEDES (Dir.), *Plurinacionalidad y Derecho internacional privado de familia y sucesiones*, Tirant lo Blanch, Valencia, 2021, pp. 341-361.

[4]   Gran parte de las reflexiones aquí compartidas se corresponden con lo ya analizado en un trabajo anterior, concretamente en QUINZÁ REDONDO, PABLO, *Uniones registradas en la Unión Europea*, Tirant lo Blanch, Valencia, 2022.

IV. EL FORO DE LA COMPETENCIA ALTERNATIVA

Como se acaba de indicar, el art. 9 del Reglamento (UE) 2016/1104 permite al órgano jurisdiccional de un Estado miembro que participe en la cooperación reforzada inhibirse[5] si su derecho no prevé la institución de las uniones registradas. Como contrapartida, para evitar situaciones de denegación de justicia, se ofrece a las partes la posibilidad de acudir a los órganos jurisdiccionales de otros Estados miembro, también vinculados por dicho instrumento institucional, donde poder interponer su demanda con éxito. A este respecto, son varias las cuestiones de índole sustantivo y procesal que, respecto de los dos potenciales órganos jurisdiccionales envueltos en su aplicación -el órgano jurisdiccional *inicialmente* competente, que se inhibe, y los *finalmente* competentes, que resuelven el asunto-[6], puede conllevar la puesta en práctica de esta norma de competencia alternativa.

1. Justificación y objetivo

Para comprender el porqué de la introducción de una disposición de esta índole, es necesario tener presente que la mera regulación o existencia de la figura jurídica de las uniones registradas viene caracterizada por una enorme diversidad y heterogeneidad en los Estados miembro de la Unión Europea. Dejando de lado las uniones no matrimoniales no formalizadas, comúnmente conocidas, entre otros, como uniones de hecho, cohabitación *de facto*, relaciones informales o concubinato, para las que algunos ordenamientos jurídicos prevén limitados efectos jurídicos[7], la diversidad sustantiva material comienza por la propia terminología empleada: uniones registradas, uniones civiles, cohabitación legal, pacto civil de solidaridad, contrato de cohabitación, etc. A partir de ahí, no resultan idénticos los requisitos materiales y formales para constituir una unión de este tipo, ni tampoco los aspectos relacionados con su disolución; lo mismo ocurre con sus consecuencias jurídicas. Igualmente, en los Estados miembro de la Unión Europea, se encuentran notables diferencias en relación con el grado de simetría o asimetría con la institución marco, el matrimonio, así como respecto de la exclusividad de acceso, o no, a las parejas del mismo sexo.

---

[5]   El cdo. 36 del Reglamento (UE) 2016/1104, que es el considerando explicativo del art. 9, opta por utilizar la expresión "declinar su competencia" en lugar de "inhibirse".

[6]   Que bien podrían ser tres, dado que el órgano jurisdiccional del "segundo" Estado miembro también podría inhibirse si fuese necesario, como se desprende del mencionado cdo. 36.

[7]   Sobre este tipo de uniones *vid.* BOELE-WOELKI, KATHARINA; MOL, CHARLOTTE y VAN GELDER, EMMA (Eds.) *European Family Law in action. Volume V–Informal relationships*, Intersentia, Cambridge, 2015 y BOELE-WOELKI, KATHARINA *et al.* (Eds.), *Principles of European family law regarding property, maintenance and succession rights of couples in de facto unions*, Intersentia, Cambridge, 2019.

A modo de ejemplo, en Estados miembro como Bulgaria, Eslovaquia, Letonia, Lituania, Polonia o Rumania, no se permite, hoy en día, el matrimonio homosexual, ni se prevé la institución jurídica de las uniones no matrimoniales formalizadas (uniones registradas) para las personas del mismo sexo. Por otro lado, en Estados miembro como Suecia[8], Finlandia[9] o Alemania[10], la apertura del matrimonio a las personas del mismo sexo conllevó/ha conllevado la abolición de este tipo de uniones, dado que ambas instituciones poseían, esencialmente, caracteres idénticos. Junto con lo anterior, en otros Estados miembro como Bélgica[11], Francia[12] o Luxemburgo[13], la introducción de las uniones no matrimoniales formalizadas emergió como una alternativa al matrimonio, tanto para parejas heterosexuales como homosexuales, y la apertura actual en todos ellos del matrimonio a las personas del mismo sexo, ha supuesto que cualquier pareja pueda elegir el modelo o institución que más le interesa o beneficia para su situación personal.

Esta diversidad legislativa fue puesta de manifiesto durante el largo proceso de negociación del Reglamento (UE) 2016/1104, dando lugar a la oposición de algunos Estados miembro de adoptar un nuevo instrumento institucional de Derecho de familia que pudiera inmiscuir, lo más mínimo posible, en su Derecho sustantivo[14]. Ante este evidente bloqueo político, decidió incluirse en el

---

[8]   Ley sueca sobre uniones registradas (*registrerat partnerskap*) (Ley 1994:1117, de 23 de junio de 1994) y sus posteriores modificaciones. Tras la apertura del matrimonio a las personas del mismo sexo el 1 de mayo 2009, ya no resulta posible constituir una unión registrada de conformidad con dicha ley. La aplicación de la misma está reservada para las uniones registradas constituidas con anterioridad a dicha fecha.

[9]   Ley finesa sobre uniones registradas (*rekisteröidystä parisuhteesta*) (Ley 2001/950, de 9 de noviembre de 2001) y sus posteriores modificaciones. Tras la apertura del matrimonio a las personas del mismo sexo el 1 de marzo 2017, ya no resulta posible constituir una unión registrada de conformidad con dicha ley. La aplicación de la misma está reservada para las uniones registradas constituidas con anterioridad a dicha fecha.

[10]   Ley alemana sobre uniones civiles registradas (*Eingetragene Lebenspartnerschaftsgesetz*) de 16 de febrero de 2001 y sus posteriores modificaciones. Téngase presente que desde el 1 de octubre de 2017 ya no resulta posible constituir una unión registrada de conformidad con dicha ley, coincidiendo precisamente con la apertura del matrimonio a las personas del mismo sexo. La aplicación de la misma está reservada para las uniones registradas constituidas con anterioridad a dicha fecha, así como para aquellas constituidas en el extranjero.

[11]   La cohabitación legal belga (*cohabitation légale*) se encuentra regulada en la actualidad en el CC belga.

[12]   El pacto civil de solidaridad francés (*pacte civil de solidarité*) se encuentra regulado en la actualidad en el CC francés.

[13]   Ley luxemburguesa sobre los efectos legales de algunas parejas (*partenariat*) (Ley de 9-7-2004 y sus posteriores modificaciones).

[14]   Lo mismo puede decirse del matrimonio entre personas del mismo sexo y el Reglamento (UE) 2016/1103.

articulado el actual art. 9[15] y, de esta manera, reforzar la no intromisión del legislador de la Unión Europea en esta cuestión[16], al permitirse al órgano jurisdiccional de cualquier Estado miembro inhibirse y no entrar a conocer del asunto. Se buscaba obtener el mayor consenso posible para, si no conseguir la necesaria unanimidad, por lo menos poder recurrir al mecanismo de la cooperación reforzada -que fue lo que finalmente ocurrió- con suficientes garantías de presente y de futuro[17]. Ahora bien, hasta el momento presente, y transcurridos casi 4 años desde el inicio de su aplicación, no parece que esta regla de competencia alternativa haya funcionado como "gancho" para animar a que otros Estados miembro se sumen a participar en la cooperación reforzada[18].

2. El órgano jurisdiccional que se inhibe

El art. 9.1 del Reglamento (UE) 2016/1104 recoge la posibilidad de que el órgano jurisdiccional de un Estado miembro que hubiera fundamentado su competencia judicial internacional en virtud de determinadas disposiciones de dicho instrumento institucional se inhiba, siempre y cuando la institución de la unión registrada no esté prevista en su ordenamiento jurídico y lo haga "sin dilación indebida". Se trata, como no podía ser de otra manera, de una medida que tiene carácter excepcional[19]. Como bien se ha puesto de manifiesto, constituye un criterio que funciona como una suerte de mezcla entre el *forum non conveniens* y la entrada en escena del orden público internacional[20]. A partir de ahí, son varios los elementos que conviene tener presente en torno a la inhibición.

---

[15]   Conocido, coloquialmente, como la *cláusula búlgara*, por la situación ya mencionada en dicho Estado miembro respecto de la ausencia de posibilidad de matrimonio homosexual o unión no matrimonial formalizada entre personas del mismo sexo y su, sin embargo, participación en la cooperación reforzada de ambos reglamentos europeos (RODRÍGUEZ RODRIGO, JULIANA, *Relaciones económicas de los matrimonios y las uniones registradas antes y después de los Reglamentos (UE) 2016/1103 y 2016/1104*, Tirant lo Blanch, Valencia, 2019, p. 87).

[16]   FRANZINA, PIETRO, "Jurisdiction in matters relating to property regimes under EU Private International LAW", *Yearbook of private international law*, vol. 19, 2017-2018, p. 185.

[17]   Como bien pone de manifiesto SOTO MOYA, MERCEDES, "Ámbito de aplicación personal del Reglamento 2016/1104 sobre régimen patrimonial de la pareja registrada", *Revista Internacional de Doctrina y Jurisprudencia*, n° 23, 2020, p. 1.

[18]   RODRÍGUEZ BENOT, ANDRÉS, "Los efectos patrimoniales de los matrimonios y de las uniones registradas en la Unión Europea", *Cuadernos de Derecho Transnacional*, vol. 11, n° 1, p. 37.

[19]   Por más que el propio Reglamento (UE) 2016/1104 no haga mención expresa en el articulado a tal expresión como sí lo hace, sin embargo, el mismo numeral del Reglamento (UE) 2016/1103 (PAYAN, GUILLAUME, "Article 9", en CORNELOUP, SABINE; ÉGÉA, VINCENT; GALLANT, ESTELLE y JAULT-SESEKE, FABIENNE (Dirs.), *Le droit européen des régimes patrimoniaux des couples. Commentaire des règlements 2016/1103 et 2016/1104*, Société de législation comparée, Paris, 2018, p. 124).

[20]   JIMÉNEZ BLANCO, PILAR, *Regímenes económicos matrimoniales transfronterizos. Un estudio del Reglamento (UE) n° 2016/1103*, Tirant lo Blanch, Valencia, 2021, p. 327.

A. Foros que pueden dar lugar a la inhibición

La inhibición se encuentra limitada, de manera expresa, a aquellos supuestos en los que el órgano jurisdiccional de un Estado miembro sea competente por mor de los arts. 4, 5 o 6. a), b), c) y d)[21].

Nótese que entre dichos foros no se mencionan ni el de la creación de la unión registrada (art. 6.e) ni los de sumisión expresa y tácita "limitada (arts. 7 y 8, respectivamente), lo cual tiene una aparente explicación: resulta imposible que alguno de ellos conduzca a un supuesto en el que la unión registrada no esté prevista en el Derecho del foro[22]. En primer lugar, en el caso del art. 6.e), debido a que, por decirlo de una manera genérica, la unión seguro que se preverá en el Estado donde se creó. Por su parte, en el caso de los foros de la sumisión, la justificación de su omisión es algo más enrevesada, aunque si se analizan las limitaciones y posibilidades a que estos conducen, resulta más sencillo de plantear.

Para ello, partiremos de una idea general relacionada con una característica intrínseca de tales foros: se trata de normas de competencia judicial internacional vinculadas con la ley aplicable y/o con el Estado de creación de la unión registrada y, como consecuencia, necesariamente ligadas con que tal institución se prevea en el ordenamiento jurídico del foro. A ello conducen los distintos escenarios posibles respecto de la determinación de la ley reguladora. Así pues, recuérdese, si no ha habido elección de ley aplicable, esta será la ley de creación de la unión registrada (art. 26.1) mientras que, si la ha habido, debe cumplirse la condición de que esta atribuya efectos patrimoniales a la unión registrada (art. 22), lo que a la postre se traduce, igualmente, en que esta se prevea. La declinatoria, en casos como estos, pierde pues su razón de ser[23].

---

[21] Nótese, sin embargo, que el Reglamento (UE) 2016/1103 no prevé la inhibición en caso de que el órgano jurisdiccional "inicialmente" competente venga determinado por mor del art. 5. Téngase en cuenta, a este respecto, la corrección de errores (*DOUE* L 193/7, de 19 de julio de 2019) que modificó parte del contenido del art. 9.1 del Reglamento (UE) 2016/1103, de cuya versión original hay que entender por suprimida la mención del art. 5 (sobre esta cuestión *vid.* la siguiente entrada del blog *Conflictus Legum* del prof. Federico Garau: http://conflictuslegum.blogspot.com/2019/06/errata-en-la-version-espanola-del.html –última visita 14 de septiembre de 2022–). Tal exclusión puede venir explicada por el hecho de que el reconocimiento del matrimonio ya se habrá dilucidado, en su caso, por el órgano jurisdiccional que resuelva sobre la separación, nulidad o divorcio, es decir, en el contexto del Reglamento (UE) 2019/1111 y no en del Reglamento (UE) 2016/1103.

[22] Salvo cambio legislativo en contra (PALAO MORENO, GUILLERMO, "Artículo 9. Competencia alternativa", en IGLESIAS BUHIGUES, JOSÉ LUIS y PALAO MORENO, GUILLERMO (Dirs.), *Régimen económico matrimonial y efectos patrimoniales de las uniones registradas. Comentarios a los Reglamentos (UE) 2016/1103 y 2016/1104*, Tirant lo Blanch, Valencia, 2019, p. 124).

[23] BONOMI, ANDREA, "Article 9", en BONOMI, ANDREA; WAUTELET, PATRICK *et al.*, *Le droit européen des relations patrimoniales de couple. Commentaire des Règlements (UE) n° 2016/1103 et 2016/1104*, Bruylant, Bruselas, 2021, p. 469.

B. La no previsión de la institución de la unión registrada en el derecho del foro como base para inhibirse

Para que tenga lugar la inhibición es necesario que la institución de la unión registrada no esté prevista[24] en el derecho del Estado miembro cuyo órgano jurisdiccional sea *inicialmente* competente.

En este sentido, el art. 9.1 del Reglamento (UE) 2016/1104 se refiere al *Derecho*, no específicamente al *Derecho internacional privado*. En consecuencia, para que el órgano jurisdiccional *inicialmente* competente pueda inhibirse, lo verdaderamente relevante es lo que establezca su ley sustantiva o material; si esta última no prevé la institución de la unión registrada, poco importará que el derecho al que conduzcan sus normas de Derecho internacional privado -particularmente sus normas de conflicto- sí lo hiciera[25].

La posibilidad de inhibición que se prevé ante la no existencia en la ley del foro de la figura jurídica de las uniones registradas conviene no ser confundida con otras cuestiones colindantes. La primera de ellas está relacionada con la previsión de un concepto autónomo de unión registrada a efectos de aplicar el Reglamento (UE) 2016/1104 (art. 3.1.a) -recordemos: "régimen de vida en común de dos personas regulado por ley, cuyo registro es obligatorio conforme a dicha ley y que cumple las formalidades jurídicas exigidas por dicha ley para su creación"-, que operaría como una especie de filtro para delimitar si a una determinada pareja se le puede aplicar, o no, el reglamento europeo, dependiendo de si esta tiene cabida en dicho concepto. La segunda está intrínsecamente relacionada con su ámbito de aplicación material y consistiría en la verificación de si la unión registrada en cuestión existe, es válida y resulta reconocida, algo que dependerá del Derecho nacional del Estado miembro en cuestión, incluyendo su normativa de Derecho internacional privado [art. 1.2.b) del Reglamento (UE) 2016/1104]. Esta disposición operaría como una suerte de cuestión previa que debería ser resuelta positivamente para seguir adelante o, dicho de otro modo, para poder plantearse la determinación de la competencia judicial internacional para los efectos patrimoniales. En definitiva, lo cierto es que la inhibición no

---

[24]   La versión española del Reglamento (UE) 2016/1104 se refiere al no *reconocimiento* de la institución de la unión registrada, mientras que la inglesa y francesa emplean la expresión de no *previsión* de tal institución. Se ha optado por utilizar este último término a lo largo de este análisis, si bien es cierto es que ambos se refieren, aparentemente, a la misma idea: si la institución de unión registrada no *existe* -por utilizar otro término- en el derecho del foro, puede tener lugar la inhibición. En caso contrario, resulta imposible. No obstante, en el contexto del art. 1.2.b) del Reglamento (UE) 2016/1104, los términos existencia y reconocimiento no son, sin embargo, equivalentes.

[25]   En cambio, el Reglamento (UE) 2016/1103 se refiere al no reconocimiento del matrimonio en virtud del *Derecho internacional privado* del foro.

podrá ampararse en ninguna de dichas circunstancias, ya que ambas deberían haber sido resueltas en un estadio anterior.

Bulgaria podría constituir un ejemplo con el que plantear la posibilidad de inhibición[26]. Así pues, a dicho Estado miembro, participante en la cooperación reforzada, podría llegar una unión registrada que fuera concebida como tal por el reglamento europeo. Unión que, en su caso, podría superar el filtro del Derecho designado por su normativa de Derecho internacional privado respecto de la existencia, validez o reconocimiento de la unión registrada -si es que existieran-. Ahora bien, dado que en la ley interna búlgara no está prevista la institución jurídica de las uniones registradas -por el momento-, sus órganos jurisdiccionales podrían inhibirse en virtud del foro de la competencia alternativa. Idéntico resultado podría producirse si Estados miembro como Eslovaquia, Letonia, Lituania, Polonia o Rumania decidieran aplicar el Reglamento (UE) 2016/1104 en el *status quo* de su normativa interna.

C. Iniciativa y momento para la inhibición

Ya se ha indicado anteriormente que la parte final del art. 9.1 del Reglamento (UE) 2016/1104 indica que "Si el órgano jurisdiccional decide inhibirse, lo hará sin dilación indebida". De esta afirmación pueden deducirse, al menos, un par de cuestiones esenciales. Por un lado, que la posibilidad de inhibición, como no podía ser de otra manera, es una potestad facultativa que se activa de oficio por el órgano jurisdiccional "inicialmente" competente. Así se deduce del tenor literal de la misma, ya que se indica, al fin y al cabo, que el órgano jurisdiccional *decide*. Por otro lado, que el legislador de la Unión Europea pretende que esta cuestión sea resuelta con la mayor celeridad posible, pues de lo contrario se estaría claramente produciendo una situación gravosa para la pareja en cuestión respecto de su acceso a la justicia, que es el derecho que precisamente trata de proteger esta disposición. Se ha evitado, no obstante, indicar un plazo límite concreto en el que llevar a cabo la inhibición, y tampoco se ha pronunciado el reglamento europeo sobre aspectos concretos que su puesta en práctica puede conllevar, como son, por ejemplo, el momento, el acto y la resolución procesal en que se materializaría tal inhibición[27].

---

[26] Es cierto que puede ser un "caso de laboratorio", pero sirve para desarrollar la idea del párrafo anterior.

[27] PAYAN, GUILLAUME, "Article 9", *op. cit.*, pp. 128-129.

D. Imposibilidad de inhibición

Cuando la crisis de la pareja se haya resuelto en un determinado Estado -miembro, o no, de la Unión Europea y, no necesariamente, que participe en la cooperación reforzada- y, por la circunstancia que sea, los efectos patrimoniales derivados de la misma vayan a dirimirse en un Estado miembro vinculado por dicho instrumento institucional, sus órganos jurisdiccionales no podrán inhibirse si estos reconocen la correspondiente disolución o anulación[28]. Este último apartado del art. 9 del Reglamento (UE) 2016/1104 viene pues a recoger un supuesto muy concreto que impide la aplicación del foro de la competencia alternativa y, por tanto, la posibilidad de que el órgano jurisdiccional "inicialmente" competente se inhiba.

La explicación de la inclusión de este esta posibilidad sería la siguiente: si los órganos jurisdiccionales de un Estado miembro vinculado por el Reglamento (UE) 2016/1104 están en disposición de reconocer la disolución o anulación de unión registrada es porque, en definitiva, admiten su existencia y, por ende, carecerían de justificación suficiente como para no poder resolver sobre los efectos patrimoniales en conexión con cualquier circunstancia.

3. Los órganos jurisdiccionales que resuelven el asunto

Una vez se ha producido la inhibición, la contrapartida de tal situación consistiría en la posibilidad de que las partes encuentren un/os órgano/s jurisdiccional/es estatal/es donde sustanciar el asunto. Solo así se evitaría una potencial situación de denegación de justicia. De dicha cuestión se ocupa el art. 9.2 del Reglamento (UE) 2016/1104 distinguiendo, en líneas generales, dos situaciones que guardan relación con los órganos jurisdiccionales *finalmente* competentes. Así pues, de conformidad con esta disposición, estos pueden venir determinados en virtud del foro de la sumisión expresa "limitada" (art. 7) -primera situación- o por la regla de competencia judicial internacional prevista para *otros casos* (art. 6) o por mor de la comparecencia del demandado (art. 8) -segunda situación-.

---

[28]   Es importante matizar que también en este punto existe una ligera desviación entre los Reglamentos (UE) 2016/1103 y 2016/1104: el primero de ellos se refiere al reconocimiento de una "resolución" sobre la crisis de la pareja, mientras que el segundo se refiere, de manera genérica, al reconocimiento de la mera disolución o anulación de la unión registrada, quizás pensando en el carácter no judicial que ésta pudiera tener.

A. Primera situación

La primera situación se encuentra recogida en el art. 9.2.1° del Reglamento (UE) 2016/1104, en cuya virtud se "invita" a las partes, con independencia del foro que se hubiera inhibido[29], a que recurran al foro de la sumisión expresa "limitada", es decir, que acudan a los órganos jurisdiccionales del Estado miembro que participe en la cooperación reforzada cuya ley resulte de aplicación -no así cuando la ley aplicable venga determinada por la cláusula de excepción del art. 26.2 de este reglamento europeo- o conforme a cuya ley se haya creado la unión registrada. Su justificación es la siguiente: las partes elegirán los órganos jurisdiccionales de un Estado miembro vinculado por el mencionado instrumento institucional donde, con toda seguridad, su unión registrada resultará prevista/ reconocida.

B. Segunda situación

En segundo lugar, el art. 9.2.2° del Reglamento (UE) 2016/1104 establece que la competencia judicial internacional recaerá en los órganos jurisdiccionales de cualquier otro Estado miembro por aplicación de los arts. 6 u 8, es decir, en virtud del foro previsto para *otros casos* o de la sumisión tácita "limitada", respectivamente, "En los demás casos…". Esta última expresión es, precisamente, la que resulta más problemática[30].

Con carácter general, cabría interpretar que su aplicación está prevista para aquellos supuestos en los que las partes no han alcanzado un acuerdo expreso para someterse a los órganos jurisdiccionales de un Estado miembro vinculado

---

[29]   Subyace aquí una diferencia con el Reglamento (UE) 2016/1103, ya que este último parece condicionar su aplicación a que los órganos jurisdiccionales "inicialmente" competentes lo sean en virtud de los arts. 4 o 6.

[30]   Y aún lo es más en el supuesto del Reglamento (UE) 2016/1103, teniendo en cuenta que el art. 9.1 permite la inhibición en los casos comprendidos en los arts. 4, 6, 7 u 8 y que en el art. 9.2.1° se contiene una solución específica para aquellos supuestos en que el órgano jurisdiccional que se inhibe fuera el determinado por mor de los arts. 4 o 6, pues de ser así, la aplicación del art. 9.2.2°, por descarte, vendría a regular la determinación del órgano jurisdiccional "finalmente" competente cuando el que se inhibe lo haga en virtud de los arts. 7 u 8. En estos últimos casos, el Reglamento (UE) 2016/1103 remite a los órganos jurisdiccionales previstos en los arts. 6 u 8 o a los de la celebración del matrimonio. Todo ello puede conducir a una situación sorprendente: ¿Cómo es posible que el art. 9.2.2° remita a los órganos jurisdiccionales competentes en virtud del art. 8 cuando el propio artículo podría referirse a la inhibición de dichos órganos jurisdiccionales? Esta "ida y venida" del Reglamento (UE) 2016/1103 parece resultar menos coherente que la prevista para el otro supuesto posible –inhibición de órgano jurisdiccional "inicialmente" competente de acuerdo con los art. 7-, en la que la remisión a los arts. 6 u 8, al menos desde un punto de vista teórico, sí que resulta defendible (QUINZÁ REDONDO, PABLO, "La unificación -fragmentada- del Derecho internacional privado de la Unión Europea en materia de régimen económico matrimonial: el Reglamento 2016/1103", *Revista General de Derecho Europeo*, n° 41, 2017, pp. 200-201).

por el mencionado instrumento institucional coincidentes con la ley aplicable o donde se hubiera creado la unión registrada (art. 7) que es, al fin y al cabo, lo previsto en la primera situación analizada en el epígrafe anterior. Pero, del mismo modo, también cubriría aquellos supuestos en los que la ley aplicable sea la de un tercer Estado, entendiendo por tales no solo los Estados no miembro de la Unión Europea sino también aquellos que siéndolo, no están vinculados por el Reglamento (UE) 2016/1104, al no poder fundamentar sus órganos jurisdiccionales su competencia judicial internacional en virtud del mencionado instrumento institucional. Recuérdese, en este sentido que, pese a que el reglamento europeo tiene carácter universal en relación con la ley aplicable, las normas de competencia judicial internacional vinculadas con la ley aplicable solo se "activarían" si se aplica la ley de uno de los Estados miembro a los que se circunscribe su ámbito de aplicación territorial.

Junto con lo anterior, cabría igualmente plantearse si las partes podrían acudir, directamente, a los órganos jurisdiccionales estatales determinados por los arts. 6 u 8 -competencia en otros casos o sumisión táctica "limitada", respectivamente- o si, por el contrario, existe efectivamente una suerte de orden jerárquico entre dichas disposiciones y el propio art. 7 a la hora de aplicar este foro de la competencia alternativa. *A priori*, dicho interrogante debería ser respondido de manera negativa, al menos de manera parcial, pues resulta complicado imaginar que el Reglamento (UE) 2016/1104 esté situando, a estos efectos, al foro de la sumisión expresa "limitada" por encima del de la tácita.

Una posible interpretación colindante para resolver esta cuestión pasaría por acudir a lo establecido en el cdo. 36 del Reglamento (UE) 2016/1104, que reza que "...el interesado debe tener la posibilidad de presentar su caso en cualquier otro Estado miembro que tenga un punto de conexión que otorgue competencia, independientemente del orden de los motivos de la competencia, respetando al mismo tiempo la autonomía de las partes". Dicho considerando parece pues abordar esta cuestión en unos términos que no parecen tener un completo encaje con los del articulado. Así pues, a partir de dicho considerando, parece inferirse la posibilidad de acudir a los órganos jurisdiccionales cualquier otro Estado miembro -obviamente también vinculado por dicho instrumento institucional-, sin atender al orden de prelación de foros del propio Reglamento (UE) 2016/1104, eludiendo el confuso y enredado elenco de escenarios posibles del art. 9.2. Esta interpretación resulta, probablemente, la más adecuada para las partes y la que mejor evitaría situaciones de denegación de justicia, ofreciéndoles un margen de actuación menos estricto para estas en cuanto a la búsqueda de los órganos jurisdiccionales *finalmente* competentes, si bien es cierto que su ubicación en los considerandos le desprovee de una aplicación directa y vinculante desde un punto de vista práctico[31].

V. A MODO DE CONCLUSIÓN

Como se ha puesto de manifiesto a lo largo de este trabajo, la redacción y estructura del art. 9 del Reglamento (UE) 2016/1104 resulta bastante compleja, lo cual viene a poner en evidencia una de sus principales carencias, como es la falta de sofisticación y sencillez con la que debería contar la redacción de un foro que está llamado a aplicarse en situaciones muy delicadas. Situaciones, recordemos nuevamente, en las que se persigue evitar situaciones de denegación de justicia.

VI. BIBLIOGRAFÍA

BOELE-WOELKI, KATHARINA; MOL, CHARLOTTE y VAN GELDER, EMMA (Eds.), *European Family Law in action. Volume V–Informal relationships*, Intersentia, Cambridge, 2015.

BOELE-WOELKI, KATHARINA *et al.* (Eds.), *Principles of European family law regarding property, maintenance and succession rights of couples in de facto unions*, Intersentia, Cambridge, 2019.

BONOMI, ANDREA, "Article 9", en BONOMI, ANDREA; WAUTELET, PATRICK *et al.*, *Le droit européen des relations patrimoniales de couple. Commentaire des Règlements (UE) n° 2016/1103 et 2016/1104*, Bruylant, Bruselas, 2021, pp. 457 y ss.

FRANZINA, PIETRO, "Jurisdiction in matters relating to property regimes under EU Private International LAW", *Yearbook of private international law*, vol. 19, 2017-2018, pp. 159-194.

JIMÉNEZ BLANCO, PILAR, *Regímenes económicos matrimoniales transfronterizos. Un estudio del Reglamento (UE) n° 2016/1103*, Tirant lo Blanch, Valencia, 2021.

MARÍN LÓPEZ, ANTONIO; MOYA ESCUDERO, MERCEDES; TRINIDAD GARCÍA, Mª LUISA y CARRASCOSA GONZÁLEZ, JAVIER, *Derecho internacional privado II. Parte especial. Derecho civil internacional*, 7ª edición, Granada 1991.

PALAO MORENO, GUILLERMO, "Artículo 9. Competencia alternativa", en IGLESIAS BUHIGUES, JOSÉ LUIS y PALAO MORENO, GUILLERMO

---

[31]   PAYAN, GUILLAUME, "Article 9", *op. cit.*, pp. 130-131.

(Dirs.), *Régimen económico matrimonial y efectos patrimoniales de las uniones regis-tradas. Comentarios a los Reglamentos (UE) 2016/1103 y 2016/1104*, Tirant lo Blanch, Valencia, 2019, pp. 119 y ss.

PAYAN, GUILLAUME, "Article 9", en CORNELOUP, SABINE; ÉGÉA, VINCENT; GALLANT, ESTELLE y JAULT-SESEKE, FABIENNE (Dirs.), *Le droit européen des régimes patrimoniaux des couples. Commentaire des règlements 2016/1103 et 2016/1104*, Société de législation comparée, Paris, 2018, pp. 123 y ss.

QUINZÁ REDONDO, PABLO, "La unificación -fragmentada- del Derecho internacional privado de la Unión Europea en materia de régimen económico matrimonial: el Reglamento 2016/1103", *Revista General de Derecho Europeo*, nº 41, 2017.

QUINZÁ REDONDO, PABLO, *Uniones registradas en la Unión Europea*, Tirant lo Blanch, Valencia, 2022.

RODRÍGUEZ BENOT, ANDRÉS, "Los efectos patrimoniales de los matrimonios y de las uniones registradas en la Unión Europea", *Cuadernos de Derecho Trans-nacional*, vol. 11, nº 1, 2019, pp. 8-50.

RODRÍGUEZ RODRIGO, JULIANA, *Relaciones económicas de los matrimonios y las uniones registradas antes y después de los Reglamentos (UE) 2016/1103 y 2016/1104*, Tirant lo Blanch, Valencia, 2019.

RUEDA VALDIVIA, RICARDO, "Plurinacionalidad y régimen económico matri-monial en el Derecho internacional privado español", en MOYA ESCUDERO, MERCEDES (Dir.), *Plurinacionalidad y Derecho internacional privado de familia y sucesiones*, Tirant lo Blanch, Valencia, 2021, pp. 334-402.

SOTO MOYA, MERCEDES, "Ámbito de aplicación personal del Reglamento 2016/1104 sobre régimen patrimonial de la pareja registrada", *Revista Interna-cional de Doctrina y Jurisprudencia*, nº 23, 2020.

EFICACIA EXTRATERRITORIAL DE DECISIONES JUDICIALES RELATIVAS AL RÉGIMEN PATRIMONIAL DE LAS UNIONES REGISTRADAS

NURIA MARCHAL ESCALONA

Profesora Titular de Derecho internacional privado
Universidad de Granada

I. INTRODUCCIÓN

Para mí es un gran honor poder participar en el homenaje a la profesora Mercedes Moya Escudero, universitaria ejemplar, que dirigió mis primeros pasos en mi carrera universitaria, y con un ímpetu incansable en la búsqueda de nuevos retos científicos y académicos. Es sabido que la profesora cultiva con mucha predilección el área del Derecho de Familia, una temática en la que sus contribuciones, en su prolija trayectoria, representan un sólido pilar para el conjunto de la academia. Mi aportación a este libro se sitúa también en esta materia. Y es que cada vez hay más Estados que reconocen efectos legales a la unión de dos personas que viven juntas de manera estable y continua sin necesidad de que estos contraigan matrimonio. No obstante, la realidad demuestra que se trata de una práctica cuyo tratamiento difiere de un país a otro, incluso, entre los distintos Estados miembros de la Unión Europea (en adelante, UE) que contemplan esta institución[1]. Tales diferencias no solo constituyen un obstáculo a la libre circula-

---

[1] No todos los Estados miembros de la UE han regulado este tipo de uniones, lo cual es perfectamente compatible con el Convenio para la Protección de los Derechos Humanos y de las Libertades Fundamentales, hecho en Roma el 4 de noviembre de 1950, y enmendado por los Protocolos adicionales números 3 y 5, de 6 de mayo de 1963 y de 20 de enero de 1966, respectivamente (*BOE* nº 243, de 10 de octubre de 1979) –en adelante, CEDH–, como así ha reconocido el propio Tribunal Europeo de Derechos Humanos (en adelante, TEDH). Al respecto, véase QUIÑONES ESCÁMEZ, ANA, "Nuevos tipos de uniones y nueva regulación de sus efectos", en GUZMÁN ZAPATER, MÓNICA y ESPLUGUES MOTA, CARLOS (Dirs.), *Persona y familia en el nuevo modelo español de Derecho internacional privado*, Tirant lo Blanch, Valencia, 2017, pp. 169-187.

ción de los miembros de tales uniones, sino que dificultan la gestión y la liquidación de las relaciones patrimoniales derivadas de tal unión, en particular, en caso de ruptura o disolución. Por ello, el legislador europeo aprobó el Reglamento (UE) 2016/1104 del Consejo, de 24 de junio de 2016, por el que se establece una cooperación reforzada en el ámbito de la competencia, la ley aplicable, el reconocimiento y la ejecución de resoluciones en materia de efectos patrimoniales de las uniones registradas (en adelante REPUR[2]), cuya finalidad es ayudar a las parejas a administrar su patrimonio y a dividirlo en caso de disolución o de fallecimiento de uno de los miembros de la unión en supuestos transfronterizos.

En particular, este Reglamento se aplica a los efectos patrimoniales de las uniones registradas [*ex* art. 3.1º a)][3]. Quedan fuera del ámbito de aplicación de este Reglamentos las denominadas «uniones de hecho» (considerando 16). Para que los efectos patrimoniales de tales uniones sean regulados por este instrumento, *conditio sine qua non* es que dicha unión esté registrada ante una autoridad pública establecida por la ley de un Estado. No obstante, su existencia, su validez, así como su reconocimiento dependerán de lo establecido por el Derecho de los Estados miembros, incluidas sus normas de Derecho internacional privado (considerando 21)[4].

En el desarrollo del presente estudio se analiza el régimen jurídico aplicable al reconocimiento de resoluciones judiciales extranjeras otorgadas sobre los aspectos patrimoniales de las uniones registradas, centrándonos especialmente en el REPUR, en la medida en que constituye el referente normativo actual para los efectos patrimoniales transfronterizos de tales uniones en el ámbito de la UE.

---

[2]   *DOUE* nº L 183, de 8 de julio de 2016 y corrección de errores *DOUE* nº L 114, de 29 de abril de 2017. Este Reglamento fue adoptado por 18 países de la UE con arreglo al procedimiento de cooperación reforzada. En concreto, los Estados miembros son: Alemania, Austria, Bélgica, Bulgaria, Chequia, Chipre, Croacia, Eslovenia, España, Finlandia, Francia, Grecia, Italia, Luxemburgo, Malta, Países Bajos, Portugal y Suecia. Para un análisis exhaustivo de los objetivos, los caracteres y el ámbito de aplicación del mismo, véase RODRÍGUEZ BENOT, ANDRÉS, "Los efectos patrimoniales de los matrimonios y de las uniones registradas en la Unión Europea", *CDT*, vol. 11, nº 1, 2019, pp. 8-31; SOTO MOYA, MERCEDES, "El Reglamento (UE) 2016/1104 sobre régimen patrimonial de las parejas registradas: algunas cuestiones controvertidas de su puesta en funcionamiento en el sistema español de Derecho internacional privado", *REEI*, nº 35, 2018, pp. 1-32; QUINZÁ REDONDO, PABLO, *Uniones registradas en la Unión Europea*, Tirant lo Blanch, Valencia, 2022 y bibliografía *ibíd*. citada.

[3]   A pesar de esta definición, el alcance de la misma suscita diversas dudas. Al respecto, RODRÍGUEZ BENOT, ANDRÉS, *loc. cit.*, pp. 23-26 y bibliografía *ibíd*. citada. En particular, sobre si el Reglamento puede aplicarse –o no– a las uniones registradas en España *vid*. MARÍN CONSARNAU, DIANA, "Uniones registradas en España como beneficiarias del Derecho de la UE a propósito de la Directiva 2004/38/CE y del Reglamento (UE) 2016/1104", *CDT*, vol. 9, nº 2, 2017, pp. 419-447, en esp. p. 436).

[4]   MAGALLÓN ELÓSEGUI, NEREA, "El Reglamento (UE) 1104/2016 en materia de efectos patrimoniales de las uniones registradas y las parejas de hecho en el País Vasco", *AEDIPr.*, vol. XXI, 2021, pp. 31-64.

Es sabido que dicho Reglamento es fruto de la cooperación reforzada (art. 81 TFUE[5]). Como veremos, el recurso a este mecanismo tiene especiales consecuencias en el ámbito del reconocimiento. En particular, trataremos de concretar cómo opera el reconocimiento, así como también los problemas prácticos que se suscitan a la hora de reconocer las resoluciones judiciales otorgadas en los Estados miembros en dicho Reglamento. Una cuestión que resulta compleja y que requiere, en primer lugar, saber cómo se define, según el propio Reglamento, el término "resolución judicial". Hay que tener en cuenta que el régimen de eficacia de una resolución judicial es diverso al previsto para los documentos públicos extranjeros. La mera intervención de un notario no implica que sean aplicables las disposiciones relativas al reconocimiento de documentos públicos (Capítulo V), sino que dependerá de si este ejercita –o no– funciones jurisdiccionales en los términos definidos por el propio Reglamento[6]. En particular, expondremos el régimen de reconocimiento de las resoluciones judiciales establecido en el REPUR, haciendo especial énfasis en los problemas que surgen en la práctica al no haber implementado el legislador español la normativa europea, así como también en los parámetros que han de guiar la interpretación y la aplicación de las condiciones de denegación de reconocimiento establecidas en aquel.

II. FACTORES CONDICIONANTES DEL RECONOCIMIENTO

1. La caracterización como "resolución judicial" o como "documento público"

Para determinar cuál es el régimen de reconocimiento aplicable, es decir, si se sigue el diseñado para las decisiones judiciales (Capítulo IV REPUR) o para los documentos públicos extranjeros (Capítulo V REPUR), antes es preciso saber qué es una decisión judicial. Una cuestión que es de suma importancia porque afecta no solo al procedimiento a seguir para obtener eficacia en otro Estado, sino también a las condiciones que deberán ser controladas. Dicho concepto está vinculado estrechamente al concepto de "órgano jurisdiccional" (art. 3.2º REPUR). A efectos de dicho Reglamento, por "resolución judicial" cabe entender: "*cualquier resolución en materia de efectos patrimoniales de la unión registrada adoptada por un órgano jurisdiccional de un Estado miembro con independencia de la denominación*

---

[5]　　Tratado de funcionamiento de la Unión Europea (*DOUE* nº C 83, de 30 de marzo de 2010).

[6]　　MARÍN CONSARNAU, DIANA, "Reconocimiento, fuerza ejecutiva y ejecución de las resoluciones en los Reglamentos de la UE sobre regímenes económicos matrimoniales y relaciones patrimoniales de las Uniones registradas", en SERRANO DE NICOLÁS, ÁNGEL (Coord.), *Los Reglamentos UE 2016/1103 y 2016/1104 de regímenes económicos matrimoniales y efectos patrimoniales de las uniones registradas*, Marcial Pons, Madrid, Barcelona, Buenos Aires, Sao Paulo, 2020, pp. 223-242, en esp. p. 223.

que reciba, incluida una resolución de un funcionario judicial sobre la determinación de las costas o de los gastos" [art. 3.1º e)]. A tenor del mismo, seguirán el régimen de reconocimiento previsto por el Reglamento para las resoluciones judiciales (Capítulo IV) aquellas decisiones que hayan sido dictadas por un "órgano jurisdiccional" (art. 3.2º). A la luz de tales definiciones, para saber si una autoridad puede o no ser considerada como "órgano jurisdiccional" es clave conocer si aquélla desempeña o no "función jurisdiccional" (art. 2 y considerando 30). De hecho, el REPUR aporta cuatro elementos para definir los elementos que caracterizan cuando un órgano realiza una "función jurisdiccional", a saber: imparcialidad de la autoridad, respeto del Derecho de las partes a ser oídas, que sus resoluciones puedan ser recurribles y que tengan los mismos efectos que una decisión judicial. Este Reglamento adopta así el mismo concepto que fue adoptado en el Reglamento nº 650/2012 del Parlamento Europeo y del Consejo, de 4 de julio de 2012, relativo a la competencia, la ley aplicable, el reconocimiento y la ejecución de las resoluciones, a la aceptación y la ejecución de los documentos públicos en materia de sucesiones mortis causa y a la creación de un certificado sucesorio europeo (en adelante, Reglamento nº 650/2012[7]) y que está vinculado al ejercicio de una actividad decisora por parte de la autoridad interviniente[8].

2. Pluralidad normativa

Un segundo elemento a considerar, a efectos de identificar el régimen de reconocimiento aplicable, depende de dónde proceda la decisión que se pretenda reconocer. La pluralidad de fuentes (institucional, convencional y estatal) existentes en Derecho internacional privado español convierte a la identificación del régimen de reconocimiento aplicable en una cuestión tan esencial como compleja. El recurso al mecanismo de cooperación reforzada empleado por el REPUR para su adopción tiene especiales consecuencias para concretar el régimen jurídico aplicable al reconocimiento de decisiones judiciales extranjeras, puesto que el Reglamento solo podrá aplicarse al reconocimiento de aquellas decisiones judiciales y documentos públicos que procedan de un Estado miembro en el mismo, es decir, de aquellas que procedan de: Bélgica, Bulgaria, República Checa Alemania, Grecia, Francia, Croacia, Italia, Chipre, Luxemburgo, Malta, Países Bajos, Austria, Portugal, Eslovenia, Finlandia y Suecia.

---

[7]   *DOUE* nº 201, de 27 de julio de 2012.
[8]   Sobre la cuestión de si los notarios españoles pueden ser considerados como "órganos judiciales", *vid.* MARCHAL ESCALONA, NURIA, "El tratamiento de la plurinacionalidad en el divorcio no judicial", en MOYA ESCUDERO, MERCEDES (Dir.), *Plurinacionalidad y Derecho Internacional Privado de Familia y Sucesiones*, Tirant lo Blanch, Valencia, 2020, pp. 449-453; *id., El divorcio no judicial en Derecho internacional privado español*, Thomson Reuters/Aranzadi, Navarra, 2022, pp. 49-50, 64 y 71-72.

Además, el Reglamento es aplicable de forma exclusiva y excluyente respecto de todas las decisiones judiciales procedentes de un Estado miembro. Dicho régimen desplaza en su aplicación no solo al régimen estatal, sino también a los convenios que España tiene suscritos con Bulgaria[9], República Checa[10], Alemania[11], Francia[12] e Italia[13], dada la regla de prevalencia de aquel sobre estos según *ex* art. 62.2°. Ahora bien, hay que tener presente que el Reglamento solo regula el reconocimiento y ejecución de resoluciones judiciales procedentes de Estados miembros participantes en el mismo, siempre que sus disposiciones resulten de aplicación *ratione temporaris,* no en relación con terceros Estados. Desde la perspectiva temporal, el Reglamento se aplica al reconocimiento de las decisiones y documentos otorgados después del 29 de enero de 2019 (art. 69). Ahora bien, cuando la acción haya sido ejercitada en el Estado miembro de origen antes de dicha fecha, las resoluciones dictadas después del 29 de enero de 2019 serán reconocidas y ejecutadas de conformidad con el Capítulo IV del REPUR, siempre que las normas de competencia aplicadas sean conformes a las previstas en el Capítulo II de dicho instrumento normativo (art. 69.2°). La clave está en saber cuándo los foros de competencia del Estado miembro de origen de la decisión son conformes –o no– con los establecidos en el Reglamento. Es cierto que la expresión "conformes" no es clara y puede ser interpretada bien en un sentido estricto, lo que nos llevaría a entender que son conformes cuando los foros de la competencia del Estado de origen coinciden con los estipulados en el Reglamento, o bien de una forma más flexible, lo que supondría entender que tales foros son conformes cuando no resultan contradictorios con los previstos en el REPUR y son acordes al espíritu y a los objetivos perseguidos por el mismo[14]. Si tenemos

---

[9]   Convenio entre el Reino de España y la República de Bulgaria de asistencia judicial en materia civil, hecho en Sofía el 23 de mayo de 1993 (*BOE* n° 155, de 30 de junio de 1994).

[10]   Convenio entre el Reino de España y la República Socialista de Checoslovaquia sobre asistencia jurídica, reconocimiento y ejecución de sentencias en asuntos civiles, hecho en Madrid el 4 de mayo de 1987 (*BOE* n° 290, de 3 de diciembre de 1988).

[11]   Convenio entre España y la República Federal de Alemania sobre reconocimiento y ejecución de resoluciones y transacciones judiciales y documentos públicos con fuerza ejecutiva en materia civil y mercantil, hecho en Bonn el 14 de noviembre de 1983, y acta de canje correspondiente, firmada en Madrid el 19 de enero de 1988 (*BOE* n° 40, de 16 de febrero de 1988).

[12]   Convenio entre Gobierno de España y el Gobierno de la República francesa sobre el reconocimiento y ejecución de decisiones judiciales y arbitrales y actas auténticas en materia civil mercantil, hecho en París el 28 de mayo de 1969 (*BOE* n° 63, de 14 de marzo de 1970).

[13]   Convenio entre España e Italia sobre asistencia judicial y reconocimiento y ejecución de sentencias en materia civil y mercantil, hecho en Madrid el 22 de mayo de 1973 (*BOE* n° 273, de 15 de noviembre de 1977).

[14]   LAPIEDRA ALCAMI, ROSA, "Art. 69. Disposiciones transitorias", en IGLESIAS BUHIGUES, JOSÉ LUIS y PALAO MORENO, GUILLERMO (Dirs.), *Régimen económico matrimonial y efectos patrimoniales de las uniones registradas en la Unión Europea. Comentarios a los Reglamentos (UE) n° 2016/1103 y 2016/1104,* Tirant lo Blanch, Valencia, 2019, p. 576.

en cuenta que el "*favor recognitionis*" es el criterio que inspira este ámbito, debería optarse por la segunda interpretación.

De este modo, solo serán aplicables los convenios suscritos por España con terceros Estados, entendiendo por tales a todos los Estados miembros de la UE que no hayan participado en el Reglamento, como así sucede con el Convenio bilateral que vincula a España y Eslovaquia, y aquellos otros que nos vinculan con Estados no miembros. Dentro de este grupo tenemos que distinguir, a su vez, entre aquellos convenios cuyo ámbito de aplicación es lo suficientemente amplio como para ser aplicables al reconocimiento de tales decisiones, pero que en la práctica no lo son, porque nos vinculan con Estados que no regulan esta institución, como así ocurre con el Convenio hispano-argelino[15], hispano-marroquí[16], el hispano-mauritano[17], el hispano-tunecino[18], el hispano-chino[19] y el hispano-ruso[20], de aquellos otros convenios que no son aplicables, porque excluyen esta materia de su ámbito de aplicación material, como así sucede con el Convenio hispano-brasileño[21], el hispano-israelí[22] y el hispano-mexicano[23].

---

[15]   Convenio entre la República Argelina Democrática y Popular y el Reino de España relativo a la asistencia judicial en el ámbito civil y mercantil, hecho *ad referendum* en Madrid el 24 de febrero de 2005 (*BOE* n° 103, de 1 de mayo de 2006).

[16]   Convenio entre el Reino de España y el Reino de Marruecos de cooperación judicial en materia civil, mercantil y administrativa, hecho en Madrid el 30 de mayo de 1997 (*BOE* n° 151, de 25 de junio de 1997).

[17]   Convenio entre el Reino de España y la República Islámica de Mauritania relativo a la asistencia judicial en el ámbito civil y mercantil, hecho en Madrid el 12 de septiembre de 2006 (*BOE* n° 267, de 8 de noviembre de 2006).

[18]   Convenio entre el Reino de España y la República de Túnez sobre asistencia judicial en materia civil y mercantil y reconocimiento y ejecución de resoluciones judiciales, hecho en Túnez el 24 de septiembre de 2001 (*BOE* n° 52, de 1 de marzo de 2003).

[19]   Tratado entre el Reino de España y la República Popular China sobre asistencia judicial en materia civil y mercantil, hecho en Pekín el 2 de mayo de 1992 (*BOE* n° 26, de 31 de enero de 1994). En China, la cohabitación de un hombre y una mujer sin cumplir las formalidades de un matrimonio no es objeto de protección legal, si bien es cierto la ley no las prohíbe. https://www.notariosyregistradores.com/LEYESEXTRANJERAS/PAISES/CHINA.htm. [Consulta: 30/09/2022].

[20]   Convenio entre el Reino de España y la Unión de Repúblicas Socialistas Soviéticas sobre asistencia judicial en materia civil, hecho en Madrid el 26 de octubre de 1990 (*BOE* n° 151, de 25 de junio de 1997).

[21]   Convenio entre el Reino de España y el Gobierno de la República Federal de Brasil de cooperación Jurídica en materia civil, hecho en Madrid el 13 de abril de 1989 (*BOE* n° 164, de 10 de julio de 1991).

[22]   Convenio entre el Reino de España y el Estado de Israel para el mutuo reconocimiento y la ejecución de sentencias en materia civil y mercantil, hecho en Jerusalén el 30 de mayo de 1989 (*BOE* n° 3, de 3 de enero de 1991)

[23]   Convenio entre los Estados Unidos Mexicanos y el Reino de España sobre reconocimiento y ejecución de sentencias judiciales y laudos arbitrales en materia civil y mercantil, hecho en Madrid el 17 de abril de 1989 (*BOE* n° 85, de 9 de abril de 1991).

Solo el Convenio entre España y Colombia de 30 de mayo de 1908[24], el Convenio entre España y Suiza de 19 de noviembre de 1898[25] y el Convenio entre España y Uruguay de 1987[26] son aplicables al reconocimiento de decisiones judiciales procedentes de tales Estados, puesto que su ámbito de aplicación material así lo permite, y, además, son Estados que contemplan esta institución.

En defecto, de norma institucional y convencional será de aplicación el régimen estatal, es decir, el contenido en la Ley 29/2015, de 30 de julio, de cooperación jurídica internacional en materia civil (en adelante, LCJIMC[27]).

En cualquier caso, no hay que olvidar que el REPUR solo se aplica al reconocimiento de aquellas resoluciones judiciales extranjeras procedentes de Estados miembros sobre efectos patrimoniales de uniones registradas. Esto es, solo será aplicable cuando la resolución judicial extranjera se refiera a la disolución del régimen económico de una unión cuyo régimen está regulado por ley, cumpla las condiciones legales establecidas para su constitución y haya sido sometida a un sistema de registro obligatorio. No lo será, por el contrario, si no cumplen tales condiciones. Tampoco será de aplicación al reconocimiento de aquellos pronunciamientos que son accesorios a la disolución de una unión registrada (pensión de alimentos, vivienda familiar, etc.), en la medida en que tales cuestiones están reguladas en otros instrumentos normativos. Una pluralidad de fuentes que puede dar lugar a una falta de coordinación entre las mismas, desde el momento en que, como así sucede en la LCJIMC, no se reconoce ni ejecuta una decisión que no sea firme o definitiva (art. 41.1º y 2º), se controla la competencia del juez de origen [art. 46.1º c)] y el execuátur se configura de forma distinta a como lo hace el Reglamento. De suerte que podríamos encontrarnos con una situación incoherente si solo se garantiza la continuidad parcial de los efectos económicos, pero no los de la disolución de la unión registrada[28].

---

[24]   Convenio celebrado entre España y la República de Colombia, para dar cumplimiento a las sentencias civiles dictadas por los Tribunales de ambos países, hecho en Madrid el 30 mayo 1908 (*Gaceta de Madrid* nº 108, de 18 abril 1909). En Colombia tales uniones están reguladas en la Ley 54 de 1990 (*DO* nº 39.615, de 31 de diciembre de 1990). Disponible en: https://www.icbf.gov.co/cargues/avance/docs/ley_0054_1990.htm. [Consulta: 30/09/2022].

[25]   Convenio entre España y Suiza sobre ejecución de sentencias en materia civil y comercial, hecho en Madrid el 19 noviembre 1896 (*Gaceta de Madrid* nº 190, de 9 de julio de 1898). En Suiza, a partir de la *Bundesgesetz über die eingetragene Partnerschaft gleichgeschlechtlicher Paare*, en vigor desde el 2007, se admiten este tipo de uniones. Disponible en: https://www.fedlex.admin.ch/eli/cc/2005/782/de. [Consulta: 30/09/2022].

[26]   *BOE* nº 103, de 30 de abril de 1998. La Ley nº 18246 de Unión Concubinaria contempla estas uniones. Disponible en: https://www.impo.com.uy/bases/leyes/18246-2007. [Consulta: 30/09/2022].

[27]   *BOE* nº 182, de 31 de julio de 2015.

[28]   CARRILLO POZO, LUIS FRANCISCO, "Eficacia en España de las resoluciones extranjeras en materia de efectos económicos del matrimonio", *CDT*, vol. 4, nº 1, 2012, pp. 86-121, en esp. pp. 90-91.

3. Problemas de calificación

El Reglamento regula expresamente los efectos patrimoniales de las uniones registradas. El ámbito de aplicación material del Reglamento condiciona, por tanto, cuándo se aplican las disposiciones que este regula sobre el reconocimiento de decisiones judiciales extranjeras. La cuestión reside en que, en ocasiones, existen serias dificultades para concretar cuándo estamos en presencia –o no– de una cuestión relativa a los efectos patrimoniales de la unión registrada, puesto que, a pesar de la definición que incorpora el propio Reglamento [art. 3.1º b)[29]], resulta difuso establecer el límite que existe entre los efectos patrimoniales y ciertas materias conexas a la disolución de la unión, como así sucede con la materia alimenticia. Una cuestión que resulta importante, máxime teniendo en cuenta el interés y el papel que pueden llegar a tener en este ámbito los acuerdos realizados ante autoridad pública competente en previsión de ruptura de la pareja. Bien es cierto que la cuestión alimenticia se trata de una materia que esta que está expresamente excluida del ámbito de aplicación material del REPUR, al estar sometida al Reglamento (CE) nº 4/2009 del Consejo, de 18 de diciembre de 2008, relativo a la competencia, la ley aplicable, el reconocimiento y la ejecución de las resoluciones y la cooperación en materia de obligaciones de alimentos –en adelante, Reglamento nº 4/2009–[30]. No hay duda alguna de que los acuerdos en previsión de ruptura relativos a alimentos o pensión compensatoria quedarían sometidos a este último Reglamento. Mayores problemas hay para calificar aquellos acuerdos realizados ante autoridad pública extranjera sobre la atribución del uso de la vivienda habitual. Si dicha atribución está vinculada a la custodia de los hijos, la calificación alimenticia parece clara. En otro caso, podría ser aplicable el REPUR.

Además, hay que tener presente la transcendencia que en las parejas de hecho tienen los Derechos territoriales españoles, donde se contemplan la "compensación económica por el conviviente[31]", la "compensación económica[32]", la "compensación económica por razón de trabajo[33]" y la "compensación económica por

---

[29] Los define como: "*conjunto de normas relativas a las relaciones patrimoniales de los miembros de la unión registrada entre sí y con terceros, como resultado de la relación jurídica creada por el registro de la unión o su disolución*".

[30] *DOUE* nº L 7, de 10 de enero de 2009.

[31] Art. 310 Decreto Legislativo 1/2011, de 22 de marzo, del Gobierno de Aragón, por el que se aprueba, con el título de «Código del Derecho Foral de Aragón», el Texto Refundido de las Leyes civiles aragonesas (*BOA* nº 67, de 29 de marzo 2011).

[32] Arts. 5 y 9 Ley 18/2001, de 19 de diciembre, de Parejas Estables de la Comunidad Autónoma de las Illes Balears (*BOIB* nº 156, de 19 de diciembre de 2001).

[33] Art. 234-9 Código Civil de Cataluña. Ley 25/2010, de 29 de julio, del libro segundo del Código Civil de Cataluña, relativo a la persona y la familia (*DOGC* nº 5686, de 5 de agosto de 2010).

la parte conviviente perjudicada[34]". En esencia, estos efectos familiares, aunque deriven de una relación de familia, no dependen de la relación de base (pareja), en tanto que son contribuciones a las obligaciones alimentarias que surgen con ocasión de una crisis de la pareja[35]. La consecuencia inmediata que se deriva de ello es que todos los derechos "patrimoniales" recogidos en los diferentes Derechos civiles territoriales deberían de ser calificados como obligaciones de alimentos[36], a efectos de aplicar la normativa de reconocimiento correspondiente. Una cuestión que es compleja y que excede del objeto de estudio del presente trabajo.

4. Eficacia pretendida

El efecto que se pretende con el reconocimiento de una resolución judicial extranjera incide igualmente en el régimen legal aplicable. Del efecto pretendido dependerá la aplicación del REPUR o de otro instrumento jurídico, como así sucede, por ejemplo, cuando lo que se pretende es obtener la eficacia probatoria extrínseca. En tal caso, podrían ser de aplicación los beneficios que incorpora el Reglamento (UE) n° 2016/1191, de 6 de julio, del Parlamento Europeo y del Consejo, por el que se facilita la libre circulación de los ciudadanos (en adelante, Reglamento n° 2016/1191[37]). A tales efectos, dicho Reglamento simplifica los requisitos de presentación de determinados documentos públicos en la UE. El efecto pretendido condiciona, asimismo, la vía de atribución de eficacia de la resolución judicial extranjera. Así, si el efecto pretendido es el ejecutivo, deberá tramitarse el correspondiente procedimiento de execuátur, tal y como es diseñado en el REPUR, mientras que si es el probatorio –estaríamos hablando de la eficacia probatoria intrínseca– su eficacia dependerá de lo establecido en la normativa estatal. En España, se estaría a lo dispuesto en los arts. 323 y 144 de la Ley de Enjuiciamiento Civil (en adelante, LEC[38]).

---

[34]   Art. 9 Ley 1/2005, de 16 de mayo, de Parejas de Hecho de la Comunidad Autónoma de Cantabria (*BOE* n° 135, de 7 de junio de 2005).

[35]   RODRÍGUEZ BENOT, ANDRÉS, *loc. cit.*, p. 24.

[36]   PÉREZ MILLA, JOSÉ JAVIER, "Efectos patrimoniales de las uniones registradas autonómicas y reglamentos de la Unión Europea: respondiendo a problemas complejos", [en línea], https://ifc.dpz.es/recursos/publicaciones/38/40/04perez.pdf, pp. 1-28, en esp. p. 14 (Consulta: 30/09/2022).

[37]   *DOUE* n° L 200/1, 26 de julio de 2016.

[38]   Ley 1/2000, de 7 de enero (*BOE* n° 7, de 8 de enero de 2000).

III. RECONOCIMIENTO, FUERZA EJECUTIVA Y EJECUCIÓN DE DECISIONES JUDICIALES RELATIVAS AL RÉGIMEN PATRIMONIAL DE LAS UNIONES REGISTRADAS

1. Introducción

El Reglamento, como se ha apuntado, se aplica al reconocimiento y ejecución de aquellas decisiones procedentes de Estados miembros que estén incluidas dentro del ámbito de aplicación de dicho instrumento. Este texto introduce en el Capítulo IV (arts. 36-57) un régimen específico para el reconocimiento de resoluciones judiciales extranjeras. El sistema diseñado en el Reglamento contempla un sistema de reconocimiento automático junto a un sistema de homologación a título principal. Se aparta así del régimen innovador instaurado en el Reglamento nº 4/2009 y en el Reglamento (UE) nº 1215/2012 del Parlamento Europeo y del Consejo de 12 de diciembre de 2012 relativo a la competencia judicial, el reconocimiento y la ejecución de resoluciones judiciales en materia civil y mercantil (en adelante, Reglamento Bruselas I bis[39]). Las diferencias existentes en este ámbito entre los Estados miembros impidió, según apunta la doctrina más autorizada, eliminar de forma definitiva dicho procedimiento para obtener la declaración de ejecutividad[40], como así ha ocurrido en el Reglamento Bruselas II ter[41].

Ahora bien, hay que tener presente que en nuestro ordenamiento existen, asimismo, como hemos tenido oportunidad de analizar, otros textos susceptibles de ser aplicados al reconocimiento y ejecución de resoluciones extranjeras sobre efectos patrimoniales de las uniones registradas. Saber cuándo se aplica uno u otro depende de cuál sea el Estado de origen de la decisión. A continuación, centraremos nuestro análisis, por razón de espacio, en el régimen de reconocimiento establecido en el REPUR.

---

[39] *DOUE* nº 351, 20 de diciembre de 2012.

[40] QUINZÁ REDONDO, PABLO, *Régimen económico del matrimonio. Aspectos sustantivos y conflictuales*, Tirant lo Blanch, Valencia, 2016, p. 340.

[41] Reglamento (UE) nº 2019/1111 del Consejo, de 25 de junio de 2019, relativo a la competencia, el reconocimiento y la ejecución de resoluciones en materia matrimonial y de responsabilidad parental, y sobre la sustracción internacional de menores (*DOUE* nº 178, de 2 de julio de 2019). Reglamento que entró en vigor el 1 de agosto de 2022 derogando al Reglamento relativo a la competencia, el reconocimiento y la ejecución de resoluciones judiciales en materia matrimonial y de responsabilidad parental, por el que se deroga el Reglamento (CE) nº 1347/2000 (*DOUE* nº L 338, de 23 de diciembre de 2003).

2. Validez extraterritorial de resoluciones judiciales en el REPUR

A. Procedimiento de reconocimiento

El REPUR distingue el reconocimiento automático (art. 36.1º) y el incidental (art. 36.3º), donde la autoridad competente debe examinar que no concurre ninguno de los motivos de denegación recogidos en el art. 37[42], del reconocimiento por homologación (art. 42), donde se procede al otorgamiento o denegación del execuátur sin control de condiciones sustantivas en primera instancia –solo los requisitos formales establecidos en el art. 45–, aunque sí en ulteriores instancias (arts. 47 y 50).

a) Reconocimiento incidental y su discutible cauce procesal

El art. 36.3º del REPUR asigna la competencia, si el reconocimiento se invoca como cuestión incidental, al órgano jurisdiccional ante el cual se solicite la eficacia de la decisión. Ahora bien, la cuestión que se plantea de inmediato es saber si debe abrirse el trámite incidental que el art. 388 de la LEC contempla[43]. Se trata de un tema espinoso sobre el que ni la LCJIMCM se ha querido pronunciar. De hecho, en su Preámbulo establece que *"se ha evitado una referencia a la apertura de un incidente, permitiéndose así que el reconocimiento incidental se pueda llevar a cabo de forma ágil y más sencilla en el seno de cada procedimiento"*. Por otra parte, hay que tener presente que el efecto más típico que suele solicitarse en tales casos es el efecto de cosa juzgada, una excepción para la que la LEC cuenta con un trámite procesal específico (art. 421 LEC). Esto nos lleva a concluir que, en tales casos, no resultaría preciso iniciar el correspondiente trámite incidental. No obstante, una interpretación de signo contrario puede mantenerse si se repara en lo dispuesto la Disposición Final vigésimo sexta de la LEC, formulada por el legislador español para implementar la aplicación del Reglamento (UE) nº 650/2012. Hacemos referencia a esta Disposición, puesto que el legislador español aún –en el momento en el que se redactan estas líneas– no ha implementado en la normativa procesal española el REPUR, y no es descabellado pensar que, cuando decida hacerlo, siga las mismas pautas. De ser así, puede que el legislador español remita a lo dispuesto en el art. 388 de la LEC, como así sucede en la Disposición Final vigésimo sexta de la LEC, donde se vincula la cuestión incidental a la denegación

---

[42]   Ello, sin perjuicio de que cualquier parte interesada que invoque el reconocimiento de una resolución a título principal pueda solicitar, de conformidad con los procedimientos previstos en los art. 44 a 57, que se reconozca la resolución (art. 36.2º).

[43]   Según el mismo: *"Las cuestiones incidentales que no tengan señalada en esta Ley otra tramitación, se ventilarán en la forma establecida en este capítulo"*.

del reconocimiento. Una vinculación que nos sorprende, máxime si tenemos en cuenta que el Reglamento nº 650/2012 solo contempla la invocación del reconocimiento, no su denegación. En nuestra opinión, urge que el legislador adapte las disposiciones del REPUR a la normativa procesal española y, en particular, que aclare esta cuestión, que, a nuestro modo de ver, requiere adoptar una postura en sentido negativo. Es decir, debe permitirse que una resolución judicial extranjera surta efectos propios desde su invocación y presentación en el correspondiente procedimiento judicial iniciado en nuestro país, sin que sea necesario que se trámite dicho incidente[44].

b) *Fuerza ejecutiva*

El procedimiento de execuátur que regula el Reglamento (arts. 42-50) sigue el modelo de la extensión de efectos y, por tanto, exige que la resolución judicial extranjera tenga fuerza ejecutiva en el Estado de origen (art. 42). La solicitud deberá presentarse ante el tribunal del Estado miembro designado a tal efecto (art. 44.1º), siempre que resulte territorialmente competente para ello, para lo cual se tendrá en cuenta el domicilio de la parte contra la que se solicita la ejecución o el lugar de ejecución (art. 44.2º).

La sustanciación de este procedimiento se iniciará con la presentación ante dicho tribunal de la solicitud de declaración de fuerza ejecutiva con arreglo a la ley del Estado miembro de ejecución (art. 45.1º), que deberá ser acompañada de los documentos exigidos en el art. 45.2º, estos deberán ser traducidos solo si el órgano competente así lo exigiere (art. 46.2º). Una vez presentados tales documentos, según lo establecido en el REPUR, se declarará inmediatamente la fuerza ejecutiva de la resolución, sin que quepa un examen de los motivos para la denegación del reconocimiento ni audiencia del demandado (art. 42). La resolución dictada sobre la declaración de fuerza ejecutiva deberá ser notificada a las partes de inmediato (art. 48), que podrá ser recurrida ante los tribunales que hayan sido comunicados a la Comisión (art. 49.2º). En esta instancia sí existirá *audita parte debitoris*. Contra la decisión adoptada cabe recurso ante la autoridad designada (art. 50). Este precepto remite a los recursos que cada Estado miembro haya comunicado a la Comisión. España, ha declarado que proceden los recursos de casación y el extraordinario por infracción procesal[45]. Al respecto hay que tener en cuenta que la Disposición Final décimo sexta de la LEC no

---

[44]   Sobre las diferentes posturas existentes al respecto, *vid.* MARTÍN MAZUELOS, FRANCISCO JOSÉ, "Art. 36", en IGLESIAS BUHIGUES, JOSÉ LUIS y PALAO MORENO, GUILLERMO (Dirs.), *Régimen económico matrimonial...*, *op. cit.*, pp. 388-391.

[45]   https://e-justice.europa.eu/560/ES/matters_of_the_property_consequences_of_registered_partnerships?SPAIN&member=1 (Consulta: 30/09/2022).

permite presentar este último recurso si al mismo tiempo no se formula recurso de casación por interés casacional. De la misma manera, dicha disposición establece que la inadmisión del recurso de casación lleva consigo la del recurso por infracción procesal[46].

Con todo, el órgano jurisdiccional ante el que se interponga tal recurso podrá denegar o revocar la declaración de fuerza ejecutiva por uno de los motivos previstos en el art. 37 (art. 51). La cuestión que se plantea de inmediato es saber si tales motivos de denegación de reconocimiento son exclusivos, es decir, si son los únicos a controlar. Aunque el REPUR, a diferencia de lo que sucede en otros Reglamentos, como es el caso del Reglamento Bruselas I bis y del Reglamento nº 4/2009, no los distinga, cabe diferenciar entre los motivos de denegación de la ejecución basados en el título, que son los previstos en el art. 37 del REPUR, de aquellos basados en la ejecución, y que están previstos en el Derecho nacional. Por ello, junto a los motivos establecidos en dicho precepto, deberían ser controlados los correspondientes a la ejecución, a tenor de lo establecido en el Derecho del Estado requerido[47]. Ello implica la posibilidad de verificar, entre otras cuestiones, la caducidad de la acción ejecutiva, así como también la pérdida de la fuerza ejecutiva de la acción, etc. En efecto, tal como se desprende de la jurisprudencia del TJUE, el carácter ejecutorio de la resolución de que se trate en el Estado miembro de origen constituye un requisito para la ejecución de la misma en el Estado miembro requerido (STJUE de 29 de abril de 1999, As. C-267/97: "*Coursier*"[48]). A este respecto, no hay razones para dar a una resolución extranjera, en el momento de su ejecución, derechos que no tiene en el Estado miembro de origen, o bien efectos que no produciría una resolución dictada directamente en el Estado miembro requerido (STJUE de 28 de abril de 2009, As. C-420/07: "*Apostolides*"[49]). No obstante, también es cierto que ninguna disposición del Reglamento permite denegar o revocar la ejecución de una resolución a la que ya se ha dado cumplimiento, ya que tal circunstancia no priva a esa resolución de su carácter de título ejecutivo (STJUE de 13 de octubre de 2011, As. C-139/10: "*Prism Investments*"[50]).

---

[46] MARTÍN MAZUELOS, FRANCISCO JOSÉ, "Art. 50", en IGLESIAS BUIGUES, JOSÉ LUIS y PALAO MORENO, GUILLERMO (Dirs.), *Régimen económico matrimonial...*, *op. cit.*, pp. 458-459.

[47] JIMÉNEZ BLANCO, PILAR, "La ejecución forzosa de las resoluciones judiciales en el marco de los reglamentos europeos", *REDI*, vol. 70, nº 1, 2018, pp. 101-125.

[48] ECLI:EU:C:1999:213.

[49] ECLI:EU:C:2009:271.

[50] ECLI:EU:C:2011:653.

B. Condiciones de reconocimiento

Las condiciones o motivos de denegación del reconocimiento, regulados en el art. 37 del Reglamento, son aplicables al margen del tipo de reconocimiento –automático o a título principal– que se solicite. Solo varía la autoridad encargada de examinarlas y el cauce procedimental en el que dicho examen se llevará a cabo. En el caso del reconocimiento automático, será la misma autoridad ante la que se solicite el reconocimiento, mientras que si lo que se pretende es obtener el execuátur – lo que dependerá del efecto solicitado y si hay oposición (o no) al reconocimiento automático–, será el Juzgado de Primera Instancia correspondiente al domicilio de la parte contra la que se solicita la ejecución o al lugar de ejecución el que tendrá competencia a tales efectos[51].

a) Principios rectores del REPUR

El régimen de reconocimiento de decisiones judiciales extranjeras diseñado en el REPUR se conforma a partir de dos ejes. Por una parte, prohíbe revisar tanto el fondo de la decisión (art. 40), como la competencia del juez de origen (art. 39) –salvo la excepción contemplada en la disposición transitoria–. Y, por otra, obliga a aplicar los motivos de denegación de reconocimiento respetando los derechos fundamentales y los principios reconocidos en la Carta de Derechos Fundamentales de la Unión Europea (en adelante, Carta[52]) y, en particular, su art. 21 sobre el principio de no discriminación (art. 38). Una obligación que comporta efectos tanto positivos como negativos. Así, deberá ser denegado el reconocimiento de toda decisión judicial extranjera que tenga un componente discriminatorio (efecto negativo), pero no podrá serlo por no reconocerse en el foro dicha forma de unión (efecto positivo).

Como hemos anticipado, el juez ante el que se invoca el reconocimiento tiene prohibido examinar los fundamentos de hecho y de derecho que hubiera tenido en cuenta el órgano judicial del Estado de origen al dictar la resolución (art. 40). Tampoco puede examinar si la autoridad judicial que dictó dicha decisión tenía competencia judicial internacional para ello. El art. 39 del REPUR deja meridanamente claro que no puede controlarse la competencia del órgano jurisdiccional del Estado de origen de la decisión, ni siquiera al amparo de la cláusula orden público, como así expresara en su día el TJCE en la Sent. dictada el 28 de marzo de 2000, As. C-7/98: "*Krombach*"[53]. Ello implica que, si un Estado

---

[51]   https://e-justice.europa.eu/560/ES/matters_of_the_property_consequences_of_registered_partnerships?SPAIN&member=1 [Consulta: 30/09/202].

[52]   *DOUE* nº C 364, 18 de diciembre de 2000.

[53]   ECLI:EU:C:2000:164.

se ha inhibido haciendo uso de lo previsto en el art. 9 del Reglamento, no estará obligado a conocer del asunto, pero sí estará obligado a reconocer las decisiones judiciales dictadas en otros Estados miembros que se hayan pronunciado sobre los efectos patrimoniales de la unión de pareja registrada, sin que pueda invocar que desconoce las uniones entre personas del mismo sexo. También supone que, aunque los criterios de competencia por accesoriedad previstos en el Reglamento funcionen como competencias exclusivas (arts. 4 y 5), su ámbito de actuación se ciñe al sector de la competencia judicial internacional, no al del reconocimiento. Por ello, la vulneración de estas competencias no constituiría, en ningún caso, un motivo para denegar el reconocimiento de una resolución judicial extranjera.

Recuérdese, no obstante, que el REPUR permite controlar la competencia judicial internacional del Tribunal de origen cuando la acción judicial haya sido iniciada antes de la entrada en funcionamiento del Reglamento (art. 69.2°). En tales casos, tales resoluciones podrán ser reconocidas y ejecutadas, según lo dispuesto en el Reglamento, siempre que las normas de competencia aplicadas sean, como hemos tenido oportunidad de analizar, conformes a las previstas en el Capítulo II. La duda está en saber si los foros de competencia judicial internacional regulados en la normativa española pueden plantear problemas de disconformidad con los criterios de competencia establecidos en el Reglamento. Y ahí está el verdadero dilema, puesto que no existe una regulación expresa al respecto en el ordenamiento jurídico español, y la aplicación por analogía de los criterios de competencia judicial internacional establecidos para el régimen económico matrimonial en el art. 22 quater c) de la LOPJ no resulta viable, dada la falta de identidad de la unión de hecho con el matrimonio, puesta de relieve por la jurisprudencia del Tribunal Constitucional. Con todo, por lo que respecta a las relaciones patrimoniales de las uniones no registradas, resulta de aplicación, al tratarse de materia civil y mercantil, el Reglamento Bruselas I bis (STJUE de 6 junio de 2019, As. C-361/18: "*Weil*"[54]). La conformidad – o no– de la competencia del juez de origen deberá realizarse a partir de dicha norma. No obstante esto, quizás sea el momento oportuno para incorporar normas de competencia judicial internacional en el ámbito interno, en virtud de la competencia exclusiva del Estado (art. 149.1.8° Constitución Española, en adelante CE).

Una novedad destacable que presenta el REPUR es la importante matización que introduce en el art. 38 en la aplicación e interpretación de los motivos para denegar el reconocimiento de una resolución judicial extranjera, que están previstos en el art. 37. A tenor de dicho precepto, el art. 37 debe ser aplicado respetando los derechos fundamentales y los principios reconocidos en la Carta,

---

[54]   ECLI:EU:C:2019:473.

en particular su art. 21 sobre el principio de no discriminación, lo que, como veremos, influirá directamente a la hora de valorar la recognoscibilidad –o no– de una decisión dictada en otro Estado miembro por vulnerar el orden público o ser inconciliable con otra decisión judicial que haya sido dictada al respecto.

En concreto, los Estados miembros del REPUR podrán denegar el reconocimiento de una resolución judicial extranjera sobre efectos patrimoniales de las uniones registradas por cualquiera de los siguientes motivos.

b) El orden público

El art. 37.1º del REPUR establece que será denegado el reconocimiento de una resolución dictada en otro Estado miembro si esta fuera manifiestamente contraria al orden público del Estado miembro que se solicita. Es preciso saber que la aplicación de esta cláusula es excepcional y restrictiva, y está europeizada y mediatizada por los derechos fundamentales y los principios recogidos en la Carta (ex art. 38 REPUR), aunque su aplicación puede atenuarse según el grado de vinculación con el foro.

Es de aplicación excepcional, puesto que solo opera si la decisión judicial extranjera es manifiestamente contraria a los principios y valores jurídicos fundamentales del Estado requerido. Ahora bien, como señala P. Jiménez Blanco, el orden público del Estado requerido no puede menoscabar el efecto útil de las normas europeas ni el parámetro común de Derechos fundamentales, en cuya fijación juega un papel esencial el CEDH y la jurisprudencia del TEDH[55]. De hecho, desde hace años, se ha puesto de relieve el potencial que posee "el derecho al respeto de su vida privada y familiar" contemplado en el art. 8 de dicho Convenio a la hora de reconocer aquellas situaciones familiares válidamente constituidas al amparo de un ordenamiento jurídico extranjero. Son numerosos los casos en los que el TEDH ha debido afrontar las demandas por violación del art. 8 del CEDH, donde se ha evidenciado cómo la denegación de reconocimiento de una decisión judicial extranjera dictada por un Tribunal de un Estado miembro del Convenio constituye una violación de ciertos derechos fundamentales establecidos en el CEDH. Y, en concreto, del "derecho al respeto de su vida privada y familiar". Una jurisprudencia de la que se derivan límites a la interpretación de la noción de orden público en los diferentes Estados miembros, que evoca de inmediato la noción de "orden público europeo"[56]. Cada vez más, se va consolidando más la idea de europeización del orden público. De hecho, el art. 38 del Reglamento obliga,

---

[55]   JIMÉNEZ BLANCO, PILAR, *Regímenes económicos matrimoniales transfronterizos. Un estudio del Reglamento (UE) nº 2016/1103*, Tirant lo Blanch, Valencia, 2021, p. 360.

[56]   MARCHAL ESCALONA, NURIA, "Eficacia del estatuto personal y familiar de los españoles retornados y del talento extranjero atraído a España" (en prensa).

como hemos señalado, a aplicar los motivos de denegación de reconocimiento respetando los derechos fundamentales. Ello implica que podrá denegarse el reconocimiento de todas aquellas decisiones judiciales que tengan un componente discriminatorio, pero no podrán ser por motivos basados en la orientación sexual (efecto positivo), lo que tiene un efector armonizador entre los Estados miembros partícipes en la cooperación reforzada. Los Estados miembros son libres de regular –o no– las uniones de parejas registradas del mismo sexo, pero lo que sí tienen es la obligación de aceptar los efectos que la institución puede desplegar en el marco de las relaciones patrimoniales[57]. Con todo, es sabido que el efecto atenuado del orden público permitiría igualmente el reconocimiento de una decisión en relación con una unión registrada en el Estado requerido.

La aplicación del orden público posee, pues, un alcance restrictivo. Será de aplicación cuando la decisión judicial extranjera tenga un componente discriminatorio, afecte a la dignidad de la persona o a su libertad personal, lo que podría producirse cuando la decisión extranjera dejase a uno de los integrantes de la pareja en una situación de especial vulnerabilidad económica[58]. También podrá operar cuando, a la luz del conjunto de circunstancias del caso, se compruebe que dicha resolución supone un menoscabo manifiesto y desmesurado del derecho del demandado a un proceso equitativo *ex.* art. 47.2º de la Carta (STJUE de 6 de septiembre de 2012, As. C-619/10: "*Trade Agency*")[59].

c) El control de las garantías procesales de defensa

El Reglamento incluye también el control de las garantías procesales de defensa como motivo de denegación de reconocimiento. El juez del Estado miembro requerido está obligado a denegar o a revocar, en caso de que se presente el correspondiente recurso, la ejecución de una resolución extranjera dictada en rebeldía si no se le hubiere entregado al demandado la cédula de emplazamiento o documento equivalente con tiempo suficiente y de forma tal para preparar su defensa, salvo que el demandado no hubiere recurrido contra dicha resolución ante los tribunales del Estado miembro de origen, cuando hubiera podido hacerlo (art. 37.2º). Ahora bien, a tenor de este precepto, aunque la notificación fuera irregular o extemporánea, si el juez del Estado considera que el demandado tuvo oportunidad de defenderse en el proceso de origen y no lo hizo, otorgará el reconocimiento de la resolución. Ello significa que la adecuación o no de la notificación a la ley que regula la regularidad de la misma ya no tiene consecuencia

---

[57]   RODRÍGUEZ RODRIGO, JULIANA, *Relaciones económicas de los matrimonios y las uniones registradas, antes y después de los Reglamentos (UE) 2016/1103 y 2016/1104*, Tirant lo Blanch, Valencia, 2019, p. 252.
[58]   JIMÉNEZ BLANCO, PILAR, *op. cit.*, p. 363.
[59]   ECLI:EU:C:2012:531.

jurídica alguna[60]. No se exige necesariamente la entrega de forma regular de la cédula de emplazamiento, sino el respeto del derecho de defensa (STJUE de 14 de diciembre de 2006, As. C-283/05: "*ASML*"[61]). Además, para que pueda denegarse el reconocimiento de dicha decisión se requiere que el demandado recurra dicha infracción ante los tribunales del Estado miembro de origen de la decisión. Ello presupone, por una parte, que la resolución dictada en dicho proceso ha sido notificada al demandado (STJUE de 14 de diciembre de 2006). Y, por otra, que la normativa procesal del Estado de origen debe contemplar la posibilidad de que el demandado interponga el correspondiente recurso para denunciar la situación de indefensión que ha sufrido a efectos de alcanzar una tutela judicial equivalente a la que habría tenido de haber recibido una notificación correcta.

d) La inconciliabilidad de decisiones

El REPUR contempla además como motivo de denegación de reconocimiento de decisiones judiciales extranjeras la contrariedad entre la decisión que se pretende reconocer con una decisión dictada entre las mismas partes en el Estado requerido [art. 37.3º)]. La inconciabilidad de las decisiones exige identidad de partes, pero no de objeto y de causa. Esta inconciliabilidad podría darse, por ejemplo, entre una resolución que declarara la nulidad o ineficacia de unos pactos realizados por la unión registrada y otra que liquidara el régimen económico de la pareja. También contempla este precepto la inconciliabilidad con una resolución dictada con anterioridad en un litigio en otro Estado miembro o en un tercer Estado entre las mismas partes, cuando esta última resolución reúna las condiciones necesarias para su reconocimiento en el Estado miembro requerido [art. 37 d)].

Con esta condición se pretende evitar la falta de coherencia que resultaría si en el mismo Estado tuvieran validez dos decisiones contradictorias. Es cierto que esta situación no debería generarse entre los Estados miembros del Reglamento, dado que contiene una previsión en la que expresamente regula el problema de la litispendencia (art. 17) que puede minimizar e, incluso, evitar que esta inconciliabilidad llegue a producirse. Sin embargo, el Reglamento recoge esta condición, dado que no puede descartarse que este mecanismo impida la existencia de decisiones inconciliables.

Por su parte, no hay que olvidar que esta condición está mediatizada por la obligación que impone el Reglamento de aplicar los motivos de denegación del reconocimiento respetando los derechos fundamentales y los principios de la Carta. Este parámetro deberá ser aplicado, en particular, a la hora de valorar la

---

[60]   MARCHAL ESCALONA, NURIA, *Garantías procesales y notificación internacional*, Comares, Granada, 2001, pp. 158-160.

[61]   ECLI:EU:C:2006:787.

regnoscibilidad de la sentencia previamente dictada por los tribunales de otro Estado miembro o de un tercer Estado. De esta manera, no podría ser objeto de reconocimiento aquella decisión judicial extranjera que tuviera un componente discriminatorio (efecto negativo), pero, a su vez, implica considerar como recognoscible a toda decisión dictada por tribunales de otro Estado sobre los efectos patrimoniales de una unión registrada del mismo sexo (efecto positivo).

IV. CONCLUSIONES

En el presente trabajo se han evidenciado los diferentes factores que hay que valorar y considerar para determinar cuál es el régimen legal aplicable al reconocimiento de una decisión judicial extranjera dictada sobre el régimen patrimonial de las uniones registradas.

La necesidad de saber si se trata de una resolución judicial o de un documento público extranjero, junto a la pluralidad de fuentes que reglan esta materia, y que conviven con el REPUR complican, sobremanera, concretar cómo obtener dicho reconocimiento. No obstante, lo malo no es la existencia de una pluralidad de fuentes, sino la falta de coordinación existente entre los diferentes instrumentos jurídicos que han de aplicarse –dado el limitado ámbito de aplicación material del REPUR– para determinar las cuestiones accesorias a la disolución de dicha unión (disolución del vínculo, pensión de alimentos). Y es que en función del ámbito material del instrumento aplicable cambia la fórmula, el reparto de responsabilidad entre los Estados miembros (origen o destino) a la hora de reconocer una decisión judicial extranjera, así como las condiciones por las que se puede denegar dicho reconocimiento. El panorama se complica aún más si a ello se unen las dificultades de calificación que presentan ciertas cuestiones a la hora de incluirlas –o no– en el ámbito de aplicación material del REPUR. Finalmente, no hay que olvidar que el efecto que se pretenda de la decisión judicial extranjera incide igualmente en la determinación del régimen jurídico aplicable.

En particular, y en lo que se refiere al reconocimiento de resoluciones judiciales extranjeras dictadas sobre los efectos patrimoniales de las uniones registradas, el REPUR no ha seguido la tendencia innovadora seguida en otros Reglamentos europeos de prescindir del trámite del execuátur, siendo de los pocos Reglamentos, junto al Reglamento nº 2016/1103 y al Reglamento nº 650/2012, que continúan con dicha singularidad. Con todo, se echa en falta la correspondiente implementación del REPUR en la normativa procesal española, lo que resulta fundamental para saber si resulta preciso –o no– abrir el trámite incidental del art. 388 de la LEC cuando la resolución judicial extranjera se invoca en un procedimiento judicial iniciado en nuestro país. A nuestro juicio, es evidente que no lo es, pero la adaptación que el legislador español ha hecho de esta cuestión en el Reglamento n° 650/2012 siembra la duda, por lo que sería necesario que el legislador español concretara dicha cuestión. De hecho, este debería de pronunciarse en el sentido que aquí defendemos.

Hemos evidenciado también que el régimen de reconocimiento de las decisiones judiciales extranjeras diseñado en el REPUR se conforma a partir de dos ejes. Por una parte, prohíbe revisar el fondo y controlar la competencia judicial del juez de origen de la decisión. Y, por otra, obliga a aplicar los motivos de denegación de reconocimiento respectando los derechos fundamentales y los principios reconocidos en la Carta de la UE. Una obligación que comporta tanto efectos positivos como negativos. Así pues, deberá ser denegado el reconocimiento de toda decisión judicial extranjera que tenga un componente discriminatorio (efecto negativo), pero no podrá serlo por no reconocer el Estado requerido dicha forma de unión (efecto positivo). Estos parámetros son los que deben guiar la aplicación y la interpretación de la cláusula de orden público. Una cláusula que está europeizada y mediatizada por los derechos fundamentales y los principios recogidos en la Carta, y cuya aplicación debe ser excepcional y estricta.

V. BIBLIOGRAFÍA

CARRILLO POZO, LUIS FRANCISCO, "Eficacia en España de las resoluciones extranjeras en materia de efectos económicos del matrimonio", *CDT*, vol. 4, n° 1, 2012, pp. 86-121.

JIMÉNEZ BLANCO, PILAR, "La ejecución forzosa de las resoluciones judiciales en el marco de los reglamentos europeos", *REDI*, vol. 70, n° 1, 2018, pp. 101-125.

JIMÉNEZ BLANCO, PILAR, *Regímenes económicos matrimoniales transfronterizos. Un estudio del Reglamento (UE) n° 2016/1103*, Tirant lo Blanch, Valencia, 2021.

LAPIEDRA ALCAMI, ROSA, "Art. 69. Disposiciones transitorias", en IGLESIAS BUHIGUES, JOSÉ LUIS y PALAO MORENO, GUILLERMO (Dirs.), *Régimen económico matrimonial y efectos patrimoniales de las uniones registradas en la Unión Europea. Comentarios a los Reglamentos (UE) n° 2016/1103 y 2016/1104*, Tirant lo Blanch, Valencia, 2019, pp. 575-579.

MAGALLÓN ELÓSEGUI, NEREA, "El Reglamento (UE) 1104/2016 en materia de efectos patrimoniales de las uniones registradas y las parejas de hecho en el País Vasco", *AEDIPr.*, vol. XXI, 2021, pp. 31-64.

MARCHAL ESCALONA, NURIA, "El tratamiento de la plurinacionalidad en el divorcio no judicial", en MOYA ESCUDERO, MERCEDES (Dir.),

Plurinacionalidad y Derecho Internacional Privado de Familia y Sucesiones, Tirant lo Blanch, Valencia, 2020, pp. 449-453.

MARCHAL ESCALONA, NURIA, *Garantías procesales y notificación internacional*, Comares, Granada, 2001.

MARCHAL ESCALONA, NURIA, *El divorcio no judicial en Derecho internacional privado español*, Thomson Reuters/Aranzadi, Navarra, 2022.

MARCHAL ESCALONA, NURIA, "Eficacia del estatuto personal y familiar de los españoles retornados y del talento extranjero atraído a España" (en prensa).

MARTÍN MAZUELOS, FRANCISCO JOSÉ, "Art. 36", en IGLESIAS BUHIGUES, JOSÉ LUIS y PALAO MORENO, GUILLERMO (Dirs.), *Régimen económico matrimonial y efectos patrimoniales de las uniones registradas en la Unión Europa. Comentarios a los Reglamentos (UE) nº 2016/1103 y 2016/1104*, Tirant lo Blanch, Valencia, 2019, pp. 388-391.

MARTÍN MAZUELOS, FRANCISCO JOSÉ, "Art. 50", en IGLESIAS BUHIGUES, JOSÉ LUIS y PALAO MORENO, GUILLERMO (Dirs.), *Régimen económico matrimonial y efectos patrimoniales de las uniones registradas en la Unión Europa. Comentarios a los Reglamentos (UE) nº 2016/1103 y 2016/1104*, Tirant lo Blanch, Valencia, 2019, pp. 458-459.

MARÍN CONSARNAU, DIANA, "Uniones registradas" en España como beneficiarias del derecho de la UE a propósito de la Directiva 2004/38/CE y del Reglamento (UE) 2016/1104", *CDT*, vol. 9, nº 2, 2017, pp. 419-447.

MARÍN CONSARNAU, DIANA, "Reconocimiento, fuerza ejecutiva y ejecución de las resoluciones en los Reglamentos de la UE sobre regímenes económicos matrimoniales y relaciones patrimoniales de las Uniones registradas", en SERRANO DE NICOLÁS, ÁNGEL (Coord.), *Los Reglamentos UE 2016/1103 y 2016/1104 de regímenes económicos matrimoniales y efectos patrimoniales de las uniones registradas*, Marcial Pons, Madrid, Barcelona, Buenos Aires, Sao Paulo, 2020, pp. 223-242.

PÉREZ MILLA, JOSÉ JAVIER, "Efectos patrimoniales de las uniones registradas autonómicas y reglamentos de la Unión Europea: respondiendo a problemas complejos", [en línea], https://ifc.dpz.es/recursos/publicaciones/38/40/04perez.pdf, pp. 1-28.

QUIÑONES ESCÁMEZ, ANA, "Nuevos tipos de uniones y nueva regulación de sus efectos", en GUZMÁN ZAPATER, MÓNICA y ESPLUGUES MOTA, CARLOS (Dirs.), *Persona y familia en el nuevo modelo español de Derecho internacional privado*, Tirant lo Blanch, Valencia, 2017, pp. 169-187.

QUINZÁ REDONDO, PABLO, *Régimen económico del matrimonio. Aspectos sustantivos y conflictuales*, Tirant lo Blanch, Valencia, 2016.

QUINZÁ REDONDO, PABLO, *Uniones registradas en la Unión Europea*, Tirant lo Blanch, Valencia, 2022.

RODRÍGUEZ BENOT, ANDRÉS, "Los efectos patrimoniales de los matrimonios y de las uniones registradas en la Unión Europea", *CDT*, vol. 11, nº 1, 2019, pp. 8-31.

RODRÍGUEZ RODRIGO, JULIANA, *Relaciones económicas de los matrimonios y las uniones registradas, antes y después de los Reglamentos (UE) 2016/1103 y 2016/1104*, Tirant lo Blanch, Valencia, 2019.

SOTO MOYA, MERCEDES, "El Reglamento (UE) 2016/1104 sobre régimen patrimonial de las parejas registradas: algunas cuestiones controvertidas de su puesta en funcionamiento en el sistema español de Derecho internacional privado", *REEI*, nº 35, 2018, pp. 1-32.

ASPECTOS PRÁCTICOS DE LA SUCESIÓN DE EMIGRANTES RETORNADOS ESPAÑOLES[*]

ÁNGELES LARA AGUADO

Profesora Titular de Derecho internacional privado
Universidad de Granada

I. NOTA INTRODUCTORIA

La profesora Mercedes Moya Escudero pertenece a esa clase de personas que, en el ámbito universitario, de forma natural y espontánea, crea escuela, gracias a su magnetismo personal y sus buenas prácticas. Estoy convencida de que cualquiera que la haya conocido y tratado guarda un entrañable recuerdo de ella. Nadie que haya pasado por sus clases ha podido permanecer indiferente ante el despliegue de energía que rebosaba en el aula, ni ha podido evitar quedarse atónito ante la complejidad de las relaciones jurídico-privadas internacionales que nos presentaba, ni puede dejar de sentir, cuando menos, admiración por el derroche de ilusión que siempre pone en todo proyecto que emprende. Sus fuertes convicciones sobre la importancia que tiene la nacionalidad y la extranjería en el marco del Derecho internacional privado nos las ha ido contagiando a cuantas personas hemos asistido a sus clases y conferencias y las hemos ido incorporando en nuestras investigaciones posteriores de un modo tal, que no podemos concebir la disciplina si no es de esta manera, con la mutua interconexión de todos

[*] Trabajo realizado en el marco del proyecto de I+D+i *"El derecho al respeto a la vida familiar transfronteriza en una Europa compleja: cuestiones abiertas y problemas de la práctica"*, PID2020-113061GB-I00, financiado por MCIN/ AEI/10.13039/501100011033. IP's: María Victoria Cuartero Rubio y José Manuel Velasco Retamosa. Deseo manifestar mi gratitud a Antonio Damas Serrano y a Cecilio Gómez Cabrera, profesores del Departamento de Derecho Financiero y Tributario de la UGR, por las observaciones y sugerencias hechas al epígrafe "Liquidación del impuesto de sucesiones y donaciones" de este trabajo.

estos elementos y poniendo a la persona siempre en el centro de toda norma. Muestra de que es una gran docente es el enorme equipo de profesionales que actualmente compartimos ese amor por la disciplina y esa curiosidad ingente por seguir aprendiendo y mejorando la legislación en vigor, siguiendo su estela.

Mercedes Moya tiene un espíritu inquieto que atraviesa toda su personalidad; es tan fuerte su magnetismo que es capaz de aunar en torno a ella a personalidades tan dispares como quienes se han unido para rendirle este merecido homenaje. Y es que, no solo es una gran profesional, capaz de motivar, crear ilusión y contagiar a sus discípulos la curiosidad por aprender, sino que, además, y por encima de todo, es una persona de una extraordinaria generosidad. Doy fe de que todos y cada uno de los profesores de Derecho internacional privado de la Universidad de Granada que hemos entrado en el Departamento bajo su amparo, hemos ido pasando por su despacho para recibir buenos consejos sobre cómo afrontar la docencia, trucos para captar la atención del alumnado y para salir airosos en las clases más complicadas, por no mencionar otros consejos más vinculados al ámbito personal que, también con gran generosidad, ha regalado a sus compañeros, sin esperar nada a cambio. Por todo ello, para mí es un auténtico placer y un honor poder participar con esta modesta aportación, rindiendo este homenaje a una maestra, en el genuino sentido del término y a una magnífica persona, que nos ha dado múltiples ejemplos de compañerismo y generosidad. Espero y deseo que la nueva etapa que va a emprender al margen de la Universidad le depare muchas satisfacciones y que pueda disfrutar de ellas muchos años con su familia y seres queridos.

II. LA EMIGRACIÓN DE RETORNO A ESPAÑA EN UN CONTEXTO SUCESORIO

Según el Anuario de Estadísticas del Ministerio de Trabajo y Economía Social, solo durante el año 2020 retornaron a España un total de 46.256 ciudadanos españoles[1], frente a los 63.609 que regresaron en 2019, 69.710 en 2018, 63.963 en 2017 o los 56.144 en 2016. Esto indica que nos encontramos ante la cifra más baja de retorno de compatriotas en estos últimos cinco años. También es llamativo el incremento de retornados procedentes de Europa en el año 2020 (un total de 16.093, frente a los 15.147 del año anterior o los 14.829 que regresaron en el año 2018), al igual que sucede con los españoles procedentes de Asia (3.122 en 2020, frente a 2.863 en 2019 y 2.960 en 2018), en contraposición con

---

[1]   *Vid.* las estadísticas en la web del Ministerio de Trabajo y Economía Social, Avance Anuario Estadísticas 2020, "Españoles residentes en el extranjero retornados", en https://www.mites.gob.es/es/estadisticas/anuarios/2020/index.htm [Consulta: 30/09/2022].

el descenso de ciudadanos españoles que regresaron de América del Norte en el año 2020 (3.519, frente a 4.805 en 2019 o 4.709 en 2018); reducción que también se aprecia entre los emigrantes retornados de América Central y del Sur (21.529 en 2020, frente a 38.454 en 2019 y 45.025 en 2018) y los procedentes de África (1.361 en 2020, frente a 1.573 en 2019 y 1.537 en 2018). No obstante, si bien en los años 2018 y 2019 había más personas de nacionalidad española que regresaron a España de las que emigraron, en los años 2020 y 2021 se ha invertido la tendencia, de modo que el número de españoles que han regresado a España es inferior al de los españoles que han emigrado al extranjero, ascendiendo la cifra de españoles que han salido del país en 2021 a 4.417[2].

El país de procedencia desde el que se ha producido el retorno del mayor número de españoles en el año 2020 es Venezuela, con un total de 4.417 nacionales, seguido de Reino Unido (4.311), Argentina (3.299), Francia (3.199), Estados Unidos (3.161), Ecuador (3.160), Alemania (2.056), Suiza (1.828), México (1.664), Cuba (1.588), Colombia (1.506), Brasil (1.008), China (638), Emiratos Árabes (580) y Australia (482).

La Comunidad Autónoma a la que regresan en su mayoría es a Madrid (11.719 personas), seguida de Cataluña (7.707), Andalucía (4.859), Comunidad Valenciana (4.703), Galicia (4.198), Canarias (2.808), Castilla-León (1.545), País Vasco (1.533), Islas Baleares (1.201), Castilla-La Mancha (1.007), Asturias (947), Murcia (930), Aragón (882), Navarra (720) y, en menor medida a Cantabria (494), Extremadura (409) y La Rioja (296)[3]. Esto indica que el retorno se produce tanto a territorios sujetos a Derecho civil común como a Derechos forales. Y, aunque la mayoría suele regresar al mismo lugar de donde proceden, un porcentaje significativo se afinca fuera de su lugar de procedencia.

La edad de los españoles retornados es variable, puesto que, buena parte de ellos regresa tras su jubilación para acabar sus últimos días en su país natal, pero, también hay un porcentaje significativo que regresa por motivos familiares, otras personas vuelven a España porque han conseguido lo que se habían propuesto, o porque se han quedado sin trabajo o quieren emprender un futuro laboral en España; algunos regresan siguiendo a su pareja, otros vuelven por la dureza de la emigración y por añoranza y los hay que retornan porque no han cumplido sus expectativas o por haberse quedado sin autorización de trabajo. Es interesante saber que la gran mayoría de los emigrantes retornados posee una vivienda en España, bien porque la han adquirido o porque la han heredado y que un número significativo de ellos vivía en el extranjero de alquiler, aunque hay un porcentaje

---

2   Vid. los datos en https://es.statista.com/estadisticas/473618/saldo-migratorio-de-espanoles/ [Consulta: 30/09/2022].

3   Vid. las estadísticas por Comunidades Autónomas de retorno en https://www.mites.gob.es/ficheros/ministerio/estadisticas/anuarios/2020/RER/RER.pdf [Consulta: 30/09/2022].

importante que posee vivienda en propiedad en el extranjero. Además, hay que destacar que un buen número de emigrantes retornados mantiene vínculos con familiares y amigos en el país al que emigraron tras su regreso a España[4].

Este grupo poblacional puede encontrarse con algunos problemas prácticos en orden a articular el destino de sus bienes tras su fallecimiento, debido a la necesidad de hacer una correcta selección de la normativa aplicable a su sucesión, de modo que dicha normativa favorezca lo más posible la realización efectiva de su última voluntad. Este es un aspecto al que el emigrante retornado debe prestar especial atención, teniendo en cuenta que una gran mayoría de españoles retornados viven en territorios en los que rige una amplia libertad de testar -como Reino Unido y, en menor medida en algunos Estados de Estados Unidos[5]-, solo limitada por la obligación de atender a posibles situaciones de necesidad en que podrían encontrarse algunos de los herederos, por razón de su especial vulnerabilidad (las llamadas *family provission,* que permiten reclamar judicialmente una atribución patrimonial discrecional con cargo a la herencia: *judicial adjustment*) o en caso de contenido irrazonable del testamento combinado con la separación de bienes propia del *Common law*[6]. Frente a estos sistemas, los emigrantes retornados deben atender a las restricciones a dicha libertad de testar vigentes en otros países[7] e, igualmente, deben percatarse de la gran diversidad en cuanto a la extensión que se concede a la libertad de disposición *mortis causa* en los territorios españoles con legislación propia en materia sucesoria e incluso las divergencias en cuanto a la regulación del régimen económico matrimonial, lo que es relevante, dado que todas las personas españolas tienen vecindad civil y que esta

---

[4]   AA.VV., "Primera aproximación a la realidad de los emigrantes retornados residentes en la provincia de Cádiz", disponible en file:///C:/Users/Usuario/Downloads/Dialnet-PrimeraAproximacionALaRealidadDeLosEmigrantesRetor-2001975.pdf [Consulta: 30/09/2022]

[5]   Sobre las diferencias en los regímenes sucesorios en Derecho comparado, *vid.,* entre otros, CALÓ, EMANUELE, "La successione mortis causa in diritto comparato", en FRANZINA, PIETRO y LEANDRO, PIETRO, *Il diritto internazionale privato europeo delle successioni mortis causa,* Giuffrè, Milán, 2013, pp. 209-242; HORNERO MÉNDEZ, CÉSAR; YBARRA BORES, ALFONSO; GONZÁLEZ MARTÍN, NURIA y RODRÍGUEZ MARTÍNEZ, ELI (Coords.), *Derecho sucesorio comparado. Las experiencias española y mexicana en un contexto internacional,* Tirant lo Blanch, Valencia, 2019; LARA AGUADO, ÁNGELES (Dir.), *Sucesión mortis causa de extranjeros y españoles tras el Reglamento (UE) 650/2012: problemas procesales, notariales, registrales y fiscales,* Tirant lo Blanch, Valencia, 2020; ZOPPINI, ANDREA, "Le successioni nel diritto Comparato", en ALPA, GUIDO, *Diritto privato comparato. Istituti e problemi,* Laterza, Roma-Bari, 2012, pp. 417-436.

[6]   *Vid.* CHECA MARTÍNEZ, MIGUEL, "Cónyuge y Derecho internacional privado de familia y sucesiones: opciones de planificación y protección patrimonial en perspectiva comparada", en CERVILLA GARZÓN, MARIA DOLORES y BALLESTEROS BARROS, ÁNGEL MARIA (Dirs.), *Temas actuales de Derecho privado I,* Aranzadi-Thomson Reuters, Cizur Menor, 2022, pp. 222-229.

[7]   *Vid.* entre otros, BONOMI, ANDREA, "Testamentary Freedom or Forced Heirship", en ANDERSON, MIRIAM y ARROYO I AMAYUELAS, ESTHER, *The Law of Succession: Testamentary Freedom,* Europa Law Publishing, Groningen, 2011, pp. 27-38; LAGARDE, PAUL, "Une ultime (?) bataille de la réserve héréditaire", *RCDIP,* 2021, nº 2, pp. 291-295.

es relevante cuando la ley aplicable sea la española, ya que los Derechos vigentes en los distintos territorios españoles regulan de modo diferente estas cuestiones. En este sentido, mientras que en Navarra (Ley 267) y para los que ostenten la vecindad civil ayalesa, sometidos al Fuero de Ayala (art. 89 Ley 5/2015, de Derecho civil vasco), dicha libertad es absoluta, lo que permite no tener que respetar legítimas en favor de los descendientes, en cambio, en otras Comunidades Autónomas españolas sí que deben respetarse las legítimas que corresponden a los hijos y descendientes.

Así, en territorios regidos por el Código civil, la legítima amplia alcanza los 2/3 (1/3 de legítima estricta a repartir a partes iguales entre todos los descendientes más 1/3 de mejora a repartir del modo que desee el causante entre los legitimarios [art. 823 Cc.]), siendo la parte de libre disposición solo de 1/3 (art. 808 Cc.); en Cataluña (art. 451 Código civil de Cataluña) y Galicia (art. 243 Ley de Derecho civil de Galicia), la legítima alcanza 1/4, siendo un derecho de crédito, de modo que no consiste en un derecho sobre los bienes; en las Islas Baleares, concretamente, en Ibiza y Formentera (art. 79 Compilación de Derecho civil de las Islas Baleares), la legítima es 1/2 si son más de cuatro descendientes y 1/3 si son cuatro o menos y del mismo modo se prevé en Mallorca y Menorca (art. 42); por su parte, en el País Vasco (salvo donde rige el Fuero de Ayala) la legítima es 1/3, pero es una legítima colectiva, a repartir entre todos los descendientes, bien a partes iguales, bien en distinta proporción o bien atribuyéndose solo a uno de los descendientes (arts. 48.2 y 49 Ley 5/2015, de Derecho civil vasco), al igual que en Aragón, si bien el importe de la legítima colectiva aquí es de 1/2 (art. 486.1 Código del Derecho foral de Aragón).

Respecto a los derechos hereditarios de los ascendientes, existe libre disposición del causante en Reino Unido, en Estados Unidos y en algunos territorios españoles sujetos a Derechos forales, como Navarra, Galicia, País Vasco y Aragón. En cambio, sí perciben 1/2 si no concurren con el cónyuge viudo allí donde rige el Código civil y 1/3 si concurren a la herencia con el cónyuge supérstite (art. 809 Cc.); en Cataluña perciben 1/4 solo los padres (art. 451 Código Civil de Cataluña), al igual que en las Islas Baleares (art. 79.2 y 3 Compilación de Derecho civil de las Islas Baleares), salvo algunas cuotas particulares en Ibiza y Formentera.

Por lo que se refiere a los derechos del cónyuge supérstite, los distintos ordenamientos jurídicos españoles coinciden en atribuirle el usufructo, si bien hay gran variedad en cuanto a los porcentajes (en concurrencia con descendientes, 1/3 de la parte destinada a mejora en el Código Civil [art. 834 Cc.]; no concurriendo con descendientes, el correspondiente a la mitad de la herencia [art. 837 Cc.] y si no concurre con ascendientes ni descendientes, le corresponderían el usufructo de 2/3 de la herencia [art. 838 Cc.]); en Galicia 1/4 si concurre con descendientes y la mitad en caso contrario (arts. 253 y 254 Ley de Derecho civil de Galicia), si bien se le puede atribuir el usufructo universal voluntario; 1/2 si concurre con descendientes o 2/3 en caso contrario en País Vasco (art. 52 Ley 5/2015, de Derecho Civil Vasco), aunque es apartable en el Fuero de Ayala (arts. 47 y 89); también 1/2 en Ibiza y Formentera, si concurre con descendientes o 2/3 si concurre con ascendientes (art. 84. 1 y 2 Compilación de Derecho Civil de las Islas Baleares); en Mallorca y Menorca, el usufructo asciende a la mitad de la herencia, cuando el cónyuge concurre con descendientes; a 2/3 si concurre con ascendientes y en los demás supuestos, tiene derecho al usufructo universal (art. 45 Compilación de Derecho civil de las Islas Baleares); en Cataluña 1/4 en propiedad o en dinero, en caso de necesidad, la llamada cuarta vidual (arts. 452-1 a 452-6 Código civil de Cataluña) y en Aragón (art. 271 Código de Derecho foral de Aragón) y Navarra (leyes 253 a 266) se prevé el usufructo universal obligatorio. Estas reglas deben ser tenidas en cuenta también en la medida en que, conforme al art. 23.1 b) del *Reglamento (UE) 650/2012, del Parlamento Europeo y del Consejo, de 4 de julio de 2012, relativo a la competencia, la ley aplicable, el reconocimiento y la ejecución de las resoluciones, a la aceptación y la ejecución de los documentos públicos en materia de sucesiones mortis causa y a la creación de un certificado sucesorio europeo*[8] (en adelante, RES), los derechos hereditarios del cónyuge viudo se rigen por la ley sucesoria, al margen, por tanto, del régimen económico que rija el matrimonio[9].

Respecto a las parejas convivientes, no tienen derechos hereditarios en el Código civil ni en Aragón; en Navarra pueden extendérsele los derechos del cónyuge supérstite (ley 113), y, en el resto de territorios, se equiparan al cónyuge viudo (arts. 234-14, 442-3 y ss y 452 y ss Código civil de Cataluña; DA 3ª Ley 2/2006, de Derecho civil de Galicia, art. 13 Ley 8/2001, de 19 de diciembre, de parejas

---

[8]   *DOUE* nº 201, de 27 de julio de 2012.

[9]   Sobre los derechos hereditarios del cónyuge *vid.*, entre otros, ÁLVAREZ GONZÁLEZ, SANTIAGO, "Dos cuestiones de actualidad en el reciente Derecho internacional privado de sucesiones: los derechos del cónyuge supérstite y el reenvío", en TORRES GARCÍA, TEODORA FELIPA (Coord.), *Estudios de Derecho civil. Homenaje al Profesor Francisco Javier Serrano García*, Universidad de Valladolid, Valladolid, 2004, pp. 131-157; ANTÓN JUÁREZ, ISABEL, "Régimen económico matrimonial, derechos sucesorios del cónyuge supérstite y Certificado sucesorio europeo: ¿una combinación explosiva?", *CDT*, vol. 10, nº 2, 2018, pp. 769-780; CORRAL GARCÍA, EDUARDO, *Los derechos del cónyuge viudo en el Derecho civil común y autonómico*, Bosch, Barcelona, 2007, pp. 239-242; FONTANELLAS MORELL, JOSEP MARÍA, "Coherence between European Instruments of Private International Law on Matters concerning Succession and Matrimonial Property Regimes", en FORNER I DELAYGUA, JOAQUIM (Ed.), *Coherence of scope of application: EU private international legal instruments*, Schulthess Éditions Romandes, Ginebra/Zúrich, 2020 pp. 138-146; LORENTE MARTÍNEZ, ISABEL, "Los derechos sucesorios del cónyuge viudo en el Derecho internacional privado. La Sentencia del Tribunal Supremo de 28 de abril de 2014", *CDT*, vol. 7, nº 1, 2015, pp. 256-268; MORENO CORDERO, GISELA, "La ley aplicable a los derechos sucesorios del cónyuge viudo en el Derecho internacional privado español", en LARA AGUADO, ÁNGELES (Dir.), *Sucesión mortis causa de extranjeros y españoles…, op. cit.*, pp. 257-296; PALAZÓN GARRIDO, MARÍA LUISA, "La posición sucesoria del cónyuge viudo en el variado marco de los ordenamientos europeos", en JIMÉNEZ LIÉBANA, DOMINGO (Coord.), *Estudios de Derecho Civil en Homenaje al Profesor José González García*, Aranzadi Thomson Reuters y Universidad de Jaén, Pamplona, 2012, pp. 1519-1540.

estables de Islas Baleares; y arts. 47, 112 y 114 Ley 5/2015, de Derecho Civil del País Vasco).

También interesa conocer el orden de la sucesión en los distintos Derechos españoles: después de los hijos y/descendientes heredan los padres y ascendientes y en tercer lugar los cónyuges en el Código Civil (art. 807 Cc.), Aragón (art. 517 Código del Derecho Foral de Aragón), Galicia (hijos/descendientes y cónyuge, art. 238 Ley 2/2006, de Derecho civil de Galicia), Islas Baleares (art. 41 Compilación de Derecho civil de las Islas Baleares), mientras que en Cataluña (art. 442-2 Código civil de Cataluña), Navarra (ley 304) y País Vasco (bienes no troncales, art. 112 Ley 5/2015, de Derecho civil vasco), heredan en primer lugar los hijos y descendientes, en segundo lugar, los cónyuges y en tercer lugar los ascendientes[10].

Todas estas reglas hay que tenerlas en cuenta a efectos de realizar una planificación sucesoria acorde con los deseos del causante, procediendo o no a la elección de la ley aplicable a la sucesión, según convenga a los intereses del emigrante retornado. Ahora bien, si se opta por no elegir la aplicación de la ley nacional, resultará aplicable la ley de la residencia habitual del causante en el momento del fallecimiento y la concreción de la residencia habitual de los emigrantes retornados puede resultar difícil, habida cuenta de las vinculaciones efectivas de estas personas tanto con el país de emigración como con el país al que retornan. Además, la determinación de la ley aplicable a su sucesión puede resultar problemática en supuestos en que entra en juego la vecindad civil de los emigrantes retornados, con la consiguiente posibilidad de que se tenga que aplicar un Derecho foral o el Derecho civil común y, todo ello, con independencia de que hayan hecho uso de la *professio iuris* que les permite el art. 22 del RES en favor de su ley nacional, pues algunos emigrantes retornados pueden haber perdido su nacionalidad, circunstancia esta de la que pueden ser o no conscientes.

Si, además, el emigrante retornado es una persona con discapacidad, pueden surgir obstáculos a la posibilidad de que realice actos de disposición *mortis causa* e, incluso, es posible que una declaración de incapacitación obtenida ante autoridades extranjeras encuentre obstáculos a su reconocimiento en España, tras la reforma operada en materia de discapacidad por la *Ley 8/2021, de 2 de junio, por la que se reforma la legislación civil y procesal para el apoyo a las personas con discapacidad en el ejercicio de su capacidad jurídica*[11]. Por otro lado, sus herederos

---

[10]   *Vid.* al respecto, ÁLVAREZ GONZÁLEZ, SANTIAGO, "Las legítimas en el Reglamento sobre sucesiones y testamentos", en *Estudios sobre ley aplicable a la sucesión mortis causa*, Servicio de Publicaciones e intercambio científico, Universidade de Santiago de Compostela, Santiago de Compostela, 2013, pp. 217-260; PALAZÓN GARRIDO, MARÍA LUISA, "Algunas cuestiones sobre la sucesión de los nacionales franceses residentes en España", en LARA AGUADO, ÁNGELES (Dir.), *Sucesión mortis causa de extranjeros y españoles..., op. cit.*, pp. 522-535.

[11]   *BOE* nº 132, de 3 de junio de 2021.

necesitan también poder hacer efectivos sus derechos en nuestro país o en el país de emigración, e incluso conocer si el causante ha otorgado testamento en alguno de los países con los que guarda vinculación, aparte de determinar cuál es la autoridad competente para tramitar la sucesión[12]. A ello se suma la necesidad de conocer dónde debe hacerse efectivo el pago de los tributos o dónde es más favorable el régimen fiscal aplicable a la transmisión del patrimonio *mortis causa*. A abordar algunas de estas cuestiones se dedicarán las siguientes líneas.

III. LA ARTICULACIÓN DE LA VOLUNTAD SUCESORIA DE LOS EMIGRANTES RETORNADOS A RAÍZ DE LA NUEVA REGULACIÓN DE LA DISCAPACIDAD

En el ámbito interno, la Ley 8/2021, de 2 de junio, por la que se reforma la legislación civil y procesal para el apoyo a las personas con discapacidad en el ejercicio de su capacidad jurídica, ha llevado a cabo una profunda reforma del régimen jurídico de la capacidad, al eliminar la tradicional diferenciación entre la capacidad jurídica (aptitud de la que gozaban todas las personas por el mero hecho de su nacimiento para ser sujetos de derechos y de obligaciones, como consecuencia de la dignidad humana) y la capacidad de obrar (aptitud para ejercer tales derechos, mediante la celebración válida y eficazmente de actos y negocios jurídicos y que se atribuía solo a aquellas personas que, siendo mayores de edad estaban en pleno uso de sus facultades y no hubieran sido incapacitadas judicialmente debido a una enfermedad física o psíquica de carácter persistente), reemplazando este último término por el de "ejercicio de la capacidad jurídica". Esta reforma trata de adaptarse a las exigencias de la *Convención sobre los derechos de las personas con discapacidad, hecho en Nueva York el 13 de diciembre de 2006*[13], concretamente, al art. 12, según el cual, "(2) Los Estados Partes reconocerán que las personas con discapacidad tienen capacidad jurídica en igualdad de condiciones con las demás en todos los aspectos de la vida. (3) Los Estados Partes adoptarán las medidas pertinentes para proporcionar acceso a las personas con discapacidad al apoyo que puedan necesitar en el ejercicio de su capacidad jurídica".

En interpretación de este precepto, el legislador español ha optado por suprimir la incapacitación de las personas con discapacidad y la tutela en cuanto mecanismo de protección de estas personas, a quienes, en su lugar, se les

---

[12] RUEDA VALDIVIA, RICARDO, "Competencia internacional del notario español para la tramitación de expedientes sucesorios nacionales en sucesiones de dimensión transfronteriza: un análisis a la luz de la jurisprudencia del TJUE", en LARA AGUADO, ÁNGELES (Dir.), *Sucesión mortis causa de extranjeros y españoles…, op. cit..*, pp. 89-152.

[13] Instrumento de ratificación por España en *BOE* nº 96, de 21 de abril de 2008.

designará un curador cuando necesiten alguna medida de apoyo. De este modo, el tutor queda reemplazado cuando sea necesario por el curador, quien no puede representar a la persona con discapacidad, salvo casos excepcionales y de especial gravedad (en cuyo caso se le designaría un curador con funciones de representación), debiendo limitarse en los demás casos a prestarle asistencia y a complementar su capacidad, prestándole apoyo en el ejercicio de sus derechos y respetando su voluntad y preferencias[14]. Esto es, se procede a un cambio de paradigma en relación con la capacidad de la persona, pues se entiende que la capacidad es inherente a la condición de persona y, por eso, no puede modificarse, de modo que nadie puede sustituir a la persona con discapacidad en la toma de decisiones, sino que simplemente se la debe apoyar para tomar tales decisiones.

Sin embargo, pese a este cambio, en el plano del Derecho internacional privado, seguimos contando con una regulación general de la capacidad (art. 9.1º Cc.) y una regulación específica de la capacidad para otorgar disposiciones testamentarias aplicable cuando el causante fallezca a partir del 17 de agosto de 2015 (art. 26 RES) que pueden conducir a la aplicación de una ley extranjera, lo que puede generar distorsiones con respecto a lo previsto en el Derecho interno español y que requerirán la toma de decisiones en un plano internacionalprivatista, atribuyendo uno u otro valor a las reformas operadas.

En efecto, por lo que se refiere a la capacidad del disponente para realizar la disposición *mortis causa*, esta cuestión queda sustraída al ámbito del art. 9.1º del Cc.. en el caso de sucesiones que traigan su causa en fallecimientos ocurridos desde el 17 de agosto de 2015 en adelante, en virtud del art. 26.1 a) del RES, que entiende que este aspecto se refiere a la validez material de la disposición *mortis causa* y, por ende, vendrá regulado de conformidad con la ley designada en los arts. 24 (para las disposiciones testamentarias distintas de los pactos sucesorios) o 25 (para los pactos sucesorios) del RES, esto es, la ley de la nacionalidad o residencia habitual que fuera aplicable si el causante hubiera fallecido en el momento de realizar la disposición testamentaria. Por tanto, la ley aplicable a la capacidad para otorgar disposiciones testamentarias no será la ley sucesoria designada conforme al art. 21 (ley de la residencia habitual del causante en el momento del fallecimiento) o 22 del RES (ley de la nacionalidad del causante en el momento de hacer la elección o en el momento del fallecimiento elegida por este), sino la ley de la residencia habitual del causante en el momento de hacer la disposición testamentaria, salvo que haya optado por elegir la ley de su nacionalidad en tal momento. De este modo, si dicha ley es una ley extranjera (ya sea porque el emigrante retornado tuviera su residencia habitual en el momento de hacer

---

[14]   GOÑI HUARTE, ELENA, "La necesaria reforma del Código Civil en materia de discapacidad", en ROLDÁN MARTÍNEZ, ARÁNZAZU (Dir.), *La persona en el Siglo. XXI. Una visión desde el Derecho*, Thomson-Reuters-Aranzadi, Navarra, 2019, pp. 191-239.

la disposición testamentaria en el país de emigración y aún no hubiera trasladado dicha residencia habitual a España ni hubiera elegido la aplicación de la ley española, ya sea porque los vínculos más estrechos los tuviera con ese país [art. 21.2º RES]), el notario ante el que el causante pretenda otorgar la disposición testamentaria deberá asegurarse de que el causante tiene capacidad para realizar dicha disposición de conformidad con esa ley. Y, en caso de que el causante pretendiera optar por la aplicación de su ley nacional, también deberá asegurarse de que tiene capacidad para realizar tal elección. Si llega a la convicción de que la ley extranjera no le atribuye capacidad al causante, no deberá autorizar el acto pretendido, que sería nulo por falta de capacidad.

Ahora bien, un interrogante nos surge entonces: si nuestro ordenamiento jurídico entiende que no es compatible con la dignidad humana una modificación de la capacidad de la persona, salvo casos muy excepcionales, en los que la persona tenga gravemente afectadas sus facultades, el notario puede sentir la tentación de no consultar el Derecho extranjero potencialmente aplicable a dicha capacidad para otorgar disposiciones testamentarias y valorar por sí mismo a través de medios probatorios, como puede ser un informe médico acerca de la posible existencia de una circunstancia de salud muy grave que impida a la persona entender lo que es y lo que implica el acto de otorgamiento de la disposición testamentaria, al margen de lo que pudiera disponer al respecto el Derecho extranjero reclamado por el art. 26.1 a) del RES. Esto es, bien podría considerar el notario español que nuestro nuevo sistema de apoyo a las personas con discapacidad en el ejercicio de su capacidad jurídica contiene normas materiales imperativas que deben aplicarse con preferencia al mandato de la norma de conflicto del art. 26.1 a) del RES que pudiera remitir a un ordenamiento jurídico extranjero que sí admitiera la modificación de la capacidad del causante por falta de entendimiento de lo que la disposición testamentaria conlleva.

Más aún, si el causante fuera un emigrante español retornado y las autoridades de su residencia en el extranjero hubieran dictado una medida de incapacitación por la que hubieran nombrado un tutor, ¿qué valor se le va a atribuir a dicha medida de protección en España?[15] Hay que tener en cuenta que el art. 9.6,2 del Cc. dispone que "La ley aplicable a las medidas de apoyo para personas con discapacidad será la de su residencia habitual. En el caso de cambio de residencia a otro Estado, se aplicará la ley de la nueva residencia habitual, sin perjuicio del reconocimiento en España de las medidas de apoyo acordadas en otros Estados.

---

[15]   HEREDIA SÁNCHEZ, LERDYS SARAY, "La responsabilidad del Estado español de la adecuada protección de la persona adulta en España en casos internacionales: un reto pendiente", en ORTEGA GIMÉNEZ, ALFONSO (Dir.) y HEREDIA SÁNCHEZ, LERDYS SARAY (Coord.), *Responsabilidad social y transparencia. Una lectura desde el Derecho internacional privado*, Thomson-Reuters-Aranzadi, Navarra, 2022, pp. 131-156.

Será de aplicación, sin embargo, la ley española para la adopción de medidas de apoyo provisionales o urgentes". Según este precepto, lo que se van a reconocer son las medidas de apoyo acordadas en otros Estados, sin que se haga referencia a las medidas de protección. Parece que el legislador español se ha desentendido de que otros ordenamientos jurídicos pueden haber optado por otras formas de protección de las personas con discapacidad, entre las que se pueden incluir las medidas de incapacitación previa, lo que genera inseguridad jurídica[16]. A tenor del art. 9.6,2 del Cc., ¿hay que entender que no se pueden reconocer medidas de protección como el nombramiento de un tutor, por ser incompatible con la dignidad de la persona este cargo que sustituye la toma de decisiones de la persona con discapacidad? O, por el contrario, ¿debemos hacer una calificación funcional o adaptar las instituciones[17] y entender que esa medida de protección sí debe reconocerse y, por tanto, no admitir que el causante otorgue la disposición testamentaria, pues nadie puede sustituir al causante en el otorgamiento de este acto, que es personalísimo? ¿Debemos entender que el nombramiento del tutor es equivalente a una medida de apoyo y permitir que otorgue la disposición testamentaria y/o elija la ley aplicable a su sucesión con el "apoyo" del tutor designado por autoridad extranjera? En todo caso, ¿deberíamos no admitir el reconocimiento de estos cargos tutelares, salvo que la persona se encuentre en una situación de excepcional gravedad, por ser tales cargos incompatibles con nuestro orden público internacional, en la medida en que pueden atentar contra la dignidad de la persona?

Habida cuenta de que nuestro ordenamiento también permite el nombramiento de un curador con funciones representativas en situaciones de excepcional gravedad, no podremos admitir que atenta contra el orden público internacional la previsión por el Derecho extranjero de una medida, aunque sea protectora-representativa y no de apoyo, en casos de especial afección de las facultades mentales del causante.

---

[16]   ADROHER BIOSCA, SALOMÉ, "La protección de adultos en el Derecho internacional privado español: novedades y retos", *REDI*, vol. 71 n° 1, 2019, pp. 163-185; DIAGO DIAGO, PILAR, "La nueva regulación de la protección de adultos en España en situaciones transfronterizas e internas (1)", *Diario La Ley*, Sección Doctrina, 15345/2020, 27 de enero de 2021; ECHEZARRETA FERRER, MAYTE, "La gerontomigración: una propuesta de investigación global para abordar el fenómeno complejo de la movilidad transfronteriza de personas mayores. Dimensión jurídica de las relaciones transfronterizas derivadas de la gerontoimigración", *REDI*, vol. 70, n° 2, 2018, pp. 223-229; FRANZINA, PIETRO, "The Relevance of Private International Law to the Effective Realisation of the Fundamental Rights of Vulnerable Adults in Cross-Border Situations", en PEREÑA VICENTE, MONTSERRAT (Dir.), *La voluntad de la persona en la protección jurídica de adultos. Oportunidades, riesgos y salvaguardia*, Dykinson, Madrid, 2019, pp. 53-61.

[17]   *Vid.* LARA AGUADO, ÁNGELES y ANISIMOVA ANISIMOVA, ELMIRA, "Relaciones sucesorias hispano-rusas y protección de las personas "no aptas para trabajar": problemas de integración de esta categoría en el ordenamiento jurídico español", en LARA AGUADO, ÁNGELES (Dir.), *Sucesión mortis causa de extranjeros y españoles...*, *op. cit.*, pp. 561-651.

Más dudas subsisten si dicha alteración de las facultades no es de tal gravedad como para que, en nuestro sistema, se considere legítima la intervención judicial y el nombramiento del curador con funciones representativas. Esta distinción entre las medidas protectoras adoptadas por autoridad extranjera implica un control por parte de la autoridad española que vaya a decidir sobre la eficacia extraterritorial en España de tales medidas, entrando quizás en el fondo de las mismas, para realizar una adaptación al nuevo sistema de discapacidad implantado por la Ley 8/2021. Esto es así, porque nuestro nuevo sistema no considera admisible una inhabilitación judicial *ex ante* para otorgar testamento, debiendo juzgarse la capacidad del testador en el momento del otorgamiento de la disposición testamentaria directamente por el notario o por los facultativos que este designe, pudiendo servir el propio notario como apoyo para ayudarlo a entender la trascendencia de la decisión que esté adoptando[18]. Pero esto es tanto como elevar nuestra nueva normativa al rango de principio de orden público que impide la toma en consideración de situaciones jurídicas creadas en el extranjero si son incompatibles con dicho principio, que traslada la carga valorativa a la apreciación de la capacidad del testador que haga la autoridad española. A la postre, esto implicaría una presunción *iuris tantum* favorable a la capacidad para testar, de modo que la medida extranjera solo puede tener como efecto evidenciar que la persona a quien afecta requiere medidas de apoyo para formar y exteriorizar su voluntad de testar (en cuyo caso el notario deberá proveer dichos apoyos) o que, ante la imposibilidad de que se forme y exteriorice su voluntad, por ser muy elevado su grado de discapacidad, resulte privada de la facultad de otorgar el testamento, según dispone la medida protectora extranjera, lo cual es compatible con nuestro sistema, por ser un acto personalísimo y no ser admisible que la persona que le preste apoyo conforme la voluntad del testador. En todo caso, al notario le incumbe apreciar si del contenido de la medida adoptada por autoridad extranjera se desprende la imposibilidad del otorgamiento válidamente de un testamento por la persona con discapacidad o si, por el contrario, pese a la existencia de una medida extranjera de incapacitación, el testador tiene facultades suficientes para entender el acto que quiere realizar.

---

[18]   GARCÍA RUBIO, Mª PAZ, "Algunas propuestas de reforma del Código civil como consecuencia del nuevo modelo de discapacidad. En especial en materia de sucesiones, contratos y responsabilidad civil", *Revista de Derecho Civil*, vol. V, n° 3, 2018, p. 175.

IV. PROBLEMAS DERIVADOS DE LA DETERMINACIÓN DE LA LEY APLICABLE A LA SUCESIÓN DE LOS EMIGRANTES RETORNADOS

1. La identificación de la residencia habitual de los emigrantes retornados a efectos sucesorios

La entrada en vigor del RES, y su plena aplicación a las sucesiones derivadas de fallecimientos que tengan lugar desde el 17 de agosto de 2015, ha supuesto un giro radical en el sistema de determinación de la ley aplicable a las sucesiones, pues hemos pasado de un modelo basado en la aplicación de la ley nacional del causante en el momento del fallecimiento a la aplicación, como norma general, de la ley de la residencia habitual del causante en el momento de su fallecimiento. La residencia habitual se convierte, así, en una pieza clave del RES, que, en defecto de elección por el causante, determinará no solo la ley aplicable a la sucesión, sino también el "tribunal" competente para conocer de la sucesión. Este cambio ha complicado la labor a las autoridades que intervienen en la sucesión, particularmente, en el caso de los notarios que autorizan las declaraciones de herederos abintestato, o incluso cuando tienen que asesorar sobre la posibilidad de otorgar un testamento de conformidad con las disposiciones de la ley de la residencia habitual del causante. Esto es así, porque, bajo el régimen normativo del art. 9.8 del Cc., la identificación de la ley nacional por las autoridades no presenta especial complicación, al basarse en la exhibición del pasaporte del causante. En cambio, la residencia habitual es "un concepto de textura abierta"[19], por lo que su determinación es más complicada y debe decidirse caso a caso, lo que conlleva una labor de depuración más compleja para la autoridad interviniente y una carga probatoria mayor para los herederos o para el propio testador a la hora de asegurarse de que la planificación de su herencia se hace conforme a la ley que efectivamente se corresponde con la de su residencia habitual, si no ha optado por la *professio iuris* en favor de su ley nacional.

Aunque el concepto de residencia habitual no puede ser diferente en cada Estado Miembro[20], el RES ha preferido no ofrecer una definición del concepto "residencia habitual" y, en su lugar, ha optado por proporcionar en el considerando 23 algunos elementos a tomar en consideración para poder identificarla. De dicho considerando se desprende que la residencia habitual debe revelar un vínculo estrecho y estable con el Estado en cuestión y que "la autoridad que

---

[19]   CARRASCOSA GONZÁLEZ, JAVIER, "El concepto de "residencia habitual del causante en el momento de su fallecimiento" en el Reglamento sucesorio europeo", en LARA AGUADO, ÁNGELES (Dir.), *Sucesión mortis causa de extranjeros y españoles...*, *op. cit.*, p. 210.

[20]   EMMERICH, JULIAN, "Der gewöhnliche Aufenhalt als erbrechtliches und subjektives Merkmal –eine Untersuchung der Regelanknüpfung der EU-ErbVO", *ErbR 3*, 2016, pp. 122-130.

sustancie la sucesión debe proceder a una evaluación general de las circunstancias de la vida del causante durante los años precedentes a su fallecimiento y en
el momento del mismo, tomando en consideración todos los hechos pertinentes,
en particular la duración y la regularidad de la presencia del causante en el Estado de que se trate, así como las condiciones y los motivos de dicha presencia". En
definitiva, la residencia habitual engloba tanto un elemento objetivo (presencia
física regular en un país durante un período de tiempo antes del fallecimiento[21],
lo que denota la obligatoriedad de que el causante resida en ese país, así como
la estabilidad de dicha residencia y su carácter habitual), como un elemento
subjetivo (voluntad de residir en dicho lugar: condiciones y motivos), a los que
se añaden otra serie de elementos que denotan una integración efectiva del causante (vínculos familiares, tener más de una propiedad inmobiliaria en ese país
o solo tener una propiedad y que esté ubicada en ese Estado en cuestión, haber
vendido todos los inmuebles que tuviera en otro lugar, nacionalidad…). Y es que,
no basta la presencia en un país por un tiempo determinado, si no existe una integración efectiva en el mismo. Por tanto, a la autoridad competente no le debe
bastar con que el testador indique que tiene la residencia habitual en un determinado país, ni son suficientes las declaraciones que realicen los herederos, sino
que deben conjugarse una serie de elementos adicionales objetivos y subjetivos,
si bien estos elementos serán extraídos, entre otros datos, de las declaraciones de
los interesados, lo que obliga a la autoridad a extremar las precauciones para no
errar en su decisión.

En el caso de los emigrantes retornados, la concreción de su residencia habitual en el momento del fallecimiento o en el momento de realizar la disposición
testamentaria (a efectos de determinar si es válida de conformidad con dicha
ley, según el art. 24 RES y considerando 51) puede ser problemática en muchos
supuestos. Así sucederá si el causante ha vivido tanto en el país al que emigró,
como, una vez retornado a su Estado de origen, en España, siendo su presencia
en ambos países equiparable en cuanto a su duración, si, además, mantiene vínculos familiares, de propiedad o de otra índole con ambos países. Puesto que solo es posible tener una sola residencia habitual a efectos sucesorios, la autoridad
deberá consultar las pautas que proporciona el considerando 24, que remite a la
valoración de datos, tales como dónde se encuentra su familia, su centro social,
sus propiedades o su nacionalidad. Ninguna regla puede servir de pauta de solución única, pues deberán ser tomados en consideración cuantos más elementos
valorativos mejor, ya que, en múltiples ocasiones, la decisión será dudosa.

---

[21]   No se precisa el tiempo que tiene que haber durado esa residencia, por la diversidad de criterios
       al respecto en Derecho comparado, según CALVO CARAVACA, ALFONSO LUIS, "Residencia ha-
       bitual y ley aplicable a la sucesión mortis causa", en *Estudios Jurídicos. Liber Amicorum en honor a Jorge
       Caffarena*, Colegio de Registradores de la Propiedad y Mercantiles de España, Madrid, 2017, pp.
       203-234.

Igualmente complicada puede ser la identificación del lugar de residencia habitual del causante cuando este fallece poco después del retorno a España. En este caso, aunque la simple intención de fijar su residencia en España no sea suficiente para entender que se ha producido ese cambio de residencia habitual[22], debiendo considerarse que esta se halla en el país al que emigró y donde ha estado viviendo hasta poco antes de su desplazamiento a nuestro país, bien podría entenderse que guarda vínculos más estrechos con España, si se hubiera desplazado con toda o buena parte de su familia, si tuviera todas o la mayor parte de sus propiedades o su única propiedad inmobiliaria aquí, si hubiera vendido todas las propiedades que tuviera en aquel país y hubiera adquirido una vivienda en España, etc. Todos estos datos evidencian una intención manifiesta de trasladar su residencia de forma estable y permanente a España. Por el contrario, aunque se haya empadronado en un municipio español, si todos los demás elementos de vinculación se hallan en el país de emigración, será allí donde tendrá su residencia habitual, pues darse de alta en el padrón municipal no es sinónimo de residencia habitual[23].

Por otro lado, ante emigrantes retornados vulnerables resulta dudoso admitir que la residencia habitual del causante se encuentra en España si falta el elemento volitivo porque hayan sido sus familiares quienes hayan decidido su regreso a España, debido a un posible estado mental del causante que lo imposibilite para tomar decisiones[24]. En este caso, en el que el elemento objetivo y el subjetivo no concurren, la autoridad competente deberá valorar cuál pesa más, pues, la mera presencia física del causante en España sin concurrir su voluntad puede llevar a alguna de las siguientes conclusiones: o bien no se ha producido el traslado de su residencia habitual a España (por falta de voluntad del causante de que ello ocurra), o bien, pese a haberse producido dicho traslado, los vínculos más estrechos se conectan con el país del que ha emigrado sin su voluntad.

Incluso estando en el pleno uso de sus facultades mentales, decidir si la residencia habitual del mismo se encuentra en España o si solo se trata de una residencia de vacaciones es difícil, si parte o todos los descendientes del emigrante retornado permanecen en el Estado al que emigró, si sigue teniendo allí sus propiedades, si regresa para hacerse chequeos médicos, o en vacaciones, si sigue manteniendo contactos regulares con sus amistades en aquel país, etc., a no ser

---

[22]   MANKOWSKI, PETER, "Der gewöhnliche Aufenthalt des Erblassers unter Art. 21.Abs.1 EuErb-VO", *IPRax*, 2015-1, pp. 39-46.

[23]   BONOMI, ANDREA y WAUTELET, PATRICK, *El Derecho europeo de sucesiones. Comentario al Reglamento (UE) 650/2012, de 4 de julio de 2012*, Aranzadi, Cizur Menor, 2015, p. 156.

[24]   Entiende que claramente tiene su residencia habitual el causante en tales casos en el país en que se encuentra físicamente, pese a tratarse de una residencia obligatoria, por no haber tomado él mismo la decisión de fijar allí su residencia, CARRASCOSA GONZÁLEZ, JAVIER, "El concepto de "residencia habitual del causante...", *cit.*, p. 226.

que se evidencie de otro modo la voluntad de integrarse en España. En este sentido, si el regreso a España se ha producido por motivos laborales, estos vínculos profesionales deben pesar menos que algunos vínculos familiares, pues no denotan tanto la voluntad del emigrante retornado de asentar su residencia de modo estable y perdurable en nuestro país, especialmente, si el cónyuge permanece en el otro Estado junto a sus hijos. En cambio, es más dudoso que los vínculos familiares jueguen un papel tan preponderante, si son sus hijos y/o nietos quienes permanecen en el país al que emigró, habiéndose desplazado a vivir a España el emigrante retornado junto con su cónyuge. Como elementos que coadyuvan a la autoridad a tomar la decisión respecto al carácter de la residencia del causante pueden servir la duración de la permanencia en ese país, así como su nacionalidad, su grado de integración o la situación de sus principales propiedades.

Debe destacarse que nada tiene que ver la residencia habitual del emigrante retornado con su vecindad civil -aunque existe cierta conexión entre ambas-, pues es posible que haya fijado su residencia habitual en un municipio que no corresponda a su vecindad civil. Sin embargo, esta residencia habitual sí puede conducir al cambio de dicha vecindad, cuando concurran los presupuestos del art. 14.5 del Cc., esto es, si transcurren diez años desde que está residiendo en la Comunidad Autónoma sujeta a otra vecindad civil sin hacer ninguna manifestación en contrario respecto a la no adquisición de la nueva vecindad civil o bien, si reside durante dos años en dicha Comunidad Autónoma manifestando su voluntad de adquirir la nueva vecindad civil (debe recordarse que son territorios con Derecho foral propio Galicia, País Vasco, Aragón, Navarra, Cataluña e Islas Baleares). Una vez realizada dicha declaración no volverá a cambiar de vecindad civil si no realiza otra declaración en tal sentido. Estos datos deben ser tenidos en cuenta por el emigrante retornado que fija su residencia habitual en una determinada parte del territorio español confiando en que se le aplique a su sucesión la ley de su residencia habitual, pues, como se verá en otro apartado, la ley española correspondiente a su residencia habitual en España no necesariamente va a coincidir con la correspondiente al territorio español donde tiene su residencia habitual.

En definitiva, ante la inexistencia de *professio iuris* ejercitada por el causante, el notario debe decidir dónde se halla la residencia habitual del causante en un acta de notoriedad en la que deberá dejar constancia de todos los elementos de los que se desprenda la vinculación del emigrante retornado con el país en el que entiende que reside habitualmente en el momento del fallecimiento (o en el momento en el que hizo la disposición testamentaria, si lo que está en juego es la validez material de dicha disposición) y la tarea no será fácil, porque en numerosos casos, las circunstancias personales, familiares y sociales de los emigrantes retornados no permitirán hacer decantar la balanza por una u otra opción decididamente.

2. *El ejercicio de la* **professio iuris** *por los emigrantes retornados: opción por la ley nacional, pérdida y recuperación de la nacionalidad española*

Una de las posibilidades que puede valorar el emigrante retornado para obtener una mejor satisfacción de sus intereses en la planificación de su herencia es la elección de su ley nacional para regir su sucesión por causa de muerte, lo que evita los problemas derivados de la determinación de la residencia habitual[25], así como la aplicación de esta ley si no se corresponde con sus intereses, así como la eventualidad de que se aplique una ley que las autoridades que intervengan en la tramitación de la sucesión consideren más estrechamente vinculada o que, incluso dichas autoridades decidan hacer uso del reenvío previsto en el art. 34 del RES, lo que, con casi total seguridad, no entra en los márgenes de previsión de quien planifica su sucesión[26]. Así lo reconoce el art. 22 del RES, que permite optar por la ley nacional del causante en el momento del otorgar la disposición testamentaria o en el momento de su fallecimiento, ampliando dicha elección, en caso de plurinacionalidad del causante, a favor de la ley de cualquiera de los Estados cuya nacionalidad posea en el momento de otorgar la disposición o en el momento del fallecimiento. De este modo, al margen de que dicha nacionalidad sea efectiva o no, sea prevista por el legislador español o no, el emigrante retornado puede ejercer la *professio iuris* designando como aplicable la ley correspondiente a cualquiera de sus nacionalidades[27].

Ahora bien, el ejercicio de la *professio iuris* puede plantear diversos problemas. Por un lado, es posible que el causante quiera elegir la aplicación de la ley española correspondiente a su nacionalidad, pero que se haya producido la pérdida de esta nacionalidad española por parte del emigrante retornado. Ello sucederá

---

[25]   ATALLAH, MAX, "The Last Habitual Residence of the Deceased as the Principal Connecting Factor in the Context of the Succession Regulation (650/2012)", *Baltic Journal of European Studies*, vol. 5, nº 2, 2015, pp. 130-146; MARÍN CONSARNAU, DIANA, "La residencia habitual en el Reglamento (UE) 650/2012 como manifestación de la libertad de testar. Problemas y pautas para su determinación", en VAQUER ALOY, ANTONI y OTROS (Dirs.), *La libertad de testar y sus límites*, Marcial Pons, Madrid, 2018, pp. 445-474.

[26]   *Vid.* al respecto, entre otros, DURÁN AYAGO, ANTONIA, "Autonomía de la voluntad, leyes de policía y orden público internacional en los Reglamentos europeos de Derecho de familia y sucesiones", *CDT*, vol. 13, nº 2, 2021, pp. 1003-1021; FONTANELLAS MORELL, JOSEP MARÍA, "Libertad de testar y libertad de elegir la ley aplicable a la sucesión", *CDT*, vol. 10, nº 2, 2018, p. 397; *id.*, "La *professio iuris* a las puertas de una reglamentación comunitaria", *Dereito*, vol. 20, nº 129, 2011, pp. 83-129; RE, JACOPO, *Pianificazione successoria e diritto internazionale privato*, Cedam, Milán, 2020, pp. 185-264; VIARENGO, ILARIA, "Planning Cross-Border Successions: The 'Professio Juris' in the Succession Regulation", *RDIPP*, 2020, pp. 559-582.

[27]   LARA AGUADO, ÁNGELES, "*Professio iuris* de las personas plurinacionales en materia sucesoria", en MOYA ESCUDERO, MERCEDES (Dir.), *Plurinacionalidad y Derecho internacional privado de familia y sucesiones,* Tirant lo Blanch, Valencia, 2020, pp. 636-655; PALAO MORENO, GUILLERMO, "La elección de ley aplicable a las sucesiones internacionales en el Derecho internacional privado europeo", *Revista de la Facultad de Derecho de México*, vol. 67, nº 269, 2017, pp. 71-72.

en caso de que concurra alguno de los presupuestos previstos en los arts. 24 o 25 del Cc. En efecto, pueden haber perdido la nacionalidad española los emigrantes retornados en quienes concurra alguna de estas circunstancias: 1) de conformidad con el art. 24.1 del Cc., dichas circunstancias, cumulativamente, son, estar emancipado; residir en el extranjero, adquirir voluntariamente otra nacionalidad (que no sea la de un país iberoamericano, Andorra, Guinea Ecuatorial, Filipinas o Portugal) y no declarar ante el Encargado del Registro civil de su domicilio (Registro consular) en el plazo de tres años desde la adquisición de la nacionalidad extranjera o desde su emancipación su voluntad de conservación de la nacionalidad española; o, 2) según el art. 24.2 del Cc., estar emancipado; residir en el extranjero; tener otra nacionalidad y haber renunciado expresamente a la nacionalidad española; o, 3) conforme al art. 24. 3 del Cc., haber nacido en el extranjero, residir en el extranjero, que su padre o madre también sea español nacido en el extranjero y que no haya declarado su voluntad de no perder la nacionalidad española en el plazo de tres años desde la emancipación o desde la mayoría de edad. El art. 25 del Cc. español prevé otros supuestos de pérdida de la nacionalidad española en que pueden verse inmersos los emigrantes españoles que no lo sean de origen: cuando hayan utilizado exclusivamente durante tres años la nacionalidad a la que hubieran renunciado o hubieran entrado al servicio de las armas de otro Estado o ejerzan un cargo político contra la prohibición expresa del gobierno.

Si esto es así, el emigrante retornado no podrá hacer uso de la *professio iuris* en favor de la ley española, a no ser que, antes de hacer la disposición testamentaria por la que opta a favor de la aplicación de su ley nacional, haya hecho la declaración de recuperación de la nacionalidad española. Y es que, pese a que hubiera perdido la nacionalidad española con motivo de su emigración, el legislador español, dando cumplimiento al mandato del art. 42 de la Constitución española de orientar su política al retorno de los emigrantes españoles en el extranjero, ha habilitado a través del art. 26 del Cc. una vía para la recuperación de la nacionalidad española más flexible para los emigrantes e hijos de emigrantes, pues solo tendrán que hacer la declaración de voluntad de recuperar la nacionalidad española ante el Encargado del Registro civil de su domicilio (si están en el extranjero, ante el Encargado del Registro civil consular) e inscribir la recuperación de la nacionalidad en el Registro civil. Desde la reforma del Cc. llevada a cabo en virtud de la Ley 36/2002, de 8 de octubre, de modificación del Código Civil en materia de nacionalidad[28], ya no es preciso que renuncie a la otra nacionalidad extranjera que posea el emigrante o sus hijos y desde la reforma llevada a cabo con la Ley 29/1995, de 2 de noviembre, por la que se modifica el Código civil en

---

[28]   *BOE* nº 242, de 9 de octubre de 2002.

materia de recuperación de la nacionalidad[29], no es necesario que el emigrante o sus hijos residan en España. De este modo, se avanza respecto a los requisitos más estrictos que se preveían en las leyes de 1982 y 1990, que sí exigían la residencia en España (1982) o habilitaban la dispensa por parte del Ministerio de Justicia del requisito de residencia en España (1990). Esto evidencia una evolución hacia una política de acogida y reinserción de los emigrantes retornados.

Para poder beneficiarse de esta recuperación especial de la nacionalidad española con menos exigencias que al resto de connacionales que hubieran perdido la nacionalidad española, deberá tratarse de emigrantes o hijos de emigrantes, lo que requiere precisar este concepto, que no ha sido siempre el mismo a lo largo de las distintas reformas que ha experimentado el Código civil. A estos efectos, del art. XII del Convenio Europeo relativo al Estatuto Jurídico del Trabajador Migrante hecho en Estrasburgo, el 24 de septiembre de 1977[30] y de la Ley General de Emigración de 1971 se extrae una definición legal de emigrantes, que incluye por un lado, a "los españoles que se trasladan a un país extranjero, por causa de trabajo, profesión o actividad lucrativa, esto es, no sólo a los trabajadores por cuenta ajena, sino también a los que se trasladan a trabajar por cuenta propia al extranjero; por otro, a los familiares que los emigrantes tengan a su cargo o bajo su dependencia (cónyuge, hijos -hayan nacido en el extranjero o en España-, y a los ascendientes -suyos o de su cónyuge- a su cargo o bajo su dependencia económica; y por último, al conjunto o colectividad de españoles, y a cada uno de ellos individualmente considerados, residentes o establecidos, definitiva o temporalmente, en un país extranjero"[31], por motivos laborales o profesionales. La Dirección General de los Registros y del Notariado (actual Dirección General de Seguridad Jurídica y Fe Pública) en su Instrucción de 16 de mayo de 1983 utilizó una interpretación restrictiva de migrante, refiriéndose a este como aquel "español que, especialmente por motivos laborales o profesionales, traslada su residencia habitual al extranjero, así como a los familiares que le sigan". De este modo, excluía de esta consideración a los hijos de los emigrantes que hubieran nacido en el extranjero, por no concurrir en ellos el requisito del traslado a otro país.

Por su parte, la Instrucción de la DGRN de 20 de marzo de 1991 considera emigrantes a quienes trasladan su residencia desde España a otro país, cualquiera que sea el motivo por el que lo hagan, en definitiva, quienes, habiendo nacido en España, viven en otro país. En el marco de la Ley 29/1995, aunque se incluyen en el concepto de emigrantes a sus hijos, tanto los nacidos en España como en el extranjero, para que puedan beneficiarse del régimen privilegiado de

---

[29]   *BOE* n° 264, de 4 de noviembre de 1995.
[30]   *BOE* n° 145, de 18 de junio de 1983.
[31]   RODRÍGUEZ MORATA, FEDERICO A., "Emigración y recuperación de la nacionalidad española", *Revista Galega de Administración Pública*, n° 31, mayo-agosto 2002, pp. 76-77.

recuperación de la nacionalidad española sin necesidad de obtener la dispensa del requisito de residencia en España, se precisa que hayan ostentado en algún momento la nacionalidad española. Por tanto, si los hijos del emigrante nacieron después de la pérdida de la nacionalidad española de su progenitor español, al no haber tenido nunca la nacionalidad española no podrían recuperarla. En su lugar, la Disposición transitoria primera de la Ley 29/1995 les concedía un derecho de opción a la nacionalidad española no de origen que podían ejercitar hasta el día 7 de enero de 1997 y, transcurrido ese plazo, solo podrían adquirir la nacionalidad española por el plazo abreviado de residencia de un año conforme al art. 21.1. f) del Cc., siempre que su progenitor hubiera sido español de origen. De conformidad con la normativa actual, sigue existiendo un régimen privilegiado para la recuperación de la nacionalidad española por parte de los emigrantes y sus hijos, basado en la formulación de la declaración de querer recuperar la nacionalidad y su inscripción en el Registro civil.

En todo caso, este régimen privilegiado de recuperación de la nacionalidad española solo alcanza al emigrante y a sus hijos, aunque no residan en España. En cambio, los nietos del emigrante retornado no pueden basarse en esta forma privilegiada de recuperación de la nacionalidad española, sino que deberán residir un año en España, de forma legal y continuada (art. 22.2 f) y 22.3 del Cc.), debiendo renunciar a su anterior nacionalidad, a no ser que sean nacionales de países iberoamericanos, Andorra, Filipinas, Guinea Ecuatorial o Portugal, en virtud de los arts. 23 b) y 24.1 del Cc., o, desde el 1 de abril de 2022, Francia, en virtud del Convenio de doble nacionalidad suscrito con este país[32]. Una vez recuperada la nacionalidad española, no habrá problema para que puedan elegir la aplicación del Derecho español para regir su sucesión. Ahora bien, también cabe la posibilidad de que haga dicha disposición testamentaria conforme a la ley nacional que tuviera en el momento de su fallecimiento, a la espera de que se produzca dicha recuperación, si bien no es lo más idóneo si desea hacer una planificación de la herencia con ciertas garantías de que el resultado final de adjudicación de su patrimonio *mortis causa* coincida con sus expectativas.

Por otro lado, es posible que el causante haya elegido la aplicación de la ley española correspondiente a su nacionalidad, pero, posteriormente haya perdido la nacionalidad española por alguno de los motivos previstos en los preceptos anteriores. En este caso, la validez material de la disposición testamentaria que haya hecho, se determinará de conformidad con la ley nacional española que tenía el causante en el momento en el que hizo dicha disposición testamentaria,

---

[32]   *Vid.* la Instrucción de 31 de marzo de 2022, de la Dirección General de Seguridad Jurídica y Fe Pública, por la que se acuerdan los criterios para la aplicación del Convenio de nacionalidad entre el Reino de España y la República Francesa (*BOE* nº 82, de 6 de abril de 2022), que así lo especifica en su art. 2.

lo que puede generar distorsiones, en caso de que tal ley no coincida con la ley sucesoria. De ahí la necesidad de elegir como ley nacional la que coincida con la que tenía el causante en el momento de realizar la disposición testamentaria.

Pese a que el RES permite elegir la ley nacional aplicable a la sucesión, dicha libertad de elección no alcanza a la determinación del Derecho correspondiente a cualquiera de los derechos forales vigentes en España, de modo que la ley nacional española debe ser la correspondiente a su vecindad civil[33]. Esto puede generar problemas en caso de que el causante de nacionalidad española ostente una vecindad civil en el momento en que hiciera la disposición testamentaria, pero, posteriormente cambie de vecindad civil. A estas cuestiones deben estar muy atentas las personas españolas emigrantes retornadas, como se verá en el epígrafe siguiente.

3. La vecindad civil en contextos sucesorios que afectan a los emigrantes retornados

Aunque todas las personas españolas tienen una vecindad civil y solo una, este aspecto del estado civil de los españoles no es suficientemente conocido, pese a su trascendencia práctica, ya que determina la sujeción de las personas a las normas sucesorias de Derecho civil común o a las de los Derechos forales en los casos en que sea aplicable el Derecho español por remisión de la norma de conflicto. Quizás esta ignorancia sobre la vecindad civil que se posee se deba a que no es una mención de la que se deja constancia cuando se expide el DNI o se emite el pasaporte y a que tampoco se hace constar en el Registro civil en el momento del nacimiento de la persona, pese a que podía haberse incluido esta previsión en la Ley del Registro Civil, aprovechando su reforma[34].

El hecho es que conocer y probar la vecindad civil es más fácil para los extranjeros que han adquirido la nacionalidad española que para los que ostentan la nacionalidad española de origen, en la medida en que la vecindad civil de los naturalizados consta en el Registro civil, pues cuando comparecen ante el notario o ante el encargado del Registro civil para hacer la jura o promesa de fidelidad al Rey y obediencia a la Constitución, renunciar a la anterior nacionalidad cuando procediera y solicitar la inscripción de su nacionalidad en el Registro civil, también deben hacer una declaración de opción por una de las vecindades civiles

---

[33]   BONOMI, ANDREA, "Artículo 22. Elección de ley aplicable" (traduc. De Albet Font i Segura), en BONOMI, ANDREA y WAUTELET, PATRICK, *El Derecho europeo de sucesiones. Comentario al Reglamento (UE) Nº 650/2012, de 4 de julio de 2012*, Thomson Reuters/Aranzadi, Cizur Menor, 2015, p. 261; FONTANELLAS MORELL, JOSEP MARÍA, "La forma de designación de la ley en la propuesta de Reglamento europeo en materia de sucesiones", *REDI*, vol. 63, nº 2, 2011, pp. 139-140; LARA AGUADO, ÁNGELES, "Professio iuris de las personas plurinacionales...", *cit.*, pp. 633-635.

[34]   DIAGO DIAGO, PILAR, "La prueba de la nacionalidad española y de la vecindad civil: dificultades en la determinación del régimen económico matrimonial legal", *REEI*, nº 36, 2018, p. 15.

que permite el art. 15 del Cc., a saber: la correspondiente al lugar de residencia, la de su lugar de nacimiento, la última vecindad de cualquiera de sus progenitores o adoptantes o la del cónyuge.

En cambio, la vecindad civil de los españoles de origen no consta en el Registro civil, salvo que se haga la declaración a la que se refiere el art. 14.5 del Cc. Y es que, hay que tener en cuenta que los emigrantes españoles que residen en el extranjero no pierden ni cambian de vecindad civil por el hecho de trasladar su residencia fuera del país. En cambio, según se desprende del art. 14.5 del Cc., si se cambia de residencia dentro de España a otra Comunidad Autónoma que se rija por otro Derecho distinto, eso conlleva un cambio de vecindad civil si transcurren los plazos a que hace referencia el precepto: esto es, si dicha residencia dura diez años, aunque el interesado no haga ninguna declaración, el cambio de vecindad civil se produce automáticamente, incluso si la persona en cuestión no es consciente de dicho cambio (art. 225 RRC). Por el contrario, si la residencia dura dos años, la vecindad civil puede modificarse si el interesado realiza una declaración en este sentido, que deberá constar en el Registro civil. Una vez efectuada una declaración de este tipo, los subsiguientes cambios de residencia habitual no afectarán a su vecindad civil, a no ser que vuelva a hacer otra declaración manifestando su voluntad de cambiarla, pues dicha declaración no debe reiterarse para conservar la vecindad civil, solo para volver a cambiarla.

La declaración debe constar en el Registro civil, pero podrá efectuarse bien ante el Encargado del Registro civil, bien ante notario, que deberá remitirla al Registro civil para dejar constancia de ella[35]. Debe advertirse que el cómputo del plazo de 10 años o de 2 años comienza solo cuando quien cambia de residencia tiene 18 años, según se desprende del art. 225 del RRC, según el cual, en el plazo de los diez años no se computa el tiempo en que el interesado no pueda legalmente regir su persona. Por tanto, solo a partir de esa edad se empezarán a contar los cambios de residencia de la persona, ya siendo mayor de edad.

Al margen de estas declaraciones, la vecindad civil se presume si se cumplen los requisitos del art. 14 del Cc. En primer lugar, un español tiene la vecindad civil del lugar en el que haya nacido si sus progenitores (ambos) tienen la vecindad civil de ese lugar (art. 14.2 Cc.). En caso de que en el momento del nacimiento del hijo los progenitores no tengan la misma vecindad civil, el hijo tendrá la que corresponda a aquel respecto del cual se haya determinado antes la filiación. En su defecto, tendrá la vecindad civil del lugar del nacimiento. Si se desconoce este lugar, le corresponderá la vecindad de Derecho común. Ahora bien, los padres, o el que ejerza o le haya sido atribuida la patria potestad, podrán atribuir al hijo la

---

[35]   OÑATE CUADROS, FRANCISCO JAVIER, "El notario y la vecindad civil", *El Notario del Siglo XXI*, nº 105, septiembre – octubre 2022, disponible en https://www.elnotario.es/index.php/practica-juridica/9757-el-notario-y-la-vecindad-civil

vecindad civil de cualquiera de ellos en el plazo de seis meses desde el nacimiento o la adopción. Además, en todo caso, el hijo desde que cumpla catorce años y hasta que transcurra un año después de su emancipación podrá optar por la vecindad civil del lugar de su nacimiento o por la última vecindad de cualquiera de sus padres. En caso de duda, prevalece la vecindad civil del lugar de nacimiento (art. 14.6 Cc.).

Conocer la vecindad civil que se ostenta, así como si se han producido modificaciones de la misma, es muy importante para determinar con precisión la ley aplicable a la sucesión. Un cambio de vecindad civil conduce a la aplicación de leyes sucesorias distintas de las que se prevén, lo que debe ser conocido por el causante que sea emigrante retornado, a fin de planificar su sucesión, e, igualmente, debe ser conocido por el emigrante retornado heredero, para no llevarse sorpresas en la sucesión a la que concurra.

Además, los cambios de vecindad civil pueden originar desajustes en relación con la ley aplicable a la sucesión cuando se ha hecho uso de la *professio iuris*, por cuanto, si el causante manifestó que optaba por su ley nacional en el momento del fallecimiento, si cambia de vecindad civil después de hacer la disposición testamentaria, aun sin saberlo, esa elección corresponderá a la nueva vecindad civil, que quizá no fuera previsible en su momento por el emigrante retornado. De ese modo, la ley correspondiente a su vecindad civil en el momento de hacer la disposición testamentaria será la que rija la validez de dicha disposición testamentaria, pero puede no coincidir con la ley sucesoria. E, igualmente puede suceder en caso de que, a su regreso a España, fije su residencia en un territorio con Derecho civil o foral distinto del correspondiente a su vecindad civil, pues, en tal situación, siendo aplicable la ley de su residencia habitual en España en el momento del fallecimiento (art. 21 RES), dicha ley será la correspondiente a su vecindad civil, no la correspondiente al territorio en el que el causante reside habitualmente, a no ser que la duración de la residencia en dicho territorio haya sido lo suficientemente larga (10 años sin declaración o 2 años con declaración) como para operar el cambio de vecindad civil.

Esto es así, porque el art. 36.1 del RES, cuando soluciona el problema de la remisión a un sistema plurilegislativo, contiene una remisión indirecta: "...las normas internas sobre conflicto de leyes de dicho Estado determinarán la unidad territorial correspondiente cuyas normas jurídicas regularán la sucesión". Esto conlleva una remisión a las reglas del art. 16.1 del Cc., según el cual, los conflictos de leyes internos se resolverán conforme a las normas de Derecho internacional privado contenidas en el capítulo IV del Título Preliminar, que, en materia sucesoria, son las del art. 9.8° del Cc., esto es, aplicando la ley nacional del causante en el momento del fallecimiento, con la particularidad de que se sustituye la nacionalidad por la vecindad civil.

De este modo, la ley española aplicable a un causante español emigrante retornado (ya sea esta la ley nacional elegida o la ley de su residencia habitual en el momento del fallecimiento o la ley de los vínculos más estrechos), es la correspondiente a su vecindad civil en el momento del fallecimiento, aunque resida en una Comunidad Autónoma con un Derecho civil o foral distinto al de su vecindad civil[36]. Ej.: emigrante gallego casado con granadina residentes en Suiza. Una vez retornados a España, fijan su residencia habitual en Granada. Si fallece el gallego sin elegir la ley aplicable a su sucesión, será aplicable el Derecho español correspondiente a su última residencia habitual. ¿Qué ley española? La ley correspondiente a su vecindad civil al fallecer, por remisión de los arts. 21 y 36.1 del RES y arts. 16 y 9,8º del Cc. Si no lleva diez años residiendo en Granada, será aplicable a su sucesión el Derecho foral gallego, aunque resida en Granada. Esto puede generar cierto desconcierto, en la medida en que el causante ya lleve viviendo en su lugar de residencia habitual casi diez años, pues tendrá una mayor vinculación con el Derecho civil común. Sin embargo, esto es el resultado de la aplicación de nuestras normas de solución de los conflictos de leyes internos, que no atienden al criterio de la mayor vinculación con un territorio, salvo que hayan transcurrido los plazos previstos para surtir el efecto del cambio de vecindad civil. En definitiva, al emigrante retornado no se le aplica la ley del territorio español donde resida el causante, sino la ley correspondiente a su vecindad civil al fallecer, la conozca el causante o no, esté vinculado a ella o no. Por tanto, si quiere que se le aplique el Derecho correspondiente a la unidad territorial española en la que reside, deberá optar por la vecindad civil de ese territorio si es que han transcurrido 2 años desde que está residiendo como emigrante retornado.

Cabe plantearse si es aplicable la solución directa ofrecida por el art. 36.2 del RES, que contiene una remisión subsidiaria, según la cual, la referencia a la ley de la residencia habitual se entenderá como una referencia a la ley de la unidad territorial en la que el causante hubiera tenido su residencia habitual en el momento del fallecimiento. Sin embargo, esta solución del art. 36.2 no es aplicable a los causantes de nacionalidad española, pues es una solución que solo está habilitada en caso de que el emigrante retornado fuera extranjero, por haber perdido su nacionalidad española, ya que, en tal caso, tampoco tendrá vecindad civil, a no ser que recupere la nacionalidad española, como se ha indicado *supra*, en cuyo caso, recuperará la vecindad civil que tuviera antes de la pérdida de la nacionalidad española (art. 15.3 Cc.) y ya le sería aplicable la solución del art. 36.1 del RES y con ella, la ley correspondiente a su vecindad civil recuperada.

---

[36]   FONT I SEGURA, ALBERT, "El Reglamento 650/2012 en materia sucesoria ante la pluralidad normativa del ordenamiento español", en LARA AGUADO, ÁNGELES (Dir.), *Sucesión mortis causa de extranjeros y españoles...*, *op. cit.*, pp. 297-316.

En cambio, si el emigrante retornado perdió la nacionalidad española y no la ha recuperado, al ser un extranjero, deberá recurrirse a la solución subsidiaria del art. 36.2 del RES y permitir la aplicación del Derecho civil o foral correspondiente a la unidad territorial española en la que tenga su residencia habitual el causante. De este modo, no habría necesidad de recurrir a la solución subsidiaria del art. 9.10 del Cc. para los casos de personas que sean apátridas, aplicando la ley (de la unidad territorial) de la residencia habitual del causante, ante la imposibilidad de determinar su vecindad civil por carecer de nacionalidad española el causante extranjero, aunque conduzca al mismo resultado que la prevista en el art. 36.2 del RES, pues ante la inexistencia de solución a través del art. 16 del Cc., ya prevé la respuesta el art. 36.2, sin necesidad de tener que acudir a soluciones analógicas.

Sin embargo, recientemente se ha abierto un debate acerca de si le es aplicable el Derecho foral español a los extranjeros o si, por el contrario, solo puede aplicárseles el Derecho civil común. Dicho debate ha surgido a raíz de varias resoluciones de la DGSJyFP que niegan la aplicación de las normas de Derecho foral a los extranjeros por requerir dichas normas la condición de la vecindad civil para su aplicación con respecto a determinadas instituciones forales. Como no podía ser de otro modo, estas resoluciones ya han dado que hablar a la doctrina[37]. Nos referimos a la Resolución de la DGRN de 24 de mayo de 2019[38], que denegó la inscripción de una escritura de donación con definición de legítima otorgada de conformidad con el art. 50 de la Compilación foral balear por una causante de nacionalidad francesa a favor de sus hijos también franceses y residentes en Mallorca, por entender que dicho precepto de la Compilación balear exige como condición o presupuesto subjetivo para la validez del acto o negocio jurídico la vecindad mallorquina del ascendiente donante y, no ostentando

---

[37]   Vid. entre otros, ÁLVAREZ GONZÁLEZ, SANTIAGO, "¿Puede un extranjero acogerse al pacto de mejora gallego? El Reglamento 650/2012 y la Resolución DGSJFP de 20 de enero de 2022", *Revista de Derecho Civil*, vol. IX, nº 1, 2022, pp. 1-34; *id.*, "¿Puede un extranjero acogerse al pacto de definición mallorquín? El Reglamento 650/2012 y la RDGRN de 24 de mayo de 2019", *Ley Unión Europea*, nº 74, 31 de octubre de 2019; ÁLVAREZ RUBIO, JUAN JOSÉ, "La proyección de los Reglamentos europeos sobre la plurilegislatividad interna española: la Resolución de la DGRN de 24 de mayo de 2019 y la delimitación del ámbito subjetivo de aplicación del pacto de definición de la compilación balear", *REEI*, nº 38, 2019, Crónica de Derecho internacional privado, pp. 9-14; MARIÑO PARDO, FRANCISCO, "¿De verdad prohíbe, o puede prohibir, el derecho civil gallego a un extranjero residente en Galicia otorgar un pacto de mejora? La Resolución DGSJFP de 20 de enero de 2022", *Iurisprudente.com*, 28 de febrero de 2022; QUINZÁ REDONDO, PABLO, "Regulation (EU) 650/2012 and Territorial Conflicts of Laws in Spain", en SCHERPE, JENS y BARGELLI, ELENA (Eds.), *The Interaction between Family Law, Succession Law and Private International Law. Adapting to Change*, Intersentia, Cambridge, 2020, pp. 213-229; RODRÍGUEZ BENOT, ANDRÉS, "Una lectura europea de la aplicación del art. 50 de la Compilación balear a los extranjeros. A propósito del caso Crul y su deriva judicial (Sentencia de la AP de Palma de Mallorca, Sección tercera, de 30 de diciembre de 2020", *REEI*, nº 41, 2021, Crónica de Derecho internacional privado, pp. 20-25.

[38]   *BOE* nº 150, de 24 de junio de 2019.

vecindad civil balear la donante, no procede la aplicación del Derecho foral balear, siendo, pues, de aplicación, el Código civil, que no prevé la definición. En apelación conoció la Audiencia Provincial de Palma, que, mediante Sentencia de la Sección n° 3, de 30 de diciembre del 2020, consideró aplicable el art. 36.2 del RES, por entender equiparable la inexistencia de normas de resolución de conflictos de leyes internos con la situación del caso en que, existiendo leyes, el causante no es español y no tiene vecindad civil, por lo que le son aplicables las reglas subsidiarias del art. 36.2 del RES, que identifican como ley aplicable la de la unidad territorial en la que la causante tuviera su residencia habitual en el momento del fallecimiento, por lo que, debe ser aplicado el Derecho foral balear, considerando inaplicable *in casu* la exigencia de vecindad civil de la causante, y, declarando válida la donación, ordenó su inscripción en el Registro de la Propiedad. Con posterioridad a esta sentencia, la DGSJyFP ha vuelto a dictar una resolución el 20 de enero de 2022[39], confirmando la negativa de la Registradora de la Propiedad a inscribir un pacto sucesorio de mejora otorgado por un nacional francés y su cónyuge española, residentes en Galicia, de conformidad con la Ley 2/2006, de Derecho civil de Galicia, por carecer de vecindad civil gallega el disponente francés.

Los términos del debate se centran, de un lado, en entender que el problema de la remisión a un sistema plurilegislativo como el español, en los casos en que el causante sea extranjero, debe solventarse en virtud del art. 36.2 del RES, habida cuenta de la inexistencia o inadecuación de la solución que proporciona el art. 16 del Cc. ante la imposibilidad de sustituir la nacionalidad por la vecindad civil en el caso de los extranjeros. Ante tal carencia de respuesta en las normas de solución de los conflictos de leyes internos por parte del legislador español, la opción de aplicar el Derecho civil común no parece acertada, puesto que el RES ya ofrece una solución subsidiaria en el art. 36.2, que viene a sustituir la vecindad civil por la residencia habitual[40]. De otro lado, se afirma que el legislador español sí ofrece solución al problema, pero no se puede aplicar el Derecho foral, por exigir este como condición para su aplicación la vecindad civil de la que carecen los extranjeros. De este modo, incluso aunque fuera aplicable el Derecho foral, al exigir este una condición para su aplicación, se afirma que resultaría incoherente aplicar la norma eliminando del supuesto normativo la exigencia de vecindad civil requerida por la propia norma[41]. Pero, en tal caso, el debate se centra en dirimir si el legislador autonómico puede inmiscuirse en la

---

[39]   *BOE* n° 40, de 16 de febrero de 2022.

[40]   FONT I SEGURA, ALBERT, "La remisión intracomunitaria a sistemas plurilegislativos en el Reglamento 650/2012 en materia de sucesiones", en CALVO VIDAL, ISIDORO (Coord.), *El nuevo marco de las sucesiones internacionales en la Unión Europea*, Consejo General del Notariado, Madrid, 2014, pp. 75-121.

[41]   RODRÍGUEZ BENOT, ANDRÉS, "Una lectura europea de la aplicación del art. 50 de la Compilación balear a los extranjeros...", *cit.*, p. 23.

competencia exclusiva estatal de dictar normas de conflicto (art. 149.1.8 CE) mediante normas unilaterales de extensión, y si puede colisionar con el mandato del RES de que se aplique dicha norma.

V. LIQUIDACIÓN DEL IMPUESTO DE SUCESIONES Y DONACIONES

Otra cuestión de gran relevancia que preocupa a los herederos del emigrante retornado o a este mismo, si ocupa la posición de heredero, es la liquidación del impuesto de sucesiones y donaciones que grava los incrementos patrimoniales a título gratuito experimentados por los causahabientes con motivo de la adquisición de bienes o derechos por herencia, legados u otro título sucesorio. En España debe pagarse en el plazo de 6 meses desde el fallecimiento del causante, aunque se puede solicitar una prórroga antes de que transcurran cinco meses desde el fallecimiento. Transcurrido ese plazo, se aplican unos incrementos sobre la cuota, si bien pasados cuatro años, seis meses y un día desde el fallecimiento, el impuesto prescribe.

Hay que tener en cuenta que los aspectos fiscales están excluidos del RES en virtud del art. 1.1. y que, al no ser una materia armonizada, cada país decide cómo hay que tributar. De conformidad con los arts. 6 y 7 de la Ley 29/1987, de 18 de diciembre, del impuesto sobre sucesiones y donaciones[42], existe una obligación personal (que incumbe a los contribuyentes que tengan su residencia habitual en España, a quienes se les exigirá el Impuesto con independencia de dónde se encuentren situados los bienes o derechos que integren el incremento de patrimonio gravado) y una obligación real (que obliga a tributar "por la adquisición de bienes y derechos, cualquiera que sea su naturaleza, que estuvieran situados, pudieran ejercitarse o hubieran de cumplirse en territorio español, así como por la percepción de cantidades derivadas de contratos de seguros sobre la vida cuando el contrato haya sido realizado con entidades aseguradoras españolas o se haya celebrado en España con entidades extranjeras que operen en ella"), lo que puede dar lugar a situaciones de doble imposición internacional. Para prevenir esta situación, España tiene suscritos varios convenios de doble imposición en materia sucesoria con Suecia, Grecia y Francia. Hay que precisar que la residencia habitual a efectos fiscales no coincide con el concepto de residencia habitual previsto en el RES, ya que se trata del lugar en el que se haya vivido más días en el plazo de los cinco años anteriores al fallecimiento, aunque en País Vasco y Navarra la residencia a efectos fiscales implica residir el mayor número de días en el año inmediatamente anterior al fallecimiento.

---

[42]   *BOE* n° 303, de 19 de diciembre de 1987.

Aunque se trata de un impuesto que se exige en todo el territorio estatal, su gestión y recaudación se encuentran cedidas a las Comunidades Autónomas, que han legislado previendo un régimen de bonificaciones y deducciones en función del parentesco con el causante y el valor de la herencia, que resulta más favorable que el previsto en la normativa estatal. Hasta el año 2014 solo se aplicaban las bonificaciones y deducciones fiscales de las CCAA a los herederos residentes en España, mientras que al resto de herederos se les aplicaba la normativa estatal, menos beneficiosa. Sin embargo, la STJUE de 3 de septiembre de 2014 consideró contraria a la libertad de circulación de capitales esta limitación de la posibilidad de beneficiarse de las ventajas de la normativa autonómica a los no residentes en España, por lo que se empezó a aplicar dichas ventajas también a los no residentes en España, pero residentes en la UE. No obstante, esto seguía siendo discriminatorio para los residentes en terceros Estados y así lo declaró el Tribunal Supremo en su sentencia 242/2018, por la que se condenó a España a devolver la parte pagada en exceso por no haberse podido descontar las reducciones o ventajas fiscales de las CCAA a un ciudadano canadiense.

Para acomodar nuestra normativa a las exigencias de la jurisprudencia europea y del Tribunal Supremo, la Disposición Adicional segunda de la Ley 29/1987 vino a permitir la aplicación de la normativa de las CCAA a cualquier ciudadano, sea residente habitualmente en un Estado Miembro de la Unión Europea o del Espacio Económico Europeo o en un tercer Estado. La situación, por tanto, es la siguiente: si ni causante ni heredero residen habitualmente en España ni tienen bienes en España, no tributan en nuestro país. Si tanto el causante como el heredero residen habitualmente en España, deben presentar la autoliquidación o declaración en la Gerencia Provincial de la Agencia Tributaria de la Comunidad Autónoma en la provincia de la residencia del causante y se aplica la normativa de esa CCAA, debiendo tributar por la totalidad de los bienes. En los demás casos, la autoliquidación o declaración se presenta en la Agencia Estatal de Administración Tributaria (AEAT) y se puede optar por la aplicación de la normativa estatal o la de la CCAA, que será una u otra, dependiendo del caso. Así, si quien reside habitualmente en España es el causante, la normativa de la CCAA por la que se puede optar es la de su residencia habitual. Si el que reside habitualmente en España es el heredero (y no el causante), se puede optar por la normativa de la CCAA donde se encuentre el mayor valor de los bienes gravados situados en España y si no hay bienes en España, la de la CCAA donde resida habitualmente el heredero. En caso de que ni causante ni heredero residan en España, pero la herencia comprenda bienes situados en España, se puede optar por la normativa de la CCAA del lugar de situación del mayor valor de los bienes gravados situados en España y solo se tributará por los bienes que haya en España[43].

---

[43]   *Vid.* entre otros, CARO ROBLES, VÍCTOR, "Tributación de las transmisiones lucrativas mortis causa e inter vivos por residentes y no residentes en España", en LARA AGUADO, ÁNGELES (Dir.), *Sucesión mortis causa de extranjeros y españoles...*, *op. cit.*, pp. 761-783; GÓMEZ CABRERA, CECILIO, "La

Además, también se permite a los no residentes solicitar la devolución de las cantidades pagadas en exceso por la no aplicación de las bonificaciones y deducciones de la normativa de las CCAA, siempre que el impuesto no esté prescrito.

Respecto al pago del impuesto, es posible solicitar un fraccionamiento del pago, e, incluso se puede solicitar a la Agencia Estatal Tributaria una autorización para poder disponer del dinero de la herencia que esté bloqueado en el banco, e incluso se puede obtener un anticipo del seguro de vida del causante para hacer frente al pago del impuesto.

Para la liquidación del impuesto de sucesiones, si el heredero es español, tendrá que presentar su DNI o pasaporte, pero, si fuera extranjero, necesitará un Número de Identificación de Extranjero, que podrá obtener en el consulado de España o bien otorgar un poder notarial para su obtención en España.

VI. CONCLUSIONES

La sucesión de los españoles en quienes concurra la condición de emigrantes retornados presenta aspectos transfronterizos de indudable complejidad, que requieren asesoramiento especializado en el marco del Derecho internacional privado, a fin de que la planificación de su sucesión permita llevar a buen puerto sus previsiones de transmisión de su patrimonio *mortis causa*.

En particular, si el emigrante retornado es una persona con discapacidad, la planificación sucesoria comenzará con la selección de la ley aplicable a la validez material de las disposiciones testamentarias que pretenda realizar, puesto que de esta ley va a depender no ya la admisibilidad y validez de tales disposiciones, sino su propia capacidad para realizarlas. En este sentido, hay que tener en cuenta que el nuevo sistema español de regulación de la discapacidad puede desplazar la aplicación de normas extranjeras que opten más por una visión proteccionista que por una basada en apoyos, pese a que la capacidad se siga rigiendo por la ley nacional, habida cuenta de la posible contravención de tales planteamientos con la dignidad de las personas con discapacidad.

Por otro lado, muchos de los emigrantes retornados pueden encontrarse incursos en situaciones de plurinacionalidad o de pérdida de la nacionalidad española, lo que, debe ser tenido en cuenta para hacer la correcta selección de la ley sucesoria, debiendo recordarse la posibilidad de recuperación privilegiada de la nacionalidad española que prevé el art. 26 del Cc.

---

tributación de las sucesiones transfronterizas en España", en LARA AGUADO, ÁNGELES (Dir.), *Sucesión mortis causa de extranjeros y españoles...*, *op. cit.*, pp. 737-760.

Es muy probable que a la sucesión de los emigrantes retornados a España se les acabe aplicando el Derecho español, ya sea a título de ley de su última residencia habitual, o en cuanto ley más estrechamente vinculada o por el ejercicio de la *professio iuris*. En tal caso, no debe perderse de vista el importante papel que la vecindad civil juega en la resolución del problema de la remisión a un sistema plurilegislativo como es el español, en el que los Derechos forales coexisten con el Código civil, lo que debe ser valorado, de cara a la previsión del alcance de la libertad de testar que el Derecho finalmente aplicable concederá al emigrante retornado y las legítimas que deba respetar.

Aparte de los límites a la libertad de disposición que conceda el Derecho material aplicable a la sucesión, también deben valorarse las obligaciones fiscales derivadas de la transmisión del patrimonio *mortis causa* y prever cuándo se podrán beneficiar los herederos de las bonificaciones fiscales previstas por la normativa autónoma y cuándo procede la aplicación de las normas fiscales estatales.

VII. BIBLIOGRAFÍA

AA.VV., "Primera aproximación a la realidad de los emigrantes retornados residentes en la provincia de Cádiz", disponible en file:///C:/Users/Usuario/Downloads/Dialnet-PrimeraAproximacionALaRealidadDeLosEmigrantesRetor-2001975.pdf

ADROHER BIOSCA, SALOMÉ, "La protección de adultos en el Derecho internacional privado español: novedades y retos", *REDI*, vol. 71, nº 1, 2019, pp. 163-185.

ÁLVAREZ GONZÁLEZ, SANTIAGO, "Dos cuestiones de actualidad en el reciente Derecho internacional privado de sucesiones: los derechos del cónyuge supérstite y el reenvío", en TORRES GARCÍA, TEODORA FELIPA (Coord.), *Estudios de Derecho civil. Homenaje al Profesor Francisco Javier Serrano García*, Universidad de Valladolid, Valladolid, 2004, pp. 131-157.

ÁLVAREZ GONZÁLEZ, SANTIAGO, "Las legítimas en el Reglamento sobre sucesiones y testamentos", en *Estudios sobre ley aplicable a la sucesión mortis causa*, Servicio de Publicaciones e intercambio científico, Universidade de Santiago de Compostela, Santiago de Compostela, 2013, pp. 217-260.

ÁLVAREZ GONZÁLEZ, SANTIAGO, "¿Puede un extranjero acogerse al pacto de definición mallorquín? El Reglamento 650/2012 y la RDGRN de 24 de mayo de 2019", *Ley Unión Europea*, nº 74, 31 de octubre de 2019.

ÁLVAREZ GONZÁLEZ, SANTIAGO, "¿Puede un extranjero acogerse al pacto de mejora gallego? El Reglamento 650/2012 y la Resolución DGSJFP de 20 de enero de 2022", *Revista de Derecho Civil*, vol. IX, nº 1, 2022, pp. 1-34.

ÁLVAREZ RUBIO, JUAN JOSÉ, "La proyección de los Reglamentos europeos sobre la plurilegislatividad interna española: la Resolución de la DGRN de 24 de mayo de 2019 y la delimitación del ámbito subjetivo de aplicación del pacto de definición de la compilación balear", *REEI*, nº 38, 2019, Crónica de Derecho internacional privado, pp. 9-14.

ANTÓN JUÁREZ, ISABEL, "Régimen económico matrimonial, derechos sucesorios del cónyuge supérstite y Certificado sucesorio europeo: ¿una combinación explosiva?", *CDT*, vol. 10, nº 2, 2018, pp. 769-780.

ATALLAH, MAX, "The Last Habitual Residence of the Deceased as the Principal Connecting Factor in the Context of the Succession Regulation (650/2012)", *Baltic Journal of European Studies*, vol. 5, nº 2, 2015, pp. 130-146.

BONOMI, ANDREA, "Testamentary Freedom or Forced Heirship", en ANDERSON, MIRIAM y ARROYO I AMAYUELAS, ESTHER, *The Law of Succession: Testamentary Freedom*, Europa Law Publishing, Groningen, 2011, pp. 27-38.

BONOMI, ANDREA, "Articulo 22. Elección de ley aplicable" (traduc. de Albet Font i Segura), en ANDREA BONOMI, ANDREA y WAUTELET, PATRICK, *El Derecho europeo de sucesiones. Comentario al Reglamento (UE) Nº 650/2012, de 4 de julio de 2012*, Thomson Reuters/Aranzadi, Cizur Menor, 2015.

BONOMI, ANDREA y WAUTELET, PATRICK, *El Derecho europeo de sucesiones. Comentario al Reglamento (UE) 650/2012, de 4 de julio de 2012*, Thomson Reuters/Aranzadi, Cizur Menor, 2015.

CALVO CARAVACA, ALFONSO LUIS, "Residencia habitual y ley aplicable a la sucesión mortis causa", en *Estudios Jurídicos. Liber Amicorum en honor a Jorge Caffarena*, Colegio de Registradores de la Propiedad y Mercantiles de España, Madrid, 2017, pp. 203-234.

CALÓ, EMANUELE, "La successione mortis causa in diritto comparato", en FRANZINA, PIETRO y LEANDRO, ANTONIO, *Il diritto internazionale privato europeo delle successioni mortis causa*, Giuffrè, Milán, 2013, pp. 209-242.

CARRASCOSA GONZÁLEZ, JAVIER, "El concepto de «residencia habitual del causante en el momento de su fallecimiento» en el Reglamento sucesorio europeo", en LARA AGUADO, ÁNGELES (Dir.), *Sucesión mortis causa de extranjeros y españoles tras el Reglamento (UE) 650/2012: problemas procesales, notariales, registrales y fiscales*, Tirant lo Blanch, Valencia, 2020, pp. 207-229.

CARO ROBLES, VÍCTOR, "Tributación de las transmisiones lucrativas mortis causa e inter vivos por residentes y no residentes en España", en LARA

AGUADO, ÁNGELES (Dir.), *Sucesión mortis causa de extranjeros y españoles tras el Reglamento (UE) 650/2012: problemas procesales, notariales, registrales y fiscales,* Tirant lo Blanch, Valencia, 2020, pp. 761-783.

CHECA MARTÍNEZ, MIGUEL, "Cónyuge y Derecho internacional privado de familia y sucesiones: opciones de planificación y protección patrimonial en perspectiva comparada", en CERVILLA GARZÓN, MARÍA DOLORES y BALLESTEROS BARROS, ÁNGEL MARÍA (Dirs.), *Temas actuales de Derecho privado I,* Aranzadi-Thomson Reuters, Cizur Menor, 2022, pp. 185-229.

CORRAL GARCÍA, EDUARDO, *Los derechos del cónyuge viudo en el Derecho civil común y autonómico,* Bosch, Barcelona, 2007.

DIAGO DIAGO, PILAR, "La prueba de la nacionalidad española y de la vecindad civil: dificultades en la determinación del régimen económico matrimonial legal", *REEI,* nº 36, 2018, pp. 1-35.

DIAGO DIAGO, PILAR, "La nueva regulación de la protección de adultos en España en situaciones transfronterizas e internas (1)", *Diario La Ley,* Sección Doctrina, 15345/2020, 27 de enero de 2021.

DURÁN AYAGO, ANTONIA, "Autonomía de la voluntad, leyes de policía y orden público internacional en los Reglamentos europeos de Derecho de familia y sucesiones", *CDT,* vol. 13, nº 2, 2021, pp. 1003-1021.

ECHEZARRETA FERRER, MAYTE, "La gerontomigración: una propuesta de investigación global para abordar el fenómeno complejo de la movilidad transfronteriza de personas mayores. Dimensión jurídica de las relaciones transfronterizas derivadas de la gerontoimigración", *REDI,* vol. 70, nº 2, 2018, pp. 223-229.

EMMERICH, JULIAN, "Der gewöhnliche Aufenhalt als erbrechtliches und subjektives Merkmal –eine Untersuchung der Regelanknüpfung der EU-ErbVO", *ErbR 3,* 2016, pp. 122-130.

FONT I SEGURA, ALBERT, "La remisión intracomunitaria a sistemas plurilegislativos en el Reglamento 650/2012 en materia de sucesiones", en CALVO VIDAL, ISIDORO (Coord.), *El nuevo marco de las sucesiones internacionales en la Unión Europea,* Consejo General del Notariado, 2014, pp. 75-121.

FONT I SEGURA, ALBERT, "El Reglamento 650/2012 en materia sucesoria ante la pluralidad normativa del ordenamiento español", en LARA AGUADO, ÁNGELES (Dir.), *Sucesión mortis causa de extranjeros y españoles tras el Reglamento (UE) 650/2012: problemas procesales, notariales, registrales y fiscales,* Tirant lo Blanch, Valencia, 2020, pp. 297-316.

FONTANELLAS MORELL, JOSEP MARÍA, "La professio iuris a las puertas de una reglamentación comunitaria", *Dereito,* vol. 20, nº 129, 2011, pp. 83-129.

FONTANELLAS MORELL, JOSEP MARÍA, "La forma de designación de la ley en la propuesta de Reglamento europeo en materia de sucesiones", *REDI*, vol. 63, nº 2, 2011, pp. 139-140.

FONTANELLAS MORELL, JOSEP MARÍA, "Libertad de testar y libertad de elegir la ley aplicable a la sucesión", *CDT*, vol. 10, nº 2, 2018, pp. 376-408.

FONTANELLAS MORELL, JOSEP MARÍA, "Coherence between European Instruments of Private International Law on Matters concerning Succession and Matrimonial Property Regimes", en FORNER I DELAYGUA, JOAQUIM (Ed.), *Coherence of scope of application: EU private international legal instruments*, Schulthess Éditions Romandes, Ginebra/Zúrich, 2020, pp. 138-146.

FRANZINA, PIETRO, "The Relevance of Private International Law to the Effective Realisation of the Fundamental Rights of Vulnerable Adults in Cross-Border Situations", en PEREÑA VICENTE, MONTSERRRAT (Dir.), *La voluntad de la persona en la protección jurídica de adultos. Oportunidades, riesgos y salvaguardia*, Dykinson, Madrid, 2019, pp. 53-61.

GARCÍA RUBIO, Mª PAZ, "Algunas propuestas de reforma del Código civil como consecuencia del nuevo modelo de discapacidad. en especial en materia de sucesiones, contratos y responsabilidad civil", *Revista de Derecho Civil*, vol. V, nº 3, 2018, pp. 173-197.

GÓMEZ CABRERA, CECILIO, "La tributación de las sucesiones transfronterizas en España", en LARA AGUADO, ÁNGELES (Dir.), *Sucesión mortis causa de extranjeros y españoles en España tras el Reglamento (UE) 650/2012: aspectos procesales, notariales, registrales y fiscales*, Tirant lo Blanch, Valencia, 2020, pp. 737-760.

GOÑI HUARTE, ELENA, "La necesaria reforma del Código Civil en materia de discapacidad", en ROLDÁN MARTÍNEZ, ARÁNZAZU (Dir.), *La persona en el Siglo XXI. Una visión desde el Derecho*, Thomson-Reuters-Aranzadi, Navarra, 2019, pp. 191-239.

HEREDIA SÁNCHEZ, LERDYS SARAY, "La responsabilidad del Estado español de la adecuada protección de la persona adulta en España en casos internacionales: un reto pendiente", en ORTEGA GIMÉNEZ, ALFONSO (Dir.) y HEREDIA SÁNCHEZ, LERDYS SARAY (Coord.), *Responsabilidad social y transparencia. Una lectura desde el Derecho internacional privado*, Thomson-Reuters-Aranzadi, Navarra, 2022, pp. 131-156.

HORNERO MÉNDEZ, CÉSAR; YBARRA BORES, ALFONSO; GONZÁLEZ MARTÍN, NURIA y RODRÍGUEZ MARTÍNEZ, ELI (Coords.), *Derecho sucesorio comparado. Las experiencias española y mexicana en un contexto internacional*, Tirant lo Blanch, Valencia, 2019.

LAGARDE, PAUL, "Une ultime (?) bataille de la réserve héréditaire", *RCDIP*, 2021, nº 2, pp. 291-295.

LARA AGUADO, ÁNGELES (Dir.), *Sucesión mortis causa de extranjeros y españoles tras el Reglamento (UE) 650/2012: problemas procesales, notariales, registrales y fiscales*, Tirant lo Blanch, Valencia, 2020.

LARA AGUADO, ÁNGELES y ANISIMOVA ANISIMOVA, ELMIRA, "Relaciones sucesorias hispano-rusas y protección de las personas "no aptas para trabajar": problemas de integración de esta categoría en el ordenamiento jurídico español", en LARA AGUADO, ÁNGELES (Dir.), *Sucesión mortis causa de extranjeros y españoles tras el Reglamento (UE) 650/2012: problemas procesales, notariales, registrales y fiscales*, Tirant lo Blanch, Valencia, 2020, pp. 561-651.

LARA AGUADO, ÁNGELES, "*Professio iuris* de las personas plurinacionales en materia sucesoria", en MOYA ESCUDERO, MERCEDES (Dir.), *Plurinacionalidad y Derecho internacional privado de familia y sucesiones*, Tirant lo Blanch, Valencia, 2020, pp. 571-657.

LORENTE MARTÍNEZ, ISABEL, "Los derechos sucesorios del cónyuge viudo en el Derecho internacional privado. La Sentencia del Tribunal Supremo de 28 de abril de 2014", *CDT*, vol. 7, nº 1, 2015, pp. 256-268.

MANKOWSKI, PETER, "Der gewöhnliche Aufenthalt des Erblassers unter Art. 21.Abs.1 EuErbVO", *IPRax*, 2015-1, pp. 39-46.

MARÍN CONSARNAU, DIANA, "La residencia habitual en el Reglamento (UE) 650/2012 como manifestación de la libertad de testar. Problemas y pautas para su determinación", en VAQUER ALOY, ANTONI y OTROS (Dirs.), *La libertad de testar y sus límites*, Marcial Pons, Madrid, 2018, pp. 445-474.

MARIÑO PARDO, FRANCISCO, "¿De verdad prohíbe, o puede prohibir, el derecho civil gallego a un extranjero residente en Galicia otorgar un pacto de mejora? La Resolución DGSJFP de 20 de enero de 2022", *Iurisprudente.com*, 28 de febrero de 2022.

MORENO CORDERO, GISELA, "La ley aplicable a los derechos sucesorios del cónyuge viudo en el Derecho internacional privado español", en LARA AGUADO, ÁNGELES (Dir.), *Sucesión mortis causa de extranjeros y españoles en España tras el Reglamento (UE) 650/2012: aspectos procesales, notariales, registrales y fiscales*, Tirant lo Blanch, Valencia, 2020, pp. 257-296.

OÑATE CUADROS, FRANCISCO JAVIER, "El notario y la vecindad civil", *El Notario del Siglo XXI*, nº 105, septiembre–octubre 2022, disponible en https://www.elnotario.es/index.php/practica-juridica/9757-el-notario-y-la-vecindad-civil

PALAO MORENO, GUILLERMO, "La elección de ley aplicable a las sucesiones internacionales en el Derecho internacional privado europeo", *Revista de la Facultad de Derecho de México*, vol. 67, nº 269, 2017, pp. 53-82.

PALAZÓN GARRIDO, MARÍA LUISA, "Algunas cuestiones sobre la sucesión de los nacionales franceses residentes en España", en LARA AGUADO, ÁNGELES (Dir.), *Sucesión mortis causa de extranjeros y españoles en España tras el Reglamento (UE) 650/2012: aspectos procesales, notariales, registrales y fiscales*, Tirant lo Blanch, Valencia, 2020, pp. 515-550.

PALAZÓN GARRIDO, MARÍA LUISA, "La posición sucesoria del cónyuge viudo en el variado marco de los ordenamientos europeos", en JIMÉNEZ LIÉBANA, DOMINGO (Coord.), *Estudios de Derecho Civil en Homenaje al Profesor José González García*, Aranzadi Thomson Reuters y Universidad de Jaén, Pamplona, 2012, pp. 1519-1540.

QUINZÁ REDONDO, PABLO, "Regulation (EU) 650/2012 and Territorial Conflicts of Laws in Spain", en SCHERPE, JENS y BARGELLI, ELENA (Eds.), *The Interaction between Family Law, Succession Law and Private International Law. Adapting to Change*, Intersentia, Cambridge, 2020, pp. 213-229.

RE, JACOPO, *Pianificazione succesoria e diritto internazionale privato*, Cedam, Milán, 2020.

RODRÍGUEZ BENOT, ANDRÉS, "Una lectura europea de la aplicación del art. 50 de la Compilación balear a los extranjeros. A propósito del caso Crul y su deriva judicial (Sentencia de la AP de Palma de Mallorca, Sección tercera, de 30 de diciembre de 2020", *REEI*, nº 41, 2021, Crónica de Derecho internacional privado, pp. 20-25.

RODRÍGUEZ MORATA, FEDERICO A., "Emigración y recuperación de la nacionalidad española", *Revista Galega de Administración Pública*, nº 31, mayo-agosto 2002, pp. 65-106.

RUEDA VALDIVIA, RICARDO, "Competencia internacional del notario español para la tramitación de expedientes sucesorios nacionales en sucesiones de dimensión transfronteriza: un análisis a la luz de la jurisprudencia del TJUE", en LARA AGUADO, ÁNGELES (Dir.), *Sucesión mortis causa de extranjeros y españoles en España tras el Reglamento (UE) 650/2012: aspectos procesales, notariales, registrales y fiscales*, Tirant lo Blanch, Valencia, 2020, pp. 89-152.

VIARENGO, ILARIA, "Planning Cross-Border Successions: The 'Professio Juris' in the Succes sion Regulation", *RDIPP*, 2020, pp. 559-582.

ZOPPINI, ANDREA, "Le successioni nel diritto Comparato", en ALPA, GUIDO, *Dirittto privato comparato. Istituti e problemi*, Laterza, Roma-Bari, 2012, pp. 417-436.

EL NOTARIO ESPAÑOL COMO AUTORIDAD NO JUDICIAL CON COMPETENCIAS EN MATERIA SUCESORIA Y SU RELACIÓN CON EL REGLAMENTO 650/2012. ¿TRIBUNAL O FEDATARIO PÚBLICO?[*]

PABLO M. MELGAREJO CORDÓN

Contratado predoctoral FPU. Derecho internacional privado
Universidad de Granada

I. INTRODUCCIÓN

Se han cumplido siete años desde que el Reglamento (UE) nº 650/2012 del Parlamento Europeo y del Consejo, de 4 de julio de 2012, relativo a la competencia, la ley aplicable, el reconocimiento y la ejecución de las resoluciones, a la aceptación y la ejecución de los documentos públicos en materia de sucesiones mortis causa y a la creación de un certificado sucesorio[1] (en lo sucesivo RES) devino plenamente operativo, lo que tuvo lugar, concretamente, el 17 de agosto de 2015. Desde ese momento, y por primera vez en la historia legislativa de la UE, un instrumento jurídico de origen institucional ha asumido la regulación de las sucesiones transfronterizas en todo el espacio de la UE, salvo en Dinamarca e Irlanda[2].

---

[*] Siguiendo el refrán "*lo bueno, si breve, dos veces bueno*", aprovecho estas líneas para agradecer la oportunidad que se me brinda de participar en esta obra colectiva en la que reconocemos la trayectoria académica y personal de la Profesora Moya Escudero, a quien pude conocer personalmente en el año 2019, cuando me incorporé al Departamento de Derecho internacional privado de la Universidad de Granada. Siempre hubo un buenos días amable, seguido de un sabio consejo, consejos todos ellos que guardo con gran cariño.

[1]   *DOUE* nº L 201, de 27 de julio de 2012.

[2]   Los Considerandos 82 y 83 establecen la inaplicabilidad de este instrumento para Irlanda y Dinamarca, según los Protocolos nº 21 y 22 respectivamente, sobre la posición de estos países respecto al espacio de libertad, seguridad y justicia. Por lo que se refiere a Reino Unido, huelga señalar que

El aterrizaje de este Reglamento en los ordenamientos jurídicos de los Estados miembros supuso la creación de un nuevo y rompedor sistema sucesorio de Derecho internacional privado (en lo sucesivo DIPr.), sentando sus bases sobre el principio de unidad de la sucesión. Este sistema fue observado entonces -y sigue observándose- por la doctrina *iusinternacionalprivatista* con ilusión, por la novedad de un instrumento jurídico regulador de las sucesiones internacionales en el espacio europeo, pero también con suspicacia, por la amplia gama de conflictos que de su aplicación se pueden derivar. Ciertamente, la creación de un Reglamento llamado a regular los tres sectores clásicos de DIPr., a saber, competencia internacional, ley aplicable y reconocimiento y ejecución de sentencias, documentos y transacciones judiciales extranjeros, se configura como un proyecto, cuando menos, ambicioso.

En este contexto, pronto se vislumbraron los primeros problemas de aplicación del Reglamento, cuando este colisionó frontalmente con los dispares sistemas sucesorios de los Derechos sustantivos de los Estados miembros y las disímiles autoridades nacionales que tramitan los procesos sucesorios[3]. De la anterior circunstancia se derivó una principal consecuencia: el Tribunal de Justicia de la Unión Europea (en lo sucesivo TJUE) ha sido preguntado en diversas ocasiones sobre diferentes temas controvertidos[4], entre ellos la consideración de tribunal de aquellas autoridades no judiciales con competencia en materia sucesoria, principal objeto de este estudio. Concretamente han sido tres pronunciamientos que han guardado relación, en mayor o menor medida, con la competencia

---

el 31 de enero de 2020 abandonó definitivamente la Unión Europea [Decisión (UE) 2020/135 del Consejo de 30 de enero de 2020 relativa a la celebración del Acuerdo sobre la retirada del Reino Unido de Gran Bretaña e Irlanda del Norte de la Unión Europea y de la Comunidad Europea de la Energía Atómica. (*DOUE* n° L 29, de 31 de enero de 2020)], si bien es verdad que Reino Unido tampoco llegó a quedar vinculado por el RES, dado que utilizó la prerrogativa que le concedía el art. 3 del Protocolo n° 21.

[3]   En este sentido puede verse CHECA MARTÍNEZ, MIGUEL, "La aplicación del Reglamento 650/2012 en la intersección entre common law y civil law", en LARA AGUADO, ÁNGELES (Dir.), *Sucesión mortis causa de extranjeros y españoles tras el Reglamento (UE) 650/2012: problemas procesales, notariales, registrales y fiscales*, Tirant lo Blanch, Valencia, 2020, pp. 435-442.

[4]   La jurisprudencia vertida por el TJUE sobre el RES ha sido ampliamente estudiada por la doctrina. *Vid*. LARA AGUADO, ÁNGELES, "Claves del Reglamento (UE) 650/2012 a la luz de la jurisprudencia del TJUE: de la especialización a la (in)coherencia a través del mito del principio de unidad y las calificaciones autónomas", *REEI*, n° 39, 2020, pp. 1-67.; PALAO MORENO, GUILLERMO, "El Reglamento europeo de sucesiones: primeros pasos de su interpretación por el TJUE y de su aplicación práctica en España", en ÁLVAREZ GONZÁLEZ, SANTIAGO, ARENAS GARCÍA, RAFAEL, DE MIGUEL ASENSIO, PEDRO, SÁNCHEZ LORENZO, SIXTO y STAMPA CASAS, GONZALO (Eds. lit.), *Relaciones transfronterizas, globalización y derecho. Homenaje al prof. Dr. José Carlos Fernández Rozas*, Thomson Reuters-Civitas, Cizur Menor, 2020, pp. 435-450; FONTANELLAS MORELL, JOSEP MARÍA, "La delimitación del ámbito material de aplicación del Reglamento 650/2012 con respecto a las cuestiones relativas a los regímenes económicos matrimoniales. A propósito de la STJUE de 1 de marzo de 2018 (C558/16: Mahnkopf)", *REEI*, n° 35, 2018, pp. 27-38.

internacional de las autoridades no judiciales. El primero de ellos fue el Asunto C-20/17: *Oberle*[5], el segundo fue el Asunto C-658/17: *WB*[6] *y el tercero y más reciente, el Asunto C-80/19: E.E.*[7].

En el caso Oberle, el TJUE resuelve una cuestión prejudicial planteada por el *Kammergericht* (Tribunal Superior Regional de lo Civil y Penal) de Berlín (Alemania) en la que, en esencia, se pregunta si el art. 4 del RES puede ser un foro de competencia para determinar la competencia internacional de la autoridad que expide un certificado sucesorio nacional. El apartado 44 de la sentencia señala que el art. 4 del RES determina la competencia internacional de los tribunales sobre medidas en la totalidad de la sucesión, incluyendo la expedición de certificados sucesorios nacionales, sin importar la naturaleza contenciosa o voluntaria del procedimiento sucesorio. Estas declaraciones no solo extendían la aplicabilidad de los criterios de competencia internacional del Capítulo II -de la expedición del certificado sucesorio europeo a la expedición de los certificados sucesorios nacionales-, sino que, en el caso de España, trajeron al espacio de discusión doctrinal la cuestión de saber si los notarios españoles podían ser considerados como tribunales y, en consecuencia, quedar vinculados por las normas de competencia del RES, en la tramitación de los expedientes sucesorios de jurisdicción voluntaria en los que la legislación española prevé su intervención.

En el caso *WB*, el *Sąd Okręgowy* (Tribunal Regional) de Gorzów Wielkopolski, (Polonia) plantea al TJUE tres cuestiones que interesan al objeto de este estudio. En primer lugar, el órgano remitente pregunta si la notaria polaca que expide un certificado sucesorio conforme a su Derecho nacional debe ser considerada tribunal a efectos del art. 3.2. En segundo lugar, se pregunta al TJUE si el certificado sucesorio nacional debe ser considerado una resolución a efectos del art. 3 apartado 1 letra g). Y, en tercer y último lugar, el tribunal polaco pregunta por el valor que presenta la notificación que los Estados han de efectuar a la Comisión sobre la base del art. 79 del RES en relación con las autoridades y profesionales que sean consideradas tribunales en virtud del art. 3.2[8].

El alto tribunal, con inusitada claridad, responde a la primera cuestión indicando que la notaria polaca que expide un certificado sucesorio conforme a su normativa interna en un proceso sucesorio no contencioso no ha de ser considerada tribunal a los efectos del art. 3.2. La justificación de su respuesta queda reflejada en el hecho de que, en opinión del TJUE, la notaria no se encuentra

---

5   STJUE de 21 de junio de 2018. C-20/17. [ECLI:EU:C:2018:485].
6   STJUE de 23 de mayo de 2019. C-658/17. [ECLI:EU:C:2019:444].
7   STJUE de 16 de julio de 2020. C-80/19. [ECLI:EU:C:2020:569].
8   Para una visión panorámica sobre esta cuestión *vid.* MARIÑO PARDO, FRANCISCO MANUEL, "Doctrina y algunas consecuencias sobre las actuaciones de los notarios españoles en el marco del Reglamento 650/2012 a partir de la STJUE de 23 de mayo de 2019", *La Ley Unión Europea*, nº 74, octubre 2019, pp. 74-87.

facultada para resolver las eventuales desavenencias surgidas entre las partes y, por lo tanto, no ejerce funciones jurisdiccionales. La negativa a considerar como tribunal a la notaria polaca conduce necesariamente a la conclusión de que el documento que expida en el correspondiente expediente sucesorio no puede ser considerado en ningún caso resolución a los efectos del art. 3.1 letra g), dado que no emana de un tribunal. Por lo que respecta a la última cuestión prejudicial, relativa a la validez de la notificación efectuada en cumplimiento del art. 79 del RES, el TJUE señala que la comunicación realizada por los Estados respecto a las autoridades que en los mismos tengan la consideración de tribunales no es vinculante, ni en sentido positivo ni negativo. De lo anterior, se derivan dos consecuencias interrelacionadas: 1ª) que el que una autoridad no judicial con competencia en materia sucesoria no haya sido incluida en la lista que el Estado haya remitido a la Comisión no significa que aquélla no pueda ser calificada como tribunal, y 2ª) que la inclusión de una autoridad no judicial en la referida lista no implica necesariamente que la referida autoridad tenga la consideración de tribunal.

El caso *E.E.* es el último de los asuntos en el que el TJUE es preguntado de nuevo por la posibilidad de calificar como tribunal a un notario lituano que conoce de una sucesión con repercusiones transfronterizas y que tramita un certificado de derechos sucesorios nacional. El TJUE, siguiendo las conclusiones generales[9] del Abogado General, señala que los notarios lituanos, cuando intervienen en la expedición de certificados sucesorios nacionales, no son tribunales a los efectos del art. 3.2, por lo que el documento que aquéllos expidan no será una resolución en relación con el art. 3.1 letra g).

El hecho de que al máximo intérprete del Derecho de la UE se le haya planteado en distintas ocasiones la misma problemática -la posibilidad de considerar como tribunales a las autoridades no judiciales que, en la legislación interna de cada Estado, tengan reconocida competencia en materia sucesoria-, prueba, de un lado, la complejidad técnico-jurídica que reviste esta cuestión y, de otro, la importancia que los operadores jurídicos y la doctrina han dado al tema objeto de estudio de este trabajo.

Tras esta breve introducción sobre el planteamiento del TJUE respecto a la cuestión que aquí nos ocupa, pasamos a exponer a continuación la que será la estructura de este trabajo. En un primer lugar, se analizará brevemente el concepto de tribunal en el RES. En segundo lugar, se presentarán las distintas posiciones doctrinales existentes respecto a la consideración o no como tribunales de los notarios españoles cuando estos intervienen en los expedientes sucesorios de jurisdicción voluntaria en los que la legislación de nuestro país prevé su

---

[9] Conclusiones del Abogado General de 26 de marzo de 2020. Asunto C-80/19 [ECLI:EU:C:2020:230].

intervención, incluida las de los propios operadores jurídicos, esto es, las de los notarios, evidenciando, asimismo, las diferencias existentes entre unas y otras. A continuación, se procederá al análisis de aquellos expedientes notariales en los que el notario puede, a nuestro juicio, tener la consideración de tribunal. Y, finalmente, en cuarto lugar, se darán a conocer las conclusiones alcanzadas tras el estudio de la materia.

II. EL CONCEPTO DE TRIBUNAL EN EL REGLAMENTO 650/2012

Procede subrayar, de entrada, que el eje vertebrador de la discusión doctrinal radica en la posibilidad de considerar al notario español como tribunal a los efectos del art. 3.2 del RES. Este debate trae causa, no solo de las resoluciones del TJUE, desprovistas de claridad y previsibilidad, sino también de las interpretaciones doctrinales que se han ofrecido del mencionado precepto, precepto que el legislador dedica precisamente a la definición del término tribunal[10], y en el que incluye, además de a los órganos jurisdiccionales, a *"todas las demás autoridades y profesionales del Derecho con competencias en materia de sucesiones que ejerzan funciones jurisdiccionales o que actúen por delegación de poderes de un órgano judicial o actúen bajo su control, siempre que tales autoridades y profesionales del Derecho ofrezcan garantías en lo que respecta a su imparcialidad y al derecho de las partes a ser oídas, y que en sus resoluciones, dictadas con arreglo al Derecho del Estado miembro en el que actúan: a) puedan ser objeto de recurso o revisión ante un órgano judicial, y b) tengan fuerza y efectos análogos a los de la resolución de un órgano judicial sobre la misma materia"*.

Una primera lectura del precepto que acabamos de reproducir nos permitía de primeras concluir que el notario español cumple la mayor parte las condiciones que en aquél se establecen. Así, de los instrumentos normativos que en el ordenamiento español regulan la actividad notarial (*grosso modo* Ley del Notariado[11] y Reglamento Notarial[12]), se infiere claramente que los notarios españoles

---

[10]	Respecto a la interpretación del concepto de "tribunal" a los efectos del art. 3.2 del RES, *vid.* ALONSO LANDETA, GABRIEL y WELLER, MATTHIAS, "Article 3–Definitions", en CALVO CARAVACA, ALFONSO LUIS, DAVI, ANGELO y MANSEL, HEINZ-PETER (Coords.), *The EU succession regulation.a commentary*, Cambridge University Press, España, 2016, pp. 114-124, y WAUTELET, PATRICK, "Art. 3", en BONOMI, ANDREA y WAUTELET, PATRICK, *"El Derecho Europeo de Sucesiones. Comentario al Reglamento (UE) n° 650/2012, de 4 de julio de 2012"*, Thomson Reuters, Cizur Menor, 2015, pp. 137-144. Igualmente destacables resultan los trabajos de JIMÉNEZ BLANCO, PILAR, "El concepto de "órgano jurisdiccional" en los Reglamentos europeos de Derecho internacional privado" *AEDIPr*, t. XIX–XX, 2019–2020, pp. 133-134 y REQUEJO ISIDRO, MARTA, "El artículo 3, apartado 2, del Reglamento n° 650/2012; autoridades no judiciales y otros profesionales del Derecho", *REEI*, n° 39, 2020, pp. 5-8.

[11]	*Gaceta de Madrid* n° 149, de 29 mayo de 1862.

[12]	*BOE* n° 189, de 7 de julio de 1944.

son autoridades con competencia en materia de sucesiones y que, en el desarrollo de sus funciones, actúan con imparcialidad, prestando además audiencia a las partes. Además, sus resoluciones pueden ser recurridas ante el órgano judicial competente, teniendo además aquéllas fuerza y efectos análogos a los de una resolución dictada por una autoridad judicial. No obstante, se deja en el aire la cuestión relativa al ejercicio de funciones jurisdiccionales por parte del notario español, pues es este un punto sobre el que volveremos más adelante.

Aparentemente, con la única salvedad de lo que concierne al ejercicio de funciones jurisdiccionales, bien se puede afirmar que el notario español se ajusta plenamente a la definición que el art. 3.2 establece. Esta conclusión, además, encuentra asimismo sustento en lo dispuesto en los Considerandos del propio RES, concretamente en lo dispuesto en el Considerando 21, donde se conmina a realizar una interpretación amplia y extensiva del término tribunal cuando indica: : *"A efectos del presente Reglamento, se debe dotar al término «tribunal» de un sentido amplio de modo que abarque no solo a los órganos judiciales en sentido propio, que ejercen funciones jurisdiccionales, sino también a los notarios o a las oficinas del registro en algunos Estados miembros, que, en determinados supuestos, ejercen tal tipo de funciones, así como los notarios y los profesionales del Derecho que, en algunos Estados miembros, ejercen asimismo tales funciones jurisdiccionales en una sucesión determinada, por delegación de un tribunal"*. Asimismo, viene a reforzar esta interpretación el hecho de que el Estado español, en cumplimiento de lo previsto en el art. 79 del RES, haya comunicado a la Comisión que los notarios, en relación con las declaraciones de herederos abintestato, los procedimientos de presentación, adveración, apertura y protocolización de los testamentos cerrados, ológrafos y orales y la formación de inventario, deben ser considerados tribunales[13].

Por lo que concierne al ejercicio de "funciones jurisdiccionales" -único elemento del concepto de "tribunal" cuya concurrencia en el caso de los notarios españoles cabría cuestionar-, hay que recordar que el TJUE, como ya declarara este último en el caso *Oberle*, propugna claramente una interpretación autónoma y uniforme de los términos del RES (apartado 33); y que aquél, en el asunto *WB*, citando jurisprudencia anterior, vino a señalar que ejercen funciones jurisdiccionales aquellas autoridades que dispongan *"de la facultad de resolver en virtud de su propia potestad sobre los posibles puntos controvertidos que existan entre las partes en cuestión"* (apartado 55). De hecho, bien se puede concluir que el ejercicio o no de funciones jurisdiccionales se configura como el elemento central sobre el que pivota la posibilidad de considerar o no al notario español como tribunal a los efectos del art. 3.2 del RES.

---

[13]   El siguiente enlace dirige directamente al Portal Europeo de Justicia a través del cual se puede acceder a la comunicación del Estado español: https://e-justice.europa.eu/content_succession-380-es-es.do?member=1 (último acceso 05/11/2022).

III. LAS DISÍMILES E INCONCILIABLES POSICIONES DOCTRINALES

Uno de los momentos clave de este debate se produjo cuando el TJUE, en el caso *Oberle*, declaró aplicables las reglas de competencia del Capítulo II del RES por parte de las autoridades que tramiten la expedición de un certificado sucesorio nacional en un proceso sucesorio con elementos internacionales, dejando sin efecto la normativa interna de competencia internacional. Así lo establecía expresamente en el apartado 44 de la sentencia, al señalar: "*...el artículo 4 del Reglamento nº 650/2012 determina la competencia internacional de los tribunales de los Estados miembros relativa a los procedimientos sobre medidas acerca de la totalidad de una sucesión, tales como, en particular, la expedición de los certificados sucesorios nacionales, con independencia de la naturaleza contenciosa o de jurisdicción voluntaria de esos procedimientos*".

Cuando el Alto Tribunal declaró la irrelevancia de la naturaleza de los procedimientos sucesorios, ya fuera esta contenciosa o voluntaria, en orden a la aplicabilidad de las normas de competencia del RES, dio pie a que parte de la doctrina (en la que se incluían algunos operadores jurídicos que se pronunciaron a este respecto) entendiera que los notarios españoles pueden ejercer funciones jurisdiccionales. Estas declaraciones crearon hondas discrepancias doctrinales, originando una discusión sobre la que no existe aún una posición predominante.

Una interpretación radicalmente distinta es la que realiza otro sector doctrinal, al considerar que los notarios españoles no se ajustan a las exigencias recogidas en el art. 3.2, pues en ninguna de sus actuaciones se aprecia el ejercicio de funciones jurisdiccionales, negando por ello, no solo el recurso por parte de aquéllos al Capítulo II del RES en orden a la determinación de su competencia internacional, sino asimismo la posibilidad de calificar como resolución el documento que los mismos expidan[14]. Desvincular a los notarios españoles del RES en sede de competencia internacional es, además, entendido por algunos autores como "*una clara victoria para los notarios en el Reglamento 650/2012*", toda vez que los criterios de competencia internacional recogidos en la normativa estatal son más amplios o generosos[15]. En concreto se alude a la libre elección de notario recogida en el art. 126 del Reglamento Notarial frente a los estrechos

---

[14]   Esta postura es sostenida por diferentes autores como RODRÍGUEZ SÁNCHEZ, JOSÉ SIMEÓN, *Una introducción al Reglamento de Sucesiones de la UE –desde la perspectiva de los derechos reales sobre bienes inmuebles y el Registro de la Propiedad en España*, Cuadernos de Derecho Registral, Madrid, 2013, p. 289; CARRASCOSA GONZÁLEZ, JAVIER, "Aspectos prácticos de la función notarial en el Reglamento Sucesorio Europeo", en GINEBRA MOLINS, MARÍA ESPERANÇA y TARABAL BOSCH, JAUME (Dirs.), *El Reglamento (UE) 650/2012: su impacto en las sucesiones transfronterizas*, Colegio Notarial de Cataluña, Marcial Pons, Madrid, 2016, pp. 339 y ss.; RODRÍGUEZ MATEOS, PILAR, La sucesión por causa de muerte en el Derecho de la Unión Europea", *REEI*, nº 27, 2014, pp. 11-13.

[15]   CARRASCOSA GONZÁLEZ, JAVIER, "Reglamento sucesorio europeo y actividad notarial", *CDT*, vol. 6, nº 1, 2014, pp. 12-18, esp. pp. 14-15.

foros del RES. Pero, a pesar de este razonamiento, resulta llamativo que la mayoría de autores que defienden la primera postura son precisamente notarios, que creen firmemente en que son las reglas de competencia del RES las que deben determinar su competencia, pese a que los foros en aquél previstos sean más limitados. Y ello, a buen seguro, teniendo asimismo presente las sustanciales diferencias existentes, en lo que concierne al régimen de eficacia extraterritorial del documento expedido por el notario en función de que este último aplique o no, en orden a la determinación de su competencia internacional, las normas del Capítulo II del RES, pues mientras que en el primer caso, como se ha apuntado, el documento notarial tendrá la consideración de resolución (art. 3.1 letra g)) y, por tanto, podrá viajar por el espacio de la UE a lomos del reconocimiento automático previsto el art. 39 del RES, no sucederá lo mismo de no excluirse la consideración del notario como tribunal, obligándolo a determinar su competencia internacional a la luz de lo dispuesto en la normativa interna, ya que, en tal caso, el documento notarial tendrá la consideración de documento público (art. 3.1 letra i)), y, por tanto, no disfrutará del régimen privilegiado del que gozan las resoluciones.

Un tercer sector doctrinal participa de esta controversia nadando entre dos aguas. De esta suerte, los autores que aquí se destacan apuestan por considerar que los notarios españoles ejercen funciones jurisdiccionales, y, por tanto, deben ser tratados como tribunales, únicamente en la tramitación de ciertos expedientes de jurisdicción voluntaria, y no en todas las actuaciones notariales, como sostiene la primera de las posturas expuestas. Gran parte de los autores que componen este sector no dudan al concluir que, en la protocolización de un acta de declaración de herederos *abintestato*, con ocasión de una sucesión con aspectos internacionales, existe un evidente ejercicio de funciones jurisdiccionales, tal como se profundizará *infra*[16]. Dentro de este mismo sector, algunos autores extienden el ejercicio de funciones jurisdiccionales no solo a las declaraciones de herederos *abintestato*, sino también al expediente de formación de inventario[17].

---

[16]   Esta postura doctrinal, a caballo entre las dos anteriores, es adoptada por autores como RUEDA VALDIVIA, RICARDO, "Competencia internacional del notario español para la tramitación de expedientes sucesorios nacionales en sucesiones de dimensión transfronteriza: un análisis a la luz de la jurisprudencia del TJUE" en LARA AGUADO, ÁNGELES (Dir.), *Sucesión mortis causa de extranjeros…, op. cit.*, pp. 84-90, esp. p. 84. Interesantes resultan asimismo las reflexiones realizadas por la notaria FERNÁNDEZ-TRESGUERRES, ANA, "El Reglamento (UE) 650/2012 del Parlamento Europeo y del Consejo: actos de ejecución y Derecho patrimonial", en CALVO VIDAL, ISIDORO ANTONIO (Coord.), *El nuevo marco de las sucesiones internacionales en la Unión Europea*, Consejo General del Notariado, Madrid, 2014, pp. 251-252.

[17]   En este subsector puede destacarse ÁLVAREZ TORNÉ, MARÍA, "El sistema de determinación de la competencia introducido por el Reglamento de la UE en materia sucesoria y dificultades para su aplicación", en GINEBRA MOLINS, MARÍA ESPERANÇA y TARABAL BOSCH, JAUME (Dirs.), *op. cit.*, pp. 81-82; *id.*, "La regulación de la competencia internacional en el Reglamento de la UE en materia sucesoria: un nuevo escenario frente al sistema español de DIPr", en FORNER DELA-

Ciertamente, son complejas las cuestiones se suscitan en relación con la competencia internacional de los notarios europeos en materia sucesoria. El RES, por una parte, apostó firmemente por realizar una interpretación amplia y extensiva del concepto de tribunal en el que cupiesen, no solo los órganos judiciales *strictu sensu*, sino también autoridades no judiciales con competencia en materia sucesoria. Pero, por otro lado, la jurisprudencia del TJUE, como se ha visto, no ha sido todo lo esclarecedora que se esperaba, pudiéndose incluso afirmar que parece contraria a la interpretación extensiva que propone el RES en su Considerando 20. De hecho, cuando el Alto Tribunal Europeo definió la "función jurisdiccional" necesaria para poder atribuir a una autoridad no judicial la consideración de tribunal, realmente no acabó con el debate, sino que lo trasladó a un "nuevo" concepto. Cabría, por tanto, preguntarse si, para conseguir que el debate quede zanjado, será preciso un pronunciamiento del TJUE respecto a la consideración o no como tribunales de las distintas autoridades no judiciales que en los diferentes Estados miembros puedan tener atribuida competencia en materia sucesoria o si bastará con que aquél aporte algún criterio clarificador que permita identificar fácilmente cuáles son las autoridades no judiciales de los Estados miembros que, de conformidad con lo dispuesto en el art. 3.2, tienen la condición de tribunales.

IV. ACTUACIONES DEL NOTARIO ESPAÑOL EN CIERTOS EXPEDIENTES DE JURISDICCIÓN VOLUNTARIA

Tradicionalmente, el notariado español ha venido desarrollando un rol esencial en el adecuado flujo jurídico, nacional e internacional, con mayor relevancia en el Derecho de familia y sucesiones. Parte de la actividad notarial se formaliza en expedientes de jurisdicción voluntaria, creados para mitigar el conocido colapso de la Administración de Justicia en estos escenarios. En este cuarto apartado se pretende precisamente analizar la competencia internacional del notario español para la tramitación de aquellos expedientes de jurisdicción voluntaria en materia sucesoria en los que la legislación española prevé su intervención, una vez constatada la dimensión transfronteriza de la sucesión en cuestión, lo que nos obligará a efectuar una aproximación tanto a la normativa nacional reguladora de los referidos expedientes, como a las normas nacionales sobre competencia

---

YGUA, JOAQUIM, GONZÁLEZ BEILFUSS, CRISTINA y VIÑAS FARRÉ, RAMÓN (Coords.), *Entre Bruselas y La Haya. Estudios sobre la unificación internacional y regional del Derecho internacional privado. Liber amicorum Alegría Borrás*, Marcial Pons, Madrid, 2013, p. 112. Igualmente, puede verse a BLANCO-MORALES LIMONES, PILAR, "La competencia internacional en el Reglamento sucesorio europeo", *Diario La Ley*, n° 8590, 24 de julio de 2015, pp. 10 y 11.

internacional a las que el notario habrá de acudir en busca de fundamento a su intervención en el expediente para el que es requerido.

En julio de 2015 entró en vigor la Ley de Jurisdicción Voluntaria[18] (en lo sucesivo LJV), destinada a modernizar el sistema procesal español en materia de jurisdicción voluntaria y dotarlo de coherencia, sistematicidad y racionalidad. En virtud de la referida ley, algunas autoridades como los Notarios o los Letrados de la Administración de Justicia experimentaron una notable ampliación de sus competencias, al confiárseles la tramitación de una amplia gama de expedientes de jurisdicción voluntaria que anteriormente quedaban bajo el ámbito competencial de las autoridades judiciales. De hecho, la LJV introdujo un nuevo Título VII en la LN en el que se otorgaban amplias competencias a los notarios en la tramitación de expedientes de jurisdicción voluntaria., tratando con ello de aliviar la sobrecarga de los tribunales que con anterioridad conocían de tales asuntos[19].

La modificación operada en la LN a través de la LJV que interesa a este trabajo es la que se recoge, concretamente, en el Capítulo III del mencionado Título VIII, donde se regulan seis expedientes notariales. Siguiendo el orden establecido en el texto, son los siguientes: 1) las declaraciones de herederos abintestato (arts. 55 y 56); 2) la presentación, adveración, apertura y protocolización de testamentos cerrados (arts. 57 a 60); 3) la presentación, adveración, apertura y protocolización de los testamentos ológrafos (arts. 61 a 63); 4) la presentación, adveración, apertura y protocolización de los testamentos otorgados en forma oral (arts. 64 a 65); 5) del albaceazgo y de los contadores partidores dativos (art. 66); 6) la formación de inventario (arts. 67 y 68). No obstante, las exigencias de brevedad regladas, y un análisis de mayor dinamismo, obligan a centrarse en el expediente de declaración de herederos *abintestato* y en el de formación de inventario, pues son aquellos en los que parte de la doctrina ha apreciado el eventual ejercicio de funciones jurisdiccionales.

1. *Declaración de herederos* abintestato

Los arts. 55 y 56 de la LN son los encargados de regular el procedimiento a seguir, tras el fallecimiento de una persona, en los casos en que esta última no disponga de testamento o cuando, habiéndolo otorgado, este no sea válido. Los herederos *in potentia* deberán acudir al notario territorialmente competente para

---

[18]   Ley 15/2015, de 2 de julio, de la Jurisdicción Voluntaria, *BOE* nº 158, de 3 de julio de 2015.
[19]   Sobre las intervenciones notariales a raíz de la entrada en vigor de la LJV *vid*. RIVAS RUIZ, AMANAY, "Competencia notarial territorial en los expedientes sucesorios tras la Ley de Jurisdicción Voluntaria", *Notario del siglo XXI*, nº 63, septiembre-octubre 2015. Acceso disponible en: https://www.elnotario.es/cambio-de-criterio/5386-competencia-notarial-territorial-en-los-expedientes-sucesorios-tras-la-ley-de-jurisdiccion-voluntaria (último acceso 12/11/2022).

que ventile este expediente y obtener el documento que los declare herederos del causante, habilitándolos para el ejercicio de los derechos sucesorios que les correspondan.

Según el apartado segundo del art. 55, este expediente *"se iniciará a requerimiento de cualquier persona con interés legítimo, a juicio del Notario, y su tramitación se efectuará con arreglo a lo previsto en la presente Ley y a la normativa notarial"*. Por tanto, el comienzo de este expediente tendrá lugar cuando el notario compruebe los datos identificativos que los eventuales herederos, a través del requirente, le proporcionen, y que atestigüen el parentesco de aquéllos con el *de cuius*. Asimismo, se le hará entrega de otros documentos tales como el certificado literal de defunción, el certificado de últimas voluntades, o la sentencia firme que declare la invalidez de otros testamentos previos.

En aplicación de la normativa contenida en el Capítulo III del RES, el notario que esté tramitando el acta de declaración de herederos habrá de determinar la ley aplicable a la totalidad de la sucesión del causante, atendiendo a tal efecto a lo dispuesto, concretamente, en los arts. 21 y 22 del citado Reglamento. Y, de no poder ser aplicada la referida normativa por haber fallecido el causante respecto al que se solicita la declaración de herederos en fecha anterior a la de entrada en funcionamiento del RES (17 de agosto de 2015), el notario requerido deberá atender, en orden a la determinación de ley aplicable a la sucesión, a la normativa conflictual interna española en materia de sucesiones, recogida en el Capítulo IV del Código civil, en concreto al art. 9.8.

El apartado segundo del art. 56 de la LN dispone: *"El Notario, a fin de procurar la audiencia de cualquier interesado, practicará, además de las pruebas propuestas por el requirente, las que se estimen oportunas, y en especial aquellas dirigidas a acreditar su identidad, domicilio, nacionalidad y vecindad civil y, en su caso, la ley extranjera aplicable."*. Como se puede apreciar, la práctica de las pruebas en este expediente notarial guarda gran similitud con la que se lleva a cabo en cualquier procedimiento judicial[20], en aplicación de lo dispuesto en el art. 282 de la Ley de Enjuiciamiento Civil[21]. Además, al igual que en los procedimientos judiciales, también en este expediente cobra indudable importancia la audiencia de partes, ligada indisolublemente a la tutela judicial efectiva, entendida aquélla como el derecho de las partes a exponer su planteamiento en relación con la cuestión planteada en el procedimiento que esté sustanciando.

Al hilo de lo anterior, el art. 56.2, en su apartado quinto, faculta a cualquier interesado a *"(…) oponerse a la pretensión, presentar alegaciones o aportar documentos*

---

[20] Para un examen más detallado de esta cuestión *vid.* ETXEBERRÍA GURIDI, JOSÉ FRANSCISCO, *Las facultades judiciales en materia probatoria en la LEC,* Tirant lo Blanch, Valencia, 2003, p. 36.

[21] Ley 1/2000, de 7 de enero, de Enjuiciamiento Civil. *BOE* nº 7, de 8 de enero de 2000.

u otros elementos de juicio dentro del plazo de un mes (…)". Si bien la interpretación de cualquier precepto debe realizarse con enorme cautela, la de este precepto en particular nos lleva a considerar que contempla acciones propias de un proceso judicial. Formular oposición a la pretensión del requirente, presentar alegaciones y aportar documentos con un fin determinado, constituyen elementos que conforman el principio de contradicción de partes, y este, como es sabido, es uno de los ejes vertebradores del proceso judicial[22]. El máximo intérprete de la Constitución española, en su Sentencia de 11 de marzo de 2008, se refirió a este principio declarando: "*Así, el principio de contradicción en el proceso penal[23], que hace posible el enfrentamiento dialéctico entre las partes, permitiendo así el conocimiento de los argumentos de la contraria y la manifestación ante el Juez o Tribunal de los propios, constituye una exigencia ineludible vinculada al derecho a un proceso público con todas las garantías, para cuya observancia se requiere el deber de los órganos judiciales de posibilitarlo*". Por tanto, sin contradicción de partes, se hiere de muerte a la tutela judicial efectiva, que encuentra su protección constitucional en el art. 24 de nuestro texto fundamental.

Teniendo en cuenta lo anterior, se trae de nuevo al panorama la definición dada por el TJUE al concepto de "funciones jurisdiccionales", para someterlo a examen comparativamente con las actuaciones del notario español en la expedición de un acta de declaración de herederos. Según el TJUE, por "funciones jurisdiccionales" se entiende: "*la facultad de resolver en virtud de su propia potestad sobre los posibles puntos controvertidos que existan entre las partes en cuestión*". Considerando esta definición, y tras haber evidenciado las semejanzas existentes entre el expediente destinado a la expedición del acta de declaración de herederos y el proceso judicial, pueden realizarse las siguientes reflexiones:

1) Si el causante que fallece intestado y al que se halla referida la declaración de herederos para la que se requiere la intervención del notario español, no ostenta una residencia habitual fácilmente identificable, la autoridad notarial requerida, a efectos de decidir tanto su propia competencia como la legislación aplicable a la sucesión, de quedar esta sometida a lo dispuesto en el RES, deberá identificar dónde, a su juicio, se localiza la residencia habitual del causante al tiempo del fallecimiento, basándose para ello en las circunstancias fácticas del causante. ¿Qué ocurriría si una de las partes interesadas pretende demostrar que la residencia habitual se encuentra en el Estado A -pues la ley de ese país beneficia sus derechos hereditarios- y

---

[22]   Un estudio analítico sobre este principio lo realiza SIERRA GIL DE LA CUESTA, IGNACIO, Vocal del Consejo General del Poder Judicial, en "Principios del proceso civil", 1995. Acceso disponible en: https://dialnet.unirioja.es/descarga/articulo/1706465.pdf (último acceso 12/11/2022).

[23]   Aunque esta sentencia hace alusión expresa al orden penal, no se encuentran obstáculos para afirmar que la importancia de este principio es equivalente en el resto de jurisdicciones. Otra interpretación dañaría tanto la tutela judicial efectiva como el principio de igualdad de armas.

otra parte interesada aporta igualmente documentación para probar que la residencia habitual se encuentra en el Estado B -ya que el ordenamiento jurídico de dicho Estado le otorga una mayor cuota hereditaria-? ¿Acaso no sería este un conflicto *inter partes*, o, en palabras del TJUE, un punto controvertido que el notario deberá resolver en virtud de su propia potestad[24]?

La aplicación de una ley u otra al proceso sucesorio no es cuestión baladí, toda vez que de ella dependen aspectos tan relevantes como, *ad exemplum,* las cuotas hereditarias que corresponden a cada heredero.

2) Tal como se ha referido, cualquier parte interesada puede oponerse a la pretensión, presentar alegaciones o aportar documentos. En consecuencia, ¿qué sucede si un sujeto formula oposición, alegando con pruebas documentales que ostenta la condición de heredero, a la vez que el requirente niega documentalmente tal condición? ¿No sería este un auténtico conflicto entre las partes que el notario, evaluando las pruebas que se le aportan, deberá resolver? Además, no hay que olvidar que la LN, en su art. 56.3, declara expresamente que "*el Notario hará constar su juicio de conjunto sobre la acreditación por notoriedad de los hechos y presunciones en que se funda la declaración de herederos*". ¿No cabe entender que "*hacer constar su juicio*" supone resolver de forma autónoma un eventual litigio que pueda surgir entre los interesados de los hechos que estos le dan a conocer al notario?

3) Queda claro, según la jurisprudencia del TJUE, que los notarios polacos y lituanos, en los supuestos en que se requiere su intervención en la expedición de un certificado sucesorio nacional, no pueden ser considerados como tribunales a los efectos de la aplicación de las normas de competencia del Capítulo II del RES. Pero, ¿cabe acaso extender tal conclusión al resto de las autoridades notariales de los Estados miembros, incluidas las españolas, cuando se recurra a las mismas para la expedición de un certificado sucesorio nacional? Resulta pertinente recordar a este respecto que los ordenamientos nacionales de los Estados miembros regulan la sucesión por causa de muerte de manera desigual, teniendo cada uno de ellos su propia "idiosincrasia". De ahí que los certificados sucesorios nacionales presenten distinta naturaleza y características en las diferentes legislaciones estatales, lo que hace imposible concluir que lo declarado por el TJUE con relación a los notarios polacos y lituanos resulta igualmente predicable con respecto al resto de los notarios europeos. De hecho, a nuestro entender, el notario español, cuando interviene en una declaración de herederos *abintestato*, ejerce funciones diferentes a las que ejerce un notario polaco o lituano cuando la intervención de este último es requerida para la expedición de

---

[24]   Recuérdese que el art. 56.2 de la LN impone la obligación de determinar la ley aplicable a la sucesión.

un certificado sucesorio nacional, lo que hace imposible una extensión automática a los notarios de nuestro país de lo declarado por el TJUE en su jurisprudencia, negando a determinados notarios nacionales la consideración de tribunales.

2. *Formación de inventario*

Los arts. 67 y 68 de la LN son los que el legislador español dedica a la regulación del expediente sucesorio de formación de inventario[25]. Este expediente, que también se inicia a requerimiento de uno o varios herederos, tiene como fin primordial el realizar una relación pormenorizada y detallada del activo y pasivo del causante, valorando todos los bienes, derechos y obligaciones del mismo. La formación de inventario se llevará a cabo, por ejemplo, cuando alguno de los herederos manifieste su pretensión de acogerse al beneficio de inventario, de ostentar aquél, según la *lex successionis*, el referido derecho.

Por lo que concierne al *iter* procedimental de este expediente, hay que recordar que, según lo previsto en la LN, tras la aceptación del requerimiento efectuado por el o los interesados, el notario realizará un llamamiento a los legatarios y acreedores (art. 67.3) para que estos, si así lo desean, presencien la formación de inventario. Y para el caso en que no haya conocimiento de la identidad o domicilio de estos interesados, prevé el art. 67.3 que el notario habrá de dar publicidad al procedimiento en los tablones de anuncios de los Ayuntamientos correspondientes al último domicilio o residencia habitual del causante. El objetivo principal de este precepto no es otro que permitir que los acreedores presencien la elaboración del inventariado, aunque, eso sí, sin posibilidad de intervenir proactivamente, esto es, no pudiendo presentar oposición ni formular alegaciones[26]. Finalmente, será exclusivamente el notario el que, con los datos aportados por el requirente, efectuará la formación de inventario de conformidad con lo dispuesto en el art. 67.1.

Transcurridos los plazos de citación de los interesados, el notario comenzará a inventariar el activo con los bienes y derechos del *de cuius*. Tal como indica el apartado segundo del art. 68, para los bienes inmuebles se hará uso de las

---

[25]   Para un estudio minucioso sobre el procedimiento de este expediente *vid.* FERNÁNDEZ EGEA, MARÍA ÁNGELES, *La jurisdicción voluntaria notarial. Su especial relevancia en el ámbito sucesorio*, Tesis doctoral, Universidad del País Vasco, pp. 327-334. Acceso abierto en: https://addi.ehu.es/bitstream/handle/10810/17939/TESIS_FERNANDEZ_EGEA_MARIA%20ANGELES.pdf?sequence=1 (último acceso 13/11/2022).

[26]   Algunos autores entienden que los acreedores condicionales también deben ser citados. En este sentido *vid.* LORA TAMAYO, ISIDORO, "Aspectos notariales del beneficio de inventario" *Notario del siglo XXI*, n° 102, marzo-abril 2022. Acceso disponible en: https://www.elnotario.es/academia-matritense-del-notariado/6066-aspectos-notariales-del-beneficio-de-inventario (último acceso 13/11/2022).

certificaciones de dominio y cargas que el requirente hubiese aportado; para el metálico y resto de valores mobiliarios se utilizará la certificación o documento expedido por la entidad depositaria, y si dichos valores estuvieran sometidos a cotización oficial, se incluirá su valoración a fecha determinada. Para la evaluación de algunos bienes -a razón de su naturaleza- queda prevista la posibilidad de que los interesados soliciten la intervención de un perito, correspondiente al notario su designación según lo establecido en el art. 68.2 *in fine*.

Si bien es cierto que, hasta este momento, el expediente queda bajo la exclusiva dirección del notario, sin dejar espacio a la intervención de las partes, el art. 68.3 deja un leve resquicio en el que, quizá, quepa imaginar un eventual litigio *inter partes*. Según el citado precepto, el plazo previsto para el que la relación de bienes esté protocolizada es de 60 días, aunque asimismo prevé la posibilidad de que el notario, mediando justa causa, decrete de oficio la prórroga de este plazo hasta el año. Está claro que el notario puede decretar de oficio esta prórroga, pero, ¿puede alguna de las partes interesadas solicitar que se extienda el plazo de finalización de este expediente? ¿Podría otra parte interesada oponerse a la prórroga solicitada? Es por todos sabido que la realidad supera a la ficción y que son pintorescas las situaciones e intereses que podrían llevar a que una parte pretenda la dilatación del proceso o a que rechace frontalmente la prolongación del mismo. En este escenario habría que plantearse, al menos, la siguiente pregunta: ¿se encuentra obligado el notario competente a dirimir esta ampliación o no del plazo de finalización del expediente? En caso afirmativo[27], surge otra cuestión: ¿debe esta decisión ser entendida como un ejercicio por parte del notario de funciones jurisdiccionales?

Evidentemente cada parte esgrimirá sus razones para persuadir al notario de la viabilidad e idoneidad de la prórroga del plazo. Por tanto, habrá contradicción de partes, pues las pretensiones son inconciliables. Esta contraposición de intereses, independientemente de las razones que motiven una u otra pretensión, trae consigo el origen de un conflicto *inter partes* que el notario debe ventilar en virtud de su propia potestad, pues únicamente es él quien puede zanjar la discusión. Parece, por tanto, que también en este expediente el notario ejerce funciones jurisdiccionales, por lo que habrá de ser considerado tribunal a los efectos del RES, con todas las consecuencias jurídicas que, como se ha apuntado, de esta conclusión se derivan.

---

[27]   Este razonamiento es seguido por LORA TAMAYO, ISIDORO, "Aspectos notariales del beneficio de inventario", *op. cit.*, cuando refiere: "*A nuestro juicio esta prórroga podrá decretarla el notario, a solicitud de parte interesada o de oficio*".

V. CONCLUSIONES

Recogemos en este último apartado las conclusiones alcanzadas en relación con: a) el debate acerca del término tribunal en el RES y la competencia internacional del notario español para la tramitación de los expedientes de jurisdicción voluntaria en procesos sucesorios internacionales; b) las imprecisiones del legislador de la UE en la regulación de la competencia internacional de las autoridades no judiciales, y c) la eventual conceptualización como tribunal de los notarios españoles en los expedientes de declaración de herederos y de formación de inventario.

1. Huyendo de reiteraciones, ha quedado reflejado de forma cristalina que la consideración o no como tribunales de los notarios españoles a efectos del RES se configura como un debate doctrinal que sigue en ciernes. Igualmente, se ha evidenciado la notoria diversidad de opiniones al respecto; de un lado, un sector doctrinal afirma que los notarios españoles han de ser tratados como tribunales; de otro lado, existen autores que niegan cualquier posibilidad de que el notario deba ser estimado como tribunal y rechazan la determinación de su competencia internacional por los foros del RES; y, finalmente, un tercer sector, posicionado de forma intermedia, entiende que el notario español ejerce funciones jurisdiccionales, *ergo*, es tribunal, solamente en el expediente de declaración de herederos *abintestato* e, incluso, en la formación de inventario. ¿Está este debate condenado a perpetuarse *sine die* hasta que algún órgano judicial español plantee cuestión prejudicial al TJUE sobre esta cuestión y resuelva en consecuencia?

2. El legislador de la UE podría haber concebido un Reglamento que limitase la interpretación del TJUE en un concepto como el de tribunal. Es verdad que la reducción de la discrecionalidad conlleva crear una legislación más rígida y menos flexible, pero también lo es que, solo de este modo, se consigue evitar interpretaciones judiciales contradictorias con el espíritu de la norma. Una definición completa, íntegra y acabada del término en cuestión que no dejase margen alguno a la interpretación, sin duda habría evitado el planteamiento de cuestiones prejudiciales al TJUE en relación con la función desempeñada por las autoridades no judiciales a las que las legislaciones nacionales de los Estados miembros atribuyen competencia en materia sucesoria. Pero no es esto lo que hace el legislador europeo en el RES, por lo que está claro que el debate se seguirá suscitando, y, por consiguiente, seguirán planteándose cuestiones prejudiciales ante el TJUE respecto al ejercicio de funciones jurisdiccionales por parte de las autoridades no judiciales de los Estados miembros.

3. De la lectura del apartado IV de este estudio se entiende que esta parte se une a la interpretación de algunos autores que mantienen el ejercicio de funciones jurisdiccionales por parte de los notarios en la tramitación de

las actas de declaración de herederos *abintestato,* así como en la formación de inventario, ya que en ambos expedientes sucesorios se podrían generar situaciones conflictivas entre las partes que el notario debería resolver en virtud de su propia potestad. Alejada queda la intención de este trabajo de querer persuadir de algún modo al lector, si acaso procurar hacer un hueco a la reflexión respecto al poder de decisión del que dispone el notario español cuando este, en la tramitación de una declaración de herederos, debe disponer, por ejemplo, qué ley será la rectora de la sucesión o si incluye o no entre los herederos a un sujeto supuestamente interesado. No son irrelevantes las consecuencias patrimoniales que se derivan de la identificación de una u otra ley como ley rectora de la sucesión, como tampoco de la decisión de incluir o no a un heredero *in potentia* en el acta de declaración que el notario acabe expidiendo.

La capacidad resolutoria del notario español en la formación de inventario resulta de más compleja identificación, pudiendo ser tan dudosa como discutible, pero, recuérdese, ese es el objetivo. La extensión del plazo para la formación de inventario queda exclusivamente bajo la esfera competencial del notario y, como se ha visto, las partes pueden proponer la prórroga u oponerse a la misma. Las consecuencias pueden ser destacables, aunque la consideración de la labor del notario como función jurisdiccional no se centra tanto en la importancia de las consecuencias, como en la capacidad de aquél de resolver.

4. En última instancia, y como broche final a las conclusiones, parece necesario resaltar dos extremos: 1º) que la inaplicación de la normativa competencial del RES a los notarios puede desbaratar el ya dañado principio de unidad de la sucesión. Si las autoridades basan su competencia internacional en sus normas internas para la tramitación de certificados sucesorios nacionales, podrían originarse procesos paralelos y autoridades distintas para conocer del mismo asunto; 2º) que la consideración como tribunales de los notarios españoles les facultaría para plantear cuestiones prejudiciales ante el TJUE, tal como dispone el art. 267 del TFUE, que señala que *"Cuando se plantee una cuestión de esta naturaleza ante un órgano jurisdiccional de uno de los Estados miembros, dicho órgano podrá pedir al Tribunal que se pronuncie sobre la misma, si estima necesaria una decisión al respecto para poder emitir su fallo".* Ello, sin duda, haría ver con nuevos ojos y diferentes perspectivas los problemas que el ordenamiento jurídico de la UE padece en este ámbito.

VI. BIBLIOGRAFÍA

ALONSO LANDETA, GABRIEL y WELLER, MATTHIAS, "Article 3–Definitions", en CALVO CARAVACA, ALFONSO LUIS, DAVI, ANGELO y MANSEL, HEINZ-PETER (Coords.), *The EU succession regulation a commentary*, Cambridge University Press, España, 2016, pp. 71-124.

ÁLVAREZ TORNÉ, MARÍA, "El sistema de determinación de la competencia introducido por el Reglamento de la UE en materia sucesoria y dificultades para su aplicación", en GINEBRA MOLINS, MARÍA ESPERANÇA y TARABAL BOSCH, JAUME (Dirs.), *El Reglamento (UE) 650/2012: su impacto en las sucesiones transfronterizas*, Colegio Notarial de Cataluña, Marcial Pons, Madrid, 2016, pp. 79-92.

ÁLVAREZ TORNÉ, MARÍA, "La regulación de la competencia internacional en el Reglamento de la UE en materia sucesoria: un nuevo escenario frente al sistema español de DIPr", en FORNER DELAYGUA, JOAQUIM, GONZÁLEZ BEILFUSS, CRISTINA y VIÑAS FARRÉ, RAMÓN (Coords.), *Entre Bruselas y La Haya. Estudios sobre la unificación internacional y regional del Derecho internacional privado. Liber amicorum Alegría Borrás*, Marcial Pons, Madrid, 2013, pp. 107-118.

BLANCO-MORALES LIMONES, PILAR, "La competencia internacional en el Reglamento sucesorio europeo", *Diario La Ley*, nº 8590, 24 de julio de 2015, pp. 1-27.

CALVO VIDAL, ISIDORO ANTONIO, "La competencia internacional en el Reglamento sobre Sucesiones. Sentencia del Tribunal de Justicia de la Unión Europea de 21 junio 2018 en el asunto C-20/17 (*Oberle*)", *La Ley Unión Europea*, nº 65, diciembre 2018, pp. 1-23.

CARRASCOSA GONZÁLEZ, JAVIER, "Aspectos prácticos de la función notarial en el Reglamento Sucesorio Europeo", en GINEBRA MOLINS, MARÍA ESPERANÇA y TARABAL BOSCH, JAUME (Dirs.), *El Reglamento (UE) 650/2012: su impacto en las sucesiones transfronterizas*, Colegio Notarial de Cataluña, Marcial Pons, Madrid, 2016, pp. 327-440.

CARRASCOSA GONZÁLEZ, JAVIER, "Reglamento sucesorio europeo y actividad notarial", *CDT*, vol. 6, nº 1, 2014, pp. 5-44.

CHECA MARTÍNEZ, MIGUEL, "La aplicación del Reglamento 650/2012 en la intersección entre common law y civil law", en LARA AGUADO, ÁNGELES (Dir.), *Sucesión mortis causa de extranjeros y españoles tras el Reglamento (UE) 650/2012: problemas procesales, notariales, registrales y fiscales*, Tirant lo Blanch, Valencia, 2020, pp. 411-461.

ESPIÑEIRA SOTO, INMACULADA, "Competencia internacional del notariado español en expedientes de jurisdicción voluntaria al hilo de una STJUE", *Notarios y Registradores*, 09/07/2018. Acceso disponible en: https://www.notariosyregistradores.com/web/secciones/oficina-notarial/otros-temas/competencia-internacional-del-notariado-espanol-en-expedientes-de-jurisdiccion-voluntaria-al-hilo-de-una-stjue/ (último acceso 09/11/2022).

ETXEBERRÍA GURIDI, JOSÉ FRANSCISCO, *Las facultades judiciales en materia probatoria en la LEC*, Tirant lo Blanch, Valencia, 2003.

FERNÁNDEZ EGEA, MARÍA ÁNGELES, *La jurisdicción voluntaria notarial. Su especial relevancia en el ámbito sucesorio*, Tesis doctoral, Universidad del País Vasco. Acceso abierto en: https://addi.ehu.es/bitstream/handle/10810/17939/TESIS_FERNANDEZ_EGEA_MARIA%20ANGELES.pdf?sequence=1.

FERNÁNDEZ-TRESGUERRES, ANA, "El Reglamento (UE) 650/2012 del Parlamento Europeo y del Consejo: actos de ejecución y Derecho patrimonial", en CALVO VIDAL, ISIDORO ANTONIO (Coord.), *El nuevo marco de las sucesiones internacionales en la Unión Europea*, Consejo General del Notariado, Madrid, 2014, pp. 221-252.

FONTANELLAS MORELL, JOSEP MARÍA, "La delimitación del ámbito material de aplicación del Reglamento 650/2012 con respecto a las cuestiones relativas a los regímenes económicos matrimoniales. A propósito de la STJUE de 1 de marzo de 2018 (C558/16: Mahnkopf)", *REEI*, n° 35, 2018, pp. 27-38.

FUGARDO ESTIVILL, JOSEP MARÍA, *La declaración de herederos abintestato en la jurisdicción voluntaria. Sucesiones internas y transfronterizas*, Bosch, Barcelona, 2016.

JIMÉNEZ BLANCO, PILAR, "El concepto de "órgano jurisdiccional" en los Reglamentos europeos de Derecho internacional privado" *AEDIPr*, t. XIX–XX, 2019–2020, pp. 121-162.

LARA AGUADO, ÁNGELES, "Claves del Reglamento (UE) 650/2012 a la luz de la jurisprudencia del TJUE: de la especialización a la (in)coherencia a través del mito del principio de unidad y las calificaciones autónomas", *REEI*, n° 39, junio 2020, pp. 1-67.

LORA TAMAYO, ISIDORO, "Aspectos notariales del beneficio de inventario" *Notario del siglo XXI*, n° 102, marzo-abril 2022. Acceso disponible en: https://www.elnotario.es/academia-matritense-del-notariado/6066-aspectos-notariales-del-beneficio-de-inventario.

MARIÑO PARDO, FRANCISCO MANUEL, "Doctrina y algunas consecuencias sobre las actuaciones de los notarios españoles en el marco del Reglamento 650/2012 a partir de la STJUE de 23 de mayo de 2019", *La Ley Unión Europea*, n° 74, octubre 2019, pp. 74-87.

MELGAREJO CORDÓN, PABLO MANUEL, "Reflexiones acerca de la consideración de "tribunal" a efectos del Reglamento 650/2012 del notario español en la tramitación de expedientes de jurisdicción voluntaria en el proceso sucesorio. Un debate abierto", en CALVO CARAVACA, ALFONSO LUIS y CARRASCOSA GONZÁLEZ, JAVIER, *El Derecho de familia internacional del siglo XXI en la práctica judicial*, Aranzadi, Navarra, 2022, pp. 525-546.

PALAO MORENO, GUILLERMO, "El Reglamento europeo de sucesiones: primeros pasos de su interpretación por el TJUE y de su aplicación práctica en España", en ÁLVAREZ GONZÁLEZ, SANTIAGO, ARENAS GARCÍA, RAFAEL, DE MIGUEL ASENSIO, PEDRO, SÁNCHEZ LORENZO, SIXTO y STAMPA CASAS, GONZALO (Eds. lit.), *Relaciones transfronterizas, globalización y derecho. Homenaje al prof. Dr. José Carlos Fernández Rozas*, Thomson Reuters-Civitas, Cizur Menor, 2020, pp. 435-450.

REQUEJO ISIDRO, MARTA, "El artículo 3, apartado 2, del Reglamento nº 650/2012; autoridades no judiciales y otros profesionales del Derecho", *REEI*, nº 39, 2020, pp. 1-26.

RIVAS RUIZ, AMANAY, "Competencia notarial territorial en los expedientes sucesorios tras la Ley de Jurisdicción Voluntaria", *Notario del siglo XXI*, nº 63, septiembre-octubre 2015. Acceso disponible en: https://www.elnotario.es/cambio-de-criterio/5386-competencia-notarial-territorial-en-los-expedientes-sucesorios-tras-la-ley-de-jurisdiccion-voluntaria

RODRÍGUEZ MATEOS, PILAR, "La sucesión por causa de muerte en el Derecho de la Unión Europea", *REEI*, nº 27, 2014, pp. 1-59.

RODRÍGUEZ SÁNCHEZ, JOSÉ SIMEÓN, *Una Introducción al Reglamento de Sucesiones de la UE –desde la perspectiva de los derechos reales sobre bienes inmuebles y el Registro de la Propiedad en España*, Cuadernos de Derecho Registral, Madrid, 2013.

RUEDA VALDIVIA, RICARDO, "Competencia internacional del notario español para la tramitación de expedientes sucesorios nacionales en sucesiones de dimensión transfronteriza: un análisis a la luz de la jurisprudencia del TJUE", en LARA AGUADO, ÁNGELES (Dir.), *Sucesión mortis causa de extranjeros y españoles tras el Reglamento (UE) 650/2012: problemas procesales, notariales, registrales y fiscales*, Tirant lo Blanch, Valencia, 2020, pp. 83-148.

SIERRA GIL DE LA CUESTA, IGNACIO, "Principios del proceso civil", 1995. Acceso disponible en: https://dialnet.unirioja.es/descarga/articulo/1706465.pdf

TRAPOTE RODRÍGUEZ, MIGUEL, "Acta de declaración de herederos *abintestato*. Especial referencia a las sucesiones transfronterizas", *Notarios y Registradores*, 28/10/2015. Acceso disponible en: https://www.notariosyregistradores.com/web/secciones/doctrina/articulos-doctrina/

acta-de-declaracion-de-herederos-*abintestato*-especial-referencia-a-las-sucesiones-transfronterizas/#sucesiones-*abintestato*-transfronterizas

WAUTELET, PATRICK, "Art. 3", en BONOMI, ANDREA y WAUTELET, PATRICK, *"El Derecho Europeo de Sucesiones. Comentario al Reglamento (UE) n° 650/2012, de 4 de julio de 2012"*, Thomson Reuters, Cizur Menor, 2015, pp. 127-144.

POLÍTICA EUROPEA SOBRE COOPERACIÓN JUDICIAL CIVIL TRANSFRONTERIZA Y DERECHO INTERNACIONAL PRIVADO EUROPEO

GLORIA ESTEBAN DE LA ROSA

Catedrática de Derecho internacional privado
Universidad de Jaén

SUMARIO: I. INTRODUCCIÓN. II. ESPACIO DE LIBERTAD, SEGURIDAD Y JUSTICIA Y POLÍTICA SOBRE COOPE-RACIÓN JUDICIAL CIVIL. 1. Contornos del Espacio Europeo de Libertad, Seguridad y Justicia. 2. Elementos de una nueva política sectorial sobre cooperación judicial civil transfronteriza. III.CONSIDERACIONES FINALES. IV. BIBLIOGRAFÍA.

I. INTRODUCCIÓN

El tema elegido me permite rendir un sincero homenaje y reconocimiento a la labor desempeñada por la Profª. Mercedes Moya Escudero en el campo del Derecho internacional privado. Su incansable dedicación a todas las dimensiones y aspectos de este amplio sector del ordenamiento y compleja disciplina científica y académica ha de ser destacada de forma específica, así como su inagotable labor en relación con la formación de investigadores y buenas personas que se dedican a ella.

El conocido proceso de comunitarización o amsterdamización del ámbito de la cooperación judicial civil transfronteriza (en adelante, CJC) constituye –probablemente- un hito desde la perspectiva de la evolución que ha experimentado el Derecho internacional privado (en adelante DIPr.) desde su nacimiento hasta el momento actual (art. 81 del Tratado de Funcionamiento de la Unión Europea, en adelante, TFUE). En especial, porque este campo jurídico y sector del ordenamiento ha quedado teñido o, más bien, completamente imbuido de los fines propios de una organización regional, como es la Unión Europea (en adelante, UE), que ha ampliado sus objetivos de forma significativa tras la reforma del Tratado de la Comunidad Económica Europea, de 25 de marzo de 1957 (en adelante, TCEE), por el Tratado de Ámsterdam, de 2 de octubre de 1997 (en adelante, TA), cuya entrada en vigor se produjo el 1 de mayo de 1999[1].

---

[1] Véase, Tratado de Ámsterdam, de 2 de octubre de 1997, por el que se modifican el Tratado de la Unión Europea, los tratados constitutivos de las Comunidades Europeas y determinados actos

Y ha continuado en esta misma línea tras la reforma operada por el Tratado de Lisboa, de 13 de diciembre de 2007[2], que modifica el Tratado de la Unión Europea y el Tratado Constitutivo de la Comunidad Europea (en adelante, TL)[3]. De ahí que pueda hablarse de la fisonomía del DIPr. antes y después del TA[4]. Y, en particular, de la existencia de un sistema europeo de DIPr., con sus propios principios de funcionamiento (pero aún de carácter fraccionario).

Ahora bien, para comprender el alcance de la citada comunitarización tendría que hacerse referencia con carácter previo, quizás, a la nueva política europea sobre CJC, que podría significar más o menos lo mismo que la idea de génesis o nacimiento de un DIPr. europeo, pero cuya distinción presenta relevancia, al permitir apreciar –entre otros elementos- que éste es funcional a aquélla. Esto es, la citada política pública, entendida como conjunto de actividades que emanan de actores que tienen autoridad pública, presenta su propia lógica y persigue sus propios fines, como se verá *infra*, para cuya consecución se emplean técnicas o herramientas jurídicas nuevas y específicas, quizás, distintas de las más conocidas que se utilizan por el legislador de DIPr[5].

Esta distinción entre la existencia de una (proyectada) política pública y el nacimiento de un DIPr. europeo permite entender en mayor medida el sentido de este nuevo conjunto normativo, que se rediseña e inventa (por decirlo de alguna forma) como un instrumento en orden a la consecución de los fines de la citada política, en el marco más amplio de la política europea global sobre

---

conexos (*DOCE* nº C 340, de 10 de noviembre de 1997 y *BOE* nº 109, de 7 de mayo de 1999).

[2]   *DOUE* nº C 306/57, de 17 de diciembre de 2007.

[3]   El TL se publicó en el *BOE* nº 184, de 31 de julio de 2008, así como la LO 1/2008, de 30 de julio, por la que se autoriza al Gobierno de España a ratificar el Tratado de Lisboa. Su ratificación tuvo lugar el 27 de noviembre de 2009 (*BOE* nº 286, de 27 de noviembre de 2009). El texto consolidado del TL está publicado en el *DOUE* nº C 115, de 9 de mayo de 2008 y entró en vigor el 1 de diciembre de 2009.

[4]   Véase, entre otras aportaciones, BASEDOW, JÜRGEN, "The communitarization of the conflicts of law under the Treaty of Amsterdam", *CMLR*, 2000, nº 3, pp. 607-708; BORRÁS RODRÍGUEZ, ALEGRÍA, "Le Droit international privé communautaire: réalités et perspectives d'avenir», *RdC*, 2005, vol. 317, pp. 313 y ss; DE MIGUEL ASENSIO, PEDRO, "Integración europea y Derecho internacional privado", *RDCE*, 1997, 2, pp. 413-445; KREUZER, KARL, "Zu Stand und Perspektven des Europäischen Internationalen Privatrechts- Wie europäisch soll das Europäische Internationale Privatrecht sein?", *RabelsZ*, 2006-1, nº 70, pp. 8 y ss; LEIBLE, STEFAN, "Die Europäisierung des internationalen Privat- und Prozessrechts: Kompetenzen, Stand der Rechtsvereinheilischung und Perspektiven", en SÁNCHEZ LORENZO, SIXTO y MOYA ESCUDERO, MERCEDES (Dirs.), *La cooperación judicial en materia de Derecho civil y la Unificación del Derecho privado en Europa*, Dyckinson, Madrid, 2003, pp. 13 y ss.

[5]   Cabe recordar que se define una política pública como un conjunto de objetivos, decisiones y acciones que lleva a cabo un gobierno para solucionar los problemas que se consideran prioritarios en un momento determinado y que generan determinados impactos o efectos en la sociedad (véase, DELGADO GODOY, LETICIA, "Tema 3. Las políticas públicas. El ciclo de las políticas públicas. Clases de políticas públicas. Eficacia, legalidad y control. Indicadores de gestión" en *Documentación de Gerencia pública*, Comunidad de Castilla La-Mancha, 2009, pp. 1 y ss).

administración de justicia[6]. De ahí que pueda hablarse, más bien, de la CJC transfronteriza y de las técnicas y herramientas para la consecución del Espacio de Libertad, Seguridad y Justicia (en adelante, ELSJ). O, en todo caso, de un DIPr. europeo funcional a los actuales objetivos de la UE.

Se trata de dar cuenta a continuación de concretos aspectos que presenta el DIPr. europeo relacionados con el proceso de integración que ha supuesto la creación de la UE y, en particular, del ELSJ[7]. Y ello, no sólo como consecuencia de la comunitarización de la CJC, que toca de lleno el contenido del DIPr. (y, por ello, de los sistemas de DIPr. de los Estados parte), sino por el propio objetivo que supone la creación del ELSJ, con las consecuencias que conlleva también en relación con la dimensión exterior de la actuación de la UE.

Si bien la mayoría de la doctrina que ha analizado el proceso de comunitarización y su alcance en DIPr. se ha mostrado cautelosa a la hora de valorar su impacto en los sistemas nacionales de DIPr., existe consenso a la hora de considerar que constituye un hito en la creación de una política europea sobre la cooperación en materia civil (que explicaría la hiperactividad de la Comisión), sobre la que se volverá *infra*[8].

En todo caso, un cambio nada desdeñable ha sido el impulso que ha recibido el reconocimiento mutuo, de forma que puede decirse que constituye una nueva modalidad de reconocimiento en el interior de la UE, distinta de la tradicionalmente empleada por los sistemas de DIPr., en la que el control se realiza en el

---

[6]	La Comisión se refiere a una futura política global de la UE en administración de justicia [véase, Comunicación de la Comisión: "*Hacia un espacio de libertad, seguridad y justicia*", Documentos COM(98) 459 final, de 14 de julio de 1998, p. 8]. Como ha señalado la doctrina, no cabe hablar de la comunitarización del DIPr., porque la citada transferencia de competencias está presidida por un criterio finalista ajeno a las tradicionales clasificaciones jurídicas (véase GONZÁLEZ BEILFUSS, CRISTINA, "Relaciones e interacciones entre Derecho comunitario, Derecho internacional privado y Derecho de familia europeo en la construcción de un espacio judicial común", *AEDIPr*, t. IV, 2004, p. 120).

[7]	Para este proceso y su significado para el DIPr. véase, entre otras aportaciones, BORRÁS RODRÍGUEZ, ALEGRÍA, "Derecho internacional privado y Tratado de Ámsterdam", *REDI*, vol. LI, n° 2, 1992, pp. 383 y ss; DE MIGUEL ASENSIO, PEDRO, "La evolución del Derecho internacional privado comunitario en el Tratado de Ámsterdam", *REDI*, vol. L, n° 1, 1998, pp. 373 y ss; *id.*, "Integración europea...", *loc. cit.*, pp. 413-445; GARDEÑES SANTIAGO, MIGUEL, "El desarrollo del Derecho internacional privado tras el tratado de Ámsterdam: los arts. 61 c) y 65 TCE como base jurídica", *RDCE*, n° 11, 2002, pp. 231-249; HESS, BERNARD, "Die Integrationsfunktion des Europäishen Zivilverfahrensrecht", *IPRax*, sept./oct. 2001, n° 5, pp. 389 y ss; KOHLER, CHRISTIAN, "Interrogations sue les sources de Droit international privé européen après le Traité d'Amsterdam", *RCDIP*, 1991-1, pp. 30 y ss; POCAR, FAUSTO, "La communitarizazzione del diritto internazionale privato: una *European Conflict of Laws Revolution?*", *RDIPP*, vol. 36, n° 4, 2000, pp. 873 y ss.

[8]	Véase, GONZÁLEZ BEILFUSS, CRISTINA, "Relaciones...", *loc. cit.*, p. 122. En sentido contrario, DE MIGUEL ASENSIO, PEDRO, "La evolución...", *loc. cit.*, p. 376.

país de origen de la decisión, de tal forma que la eficacia extraterritorial de la decisión certificada no suscita, en puridad, una cuestión de reconocimiento[9].

Otra novedad que introdujo el TA y ratificó el TL consistió en la transformación de la Europa preferentemente económica (aunque no sólo) en una Europa que tiene como objetivos fundamentales la libertad, la segunda y la justicia[10]. Y, para ello, se trata de ir dando cuerpo de forma progresiva a un nuevo espacio o zona (que ya no es un mero mercado interior) presidido por tales valores, comunes y compartidos por los Estados parte. Ahora bien, ha de ser entendido como un proceso, pues la consecución de cada uno de estos objetivos no puede alcanzarse de forma rápida[11].

---

[9] Véase, GUZMÁN ZAPATER, MÓNICA, "Supresión del exequátur y tutela de derechos fundamentales: articulación en el sistema español", en BORRÁS, ALEGRÍA y GARRIGA, GEORGINA (Eds.), *Adaptación de la legislación interna a la normativa de la Unión Europea en materia de cooperación civil, Homenaje al Prof. Dr. Ramón Viñas Farré*, Marcial Pons, Madrid, 2012, p. 143. Véase también, OREJUDO PRIETO DE LOS MOZOS, PATRICIA, "Repercusiones del reconocimiento mutuo de las resoluciones judiciales en los sistemas autónomos: excesos y carencias", *AEDIPr*, t. VI, 2006, pp. 481 y ss.

[10] La Comunicación: "Hacia un espacio de libertad, seguridad y justicia" señala que: el concepto de espacio de libertad, seguridad y justicia sintetiza *"elevándolo al nivel de la Unión Europea, el acervo de nuestras tradiciones democráticas y nuestras concepciones del Estado de Derecho"* (*Documentos COM* 1998/459 final, de 14 de julio, p. 1). Considera Mónica Guzmán Zapater que el TL conlleva como principal innovación en relación con la construcción europea el hecho de haber situado al centro del proyecto en el ciudadano como persona y no ya como agente económico [véase, GUZMÁN ZAPATER, MÓNICA, "La libre circulación de documentos públicos relativos al estado civil en la Unión Europea", en FONT I MAS, MARÍA (Dir.), *El documento público extranjero en España y en la Unión Europea: Estudios sobre las características y efectos del documento público*, Ed. Bosch, Madrid, 2014, p. 93; *id.*, "Cooperación judicial civil y Tratado de Lisboa: entre consolidación e innovación", *RGDE*, n° 21, 2010, p. 5].

[11] Véase, entre otros documentos a través de los que se van fijando los contornos de dicho nuevo ELSJ, básicamente conforme a los Programas de Tampere (1999-2004), La Haya (2004-2009) y Estocolmo (2010-2014):–Comunicación: "Hacia un Espacio de Libertad, Seguridad y Justicia", de 14 de julio de 1998 (*Documentos COM*/1998/459 final);–Plan de Acción del Consejo y de la Comisión sobre la mejor manera de aplicar las disposiciones del Tratado de Ámsterdam relativas a la creación de un espacio de libertad, seguridad y justicia, adoptado en Viena, el 3 de diciembre de 1998 (*DOCE* n° C 19, de 23 de enero de 1999);–Comunicación: "Programa de La Haya: diez prioridades para los próximos cinco años. Una asociación para la renovación europea en el ámbito de la libertad, la seguridad y la justicia", de 10 de mayo de 2005 (*Documentos COM* 2005/184, final);–Programa de Estocolmo: "Una Europa abierta y segura, que sirva y proteja al ciudadano", Consejo de Europa (*DOUE* n° C 115, de 4 de mayo de 2010); y–Plan de Acción por el que se aplica el Programa de Estocolmo, que recoge la Comunicación: "Garantizar el espacio de libertad, seguridad y justicia para los ciudadanos europeos", de 20 de abril de 2010 (*Documentos COM* 1010/171 final). Más tarde se fijó la Agenda Estratégica para 2019-2024, aprobada por el Consejo de la UE el 20 de junio de 2019, que tiene como uno de sus objetivos la protección de los ciudadanos y de las libertades (*"Europa ha de ser un lugar en el que los ciudadanos se sientan libres y seguros"*). Y, en concreto, de forma más reciente se ha aprobado el Programa de 18 meses del Consejo (1-01-2020 al 30-06-2023), que persigue, entre otros, apoyar la justicia en red y el desarrollo de intercambios de información en formato digital entre autoridades judiciales (Consejo de la UE, 10 de diciembre de 2021, doc. 14441/21, POLGEN 191).

Por último, se va a hacer hincapié en el marco más general de la citada comunitarización de la CJC, esto es, en la consecución del ELSJ (al que se refirió por vez primera el TA)[12] y, en particular, en la proyectada política europea global sobre administración de justicia como un instrumento para conseguir el citado objetivo[13]. Dicha nueva política comprendería la política sectorial sobre CJC, que participa de ese mismo propósito: la consecución de un ELSJ en el que quede *"garantizada la libertad de circulación de personas"* (art. 3, 2º del TUE).

II. ESPACIO DE LIBERTAD, SEGURIDAD Y JUSTICIA Y POLÍTICA SOBRE COOPERACIÓN JUDICIAL CIVIL

1. Contornos del Espacio Europeo de Libertad, Seguridad y Justicia

Como es sabido, el Título IV del Tratado de la Comunidad Europea tras su reforma por el TA (en adelante, TCE/TA) fue resultado de la delegación de competencias legislativas a las instituciones europeas y, en particular, al Consejo y a la Comisión, sobre determinados aspectos en los genéricos ámbitos del asilo (art. 63), la inmigración (art. 62) y las demás políticas relacionadas con la libertad de circulación de personas, entre las que se encuentran las medidas en el ámbito de la CJC con repercusión transfronteriza (art. 65)[14]. Con posterioridad, el TL permitió llevar a cabo lo que se ha denominado la "salida del túnel constitucional", dándose también un importante paso adelante en materia de derechos humanos[15].

---

[12] Para la concepción europea del citado espacio véase, MARTÍN Y PÉREZ DE NANCLARES, JOSÉ, *La inmigración y asilo en la Unión Europea. Hacia un nuevo espacio de libertad, seguridad y justicia*, Colex, Madrid, 2002, pp. 89 y ss.

[13] Véase, Comunicación de la Comisión: "Hacia un espacio de libertad, seguridad y justicia", *Documentos COM* 1998/459 final, de 14 de julio de 1998, p. 8.

[14] La delegación de competencias tuvo la finalidad de dar cuerpo a un espacio de libertad, seguridad y justicia, que se construye de forma paulatina, porque hasta cinco años después de la entrada en vigor del TA (el 1 de mayo de 2004), no se pudo utilizar el procedimiento de co-decisión, típicamente comunitario. El art. 67 del TCE/TA estableció un plazo transitorio de 5 años, en el que el Consejo decidió por unanimidad, a propuesta de la Comisión o de alguno de los Estados miembros y previa consulta al Parlamento Europeo. Por tanto, durante este período, la consideración desfavorable de un Estado determinó que la iniciativa no saliera adelante. Tras el 30 de abril de 2004, el Consejo decide por unanimidad qué ámbitos pasan al procedimiento de co-decisión (Consejo y Parlamento).

[15] Véase, MARTÍN Y PÉREZ DE NANCLARES, JOSÉ, "El Espacio de Libertad, Seguridad y Justicia en el Tratado de Lisboa", *Revista de las Cortes Generales*, 2007, pp. 85-125; *id.*, "Estudios preliminar" en, MARTÍN Y PÉREZ DE NANCLARES, JOSÉ y URREA CORRES, MARIOLA (Eds.), *Tratado de Lisboa*, Marcial Pons, Madrid, 2008, p. 35.

El actual Título V del Tratado de Funcionamiento de la Unión Europea (en adelante, TFUE) lleva por título "*Espacio de libertad, seguridad y justicia*" y cuenta con cinco Capítulos, refiriéndose el tercero de ellos a la Cooperación judicial en materia civil, en concreto, el art. 81. Esta disposición expresa el mandato (hacia las instituciones de la UE) de desarrollo de una CJC transfronteriza basada en el principio de reconocimiento mutuo de las resoluciones judiciales y extrajudiciales (véase *infra*).

Ahora bien, para poder perfilar la nueva política europea en el ámbito de la CJC, es preciso tomar en cuenta que el marco de actuación de las instituciones europeas es la creación de dicho ELSJ, que es necesario caracterizar de forma previa y comprender su significado para el sistema de DIPr. europeo (en particular, la función del reconocimiento mutuo como vector de dicho sistema). En este sentido, en principio, se señala que se trata de una expresión grandilocuente, que tiene connotaciones más políticas que jurídicas y que, en todo caso, compone una tríada, que pretende ofrecer a los ciudadanos europeos un emblema identificable de la UE del final del siglo XX[16].

Y, en concreto, conlleva un avance con respecto al mercado interior (Acta Única Europea de 1986), que también supuso -en su día- cierto perfeccionamiento del mercado común (TCE, 1957)[17]. Se considera que tiene su génesis en la noción de espacio judicial europeo, siendo el resultado de una necesidad sentida tras la caída del muro de Berlín (1989) de intensificación de la cooperación judicial más allá de los convenios que se habían elaborado hasta la fecha en el ámbito del reconocimiento conforme al originario art. 200 del TCE de 1957[18].

En todo caso, tras la entrada en vigor del TA (y el posterior TL) se trataba de crear de forma progresiva un ELSJ, en el que la libertad de circulación de personas tenía un protagonismo renovado. Cabe recordar el tenor del art. 3, 2º del TUE conforme al cual: "*la Unión ofrecerá a sus ciudadanos un espacio de libertad,*

---

[16]   El concepto de espacio de libertad, seguridad y justicia surgió y fue perfilado exclusivamente en el marco de la Conferencia intergubernamental de 1996 preparatoria del Tratado de Ámsterdam, sugerencia de la delegación española (véase, DEL VALLE GÁLVEZ, JOSÉ ALEJANDRO, "La libre circulación de personas en el espacio de libertad, seguridad y justicia (I)", en LÓPEZ ESCUDERO, MANUEL y MARTÍN Y PÉREZ DE NANCLARES, JOSÉ (Dirs.), *Derecho comunitario material*, Mac-Graw Hill, Madrid, 2000, p. 44 y nota 9). Como tal emblema, se emplea con la finalidad de causar un impacto mediático, cuya resonancia recaba un importante consenso político, que ha de ser concretado con posterioridad para dotarlo de contenido jurídico (*Ibíd.*).

[17]   Para la génesis del ELSJ y las consecuencias que se derivan en orden a la interpretación de las normas del sistema de DIPr., véase, en especial, BORRÁS, ALEGRÍA y GARRIGA, GEORGINA (Eds.), *Adaptación de la legislación interna a la normativa de la Unión Europea...*, *loc. cit.*

[18]   La respuesta de la UE a los nuevos desafíos ante la configuración política del mundo tras la caída del muro de Berlín consistió, en particular, en el establecimiento de vías para que tuviese lugar una cooperación más estrecha entre los Estados parte (véase, ORDÓÑEZ SOLÍS, DAVID, "El espacio judicial de libertad, seguridad y justicia en la Unión Europea", *Revista de Estudios Políticos*, nº 119, 2003, pp. 447-448).

seguridad y justicia sin fronteras interiores en el que esté garantizada la libre circulación de personas conjuntamente con medidas adecuada en materia de control de fronteras exteriores, asilo, inmigración y de prevención de lucha contra la delincuencia".

Y, de ahí, que pueda interpretarse que esta nueva ubicación de la libertad de circulación de personas en el art. 3, 2° del TUE, permite pensar que la ha reforzado aún más, porque no sólo está reconocida, sino que ha de ser garantizada en el marco de la creación de un ELSJ. Esto es, la naciente política europea sobre la CJC se orienta hacia este objetivo, de la más plena realización de la libertad de circulación de personas, que en esta sede no es ya sólo un derecho de ciudadanía (art. 21 TFUE), sino un *leitmotiv* (fundamento, premisa, postulado) que preside la nueva construcción europea tras el TA[19].

De otra parte, se aspira a conseguir en el interior del citado espacio la más plena efectividad de los derechos humanos (art. 2 TUE)[20]. Así, el ELSJ está presidido por el más pleno reconocimiento y garantía de los derechos de la persona[21]. Ha de destacarse que la Carta de Derechos fundamentales de la UE (en adelante, CDF) ha recibido plena eficacia jurídica tras la adopción del TL (art. 6, 1° TUE)[22].

---

[19]   Como es sabido, el TJUE ha interpretado el derecho a la libre circulación considerando, entre otros asuntos, que se opone a que se deniegue el derecho de residencia del cónyuge del mismo sexo de un ciudadano de la UE a pesar de que dicho matrimonio no está permitido por el Estado de la nueva residencia, en el conocido As. C-673/16, Coman, resuelto por Sent. de 5 de junio de 2018. También ha considerado en la Sent. de 14 de diciembre de 2021 (As. C-490/20), que el Estado miembro del que el menor es nacional está obligado a reconocer el documento procedente del Estado miembro de acogida que le permita ejercer su derecho a circular y residir en el territorio de los Estados miembros con cada una de las personas que figura como madre del menor. Véase sobre estos asuntos, JIMÉNEZ BLANCO, PILAR, "La movilidad transfronteriza de matrimonios entre personas del mismo sexo: la UE da un paso. Sentencia del Tribunal de Justicia de la Unión Europea, de 5 de junio de 2018, as. C-678/18, Coman", *La Ley Unión Europea*, n° 61, 31 de julio de 2018, pp. 1 y ss; GONZÁLEZ BEILFUSS, CRISTINA, "Libre circulación de personas y homoparentalidad: comentario a la Sentencia del TJUE (Gran Sala), de 14 de diciembre de 2021, as. 490/20, Pancharevo", *REEI*, n° 43, 2022, pp. 8 y ss.

[20]   Señala que: "*la Unión se fundamenta en los valores de respeto de la dignidad de la dignidad humana, libertad, democracia, igualdad, Estado de Derecho y respeto de los derechos humanos, incluidos los derechos de las personas pertenecientes a minorías. Estos valores son comunes a los Estados miembros en una sociedad caracterizada por el pluralismo, la no discriminación, la tolerancia, la justicia, la solidaridad y la igualdad entre hombres y mujeres*".

[21]   El Consejo Europeo señala que la prioridad del Programa de Estocolmo (2010-2014) "*será centrarse en los intereses y las necesidades de los ciudadanos*" y "*en aquellas otras personas frente a las que la Unión tiene una responsabilidad*". En particular, "*el espacio de libertad, seguridad y justicia debe ser, ante todo, un espacio único de protección de los derechos y libertades fundamentales*" (*DOUE* n° C 115, de 4 de mayo de 2010, p. 4). De otro lado, se indica que: "*el espacio europeo de libertad, seguridad y justicia debe ser un espacio en el que todas las personas, incluidos los nacionales de terceros países, puedan disfrutar del respeto efectivo de los derechos fundamentales consagrados en la Carta de Derechos Fundamentales de la Unión Europea*" (véase, Plan de Acción por el que se aplica el Programa de Estocolmo, Documentos COM 2010/171 final, p. 2).

[22]   Señala que: "*la Unión reconoce los derechos, libertades y principios enunciados en la Carta de los Derechos Fundamentales de 7 de diciembre de 2000, tal y como fue adoptada el 12 de diciembre de 2007 en Estrasburgo, la cual tendrá el mismo valor jurídico que los Tratados (…)*".

Y, en particular, en su Preámbulo señala que: "*al instituir la ciudadanía de la Unión y crear un espacio de libertad, seguridad y justicia, la Unión Europea sitúa a la persona en el centro de su actuación*". Y procede recordar también el art. 67, 1º del TFUE ("*la Unión constituye un espacio de libertad, seguridad y justicia dentro del respeto de los derechos fundamentales y de los distintos sistemas y tradicionales jurídicas de los Estados miembros*").

Por tanto, es indiscutible el protagonismo que cobran los derechos humanos en esta nueva zona, en particular, cuando están en juego tales derechos en la vida transfronteriza de las personas, de la que se ocupa la proyectada política europea en este ámbito (art. 81 TFUE). Ese objetivo (la creación de un ELSJ) también tiene consecuencias en la CJC, en especial, en relación con su alcance, sin que deba minusvalorarse su impacto para la interpretación del sistema europeo de DIPr[23]. En todo caso, la naciente política europea sobre la CJC (para la que es funcional el DIPr. europeo) participa también de esta finalidad y se crea en torno al eje del reconocimiento mutuo en una zona en la que el protagonista es el ciudadano o, mejor, la persona y sus derechos como tal[24].

Por todo ello, cabe considerar dos claves que están presentes en el actual ELSJ, que explican (hasta cierto punto) su razón de ser. La primera de ellas es "asegurar" la movilidad de las personas en el interior del citado nuevo espacio, en particular, de las que ostentan la nacionalidad de un Estado parte, eliminando obstáculos y trabas de todo tipo (en concreto, la Comisión se refiere a los "ciudadanos móviles de la UE" y a la necesidad de facilitar la vida de estas personas en el interior de la UE)[25].

Y, la segunda, la más plena realización de los derechos de la persona, esto es, de los que le corresponden por el sólo hecho de serlo (derechos humanos). Éstas dos, a su vez, permiten conseguir un objetivo concreto que se ha propuesto la UE en el momento actual: la protección de los ciudadanos en el espacio transfronterizo que constituye la UE. De ahí la estrecha relación que mantiene

---

[23]   Presenciamos una nueva fase de la construcción del DIPr. europeo que ha superado la inicial en la que comenzaba a tener incidencia el Derecho comunitario en el DIPr. de los Estados parte. Véase, FERNÁNDEZ ROZAS, JOSÉ CARLOS, "Derecho internacional privado y Derecho comunitario", *RIE*, vol. 17, 1990, pp. 785 y ss.

[24]   Como señala la Comunicación de la Comisión: "Hacia un espacio de libertad, seguridad y justicia en la Unión Europea", "*los tres conceptos de libertad, seguridad y justicia están estrechamente vinculados (…). Estos tres conceptos indisociables tienen un mismo denominador común, las personas*" (*Documentos COM* 1998/459 final, de 14 de julio, p. 1).

[25]   Véase, Informe de la Comisión sobre la ciudadanía de la UE de 2020 La capacitación de los ciudadanos y la protección de sus derechos, de 15 de diciembre de 2020 (*COM/2020/730* final, p. 13, entre otras).

la proyectada política europea sobre CJC con la concepción y evolución de la ciudadanía europea[26].

Podría decirse que estamos ante una nueva senda orientada hacia los problemas del ciudadano europeo como persona, en sus relaciones en el interior de la UE[27]. Esto es, se trata de una zona de libertad, seguridad y justicia, orientada hacia la resolución de las cuestiones que se le suscitan al ciudadano en su vida diaria en sus relaciones o situaciones transfronterizas. Y, de ahí, la importancia que cobra –entre otras- la creación de una política global sobre administración de justicia y, en su interior, la política europea sobre CJC y el DIPr, europeo[28].

En concreto, se ha interpretado que esta óptica u objetivo (protección de los nacionales de la UE) es el que se encuentra en la base de la interpretación que realiza el TIUE en el conocido asunto García Avello[29]. Por ello, se entiende que éste y otros casos representen un nuevo inicio en el ámbito del DIPr. europeo.

---

[26]   Podría decirse que uno de los actuales objetivos de la UE presenta carácter transversal y, en concreto, consiste en reforzar la idea de protección de los nacionales de la UE, en especial, de sus relaciones transfronterizas, a través de las nuevas medidas en el ámbito de la CJC (art. 81 del TFUE). Véase, Informe de la Comisión sobre la ciudadanía de la UE de 2020 La capacitación de los ciudadanos y la protección de sus derechos, de 15 de diciembre de 2020 (*COM/2020/730 final*). En concreto, el informe hace balance del progreso realizado en el ámbito de la ciudadanía de la UE y propone prioridades y acciones nuevas que aporten beneficios reales a la ciudadanía, entre las que se encuentran: -facilitar el ejercicio de la libre circulación y simplificar la vida diaria (en concreto, una mayor seguridad jurídica a la hora de ejercer los derechos de libre circulación); y – proteger y promover la ciudadanía de la UE (p. 3). En particular, se emplea la idea de "ciudadanos móviles de la UE".

[27]   En concreto, considera Mónica Guzmán Zapater que el TL conlleva como principal innovación en relación con la construcción europea el hecho de haber situado el centro del proyecto en el ciudadano como persona y no ya como agente económico, siendo uno de los vectores que han alumbrado el TL (véase, "Cooperación judicial civil...", *loc. cit.*, p. 5). Lo que puede apreciarse, como señala la citada autora, en la expresión de los valores distintos de los económicos que recoge el art. 2 del TUE ("*la Unión se fundamenta en los valores de respeto de la dignidad humana, la libertad, democracia, igualdad, Estado de Derecho y respeto de los derechos humanos, incluidos los derechos de las personas pertenecientes a minorías. Estos valores son comunes a los Estados miembros en una sociedad caracterizada por el pluralismo, la no discriminación, la tolerancia, la justicia, la solidaridad y la igualdad entre mujeres y hombres*").

[28]   En este sentido, señala la Comunicación de la Comisión: "Hacia un espacio de libertad, seguridad y justicia en la Unión Europea" que: "*el nuevo impulso otorgado por el Tratado de Ámsterdam y los instrumentos que ha introducido proporcionan la ocasión para examinar lo que el espacio de justicia debería pretender realizar. La intención es dar a los ciudadanos un sentimiento común de justicia en toda la Unión. La justicia debe considerarse como un factor que facilita la vida diaria de las personas y que pide cuentas a los que amenazan la libertad y la seguridad de los individuos y de la sociedad. Esto implica el acceso a la justicia y una cooperación judicial plena entre los Estados miembros. Lo que Ámsterdam proporciona es un marco conceptual e institucional para garantizar que estos valores se defienden en toda la Unión; es decir, el contexto en el que puede desarrollarse una política global de la Unión en la administración de la justicia*" (*Documentos COM* 1998/459 final, de 14 de julio, p. 8).

[29]   Ahora bien, los enfoques sobre el As. García-Avello (C-148/02) son diversos. Algunos autores lo explican a través del método del reconocimiento (Paul Lagarde), en lugar de emplear la óptica del disfrute de los derechos inherentes a la ciudadanía (Etienne Pataut) o de la pervivencia de la solución localizadora en el espacio europeo, pero caracterizada conforme al principio de no

Por último, en todo caso, la citada política sectorial se relaciona de forma directa y específica con el Espacio europeo de justicia y no tanto ni de forma principal, en un principio, al menos, con las otras dos nociones de Libertad y Seguridad, a pesar de que puede considerarse que estos tres emblemas son indisociables, esto es, constituyen una unidad, al compartir idéntica finalidad[30].

2. Elementos de una nueva política sectorial sobre cooperación judicial civil transfronteriza

La referida comunitarización de la CJC tras la adopción del TA ha tenido un importante impacto en los sistemas nacionales de DIPr. de los Estados parte de la UE y, en concreto, forma parte del proceso de creación de una nueva política sectorial, con determinadas características, que se analizan *infra*. No obstante, un sector doctrinal afirmó que el art. 65 del TCE/TA representaba un avance limitado con respecto a la posibilidad de elaborar reglas de ley aplicable para las relaciones intracomunitarias, teniendo en cuenta las posibilidades de actuación comunitaria que resultaban ya con anterioridad de normas como los arts. 100 y 100 A del TCE (arts. 94 y 95 TCE)[31].

Esta idea vendría reforzada por el hecho de que las medidas previstas en esta norma debían adoptarse de conformidad con el art. 67, 1º del TCE/TA, que preveía un período transitorio de cinco años, durante el cual las decisiones tenían que ser adoptadas por unanimidad, quedando así bastante próximo el

---

discriminación, constituyendo junto con el as. Catherine Zhu, el punto de arranque de un nuevo DIPr. europeo (Tito Ballarino). En particular, se considera que se trata de etapas en la evolución de la interpretación por el TJUE de la noción de ciudadanía y, en concreto, de las prerrogativas y derechos que conlleva, desde el ámbito estrictamente económico (*Dafeki, Konstantinidis*), en una primera etapa, a una segunda extensión de mucha mayor envergadura al estado civil, materia ajena por completo a cualquier aspecto económico (as. García-Avello). En concreto, se considera que la respuesta dada por el Alto Tribunal en el asunto García Avello realiza más un razonamiento de disfrute de derechos (de los nacionales de la UE) que propio del conflicto de leyes (p. 91). Otro sector entiende que cabe apreciar la aplicación del reconocimiento mutuo (véase, LAGARDE, PAUL, "Comentario", *RCDIP*, 2004, pp. 184 y ss).

[30]   Como señala la Comunicación de la Comisión: "Hacia un espacio de libertad, seguridad y justicia en la Unión Europea", "los tres conceptos de libertad, seguridad y justicia están estrechamente vinculados (…). Estos tres conceptos indisociables tienen un mismo denominador común, las personas" (*Documentos COM* 1998/459 final, de 14 de julio, p. 1).

[31]   Como ha destacado la doctrina, la comunitarización no ha tenido tanta significatividad, pues la UE ya asumía competencias en determinadas materias como consecuencia de tratarse de ámbitos que estaban vinculados con las libertades (véanse las sucesivas generaciones de Directivas sobre seguros, sociedades o consumidores). Véase, DE MIGUEL ASENSIO, PEDRO, "La evolución...", *loc. cit.*, pp. 373 y ss.; *id.*, "Integración europea...", *loc. cit.*, pp. 413-445; KOHLER, CHRISTIAN: "Interrogations sue les sources de Droit international privé européen après le traité d'Amsterdam", *RCDIP*, vol. 88, nº 1, 1991, pp. 15-17. Véase en otro sentido, BORRÁS RODRÍGUEZ, ALEGRÍA, "Derecho internacional privado y Tratado de Ámsterdam", *REDI*, vol. LI, nº 2, 1999, pp. 383 y ss.

mecanismo previsto a la lógica de la vía intergubernamental (comunitarización retardada).

Otro hito hacia la creación de una política europea sobre CJC lo marca el TL. Si bien la formulación del actual art. 81, 2° del TFUE no difiere de forma significativa de la que ofrecía el art. 65 del TCE/TA, su ubicación y rúbrica pueden tener relevancia para interpretar la concepción europea sobre la CJC. El Título IV del TCE/TA llevaba por título "*visados, asilo, inmigración y otras políticas relacionadas con la libre circulación de personas*", apreciándose la relación de la CJC con la libertad de circulación de personas. En cambio, como se ha señalado *supra*, el art. 81 del TFUE se ubica en el Título V, denominado "*espacio de libertad, seguridad y justicia*", sin referencia a la citada libertad, de la que se ocupa el Título IV del TFUE.

En todo caso, esta nueva sistemática permite apreciar la autonomía de la naciente política europea sobre CJC, que se enmarca en la realización del ELSJ[32]. Cabe hablar, por ello, de la autonomía (funcional) del art. 81 del TFUE, de la que pueden derivarse un conjunto de consideraciones desde la perspectiva de sus consecuencias en relación con el reconocimiento mutuo, que también ha de ser interpretado en el contexto de la realización del ELSJ y en el marco más amplio de la normativa sobre derechos humanos de acuerdo con el art. 6 del TUE[33].

Queda claro que el TFUE ha singularizado las medidas en el ámbito de la CJC, al separarlas de otras políticas (políticas y acciones internas de la UE), lo que permite considerar que la competencia de las instituciones europeas tiene un objeto específico, de un lado y, de otro, el protagonismo del DIPr. (europeo) para construir dicha política. Por tanto, el sistema europeo de DIPr. es funcional para la citada política. Así, la creación de un ELSJ presentaría connotaciones propias, que consisten en una mayor integración, que permita la realización de la libertad de circulación de personas en condiciones aceptables de seguridad jurídica y política.

Y el criterio del reconocimiento mutuo garantiza dicha libertad en orden a la realización del citado espacio, en el que el ciudadano adquiere nuevos derechos en su vida transfronteriza (art. 81 TFUE), entre ellos, en particular, el "derecho a la continuidad del nombre" e, incluso, puede hablarse del "derecho a preservar su identidad personal"[34]. Por tanto, en este nuevo contexto, en el que se trata de crear un espacio público presidido por los valores de la libertad, la seguridad

---

[32] Se trata de la "autonomía funcional" del citado Título.

[33] Véase en este sentido, GARDEÑES SANTIAGO, MIGUEL, "Cap. 3. El reconocimiento mutuo en la Unión Europea: su naturaleza jurídica a la luz de las técnicas o métodos del Derecho internacional privado", en AGUDO RODRÍGUEZ, JORGE (Dir.), *Relaciones jurídicas transnacionales y reconocimiento mutuo*, Aranzadi, Pamplona, 2019, pp. 124-125.

[34] Véase extensamente, ESTEBAN DE LA ROSA, GLORIA, "Identidad personal transfronteriza y Derecho internacional privado europeo", *REDI*, vol. LXXIV, n° 2, 2022, pp. 157-179.

y la justicia y para el logro de la mayor realización de los derechos humanos, el art. 81, 1º del TFUE subraya -de forma expresa- el reconocimiento mutuo, que se orienta – entre otros objetivos- hacia la garantía de la libre circulación[35].

En principio, el presupuesto y objetivo de la política europea sobre CJC consiste en la posibilidad de litigar, con equivalencia de garantías, ante cualquier autoridad judicial de la UE, que se considera un único territorio (a tales efectos). Objetivo que permitirá crear no sólo una Red Judicial entre las autoridades de los Estados parte, sino también un auténtico espacio de justicia[36]. De otra parte, se acepta de forma unánime que el enunciado del art. 81 del TFUE es sólo ejemplificativo.

Sin embargo, la creación de un ELSJ va más allá de la mera adopción de medidas en el ámbito de la CJC, pues el objetivo de la integración es más ambicioso y está presidido por la idea de *"progresar en la Europa de los ciudadanos, con la garantía de que éstos puedan ejercer sus derechos y disfrutar plenamente de las ventajas de la integración europea"*[37]. Y, en el marco de este objetivo cobra un renovado protagonismo el reconocimiento mutuo (art. 67 TFUE), sin perder de vista la importancia que han adquirido los derechos humanos en dicha zona europea (en un contexto transfronterizo).

Por todo ello, cabe decir que dicha nueva política tiene como objetivo avanzar en la idea de integración europea a través de la elaboración de normas y de la articulación de medidas tendentes hacia la simplificación de procedimientos y trámites que hagan más fácil y ágil la vida (entendida esta expresión en un sentido amplio, que comprende también las relaciones personales y familiares) del ciudadano europeo en el interior del ELSJ. De ahí el empleo de la idea de cristalización en el Estado de origen y del método de reconocimiento[38].

---

[35]   En particular, señala la Comisión que *"ese reconocimiento (de pleno derecho) presenta la ventaja de ofrecer la seguridad jurídica que el ciudadano puede esperar al ejercer su derecho a la libertad de circulación"*. Véase, Libro Verde: *"Menos requisitos administrativos para los ciudadanos. Promover la libre circulación de documentos públicos y el reconocimiento de los efectos de los actos de estado civil"* [Documentos COM/2010, 747], punto 4.3.

[36]   Véase, IGLESIAS BUHIGUES, JOSÉ LUIS, "La cooperación judicial internacional en materia civil", *Cooperación judicial internacional*, Col. Escuela Diplomática, nº 5, Madrid, 2001, pp. 47-48.

[37]   Véase, Plan de Acción por el que se aplica el Programa de Estocolmo, que recoge la Comunicación: *"Garantizar el espacio de libertad, seguridad y justicia para los ciudadanos europeos"*, de 20 de abril de 2010 (*Documentos COM*, 1010/171 final, p. 2).

[38]   En concreto, se propone el empleo del "método de reconocimiento" en el espacio europeo, pero sólo cuando se trata de ámbitos en los que la intervención de la autoridad supone la aplicación de su propia ley (ley del foro), como es el caso de la inscripción de parejas de hecho, la celebración de matrimonios, la constitución de adopciones, etc. La función de la autoridad consiste, principalmente, en 1206/2001/CE del Consejo, de 28 de mayo de 2001, relativo a la cooperación entre los órganos jurisdiccionales de los Estados miembros en el ámbito de la obtención de pruebas verificar el cumplimiento de determinados requisitos, pero sin que se dicte un fallo conforme a un criterio general de equidad (lo que suele suceder, con carácter general, en los actos de jurisdicción volun-

III. CONSIDERACIONES FINALES

La UE persigue nuevos objetivos tras el TA, que han sido ratificados por el TL en relación con la elaboración de las medidas en el ámbito de la CJC, tal y como dispone el art. 81 del TFUE. Y, por ello, es necesario poner el énfasis en cuáles son dichas nuevas metas. Y, en particular, cabe destacar el marco en el que se ubican las medidas a las que se refiere el art. 81 del TFUE, que consiste en la creación de un ELSJ en el interior de la UE, en el que ha de estar garantizada la libertad de circulación de personas y, por ello, cabe decir que todas las disposiciones que se encuentran en el actual Título V del TFUE están presididas por dicha finalidad.

En los documentos elaborados por las instituciones europeas en los que se va perfilando el citado espacio se aprecia que éste también presenta carácter evolutivo, esto es, que se va ampliando o completando en función de las nuevas demandas sociales que se van percibiendo por las instituciones de la UE (sin dejar de lado las importantes consecuencias con respecto a las relaciones *ad extra*).

Sin embargo, un elemento que siempre se encuentra presente es el reconocimiento mutuo como vector de una nueva política pública sobre CJC. Puede considerarse que el nuevo DIPr. europeo es instrumental para la consecución de los objetivos de la proyectada política sectorial y que el reconocimiento mutuo sería un instrumento para el logro del objetivo marcado por la citada nueva política.

Por último, la nueva política pública sobre CJC (y el DIPr. europeo) presenta cierta convergencia con los objetivos de la UE en el ámbito de la ciudadanía, como puede apreciarse en los recientes informes elaborados por la Comisión. Ésta es otra clave que permite hacer una interpretación determinada del reconocimiento mutuo para garantizar que la libertad de circulación de personas tenga

---

taria). La cuestión estribaría, por ello, en determinar los criterios que han de ser fijados por el foro para permitir que desplieguen efectos las situaciones extranjeras, entre ellos, p.ej., la existencia de cierta proximidad con el Estado de origen (véase, LAGARDE, PAUL, "Développements futurs du droit international privé dans une Europe en voie d'unification: quelques conjectures", *RabelsZ*, vol. 68, n° 2, 2004, p. 231). Véase una posición crítica en, MAYER, PIERRE, "Les méthodes de la reconnaissance en Droit international privé" en, *Le droit international privé: esprit et méthodes. Mélanges en l'honneur de Paul Lagarde*, Dalloz, París, 2005, pp. 547 y ss; KOHLER, CHRISTIAN, "Lo spazio giudiziario europeo in materia civile e il diritto internazionale privato comunitario", en PICONE, PAOLO (Ed.), *Diritto internazionale privato e diritto comunitario*, Cedam, Pádua, 2004, pp. 65 y ss (esp. p. 80); MANSEL, HEINZ-PETER, "Anerkennung als Grundprinzip des Europäischen Rechtsraum. Zur Herausbildung eines europäischen Anerkennungs-Kollisionsrechts: Anerkennung statt Verweisung als neues Strukturprinzip des Europäischen internationalen Privatrecht?", *RabelsZ*, vol. 70, n° 4, 2006, pp. 651 y ss. Este último considera que, para que pudiese tener lugar el método de reconocimiento sería necesario atribuir a las instituciones de la UE competencias nuevas y adicionales en el campo del Derecho de familia (p. 729). Ahora bien, considera que el certificado sucesorio europeo puede ser un primer hito en relación con la posibilidad de aceptar que dicho método sea factible en el espacio europeo (p. 731).

lugar en condiciones aceptables de seguridad jurídica y política, objetivo éste que se persigue a través de la creación del ELSJ en el interior de la UE.

IV. BIBLIOGRAFÍA

BASEDOW, JÜRGEN, "The communitarization of the conflicts of law under the Treaty of Amsterdam", *CMLR*, 2000, n° 3, pp. 607-708.

BORRÁS RODRÍGUEZ, ALEGRÍA, "Derecho internacional privado y Tratado de Ámsterdam", *REDI*, vol. LI, n° 2, 1999, pp. 383-426.

BORRÁS RODRÍGUEZ, ALEGRÍA, "Le Droit international privé communautaire: réalités et perspectives d'avenir», *Rec. des Cours*, vol. 317, 2005, pp. 313-536.

BORRÁS RODRÍGUEZ, ALEGRÍA y PARRA RODRÍGUEZ, CARMEN, "La XXI sesión diplomática de la Conferencia de La Haya de Derecho internacional privado (5-23 de noviembre de 2007)", *REDI*, vol. LIX, n° 2, 2007 pp. 855-860.

BORRAS RODRÍGUEZ, ALEGRÍA, "The necessary flexibility in the application of the new instruments on maintenance", en Boele-Woelki, Katharina, Einhorn, Talia, Girsberger, Daniel y Symeonides, Symeon (Eds.), *Convergence and Divergence in Private International Law. Liber Amicorum Kurt Siehr*, Eleven Int. Publishing & Schulthess Verlag, Zúrich 2010, pp. 173-192.

DE MIGUEL ASENSIO, PEDRO, "Integración europea y Derecho internacional privado", *RDCE*, 1997, 2, pp. 413-445.

DE MIGUEL ASENSIO, PEDRO, "La evolución del Derecho internacional privado comunitario en el Tratado de Ámsterdam", *REDI*, vol. L, n° 1, 1998, pp. 373-375.

DEL VALLE GÁLVEZ, JOSÉ ALEJANDRO, "La libre circulación de personas en el espacio de libertad, seguridad y justicia (I)", en LÓPEZ ESCUDERO, MANUEL y MARTÍN Y PÉREZ DE NANCLARES, JOSÉ (Dirs.), *Derecho comunitario material*, MacGraw Hill, Madrid, 2000, pp. 42-51.

ESTEBAN DE LA ROSA, GLORIA, "Identidad personal transfronteriza y Derecho internacional privado europeo", *REDI*, vol. LXXIV, n° 2, 2022, pp. 157-179.

FERNÁNDEZ ROZAS, JOSÉ CARLOS, "Derecho internacional privado y Derecho comunitario", *RIE*, vol. 17, 1990, pp. 785-826.

GARDEÑES SANTIAGO, MIGUEL, "El desarrollo del Derecho internacional privado tras el tratado de Ámsterdam: los arts. 61 c) y 65 TCE como base jurídica", *RDCE*, n° 11, 2002, pp. 231-249.

GONZÁLEZ BEILFUS, CRISTINA, "Relaciones e interacciones entre Derecho comunitario, Derecho internacional privado y Derecho de familia europeo en la construcción de un espacio judicial común", *AEDIPr*, t. IV, 2004, pp. 117-190.

GONZÁLEZ BEILFUSS, CRISTINA, "Libre circulación de personas y homo-parentalidad: comentario a la Sentencia del TJUE (Gran Sala), de 14 de diciembre de 2021, as. 490/20, Pancharevo", *REEI*, nº 43, 2022.

GONZÁLEZ CAMPOS, JULIO DIEGO, "La admisión de la Comunidad Europea en la Conferencia de La Haya de Derecho internacional privado y la reforma de su estatuto: líneas generales y principales cuestiones en un proceso aún no concluso", *REDI*, vol. LVII, nº 2, 2005-2, pp. 1157-1161.

GUZMÁN ZAPATER, MÓNICA, "Cooperación judicial civil y Tratado de Lisboa: entre consolidación e innovación", *RGDE*, nº 21, 2010.

GUZMÁN ZAPATER, MÓNICA, "Supresión del exequátur y tutela de derechos fundamentales: articulación en el sistema español", BORRÁS, ALEGRÍA y GARRIGA, GEORGINA (Eds.), *Adaptación de la legislación interna a la normativa de la Unión Europea en materia de cooperación civil*, Marcial Pons, Madrid, 2012, pp. 141-160.

GUZMÁN ZAPATER, MÓNICA, "La libre circulación de documentos públicos relativos al estado civil en la Unión Europea", en FONT I MAS, MARÍA (Dir.), *El documento público extranjero en España y en la Unión Europea: Estudios sobre las características y efectos del documento público*, Ed. Bosch, Madrid, 2014, pp. 85-122.

HESS, BERNARD, "Die Integrationsfunktion des Europäishen Zivilverfahrensrecht", *IPRax*, sept./oct. 2001, nº 5, pp. 389-396.

IGLESIAS BUHIGUES, JOSÉ LUIS, "La cooperación judicial en materia civil y mercantil antes y después del Tratado de Ámsterdam sur le Droit international privé", *Petites Affiches*, 12 de diciembre de 2002, pp. 27 y ss.

JIMÉNEZ BLANCO, PILAR, "La movilidad transfronteriza de matrimonios entre personas del mismo sexo: la UE da un paso. Sentencia del Tribunal de Justicia de la Unión Europea, de 5 de junio de 2018, as. C-678/18, Coman", *La Ley Unión Europea*, nº 61, 31 de julio de 2018.

KOHLER, CHRISTIAN, "Interrogations sue les sources de Droit international privé européen après le Traité d'Amsterdam", *RCDIP*, vol. 88, nº 1, 1991, pp. 1-30.

KOHLER, CHRISTIAN, "Lo spazio giudiziario europeo in materia civile e il diritto internazionale privato comunitario", en PICONE, PAOLO (Ed.), *Diritto internazionale privato e diritto comunitario*, CEDAM, Pádua, 2004, pp. 65-94.

KREUZER, KARL, "Zu Stand und Perspektven des Europäischen Internationalen Privatrechts- Wie europäisch soll das Europäische Internationale Privatrecht sein?", *RabelsZ*, vol. 70, nº 1, 2006, pp. 1-88.

LAGARDE, PAUL, "Développements futurs du droit international privé dans une Europe en voie d'unification: quelques conjectures", *RabelsZ*, vol. 68, nº 2, 2004, pp. 225-243.

LEIBLE, STEFAN, "Die Europäisierung des internationalen Privat- und Prozes-srechts: Kompetenzen, Stand der Rechtsvereinheilischung und Perspektiven", en SÁNCHEZ LORENZO, SIXTO y MOYA ESCUDERO, MERCEDES (Dirs.), *La cooperación judicial en materia de Derecho civil y la Unificación del Derecho privado en Europa*, Dyckinson, Madrid, 2003, pp. 13-38.

MANSEL, HEINZ-PETER, "Anerkennung als Grundprinzip des Europäischen Rechtsraum. Zur Herausbildung eines europäischen Anerkennungs-Kollisionsrechts: Anerkennung statt Verweisung als neues Strukturprinzip des Europäischen internationalen Privatrecht?", *RabelsZ*, vol. 70, nº 4, 2006, pp. 651-731.

MARTÍN Y PÉREZ DE NANCLARES, JOSÉ, "El Espacio de Libertad, Seguridad y Justicia en el Tratado de Lisboa", *Revista de las Cortes Generales*, 2007, pp. 85-125.

MARTÍN Y PÉREZ DE NANCLARES, JOSÉ, "Estudios preliminar", en MARTÍN Y PÉREZ DE NANCLARES, JOSÉ y URREA CORRES, MARIOLA (Eds.), *Tratado de Lisboa*, Marcial Pons, Madrid, 2008.

MAYER, PIERRE, "Les méthodes de la reconnaissance en Droit international privé", en *Le droit international privé: esprit et méthodes. Mélanges en l'honneur de Paul Lagarde*, Dalloz, París, 2005, pp. 547 y ss.

ORDÓÑEZ SOLÍS, DAVID, "El espacio judicial de libertad, seguridad y justicia en la Unión Europea", *Revista de Estudios Políticos*, nº 119, 2003, pp. 447-483.

OREJUDO PRIETO DE LOS MOZOS, PATRICIA, "Repercusiones del reconocimiento mutuo de las resoluciones judiciales en los sistemas autónomos: excesos y carencias", *AEDIPr*, t. VI, 2006, pp. 481-502.

POCAR, FAUSTO, "La communitarizazzione del diritto internazionale privato:una E*uropean Conflict of Laws Revolution?*", *RDIPP*, vol. 36, nº 4, 2000, pp. 873-884.

DICHAS Y DESVENTURAS DE LAS VERSIONES OFICIALES EN ESPAÑOL DE LAS NORMAS DE LA UNIÓN EUROPEA EN MATERIA DE DERECHO INTERNACIONAL PRIVADO

FEDERICO F. GARAU SOBRINO

Catedrático de Derecho internacional privado
Universidad de las Islas Baleares[*]

SUMARIO: I. EL RETO DE LAS VERSIONES OFICIALES EN ESPAÑOL. II. CUANDO UNA TRADUCCIÓN CONVIERTE UNA NORMA EN INCOHERENTE. III. CUANDO LO QUE DICE EL TEXTO ES LO CONTRARIO DE LO QUE DEBERÍA DECIR. IV. CUANDO SE UTILIZAN DISTINTAS EXPRESIONES PARA EL MISMO TÉRMINO. V. INVENTANDO, QUE NO TRADUCIENDO, NUEVOS TÉRMINOS. VI. LA CREATIVIDAD, POR EXCESO Y POR DEFECTO, DE UNA TRADUCCIÓN. VII. LA UTILIZACIÓN DE TÉRMINOS ERRÓNEOS EN LA TRADUCCIÓN. VIII. EL DERECHO TRANSITORIO Y LA IMPORTANCIA DE UNA PALABRA. IX. A MODO DE EPÍLOGO: DE LA CORRECCIÓN DE ERRORES A LA ETERNIDAD. X. BIBLIOGRAFÍA.

Quienes nos dedicamos a la docencia tenemos la dicha de ver cómo, año tras año, nuestros alumnos tienen siempre la misma edad –con la implantación de los estudios de Grado, incluso rejuvenecieron un año–. Eso nos crea la falsa esperanza de que no envejecemos, o que lo hacemos menos que el resto de los mortales. Sin embargo, es un hecho inexorable que cada nuevo curso estamos más cerca de la jubilación. Creo que, llegado ese momento, tenemos que ser capaces de dar paso elegantemente a las nuevas generaciones, perdiendo el protagonismo que hemos tenido durante años y, si así se nos solicita, echándoles una mano. No se nos educa para la jubilación, y menos en el mundo universitario, donde solemos llevar a mal pasar a un segundo plano. La profesora Mercedes Moya es un ejemplo de generosidad y de saber estar. Después de cuatro décadas de dedicación a la Universidad, deja tras ella un considerable número de personas que, gracias a su ejemplo, buen hacer y sobre todo su calidad humana, decidieron en su día dedicar su vida a la universidad, bien en el área de Derecho Internacional Privado bien en otras áreas jurídicas. Yo no fui alumno de Mercedes, pero la vida hizo que nuestros caminos se cruzaran hace años, en los Seminarios Interfacultativos de Derecho internacional privado, que en los años 80 del pasado siglo se celebraban en la Universidad Complutense de Madrid. Desde entonces vivimos y padecimos las vicisitudes del mundo académico, del que surgió un aprecio personal que fue

---

[*]   El profesor Garau Sobrino es asimismo miembro del Instituto Europeo de Integración Regional (IDEIR) de la Universidad Complutense de Madrid.

creciendo con los años. Por tanto, me honra poder participar en este homenaje a su dilatada carrera académica y a su gran valía personal.

I. EL RETO DE LAS VERSIONES OFICIALES EN ESPAÑOL

Las versiones en lengua española de los actos de la Unión Europea (UE) en materia de Derecho internacional privado (DIPr.) tiene, lamentablemente, una larga tradición de errores que diferencian su contenido del de las versiones oficiales en los otros idiomas. Algunos de los errores han sido corregidos, con mayor o menor diligencia –más bien menor–, pero otros jamás lo han sido, provocando dudas a la hora de la aplicación de las normas.

En las páginas que siguen analizaré ejemplos de errores que con los años he ido detectando en las versiones oficiales en español de los actos en materia de DIPr. La relación no es exhaustiva, porque estoy convencido de que existen más errores que todavía no se han detectado. En ocasiones es difícil determinar la existencia de un error, porque hasta que se compara –lo que a veces sucede por casualidad– la versión española con otra versión no se detecta su existencia. Los errores tienen diversas manifestaciones. En ocasiones faltan una o más palabras. En otras, en un lamentable efecto de creación normativa al margen de los organismos competentes, se adicionan contenidos. Los resultados pueden ser de lo más variado, pues a veces el error convierte el texto en incoherente o, directamente, lo hacen ininteligible. En otras, la versión oficial española dice lo contrario que en el resto de versiones oficiales. También pueden aparecer términos nuevos, inexistentes en las otras versiones, o incluso erróneos. En fin, veremos que los errores tienen manifestaciones de lo más variadas, aunque el resultado siempre es el mismo: convertir la versión oficial española en una suerte de verso libre.

II. CUANDO UNA TRADUCCIÓN CONVIERTE UNA NORMA EN INCOHERENTE

Un error en la versión española de una norma puede tener como resultado que acabe siendo incoherente. Si se me permite, aprovecharé para poner de manifiesto un error que se viene cometiendo con relativa frecuencia cuando se traduce del inglés al español. Me refiero a la palabra inglesa "consistency", que muchas veces viene siendo traducida por el término "consistencia". *Consistency* es definida por el *Cambridge Dictionary* como "the quality of always behaving or performing in a similar way, or of always happening in a similar way"[1]. Por tanto, la palabra española que se corresponde con el significado de *consistency* es *coherencia* –en ningún caso *consistencia*–, que el Diccionario de la Real Academia Española (DRAE) define como la "actitud lógica y consecuente con los principios que se profesan" (2ª acepción), mientras que define *consistencia* como duración, estabilidad y solidez[2]. El propio *Cambridge Dictionary* traduce al español *consistency* como *coherencia*[3].

Hecha esta precisión, estaba diciendo que una errónea traducción puede acabar con la coherencia de una norma jurídica. Vamos a ver un caso histórico, pero que hizo que durante años la versión española de un precepto fuese incoherente. Me estoy refiriendo al artículo 27 del Convenio de Bruselas de 1968 relativo a la competencia judicial y la ejecución de resoluciones judiciales en materia civil y mercantil. La versión oficial en legua española del artículo 27, apartado 4, decía lo siguiente: "Las resoluciones no se reconocerán: [...] 4. si el tribunal del Estado de origen, para dictar su resolución, hubiere desconocido, al decidir de una cuestión relativa al estado o capacidad de las personas físicas, a los regímenes matrimoniales, a los testamentos o a las sucesiones, una regla de Derecho internacional privado del Estado requerido, a menos que se hubiere llegado al mismo resultado mediante la aplicación de las normas de Derecho internacional privado del Estado requerido"[4].

¿Dónde radicaba el error? Se comprenderá mejor si empezamos por el ámbito material del Convenio, recogido en su artículo 1: "El presente Convenio se aplicará en materia civil y mercantil con independencia de la naturaleza del órgano jurisdiccional. Se excluirá del ámbito de aplicación del presente Convenio: 1. el estado y la capacidad de las personas físicas, los regímenes matrimoniales, los testamentos y las sucesiones; [...]". Hemos visto que el artículo 27.4 contenía un motivo de denegación del reconocimiento basado en el examen de la ley aplicada por el tribunal de origen al dictar una sentencia en materia de estado y capacidad, regímenes matrimoniales, testamentos y sucesiones. Entonces, ¿cómo se podía denegar el reconocimiento de una resolución en estas materias cuando previamente habían sido excluidas del ámbito de aplicación del texto convencional? Resultaba incoherente.

---

[1]   Véase https://dictionary.cambridge.org/es/diccionario/ingles/consistency

[2]   Aunque el DRAE define también *consistencia* como "trabazón, coherencia entre las partículas de una masa o los elementos de un conjunto" (2ª acepción), puede verse que se refiere a partículas o a elementos de un conjunto, no a personas. Véase https://dle.rae.es/consistencia

[3]   Véase https://dictionary.cambridge.org/es/diccionario/ingles-espanol/consistency

[4]   Versión oficial en español a raíz de la ratificación del Convenio de adhesión de España y Portugal al Convenio de Bruselas (Convenio de San Sebastián) en *DOUE* L 285, de 3 de octubre de 1989, pp. 24 y ss.

El problema estaba en que la versión oficial española era una traducción errónea del precepto, porque se había 'olvidado' de matizar que el tribunal de origen debía decidir sobre estas cuestiones excluidas *a título prejudicial o previo*; lo que en DIPr. se denomina cuestión previa. Si se consultaban otras versiones oficiales, el artículo 27.4 debería haber dicho "si el tribunal del Estado de origen, para dictar su resolución, hubiere desconocido, al decidir sobre una *cuestión previa* relativa al estado o capacidad de las personas físicas, a los regímenes matrimoniales, a los testamentos o a las sucesiones…"[5]. Entonces sí tenía sentido el precepto, porque la sentencia que se pretendía reconocer contenía, entre otros, pronunciamientos con carácter prejudicial, previo, en estas materias excluidas. Como el Convenio preveía un reconocimiento parcial, no existía ningún obstáculo para reconocer únicamente los pronunciamientos sobre las materias incluidas en su ámbito de aplicación.

A pesar de la incoherencia entre los artículos 1 y 27.4, el error jamás se corrigió. Posteriormente, tanto el Reglamento (CE) 44/2001 como el Reglamento (UE) 1215/2012 han suprimido el control de Derecho aplicado por el tribunal de origen como motivo de denegación del reconocimiento.

A pesar del paso de los años, las "cuestiones previas" siguen siendo problemáticas en las traducciones oficiales al español realizadas en la UE. Veamos un reciente ejemplo. La Unión se ha adherido, en nombre de los Estados miembros, al *Convenio de La Haya de 2019* sobre el reconocimiento y la ejecución de resoluciones judiciales extranjeras en materia civil o mercantil[6]. El artículo 8 de la versión oficial en lengua española del texto convencional plantea dudas. En él se regula el no reconocimiento de una resolución adoptada sobre una "cuestión prejudicial". En su número 1 se establece que "una resolución sobre una *cuestión prejudicial* no se reconocerá ni ejecutará en virtud del presente Convenio si versa sobre una materia a la que no se aplique el presente Convenio, o sobre una de las materias a las que se refiere el artículo 6 sobre la que haya resuelto un tribunal de un Estado distinto del Estado mencionado en dicho artículo". Una lectura de otras versiones oficiales muestra que el término más adecuado en español sería el de "cuestión previa" o el de "cuestión preliminar", que es el que se corresponde con los términos utilizados en las versiones oficiales en lengua alemana ("einer

---

[5]   Tanto la versión alemana como la inglesa utilizaban el término "cuestión previa": "einer Vorfrage", "a preliminary question". Sin embargo, las versiones francesa e italiana se referían genéricamente, al igual que la española, a una "cuestión": "une question", "una questione". Esto nos lleva a otra cuestión, que no abordaré aquí y que se puede constatar en las versiones en español de otras normas: ¿está la versión española basada en las versiones en lengua francesa e italiana, especialmente en la primera?

[6]   La adhesión al texto convencional fue aprobada mediante la Decisión (UE) 2022/1206 del Consejo, de 12 de julio de 2022 (*DOUE* L 187, de 14 de julio de 2022), siendo ratificado el 29 de agosto de 2022.

Vorfrage"), inglesa ("a preliminary question"), francesa ("à titre préalable") o en lengua italiana ("questioni preliminari"). La utilización del término "cuestión prejudicial" en la versión en español puede inducir a confusión con el procedimiento del mismo nombre que puede iniciarse ante el Tribunal de Justicia[7]. Por otro lado, la traducción al español del texto convencional, consensuada entre los miembros hispanoparlantes de América Latina de la Conferencia de La Haya, utiliza la expresión "cuestión preliminar"[8].

En el artículo 2, apartado 2, del Convenio de 2019 vuelve a utilizarse la denominación "cuestión prejudicial". En él parece quedar más claro que se está hablando de una cuestión previa o de una cuestión preliminar, al contraponerla a una "cuestión principal": "Ninguna resolución quedará excluida del ámbito de aplicación del presente Convenio si una de las materias a la que este no se aplica hubiera surgido en el litigio en el que se dictó la resolución únicamente como *cuestión prejudicial* y no como cuestión principal." Además de la discutible utilización de la expresión "cuestión prejudicial", la versión oficial en español de este precepto no es un modelo de claridad. En mi opinión, el texto resultaría más inteligible si dijese que "una resolución no quedará excluida del ámbito de aplicación del presente Convenio cuando una de las materias a las que este no se aplica se hubiera planteado en el litigio únicamente como cuestión prejudicial y no como cuestión principal". Éste es el sentido que puede verse en otras versiones oficiales a las que me he referido y también en la traducción consensuada al español de la Conferencia de La Haya.

Citaré un ejemplo más de que una traducción errónea puede acabar con la coherencia de una norma jurídica. Este es el caso del artículo 83, apartado 3, del *Reglamento (UE) nº 650/2012* relativo a la competencia, la ley aplicable, el reconocimiento y la ejecución de las resoluciones, a la aceptación y la ejecución de los documentos públicos en materia de sucesiones mortis causa y a la creación de un certificado sucesorio europeo[9]. En él se establece que "una disposición *mortis causa* hecha antes del 17 de agosto de 2015 será admisible y válida en cuanto al fondo y a la forma si cumple las condiciones establecidas en el capítulo III o si cumple las condiciones de admisibilidad y validez en cuanto al fondo y a la forma en aplicación de las normas de Derecho internacional privado vigentes, *en el momento en que se hizo la elección,* en el Estado en el que el causante tenía su residencia habitual o en cualquiera de los Estados cuya nacionalidad poseía o en el Estado miembro de la autoridad que sustancie la sucesión". Mientras en el apartado 2 se regula la validez de la elección de la *lex successionis* realizada con anterioridad a la fecha de aplicación del Reglamento, el supuesto del apartado 3 se refiere a la

---

[7]   Véase el artículo 19.3.c) del TUE, así como el artículo 267 del TFUE.

[8]   Traducción en https://www.hcch.net/es/instruments/conventions/full-text/?cid=137

[9]   *DOUE* L 201, de 27 de julio de 2012.

validez de una disposición *mortis causa* realizada con anterioridad a dicha fecha. Siendo ello así, en el segundo inciso del apartado 3 se habla de la aplicación de las normas de DIPr. vigentes "en el momento en que se hizo la elección". Pero, ¿qué elección? ¿No quedamos que se está refiriendo a las disposiciones *mortis causa*? ¿No es el apartado 2 el que regula la validez de la *elección* de ley aplicable?

Una vez más, otras versiones oficiales del artículo 83.3 nos sacan de la duda. Así, la versión en lengua alemana se refiere a "nach den zum Zeitpunkt der Errichtung". La versión en inglés utiliza la expresión "at the time the disposition was made". La francesa "au moment où la disposition a été prise". Y la italiana se refiere "al momento dell'effettuazione della disposizione". Por otro lado, cuando en el artículo 83.2 se refieren a la validez de la elección de la ley aplicable a la sucesión, se utilizan términos diferentes: "nach den zum Zeitpunkt der *Rechtswahl*" (versión alemana); "at the time the *choice* was made" (inglesa); "au moment où le *choix* a été fait" (francesa); "al momento della *scelta*" (versión en italiano). Incluso la versión española utiliza aquí la misma expresión que estos idiomas: "en el momento en que se hizo la elección".

Además de que es un sinsentido referirse a la aplicación de las normas de DI-Pr. vigentes "en el momento en que se hizo la *elección*" para referirse a la validez de las disposiciones *mortis causa*, también carece de sentido usar la misma expresión que la que se utiliza –eso sí, correctamente– para la validez de la elección de la ley aplicable a la sucesión. Parece obvio que el inciso del apartado 3 debería decir "en el momento que *se realizó la disposición*"[10]. Ahora bien, este error, que convierte en incoherente –que no en inconsistente– el apartado 3 del artículo 83 del Reglamento, todavía no ha sido corregido. Y parece que tampoco se espera una corrección de forma inmediata.

III. CUANDO LO QUE DICE EL TEXTO ES LO CONTRARIO DE LO QUE DEBERÍA DECIR

Puede suceder que el error detraducción afecte sustancialmente al precepto, para acabar diciendo lo contrario de lo que se quería decir. Veamos un par de ejemplos del *Convenio Lugano de 2007* relativo a la competencia judicial, el reconocimiento y la ejecución de resoluciones judiciales en materia civil y mercantil[11].

---

[10]   También lo considera un error de traducción IGLESIAS BUIGUES, JOSÉ LUIS, "Artículo 83. Disposiciones transitorias", en IGLESIAS BUIGUES, JOSÉ LUIS y PALAO MORENO, GUILLERMO (Dirs.), *Sucesiones internacionales. Comentarios al Reglamento (UE) 650/2012*, Tirant lo Blanch, Valencia, 2015, p. 673.

[11]   *DOUE* L 147, de 10 de junio de 2009.

El primero estaba en el artículo 19, incluido en la Sección 5ª, relativa a la competencia en materia de contratos de trabajo. El texto oficial español publicado en el Diario Oficial decía que "*el trabajador* domiciliado en un Estado vinculado por el presente Convenio podrá ser demandado:...". El segundo error se localizaba en el artículo 21, precepto perteneciente también a la Sección 5ª del texto convencional. La versión española decía: "Únicamente prevalecerán sobre las disposiciones de la presente sección los acuerdos atributivos de competencia: [...] o 2) que permitieren *al consumidor* formular demandas ante tribunales distintos de los indicados en la presente sección."

Los errores consistían en que, en primer lugar, el sujeto demandado en el artículo 19 no debía ser "el trabajador" sino todo lo contrario, "el empresario". Bastaba compararlo con el precepto equivalente del Reglamento 44/2001, pero es que además la redacción carecía de sentido, porque el siguiente precepto, el artículo 20, volvía a situar al trabajador en la posición de demandado, con foros diferentes. El segundo error, el del artículo 21, estaba en la referencia que hacía al "consumidor". ¿Qué hacía el consumidor en la sección dedicada al contrato de trabajo y fuera de la sección específica de los contratos de consumidores (sección 4ª)? El número 2 del artículo 21 debía referirse al trabajador.

Si se examinaban nuevamente las versiones oficiales en otros idiomas, se llegaba a la conclusión de que eran errores exclusivos de la versión española. La versión alemana del artículo 19 utiliza el término "ein Arbeitgeber" (empresario) y la del 21 la palabra "Arbeitnehmer" (trabajador). La versión en lengua francesa se refiere a "l'employeur" y al "travailleur", respectivamente. La versión inglesa usa los términos "employer" (artículo 19) y "employee" (artículo 21). Finalmente, la italiana habla de "il datore di lavoro" y del "lavoratore", respectivamente.

Afortunadamente, esta vez ambos errores se corrigieron casi un año y medio después de la publicación de la versión original española en el DOUE –lamentablemente, la diligencia no es una constante en la corrección de errores de los textos de la UE[12]– mediante Acta de corrección de errores firmada en Berna el 24 de marzo de 2009[13].

---

[12]   Véase abajo el apartado IX de este trabajo.
[13]   *DOUE* L 147, de 10 de junio de 2009. Cinco años después se publicaría una segunda acta de corrección errores, debido a los múltiples errores que se habían cometido en los anexos I, II, III y IX del Convenio (*DOUE* L 18, de 21 de enero de 2014).

IV. CUANDO SE UTILIZAN DISTINTAS
EXPRESIONES PARA EL MISMO TÉRMINO

Parece lógico que, una vez se utiliza un término en las versiones oficiales de una norma, aquél siga usándose y no se vea sustituido por otro diferente en otro documento oficial de la UE. Me estoy refiriendo a que en las sentencias del TJUE se utilizan expresiones diferentes a las usadas en la norma original. Este es el caso de la sentencia de 6 de octubre de 2009, en el asunto C-133/08, en cuyo apartado 3 del fallo se afirma que "el artículo 4, apartado 5, del mismo Convenio [de Roma sobre la ley aplicable a las obligaciones contractuales] debe interpretarse en el sentido de que, cuando del conjunto de circunstancias resulte claramente que el contrato presenta *lazos* más estrechos con un país distinto del determinado sobre la base de alguno de los criterios previstos en los apartados 2 a 4 de dicho artículo 4, incumbirá al juez descartar tales criterios y aplicar la ley del país con el que dicho contrato presente los *lazos* más estrechos"[14]. También en relación con el *Convenio de Roma de 1980* sobre la ley aplicable a las obligaciones contractuales, la sentencia de 23 de octubre de 2014, asunto C-305/13, en los apartados 2 y 3 del fallo y en múltiples considerandos se refiere nuevamente a los "lazos" más estrechos[15]. En ambas resoluciones llama la atención que la traducción al español utilice el vocablo "lazos", que no se corresponde con el término utilizado en el texto convencional que interpretan.

La versión oficial española del *Convenio de Roma de 1980* sobre la ley aplicable a las obligaciones contractuales se refiere a los *vínculos más estrechos*: la ley del país con el que presente los *vínculos* más estrechos, una *vinculación* más estrecha con otro país, el contrato presenta los *vínculos* más estrechos, el contrato tiene sus *vínculos* más estrechos, la situación presente un *vínculo* estrecho[16]. En ningún momento aparece la palabra "lazos" (más estrechos). También el *Reglamento (CE) nº 593/2008* sobre la ley aplicable a las obligaciones contractuales (Roma I), norma que ha sucedido al Convenio de Roma de 1980, utiliza solamente la expresión "vínculos más estrechos": el contrato presenta *vínculos* manifiestamente más estrechos, la ley del país con el que presente los *vínculos* más estrechos[17].

Otras versiones oficiales de los citados preceptos del Convenio de Roma utilizan igualmente la expresión "vínculos más estrechos". Así puede verse en las versiones en lengua alemana ["die engsten Verbindungen], inglesa ["most closely

---

[14]   Sentencia de 6 de octubre de 2009, ICF, C133/08, ECLI:EU:C:2009:617. A lo largo de la sentencia se utiliza reiteradamente el vocablo "lazos".

[15]   Sentencia de 23 de octubre de 2014, Haeger & Schmidt, C-305/13, ECLI:EU:C:2014:2320.

[16]   Véanse los artículos 4, 6 y 7. Última versión consolidada del texto convencional en *DOUE* C 334, de 30 de diciembre de 2005.

[17]   Artículos 4, apartados 3 y 4, 7.2, 8.4, así como los Considerandos 16, 20 y 21. Texto del Reglamento en *DOUE* L 177, de 4 de julio de 2008.

connected"], francesa ["les liens les plus étroits] e italiana ["il collegamento più stretto"]. También lo hace en el Reglamento 593/2008 la versión oficial en alemán ["die engste Verbindung", "eine engere Verbindung"], en inglés ["more closely connected"], en francés ["les liens les plus étroits"] y en italiano ["il collegamento più stretto"]. Es más, en las traducciones a estos idiomas de la sentencia en el asunto C-133/08 se utiliza la expresión "vínculos más estrechos": así puede verse en la traducción alemana ["engere Verbindungen", "engsten verbunden"], en la inglesa ["most closely connected"], en la francesa ["liens plus étroits", "le plus étroitement lié"] y en la italiana ["un collegamento più stretto", "più strettamente collegato"]. Otro tanto sucede en la sentencia en el asunto C-305/13, en la traducción al alemán ["die engsten Verbindungen", "engere Verbindungen"], al inglés ["most closely connected", "closer connection"], al francés, que fue la lengua del procedimiento ante el Tribunal de Justicia ["les liens les plus étroits"] y al italiano ["il collegamento più stretto"].

A la vista de lo anterior cabe preguntarse por qué en la traducción oficial al español de las sentencias no se utilizan los mismos términos que la versión oficial española de la norma que interpretan. ¿Por qué se 'crea' una nueva expresión ("lazos más estrechos"), sin tradición jurídica y confundiendo el Convenio de Roma con la Barbie Lacitos con su tutú rosa?

V. INVENTANDO, QUE NO TRADUCIENDO, NUEVOS TÉRMINOS

El flamante *Reglamento (UE) 2019/1111* relativo a la competencia, el reconocimiento y la ejecución de resoluciones en materia matrimonial y de responsabilidad parental, y sobre la sustracción internacional de menores, que recién acaba de iniciar su andadura[18], contiene en la versión española un término inexistente en el resto de versiones oficiales. Así, en su artículo 2, apartado 3, se establece que, "a los efectos de los artículos 3, 6, 10, 12, 13, 51, 59, 75, 94 y 102, el concepto de 'domicilio' sustituye al concepto de 'nacionalidad' para Irlanda y el Reino Unido y tiene el mismo significado que en cada uno de los sistemas jurídicos de dichos Estados miembros". En el resto de versiones oficiales, no aparece el concepto de 'domicilio', sino que todas ellas utilizan el término "domicile" entrecomillado. Si este precepto se refiriera al 'domicilio', la versión oficial alemana utilizaría la palabra 'Wohnsitz' y la italiana 'domicilio', por ejemplo. Posiblemente, el error de la versión española es que, una vez más, se inspira en la versión oficial francesa, puesto que en francés domicilio se escribe 'domicile', igual que el término inglés 'domicile'.

---

18 *DOUE* L 178, de 2 de julio de 2019, aplicable desde el 1 de agosto de 2022.

Este error de traducción es relevante, puesto que, en esta concreta materia matrimonial, el concepto anglosajón de "domicile" no puede ser equiparado en modo alguno con lo que nosotros entendemos por "domicilio" o por "residencia habitual"[19]. En el Derecho anglosajón toda persona tiene un 'domicile', que puede ser un 'domicile of origin' (atribuido por el nacimiento), un 'domicile of dependency' (la persona que carece de capacidad tiene el de su tutor) y el 'domicile of choice' (adquirido voluntariamente al fijar un nuevo centro de intereses diferente al de origen)[20]. Por esta razón, el Reglamento precisa que su significado en Irlanda es el que le otorga su sistema jurídico y que sustituye al concepto de nacionalidad utilizado en determinados preceptos. De este modo, la utilización del término 'domicilio' en la versión oficial española no sólo desvirtúa el precepto, sino que crea un problema de interpretación al introducir un término que nada tiene que ver con el Reglamento, que utiliza los conceptos de nacionalidad y de residencia habitual.

VI. LA CREATIVIDAD, POR EXCESO Y POR DEFECTO, DE UNA TRADUCCIÓN

La versión oficial española puede llegar a contener "elementos" que ninguna otra versión tiene, haciéndola única e irrepetible, a la par que "crea" una norma con un contenido diferente al del resto de versiones oficiales. Esta "creación" puede producirse tanto por exceso como por defecto. Lo primero, creación por exceso, sucedió en el artículo 9, apartado 1, del *Reglamento (UE) 2016/1103* por el que se establece una cooperación reforzada en el ámbito de la competencia, la ley aplicable, el reconocimiento y la ejecución de resoluciones en materia de regímenes económicos matrimoniales[21]. En dicho precepto se regula la posibilidad de que un órgano jurisdiccional de un Estado miembro que sea competente de acuerdo con alguno de los foros recogidos en los preceptos anteriores (excepto si lo es por el artículo 5, por hallarse relacionado con una demanda sobre nulidad matrimonial, separación o divorcio) se inhiba para conocer del asunto, porque en ese Estado miembro no se reconoce el matrimonio al que se refiere el régimen económico matrimonial en cuestión. En la versión original española se decía que "si un órgano jurisdiccional del Estado miembro competente en virtud de los artículos 4, 5, 6, 7 u 8 considera que en su Derecho internacional privado

---

19   Véase RODRÍGUEZ BENOT, ANDRÉS, "Artículo 2. Definiciones", en PALAO MORENO, GUILLERMO (Dir.), *El nuevo marco europeo en materia matrimonial, responsabilidad parental y sustracción de menores. Comentarios al Reglamento (UE) nº 2019/1111*, Tirant lo Blanch, Valencia, 2022, p. 82.

20   Véase YBARRA BORES, ALFONSO, *La sucesión* mortis causa *de ciudadanos británicos en España*, Tirant lo Blanch, Valencia, 2021, pp. 26 y 27.

21   *DOUE* L 183, de 8 de julio de 2016.

no está reconocido el matrimonio en cuestión…". Tres años después de la publicación del Reglamento en el Diario Oficial, y casi seis meses después de venir siendo aplicado, supimos que de los cincos preceptos mencionados se había colado uno, el artículo 5, que no figuraba en el resto de versiones oficiales y que, por tanto, hubo de ser suprimido mediante una corrección de errores, que, por otro lado, era ya la tercera corrección que se publicaba sobre este Reglamento[22].

Estamos ante una malhadada norma, porque parece que tendrá que publicarse una cuarta corrección de errores, también esta vez referida solamente a la versión española. Así, en la versión española del artículo 3, apartado 1, letra c), se define "documento público" como "documento en materia de régimen económico matrimonial que ha sido formalizado o registrado como documento público en un Estado miembro…". Si se comparan las versiones oficiales en otros idiomas con la española, en esta última aparece omitido el adverbio "formalmente" referido a "formalizado o registrado": "förmlich errichtet oder eingetragen worden ist" (versión oficial en alemán), "formally drawn up or registered" (en inglés), "dressé ou enregistré formellement" (en francés), "formalmente redatto o registrato" (en italiano). En consecuencia, la versión oficial española debería decir "formalizado o registrado *formalmente*". Como acabo de indicar, todavía no se ha publicado la correspondiente corrección de errores, que será la cuarta.

El caso contrario, de traducción creativa por defecto, fue el del artículo 7 del *Reglamento (CE) nº 4/2009* relativo a la competencia, la ley aplicable, el reconocimiento y la ejecución de las resoluciones y la cooperación en materia de obligaciones de alimentos[23]. En dicho precepto se regula el *fórum necessitatis*, y en la versión oficial española publicada originalmente se decía: "Cuando ningún órgano jurisdiccional de un Estado miembro sea competente con arreglo a los artículos 3, 4 y 5 […]". Dos años después de publicado el texto original, apareció una corrección de errores en la que se da nueva redacción al inciso inicial, que desde entonces dice: "Cuando ningún órgano jurisdiccional de un Estado miembro sea competente con arreglo a los artículos 3, 4, 5 y 6 […]"[24]. A la versión oficial española se le había caído por el camino el artículo 6.

Otro ejemplo de labor creativa por defecto lo tenemos en la versión oficial española, otra vez, del *Reglamento (UE) nº 650/2012* relativo a la competencia, la ley aplicable, el reconocimiento y la ejecución de las resoluciones, a la aceptación y la ejecución de los documentos públicos en materia de sucesiones *mortis causa*. En la versión española, el texto original de su artículo 22, apartado 1, decía que "cualquier persona podrá designar la ley del Estado cuya nacionalidad posea en el momento de realizar la elección o en el momento del fallecimiento". Al

---

[22]   *DOUE* L 193, de 19 de julio de 2019.
[23]   *DOUE* L 7, de 10 de enero de 2009.
[24]   *DOUE* L 131, de 18 de mayo de 2011.

consultarse otras versiones oficiales, se descubría que la versión española se había dejado por el camino una parte del texto. Así, en la versión alemana se decía "die Rechtsnachfolge von Todes wegen"; en la inglesa, "as the law to govern his succession as a whole"; en la francesa, "comme loi régissant l'ensemble de sa succession"; en la italiana, "come legge che regola la sua intera successione". Por tanto, en la versión española faltaba, se había 'perdido', el inciso "como ley que haya de regir su sucesión en su conjunto". Afortunadamente, este error fue subsanado en la, nada menos, *tercera* corrección de errores del Reglamento[25].

VII. LA UTILIZACIÓN DE TÉRMINOS ERRÓNEOS EN LA TRADUCCIÓN

Seguimos con la versión oficial española del *Reglamento (UE) 2019/1111* en materia matrimonial, responsabilidad parental y sobre sustracción internacional de menores. Esta vez, aunque el error de traducción se produce en relación con la misma palabra, ésta afecta a diversos preceptos en los que es utilizada. En concreto, a los artículos 29, apartados 2 y 4; 31, apartados 2 y 3; 32, apartado 2; 35, apartados 3 y 4; 36, apartado 2; 46, apartados 2 y 3; 49, apartado 2; 55, apartados 2, 3 y 4; 59, apartados 3 y 4; 66, apartado 4; 91, apartados 1 y 2, así como al anexo I [inciso final del apartado "Información para el órgano jurisdiccional que reciba el presente certificado a los efectos del artículo 29, apartado 3, del Reglamento"]. En todos ellos se traduce el término "transliteración" por "transcripción"[26]. Por otro lado, la expresión "transcripción" es utilizada correctamente en los Considerandos 50 y 51, en el artículo 29, apartado 3, letra c), y apartado 5, letra c), así como en el anexo I [inciso final, letra c) del apartado "Información para las personas que reciban el presente certificado a los efectos del artículo 29, apartado 5, del Reglamento", y en la letra c) del apartado "Información para el órgano jurisdiccional que reciba el presente certificado a los efectos del artículo 29, apartado 3, del Reglamento"].

El uso erróneo del término "transcripción" en la versión española puede comprobarse comparándola con el resto de versiones oficiales en los idiomas que he

---

[25]   *DOUE* L 243, de 23 de septiembre de 2019, p. 9. Sobre este error véase FONT-MAS, MARIA, "Multilingualism in EU Private International Law Regulations: the Chimera of Vertical and Horizontal Coherence?", en FORNER DELAYGUA, JOAQUIM y SANTOS, ALFREDO (Eds.), *Coherence of the Scope of Application. EU Private International Legal Instruments*, Schulthess Éditions Romandes, Ginebra/Zurich, 2020, p. 54.

[26]   En relación con el artículo 59 véase MARTÍN MAZUELOS, FRANCISCO JOSÉ, "Artículo 59. Solicitud de denegación de la ejecución", en PALAO MORENO, GUILLERMO (Dir.), *El nuevo marco europeo en materia matrimonial, responsabilidad parental y sustracción de menores. Comentarios al Reglamento (UE) nº 2019/1111*, Tirant lo Blanch, Valencia, 2022, p. 507. En relación con el artículo 91 véase DE BLAS JAVALOYAS, JOSÉ RAMÓN, "Artículo 91. Lenguas", en PALAO MORENO, GUILLERMO (Dir.), *El nuevo marco europeo en materia matrimonial…, op. cit.*, p. 716.

venido utilizando: inglés, francés, alemán e italiano. En todas ellas, y en los preceptos que he mencionado, se utiliza el término "transliteración". Así, en alemán se usa la expresión "eine Übersetzung oder Transliteration"; en inglés, "a translation or transliteration"; en la versión en lengua francesa, "une traduction ou une translittération"; y "la traduzione o la traslitterazione" en la versión italiana.

Quienes se ocuparon de la versión oficial en español parecen otorgar el mismo significado a la transliteración y a la transcripción, sin embargo, son términos con acepciones diferentes. Desde el punto de vista semántico, el DRAE define *transliteración* como la "acción y efecto de transliterar", esto es, de "representar los signos de un sistema de escritura mediante los signos de otro". Por su parte, la *transcripción* es la "acción y efecto de transcribir", que en su primera acepción tiene el significado de "copiar", que es "escribir en una parte lo que está escrito en otra" o "trasladar a un escrito lo que alguien dice de viva voz". Es cierto que en el DRAE la segunda acepción de 'transcribir' es 'transliterar', sin embargo, en los citados preceptos del Reglamento se distingue entre lo que es una "transliteración" de un texto, de lo que es una "transcripción". Por otro lado, y como acabo de señalar, el término 'transcripción' es utilizado correctamente en varias ocasiones en el Reglamento para querer expresar "una transcripción o un resumen de la vista ante el órgano jurisdiccional". En este último caso sí tiene sentido utilizar el término transcripción como acto de "escribir en una parte lo que está escrito en otra" o de "trasladar a un escrito lo que alguien dice de viva voz".

Desde un punto de vista técnico, la *transliteración* tiene por finalidad la representación de una palabra o sonidos de una lengua con los signos del alfabeto de otra. Por ejemplo, reproducir mediante caracteres latinos los rasgos fonéticos de las palabras escritas mediante el alfabeto griego o cirílico. Por su parte, la *transcripción* intenta representar los sonidos de las palabras escritas en otro idioma sin forzar la grafía del idioma al que se transcribe[27]. Así, por ejemplo, en la versión oficial española de la frase final del artículo 29.2 del Reglamento se afirma que "esta posibilidad no crea al órgano jurisdiccional que expida el certificado obligación alguna de proporcionar una traducción o *transcripción* del contenido traducible de los campos de texto libre". La versión oficial en lengua griega de este inciso es la siguiente: "Το γεγονός αυτό δεν δημιουργεί υποχρέωση για το δικαστήριο που εκδίδει το πιστοποιητικό να παράσχει μετάφραση ή μεταγραμματισμό του μεταφράσιμου περιεχομένου των πεδίων ελεύθερου κειμένου"[28]. La transliteración de esta frase al alfabeto latino sería la siguiente: "To gegonós aftó den

---

[27]   Por ejemplo, la letra griega 'fi' ['Φ', 'φ'] se translitera al alfabeto latino por 'ph', pero se transcribe por la letra 'f'. Véase ALBERICH, JOAN y ROS, MONTSERRAT, *La transcripció dels noms propis grecs i llatins*, Enciclopedia Catalana, Barcelona, 1993, p. 17.

[28]   Versión oficial en griego en https://eur-lex.europa.eu/legal-content/EL/TXT/HTML/?uri=CELEX:32019R1111&from=ES

dimiourgeí ypochréosi gia to dikastírio pou ekdídei to pistopoiitikó na paráschei metáfrasi í metagrammatismó tou metafrásimou periechoménou ton pedíon eléftherou keiménou"[29].

La utilización del término "transliteración" en los artículos 29.2; 29.4; 31.2; 31.3; 32.2; 35.3; 35.4; 36.2; 46.2; 46.3; 49.2; 55.2; 55.3; 55.4; 59.3; 59.4; 66.4; 91.1; 91.2, así como en una parte del anexo I, tiene pleno sentido, porque en ellos se trata el tema de la información que debe proporcionarse entre órganos jurisdiccionales de Estados miembros diferentes. Se refieren a la traducción o transliteración "del contenido traducible de los campos de texto libre [del anexo I]"; o de la traducción o transliteración "de la resolución"; o de la traducción o transliteración "de documentos equivalentes"; o de la traducción o transliteración "en una lengua que la persona comprende o en la lengua oficial del Estado miembro en el que resida habitualmente"; o también de la traducción o transliteración "en la lengua oficial del Estado miembro interesado". En todos estos casos he cambiado la palabra "transcripción", que figura en la versión oficial en español, por "transliteración", que figura en el resto de versiones oficiales. El uso del término transliteración cobra pleno significado cuando el texto de origen esté escrito en un alfabeto que no se corresponde con el del Estado miembro de destino. Así, el texto del documento está redactado en alfabeto latino y el Estado miembro de destino usa el alfabeto cirílico (Bulgaria) o el griego (Grecia), o viceversa. En estos casos se puede exigir una "transliteración" del texto; esto es, la representación de los signos de un sistema de escritura [cirílico o griego] mediante los signos de otro [latino], o al revés.

El error que ahora estoy comentando en la versión española del Reglamento 2019/1111 viene repitiéndose desde hace años en las versiones oficiales en español de algunas normas de la UE. Así puede verse en el *Reglamento (CE) n° 4/2009* relativo a la competencia, la ley aplicable, el reconocimiento y la ejecución de las resoluciones y la cooperación en materia de obligaciones de alimentos, en sus artículos 20, letra d), 28, letra c), 40, apartado 3, y número 4 de su anexo VI. Además, en este caso, ni siquiera existe una unificación de términos, pues mientras en el articulado se utiliza la palabra "trascripción", en el anexo se habla de "transcripción"[30]. Otro caso es el del *Reglamento (UE) n° 1215/2012* relativo a la competencia judicial, el reconocimiento y la ejecución de resoluciones judiciales en materia civil y mercantil[31], en cuyos artículos 37, apartado 2; 42, apartado 3; 47, apartado 3; 54, apartado 3; 57, apartados 1 y 2, aparece la palabra "transcripción"

---

[29] La palabra griega para "traducción" es 'metáfrasi', de meta ("cambio") y frasi ("frase, forma de expresión"), y para transliteración es 'metagrammatismó', de meta ("cambio") y gramma ("letra"). Agradezco la ayuda del Dr. Antoni González Senmartí, Profesor jubilado del área de Filología Griega de la Universidad Rovira i Virgili de Tarragona.

[30] El DRAE remite la palabra 'trascribir' a 'transcribir'.

[31] *DOUE* L 351, de 20 de diciembre de 2012.

en vez de "transliteración", que es el utilizado en el resto de versiones oficiales[32]. Lo mismo sucede en los artículos 23, apartado 4, 28, apartado 5, y 49, apartado 1, del *Reglamento (UE) n° 655/2014* por el que se establece el procedimiento relativo a la orden europea de retención de cuentas a fin de simplificar el cobro transfronterizo de deudas en materia civil y mercantil[33].

Sin embargo, el término "transliteración" aparece correctamente utilizado en otras disposiciones de la UE en el ámbito del DIPr. Este es el caso del artículo 20, apartado 2 ("proporcionar una traducción o transliteración del texto") del *Reglamento (CE) n° 861/2007* por el que se establece un proceso europeo de escasa cuantía[34]. O del artículo 46, apartado 2 ("se presentará una traducción o transliteración de los documentos") del *Reglamento (UE) 2016/1103* por el que se establece una cooperación reforzada en el ámbito de la competencia, la ley aplicable, el reconocimiento y la ejecución de resoluciones en materia de regímenes económicos matrimoniales. Lo mismo sucede en el *Reglamento (UE) 2016/1104* por el que se establece una cooperación reforzada en el ámbito de la competencia, la ley aplicable, el reconocimiento y la ejecución de resoluciones en materia de efectos patrimoniales de las uniones registradas[35], en cuyo artículo 46, apartado 2, se dice que "se presentará una traducción o transliteración de los documentos". Finalmente, el *Reglamento (UE) 2016/1191* por el que se facilita la libre circulación de los ciudadanos simplificando los requisitos de presentación de determinados documentos públicos en la Unión Europea[36], en su Considerando 25 se afirma que "la autoridad a la que se presente un documento público podrá excepcionalmente exigir [...] que [...] aporte también una traducción o transliteración del contenido de ese impreso".

A la vista de lo anterior, podemos preguntarnos por qué esta disparidad de criterios a la hora de traducir el mismo término al español. Creo que es hora de corregir esta confusión de términos y subsanar los errores existentes en las versiones oficiales en español, que no hacen sino crear inseguridad. Además, y si no es mucho pedir, debería evitarse que en futuras normas de la UE vuelva a reproducirse este error.

---

[32]   Una crítica a la utilización (errónea) del término transcripción en MONTERO MURIEL, FÉLIX J. y AVILÉS TOVAR, JAVIER, "Artículo 37", en BLANCO-MORALES LIMONES, PILAR; GARAU SOBRINO, FEDERICO; LORENZO GUILLÉN, MARÍA LUZ y MONTERO MURIEL, FÉLIX J. (Coords.), *Comentario al Reglamento (UE) n° 1215/2012 relativo a la competencia judicial, el reconocimiento y la ejecución de resoluciones judiciales en materia civil y mercantil. Reglamento Bruselas I refundido*, Thomson Reuters Aranzadi, Navarra, 2016, pp. 756-758.

[33]   *DOUE* L 189, de 27 de junio de 2014.

[34]   *DOUE* L 199, de 31 de julio de 2007.

[35]   *DOUE* L 183, de 8 de julio de 2016.

[36]   *DOUE* L 200, de 26 de julio de 2016.

VIII. EL DERECHO TRANSITORIO Y LA IMPORTANCIA DE UNA PALABRA

Las disposiciones sobre la fecha de aplicación de una norma han planteado no pocos problemas, y no sólo en la versión oficial española. ¿Cómo expresar que una disposición empieza a aplicarse en una determinada fecha? ¿Es correcto decir que se aplicará "después de" o debe decirse "a partir de"? Durante años fue esta una cuestión debatida, dando lugar a múltiples correcciones de errores. Veamos algunos casos.

El texto original del *Reglamento (CE) n° 593/2008* sobre la ley aplicable a las obligaciones contractuales[37], establecía en su artículo 28 (aplicación en el tiempo), que "el presente Reglamento se aplicará a los contratos celebrados *después del* 17 de diciembre de 2009". La misma expresión se utilizaba en las otras versiones oficiales a las que me vengo refiriendo: "nach dem" (versión alemana), "after" (versión inglesa), "après le" (francesa) y "dopo il" (italiana). Más de dos años después de publicada la norma, apareció una corrección de errores en la que se sustituía "después de" por "a partir de": "ab dem" (alemán), "from" (inglés), "à compter du" (francés), "a decorrere dal" (italiano)[38].

Idéntico problema volvería a plantearse en el *Reglamento (CE) n° 4/2009* relativo a la competencia, la ley aplicable, el reconocimiento y la ejecución de las resoluciones y la cooperación en materia de obligaciones de alimentos. En la versión original española de su artículo 75.1 se decía que "las disposiciones del presente Reglamento solo se aplicarán a los procedimientos incoados, a las transacciones judiciales aprobadas o celebradas y a los documentos públicos con fuerza ejecutiva formalizados o registrados como tales *con posterioridad a* su fecha de aplicación". Las otras versiones oficiales utilizaban términos equivalentes: "nach dem" (versión en alemán), "after" (en inglés), "postérieurement à" (en francés), "successivamente alla data" (en italiano). Pues bien, casi dos años y medio después de su publicación en el Diario Oficial apareció una corrección de errores en la que se sustituían las mencionadas expresiones por "a partir de", "ab dem", "from", "à partir de", "a decorrere a la data"[39]. Todas las versiones, menos la francesa, coinciden en utilizar los mismos términos que en la corrección de errores del Reglamento 593/2008.

---

[37]   *DOUE* L 177, de 4 de julio de 2008.

[38]   *DOUE* L 309, de 24 de noviembre de 2009. Sobre el tema en el Reglamento 593/2008 véase FONT I MAS, MARIA, "European legal language and the rules of Private International Law: practical legal-linguistic problems", *Revista de Llengua i Dret – Journal of Language and Law*, n° 68, 2017, pp. 28-29; FONT-MAS, MARIA, "Multilingualism in EU Private International Law Regulations: the Chimera of Vertical and Horizontal Coherence?", *op. cit.*, pp. 53-54.

[39]   *DOUE* L 131, de 18 de mayo de 2011. El mismo artículo 75, pero esta vez su apartado 2, letras a) y b), sería objeto de una nueva corrección de errores (*DOUE* L 8, de 12 de enero de 2013).

DICHAS Y DESVENTURAS DE LAS VERSIONES OFICIALES EN ESPAÑOL... 369

El *Reglamento (UE) 2015/848* sobre procedimientos de insolvencia (texto refundido), volvió a tropezar con la misma piedra[40]. Así, en la versión original de su artículo 84.1 se establecía que "lo dispuesto en el presente Reglamento se aplicará únicamente a los procedimientos de insolvencia que se abran *después* del 26 de junio de 2017". Mediante la correspondiente corrección de errores, el inciso se transformó en "lo dispuesto en el presente Reglamento se aplicará únicamente a los procedimientos de insolvencia que se abran *a partir* del 26 de junio de 2017"[41]. Lo mismo sucedió en las otras versiones oficiales que vengo manejando: de "nach dem" se pasó a "ab dem"; de "after" a "from"; el "postérieurement au" se transformó en "à compter du"; y el "successivamente al" en "a decorrere dal".

Como los tiempos cambian, en los últimos años se ha adoptado otra fórmula para las normas de derecho transitorio. Veamos el caso del *Reglamento (UE) 2016/1103* por el que se establece una cooperación reforzada en el ámbito de la competencia, la ley aplicable, el reconocimiento y la ejecución de resoluciones en materia de regímenes económicos matrimoniales. Las disposiciones transitorias se contienen en su artículo 69. Su apartado 1 ya asume directamente la expresión "a partir de": "El presente Reglamento solo será aplicable a las acciones judiciales ejercitadas, a los documentos públicos formalizados o registrados y a las transacciones judiciales aprobadas o celebradas *a partir del* 29 de enero de 2019 […]"[42]. Por tanto, no hubo nada que corregir. Sin embargo, los apartados 2 y 3 plantearon problemas. En la versión original del apartado 2 se establecía que "cuando la acción se haya ejercitado en el Estado miembro de origen antes del 29 de enero de 2019, las resoluciones dictadas *después de esa fecha* serán reconocidas y ejecutadas de conformidad con el capítulo IV […]". Con la inevitable corrección de errores[43], la frase "dictadas después de esa fecha" se transformó en "dictadas en esa fecha o después de esa fecha". Lo mismo sucedió en otras versiones oficiales. En alemán se pasó de "nach diesem Zeitpunkt" a "nach diesem Tag"; en inglés, de "after" a "on or after"; en francés, de "après" a "à partir de"; en italiano, de "dopo tale data" a "in tale data o successivamente alla stessa".

Por otro lado, en el apartado 3 del artículo 69 se decía originalmente que "las disposiciones del capítulo III solo serán aplicables a los cónyuges que hayan celebrado su matrimonio o que hayan especificado la ley aplicable al régimen económico matrimonial *después del* 29 de enero de 2019". Con la corrección de errores el "después del" se transformó en una frase más compleja: "hayan especificado la ley aplicable al régimen económico matrimonial el 29 de enero de

---

[40] *DOUE* L 141, de 5 de junio de 2015.
[41] *DOUE* L 349, de 21 de diciembre de 2016, p. 10.
[42] "Am 29. Januar 2019 oder danach", "on or after 29 January 2019", "sa date de mise en application ou après le 29 janvier 2019", "alla data o successivamente al 29 gennaio 2019".
[43] *DOUE* L 113, de 29 de abril de 2017.

2019 o después de esta fecha". La misma operación se hizo en otras versiones oficiales: en alemán, se pasó de "nach dem 29. Januar 2019" a "die am 29. Januar 2019 oder danach"; en inglés, de "after 29 January 2019" a "on or after 29 January 2019"; en francés, el "après le 29 janvier 2019" se transformó en "à partir du 29 janvier 2019"; en italiano, del "successivamente al 29 gennaio 2019" al "in tale data o successivamente al 29 gennaio 2019".

Idénticas correcciones hubo que realizar al reglamento 'paralelo' del anterior: el *Reglamento (UE) 2016/1104* por el que se establece una cooperación reforzada en el ámbito de la competencia, la ley aplicable, el reconocimiento y la ejecución de resoluciones en materia de efectos patrimoniales de las uniones registradas. La razón es que el artículo 69 de ambos textos tenía idéntica redacción, salvando su diferente ámbito material. Por tanto, tuvieron que enmendarse por corrección de errores los apartados 2 y 3 del artículo 69[44], sustituyéndose las expresiones "resoluciones dictadas después de esa fecha"[45] por "resoluciones dictadas en esa fecha o después de esa fecha"[46] y "después del 29 de enero de 2019"[47] por "el 29 de enero de 2019 o después de esta fecha"[48], respectivamente.

IX. A MODO DE EPÍLOGO: DE LA CORRECCIÓN DE ERRORES A LA ETERNIDAD

Con todo, lo más grave no es que se cometan errores en las versiones oficiales en lengua española (y en otras versiones oficiales) –ya se sabe que *errare humanum est*–, sino que la UE goza de una asentada tradición de no apresurarse en corregir los errores detectados en sus textos oficiales. Así, se tardaron 15 años en corregir graves errores –se confundía la dirección personal con el domicilio– de la versión oficial española del *Reglamento (CE) n° 1896/2006* por el que se establece un proceso monitorio europeo[49]. O 17 años en corregir los errores de la versión española –nuevamente se confundía dirección personal con domicilio– del *Reglamento (CE) n° 805/2004* por el que se establece un título ejecutivo europeo para créditos no impugnados[50]. Como caso extremo, digno de figurar

---

[44]   *DOUE* L 113, de 29 de abril de 2017.
[45]   "Nach diesem Zeitpunkt", "after that date", "après cette date", "dopo tale data".
[46]   "An oder nach diesem Tag", "on or after that date", "à partir de cette date", "in tale data o successivamente alla stessa".
[47]   "Nach dem 29. Januar 2019", "after 29 January 2019", "après le 29 janvier 2019", "al 29 gennaio 2019".
[48]   "Am 29. Januar 2019 oder danach", "on or after 29 January 2019", "à partir du 29 janvier 2019", "in tale data o successivamente al 29 gennaio 2019".
[49]   Véase la corrección de errores en *DOUE* L 405, de 16 de noviembre de 2021, p. 32.
[50]   Corrección de errores en *DOUE* L 405, de 16 de noviembre de 2021, p. 33.

en el Libro Guinness de los Récords, cabe citar el Acta de corrección de errores a las versiones española, francesa y portuguesa del *Tratado de la Unión Europea*, que se demoró nada menos que 24 años[51].

En ocasiones resulta peor el remedio que la enfermedad. Así, el 11 de abril de 2015 se publicó una corrección de errores de la *Decisión Marco 2008/315/JAI del Consejo* relativa a la organización y al contenido del intercambio de información de los registros de antecedentes penales entre los Estados miembros[52]. El problema estuvo en que la corrección de errores de la versión española cometía a su vez nuevos errores, lo que obligó a publicar una nueva corrección que anulaba la anterior[53].

Aunque pueda parecer un hecho imposible, es posible que una corrección de errores sea dudosa como tal, porque no corrige nada. Este es el caso del Acta de corrección de errores del *Convenio de Lugano de 2007*[54], en cuyo apartado 3 se decía que en las páginas 37 y 38 de la publicación original[55], en el anexo III, se corregían las menciones correspondientes a España y Suiza. En relación con España, el nuevo texto corregido debe decir "en España: el Juzgado de Primera Instancia que dictó la resolución recurrida para ser resuelto el recurso por la Audiencia Provincial". Resulta que el nuevo texto es exactamente idéntico al publicado en la versión original. Entonces, no se sabe qué se estaba corrigiendo.

Si, como suele decirse, las cosas de palacio van despacio, las correcciones de errores de las normas de la UE son entonces el Palacio Real de Madrid.

X. BIBLIOGRAFÍA

ALBERICH, JOAN y ROS, MONTSERRAT, *La transcripció dels noms propis grecs i llatins*, Enciclopedia Catalana, Barcelona, 1993.

DE BLAS JAVALOYAS, JOSÉ RAMÓN, "Artículo 91. Lenguas", en PALAO MORENO, GUILLERMO (Dir.), *El nuevo marco europeo en materia matrimonial, responsabilidad parental y sustracción de menores. Comentarios al Reglamento (UE) nº 2019/1111*, Tirant lo Blanch, Valencia, 2022, pp. 715-718.

FONT I MAS, MARIA, "European legal language and the rules of Private International Law: practical legal-linguistic problems", *Revista de Llengua i Dret – Journal of Language and Law*, nº 68, 2017, pp. 19-32.

---

[51] *DOUE* L 150, de 7 de junio de 2016, p. 2.
[52] *DOUE* L 96, de 11 de abril de 2015, p. 15.
[53] *DOUE* L 107, de 25 de abril de 2015, p. 82.
[54] *DOUE* L 18, de 21 de enero de 2014, p. 70.
[55] *DOUE* L 147, de 10 de junio de 2009.

FONT-MAS, MARIA, "Multilingualism in EU Private International Law Regulations: the Chimera of Vertical and Horizontal Coherence?", en FORNER DELAYGUA, JOAQUIM y SANTOS, ALFREDO (Eds.), *Coherence of the Scope of Application. EU Private International Legal Instruments*, Schulthess Éditions Romandes, Ginebra/Zurich, 2020, pp. 43-68.

IGLESIAS BUIGUES, JOSÉ LUIS, "Artículo 83. Disposiciones transitorias", en IGLESIAS BUIGUES, JOSÉ LUIS y PALAO MORENO, GUILLERMO (Dirs.), *Sucesiones internacionales. Comentarios al Reglamento (UE) 650/2012*, Tirant lo Blanch, Valencia, 2015, pp. 668-674.

MARTÍN MAZUELOS, FRANCISCO JOSÉ, "Artículo 59. Solicitud de denegación de la ejecución", en PALAO MORENO, GUILLERMO (Dir.), *El nuevo marco europeo en materia matrimonial, responsabilidad parental y sustracción de menores. Comentarios al Reglamento (UE) nº 2019/1111*, Tirant lo Blanch, Valencia, 2022, pp. 503-511.

MONTERO MURIEL, FÉLIX J. y AVILÉS TOVAR, JAVIER, "Artículo 37", en BLANCO-MORALES LIMONES, PILAR; GARAU SOBRINO, FEDERICO; LORENZO GUILLÉN, MARÍA LUZ y MONTERO MURIEL, FÉLIX J. (Coords.), *Comentario al Reglamento (UE) nº 1215/2012 relativo a la competencia judicial, el reconocimiento y la ejecución de resoluciones judiciales en materia civil y mercantil. Reglamento Bruselas I refundido*, Thomson Reuters Aranzadi, Navarra, 2016, pp. 752-761.

RODRÍGUEZ BENOT, ANDRÉS, "Artículo 2. Definiciones", en PALAO MORENO, GUILLERMO (Dir.), *El nuevo marco europeo en materia matrimonial, responsabilidad parental y sustracción de menores. Comentarios al Reglamento (UE) nº 2019/1111*, Tirant lo Blanch, Valencia, 2022, pp. 55-83.

YBARRA BORES, ALFONSO, *La sucesión mortis causa de ciudadanos británicos en España*, Tirant lo Blanch, Valencia, 2021.

MEDIAR, CONCILIAR, NEGOCIAR: EL FOMENTO DE LOS MASC, TAMBIÉN, EN LOS CONFLICTOS FAMILIARES TRANSFRONTERIZOS

CARLOS ESPLUGUES MOTA

Catedrático de Derecho internacional privado
Universidad de Valencia

I. PRACTICAR LO QUE ES JUSTO, OBRAR JUSTAMENTE Y QUERER LO JUSTO

Escribir desde la envidia nunca ha sido bueno, y he de reconocer que yo lo estoy haciendo ahora. En mi descargo puedo alegar, quizás, que al admitirlo abiertamente pierde algo de su ruindad. Aunque también puede apuntarse que la envidia siempre es objetivamente mala, y que todo lo emponzoña, máxime en el sofisticado –y no por eso menos petulante- ambiente de los académicos. En todo caso, espero que el lector me absuelva por envidiar –muy sanamente, he de añadir- a la profesora Mercedes Moya Escudero, a quien van dedicadas estas breves páginas.

En un mundo tan cainita como la Universidad, donde el parricidio académico se justifica con los más variados –y en ocasiones originales- argumentos, resulta gratificante poder homenajear a una compañera tan buena –"en el buen sentido de la palabra"-, brillante y exitosa como Mercedes. Pocos son en la academia los que gozan del don de retirarse –voluntariamente en este caso, además- rodeados de la admiración, el cariño y el respeto sincero de sus colegas y discípulos. La Profa. Moya es uno de esos elegidos. Vehemente, pacifista –que no necesariamente pacífica-, trabajadora y tenaz hasta la extenuación, se muda a esta nueva etapa vital que ahora comienza dejando atrás una trayectoria amplia e impecable, en la que ha sabido compaginar, sin complejos, ni aspavientos, su condición de mujer en un Derecho internacional privado tradicionalmente masculino, con la búsqueda constante de lo mejor para su gente y su Universidad. Y con una enorme personalidad para dedicarse a los temas que de siempre le han gustado, obviando las opiniones de quienes ven en el Derecho de familia, y en el de extranjería, una especie de ramas "menores" del Derecho.

Se dice que justo "es quien está dispuesto a practicar lo que es justo, a obrar justamente y a querer lo justo"[1]. Mercedes es una persona justa, y deja su Cátedra en la Universidad de Granada, que no su calidad de catedrática, con el reconocimiento de esta condición. Una persona "de mérito relevante entre los de su clase" que ha dedicado su vida a "enseñar" la ciencia del Derecho; dos de las acepciones que el Diccionario de la Real Academia atribuye al término "Maestra", y que la definen de forma precisa. La envidia, la sana envidia que me merecen la trayectoria límpida y la personalidad de la Profa. Moya, me inclinaría a seguir hablando de ella. Creo, sin embargo, que se enfadará si no abordo algún tema conectado con su trabajo. Y aunque de genio corto, no quiero tentar a la suerte.

II. EL FOMENTO DE LOS MASC COMO UNO DE LOS SIGNOS DISTINTIVOS DE LA ACTUAL REALIDAD JURÍDICA ESPAÑOLA

En muchos lugares del planeta, también en España, el sistema de justicia ha visto agudizada, en tiempos recientes, su imagen de enfermo crónico. Su incapacidad para aportar una respuesta "cercan(a), eficaz, entendible y relativamente rápid(a)" a los problemas de los ciudadanos[2], miembros de unas sociedades crecientemente conflictivas y conflictuadas[3], fomenta un paulatino aumento de la desafección hacia los tribunales estatales que, entre otros efectos, alimenta el recurso a los medios alternativos / apropiados de resolución de controversias (MASC)[4]. Mecanismos con grados diversos de presencia en los ordenamientos jurídicos nacionales, que se convierten –ahora- en opciones reales para la ciudadanía con vistas a la resolución de sus disputas[5], permitiéndoles a éstas "recuperar

---

[1]   ARISTÓTELES, *Ética Nicomáquea. Ética Eudemia* (Introducción por Emilio Lledó Iñigo, traducción y notas Julio Pallí Bonet, Gredos, Madrid, 1985, 1129a, 8-9, p. 236.

[2]   Proyecto de Ley de medidas de eficiencia procesal del servicio público de Justicia, *BOCG*, Congreso de los Diputados, serie A, núm. 97-1, de 22 de abril de 2022, Exposición de Motivos I.

[3]   *Vid.* ESPLUGUES MOTA, CARLOS, "El arbitraje comercial internacional en Iberoamérica: una realidad consolidada no exenta de tensiones", en ESPLUGUES MOTA, CARLOS (Ed.), *Tratado de arbitraje comercial interno e internacional en Iberoamérica*, Tirant lo Blanch, Valencia, 2019, pp. 49-53.

[4]   Al respecto, y por todos, considérese BARONA, SILVIA y ESPLUGUES, CARLOS, "ADR Mechanisms and their Incorporation into Global Justice in the Twenty-First Century: Some Concepts and Trends", en ESPLUGUES, CARLOS y BARONA, SILVIA (Eds.), *Global Perspectives on ADR*, Intersentia, Cambridge, 2014, pp. 7-16.

[5]   Nótese BARONA VILAR, SILVIA, *Mediación civil en asuntos civiles y mercantiles en España. Tras la aprobación de la Ley 5/2012, de 6 de julio*, Tirant lo Blanch, Valencia, 2013, pp. 19-20.

la capacidad negociadora"[6], y romper "la dinámica de la confrontación y la crispación que invade en nuestros tiempos las relaciones sociales"[7].

De hecho, los MASC van perdiendo progresivamente la condición de alternativa a los tribunales estatales que les ha caracterizado tradicionalmente, y ganando de forma sostenida una naturaleza de complementariedad a la justicia estatal. Integrándose, así, en el nuevo concepto de "justicia integral"[8] y favoreciendo la consolidación de una nueva y plural noción de "acceso a la justicia"[9]. Una opción fomentada en muchas ocasiones por los poderes públicos, de la que el ciudadano puede, y debe, beneficiarse en condiciones de absoluta igualdad entre ambos caminos[10]. Se trata de ofrecer "a la ciudadanía la vía más adecuada para gestionar su problema. En unos casos será la vía exclusivamente judicial, pero en muchos otros será la vía consensual la que ofrezca la mejor opción. La elección del medio más adecuado de solución de controversias aporta calidad a la Justicia y reporta satisfacción a los ciudadanos y ciudadanas"[11]. Cobrando importancia "las razones de las partes para construir soluciones dialogadas en espacios compartidos"[12].

En el magma de los MASC, en el que conviven instituciones diversas que en muchas ocasiones confluyen exclusivamente en el hecho de evitar el recurso a los tribunales estatales[13], la mediación cuenta con una trascendencia en aumento; también, en el plano transfronterizo. Al compás de la crisis del arbitraje comercial internacional[14], pero no necesariamente motivada por ella, la institución

---

[6]   Proyecto de Ley de medidas de eficiencia procesal del servicio público de Justicia, *cit.*, Exposición de Motivos II.

[7]   Proyecto de Ley de medidas de eficiencia procesal del servicio público de Justicia, *cit.*, Exposición de Motivos II.

[8]   BARONA VILAR, SILVIA, "'Justicia integral' y '*access to justice*'. Crisis y evolución del 'paradigma'", en BARONA VILAR, SILVIA (Coord.), *Mediación, arbitraje y jurisdicción en el actual paradigma de justicia*, Thomson Reuters-Civitas, Cizur Menor, 2016, pp. 51 y ss.

[9]   Al respecto, *vid.* ESPLUGUES MOTA, CARLOS, "Cruzando el espejo arbitral: las propuestas de la CNUDMI en materia de arbitraje acelerado y la búsqueda del 'triángulo mágico'", en BARONA VILAR, SILVIA (Ed.), *Psicoanálisis del arbitraje: solución o problema en el actual paradigma de justicia*, Tirant lo Blanch, Valencia, 2020, pp. 79-81.

[10]   ESPLUGUES MOTA, CARLOS, *Mediación civil y comercial. Regulación internacional e iberoamericana*, Tirant lo Blanch, Valencia, 2019, pp. 16-22; BARONA VILAR, SILVIA, "'Justicia integral' y '*access to justice*'...", *cit.*, pp. 45 y ss.

[11]   Proyecto de Ley de medidas de eficiencia procesal del servicio público de Justicia, *cit.*, Exposición de Motivos II.

[12]   Proyecto de Ley de medidas de eficiencia procesal del servicio público de Justicia, *cit.*, Exposición de Motivos II.

[13]   *Vid.* BARONA, SILVIA y ESPLUGUES, CARLOS, "ADR Mechanisms and their Incorporation...", *cit.*, p. 11; BARONA VILAR, SILVIA, *Nociones y principios de las ADR (Solución extrajurisdiccional de conflictos)*, Tirant lo Blanch, Valencia, 2018, pp. 45 y ss.

[14]   *Vid.* BARONA VILAR, SILVIA, "Psicoanálisis del arbitraje en la sociedad virtual y líquida del Siglo XXI. Entre la deconstrucción y la caquexia", en BARONA VILAR, SILVIA (Ed.), *Psicoanálisis del arbitraje...*, *op. cit.*, pp. 43 y ss.; ESPLUGUES MOTA, CARLOS, "Cinco cuestiones diferentes y una misma institución: algunas claves en torno al futuro del arbitraje comercial internacional", *Revista*

de la mediación se va consolidando como la "estrella emergente" del firmamento de los medios alternativos de solución de controversia[15]. Como procedimiento extrajudicial alternativo, voluntario y confidencial, "la mediación puede ser un instrumento útil para aliviar los sobrecargados sistemas judiciales en determinados casos, y sujeta a las necesarias salvaguardias", al permitir una resolución extrajudicial rápida y barata de litigios entre personas físicas o jurídicas, "teniendo en cuenta que la duración excesiva de los procedimientos judiciales puede constituir una violación de la Carta de los Derechos Fundamentales, al tiempo que garantiza un mejor acceso a la justicia y contribuye al crecimiento económico"[16]. Al menos en el plano teórico, dado que, en la mayoría de los Estados de la Unión Europea (UE), se utiliza en menos del 1% de los casos llevados a los tribunales[17].

Esta búsqueda de alternativas a una justicia estatal cada vez más lenta, e incierta e insatisfactoria en su resultado, que se hace patente en un número creciente de ámbitos –también, en el plano comparado- encuentra una manifestación clara, en España, en el Proyecto de Ley de medidas de eficiencia procesal del servicio público de Justicia, en tramitación, en estos momentos, en el Congreso de los Diputados[18]. El Proyecto inserta en el ordenamiento jurídico español "al lado de la propia jurisdicción, … otros medios adecuados de solución de controversias en vía no jurisdiccional"[19], algo que, lejos de ser entendido como meramente coyuntural, "se considera imprescindible para la consolidación de un servicio público de Justicia sostenible"[20]. Entendiéndose como MASC, en el artículo 1 del Proyecto, "… cualquier tipo de actividad negociadora, tipificada en esta u

Cubana de Derecho, 2022, vol. 2, nº 1, pp. 411 y ss. Un análisis muy interesante de la situación europea se encuentra en QUINZÁ REDONDO, PABLO, "El arbitraje comercial internacional y los instrumentos de Bruselas: (Re)pensando sobre su compleja relación", en BARONA VILAR, SILVIA (Ed.), *Psicoanálisis del arbitraje…, op. cit.*, pp. 409 y ss.

[15] BARONA VILAR, SILVIA, "La mediación y su espacio en el hábitat de la justicia integral, global, algorítmica: ¿más o menos protagonismo?", en BARONA VILAR, SILVIA (Ed.), *Meditaciones sobre la mediación (MED+)*, Tirant lo Blanch, Valencia, 2022, p. 36.

[16] Resolución del Parlamento Europeo de 12 de septiembre de 2017, sobre la aplicación de la Directiva 2008/52/CE del Parlamento Europeo y del Consejo, de 21 de mayo 2008, sobre ciertos aspectos de la mediación en asuntos civiles y mercantiles (Directiva sobre la mediación) (2016/2066(INI)), letra E, disponible en: https://www.europarl.europa.eu/doceo/document/TA-8-2017-0321 ES.html

[17] Resolución del Parlamento Europeo de 12 de septiembre de 2017, sobre la aplicación de la Directiva 2008/52/CE…, *cit.*, letra F.

[18] En relación con el momento de tramitación en que se encuentra a fecha octubre de 2022, *vid.* https://www.congreso.es/proyectos-de ley?p p id=iniciativas&p p lifecycle=0&p p state=normal&p p mode=view& iniciativas mode=mostrarDetalle& iniciativas legislatura=XIV& iniciativas id=121/000097

[19] Proyecto de Ley de medidas de eficiencia procesal del servicio público de Justicia, *cit.*, Exposición de Motivos II.

[20] Proyecto de Ley de medidas de eficiencia procesal del servicio público de Justicia, *cit.*, Exposición de Motivos II.

otras leyes, a la que las partes de un conflicto acuden de buena fe con el objeto de encontrar una solución extrajudicial al mismo, ya sea por sí mismas o con la intervención de un tercero neutral".

El ámbito de aplicación material del proyecto se abre, de acuerdo con su art. 2.1, a los litigios en materia civil y mercantil, incluyendo, de acuerdo con dicho precepto, a los conflictos de naturaleza transfronteriza[21]: los MASC, dice la Exposición de Motivos del texto, "reducen el conflicto social, evitan la sobrecarga de los tribunales y pueden ser igualmente adecuados para la solución de la inmensa mayoría de las controversias en materia civil y mercantil"[22]. La futura ley se entiende aplicable "(E)n defecto de sometimiento expreso o tácito a lo dispuesto en este Título, ... cuando, al menos, una de las partes tenga su domicilio en España y la actividad negociadora se realice en territorio español"[23].

De esta suerte, el Proyecto combina una mención -recogida en el art. 13- a los medios de solución de controversias en vía no jurisdiccional con regulación especial–esencial, pero no únicamente, a la mediación[24], regulada en la Ley 5/2012, de 6 de julio, de mediación en asuntos civiles y mercantiles[25], y a la conciliación ante Notario, Registrador y Letrado de la Administración de Justicia (LAJ)[26]-, con una regulación pormenorizada de la conciliación privada[27], la oferta vinculante confidencial[28] y la opinión de experto independiente[29]. Y asimismo regula los efectos de la actividad negociadora: la formalización del acuerdo, en el art. 11 y, en el art. 12, la validez y eficacia de acuerdo, del que se requiere elevación a escritura pública para que cuente con valor de título ejecutivo[30]. pudiéndose, igualmente, solicitar su homologación al tribunal, en el supuesto de haberse alcanzado en un proceso de negociación derivado por el tribunal en el seno del proceso judicial[31].

Llamativamente, el Proyecto regula la eficacia en el extranjero de los acuerdos alcanzados en España, pero no la de los obtenidos en el extranjero en nuestro país. El art. 11.5 recalca, de una manera un tanto aventurada, dado que

---

[21]   El art. 2.1 del Proyecto considera que "tendrán la consideración de conflictos transfronterizos los definidos en el artículo 3 de la Ley 5/2012, de 6 de julio, de mediación en asuntos civiles y mercantiles".

[22]   Proyecto de Ley de medidas de eficiencia procesal del servicio público de Justicia, *cit.*, Exposición de Motivos II.

[23]   Proyecto de Ley de medidas de eficiencia procesal del servicio público de Justicia, *cit.*, art. 2.1.II.

[24]   Proyecto de Ley de medidas de eficiencia procesal del servicio público de Justicia, *cit.*, art. 13.1 y 2.

[25]   *BOE* nº 162, de 7 de julio de 2012.

[26]   Proyecto de Ley de medidas de eficiencia procesal del servicio público de Justicia, *cit.*, art. 13.3, 4 y 5.

[27]   Proyecto de Ley de medidas de eficiencia procesal del servicio público de Justicia, *cit.*, arts. 14 y 15.

[28]   Proyecto de Ley de medidas de eficiencia procesal del servicio público de Justicia, *cit.*, art. 16.

[29]   Proyecto de Ley de medidas de eficiencia procesal del servicio público de Justicia, *cit.*, art. 17.

[30]   Proyecto de Ley de medidas de eficiencia procesal del servicio público de Justicia, *cit.*, art. 12.2.

[31]   Proyecto de Ley de medidas de eficiencia procesal del servicio público de Justicia, *cit.*, art. 11.6.

desconocemos los exactos requisitos fijados por la normativa interna del eventual país de eficacia del acuerdo, que, para aquellos casos en que este "haya de ejecutarse en otro Estado, además de la elevación a escritura pública será necesario el cumplimiento de los requisitos que, en su caso, puedan exigir los convenios internacionales en que España sea parte y las normas de la Unión Europea".

El juego de estos mecanismos queda exclusivamente limitado a aquellos conflictos que afectan a derechos y obligaciones que están a disposición de las partes en virtud de la legislación aplicable, "pero sí será posible su aplicación en relación con los efectos y medidas previstos en los artículos 102 y 103 del Código Civil, sin perjuicio de la homologación judicial del acuerdo alcanzado"[32], preceptos dedicados a la disolución del matrimonio y a la guarda y custodia de los hijos.

El apoyo del legislador español a los medios adecuados de solución de controversias le conduce a considerarlos, en el art. 4 del Proyecto, como un "(R)equisito de procedibilidad". En tal sentido afirma el párrafo I del numeral 1 del precepto que "con carácter general" en el orden jurisdiccional civil, "para que sea admisible la demanda se considerará requisito de procedibilidad acudir previamente a algún medio adecuado de solución de controversias" en el sentido atribuido a estos en el art. 1 del Proyecto. Ello exige que exista una identidad entre "el objeto de la negociación y el objeto del litigio, aun cuando las pretensiones que pudieran ejercitarse, en su caso, en vía judicial sobre dicho objeto pudieran variar"[33]. La iniciativa para acudir, con o sin asistencia letrada[34], a estos medios puede proceder de una de las partes, o de ambas de común acuerdo, o de una decisión judicial o del LAJ de derivación de las partes a este tipo de medios[35].

El requisito se entiende satisfecho si se acude previamente a la mediación, a la conciliación o a la opinión neutral de un experto independiente, si se formula una oferta vinculante confidencial, o si se emplea cualquier otro tipo de actividad negociadora, tipificada en esta u otras normas. Siempre, eso sí, que se cumpla con lo previsto en los Capítulos I –"Disposiciones generales"- y II –"De los efectos de la actividad negociadora"- del Título I de la Ley o en una ley sectorial[36], y se acredite en consonancia con lo previsto en el art. 9 del Proyecto. El legislador español señala, igualmente, la no exigencia de actividad negocial previa a la vía jurisdiccional como requisito de procedibilidad cuando se pretenda iniciar un

---

[32]   Proyecto de Ley de medidas de eficiencia procesal del servicio público de Justicia, *cit.*, art. 3.2. En el mismo sentido, y con una redacción ligeramente distinta, Exposición de Motivos II.

[33]   Proyecto de Ley de medidas de eficiencia procesal del servicio público de Justicia, *cit.*, art. 11.6.

[34]   Proyecto de Ley de medidas de eficiencia procesal del servicio público de Justicia, *cit.*, art. 5.

[35]   Proyecto de Ley de medidas de eficiencia procesal del servicio público de Justicia, *cit.*, art. 4.36.

[36]   Proyecto de Ley de medidas de eficiencia procesal del servicio público de Justicia, *cit.*, art. 4.1.II. El precepto añade que "Singularmente, se considerará cumplido el requisito cuando la actividad negociadora se desarrolle directamente por las partes, asistidas de sus abogados cuando su intervención sea preceptiva de acuerdo con" el Título I.

procedimiento con el objeto, entre otros, de "la adopción de las medidas previstas en el artículo 158 del Código Civil"[37] que, recordemos, refieren directamente al menor, ni para la iniciación de expedientes de jurisdicción voluntaria[38].

La incardinación en la futura Ley de este requisito de procedibilidad está en línea con lo que realizan, en nuestro entorno jurídico, un número importante de los países de Iberoamérica[39], y algunos, pocos, europeos[40]. La exigencia es aproximada con escepticismo por muchos, que ven en él una repetición de la antigua conciliación previa, presente en el proceso civil hasta finales del Siglo pasado, y que se convirtió en un trámite inútil, que únicamente añadía costes al proceso.

El futuro dirá si el Proyecto pasa a ser Ley y cuál es su devenir. Sea cual sea la respuesta futura, lo cierto es que marca un antes y un después en la realidad de los MASC en España. Un potencial punto de inflexión cuyo impacto en las relaciones transfronterizas, también en las familiares, habrá que valorar en relación directa con los instrumentos de la UE. Un espacio jurídicamente integrado en el que el fomento a este tipo de mecanismos no ha llegado a consolidar una nueva realidad de la justicia, al menos hasta el momento.

III. LA PARADOJA DE LOS MASC EN LA UNIÓN EUROPEA

La UE encuentra hoy en la promoción, específicamente, del instituto de la mediación uno de sus signos distintivos en el ámbito de la integración jurídica europea[41]. Sin embargo, a pesar de sus contrastadas bondades, la mediación no ha conseguido todavía alcanzar su plena potencialidad en la realidad de la justicia europea[42]. Las sucesivas reformas normativas en los distintos Estados miembros de la Unión –ancladas, como en España, en la Directiva 2008/52/CE del Parlamento Europeo y del Consejo sobre ciertos aspectos de la mediación en

---

[37]	Proyecto de Ley de medidas de eficiencia procesal del servicio público de Justicia, *cit.*, art. 4.2.b).
[38]	Proyecto de Ley de medidas de eficiencia procesal del servicio público de Justicia, *cit.*, art. 4.3.
[39]	Al respecto, nótese, ESPLUGUES MOTA, CARLOS, *Mediación civil y comercial...*, *op. cit.*, pp. 71 y ss.
[40]	*Vid.* ESPLUGUES, CARLOS, "Civil and Commercial Mediation in the EU After the Transposition of Directive 2008/52/EC", en ESPLUGUES, CARLOS (Ed.), *Civil and Commercial Mediation in Europe. Cross Border Mediation*, Intersentia, Cambridge, 2014, pp. 575-579.
[41]	*Vid.* en este sentido PALAO MORENO, GUILLERMO, "La mediación y su codificación en Europa: aspectos de derecho internacional privado", en GÓMEZ COLOMER, JUAN LUIS, BARONA VILAR, SILVIA y CALDERÓN CUADRADO, PÍA (Coords.), *El Derecho Procesal del Siglo XX a golpe de tango. Juan Montero Aroca. Liber Amicorum, en homenaje y para celebrar su LXX cumpleaños*, Tirant lo Blanch, Valencia, 2012, pp. 1337-1338. Quien resalta el anclaje de esta actitud en el decidido apoyo que el Consejo de Europa prestó en su momento a la mediación (*Ibíd.*, p. 1342).
[42]	En relación con ello, nótese, BARONA VILAR, SILVIA, *Mediación civil en asuntos civiles...*, *op. cit.*, pp. 32 y ss.; BARONA VILAR, SILVIA, *Nociones y principios de las ADR...*, *op. cit.*, pp. 17 y ss.

asuntos civiles y mercantiles[43]- no han dado como consecuencia una presencia real de la institución en la práctica diaria. Ciertamente se "ha aportado valor añadido a la UE", como apunta el Informe de la Comisión al Parlamento Europeo, al Consejo y al Comité Económico y social Europeo sobre la aplicación de la Directiva[44], pero se sigue constatando la "falta de una 'cultura' de la mediación en los Estados miembros, el insuficiente conocimiento de cómo tratar los casos transfronterizos, el bajo nivel de conocimiento de la mediación y el funcionamiento de los mecanismos de control de calidad para los mediadores"[45].

Es esta, además, una percepción compartida por el Parlamento Europeo[46], que destaca que, amén de no haberse "creado un sistema de la Unión para la resolución extrajudicial de litigios en el sentido más estricto del término"[47], la institución cuenta con una práctica mínima[48], en gran medida motivada por el fracaso a la hora de lograr "un cambio de mentalidad en lo jurídico mediante la adopción de una cultura de la mediación y la resolución amistosa de conflictos"[49].

La actual realidad europea de la mediación resulta, así, paradójica, en cuanto que "there are great success rates (documented high success rate percentages) coming from disputants who engaged in mediation in specific cases, but these successes are extremely limited in number. The paradox is that while the use of mediation yields highly successful results, it (mediation) is rarely used in a systematic way by disputants and lawyers"[50].

La limitada extensión del ámbito material de la Directiva 2008/52/CE, y su falta de audacia en ciertos puntos, ha contado con un impacto directo en algunos extremos muy sensibles para la consolidación de la figura como alternativa -o complemento- real a los tribunales estatales en el territorio de la UE. La cuestión de la posible circulación de los eventuales acuerdos concluidos en el marco de

---

[43]   *DO* L 136, de 24 de mayo de 2008.

[44]   Informe de la Comisión al Parlamento Europeo, al Consejo y al Comité Económico y social Europeo sobre la aplicación de la Directiva 2008/52/CE del Parlamento Europeo y del Consejo sobre ciertos aspectos de la mediación en asuntos civiles y mercantiles, Bruselas, 26.8.2016, COM(2016) 542 final, p. 3.

[45]   Informe de la Comisión al Parlamento Europeo..., *cit.*, p. 4.

[46]   Resolución del Parlamento Europeo de 12 de septiembre de 2017, sobre la aplicación de la Directiva 2008/52/CE ..., *cit.*, letra G.

[47]   Resolución del Parlamento Europeo de 12 de septiembre de 2017, sobre la aplicación de la Directiva 2008/52/CE ..., *cit.*, letra G.

[48]   Resolución del Parlamento Europeo de 12 de septiembre de 2017, sobre la aplicación de la Directiva 2008/52/CE ..., *cit.*, letra F.

[49]   Resolución del Parlamento Europeo de 12 de septiembre 2017, sobre la aplicación de la Directiva 2008/52/CE ..., *cit.*, letra C.

[50]   DE PALO, GIUSEPPE, FEASLEY, ASHLEY y ORECCHINI, FLAVIA, *Quantifying the cost of not using mediation – a data analysis*, Brussels, European Parliament. Directorate General for Internal Policies. Policy Department C: Citizens' Rights and Constitutional Affairs. Legal Affairs, 2011, p. 10.

un procedimiento de mediación en un Estado miembro en el territorio de la Unión se presenta para muchos como una barrera adicional[51].

La Directiva incorpora un art. 6, rubricado "Carácter ejecutivo de los acuerdos resultantes de la mediación", en cuyo apartado 1 se establece que los "Estados miembros garantizarán que las partes, o una de ellas con el consentimiento explícito de las demás, puedan solicitar que se dé carácter ejecutivo al contenido de un acuerdo escrito resultante de una mediación". Sin embargo, el propio precepto reconoce la realidad de la situación existente en Europa, en la que, de forma prácticamente unánime, y a diferencia de lo que ocurre en otras latitudes –recordemos, Iberoamérica especialmente-, donde gozan con carácter generalizado de efectos ejecutivos, atribuyéndoseles incluso la condición de cosa juzgada[52], los acuerdos concluidos en el marco de una mediación cuentan mayoritariamente con una naturaleza puramente contractual[53]. Ello supone que requerirán de una previa homologación por parte de ciertas autoridades públicas –judiciales y no judiciales- para adquirir fuerza ejecutiva[54].

En este sentido, el propio art. 6.2 no duda en añadir que el "contenido del acuerdo" podrá alcanzar carácter ejecutivo en virtud de "sentencia, resolución o acto auténtico emanado de un órgano jurisdiccional u otra autoridad competente", de acuerdo con la legislación del Estado miembro en que se formule la solicitud. Además, el apartado 1 del precepto destaca que el contenido del eventual acuerdo concluido por las partes en el marco de la mediación "se hará ejecutivo a menos que, en el caso de que se trate, bien el contenido de ese acuerdo sea contrario al Derecho del Estado miembro donde se formule la solicitud, bien la legislación de ese Estado miembro no contemple su carácter ejecutivo".

La homologación del acuerdo por parte de una autoridad pública, generalmente un juez o un notario, implica contar, como avanza el ya apuntado apartado 2 del art. 6 de la Directiva, con una resolución judicial homologándolo, o con un documento público que lo recoja[55]. En consonancia con el apartado 4 del

---

[51]	ESPLUGUES, CARLOS, "Civil and Commercial Mediation…", *cit.*, pp. 761 y ss. Una cuestión que, significativamente, se reproduce en otros ámbitos geográficos. Nótese en este sentido, ESPLUGUES, CARLOS, "General Report: New Developments in Civil and Commercial Mediation – Global Comparative Perspectives", en ESPLUGUES, CARLOS y MARQUIS, LOUIS (Eds.), *New Developments in Civil and Commercial Mediation*, Springer, Heidelberg, 2015, p. 80.

[52]	Nótese ESPLUGUES MOTA, CARLOS, *Mediación civil y comercial…, op. cit.*, pp. 326-336.

[53]	Considérese en este sentido, HOPT, KLAUS J. y STEFFEK, FELIX, "Mediation: Comparison of Laws, Regulatory Models, Fundamental Issues", en HOPT, KLAUS J. y STEFFEK, FELIX (Eds.), *Mediation Principles and Regulation in Comparative Perspective* OUP, Oxford, 2013, p. 46.

[54]	Un análisis comparado de la situación existente en Europa se encuentra en ESPLUGUES, CARLOS, "Civil and Commercial Mediation…", *cit.*, pp. 717-727.

[55]	Art. 6.2, Directiva 2008/52/CE.

art. 6 de la Directiva, ambos circularán en la Unión atendiendo a lo dispuesto en los distintos instrumentos europeos en materia de reconocimiento y ejecución[56].

Ello se traduce, en suma, como admiten los propios Considerandos 20 y 21 de la Directiva 2008/52/CE, en que los posibles acuerdos concluidos en el seno de un procedimiento de mediación en algún Estado de la Unión circularán en el territorio de ésta -"debe ser reconocido y declarado ejecutivo en los demás Estados miembros"[57] dice la Directiva-, cuando "hayan adquirido carácter ejecutivo en un Estado miembro"[58] de conformidad con la legislación europea –siempre que se incardinen en el ámbito material de alguno de los instrumentos europeos de DIPr. susceptibles de ser aplicables en este ámbito[59]-. O, en ausencia de ellos, en consonancia con la legislación nacional aplicable. En este sentido, por ejemplo, y como excepción a la regla general europea, la normativa portuguesa reconoce efectos directos en el país a "o acordo de mediação obtido por via de mediação realizada noutro Estado membro da União Europeia que respeite o disposto nas alíneas a) e d) do n.º 1, se o ordenamento jurídico desse Estado também lhe atribuir força executiva"[60].

Si bien, como acepta el propio Considerando 20 de la Directiva 2008/52/CE, el elenco de textos europeos es muy amplio, la respuesta ofrecida no resulta plenamente satisfactoria en lo relativo a sus resultados, previsibilidad y costes. Una posición constatada por el Parlamento Europeo en su apuntada Resolución de 12 de septiembre de 2017, que considera que esta exigencia de homologación origina costes adicionales, es lenta para las partes del acuerdo, y puede "afectar negativamente a la circulación de acuerdos de mediación extranjeros, especialmente en el caso de litigios menores"[61]. Y esto ha llevado a la propia Unión a plantearse reformar la Directiva, al menos su art. 6, con vistas a fomentar la circulación de estos acuerdos en el seno de la UE[62].

---

[56]   *Vid.* ESPLUGUES, CARLOS, "Civil and Commercial Mediation...", *cit.*, pp. 730-735.

[57]   Considerando 20 de la Directiva 2008/52/CE.

[58]   Considerando 20 de la Directiva 2008/52/CE.

[59]   *Vid.* ESPLUGUES, CARLOS, "Civil and Commercial Mediation...", *cit.*, pp. 763-766.

[60]   Art. 9.4, Lei n.º 29/2013 de 19 de abril. Estabelece os princípios gerais aplicáveis à mediação realizada em Portugal, bem como os regimes jurídicos da mediação civil e comercial, dos mediadores e da mediação pública, *Diário da República Eletrónico*, n.º 77/2013, Série I de 19.4.2013. Nótese al respecto, ESPLUGUES, CARLOS, "General Report: New Developments in Civil and Commercial Mediation...", *cit.*, pp. 78-80.

[61]   Resolución del Parlamento Europeo, de 12 de septiembre de 2017, sobre la aplicación de la Directiva 2008/52/CE..., *cit.*, Conclusión principal 10.

[62]   *Vid.* ESPLUGUES, CARLOS e IGLESIAS, JOSÉ LUIS, "Mediation and Private International Law: Improving Free Circulation of Mediation Agreements Across the EU", en *The Implementation of the Mediation Directive 29 November 2015. Compilation of In-depth Analysis* (European Parliament – Directorate-General for Internal Policies), Bruselas, 2016, pp. 79 y ss.

En este entorno de cierta decepción con los resultados de la transposición de la Directiva 2008/52/CE, la evaluación del impacto de su puesta en práctica ha mostrado al Derecho de familia como aquel ámbito en el que -en el momento de futuro en construcción para la mediación que se vive en la UE- la institución refleja un nivel de conocimiento, potencialidad y presencia más amplio; superior, en todo caso, al existente en otros muchos sectores civiles y mercantiles en los distintos países de la Unión[63].

El recurso a la mediación, y a otros mecanismos de resolución alternativa de litigios, como vía de resolución de las controversias surgidas en el ámbito familiar se hace patente, de manera y con grados diversos, en algunos de los Reglamentos presentes en este ámbito temático[64]. Así, el Reglamento 4/2009 del Consejo, de 18 de diciembre de 2008, relativo a la competencia, la ley aplicable, el reconocimiento y la ejecución de las resoluciones y la cooperación en materia de obligaciones de alimentos[65] apunta en su art. 51.2 que las autoridades centrales tomarán las medidas que estimen apropiadas en relación con el cobro de alimentos al amparo del art. 56 del mencionado texto reglamentario. Resalta entre ellas la de "d) promover las soluciones amistosas a fin de obtener el pago voluntario de los alimentos, recurriendo cuando sea apropiado a la mediación, la conciliación o mecanismos análogos".

Sin embargo, es en los Reglamentos Bruselas II bis[66] y, ahora, en el Bruselas II ter[67], donde el legislador europeo ha manifestado con mayor nitidez su apuesta

---

[63]   EUROPEAN COMMISSION, *Study for an Evaluation and Implementation of Directive 2008/52/EC – the 'Mediation Directive' Final Report*, Directorate-General Justice and Consumers, Directorate A – Civil Justice, Unit A1 – Civil Justice Policy, Bruselas, 2016, pp. 66 y 77; TYMOWSKI, JAN, *The Mediation Directive. European Implementation Assessment*, European Parliamentary Research Service, PE 593.789, Bruselas, diciembre de 2016, pp. 11, 14, 17 ó 23.

[64]   Esta referencia se echa a faltar en el Reglamento 2016/1103 del Consejo, de 24 de junio de 2016, por el que se establece una cooperación reforzada en el ámbito de la competencia, la ley aplicable, el reconocimiento y la ejecución de resoluciones en materia de regímenes económicos matrimoniales (*DO* L 183, de 8 de julio de 2016), en el Reglamento 2016/1104 del Consejo, de 24 de junio de 2016, por el que se establece una cooperación reforzada en el ámbito de la competencia, la ley aplicable, el reconocimiento y la ejecución de resoluciones en materia de efectos patrimoniales de las uniones registradas (*DO* L 183, de 8 de julio de 2016) o, aunque no se trata estrictamente de materia familiar, en el Reglamento 650/2012 del Parlamento Europeo y del Consejo, de 4 de julio de 2012, relativo a la competencia, la ley aplicable, el reconocimiento y la ejecución de las resoluciones, a la aceptación y la ejecución de los documentos públicos en materia de sucesiones mortis causa y a la creación de un certificado sucesorio europeo (*DO* L 201, de 27 de julio de 2012).

[65]   *DO* L 7, de 10 de enero de 2009.

[66]   Reglamento 2201/2003 del Consejo de 27 de noviembre de 2003, relativo a la competencia, el reconocimiento y la ejecución de resoluciones judiciales en materia matrimonial y de responsabilidad parental, por el que se deroga el Reglamento 1347/2000 (*DO* L 338, de 23 de diciembre de 2003).

[67]   Reglamento 2019/1111 del Consejo de 25 de junio de 2019, relativo a la competencia, el reconocimiento y la ejecución de resoluciones en materia matrimonial y de responsabilidad parental, y sobre la sustracción internacional de menores (*DO* L 178, de 2 de julio de 2019).

por el fomento de los mecanismos de resolución alternativa, o complementaria, de litigios para resolver las disputas de carácter familiar. En tal sentido, el Reglamento Bruselas II ter intenta dar un nuevo impulso al uso de los MASC en la UE, enlazando con los muchos que apoyan el recurso a estos institutos en el ámbito del Derecho de familia, también respecto de aquellos supuestos que involucran a menores -"les conséquences du conflit ont un coût élevé pour les parents et, plus encore, pour les enfants"[68]-, lo que favorece el fomento de medios que faciliten el consenso en las soluciones frente a la imposición[69].

En concreto, el Reglamento Bruselas II ter ha implicado –entre otros avances[70]- un paso adicional en el fomento de la mediación, y de cualquier otro mecanismo MASC, como vía de resolución de las controversias surgidas en materia de responsabilidad parental, así como también de las afloradas en relación con la sustracción internacional de menores[71]. Materias que, por su propia naturaleza, y por la especial sensibilidad –y grado diverso de disponibilidad- de los intereses involucrados, resultan especialmente complejas y sensibles. Un apoyo a los MASC que, en este supuesto concreto, encontraría como límite infranqueable la obligación de "best serve the child's best interests", sin que, además, en modo alguno pueda entrañar su uso el privarle del recurso a los tribunales estatales[72].

Con ello, el Reglamento se ha hecho eco de la invitación formulada, ya en 2010, por el Consejo a la Comisión, en el sentido de tomar en consideración el papel positivo que la mediación puede jugar a la hora de resolver "the issues related to parental authority, rights of custody, rights of access and international child abductions"[73]. Este fomento, sin embargo, no está exento de interrogantes,

---

[68]   VAN KOTE, AGNÈS, "Les enfants et la médiation familiale", *AJ Famille*, 2009, p. 337.

[69]   BARONA VILAR, SILVIA, "'Justicia integral' y '*access to justice*'…", *cit.*, p. 54.

[70]   Al respecto, entre otros, CARPANETO, LAURA, "La ricerca di una (nuova) sintesi tra interesse superiore del minore in astratto e in concreto nella riforma del Regolamento Bruxelles II-bis", *Rivista di diritto internazionale privato e processuale*, vol. LIV, n° 4, 2018, pp. 944 y ss.; BARUFFI, MARIA CATERINA, "A child-friendly area of freedom, security and justice: work in progress in international child abduction cases", *Journal of Private International Law*, vol. 14, n° 3, 2018, pp. 385 y ss.; GONZÁLEZ MARIMÓN, MARÍA, *Menor y responsabilidad parental en la Unión Europea*, Tirant lo Blanch, Valencia, 2021, pp. 98 y ss.

[71]   Al respecto, nótese, ESPINOSA CALABUIG, ROSARIO y CARBALLO PIÑEIRO, LAURA, "Child protection in European family law", en PFEIFFER, THOMAS, LOBACH, QUINCY C. y RAPP, TOBIAS (Eds.), *Facilitating Cross-border family life–Towards a common European Understanding*, Heidelberg University Publishing, Heidelberg, 2021, p. 19; GONZÁLEZ MARIMÓN, MARÍA, "La regulación de la sustracción internacional de menores en el Reglamento Bruselas II ter y sus principales novedades: hacia una mejor protección del interés superior del menor", *Cuadernos de Derecho Transnacional*, 2022, vol. 14, n° 1, p. 303.

[72]   COUNCIL OF EUROPE, *Guidelines of the Committee of Ministers of the Council of Europe on child-friendly justice (adopted by the Committee of Ministers of the Council of Europe on 17 November 2010 and explanatory memorandum)*, Strasbourg, Council of Europe Publishing, 2011, pp. 25, n° 24, y 47, n° 22.

[73]   COUNCIL OF THE EUROPEAN UNION, *Conclusions of the ministerial seminar organised by the Belgian Presidency concerning international family mediation in cases of international child abduction>*, Bruselas, 12 de noviembre de 2010, 16121/10, JUSTCIV 194, p. 5.

especialmente en su proyección en el plano del reconocimiento y ejecución en los distintos Estados miembros de este tipo de acuerdos.

De forma coincidente con lo previsto en el art. 55.e) del Reglamento Bruselas II bis, el art. 79.g) del nuevo Reglamento Bruselas II ter reproduce la obligación que acompaña a las autoridades centrales requeridas, de adoptar, bien directamente, o por conducto de los órganos jurisdiccionales, las autoridades competentes u otros organismos, "todas las medidas adecuadas" para, entre otros extremos, "g) facilitar la celebración de acuerdos entre los titulares de la responsabilidad parental a través de la mediación o por otros medios alternativos de resolución de litigios, y facilitar con este fin la cooperación transfronteriza"[74]. La genérica referencia a "otros medios" recogida en el art. 55.e) del Reglamento Bruselas II bis se convierte, didácticamente, en el nuevo Reglamento Bruselas II ter en una mención a *"otros medios alternativos de resolución de litigios"*.

Sin embargo, junto a esta reiteración de lo previsto en el Reglamento Bruselas II bis, y en línea con la posición mantenida por distintos sectores de la doctrina en apoyo del genérico fomento del recurso a "esquemas" de mediación en este ámbito[75], el texto de Bruselas II ter da un significativo paso adelante en favor del uso de la mediación –y de otros mecanismos de resolución alternativa de disputas- en este sector, intentando quebrar un *status quo* caracterizado por la escasa utilización, hasta el momento y por razones distintas, de estos instrumentos en las materias cubiertas por el texto reglamentario.

En tal sentido, el Considerando 43 del Reglamento Bruselas II ter, retomando la filosofía de las enmiendas formuladas por el Parlamento Europeo, en 2018, al proyecto de Considerando 28[76] de la Propuesta de Reglamento del Consejo relativo a la competencia, el reconocimiento y la ejecución de resoluciones en materia matrimonial y de responsabilidad parental, y sobre la sustracción internacional de menores (refundición) presentada en 2016 por la Comisión Europea[77], explicita que en todos los asuntos que afecten a menores, "y en particular en los

---

[74]   Nótese al respecto el Considerando 75 del Reglamento Bruselas II ter.

[75]   PRETELLI, ILARIA, "Child Abduction and Return Proceedings", en EUROPEAN PARLIAMENT, *Recasting the Brussels IIa Regulation Workshop 8 November 2016. Compilation of briefings,* Brussels, European Parliament, Directorate General for Internal Policies. Policy Department C: Citizens' Rights and Constitutional Affairs. Legal Affairs, 2016, p. 5.

[76]   PARLAMENTO EUROPEO, *Resolución legislativa del Parlamento Europeo, de 18 de enero de 2018, sobre la propuesta de Reglamento del Consejo relativo a la competencia, el reconocimiento y la ejecución de resoluciones en materia matrimonial y de responsabilidad parental, y sobre la sustracción internacional de menores (refundición),* (COM(2016)0411 — C8-0322/2016 — 2016/0190(CNS)), *DO* C 458, de 19 de diciembre de 2018, Enmienda 15, p. 507. Un tenor que, sin embargo, no se reproducía con similar radical en la propuesta de art. 23.2 formulada por el Parlamento (*Ibid,* Enmienda 45, p. 519).

[77]   Bruselas, 30 junio 2016, COM(2016) 411 final, 2016/0190 (CNS). Al respecto, RODRÍGUEZ PIÑEAU, ELENA, "La refundición del Reglamento Bruselas II bis: de nuevo sobre la función del Derecho internacional privado europeo", *REDI,* vol. 69, n° 1, 2017, p. 144.

asuntos de sustracción internacional de menores, los órganos jurisdiccionales deben contemplar la posibilidad de llegar a una solución a través de la mediación
u otros medios apropiados"[78] con objeto de resolver la cuestiones que afectan al
menor.

Este mandato taxativo, dirigido a los tribunales, de recurrir no sólo a la mediación sino a cualquier otro medio apropiado, viene desarrollado en el art. 25 del
Reglamento Bruselas II ter intitulado, específicamente, como "Formas alternativas de resolución de litigios". La rúbrica del precepto aventura una referencia al
recurso a "la mediación o a otra vía alternativa de resolución de litigios" –"mediación u otros medios apropiados" en el texto del Considerando 43 del Regla-
mento-, conectando así –y, de hecho, superándolas- con las distintas propuestas
formuladas en este sentido por algunos sectores doctrinales europeos[79], y por el
propio Parlamento Europeo[80], que apostaban, con formulaciones diversas, por
compeler a la autoridad judicial a explorar la vía de la mediación -sólo de la mediación y no de otras vías alternativas- antes de proceder a dictar una resolución
judicial resolviendo la concreta situación planteada[81]. En todo caso se admite
que "tales esfuerzos no deben prolongar indebidamente el procedimiento de
restitución en virtud del Convenio de La Haya de 1980"[82].

En coherencia con esta demanda de protagonismo atribuido al órgano jurisdiccional en relación con el fomento de la búsqueda de acuerdos entre las partes, dentro y fuera de un procedimiento de mediación, el art. 25 del Reglamento

---

[78]   Considerando 43 del Reglamento Bruselas II bis.
[79]   Así, por ejemplo, VAN LOON, HANS, "The Brussels IIa Regulation: towards a review?", en EURO-
       PEAN PARLIAMENT, *Cross-Border Activities in the EU – Making Life Easier for Citizens. Workshop for the
       JURI Committee*, Brussels, European Parliament. Directorate General for Internal Policies. Policy De-
       partment C: Citizens' Rights and Constitutional Affairs. Legal Affairs, 2015, pp. 193, 196-197 y 205;
       HECKENDORN URSCHELER, LUKAS, PRETELLI, ILARIA, CURRAN, JOHN *et al*, *Enlèvements
       parentaux transfrontaliers dans l'Union européenne. Synthèse*, Parlement européen. Direction générale
       des politiques internes. Département thématique C: Droits des citoyens et affaires constitution-
       nelles. Libertés civiles, justice et affaires intérieures, Bruselas, 2015, pp. 14-16 o KRUGER, THALIA,
       "Enhancing Cross-Border Cooperation", en EUROPEAN PARLIAMENT, *Recasting the Brussels IIa
       Regulation...*, *op. cit.*, p. 43 quizás, de todas, la que propone un texto más similar al finalmente
       incorporado en el Reglamento. Todos ellos, significativamente, se refieren exclusivamente a la
       mediación y no a otros medios MASC.
[80]   PARLAMENTO EUROPEO, *Resolución legislativa del Parlamento Europeo, de 18 de enero de 2018..., cit.*,
       Enmienda 15. Propuesta de Reglamento. Considerando 28 (p. 507), y Enmienda 45 de la Propuesta
       de Reglamento. artículo 23 — apartado 2 (p. 519).
[81]   La mención a mediación y otras vías complementarias se consolidará en la propuesta remitida al
       Consejo (Article 23 bis. Modes alternatifs de règlement des litiges), CONSEIL DE L'UNION EU-
       ROPÉENNE, *Proposition de règlement du Conseil relatif à la compétence, la reconnaissance et l'exécution des
       décisions en matière matrimoniale et en matière de responsabilité parentale, ainsi qu'à l'enlèvement internatio-
       nal d'enfants (refonte)–Orientation générale*, Bruxelles, le 30 novembre 2018 (OR.en), Dossier interins-
       titutionnel: 2016/0190(CNS), 14784/18, JUSTCIV 292, p. 41.
[82]   Considerando 28 de la Propuesta de Reglamento de 2016.

Bruselas II ter exige que "Lo antes posible", y "en cualquier fase del procedimiento", el órgano jurisdiccional que conozca de la eventual disputa en materia de responsabilidad parental, o del supuesto de sustracción internacional de menores, "invitará a las partes", bien de forma directa o, si procede, contando con la asistencia de las autoridades centrales "a que consideren si están dispuestas a recurrir a la mediación o a otra vía alternativa de resolución de litigios".

Siempre, se dice, que ello no resulte "contrario al interés superior del menor, no sea adecuado en el caso particular o conlleve un retraso indebido del procedimiento"[83]. Precisamente esta idea del retraso, así como de los costes adicionales que, en concreto, el recurso a la mediación puede conllevar en los procedimientos de restitución, es resaltada, desde antiguo, por la doctrina como una de las trabas que inciden sobre su utilización en este sector[84]. Igualmente se asumen las dificultades de que algunas de las ventajas que la mediación puede ofrecer se manifiesten efectivamente en este ámbito temático: "(dialogue, rapidité, efficacité) semble toutefois assez utopique, étant donné que ce type de litige s'avère extrêmement conflictuel et compliqué"[85].

---

[83]　En tal sentido, MUSSEVA, BORIANA, "The recast of the Brussels IIa Regulation: the sweet and sour fruits of unanimity", *ERA Forum*, n° 21, 2020, pp. 136-137. Lo que apoyaría, por ejemplo, la formación –y concienciación- del mediador en relación con esta cuestión. Al respecto, ESPINOSA CALABUIG, ROSARIO y CARBALLO PIÑEIRO, LAURA, "Child protection in European family law", *cit.*, p. 51.

[84]　Nótese, BORRÁS RODRÍGUEZ, ALEGRÍA, "Bruselas II, Bruselas II bis, Bruselas II ter…", *REEI*, n° 38, 2019, p. 4 y GONZÁLEZ BEILFUSS, CRISTINA, "La sustracción de menores en el nuevo Reglamento 1019/1111", en ÁLVAREZ GONZÁLEZ, SANTIAGO, ARENAS GARCÍA, RAFAEL, DE MIGUEL ASENSIO, PEDRO ALBERTO *et al* (Eds.), *Relaciones transfronterizas, globalización y Derecho. Homenaje al Profesor Doctor José Carlos Fernández Rozas*, Civitas Thomson Reuters, Madrid, 2020, p. 396. Precisamente con objeto de limitar este impacto en los costes, el Parlamento Europeo, en su Resolución sobre la propuesta de refundición del Reglamento II bis presentada por la Comisión Europea en 2016 afirmaba en su enmienda 15 (por la que se modificaba el Considerando 28 de dicha propuesta), la obligación de proporcionar a las partes una ayuda financiera para recurrir a la mediación, "*por lo menos en la medida en que se les haya o se les habría concedido asistencia jurídica*" (PARLAMENTO EUROPEO, *Resolución legislativa del Parlamento Europeo, de 18 de enero de 2018…*, *cit.*, p. 507). Una propuesta reflejada en el texto modificado del art. 38.1.b) de la Propuesta (PARLAMENTO EUROPEO, *Resolución legislativa del Parlamento Europeo, de 18 de enero de 2018…*, *cit.*, Enmienda 52, p. 521). De hecho, la propia Conferencia de La Haya de Derecho Internacional Privado es consciente de ello, como se observa en el hecho de congratularse del logro de una disminución en las demoras en los procedimientos en virtud del Convenio, también, en el plano de la mediación (al respecto, CONFERENCIA DE LA HAYA DE DERECHO INTERNACIONAL PRIVADO, *Comisión Especial sobre el funcionamiento práctico de los Convenios de La Haya de 1980 y 1996 (10 – 17 de octubre de 2017)*, p. 2, n° 14 (disponible en: https://assets.hcch.net/docs/b50c61b7-50a2-495c-b004-36e9000646df.pdf); GONZÁLEZ MARIMÓN, MARÍA, *La sustracción internacional de menores en el espacio jurídico europeo*, Tirant lo Blanch, Valencia, 2022, pp. 263 y ss.

[85]　JURIK, BEATA, "Le 'nouveau' Règlement Bruxelles II ter : le changement, ce n'est pas pour maintenant!", *JADE Journal d'Actualité des Droit Européens*, n° 20, 2019, 30 de octubre de 2019.

El cambio de filosofía y de enfoque es doblemente relevante al facilitar el legislador europeo, en primer lugar, la sustitución de una justicia basada en el enfrentamiento por otra articulada sobre el consenso, y hacerlo, además, de forma amplia, apostando por la búsqueda del consenso dentro o fuera de una mediación. Y ello en sí mismo constituye una opción relevante, dado que, dejando de lado las diferencias que puedan existir en cuanto a la naturaleza y desarrollo en la práctica de los distintos MASC potencialmente utilizados, sólo la mediación cuenta con un soporte normativo europeo.

Una alteración que encuentra su reflejo directo en el dato de que el potencial logro de acuerdos en esta materia ya no queda exclusivamente referido a las partes, sino que a los tribunales se les atribuye también un papel activo en esta búsqueda, al quedar ahora compelidos a invitar a aquellas a explorar un eventual consenso. En esta tarea, añade el Considerando 43 del texto reglamentario, el juez contará con la ayuda, "cuando corresponda, de las redes y estructuras de apoyo existentes para la mediación en las controversias transfronterizas en materia de responsabilidad parental" [86]. Una exigencia de involucración que está en línea con el mandato del punto 15 de la Carta Magna de los jueces europeos, de 17 de noviembre de 2010[87], que compele al juez a actuar para asegurar la consecución de una solución rápida, eficaz y a un coste razonable de los litigios. Y que, en tal sentido, "debe contribuir a la promoción de métodos alternativos de resolución de conflictos".

Sin embargo, como el mencionado Considerando 43 del Reglamento Bruselas II ter admite, esta exigencia que acompaña al juez de invitar a las partes a contemplar la posibilidad de buscar y, en su caso alcanzar, un acuerdo en relación con la disputa planteadas no es absoluta, y se avanzan diversas excepciones de índole varia. Se habla así de ciertas materias en las que se considera que la referencia –específicamente- "a la mediación" no siempre resulta apropiada; "en especial en los casos de violencia sobre la mujer"[88]. Y en todo caso, se insiste -también en relación con el concreto supuesto de la sustracción internacional de menores- en que el recurso a la mediación no debe suponer una prolongación indebida del procedimiento de restitución en virtud del Convenio de La Haya de 1980 sobre los aspectos civiles de la sustracción internacional de menores[89].

El art. 25 del Reglamento Bruselas II ter adquiere, de esta suerte, una especial relevancia, tanto por su contenido mismo, como por los cambios que incorpora

---

[86]   Considerando 43 del Reglamento Bruselas II bis.
[87]   CONSEJO CONSULTIVO DE LOS JUECES EUROPEOS (CCJE), *Carta Magna de los Jueces (Principios Fundamentales)* (disponible en: https://www.poderjudicial.es/stfls/cgpj/OTROS%20DOCU-MENTOS/FICHERO/CARTA%20MAGNA%20CCJE%20ESP_1.0.0.pdf).
[88]   Considerando 43 del Reglamento Bruselas II bis.
[89]   *BOE* nº 202, de 24 de agosto de 1987.

respecto del texto de 2003, reflejando la clara voluntad del legislador europeo de fomentar el logro de acuerdos en este ámbito: bien a través de la mediación, o recurriendo a otros mecanismos de resolución alternativa de disputas. Sin embargo, más allá de esta clara voluntad, el precepto presenta distintas limitaciones y problemas de naturaleza diversa, que pueden afectar, en última instancia, a la virtualidad de la solución articulada o, al menos a su plácida práctica[90].

Este apoyo a los MASC se observa, igual y necesariamente, en el ámbito de la eficacia extraterritorial del acuerdo concluido. Las reglas recogidas en el nuevo texto de 2019 intentan favorecer y facilitar esta eficacia extraterritorial, aunque de ellas se desprende una cierta sensación de excesiva complejidad, con todo lo que ello puede suponer en un ámbito que requiere, precisamente, de disposiciones claras y dúctiles[91]. Así, se dice, las normas "sont d'une lecture difficile et auraient manifestement supporté un effort de pédagogie et de simplification"[92].

El Reglamento Bruselas II ter asume en sus arts. 64 y ss. la existencia de una pluralidad de títulos vinculados al eventual pacto alcanzado por las partes en relación con la responsabilidad parental o el traslado ilícito de menores, susceptibles de circular libremente en el seno de la Unión: en primer lugar, la resolución judicial que homologa el eventual acuerdo concluido por las partes en el marco de una mediación o fuera de ella. En segundo, la escritura pública que lo incorpora. Y, en tercer lugar, el acuerdo mismo celebrado por las partes dentro o fuera de una mediación, que sean ejecutivos en un Estado miembro, y a los que el Reglamento Bruselas II bis asimilaba a "resoluciones judiciales"[93].

Respecto de estas tres categorías, el Reglamento Bruselas II ter afirma de forma genérica –y también taxativa- que, tanto la resolución, como el documento público que homologuen el acuerdo alcanzado por las partes, circularán en el territorio de la Unión con base en el principio de confianza mutua. Ello se traduce, tal como señala el Considerando 55 del Reglamento, en la limitación de los motivos de denegación del reconocimiento "al mínimo necesario, habida cuenta del objetivo subyacente del presente Reglamento que es facilitar el reconocimiento y la ejecución y proteger de forma eficaz el interés superior del menor".

Con relación a los "acuerdos" concluidos por las partes en el seno de una "mediación" u "otra vía alternativa de resolución de litigios", tal como señala el art. 25 del texto de 2019, el legislador europeo distingue entre aquellos acuerdos

---

[90]   Al respecto, ESPLUGUES MOTA, CARLOS, "El Reglamento Bruselas II Ter y el recurso a los MASC en materia de responsabilidad parental y sustracción internacional de menores", *Cuadernos de Derecho Transnacional*, 2021, vol. 13, nº 2, pp. 160 y ss.

[91]   Nótese, al respecto, ESPLUGUES MOTA, CARLOS, "El Reglamento Bruselas II Ter…", *cit.*, pp. 163 y ss.

[92]   GALLANT, ESTELLE, "Le nouveau Règlement 'Bruxelles II ter'", *AJ Famille*, 2019, pp. 401 y ss.

[93]   Considerando 22 y art. 46 del Reglamento Bruselas II bis.

que cuentan con una naturaleza estrictamente privada, y aquellos otros que, sin haber sido homologados por una autoridad judicial o extrajudicial, se encuentran registrados, otorgando un tratamiento notablemente diverso a unos y otros.

Respecto de los primeros, los acuerdos alcanzados por las partes mediante la intervención de un mediador, o recurriendo a cualquier otro mecanismo MASC, y que por no haber sido homologado por una autoridad pública o un juez cuentan con una naturaleza estrictamente privada, el Considerando 14 del Reglamento Bruselas II ter deja claro que el objetivo del texto de 2019 no es "autorizar la libre circulación de acuerdos meramente privados". Antes, al contrario, el propio texto reglamentario explicita que tal circulación "no debe" autorizarse, al tratarse de acuerdos dotados de una naturaleza puramente contractual, y carentes de fuerza ejecutiva, añadiríamos nosotros. Junto a ello, y en claro contraste con lo anterior, el objetivo del Reglamento, tal como precisa su Considerando 2, sí que es facilitar "la circulación en la Unión de las resoluciones, los documentos públicos y determinados acuerdos", procediéndose en tal sentido a "establecer disposiciones relativas a su reconocimiento y ejecución en otros Estados miembros"[94].

IV. UN FUTURO QUE VENDRÁ

El presente tiende, siempre, a ser imperfecto. Sin embargo, esta sensación se ve relativizada si se compara con cualquier pasado, y se observan los avances producidos. El uso de los MASC no podía ser ajeno a esta percepción. La realidad dista mucho de ser óptima y, llamativamente, en el caso de la UE, resulta un tanto desalentadora. A pesar de las medidas adoptadas, seguimos careciendo de una cultura de consenso, y la realidad crispada que vivimos no acompaña, tampoco, este emprendimiento. Contamos con la ventaja de un diagnóstico correcto de la situación, pero siguen existiendo dudas, todavía hoy, sobre la medicación o, cuanto menos, sobre su posología. Hace falta empeño para superar el actual *impasse*. Personas corajudas que crean que el cambio es posible y que luchen por él. La Profa. Mercedes Moya es una de ellas. Y en este empeño, como en tantos otros, la vamos a echar en falta.

---

[94]   *Vid.* ESPLUGUES MOTA, CARLOS, "El Reglamento Bruselas II Ter…", *cit.*, pp. 168 y ss.

V. BIBLIOGRAFÍA

ARISTÓTELES, *Ética Nicomáquea. Ética Eudemia* (Introducción por Emilio Lledó Iñigo, traducción y notas Julio Pallí Bonet, Gredos, Madrid, 1985.

BARONA VILAR, SILVIA, *Mediación civil en asuntos civiles y mercantiles en España. Tras la aprobación de la Ley 5/2012, de 6 de julio*, Tirant lo Blanch, Valencia, 2013.

BARONA VILAR, SILVIA, "'Justicia integral' y '*access to justice*'. Crisis y evolución del 'paradigma'", en BARONA VILAR, SILVIA (Coord.), *Mediación, arbitraje y jurisdicción en el actual paradigma de justicia*, Thomson Reuters-Civitas, Cizur Menor, 2016, pp. 31-55.

BARONA VILAR, SILVIA, *Nociones y principios de las ADR (Solución extrajurisdiccional de conflictos)*, Tirant lo Blanch, Valencia, 2018.

BARONA VILAR, SILVIA, "Psicoanálisis del arbitraje en la sociedad virtual y líquida del Siglo XXI. Entre la deconstrucción y la caquexia", en BARONA VILAR, SILVIA (Ed.), *Psicoanálisis del arbitraje: solución o problema en el actual paradigma de justicia*, Tirant lo Blanch, Valencia, 2020, pp. 29-54.

BARONA VILAR, SILVIA, "La mediación y su espacio en el hábitat de la justicia integral, global, algorítmica: ¿más o menos protagonismo?", en BARONA VILAR, SILVIA (Ed.), *Meditaciones sobre la mediación (MED+)*, Tirant lo Blanch, Valencia, 2022, pp. 31-62.

BARONA, SILVIA y ESPLUGUES, CARLOS, "ADR Mechanisms and their Incorporation into Global Justice in the Twenty-First Century: Some Concepts and Trends", en ESPLUGUES, CARLOS y BARONA, SILVIA (Eds.), *Global Perspectives on ADR*, Intersentia, Cambridge, 2014, pp. 1-52.

BARUFFI, MARIA CATERINA, "A child-friendly area of freedom, security and justice: work in progress in international child abduction cases", *Journal of Private International Law*, vol. 14, nº 3, 2018, p. 385.

BORRÁS RODRÍGUEZ, ALEGRÍA, "Bruselas II, Bruselas II bis, Bruselas II ter…", *REEI*, nº 38, 2019.

CARPANETO, LAURA, "La ricerca di una (nuova) sintesi tra interesse superiore del minore in astratto e in concreto nella riforma del Regolamento Bruxelles II-bis", *Rivista di diritto internazionale privato e processuale*, vol. LIV, nº 4, 2018, pp. 944-977.

DE PALO, GIUSEPPE, FEASLEY, ASHLEY y ORECCHINI, FLAVIA, *Quantifying the cost of not using mediation – a data analysis*, European Parliament. Directorate General for Internal Policies. Policy Department C: Citizens' Rights and Constitutional Affairs. Legal Affairs, Bruselas, 2011.

ESPINOSA CALABUIG, ROSARIO y CARBALLO PIÑEIRO, LAURA, "Child protection in European family law", en PFEIFFER, THOMAS, LOBACH, QUINCY C. y RAPP, TOBIAS (Eds.), *Facilitating Cross-border family life–Towards a common European Understanding*, Heidelberg University Publishing, Heidelberg, 2021, pp. 49-90.

ESPLUGUES, CARLOS, "Civil and Commercial Mediation in the EU After the Transposition of Directive 2008/52/EC", en ESPLUGUES, CARLOS (Ed.), *Civil and Commercial Mediation in Europe. Cross Border Mediation*, Intersentia, Cambridge, 2014, pp. 485-771.

ESPLUGUES, CARLOS, "General Report: New Developments in Civil and Commercial Mediation – Global Comparative Perspectives", en ESPLUGUES, CARLOS y MARQUIS, LOUIS (Eds.), *New Developments in Civil and Commercial Mediation*, Springer, Heidelberg, 2015, pp. 1-88.

ESPLUGUES MOTA, CARLOS, "El arbitraje comercial internacional en Iberoamérica: una realidad consolidada no exenta de tensiones", en ESPLUGUES MOTA, CARLOS (Ed.), *Tratado de arbitraje comercial interno e internacional en Iberoamérica*, Tirant lo Blanch, Valencia, 2019, pp. 49-98.

ESPLUGUES MOTA, CARLOS, *Mediación civil y comercial. Regulación internacional e iberoamericana*, Tirant lo Blanch, Valencia, 2019.

ESPLUGUES MOTA, CARLOS, "Cruzando el espejo arbitral: las propuestas de la CNUDMI en materia de arbitraje acelerado y la búsqueda del 'triángulo mágico'", en BARONA VILAR, SILVIA (Ed.), *Psicoanálisis del arbitraje: solución o problema en el actual paradigma de justicia*, Tirant lo Blanch, Valencia, 2020, pp. 79-106.

ESPLUGUES MOTA, CARLOS, "El Reglamento Bruselas II Ter y el recurso a los MASC en materia de responsabilidad parental y sustracción internacional de menores", *Cuadernos de Derecho Transnacional*, 2021, vol. 13, n° 2, pp. 132-173.

ESPLUGUES MOTA, CARLOS, "Cinco cuestiones diferentes y una misma institución: algunas claves en torno al futuro del arbitraje comercial internacional", *Revista Cubana de Derecho*, 2022, vol. 2, n°. 1, pp. 410-439.

ESPLUGUES, CARLOS e IGLESIAS, JOSÉ LUIS, "Mediation and Private International Law: Improving Free Circulation of Mediation Agreements Across the EU", en *The Implementation of the Mediation Directive 29 November 2015. Compilation of In-depth Analysis* (European Parliament – Directorate-General for Internal Policies), Bruselas, 2016, pp. 70-94.

GALLANT, ESTELLE, "Le nouveau Règlement 'Bruxelles II ter'", *AJ Famille*, 2019, pp. 401-405.

GONZÁLEZ BEILFUSS, CRISTINA, "La sustracción de menores en el nuevo Reglamento 1019/1111", en ÁLVAREZ GONZÁLEZ, SANTIAGO, ARENAS GARCÍA, RAFAEL, DE MIGUEL ASENSIO, PEDRO ALBERTO *et al* (Eds.), *Relaciones transfronterizas, globalización y Derecho. Homenaje al Profesor Doctor José Carlos Fernández Rozas*, Civitas Thomson Reuters, Madrid, 2020, pp. 383-398.

GONZÁLEZ MARIMÓN, MARÍA, *Menor y responsabilidad parental en la Unión Europea*, Tirant lo Blanch, Valencia, 2021.

GONZÁLEZ MARIMÓN, MARÍA, "La regulación de la sustracción internacional de menores en el Reglamento Bruselas II ter y sus principales novedades: hacia una mejor protección del interés superior del menor", *Cuadernos de Derecho Transnacional*, 2022, vol. 14, nº 1, pp. 286-312.

GONZÁLEZ MARIMÓN, MARÍA, *La sustracción internacional de menores en el espacio jurídico europeo*, Tirant lo Blanch, Valencia, 2022.

HECKENDORN URSCHELER, LUKAS, PRETELLI, ILARIA, CURRAN, JOHN *et al*, *Enlèvements parentaux transfrontaliers dans l'Union européenne. Synthèse*, Parlement européen. Direction générale des politiques internes. Département thématique C: Droits des citoyens et affaires constitutionnelles. Libertés civiles, justice et affaires intérieures, Bruselas, 2015.

HOPT, KLAUS J. y STEFFEK, FELIX, "Mediation: Comparison of Laws, Regulatory Models, Fundamental Issues", en HOPT, KLAUS J. y STEFFEK, FELIX (Eds.), *Mediation Principles and Regulation in Comparative Perspective*, OUP, Oxford, 2013, pp. 3-130.

JURIK, BEATA, "Le 'nouveau' Règlement Bruxelles II ter: le changement, ce n'est pas pour maintenant!", *JADE Journal d'Actualité des Droit Européens*, nº 20, 2019, 30 de octubre de 2019.

KRUGER, THALIA, "Enhancing Cross-Border Cooperation", en EUROPEAN PARLIAMENT, *Recasting the Brussels IIa Regulation Workshop 8 November 2016. Compilation of briefings*, European Parliament, Directorate General for Internal Policies. Policy Department C: Citizens' Rights and Constitutional Affairs. Legal Affairs, Bruselas, 2016, pp. 36-44.

MUSSEVA, BORIANA: "The recast of the Brussels IIa Regulation: the sweet and sour fruits of unanimity", *ERA Forum*, nº 21, 2020, pp. 129-142.

PALAO MORENO, GUILLERMO, "La mediación y su codificación en Europa: aspectos de derecho internacional privado", en GÓMEZ COLOMER, JUAN LUIS, BARONA VILAR, SILVIA y CALDERÓN CUADRADO, PÍA (Coords.), *El Derecho Procesal del Siglo XX a golpe de tango. Juan Montero Aroca. Liber Amicorum, en homenaje y para celebrar su LXX cumpleaños*, Tirant lo Blanch, Valencia, 2012, pp. 1337-1352.

PRETELLI, ILARIA, "Child Abduction and Return Proceedings", en EUROPEAN PARLIAMENT, *Recasting the Brussels IIa Regulation Workshop 8 November 2016. Compilation of briefings*, European Parliament, Directorate General for Internal Policies. Policy Department C: Citizens' Rights and Constitutional Affairs. Legal Affairs, Bruselas, 2016, pp. 4-17.

QUINZÁ REDONDO, PABLO, "El arbitraje comercial internacional y los instrumentos y los instrumentos de Bruselas: (Re)pensando sobre su compleja relación", en BARONA VILAR, SILVIA (Ed.), *Psicoanálisis del arbitraje: solución o problema en el actual paradigma de justicia*, Tirant lo Blanch, Valencia, 2020, pp. 409-414.

TYMOWSKI, JAN, *The Mediation Directive. European Implementation Assessment*, European Parliamentary Research Service, PE 593.789, Bruselas, diciembre de 2016.

VAN KOTE, AGNÈS, "Les enfants et la médiation familiale", *AJ Famille*, 2009, pp. 336-337.

VAN LOON, HANS, "The Brussels IIa Regulation: towards a review?", en EUROPEAN PARLIAMENT, *Cross-Border Activities in the EU – Making Life Easier for Citizens. Workshop for the JURI Committee*, European Parliament. Directorate General for Internal Policies. Policy Department C: Citizens' Rights and Constitutional Affairs. Legal Affairs, Bruselas, 2015, pp. 178-207.

LA DIGITALIZACIÓN DE LOS REGISTROS CIVILES Y LA CIRCULACIÓN INTERNACIONAL DE SUS CERTIFICACIONES: REGULACIÓN INTERNACIONAL Y EUROPEA[*]

GUILLERMO PALAO MORENO

Catedrático de Derecho Internacional privado
Universitat de València

SUMARIO: I. LA DIGITALIZACIÓN DE LOS REGISTROS CIVILES ESTATALES EN UN CONTEXTO INTERNACIONALIZADO. II. EL PROGRAMA DE LA APOSTILLA ELECTRÓNICA (E-APP) DE LA CONFERENCIA DE LA HAYA. III. LA DESTACADA LABOR CODIFICADORA DE LA CIEC EN ESTE ÁMBITO. IV. LA APUESTA DE LA UE EN ESTA MATERIA. V. A MODO DE CONCLUSIÓN. VI. BBLIOGRAFÍA.

I. LA DIGITALIZACIÓN DE LOS REGISTROS CIVILES ESTATALES EN UN CONTEXTO INTERNACIONALIZADO

Constituye un verdadero honor participar en esta obra, manifestación del justo y muy merecido homenaje que se le debe a la Profesora Mercedes Moya Escudero, maestra de internacional-privatistas y gran persona en su sentido más noble. Precisamente en relación con un ámbito relacionado con su profundo interés por la materia de movilidad internacional de las personas. Y es que la creciente movilidad transfronteriza de éstas constituye un auténtico signo de los tiempos, directamente relacionada con fenómenos como la globalización y los procesos de integración regional, al igual que con la consolidación de la Sociedad de la Información y la irrupción de la Cuarta Revolución Industrial. Unos fenómenos que inciden en una pluralidad de cuestiones que, desde una perspectiva jurídica, afectando profundamente a la vida diaria de las personas. Una de las cuales se relaciona estrechamente con la regulación de la dimensión personal de los sujetos y de su estado civil en situaciones de carácter internacional; afectando directamente a la prueba y al reconocimiento internacional de los actos que les

---

[*] Trabajo realizado en el marco de los Proyectos I+D: PID2021-123170OB-I00 ("Claves para una justicia digital y algorítmica con perspectiva de género") y TED2021-129307A-I00 ("Hacia una transición digital centrada en la persona en la Unión Europea").

afectan[1]. Una compleja problemática que cuenta con múltiples repercusiones y de la que normalmente se derivan no pocas dificultades prácticas para aquellas personas que, por cualquier motivo, se encuentran en movimiento.

Esta cuestión ha adquirido una gran importancia en los últimos años, ante el constante incremento del número de situaciones relacionadas con el estado civil que cuentan con un elemento extranjero; habiendo generado una respuesta primeramente estatal, junto a la puesta en marcha de una destacada cooperación internacional en la materia. Un ámbito donde ha jugado un papel importante diversos centros de codificación internacional regionales e internacionales, con el objetivo de facilitar el reconocimiento y la circulación internacional de los documentos en materia de estado civil en situaciones trasfronterizas. Una destacable labor codificadora que, además, se encuentra relacionada estrechamente tanto con la problemática más general de facilitar la circulación internacional de los documentos públicos, como con la necesidad de establecer mecanismos legales que favorezcan el reconocimiento transfronterizo de las realidades legales de carácter personal generadas al amparo de un ordenamiento extranjero.

Nos encontramos, por tanto, ante una singular problemática con un marcado carácter práctico, que ha despertado un destacado interés codificador desde una perspectiva estatal, internacional y regional. Así, además del legislador estatal, desempeñan un importante papel en este ámbito instituciones internacionales, como la Conferencia de La Haya de Derecho Internacional Privado (HCCH) o, por su especialidad, la Comisión Internacional del Estado Civil (CIEC); mientras que, desde la óptica regional, cabe subrayar los esfuerzos de unificación normativa realizados desde la Unión Europea (UE). Sin embargo, al analizar los resultados alcanzados, no deja de dar la sensación de que la codificación internacional en materia de estado civil constituye uno de los ámbitos del Derecho internacional privado (DIPr) que precisaría de una mayor atención por parte del legislador -para así dejar de ser considerado como un "pariente pobre"[2]-. Y ello, no ya sólo por su importancia práctica y su incidencia en la vida diaria de las personas, sino también por los nuevos desafíos a los que se enfrenta; motivados por los vertiginosos cambios culturales, sociales y tecnológicos que surgen en un

---

[1]   NORD, NICOLAS, "La circulation des actes de l'État civil au sein de l'Union européenne", en CUARTERO RUBIO, Mª VICTORIA y VELASCO RETAMOSA, JOSÉ MANUEL (Dirs.), *La vida familiar internacional en una Europa compleja: cuestiones abiertas y problemas de la práctica*, Tirant lo Blanch, Valencia, 2022, pp. 81-101, p. 82; PINTENS, WALTER, "CIEC/ ICCS (International Commission on Civil Status)", en *Encyclopedia of Private Internacional Law*, Edward Elgar, Cheltenham, 2017, vol. 1, pp. 330-337, p. 333; ROCA SERRANO, Mª SONIA ELIANA, *Dimensión internacional del Registro Civil: los casos de Bolivia y España*, Santa Cruz de la Sierra, El País, 2013, pp. 267-268.

[2]   MASSIP, JACQUES, HONDIUS, FRITS, NAST, CHANTAL y GRANET, FRÉDÉRIQUE, *Commission Internationale de l'État Civil (CIEC). International Commission on Civil Status (ICCS)*, Kluwer Law International, La Haya, 2018, p. 63.

ámbito caracterizado por un elevado nivel de particularismo estatal y por el juego del principio de territorialidad[3].

Uno de estos desafíos se sitúa precisamente en el constante e imparable proceso de digitalización de los Registros nacionales de estado civil (Registros Civiles), así como los documentos y certificados que estos emiten. Una realidad directamente relacionada con la modernización de la administración pública que se produce por medio de la incorporación de herramientas tecnológicas en la gestión de sus procesos. Unos avances tecnológicos que, acompañados de una decidida acción normativa basada en los principios de "equivalencia funcional" y de "neutralidad tecnológica", tiene por objetivo que se garantice el mismo valor y eficacia a los documentos digitales que los que ya poseen los tradicionales analógicos en formato papel.

Una realidad tecnológica que irrumpió con la propia Sociedad de la Información a inicios de los años 90 del siglo XX, incidiendo en los procesos de digitalización de la administración pública (y, por ende, de los Registros Civiles) que se encuentran ya plenamente presentes en un gran número de países. Pero que plantea nuevos y singulares retos, porque el mencionado proceso de digitalización ha alcanzado a los Registros Civiles más recientemente, así como por la distinta atención que les ha prestado el legislador desde una perspectiva comparada. Así las cosas, la digitalización de los procesos y de los servicios públicos constituye una realidad en aumento, gracias a la generación de infraestructuras tecnológicas que, cada vez más, ofrecen un elevado nivel de eficacia y de seguridad jurídica a los ciudadanos, así como un nivel adecuado de protección de sus derechos de la personalidad (incluidos sus datos personales[4]).

Aunque, en el contexto de una creciente movilidad internacional de las personas, exige la incorporación de nuevas previsiones legales que atiendan a la necesidad de aceptar de forma segura documentos públicos extranjeros elaborados en formato digital. Un objetivo que, en último extremo y debido a su carácter transfronterizo, implica la puesta en marcha de soluciones propias desde el DIPr., y en el que subyace la necesidad de incrementar los esfuerzos de cooperación inter-estatal. Y ello, con el objeto de atender debidamente a las necesidades que

---

[3]   NORD, NICOLAS, "La circulation...", *op. cit.*, p. 82; RODRÍGUEZ GAYÁN, ELOY, *Derecho registral civil internacional*, Eurolex, Madrid, 1995, pp. 22-23.

[4]   Sobre esta significativa cuestión y las peculiaridades que suscita la protección de los datos personales en el ámbito registral civil, VILLAVERDE MENÉNDEZ, IGNACIO, "Publicidad registral y datos personales. Una especial mención al caso de los registros civil, de la propiedad y mercantil", en TRONCOSO REIGADA, ANTONIO (Coord.), *Transparencia administrativa y protección de datos personales: V Encuentro entre Agencias Autonómicas de Protección de Datos Personales: celebrado el día 28 de octubre de 2008 en la Real Casa de Correos de Madrid*, Comunidad de Madrid, Madrid, 2008, pp. 263-290, pp. 284-286; REVILLARD, MARIEL, "L'effet pénalisant des mesures de publicité à l'état civil", en FULCHIRON, HUGUES (Dir.), *La circulation des personnes et leur statut dans un monde globalisé*, Lexis Nexis, París, 2019, pp. 331-335.

se relacionan con la doble dimensión (como derecho fundamental y constancia de la fe pública) que rodea a la materia del estado civil de las personas[5], facilitar el reconocimiento del estado civil adquirido en el extranjero[6] y, en definitiva, no generar nuevos obstáculos a la movilidad internacional de los ciudadanos[7].

En este sentido, y como se ha señalado, durante los últimos se han ido sucediendo diversas experiencias estatales relacionadas con la digitalización de los Registros Civiles, afectando igualmente a su dimensión transfronteriza. En este sentido, haciendo referencia ya sólo al continente europeo, se observa esta significativa tendencia en diversos ejemplos nacionales que, vinculados al proceso de incorporación de herramientas digitales en los procesos propios de la administración pública, persiguen el objetivo de lograr la digitalización de los Registros Civiles y, de este modo, proporcionar un mejor (y seguro) servicio al ciudadano, ofreciendo un mayor nivel de eficacia y eficiencia en su gestión por distintos medios[8].

A este respecto resulta paradigmático el caso español, al combinar modificaciones normativas y tecnológicas a nuestro sistema de publicidad registral en materia de estado civil, con una clara apuesta hacia su digitalización. Para empezar, hay que hacer mención a la creación de un sistema de Registro Civil único para toda España, plenamente informatizado y de acceso electrónico, a partir de la publicación de la Ley 20/2011 de Registro Civil y de la Ley 6/2021 de Registro civil por la que se modifica la Ley 20/2011[9]. Un avance normativo, desde una perspectiva tecnológica, que ha derivado en la creación de un Registro electrónico en el Ministerio de Justicia[10], al que acceden documentos cuya autenticidad e integridad es posteriormente verificada[11]. Así, hay que hacer mención, en un

---

[5]   ROCA SERRANO, Mª SONIA ELIANA, *op. cit.*, p. 114.

[6]   Al respecto, cabe destacar el estudio comparado a nivel europeo y con análisis de la jurisprudencia emitida por TJUE y el TEDH, cuyos resultados han sido presentados en el reciente estudio, GÖSSL, SUSANNE LILIAN y MELCHER, MARTINA, "Recognition of a status acquired abroad in the EU. A challenge for national laws form evolving traditional methods to new forms of acceptance and bypassing alternatives", *CDT*, 2022, vol. 14, nº 1, pp. 1012-1043.

[7]   BERGÉ, JEAN-SYLVESTRE, *Rethinking Flow Beyond Control. An Outreach Legal essay*, DICE Éditions, Aix-en-Provence, Serie Confluence des droits nº 16, 2021, pp. 112-113; JIMÉNEZ BLANCO, PILAR, "Movilidad transfronteriza de personas, vida familiar y Derecho internacional privado", *REEI*, nº 35, 2018, pp. 1-49, pp. 48-49.

[8]   Entre estas iniciativas estatales se encuentran, a modo de ejemplo, los sistemas digitales establecidos en Bélgica (https://search.arch.be/fr/themes/jalon/518-etat-civil-fr), Francia (http://www.justice.gouv.fr/comedec-12589/), Portugal (https://eportugal.gov.pt/en/servicos/pedir-o-cartao-de-cidadao) o, fuera del ámbito de la UE, en Suiza (https://www.admin.ch/gov/fr/start/documentation/communiques.msg-id-23116.html).

[9]   Respectivamente, en *BOE* nº 175, de 22 de julio de 2011 y *BOE* nº 102, de 29 de abril de 2021.

[10]   En: https://sede.mjusticia.gob.es/en (última consulta: 12/09/2022).

[11]   En: https://sede.mjusticia.gob.es/es/InformacionAyuda/Documents/1292429494543-Orden_JUS de 10 de enero de 2011 por la que se establece el sistema de codigos seguros de verificac. PDF (última consulta: 12/09/2022).

primer término, al desarrollo de sistema informático INFOREG, al que ha seguido el más reciente (y todavía en fase de implantación) sistema DICIREG[12]. Por lo que, a la vista de lo expuesto, se aprecia una decidida política española hacia la digitalización del sistema, aunque en la actualidad coexistan Registros Civiles parcialmente analógicos y digitales, con una clara tendencia a la plena digitalización del sistema a medio o largo plazo.

Así, en la actualidad se multiplican las iniciativas tecnológicas y legislativas estatales que –aunque con desigual intensidad, alcance y acierto- han afectado a los Registros Civiles, por medio de las que se procuraría: a) favorecer la incorporación de las oportunas modificaciones legales por medio de las que se habrían adaptado los tradicionales sistemas analógicos de los Registros públicos a la realidad digital: así, con base en los principios de "neutralidad tecnológica" y de "equivalencia funcional", se habría incorporado la previsión normativa en algunos ordenamientos estatales en materia de estado civil con el fin de hacer equivalentes el tradicional documento papel y el documento digital, garantizando un mismo valor probatorio; b) fomentar el recurso al empleo de plataformas digitales interactivas que favorezcan la interconexión de los distintos Registros Civiles, permitiendo asimismo la legalización de los documentos emitidos por medio de un procedimiento totalmente en línea; c) incorporar la exigencia de que los ciudadanos empleen firmas digitales (o incluso estableciendo un sistema de identidad digital personal), para favorecer el empleo de este sistema digitalizado; d) garantizar la protección de los derechos de la personalidad de los ciudadanos y, en concreto, incorporar previsiones relativas a la protección de datos personales en este contexto digital; y e) en supuestos internacionales, facilitar la admisión de documentos digitales extranjeros emitidos por las autoridades competentes de otro país.

Un esfuerzo regulador a nivel estatal que, aunque ciertamente encomiable, resulta a todas luces insuficiente en un mundo altamente globalizado como el presente, por razón de: a) la distinta velocidad y las diferencias con la que se producen estos cambios legislativos a nivel estatal, así como la dispar incorporación de las herramientas tecnológicas en los procesos de digitalización de la administración pública estatal (y, por lo tanto, de los Registros Civiles) de los distintos países -coincidiendo, incluso en el interior de un mismo país, sistemas tradicionales en papel, con procesos de digitación y firma electrónica de los documentos o la plena digitalización del sistema por medio del uso de plataformas-; y b) por

---

[12]   Ténganse en cuenta, respecto a la implantación del sistema informático DICIREG: la Resolución de la DGSJFP de 29 de julio de 2021 (*BOE* nº 189, de 9 de agosto 2021); la Instrucción de la DGSJFP de 16 de septiembre de 2021 (*BOE* nº 228, de 23 de septiembre de 2021), la Resolución de la DGSJFP de 18 de noviembre de 2021 (*BOE* nº 281, de 24 de noviembre de 2021); y la más reciente Instrucción de la DGSJFP de 3 de junio de 2022 (*BOE* nº 137, de 9 de junio de 2022).

la insuficiencia que ofrece el acudir, en exclusivo, a soluciones puramente estales en un contexto internacional como el descrito –en ocasiones, sin estar debidamente pertrechadas para ello, viéndose obligadas a acudir a respuestas diseñadas para sistemas analógicos en sus sistemas autónomos de DIPr.[13]- y, en consecuencia, la necesidad de llevar a cabo acciones supra-estatales en este ámbito que permitan un mayor nivel de cooperación y faciliten la movilidad internacional de las personas, a partir de la interconexión de los Registros y el empleo de plataformas digitales.

En consecuencia, y a la vista de lo expuesto, resulta necesario superar los esfuerzos puramente individuales realizados por el legislador estatal y acudir a soluciones elaboradas desde un plano supra-estatal (ya sea internacional o regional). Un necesario cambio de perspectiva que, en último extremo, tienda a garantizar y a facilitar la colaboración entre los Registros Civiles de los distintos países –e incluso su interconexión- y contemple la circulación internacional de las certificaciones que emiten. El objetivo de este estudio, por tanto, consistirá en la presentación y evaluación de las distintas iniciativas codificadoras en materia de la digitalización de los Registros Civiles y, en concreto, su dimensión internacional. Un proceso codificador que ha tenido lugar y se ha ido sucediendo en los planos internacional (tanto en el seno de la HCCH, como desde la CIEC) y regional (particularmente en la UE) en las últimas décadas.

II. EL PROGRAMA DE LA APOSTILLA ELECTRÓNICA (E-APP) DE LA CONFERENCIA DE LA HAYA

Frente a la dispar atención prestada por el legislador estatal a las cuestiones mencionadas, ha sido en el ámbito de la codificación internacional y regional donde se han advertido los desarrollos más significativos que afectan a la dimensión transfronteriza de la digitalización de los Registros Civiles. Para empezar,

---

[13]   *Vid.* DIAGO DIAGO, PILAR, "La circulación de documentos públicos en situaciones transfronterizas: la tensión entre la seguridad jurídica y la reducción de las cargas para el ciudadano", en *Cursos de derecho internacional y relaciones internacionales de Vitoria-Gasteiz*, Tirant lo Blanch, Valencia, 2019, pp. 81-132, pp. 94-96; DURÁN AYAGO, ANTONIA, "El acceso al registro Civil de certificaciones registrales extranjeras a la luz de la Ley 20/2011: relevancia para los casos de filiación habida a través de gestación por sustitución", *AEDIPr*, t. XII, 2021, pp. 265-308, pp. 296-305; FONT i MAS, MARÍA, "La autenticidad formal de los documentos públicos en España como obstáculo a las relaciones internacionales y la propuesta de Reglamento sobre la simplificación de la aceptación de documentos en la UE", en FONT i MAS, MARÍA (Dir.), *El documento público extranjero en España y en la Unión Europea. Estudio sobre las características y efectos del documento público*, Bosch, Barcelona, 2014, pp. 47-83, pp. 48-53. Con carácter general, destacan igualmente, GORÉ, MARIE, "L'acte authentique en droit international privé", en *Droit international privé : travaux du Comité français de droit international privé*, 1998-2000, Pedone, París, 2001, pp. 23-48.

desde la perspectiva de la HCCH, destaca el papel principal que tradicionalmente ha jugado en este ámbito el significativo *Convenio de 5 de octubre de 1961 por el que se Suprime la Exigencia de Legalización de los Documentos Públicos Extranjeros* (Convenio HCCH sobre la Apostilla de 1961)[14]. Un exitoso instrumento convencional que cuenta con un importante respaldo (121 países contratantes) y que desempeña un destacado papel en la circulación internacional de los documentos públicos tras más de 60 años de servicio. Un instrumento convencional que constituye un verdadero ejemplo de éxito, que, a su vez, que se ha visto favorecido: tanto por la activa labor desarrollada desde el *Permament Bureau* de la HCCH, al elaborar varios y útiles documentos explicativos que facilitan su aplicación, así como por el compromiso y las valiosas aportaciones de la Comisión especial sobre la aplicación práctica del Convenio.

Como es sabido, el Convenio HCCH sobre la Apostilla de 1961 persigue, de forma principal, eliminar el requisito de la legalización y facilitar el empleo de documentos públicos (como se definen en su art. 1) en el extranjero, desempeñando un papel destacado en favorecer la circulación internacional de este tipo de documentos, resultando plenamente aplicable igualmente a los documentos en materia de estado civil[15]. Sin embargo, también es cierto que, además de su carácter supletorio[16], por medio de esta relevante Convención no se consigue eliminar plenamente los requisitos exigibles a los documentos que cubre, sino que simplemente los simplifica. Así, el Convenio de 1961 persigue reemplazar el complejo procedimiento que supone la legalización a través de una cadena de autentificación, por medio de un sistema algo más sencillo que opera en una única fase[17]. El cual consiste en el control de la existencia de un certificado único y uniforme que se ve emitido por las autoridades competentes en el país de emisión (art. 6), por el que se acredita la autenticidad formal del documento público, emitido por parte de la autoridad designada por el estado de origen: la "Apostilla" (arts. 3 y 4)[18].

Por lo que hace a este estudio, sin embargo, el importante servicio prestado por este Convenio plantea importantes retos ante la nueva realidad tecnológica

---

[14] *BOE* n° 229, de 25 de septiembre de 1978. Téngase en cuenta el Real Decreto 2433/1978, por el que se determinan los funcionarios competentes para realizar la legalización única o apostilla prevista por el Convenio XII de la Conferencia de La Haya de 5 de octubre de 1961 (*BOE* n° 248, de 17 de octubre de 1978).

[15] NORD, NICOLAS, "La circulation...", *op. cit.*, p. 92.

[16] Arts. 3.2 y 8.

[17] DIAGO DIAGO, PILAR, *op. cit.*, p. 121.

[18] BORRÁS RODRÍGUEZ, ALEGRÍA, "De la exigencia de legalización a la libre circulación de documentos", en FONT i MAS, MARÍA (Dir.), *op. cit.*, pp. 27-46, pp. 31-32; DIAGO DIAGO, PILAR, *op. cit.*, pp. 127-128; ZABLUD, PETER, "The 1961 Apostille Convention – authenticating documents for international use", en *The Elgar Companion to The Hague Conference on Private International Law*, Edward Elgar, Cheltenham, 2020, pp. 277-287, pp. 279-284.

y la imparable digitalización de las certificaciones emitidas por los Registros Civiles. Todo ello, en el contexto de las distintas iniciativas que ha tenido la Conferencia en el contexto de la incorporación de la digitalización de sus instrumentos en materia de cooperación jurídica[19]. Así, por lo que respecta al ámbito tratado, constituye una realidad que se encuentra detrás de los esfuerzos realizados en el marco de la HCCH, a partir de la creación de la Comisión Especial sobre el Funcionamiento Práctico del Convenio sobre la Apostilla en 2003, para utilizar y adaptar el modelo de cooperación y de circulación internacional de documentos públicos a las peculiaridades del medio digital[20]. Una iniciativa que se ha visto facilitada, entre otros, por el carácter "tecnológicamente neutro" del Convenio de 1961[21].

Así, por lo que respecta a su dimensión digital, destaca el desarrollo del interesante *"Electronic Apostille Pilot Program"* (la original *e-APP*), fruto de la colaboración entre la HCCH y la *National Notary Association of the United States of America* (NNA)[22]. Una iniciativa que destaca por su carácter práctico y poco formalista, incluso por lo que hizo al tipo de instrumento por medio del que se desarrolló[23], que derivó en el lanzamiento de una "Apostilla" electrónica en 2006. Aunque, en poco tiempo, se convirtió en un verdadero Programa de la HCCH que, desde 2012, derivó en la actual *e-App*[24], *tras 12 reuniones internacionales (e-APP Forum*[25]*). Por lo que respecta al funcionamiento del Programa e-App*, en particular, éste se fundamente principalmente en el empleo de dos elementos tecnológicos: "Apostillas" electrónicas (*e-Apostilles*) y Registros electrónicos (*e-Registers*)[26]. Sin embargo, hay que tener presente que el Programa no pretende favorecer ninguna tecnología

---

[19]   HEINDLER, FLORIAN, "The digitisation of legal co-operation–reshaping the fourth dimension of private international law", en *The Elgar Companion…, op. cit.,* pp. 428-438.

[20]   DIAGO DIAGO, PILAR, *op. cit.,* p. 129.

[21]   BORRÁS RODRÍGUEZ, ALEGRÍA, *op. cit.,* pp. 37-38.

[22]   En: https://www.hcch.net/en/instruments/conventions/publications1/?dtid=49&cid=41 (última consulta: 12/09/2022).

[23]   BORRÁS RODRÍGUEZ, ALEGRÍA, *op. cit.,* p. 38.

[24]   Sobre su origen y evolución BERNASCONI, CHRISTOPHE, "The Electronic Apostille Program (e-APP): Bringing the Apostille Convention into the Electronic Era", en *Entre Bruselas y La Haya. Estudios sobre la unificación internacional y regional del Derecho internacional privado. Liber Amicorum Alegría Borrás*, Marcial Pons, Barcelona, 2013, pp. 199-212, pp. 202-203; RODRÍGUEZ BENOT, ANDRÉS, "La aplicación de las nuevas tecnologías a la cooperación jurídica internacional: la apostilla electrónica", en *Derecho internacional privado–derecho de la libertad y el respeto mutuo -, Ensayos a la memoria de Tatiana B. de Maekelt*, CEDED/ASADIP, Asunción, 2010, pp. 649-665, pp. 650-658.

[25]   En: https://www.hcch.net/en/instruments/specialised-sections/apostille/international-forum-eapp/ (última consulta: 12/09/2022).

[26]   Sobre esta cuestión, BERNASCONI, CHRISTOPHE, *op. cit.,* pp. 204-206; SVANTESSON, DAN JERKER B, "The (uneasy) relationship between the HCCH and information technology", en *The Elgar Companion…, op. cit.,* pp. 449-463, pp. 453-454; ZABLUD, PETER, *op. cit.,* p. 285.

específica, sino que permite a las Partes Contratantes elegir la más adecuada a sus circunstancias e intereses[27]. De este modo:

a) Las *e-Apostilles*, emitidas en formato electrónico por las autoridades nacionales competentes del país de origen, se adjuntan al documento nacional en formato digital[28], basados en los mismos principios básicos de funcionamiento de la "Apostilla" tradicional, pero adaptados al nuevo entorno tecnológico. La cual debe adjuntarse electrónicamente a un documento público digital subyacente, que habría sido legalmente escaneado, así como presentado y verificado por medios electrónicos.

b) Junto a ello, las Partes Contratantes se responsabilizan de la creación y el funcionamiento de Registros electrónicos de las *e-Apostilles* (los *e-Registers*[29]), *mantenidos de forma pública y electrónica, así como accesibles en línea por los destinatarios, con el fin de verificar la "apostilla" electrónica que han recibido y ciertos requisitos que debe cumplir (es decir, su firma, capacidad y sello/ estampilla)[30]. No obstante, las categorías de los e-Registers* pueden variar de una Parte Contratante a otra (dependiendo de su nivel de desarrollo tecnológico), resultando competentes para recibir, validar y aceptar rápida y eficazmente las *e-Apostilles* emitidas en otra Parte Contratante, así como para registrar la siguiente información: el número y la fecha del certificado, el nombre de la persona que firma el documento público y la capacidad en la que ha actuado (si los documentos no estaban firmados, el nombre de la autoridad que ha puesto el sello o la estampilla).

El Programa *e-App* posee una significativa relevancia, contando con una implementación en un número destacados de Estados contratantes de la HCCH (actualmente, 46)[31]. Sin embargo, a pesar de su importancia práctica, este Programa no parece avanzar mucho más allá de lo logrado hasta la fecha, ni despertar una

---

[27] La HCCH sugiere, para la emisión de la *e-Apostille*, el uso de Adobe® Acrobat®, out-of-the-box, tecnología PDF (para que la e-Apostille pueda convertirse en un documento PDF, pudiendo apoyarse be por una capa de datos XML opcional), y para el funcionamiento, de las soluciones de código abierto de *e-Register*s, incluyendo PHP y MySQL (que se distribuye libremente bajo la Licencia Pública General GNU).

[28] DIAGO DIAGO, PILAR, *op. cit.*, p. 128.

[29] Disponible en: https://www.hcch.net/en/instruments/conventions/specialised-sections/operational-e-registers (última consulta 12.9.2022).

[30] DIAGO DIAGO, PILAR, *op. cit.*, pp. 128-129.

[31] En: https://assets.hcch.net/docs/b697a1f1-13be-47a0-ab7e-96fcb750ed29.pdf (última consulta: 12/09/2022). Entre ellos, España. Al respecto, la Orden JUS/1207/2011, por la que se crea y regula el Registro Electrónico de Apostillas del Ministerio de justicia y se regula el procedimiento de emisión de apostillas en soporte papel y electrónico (*BOE* nº 115, de 14 de mayo de 2011); modificado por la Orden JUS/257/2013, por la que se crean, modifican y suprimen ficheros automatizados con datos de carácter personal del departamento y sus organismos públicos (*BOE* nº 43, de 19 de febrero de 2013).

mayor confianza entre los usuarios de la ya alcanzada con el empleo de mecanismos más tradicionales[32]. Una circunstancia que aconsejaría su relanzamiento y su extensión internacional, para así aprovechar las bondades que ofrece en el ámbito de la digitalización de actividad internacional de los Registros Civiles.

III. LA DESTACADA LABOR CODIFICADORA DE LA CIEC EN ESTE ÁMBITO

En relación con la materia analizada, si destaca alguna sede de codificación internacional en el propósito de adaptar su acción normativa a la evolución tecnológica y promover el uso de Registros Civiles digitalizados -favoreciendo su circulación internacional-, es, sin lugar a dudas, la CIEC[33]. Un interés que no debe extrañar, si se tienen en cuenta tanto que el objetivo perseguido la Comisión se relaciona particularmente con la materia de estado civil, así como a la vista de la prolífica actividad codificadora que ha desarrollado desde su creación, fomentando, no sólo la armonización de los documentos en materia de estado civil, sino también la incorporación de instrumentos técnicos por medio de los que se ha favorecido la cooperación entre las autoridades y la circulación internacional de estos en esta particular materia[34].

En este sentido, por lo que respecta a la dimensión digital de los Registros Civiles, se ha de subrayar cómo la CIEC ha desempeñado una destacable labor en este ámbito, por su carácter pionero y por las avanzadas técnicas y los métodos que ha empleado, así como por los numerosos y significativos instrumentos que ha elaborado en las últimas décadas[35], contando algunos de ellos con una incidencia directa en la problemática que actualmente suscita su creciente digitalización. Una preocupación por la dimensión digital de los Registros Civiles que responde a la propia lógica y a la finalidad de la CIEC, debiendo concebirse como una continuidad directa de los trabajos que la Comisión ya había desarrollado, diseñados para un medio analógico, aunque ahora en relación con los desafíos que se suscitan en la Sociedad de la Información [36].

Así, para empezar, debe hacerse mención a las diversas medidas propias de *Soft Law* de gran interés, por medio de las que se ha ido poniendo de manifiesto

---

[32]   BORRÁS RODRÍGUEZ, ALEGRÍA, *op. cit.*, p. 39.

[33]   PINTENS, WALTER, *op. cit.*, pp. 332-336.

[34]   Los Convenios elaborados en el seno de la CIEC se encuentran accesibles en: http://www.ciec1.org (última consulta: 12/09/2022). *Vid.* NORD, NICOLAS, "Une harmonisation des actes?", en FULCHIRON, HUGUES (Dir.), *op. cit.*, pp. 323-330, pp. 324-327.

[35]   Ténganse en cuenta, NORD, NICOLAS, "La circulation…", *op. cit.*, pp. 95-100; MASSIP, JACQUES, HONDIUS, FRITS, NAST, CHANTAL y GRANET, FRÉDÉRIQUE, *op. cit.*, p. 64.

[36]   MASSIP, JACQUES, HONDIUS, FRITS, NAST, CHANTAL y GRANET, FRÉDÉRIQUE, *op. cit.*, p. 49.

la creciente importancia que posee el empleo de herramientas electrónicas en este ámbito[37]. De este modo, destaca la publicación de la Recomendación (N° 8) sobre la informatización del Registro Civil, adoptada en Estrasburgo en 21 de marzo de 1991[38], en la que se han establecido los criterios técnicos mínimos exigibles para el desarrollo y el funcionamiento de cualquier sistema de estado civil digital y las normas básicas de regulación. Esta Recomendación, entre otros elementos, y como se establece en su art. 1, subraya la necesidad de que los Estados miembros adopten las medidas necesarias para garantizar que el desarrollo, la utilización y cualquier modificación de los sistemas de tratamiento automatizado de los datos relativos al estado civil: cumplan los requisitos bien definidos en materia de protección material de los datos (general o específica en materia de estado civil); prevean que el acceso, la utilización y la actualización de tales datos registrados estén sometidos a controles y bajo la supervisión del funcionario del Registro Civil; permitan su corrección; y que sean accesibles al público. De igual modo, en la Recomendación se determina que resulta aconsejable que dichos sistemas prevean: la aceptación de copias y extractos digitales verificados del mismo modo que el Registro original en papel (art. 2), la traducción de la información codificada conforme a una codificación aprobada por la CIEC (art. 3); la compatibilidad con los utilizados en los demás Estados miembros (art. 4); y la accesibilidad al público de los Registros Civiles digitales.

Desde una perspectiva de *Hard Law*, son varios los Convenios de la CIEC que han seguido la senda indicada previamente por medio de la Recomendación (N° 8). A este respecto, tras una primera aproximación a esta problemática en el Convenio (N° 25) relativo la enunciación de las codificaciones que figuran en los documentos de estado civil, firmado en Bruselas en 6 de septiembre de 1995[39], sobresale el importante Convenio (N° 30) relativo a la comunicación por vía electrónica, firmado en Atenas en 17 de septiembre de 2001[40]. Un singular instrumento que se ha visto complementado con posterioridad por medio del Convenio (N.ª 33) relativo al uso de la Plataforma de la Comisión Internacional

---

[37]   Sobre el alcance e importancia armonizadora de las Recomendaciones de la CIEC, NORD, NICOLAS, "Une harmonisation…", *op. cit.*, pp. 326-327.

[38]   Un significativo texto, cuyo antecedente analógico se encontraba en la Recomendación (Núm. 4) relativa a la publicidad de los Registros y de las catas de estado civil, adoptada en Roma en 5.9.1984. Disponibles respectivamente en: http://www.ciec1.org/SITECIEC/PAGE_Recommandations/SBEAAE1T6fhGQW1Tem9iT0hUzQo y en http://www.ciec1.org/SITECIEC/PAGE_Recommandations/SBEAAE1T6fhGQW1Tem9iT0hUzQo (última consulta: 12/09/2022).

[39]   Disponible en: http://www.ciec1.org/SITECIEC/PAGE_Conventions/wBkAAFSn0ARsVm5WQ1BNdmRZqws (última consulta: 12/09/2022). Este Convenio ha sido firmado por España, aunque se encuentra pendiente de ratificación.

[40]   Disponible en: http://www.ciec1.org/SITECIEC/PAGE_Conventions/SBEAAGJA7PhGQW1Tem9iT0hUzQo (última consulta: 12/09/2022). Este Convenio no ha sido ratificado por España.

del Estado Civil para la comunicación internacional de datos de estado civil por medios electrónicos, firmado en Roma en 19 de septiembre de 2012[41].

a) Por un lado, el Convenio (Nª 30) persigue ofrecer un marco legal que favorece la circulación electrónica de los documentos de estado civil, a los que se refieren los distintos instrumentos elaborados en el marco de la CIEC[42], sin para ello generar obligación nueva alguna para los Estados (art. 1)[43]. Con este objetivo en mente y en base al principio de "equivalencia funcional", el Convenio establece que las autoridades competentes en cada Estado (art. 4)[44] se comprometen a atribuir a las certificaciones digitales la misma validez legal que a las tradicionales en papel (art. 3). Eso sí, siempre y cuando se garanticen ciertas condiciones, como la integridad y la autenticidad del contenido de la transmisión electrónica, al igual que la seguridad y la confidencialidad de la comunicación digital (art. 2)[45]. Sin embargo, es de lamentar que, a pesar de su ambicioso objetivo y a las innegables bondades de este instrumento, ha contado con escasas ratificaciones (únicamente 6), por lo que no ha entrado en vigor. Entre los problemas que podría haber encontrado se situaban: el escaso tratamiento de la espinosa cuestión del tratamiento de los datos personales; la necesidad de que se otorgara la condición de actos auténticos entre los Estados; y el que no incorporaba exigencias de adaptación la normativa estatal para su juego efectivo[46].

b) Por otro lado, el interés de la CIEC no se ha detenido únicamente en ofrecer las condiciones legales que permitan la circulación internacional de las certificaciones de estado civil digitalizadas y combatir el fraude, sino que su acción normativa se ha visto complementada con el desarrollo de la Plataforma CIEC para la comunicación internacional de datos del estado civil por medios electrónicos[47]. No obstante, a pesar de sus ventajas y

---

[41] Disponible en: http://www.ciec1.org/SITECIEC/PAGE_Conventions/SBEAAGJA7PhGQW1Tem9iT0hUzQo (última consulta: 12/09/2022). Este Convenio no ha sido ratificado por España.

[42] Los cuales se encuentran listados en el Anexo al Informe Explicativo del Convenio.

[43] *Vid.* el Informe Explicativo en relación con el art. 1.

[44] En referencia a las autoridades o registradores civiles de los Estados contratantes, como subraya el Informe Explicativo en relación con el art. 4.

[45] De forma que se cumplan las disposiciones vigentes en materia de protección de datos, tal y como se menciona en el Informe Explicativo en relación con el art. 2.

[46] MASSIP, JACQUES, HONDIUS, FRITS, NAST, CHANTAL y GRANET, FRÉDÉRIQUE, *op. cit.*, p. 52.

[47] En: http://www.ciec1.org/SITECIEC/PAGE_PlatBref/SBEAAFsq7~hGQW1Tem9iT0hUzQo?WD_ACTION_=MENU&ID=A37&_WWREFERER_=http%3A%2F%2Fwww.ciec1.org%2F&_WWNATION_=5 (última consulta: 12/09/2022). Una importante iniciativa que se ha visto acompañada de la adaptación de los modelos de certificados que figuran en el Convenio (Nº 16), relativo a la expedición de certificaciones plurilingües de las actas del Registro Civil, firmado en Viena el 8 de septiembre de 1976 (*BOE* nº 200, de 22 de agosto de1983; corrección de errores en *BOE* nº 300, de 15 de diciembre de 1984), por parte del Convenio (Nº 34) sobre expedición de extractos y certifica-

del ingente trabajo invertido en su diseño y desarrollo, hay que lamentar que en 2017 se suspendieron los trabajos conducentes a la realización de la Plataforma, por lo que en la actualidad todavía no resulta operativa[48]. En particular, la infraestructura legal relativa a la Plataforma se encuentra recogida en el Convenio (N° 33)[49], concebida como una herramienta técnica y como complemento de los trabajos que condujeron a la elaboración del Convenio (N° 30). A su vez, desde una perspectiva técnica, se diseñó para permitir la interoperabilidad, así como para garantizar un uso simple, eficiente, seguro y no especialmente costoso en términos de acceso y de mantenimiento[50]. El funcionamiento de la mencionada Plataforma se basa en las siguientes ideas principales[51]:

i. Tal y como marca su art. 2, el Convenio establece las condiciones de utilización de la Plataforma. En este sentido, su empleo puede, o bien limitarse a permitir la transmisión y el intercambio de los documentos en materia de estado civil que se contemplan en las Convenciones de la CIEC (art. 3)[52], o bien extenderse de forma voluntaria al intercambio de este tipo de información o la relativa a la nacionalidad distinta a la referida en las mencionadas Convenciones (art. 4), pudiendo incluso ser utilizada de modo progresivo al respecto de determinadas autoridades, datos o de concretas Convenciones de la ICCS/CIEC (art. 5);

ii. Por su parte, los Estados contratantes se comprometen a limitar el uso de la información recibida a través de la Plataforma para fines distintos a los previstos en las Convenciones de la CIEC (art. 6), así como a utilizar una firma electrónica avanzada (en las condiciones establecidas en el Anexo I) para garantizar la seguridad y la confidencialidad de la transmisión digital de los Registros Civiles (art. 7)[53];

---

ciones plurilingües y codificados de actas de estado civil, firmado en Estrasburgo el 14 de marzo de 2014 (Convenio este último que no ha sido ratificado por España), para su tratamiento informático y su transmisión electrónica directa entre las autoridades estatales, pudiendo incluso extenderse su empleo más allá del ámbito de los objetivos y de los instrumentos propios de la Comisión.

[48] Al respecto, MASSIP, JACQUES, HONDIUS, FRITS, NAST, CHANTAL y GRANET, FRÉDÉRIQUE, *op. cit.*, pp. 64-65.

[49] La cual, tal y como se previó en 2012, descansaba en los siguientes estados miembros: Bélgica, Francia, Luxemburgo y Polonia.

[50] Téngase en cuenta el Informe Explicativo al respecto de la presentación técnica de la Plataforma. En este sentido, PINTENS, WALTER, *op. cit.*, p. 334.

[51] Al respecto, MASSIP, JACQUES, HONDIUS, FRITS, NAST, CHANTAL y GRANET, FRÉDÉRIQUE, *op. cit.*, pp. 52-53.

[52] Un listado que se sitúa en su Anexo II.

[53] Anexo I del Convenio (N° 33) donde se establecen las reglas procedimentales de la Plataforma.

iii. Como elemento clave en el empleo de este instrumento, se establece que se debe atribuir a los datos transmitidos por vía de la Plataforma (en los términos previstos en el precepto precedente) un valor legal como mínimo equivalente a aquellos que se hubieran transmitido en soporte material (art. 8);

iv. A su vez, los Estados contratantes se obligan permanentemente a garantizar un nivel de protección adecuado de las personas, al respecto de procesamiento de sus datos personales transmitidos por vía de la Plataforma, debiendo notificar a la CIEC de forma inmediata cualquier problema que pudiera surgir relativo a la protección de tales datos en el contexto del uso de la Plataforma (art. 16);

v. Por último, se establecen reglas específicas respecto a aspectos como: la apertura a firma de la Convención (art. 9); el modo de ser parte en la misma (art. 10); la exclusión de nuevas ratificaciones, aceptaciones, aprobaciones o adhesiones tras la entrada en vigor de la Convención (Nª 30) (art. 24); la posibilidad de que se declare la suspensión del uso de la Plataforma para un Estado contratante por la CIEC o, de forma puntual, por parte de otro Estado contratante (arts. 17 y 18); las declaraciones que pueden realizar los Estados contratantes (arts. 19 y 20); el reparto del coste de la Plataforma (art. 20), o el procedimiento de revisión de la Convención o de sus anexos (art. 22).

En definitiva, a pesar de la importante labor desarrollada por le CIEC en el ámbito de la digitalización de los Registros Civiles y la cooperación internacional en esta materia, el éxito de los instrumentos elaborados ha sido muy discreto; y pese a ser, por lo que a nosotros respecta, los Convenios más destacados en relación con esta temática, no obligan actualmente a España. Una intensa y decidida labor codificadora que, en consecuencia y lamentablemente, no ha tenido el éxito esperado hasta la fecha, manteniendo el juego preferente de las soluciones de los sistemas internos de DIPr. de los Estados parte de esta organización.

IV. LA APUESTA DE LA UE EN ESTA MATERIA

Desde una perspectiva regional, la UE igualmente ha mostrado desde hace años un gran interés en el ámbito de la circulación intra-europea de los documentos públicos, y ha sido sensible a los cambios generados por los avances tecnológicos, viéndose fuertemente inspirada por los precedentes elaborados en el marco de la HCCH y de la CIEC antes expuestos[54]. Un interés que se encuentra relacionada con el hecho de afectar directamente a sus políticas relacionadas con el desarrollo de un espacio de libertad seguridad y justica, así como con el objetivo de facilitar la libre circulación de personas (siendo que su base legal se sitúa en el art. 21.2 del TFUE)[55]. Así se ha puesto de manifiesto con la publicación del Reglamento (UE) nº 2016/1191, por el que se facilita la libre circulación de los ciudadanos simplificando los requisitos de presentación de determinados documentos públicos en la Unión Europea y por el que se modifica el Reglamento (UE) nº 1024/2012[56], plenamente aplicable desde el 16 de febrero de 2019 (art. 27).

El Reglamento (UE) nº 2016/1191 posee una gran importancia en este ámbito, al ser el primer instrumento europeo que se enfrenta de forma general a la problemática que suscita la libre circulación de los documentos públicos en el interior de la UE; complementando (sin sustituir) las soluciones particulares presentes en los instrumentos europeos en el ámbito de la cooperación judicial en materia civil[57]. Sin embargo, como se verá seguidamente, el resultado alcanzado ha sido criticado por resultar menos ambicioso que lo proyectado inicialmente[58].

En todo caso, y de forma inicial, cabe destacar cómo por medio del mismo -viéndose informado por el principio de confianza mutua[59]- se persigue ofrecer una respuesta uniforme específica y simplificada respecto a los trámites administrativos, los requisitos y las formalidades que deben cumplir determinados documentos públicos y sus copias certificadas (con la inclusión de ciertas certificaciones propias en materia de estado civil[60]) que hubieran sido expedidos por las autoridades de un Estado miembro (de conformidad a su Derecho nacional[61]), para su presentación en otro Estados miembro y así favorecer la circulación

---

[54]   Así, el Libro Verde "Menos trámites administrativos para los ciudadanos: promover la libre circulación de los documentos públicos y el reconocimiento de los efectos de los certificados de estado civil". COM (2010) 747 final).

[55]   Considerando 1. *Vid.* GUZMÁN ZAPATER, MÓNICA, "La libre circulación de documentos públicos relativos al estado civil en la Unión Europea", en FONT i MAS, MARÍA (Dir.), *op. cit.*, pp. 85-122, pp. 90-96.

[56]   *DO* nº L 200, de 26 de julio de 2016.

[57]   FITCHEN, JONATHAN, *The Private International Law of Authentic Instruments*, Hart, Oxford, 2022, p. 96.

[58]   FONT i MAS, MARÍA, "La libera circolazione degli atti pubblici in materia civile: un passo avanti nello spazio giudiziario europeo", *Freedom, Security & Justice: European Legal Studies*, 2017, nº 1, pp. 104-125, p. 116.

[59]   DIAGO DIAGO, PILAR, *op. cit.*, p. 105.

[60]   Aunque excluyendo aquellos emitidos sobre la base de los Convenios pertinentes de la CIEC, como se indica en su Considerando 11.

[61]   Considerando 6. Por lo que no obliga a los Estados miembros a la expedición de documentos públicos que no existan en su Derecho (Considerando 7).

intra-europea[62]. Sin ánimo de realizar un análisis exhaustivo, y en un rápido repaso de su articulado, los elementos principales del Reglamento (UE) n° 2016/1191 son los siguientes:

a) El Reglamento se fundamenta en la libre circulación de los documentos públicos expedidos por las autoridades de un Estado miembro de conformidad con su legislación. Y en virtud de lo establecido en su art. 1, el mismo persigue eliminar todo trámite relativo a su legalización o similar (art. 4)[63], así como la simplificación de las gestiones respecto a las copias certificadas (art. 5)[64], las traducciones y los impresos estándar multilingües que deberían estar unidos a ellos (arts. 6 a 12)[65].

b) Desde una perspectiva positiva[66], este Reglamento cubre aquellos "documentos públicos" -a los que se refiere el art. 3.1 de forma autónoma[67]-, que hubieran sido emitidos por una "autoridad" -como define en el art. 3.2-, siempre y cuando estos tengan por objetivo establecer alguno de hechos a los que se refiere el art. 2.1 -de cuya lectura se advierte su significativa incidencia en materia de estado civil[68]-, así como aquellos previstos en el art. 2.2.

c) Este instrumento parte de la presunción de la autenticidad de los documentos públicos que cubre, pero únicamente desde su dimensión extrínseca, sin referirse a los efectos que despliega por razón de su contenido o

---

[62]   Considerandos 1, 3 y 8.

[63]   Considerando 19.

[64]   Considerando 20.

[65]   *Vid.* Considerandos 20 a 27 y 49. Los impresos estándar multilingües se encuentran disponibles en: https://e-justice.europa.eu/35981/EN/public_documents_forms?clang=en (última consulta: 12/09/2022).

[66]   Desde una perspectiva negativa, el art. 2.3 y 4 excluye los documentos públicos expedidos por las autoridades de un tercer país (Considerando 48); o las copias certificadas de documentos de nacimiento realizadas por las autoridades de un Estado miembro, así como al reconocimiento en un Estado miembro de los efectos jurídicos relativos al contenido de los documentos públicos expedidos por las autoridades de otro Estado miembro.

[67]   Cubriendo así, los documentos judiciales, administrativos, notariales y registrales. *Vid.* DIAGO DIAGO, PILAR, *op. cit.*, p. 109; GUZMÁN ZAPATER, MÓNICA, "La libre circulación de documentos públicos en materia de estado civil en la UE: el Reglamento UE 2016/1191 del PE y del Consejo", *RGDE*, 2017, pp. 162-179, p. 166.

[68]   *"a) el nacimiento; b) que una persona está viva; c) la defunción; d) el nombre; e) el matrimonio, incluidos la capacidad para contraer matrimonio y el estado civil; f) el divorcio, la separación judicial y la anulación del matrimonio; g) la unión de hecho registrada, incluidas la capacidad para inscribirse como miembro de una unión de hecho y la condición de miembro de una unión de hecho registrada; h) la cancelación del registro de una unión de hecho, la separación judicial o la anulación de una unión de hecho registrada; i) la filiación; j) la adopción; k) el domicilio o la residencia; l) la nacionalidad; m) la ausencia de antecedentes penales, siempre que los documentos públicos al respecto sean expedidos a un ciudadano de la Unión por las autoridades del Estado miembro del que tiene la nacionalidad".*

a su reconocimiento[69]. Por tanto, ni modifica la normativa estatal en este ámbito, ni se refiere a su eficacia probatoria[70], ni a sus eventuales efectos ejecutivos transfronterizos –como se menciona en el art. 2.4-. En otras palabras, como subraya NORD, se refiere únicamente al *instrumentum*, pero no al *negotium*, por lo que (desde la perspectiva del estado civil) no incorpora la obligación de reconocer las situaciones personales y relaciones familiares subyacentes[71].

d) El Reglamento establece un sistema de cooperación entre las autoridades competentes de los Estados miembros para controlar los casos de fraude y posible falsificación de los documentos que contempla. En este sentido, en caso de duda razonable, su art. 14 establece un procedimiento de comprobación y solicitud de información a la autoridad que haya expedido el documento o a la autoridad central del Estado miembro emisor -a través del Sistema de Información del *Mercado* Interior (IMI)[72]-; y de conformidad con dicho procedimiento, si no se recibiera confirmación de su autenticidad, la autoridad solicitante no estará obligada a proceder a su tramitación en circunstancias excepcionales[73]. Para la puesta en marcha de este mecanismo de información, se prevé la designación de autoridades centrales en cada Estado miembro (art. 15), cuyas funciones se disponen en el art. 16.

e) Asimismo, el Reglamento surge en un contexto donde ya existían distintas respuestas normativas, con las que pretende actuar de forma complementaria y coexistir –especialmente cuando el ciudadano así lo decide-. Así se aprecia respecto de: la legislación interna propia de los Estados miembros (art. 1.1, II) –como, por ejemplo, la relativa al acceso público a los documentos públicos-[74]; las soluciones convencionales en esta materia -como se

---

[69] CAMUZAT, AURORE, "La forcé probante des actes de l'état civil étrangers", en FULCHIRON, HUGHES (Dir.), *op. cit.*, pp. 311-321, pp. 319-320; DIAGO DIAGO, PILAR, *op. cit.*, p. 112; FITCHEN, JONATHAN, *op. cit.*, p. 96; GUZMÁN ZAPATER, MÓNICA, "La libre circulación de documentos públicos en materia de estado civil en la UE", *op. cit.*, p. 166; JIMÉNEZ BLANCO, PILAR, *op. cit.*, p. 29.

[70] Considerando 47. Por lo que respecta al ordenamiento español, en particular, GUZMÁN ZAPATER, MÓNICA, "La libre circulación de documentos públicos en materia de estado civil en la UE", *op. cit.*, pp. 178-179.

[71] NORD, NICOLAS, "La circulation…", *op. cit.*, pp. 89-90. Sobre esta cuestión, con carácter general, GORÉ, MARIE, *op. cit.*, pp. 23, 25, 29-30 y 33-34. Precisamente sobre esta cuestión del reconocimiento intra-europeo de situaciones personales se ha pronunciado el TJUE en sus Sentencias de 2.12.1997, Asunto C-366/94, *Dafeki v Landesversicherungsanstalt Württemberg* (ECLI:EU:C:1997:579) o, más recientemente, de 14.12.2021, Asunto C-490/20, *Stolichna vbshtina, rayon «Pancharevo»* (ECLI:EU:C:2021:1008).

[72] Accesible en: https://ec.europa.eu/internal_market/imi-net/index_es.htm (última consulta: 12/09/2022).

[73] Considerandos 38 y 39.

[74] Art. 20.2. A su vez, como dispone el Considerando 7, el Reglamento "no debe obligar a los Estados miembros a expedir documentos públicos que no existan en virtud de su Derecho nacional".

acaba de exponer al abordar las iniciativas de la HCCH y de la CICE- (como prevé el art. 19)[75]; y no afectando tampoco a la aplicación de otras disposiciones de la UE -por ejemplo, sobre legalización u otras formalidades[76], así como sobre firma electrónica e identificación electrónica u otros mecanismos de cooperación administrativa- (art. 17)[77].

f) Junto a lo expuesto, la plena operativa del sistema establecido en el Reglamento exige: por un lado, que los Estados miembros aporten una serie de informaciones (tal y como se prevé en los arts. 22, 24 y 25) para que estén a disposición pública en Portal Europeo *e-Justice*[78]; *por otro, la designación de autoridades centrales que favorezcan la cooperación e intercambio de información; así como la creación de un comité ad hoc* para el intercambio de buenas prácticas en materia de aplicación del Reglamento (art. 23)[79].

Como se puede observar, y por lo que a nuestro estudio interesa, el Reglamento (UE) nº 2016/1191 es plenamente consecuente con la realidad tecnológica actual y los cambios legislativos que se han ido sucediendo en los Estados miembros y en el contexto internacional en el ámbito de la digitalización de la administración pública. E igualmente se encuentra relacionado con el desarrollo de un Mercado Único Digital[80]. Así, por lo que respecta a la problemática que

---

[75]   Considerandos 2, 4, 5 y 49. De hecho, a modo de ejemplo, todos los Estados miembros son partes contratantes del Convenio HCCH sobre la Apostilla de 1961. Desde la perspectiva de la CIEC, por su parte, esta afirmación afecta a los Convenios Núms. 16, 27, 33 y 34. *Vid.* GUZMÁN ZAPATER, MÓNICA, "La libre circulación de documentos públicos en materia de estado civil en la UE", *op. cit.*, pp. 176-178.

[76]   Considerando 44. Esto afecta, entre otras cosas y en relación con los Registros Civiles, a la aplicación del Reglamento (CE) nº 2201/2003, relativo a la competencia, el reconocimiento y la ejecución de resoluciones judiciales en materia matrimonial y de responsabilidad parental, por el que se deroga el Reglamento (CE) nº 1347/2000 (*DO* nº L 338, de 23 de diciembre de 2003), el cual se ha visto sustituido, desde el 1 de agosto de 2022, por el Reglamento (UE) nº 2019/1111, relativo a la competencia, el reconocimiento y la ejecución de resoluciones en materia matrimonial y de responsabilidad parental, y sobre la sustracción internacional de menores (versión refundida) (*DO* nº L 178, de 2 de julio de 2019).

[77]   Considerandos 44 y 45. Esto afecta, como se menciona en el Considerando 34, a la Directiva 95 /46/CE, relativa a la protección de las personas físicas en lo que respecta al tratamiento de datos personales y a la libre circulación de estos datos (*DO* nº L 281, de 23 de noviembre de 1995). En la actualidad resulta de aplicación, sin embargo, *el* Reglamento (UE) nº 2016/679, relativo a la protección de las personas físicas en lo que respecta al tratamiento de datos personales y a la libre circulación de estos datos y por el que se deroga la Directiva 95/46/CE (Reglamento General de Protección de Datos) (*DO* nº L 119, de 4 de mayo de 2016). En el ámbito español, la Ley Orgánica 15/1999, de Protección de Datos de Carácter Personal (*BOE* nº 298, de 14 de diciembre de 1999).

[78]   Esta información se encuentra accesible en: https://e-justice.europa.eu/561/EN/public_documents?clang=en (última consulta: 12/09/2022).

[79]   Considerandos 50 a 55.

[80]   En este sentido, téngase en cuenta la Comunicación de la Comisión de 2015, titulada "Una Estrategia para el Mercado Único Digital de Europa" (COM (2015) 192 final), al igual que la Comunicación de la Comisión de 2016 "Plan de Acción sobre Administración Electrónica de la UE 2016-2020".

suscita la digitalización de los documentos públicos y, en consecuencia, de las certificaciones emitidos por los Registros Civiles, ésta encuentra su regulación en varios de sus preceptos.

a) Por un lado, el art. 12 trata de la elaboración de versiones electrónicas de formularios estándar multilingües que figurarán en el Portal Europeo *e-Justice*. Sin embargo, los Estados miembros cuentan con un cierto margen de libertad al respecto, al poder decidir según su legislación nacional extremos como si se pueden: presentar los documentos públicos y los formularios estándar multilingües en formato electrónico y en qué condiciones serían admisibles[81]; integrar la versión electrónica de un formulario estándar multilingüe del mencionado Portal Europeo en un lugar diferente accesible a nivel nacional, y emitirlo desde allí[82]; y crear versiones electrónicas de formularios estándar multilingües utilizando una tecnología distinta de la utilizada por el Portal Europeo *e-Justice*[83];

b) Por otra parte, a efectos del presente Reglamento, las autoridades centrales deben beneficiarse de las funcionalidades, así como comunicar y ejercer sus funciones utilizando el Sistema de Información del Mercado Interior (IMI)[84]. En este sentido, el art. 14.4 establece que las solicitudes de información, en los casos de duda razonable que se han mencionado, irán acompañadas de una copia del documento público correspondiente o de su copia compulsada, transmitida electrónicamente a través del IMI[85].

c) Además, hay que tener en cuenta que, tal y como se establece en la letra c) del apartado 2 del art. 23, el intercambio de buenas prácticas se referirá también al uso de versiones electrónicas de los documentos públicos[86];

Acelerar la transformación digital de la administración" (COM (2016) 179 final), que derivaría en la creación de una pasarela digital única que opera como un punto de entrada único europeo, regulada por medio del Reglamento (UE) 2018/1724, relativo a la creación de una pasarela digital única de acceso a información, procedimientos y servicios de asistencia y resolución de problemas y por el que se modifica el Reglamento (UE) nº 1024/2012 (*DO* nº L 295, de 21 de noviembre de 2018).

[81] Considerando 9.

[82] Considerando 28.

[83] Sin embargo, su Considerando 29 dispone que, esto puede suceder "siempre que los impresos estándar multilingües que expidan utilizando esa otra tecnología contengan la información que exige el presente Reglamento".

[84] Considerandos 41 y 43.

[85] El Considerando 33 dispone: "Con el fin de garantizar un elevado nivel de seguridad y protección de los datos en el contexto de la aplicación del presente Reglamento y para prevenir el fraude, la Comisión debe velar por que el IMI garantice la seguridad de los documentos públicos y proporcione un medio seguro de transmisión electrónica de esos documentos". *Vid.* también el Considerando 36.

[86] Considerando 50.

d) Por último, como se ha mencionado anteriormente, hay que tener en cuenta que la aplicación de las mencionadas disposiciones del Reglamento se entiende sin perjuicio del juego de otras de disposiciones de la UE, como sucede con su legislación en cuestiones como la firma electrónica y la identificación electrónica, al igual que la relativa a otros mecanismos de cooperación administrativa (art. 17).

En todo caso, y a pesar de las ventajas que ofrece el Reglamento (UE) nº 2016/1191 -en cuanto a la simplificación y la exención de los documentos públicos de toda forma de legalización, trámites similares y traducciones, así como para proporcionar un mecanismo de cooperación efectivo-, este instrumento de la UE también ha recibido algunas críticas. En este sentido, aunque implica un destacado paso en adelante de los objetivos señalados, lo cierto es que el instrumento ofrece una solución compleja e inacabada[87]. Estos ataques se explican principalmente por su falta de ambición, y se refieren, entre otros aspectos, a: su restringido ámbito de aplicación (limitado a la circulación del documento), sus limitados efectos, así como el carácter subsidiario del instrumento. Y ello, debido a que permite la existencia de un alto nivel de fragmentación jurídica y de una pluralidad de sistemas que afectan a la aplicación del régimen nacional, los convenios internacionales y otros Reglamentos de la UE en el ámbito de la justicia civil[88]. Una serie de críticas también trasladables por lo que se refiere a su enfoque sobre la digitalización de los Registros Civiles. Esta última postura, aunque se relaciona con la voluntad de no interferir en las soluciones de los Estados miembros en esta materia, genera un indeseable nivel de complicación en su aplicación práctica[89].

En definitiva, aunque las medidas que prevé el Reglamento implican una positiva armonización mínima de esta materia, especialmente bienvenida en un ámbito donde existe una cierta disparidad legislativa, puede afirmarse con NORD que suponen un régimen jurídico inacabado[90]. Tal vez hubiera resultado más aconsejable, o bien que se hubiera llevado a cabo una toma de postura más comprometida y decidida, tanto con carácter general, en el punto relativo la

---

[87] FONT i MAS, MARÍA, "La libera circolazione…", *op. cit.*, pp. 120-122; NORD, NICOLAS, "La circulation…", *op. cit.*, pp. 100-101; NORD, NICOLAS y CERQUEIRA, GUSTAVO, "O Regulamento Europeu "Documentosn Pulicos": uma obra inacabada", en *Direito Internacional e Comparado: Trajetória e perspectivas. Homenagem aos 70 anos do Professor Catedrático Rui Manuel Moura Ramos*, Editora Quartier Latin do Brasil, Sao Paulo, 2021, vol. I, pp. 479-491, pp. 484-487.

[88] DIAGO DIAGO, PILAR, *op. cit.*, pp. 119-120; NORD, NICOLAS, "La circulation…", *op. cit.*, pp. 89-91.

[89] FONT i MAS, MARÍA, "La autenticidad formal…", *op. cit.*, pp. 82-83; GUZMÁN ZAPATER, MÓNICA, "La libre circulación de documentos públicos en materia de estado civil en la UE", *op. cit.*, p. 166.

[90] NORD, NICOLAS, "La circulation…", *op. cit.*, p. 85.

circulación intra-europea de actas de Registro Civil digitales[91], o bien que el legislador de la UE hubiera apostado directamente por apoyar de modo más activo y directa los instrumentos de la CIEC antes mencionados[92].

En este sentido, y por lo que respecta a la regulación de la dimensión electrónica, cabe subrayar que el Reglamento (UE) nº 2016/1191 se presenta como un instrumento claramente insuficiente, ya que no alcanza a ofrecer soluciones respecto a cuestiones tan relevantes como son, entre otras: a) el conveniente establecimiento de formularios estándar digitales multilingües uniformes que resulten obligatorios para las autoridades de los Estados miembros; b) la paulatina exigencia de la digitalización de los Registros Civiles y los documentos que se emiten a nivel europeo, por medio de la armonización de la arquitectura del sistema informático subyacente, de las herramientas tecnológicas que faciliten la comunicación electrónica directa entre las autoridades públicas, e incluso la interconexión de los Registros Civiles[93], y c) tal y como prevé el art. 26.1, c) y 2, c) en relación con la Revisión del Reglamento, la conveniencia de promover "*el uso de sistemas electrónicos para la transmisión directa de documentos públicos y el intercambio de información entre las autoridades de los Estados miembros con el fin de excluir cualquier posibilidad de fraude en relación con las cuestiones reguladas por el presente Reglamento*".

V. A MODO DE CONCLUSIÓN

La creciente internacionalización y la digitalización constituyen dos elementos esenciales en la actividad actual de los Registros Civiles. Así, mientras la globalización ha supuesto un significativo incremento en la movilidad transfronteriza de las personas, la irrupción de la Sociedad de la Información ha conducido a una creciente digitalización de la administración pública, afectando igualmente a la gestión de estos Registros. En este sentido, como se ha puesto de manifiesto en el presente estudio, los beneficios que aporta la incorporación de las nuevas herramientas tecnológicas en este ámbito resultan innegables, habiéndose proyectado igualmente en la gestión de los Registros Civiles en su dimensión internacional. Tal y como se aprecia, de forma paradigmática, en el caso español, a partir de las distintas reformas que la normativa del Registro Civil ha sufrido en los últimos años y el esfuerzo de digitalización que se está llevando a cabo.

Como consecuencia de lo expuesto, desde hace años estamos siendo testigos de una intensa labor codificadora en los planos estatal, regional e internacional,

---

[91]   DIAGO DIAGO, PILAR, *op. cit.*, p. 117.
[92]   NORD, NICOLAS, "La circulation...", *op. cit.*, pp. 100-101.
[93]   Al respecto, la Comunicación de la Comisión "La digitalización de la justicia en la UE Un abanico de oportunidades" (COM (2020) 710 final).

tendentes a favorecer la digitalización y la circulación internacional de los actos y documentos en materia de estado civil. No obstante, los retos globales a los que se enfrenta esta problemática exige la existencia de respuestas supra-estatales. Un nivel de reglamentación donde se ha centrado de forma principal este estudio. El resultado alcanzado desde la perspectiva de la codificación regional e internacional, sin embargo, dista de resultar el ideal, viéndose caracterizado por el elevado nivel de complejidad que deriva de la pluralidad de sedes de codificación y de las fuentes aplicables, así como el carácter limitado y fragmentario de las soluciones que contienen tales instrumentos normativos –tanto por las materias cubiertas, como por el desigual seguimiento por parte de los países-.

Tres han sido las principales sedes de codificación internacional cuyos resultados normativos han sido analizados en este estudio, desde la perspectiva de la digitalización e internacionalización de la actividad los Registros Civiles: la HCCH, la CIEC y la EU. Aunque en todos ellos se han advertido ciertas dificultades y limitaciones en relación con la materia analizada. De tal manera que, a pesar de los innegables esfuerzos llevados a cabo en las distintas sedes de codificación, resulta necesario repensar el actual modelo –fragmentario e incompleto-, con el objetivo de aprovechar plenamente las oportunidades que ofrecen las distintas sedes codificadoras al enfrentarse a la incorporación de las TIC y reducir así los obstáculos legales que la situación actual todavía genera en la movilidad internacional de las personas.

Un necesario cambio de actitud del legislador internacional y europeo que pasaría, por un lado, por profundizar en el diálogo y en una cooperación constructiva entre las distintas instituciones y sedes de codificación interesadas que se han ocupado de esta materia. Y, por otro lado, aconsejaría sacar provecho de las fortalezas que las distintas iniciativas codificadoras y tecnológicas que ofrecen. Y ello, respecto de la pluralidad de cuestiones, tanto estrictamente normativas como puramente técnicas, que se ven involucradas en la dimensión transfronteriza del Registro Civil. Todo ello, con la finalidad última de facilitar la libre circulación de las personas y el reconocimiento de su estado civil en supuestos de naturaleza transfronteriza, en un contexto global crecientemente digitalizado.

VI. BIBLIOGRAFÍA

BERGÉ, JEAN-SYLVESTRE, *Rethinking Flow Beyond Control. An Outreach Legal essay*, DICE Éditions, Aix-en-Provence, Serie Confluence des droits n° 16, 2021.

BERNASCONI, CHRISTOPHE, "The Electronic Apostille Program (e-APP): Bringing the Apostille Convention into the Electronic Era", en *Entre Bruselas y La Haya. Estudios sobre la unificación internacional y regional del Derecho* *internacional privado. Liber Amicorum Alegría Borr*ás, Marcial Pons, Barcelona, 2013, pp. 199-212.

BORRÁS RODRÍGUEZ, ALEGRÍA, "De la exigencia de legalización a la libre circulación de documentos", en FONT i MAS, MARÍA (Dir.), *El documento público extranjero en España y en la Unión Europea. Estudio sobre las características y efectos del documento público*, Bosch, Barcelona, 2014 pp. 27-46.

CAMUZAT, AURORE, "La forcé probante des actes de l'état civil étrangers", en FULCHIRON, HUGHES (Dir.), *La circulation des personnes et leur statut dans un monde globalisé*, Lexis Nexis, París, 2019, pp. 311-321.

DIAGO DIAGO, PILAR, "La circulación de documentos públicos en situaciones transfronterizas: la tensión entre la seguridad jurídica y la reducción de las cargas para el ciudadano", en *Cursos de derecho internacional y relaciones internacionales de Vitoria-Gasteiz*, Tirant lo Blanch, Valencia, 2019, pp. 81-132.

DURÁN AYAGO, ANTONIA., "El acceso al registro Civil de certificaciones registrales extranjeras a la luz de la Ley 20/2011: relevancia para los casos de filiación habida a través de gestación por sustitución", *AEDIPr*, t. XII, 2021, pp. 265-308.

FITCHEN, JONATHAN, *The Private International Law of Authentic Instruments*, Hart, Oxford, 2022.

FONT i MAS, MARÍA, "La autenticidad formal de los documentos públicos en España como obstáculo a las relaciones internacionales y la propuesta de Reglamento sobre la simplificación de la aceptación de documentos en la UE", en FONT i MAS, MARÍA (Dir.), *El documento público extranjero en España y en la Unión Europea. Estudio sobre las características y efectos del documento público*, Bosch, Barcelona, 2014, pp. 47-83.

FONT i MAS, MARÍA, "La libera circolazione degli atti pubblici in materia civile: un passo avanti nello spazio giudiziario europeo", *Freedom, Security & Justice: European Legal Studies*, 2017, nº 1, pp. 104-125.

GORÉ, MARIE, "L'acte authentique en droit international privé", en *Droit international privé: travaux du Comité français de droit international privé*, 1998-2000, Pedone, París, 2001, pp. 23-48.

GÖSSL, SUSANNE LILIAN y MELCHER, MARTINA, "Recognition of a status acquired abroad in the EU. A challenge for national laws form evolving traditional methods to new forms of acceptance and bypassing alternatives", *CDT*, 2022, vol. 14, nº 1, pp. 1012-1043.

GUZMÁN ZAPATER, MÓNICA, "La libre circulación de documentos públicos relativos al estado civil en la Unión Europea", en FONT i MAS, MARÍA (Dir.), *El documento público extranjero en España y en la Unión Europea. Estudio sobre las características y efectos del documento público*, Bosch, Barcelona, 2014, pp. 85-122.

GUZMÁN ZAPATER, MÓNICA, "La libre circulación de documentos públicos en materia de estado civil en la UE: el Reglamento UE 2016/1191 del PE y del Consejo", *RGDE*, 2017, pp. 162-179.

HEINDLER, FLORIAN, "The digitisation of legal co-operation–reshaping the fourth dimension of private international law", en *The Elgar Companion Companion to The Hague Conference on Private International Law*, Edward Elgar, Cheltenham, 2020, pp. 428-438.

JIMÉNEZ BLANCO, PILAR, "Movilidad transfronteriza de personas, vida familiar y Derecho internacional privado", *REEI*, n° 35, 2018.

MASSIP, JACQUES, HONDIUS, FRITS, NAST, CHANTAL y GRANET, FRÉDÉRIQUE, *Commission Internationale de l'État Civil (CIEC). International Commission on Civil Status (ICCS)*, Kluwer Law International, La Haya, 2018.

NORD, NICOLAS, "Une harmonisation des actes?", en FULCHIRON, HUGUES (Dir.), *La circulation des personnes et leur statut dans un monde globalisé*, Lexis Nexis, París, 2019, pp. 323-330.

NORD, NICOLAS, "La circulation des actes de l'État civil au sein de l'Union européenne", en CUARTERO RUBIO, Mª VICTORIA y VELASCO RETAMOSA, JOSÉ MANUEL (Dirs.), *La vida familiar internacional en una Europa compleja: cuestiones abiertas y problemas de la práctica*, Tirant lo Blanch, Valencia, 2022, pp. 81-101.

NORD, NICOLAS y CERQUEIRA, GUSTAVO, "O Regulamento Europeu "Documentosn Pulicos": uma obra inacabada", en *Direito Internacional e Comparado: Trajetória e perspectivas. Homenagem aos 70 anos do Professor Catedrático Rui Manuel Moura Ramos*, Editora Quartier Latin do Brasil, Sao Paulo, 2021, vol. I, pp. 479-491.

PINTENS, WALTER, "CIEC/ ICCS (International Commission on Civil Status)", en *Encyclopedia of Private Internacional Law*, Edward Elgar, Cheltenham, 2017, vol. 1, pp. 330-337.

REVILLARD, MARIEL, "L'effet pénalisant des mesures de publicité à l'état civil", en FULCHIRON, HUGUES (Dir.), *La circulation des personnes et leur statut dans un monde globalisé*, Lexis Nexis, París, 2019, pp. 331-335.

ROCA SERRANO, Mª SONIA ELIANA, *Dimensión internacional del Registro Civil: los casos de Bolivia y España*, Santa Cruz de la Sierra, El País, 2013, pp. 267-268.

RODRÍGUEZ BENOT, ANDRÉS, "La aplicación de las nuevas tecnologías a la cooperación jurídica internacional: la apostilla electrónica", en *Derecho internacional privado–derecho de la libertad y el respeto mutuo -, Ensayos a la memoria de Tatiana B. de Maekelt*, CEDED/ASADIP, Asunción, 2010, pp. 649-665.

RODRÍGUEZ GAYÁN, ELOY, *Derecho registral civil internacional*, Eurolex, Madrid, 1995.

SVANTESSON, DAN JERKER B., "The (uneasy) relationship between the HCCH and information technology", en *The Elgar Companion to The Hague Conference on Private International Law,* Edward Elgar, Cheltenham, 2020, pp. 449-463.

VILLAVERDE MENÉNDEZ, IGNACIO, "Publicidad registral y datos personales. Una especial mención al caso de los registros civil, de la propiedad y mercantil", en TRONCOSO REIGADA, ANTONIO (Coord.), *Transparencia administrativa y protección de datos personales: V Encuentro entre Agencias Autonómicas de Protección de Datos Personales: celebrado el día 28 de octubre de 2008 en la Real Casa de Correos de Madrid,* Comunidad de Madrid, Madrid, 2008, pp. 263-290.

ZABLUD, PETER, "The 1961 Apostille Convention – authenticating documents for international use", en *The Elgar Companion to The Hague Conference on Private International Law,* Edward Elgar, Cheltenham, 2020, pp. 277-287.

CONSIDERACIONES HETERODOXAS SOBRE LA LEY ELEGIDA POR LAS PARTES COMO LEY REGULADORA DEL CONTRATO DE TRABAJO INTERNACIONAL

JAVIER CARRASCOSA GONZÁLEZ

Catedrático de Derecho internacional privado
Universidad de Murcia

I. INTRODUCCIÓN

A finales de los años setenta y comienzos de los años ochenta del pasado siglo, la cuestión de la Ley aplicable al contrato de trabajo internacional constituyó un tema de reflexión recurrente y extraordinariamente polémico y fecundo en la doctrina española. En dicho contexto, la profesora Dra. Dña. MERCEDES MOYA ESCUDERO defendió en 1981 su tesis doctoral en la Universidad de Granada, tesis que llevó por título "El contrato de trabajo en Derecho internacional privado español". Esta tesis doctoral fue dirigida por D. ANTONIO MARÍN LÓPEZ, catedrático de Derecho internacional en la Universidad de Granada. Algunos aspectos de dicha tesis doctoral pueden seguirse en diversas publicaciones de MERCEDES MOYA ESCUDERO: "La capacidad del trabajador extranjero en Derecho internacional privado español", *Civitas. Revista Española de Derecho del Trabajo*, nº 10, 1982, pp. 223-246 ; "La ley aplicable al contrato de trabajo en Derecho internacional privado español", *Revista Española de Derecho Internacional*, vol. 34, nº 1, 1982, pp. 79-98, así como en "Reflexiones en torno al párrafo 4 del art. 1 del Estatuto de los Trabajadores", *Anuario de Estudios Sociales y Jurídicos*, vol. VIII-IX, 1979-1980, pp. 349-362. Por ello parece oportuno reflexionar sobre algunos aspectos particulares relativos a la precisión de la Ley aplicable al contrato de trabajo internacional como homenaje a la profesora MERCEDES MOYA ESCU-DERO, ejemplo a seguir de entrega universitaria tanto en la docencia como en la investigación y ejemplo, también, de mente abierta, durante muchos años, a nuevos métodos de análisis del Derecho internacional privado.

II. EL ARTÍCULO 8 DEL REGLAMENTO ROMA
I. CONSIDERACIONES GENERALES

La Ley aplicable al contrato de trabajo internacional se determina con arreglo al art. 8 del Reglamento Roma I (RR-I)[1]. Este precepto constituye una "norma de conflicto especializada" que determina la Ley aplicable al contrato de trabajo internacional. Su principal objetivo es impedir que el empresario imponga, de modo unilateral y necesario, una concreta Ley aplicable al trabajador (STJUE 15 marzo 2011, C-29/10, *Koelzsch*, FD 40 y 46)[2].

El art. 8 RR-I constituye una norma de conflicto específica y especialmente diseñada para la determinación de la Ley aplicable a los contratos internacionales de trabajo. En consecuencia, en defecto de elección de Ley aplicable al contrato de trabajo, no es aplicable el art. 4 RR-I. Este último precepto constituye la norma general sobre determinación de la Ley aplicable a todos los contratos internacionales en general y, en línea de principio, no se aplica a los contratos internacionales de trabajo. Así lo ha indicado la STJUE 15 marzo 2011, C-29/10, *Koelzsch*, FD 34[3].

---

[1]   Reglamento (CE) 593/2008 del Parlamento Europeo y del Consejo, de 17 de junio de 2008, sobre la ley aplicable a las obligaciones contractuales (Roma I) (*DOUE* L 177, de 4 de julio de 2008).

[2]   STJUE 15 marzo 2011, C-29/10, *Heiko Koelzsch* [ECLI:EU:C:2011:151], FD 40: "*A este respecto, del Informe sobre el Convenio relativo a la ley aplicable a las obligaciones contractuales de los profesores Giuliano y Lagarde (DO 1980, C 282, p. 1), se desprende que el artículo 6 de éste fue concebido para «proporcionar una regulación más apropiada en las materias en las que los intereses de una de las partes contratantes no se hallan en el mismo plano que los de la otra y garantizar [de ese modo] la protección adecuada de la parte que debe considerarse más débil social y económicamente en la relación contractual»" y FD 46: "En efecto, según el artículo 8 del citado Reglamento, a falta de elección de las partes, el contrato individual de trabajo se rige por la ley del país en el cual o, en su defecto, a partir del cual el trabajador, en ejecución del contrato, realice su trabajo habitualmente. Esta ley sigue siendo aplicable cuando el trabajador realice su trabajo en otro Estado con carácter temporal. Además, como indica el vigésimo tercer considerando de dicho Reglamento, la interpretación de esa disposición debe inspirarse en los principios del favor laboratoris, ya que debe protegerse a las partes más débiles del contrato «por medio de normas de conflicto de leyes más favorables»*".

[3]   STJUE 15 marzo 2011, C-29/10, *Heiko Koelzsch* [ECLI:EU:C:2011:151] FD 34: "*En lo que respecta al contenido del artículo 6 del Convenio de Roma, recuérdese que éste establece las normas de conflicto especiales relativas a los contratos individuales de trabajo. Dichas normas constituyen una excepción a las normas de carácter general previstas en los artículos 3 y 4 de dicho Convenio, que se refieren respectivamente a la libertad de elección de la ley aplicable y a los criterios de determinación de ésta a falta de elección*".

Como señala ESPERANZA CASTELLANOS RUIZ, la jurisprudencia española suele errar en este punto. Son frecuentes, por desgracia, los pronunciamientos judiciales que aplican el art. 4 RR-I (antes art. 4 CR), para determinar la Ley reguladora de un contrato internacional de trabajo (STSJ Madrid 3 junio 1999; STSJ Madrid 11 junio 1999; STS Social 22 mayo 2001; STSJ Galicia Social 19 enero 2002)[4].

A pesar de que el art. 8. RR-I no contiene una definición legal de "contrato de trabajo", el concepto es autónomo, propio del Derecho europeo. Por tal debe entenderse, a los efectos del art. 8 RR-I, el contrato relativo a un "servicio por cuenta y bajo la dirección de otro a cambio de una remuneración", con las notas de personal, voluntario, dependiente y por cuenta ajena, como ha señalado MIGUEL VIRGÓS SORIANO[5]. Se incluyen en el concepto los "contratos nulos" y las "relaciones de trabajo de hecho" (Informe GIULIANO / LAGARDE)[6].

Para determinar la Ley aplicable al contrato de trabajo, el art. 8 RR-I utiliza los siguientes criterios.

1º) En primer término, el contrato de trabajo se regirá por la Ley elegida por las partes (art. 8.1 RR-I). La Ley elegida no puede privar al trabajador de la protección que le aseguren las disposiciones que no pueden excluirse mediante acuerdo y que pertenecen a la Ley del Estado que regiría el contrato de trabajo a falta de elección por las partes. De ese modo se impide que el empresario obligue al trabajador a aceptar una Ley estatal que le perjudique, una Ley que realmente, no ha sido "elegida" por las partes, sino "impuesta" por el empresario.

2º) En defecto de una válida elección de Ley, el contrato individual de trabajo se regirá por la ley del país en el cual o, en su defecto, a partir del cual el trabajador, en ejecución del contrato, realice su trabajo habitualmente

---

[4]　　Vid. CASTELLANOS RUIZ, ESPERANZA, "El Convenio de Roma de 1980 ante los tribunales españoles, Balance de 15 años de vigencia", en CALVO CARAVACA, ALFONSO LUIS y CASTELLANOS RUIZ, ESPERANZA (Dirs.), La Unión Europea ante el Derecho de la Globalización, Colex, Madrid, 2008, pp. 121-188. Vid. STSJ Madrid 3 junio 1999 [ECLI:ES:TSJM:1999:6634]; STSJ Madrid 11 junio 1999 [ECLI:ES:TSJM:1999:7095]; STS Social 22 mayo 2001 [ECLI:ES:TS:2001:4220]; STSJ Galicia Social 19 enero 2002 [ECLI:ES:TSJGAL:2002:297].

[5]　　VIRGÓS SORIANO, MIGUEL, "El convenio de Roma de 19 de junio de 1980 sobre la ley aplicable a las obligaciones contractuales", en GARCÍA DE ENTERRÍA, EDUARDO, GONZÁLEZ CAMPOS, JULIO DIEGO y MUÑOZ MACHADO, SANTIAGO (Dirs.), Tratado de Derecho comunitario europeo (Estudio sistemático desde el Derecho español), vol. III, Civitas, Madrid, 1986, pp. 753-825; id., "Art. 10.6 CC", en AA.VV., Comentario del Código civil, Ministerio de Justicia, Madrid, 1991, pp. 121-124; id., "Art. 10.6 Cc.", en ALBALADEJO GARCÍA, MANUEL y DÍAZ ALABART, SILVIA (Dirs.), Comentarios al Código Civil y a las Compilaciones forales, t. I, vol. II, 2ª ed., Revista de Derecho Privado, Edersa, Madrid, 1995, pp. 587-609.

[6]　　Informe relativo al Convenio sobre la ley aplicable a las obligaciones contractuales, por MARIO GIULIANO, profesor de la Universidad de Milán, y PAUL LAGARDE, profesor de la Universidad de París I (DOCE C-327, de 11 de diciembre de 1992, pp. 1-47).

(*Lex Loci Laboris*). No se considerará que cambia el país de realización habitual del trabajo cuando el trabajador realice con carácter temporal su trabajo en otro país (art. 8.2 RR-I).

3°) Cuando no pueda determinarse la Ley aplicable en virtud del art. 8.2 RR-I, el contrato individual de trabajo se regirá por la ley del país donde esté situado el establecimiento a través del cual haya sido contratado el trabajador (art. 8.3 RR-I).

4°) No obstante, en el caso de que las partes no hayan elegido la Ley aplicable al contrato individual de trabajo, si del conjunto de circunstancias se desprende que el contrato presenta vínculos más estrechos con un país distinto del indicado en el art. 8, apartados 2 ó 3 RR-I, se aplicará la ley de ese otro país ("*cláusula de excepción*").

III. EL CONTRATO DE TRABAJO INTERNACIONAL Y LOS PRECEPTOS INAPLICABLES DEL DERECHO INTERNACIONAL PRIVADO ESPAÑOL

Visto que el Reglamento Roma I presenta un alcance *erga omnes* (art. 2 RR-I), resulta que dicho Reglamento hace totalmente inaplicables a los contratos internacionales de trabajo diversas disposiciones legales del Derecho español.

En primer lugar, no es ya aplicable el art. 10.6 CC, precepto que señala la Ley aplicable a los contratos internacionales de trabajo y que fue introducido en el Título Preliminar del Código civil por el Decreto 1836/1974, de 31 de mayo, por el que se sanciona con fuerza de ley el texto articulado del Título Preliminar del Código civil[7].

En segundo término, tampoco es aplicable el art. 1.4 del Texto refundido del Estatuto de los Trabajadores, al menos, en lo relativo a la determinación de la Ley aplicable al contrato de trabajo internacional (STSJ Las Palmas Social 30 diciembre 2015 [cesión de trabajadores a empresa marroquí], STSJ Canarias 24 noviembre 2004, STSJ Canarias Social 7 marzo 2005, STS Social 17 enero 2005)[8]. Dicho precepto señala que: "*La legislación laboral española será de aplicación al trabajo que presten los trabajadores españoles contratados en España al servicio de empresas españolas en el extranjero, sin perjuicio de las normas de orden público aplicables en el lugar de trabajo. Dichos trabajadores tendrán, al menos, los derechos económicos que les corresponderían*

---

[7] *Vid.* Decreto 1836/1974, de 31 de mayo, por el que se sanciona con fuerza de ley el texto articulado del Título Preliminar del Código civil (*BOE* n° 163, de 9 de julio de 1974).

[8] STSJ Las Palmas Social 30 diciembre 2015 [ECLI:ES:TSJICAN:2015:4016]; STSJ Canarias 24 de noviembre de 2004 [ECLI:ES:TSJICAN:2004:5057]; STSJ Canarias Social 7 de marzo de 2005 [ECLI:ES:TSJICAN:2005:880]; STS Social 17 de enero de 2005 [ECLI:ES:TS:2005:76].

de trabajar en territorio español[9]. Se trata ésta de una norma de extensión, que, en efecto, proyecta la aplicación de la Ley española a ciertos casos internacionales. La norma es un claro reflejo de un paternalismo libertario, y es, también, una expresión de un totalitarismo jurídico propio de un dirigismo político que no sintoniza correctamente con los tiempos de libre circulación de trabajadores y de factores productivos y de globalización de los mercados.

IV. LA LEY ELEGIDA POR LAS PARTES COMO LEY REGULADORA DEL CONTRATO DE TRABAJO INTERNACIONAL

1. Autonomía de la voluntad conflictual

Indica el tantas veces mencionado art. 8 RR-I que el contrato individual de trabajo se regirá por la Ley elegida por las partes. La autonomía de la voluntad conflictual constituye, pues, la primera conexión de esta norma de conflicto.

Las ventajas de una elección de Ley aplicable a un contrato de trabajo internacional son claras. En efecto, la elección de Ley reguladora del contrato de trabajo no tiene por qué comportar siempre consecuencias negativas para los trabajadores. La elección de Ley puede permitir la aplicación de un Derecho conocido por ambas partes o de un Derecho que proteja al trabajador en mayor medida que la Ley del país donde se prestan los servicios. Por otro lado, la elección de Ley aumenta la seguridad jurídica de la relación laboral, pues el Derecho aplicable queda fijado de modo estable y *ex ante* para ambas partes. Ello resulta especialmente útil en los casos en los que se trata de trabajos desarrollados en espacios no sometidos a soberanía estatal, -plataformas petrolíferas, Alta Mar, espacio aéreo, espacio ultraterrestre, Antártida-, así como en los supuestos en los que la prestación laboral se presta en territorios de varios países. La elección de Ley por empleador y trabajador clarifica y estabiliza la Ley aplicable al contrato de trabajo internacional.

2. Exigencias para una válida elección de Ley aplicable al contrato de trabajo

La elección de Ley aplicable al contrato de trabajo internacional debe cumplir las exigencias contenidas en el art. 3 RR-I. De este modo, puede afirmarse

---

[9]   Real Decreto Legislativo 2/2015, de 23 de octubre, por el que se aprueba el texto refundido de la Ley del Estatuto de los Trabajadores (*BOE* nº 255, de 24 de octubre de 2015).

que el art. 3 RR-I es aplicable al contrato internacional de trabajo porque el art. 8 RR-I lo incorpora a su texto legal mediante una llamada expresa al mismo.

En primer lugar, la elección de la Ley aplicable puede ser expresa o tácita. Los ejemplos de elección expresa de la Ley aplicable al contrato de trabajo internacional son numerosos en la jurisprudencia. Así, como meros ejemplos, puede verse en abundantes resoluciones judiciales españolas: STSJ Madrid Social 10 marzo 2020 [trabajo en Argentina]; STSJ Baleares Social 4 noviembre 2015 [trabajo a bordo de buque y posible pabellón de complacencia]; STSJ Madrid Social 8 junio 2015 [Derecho laboral norteamericano]; SJSocial Valencia 24 septiembre 2014 [prestación de trabajo en Perú]; STS Social 3 diciembre 2013 [trabajo desarrollado en Italia]; STSJ Asturias Social 1 febrero 2013 [trabajo a prestar en España y empleador con domicilio en Portugal y elección de la Ley portuguesa]; STSJ Madrid Social 23 abril 2012 [trabajo desarrollado en Italia y Santa Sede]; STSJ Madrid Social 12 marzo 2012 [trabajo desarrollado en Italia]; STSJ Madrid Social 29 abril 2011 [trabajo desarrollado en Nueva York]; STSJ Madrid Social 30 junio 2011 [contrato de trabajo a prestar en Grecia]; STSJ Madrid Social 15 noviembre 2010 [contrato de trabajo a ejecutar en Nueva York]; STSJ Comunidad Madrid Social 22 febrero 2010 [contrato de trabajo sometido a la Ley de Ucrania], SJSocial Madrid 29 octubre 2003; STSJ Galicia 20 octubre 2005; STSJ Galicia 30 junio 2008 [Ley panameña elegida para regular un contrato de trabajo]; STSJ Madrid Social 15 enero 2008 [servicios en la Embajada de España en Bucarest y elección expresa de la Ley de Rumanía]; STSJ Madrid Social 12 mayo 2008 [contrato de ciclista profesional sometido al Derecho suizo]; STSJ Madrid Social 17 septiembre 2008 [Derecho laboral de los Estados Unidos elegido en el contrato]; STSJ Madrid Social 15 julio 2008 [elección de la Ley italiana]; STSJ Madrid Social 20 noviembre 2008 [contrato laboral sometido al Derecho austríaco][10].

También cabe una elección implícita de Ley aplicable, pues el art. 3.1 RR-I así lo admite. Como es natural, la elección de Ley puede ser, incluso, realizada de

---

[10]   STSJ Madrid 10 marzo 2020 [ECLI:ES:TSJM:2020:2770]; STSJ Baleares Social 4 noviembre 2015 [ECLI: ES:TSJBAL:2015:979]; STSJ Madrid Social 8 junio 2015 [ECLI:ES:TSJM:2015:7188]; SJSocial Valencia 24 septiembre 2014 [ECLI:ES:JSO:2014:132]; STS Social 3 diciembre 2013 [ECLI:ES:TS:2013:6416]; STSJ Asturias Social 1 febrero 2013 [ECLI:ES:TSJAS:2013:402]; STSJ Madrid Social 23 abril 2012 [ECLI:ES:TSJM:2012:11208]; STSJ Madrid Social 12 marzo 2012 [ECLI: ES:TSJM:2012:1219]; STSJ Madrid Social 29 abril 2011 [ECLI:ES:TSJM:2011:4112]; STSJ Madrid Social 30 junio 2011 [ECLI:ES:TSJM:2011:9097]; STSJ Madrid Social 15 noviembre 2010 [ECLI:ES:TSJM:2010:17412]; STSJ Madrid Social 22 febrero 2010 [ECLI:ES:TSJM:2010:1661]; STSJ Madrid 29 octubre 2003 [ECLI:ES:TSJM:2011:13046]; STSJ Galicia Social 20 octubre 2005 [ECLI:ES:TSJGAL:2005:2178]; STSJ Galicia Social 30 junio 2008 [ECLI:ES:TSJGAL:2008:2541]; STSJ Madrid Social 15 enero 2008 [ECLI:ES:TSJM:2008:203]; STSJ Madrid Social 12 mayo 2008 [ECLI:ES:TSJM:2008:5789]; STSJ Madrid Social 17 septiembre 2008 [ECLI: ES:TSJM:2008:15282]; STSJ Madrid Social 15 julio 2008 [ECLI:ES:TSJM:2008:15635]; STSJ Madrid Social 20 noviembre 2008 [ECLI:ES:TSJM:2008:22231].

forma puramente verbal, pues el art. 8.1 RR-I no requiere una forma escrita del contrato ni tampoco formas específicas *ad solemnitatem* (STSJ Madrid Social 11 diciembre 2002)[11].

En segundo lugar, la elección de la Ley aplicable debe ser libre por ambas partes. Ello invita a realizar diversas consideraciones.

Si la ley de un Estado exige incluir en el contrato de trabajo una cláusula de elección obligatoria de la Ley de ese Estado, la elección de dicha Ley no es libre, pues no respeta el art. 3 RR-I y no puede surtir efecto legal alguno (STJUE 15 julio 2021, *Gruber–Sindicatul*, C-152/20 y C-218/20, FD 37)[12].

El art. 3.1 RR-I no prohíbe que el contrato de trabajo sea previamente redactado por el empresario o por la Administración. El Reglamento Roma I no impide, de ningún modo, la utilización de cláusulas tipo redactadas previamente por el empresario. La libertad de elección de la Ley aplicable, en el sentido de esta disposición, puede ejercerse mediante la aceptación de dicha cláusula y no queda puesta en tela de juicio por el mero hecho de que dicha elección se realice sobre la base de una cláusula redactada e insertada por el empresario en el contrato (STJUE 15 julio 2021, *Gruber–Sindicatul*, C-152/20 y C-218/20, FD 40)[13].

Por otro lado, el *dépeçage* de la Ley reguladora del contrato de trabajo está expresamente permitido por los arts. 3.1 y 8.1 RR-I. Ello significa que las partes pueden elegir diversas Leyes reguladoras de diversas partes del mismo contrato, lo que es relativamente frecuente en la práctica laboral internacional. Las partes pueden, del mismo modo, elegir exclusivamente la Ley aplicable a una parte concreta de su contrato laboral. En este último caso, el resto de cuestiones no cubiertas por la Ley elegida por las partes, se regulará por la Ley aplicable

---

[11]   STSJ Madrid Social 11 diciembre 2002 [ECLI:ES:TSJM:2002:17395].

[12]   *Vid.* STJUE 15 julio 2021, *DG, EH y SC Gruber Logistics SRL (C-152/20), Sindicatul Lucrătorilor din Transporturi, TD y SC Samidani Trans SRL (C-218/20)*, C-152/20 y C-218/20, [ECLI:EU:C:2021:600], FD 37: *"Por lo que respecta, a continuación, a la exigencia de que la elección de la ley aplicable sea libre, en el sentido del artículo 3 del Reglamento Roma I, el órgano jurisdiccional remitente señala que de la lectura conjunta del artículo 2, apartado 1, de la Orden n.o 64/2003 y del modelo marco de contrato individual de trabajo anexo a esta se desprende que las partes de los contratos controvertidos en los litigios principales están obligadas, en contra de dicha exigencia, a elegir la ley rumana"*, FD 39: *"Corresponde únicamente al órgano jurisdiccional remitente apreciar si esta última interpretación del Derecho nacional es correcta y, por tanto, comprobar si la presencia en el contrato de una cláusula que prevé la aplicación del Código Laboral rumano no refleja una obligación de las partes de elegir la ley rumana, sino que confirma la elección implícita y libre de tal ley por estas, de conformidad con el artículo 3 del Reglamento Roma I"* y FD 40: *"Por último, en cuanto a la cuestión de si la inserción, por parte del empresario y en un contrato de trabajo previamente redactado, de una cláusula de elección de la ley permite constatar que no ha existido libre elección, extremo que resulta contrario a lo dispuesto en el artículo 3 del Reglamento Roma I, es preciso señalar que ese Reglamento no prohíbe la utilización de cláusulas tipo redactadas previamente por el empresario. La libertad de elección, en el sentido de esta disposición, puede ejercerse aceptando tal cláusula y no queda puesta en tela de juicio por el mero hecho de que dicha elección se realice sobre la base de una cláusula redactada e insertada por el empresario en el contrato"*.

[13]   *Vid.* nota inmediatamente anterior.

al contrato de trabajo en defecto de elección (art. 8.2-4 RR-I). Es claro que los contratantes pueden elegir, expresa o tácitamente, varias Leyes estatales aplicables a diferentes "partes" del contrato de trabajo (STSJ Madrid, Social, 14 marzo 2012 [trabajador italiano al servicio de la Administración española]; STSJ Madrid Social 12 mayo 2021 [personal que presta servicios en el Consulado de España en Sídney, Australia])[14]. Es el "*dépeçage* completo", también conocido como "*contratto Arlecchino*" (RODOLFO DE NOVA), o "*caleidoscopio jurídico*" (FABIO MARRELA)[15]. Este tipo de *dépeçage* no aparece recogido en la letra del art. 3.1 RR-I, pero la mejor doctrina considera que si los contratantes pueden elegir la Ley aplicable a "una parte" de su contrato, por analogía, debe estimarse que pueden también elegir la Ley reguladora de "diversas partes" del mismo contrato. La justificación se halla, de nuevo, en el principio de autonomía de la voluntad conflictual. El concepto de "parte del contrato fue objeto de clarificación por la sugestiva STJUE 6 octubre 2009, C-133/08, *Intercontainer Interfrigo*, uqnue sin mucha convicción ni sistema[16].

Las partes pueden también cambiar la Ley elegida en un primer momento como Ley reguladora de un contrato de trabajo internacional.

La Ley elegida debe ser una Ley estatal. No se exige que sea la ley de un Estado objetivamente conectado con el contrato de trabajo.

3. *La autoridad de la Ley elegida*

En el supuesto de que las partes hayan elegido como Ley reguladora del contrato una Ley extranjera, no podrán en ningún caso estimarse por los tribunales españoles las demandas presentadas por los trabajadores que se funden en la Ley sustantiva española y/o en los convenios colectivos "españoles". En tal caso, la demanda debe ser desestimada en el fondo. Así lo estima un cuerpo solvente de jurisprudencia: STSJ Madrid Social 11 diciembre 2002, STSJ Galicia Social 31 octubre 2002; STSJ Madrid Social 31 mayo 2002; SJSocial Madrid 11 noviembre 2002; STSJ Madrid 30 septiembre 2002; STSJ Madrid 27 mayo 2002; STSJ Madrid

---

[14]   STSJ Madrid Social 14 marzo 2012 [JUR 2012\117604]; STSJ Madrid Social 21 mayo 2021 [ECLI:ES:TSJM:2021:5218].

[15]   DE NOVA, RODOLFO, "Obbligazioni (Diritto internazionale privato)", en AA.VV., *Enciclopedia del diritto*, vol. XXIX, Giuffrè, Milán, 1979, pp. 456-500; MARRELLA, FABIO, *Manuale di Diritto del commercio internazionale*, 2ª ed., Cedam, Pádua, 2020, pp. 307-310.

[16]   STJUE 6 octubre 2009, C-133/08, *Intercontainer Interfrigo* [ECLI:EU:C:2016:40], FD 48: "... *una parte del contrato sólo podrá regirse por una ley diferente a la ley aplicable al resto del contrato cuando su objeto sea autónomo*".

27 febrero 2002; STSJ Madrid Social 24 marzo 2003; STSJ Madrid Social 20 marzo 2003; STSJ Madrid Social 23 enero 2003)17.

El contrato de trabajo se debe regir por el Derecho elegido por las partes, sin que éstas puedan fundar su demanda, posteriormente, en el Derecho español (STSJ Madrid Social 20 noviembre 2008 [contrato laboral sometido al Derecho austríaco])[18].

Por otra parte, deben aplicarse los convenios colectivos vigentes en la Ley extranjera elegida por las partes, siempre que se verifiquen las condiciones aplicativas de dicho convenio colectivo (STSJ Madrid Social 12 marzo 2012 [trabajo desarrollado en Italia]; STSJ Madrid Social 24 octubre 2012 [convenios colectivos italianos]; STSJ Madrid Social 23 noviembre 2015 [convenio colectivo laboral italiano])[19].

4. Empresa única y trabajadores contratados según Leyes estatales diferentes

Como consecuencia de la posibilidad de elección de Ley por las partes, puede resultar que trabajadores que prestan sus servicios al mismo empresario dispongan de condiciones laborales diferentes, si sus respectivos contratos de trabajo se rigen por Leyes estatales diferentes. Al respecto, -y con apoyo en la bien fundada STC 34/2004 de 8 marzo 2004-, cabe afirmar lo que sigue[20].

En primer término y por lo que afecta a las empresas privadas, debe admitirse la posibilidad de que, por efecto de la aplicación de Leyes estatales distintas, los trabajadores, incluso aunque presten "iguales servicios", queden sometidos a un régimen laboral distinto. Ello debe permitirse porque el empresario dispone del derecho a organizar su empresa como le convenga, siempre que respete los mínimos legales o convencionales.

En segundo lugar, debe subrayarse que, por el contrario, cuando el empresario es la Administración pública española, no rige el principio de la "autonomía de la voluntad", sino que la Administración está sujeta totalmente al principio de "igualdad ante la Ley". Así, todos los contratos de trabajo de los trabajadores que prestan "iguales servicios" a la Administración española, deben estar regulados

---

[17]   STSJ Madrid Social 11 diciembre 2002 [ECLI:ES:TSJM:2002:17395]: STSJ Galicia Social 31 octubre 2002 [ECLI:ES:TSJGAL:2002:6651]; STSJ Madrid Social 31 mayo 2002 [ECLI:ES:TSJM:2002:7585]; SJSocial Madrid 11 noviembre 2002 [AS 2003\38]; STSJ Madrid 30 septiembre 2002 [ECLI:ES:TSJM:2002:12453]; STSJ Madrid 27 mayo 2002 [ECLI:ES:TSJM:2002:7177]; STSJ Madrid 27 febrero 2002 [ECLI:ES:TSJM:2002:2666]; STSJ Madrid Social 23 enero 2003 [ECLI:ES:TSJM:2003:953]; STSJ Madrid Social 24 marzo 2003 [ECLI:ES:TSJM:2003:4684].

[18]   STSJ Madrid Social 20 noviembre 2008 [ECLI:ES:TSJM:2008:22231].

[19]   STSJ Madrid Social 12 marzo 2012 [ECLI:ES:TSJM:2012:1219]; STSJ Madrid Social 24 octubre 2012 [ECLI:ES:TSJM:2012:14135]; STSJ Madrid, Social 23 noviembre 2015 [ECLI:ES:TSJM:2015:13769].

[20]   STC 34/2004 de 8 marzo 2004 (BOE nº 83, de 6 de abril de 2004).

por la misma Ley estatal, y ésta puede ser la Ley estatal elegida por las partes o la Ley designada por el art. 8 RR-I. Sólo podría admitirse en el caso de que se trate de trabajadores que prestan iguales servicios a la Administración española, la aplicación de Leyes estatales distintas si el contenido de tales Leyes confiere iguales derechos a los trabajadores (*False Conflict*).

En tercer lugar, debe también recordarse que, en ciertos casos, la Administración española y sus trabajadores contratados en régimen laboral, están obligados a firmar un contrato como consecuencia del hecho de que el trabajador ha obtenido una plaza de personal laboral por oposición. No obstante, si las bases de la convocatoria no indican que el futuro contrato debe contener una elección de Ley en favor de una determinada Ley estatal, no se puede obligar al trabajador a aceptar, en el contrato, una elección en favor de una Ley estatal concreta. El contrato debe firmarse y se regirá por la Ley estatal que corresponda con arreglo al art. 8.2 RR-I (STSJ Madrid Social 2 febrero 2005)[21].

V. LOS LÍMITES DE LA ELECCIÓN DE LEY AL CONTRATO DE TRABAJO INTERNACIONAL

1. Disposiciones legales pertenecientes al Derecho que regularía el contrato a falta de elección de Ley y que no pueden excluirse mediante acuerdo

Sin perjuicio de la libre elección de la Ley aplicable al contrato de trabajo internacional, debe recordarse que dicha elección de Ley no podrá tener por resultado "*privar al trabajador de la protección que le aseguren las disposiciones que no pueden excluirse mediante acuerdo en virtud de la ley que, a falta de elección, habrían sido aplicables en virtud de los apartados 2, 3 y 4*" del art. 8 RR-I. El objetivo de esta limitación a la libertad de elección de ley aplicable por las partes es evitar que, en realidad, no se trate de una verdadera elección de Ley por las partes libremente acordada por éstas, sino que la cláusula de elección de Ley esconda una auténtica "imposición de la Ley aplicable" llevada a cabo por el empresario en perjuicio del trabajador.

Con el objetivo, precisamente de que evitar que el empresario "imponga" al trabajador una Ley estatal concreta, el art. 8.1 RR-I indica lo siguiente.

Las "disposiciones" a las que se refiere el art. 8 RR-I son aquellas normas jurídicas que "no puedan excluirse mediante acuerdo". Es decir, se trata de las disposiciones imperativas que pertenecen a la Ley que rige el contrato de trabajo

---

[21]   STSJ Madrid Social 2 febrero 2005 [ECLI:ES:TSJM:2005:928].

en defecto de elección de ley por las partes (Cdo. 35 RR-I), como ha señalado MAURIZIO MARESCA[22] (STJUE 15 marzo 2011, C-29/10, *Koelzsch* [contrato expresamente sometido a la Ley de Luxemburgo y posible aplicación de normas imperativas alemanas]; STSJ Baleares Social 1 junio 2017 [trabajo a desarrollar en España y elección del Derecho alemán]; SJSocial Palma de Mallorca 24 enero 2020 [sumisión a la Ley irlandesa y contrato de trabajo: las disposiciones legales españolas sobre extinción del contrato de trabajo son imperativas]; sent. Corte di Appello Roma (Italia) 26 marzo 2019 [contrato de trabajo sujeto a la Ley de Corea del Sur])[23].

En estos casos, se aplicarán las disposiciones de la Ley que regularía el contrato de trabajo en defecto de elección de Ley por las partes a las cuestiones que tales disposiciones regulan y el resto de la relación laboral se regirá por la Ley elegida por las partes (STJUE 15 julio 2021, *Gruber–Sindicatul*, C-152/20 y C-218/20, FD 24). Las normas sobre salario mínimo se consideran "normas no derogables mediante acuerdo" a los efectos del art. 8 RR-I (STJUE 15 julio 2021, *Gruber–Sindicatul*, C-152/20 y C-218/20, FD 31)[24].

Si la Ley estatal elegida por las partes es la misma Ley estatal a la que conducen las normas de conflicto contenidas en el Reglamento Roma I y que designan la Ley aplicable al contrato de trabajo en defecto de elección, la Ley que regirá el contrato es, naturalmente, la Ley elegida, sin limitación alguna derivada de otra Ley estatal diferente (SJSocial Valencia 24 septiembre 2014 [prestación de trabajo en Perú])[25].

2. Prueba del carácter imperativo de tales disposiciones

La parte que sostenga que las normas del Derecho estatal aplicable en defecto de elección de Ley no son "imperativas" y, por tanto, son "derogables" en virtud de una elección en favor de otra Ley estatal, deberá probar dicha circunstancia

---

[22]   *Vid.* Cdo. 35 RR-I: "*Los trabajadores no deben verse privados de la protección que les proporcionen disposiciones que no puedan excluirse mediante acuerdo o que solo puedan excluirse en su beneficio*". MARESCA, MAURIZIO, "La regola del trattamento più favorevole: considerazioni sulla disciplina comunitaria della sicurezza sul lavoro in rapporto alla disciplina italiana", *Diritto del commercio internazionale*, 1994, vol. VIII, pp. 521-543.

[23]   STJUE 15 marzo 2011, C-29/10, *Heiko Koelzsch* [ECLI:EU:C:2011:151]; STSJ Baleares, Social, 1 junio 2017 [ECLI:ES:TSJBAL:2017:470]; SJSocial Palma de Mallorca 24 enero 2020 [ECLI:ES:JSO:2020:314]; Sentencia Corte di Appello Roma (Italia) 26 marzo 2019, *Rivista di diritto internazionale privato e processuale*, 2020, pp. 126-137.

[24]   STJUE 15 julio 2021, *DG, EH y SC Gruber Logistics SRL (C-152/20), Sindicatul Lucrǎtorilor din Transporturi, TD y SC Samidani Trans SRL (C-218/20)*, C-152/20 y C-218/20, [ECLI:EU:C:2021:600].

[25]   SJSocial Valencia 24 septiembre 2014 [ECLI:ES:JSO:2014:132].

(STSJ Madrid Social 13 febrero 2006)[26]. Y deberá probar el Derecho extranjero implicado (STSJ Madrid Social 14 febrero 2007 [Ley inglesa no acreditada])[27].

3. Reglas para efectuar la "comparación entre Leyes"

La regla anterior exige una "comparación" entre la Ley elegida y las "disposiciones imperativas" o "disposiciones no derogables por acuerdo" pertenecientes a la Ley estatal que sería aplicable al contrato laboral en defecto de elección, que es, normalmente, la Ley del país donde se ejecuta el trabajo (STJUE 15 julio 2021, *Gruber–Sindicatul*, C-152/20 y C-218/20, FD 27)[28].

Esta comparación de leyes es obligatoria y nunca dispensable, como subraya la sentencia de la Cour de Cassation (Francia) 9 julio 2015 [trabajo a desarrollar en Francia y elección de la Ley belga y española])[29]. Tras la comparación de leyes, será aplicable la Ley más favorable al trabajador (*Better Law*).

Nada dice el art. 8 RR-I sobre el método a seguir para efectuar la "comparación" entre legislaciones. Por ello, puede afirmarse, con FRANCISCO JOSÉ GARCIMARTÍN ALFÉREZ, que la comparación entre leyes puede llevarse a término con arreglo a diversas técnicas jurídicas[30]. Es posible realizarla "norma por norma" (*ad. ex.* un artículo de la Ley laboral española con otro artículo de la Ley laboral de Corea del Norte), "institución por institución" (*ad ex.* la regulación de las vacaciones contenida en el Derecho laboral español y la contenida en el Derecho marroquí) (STSJ Baleares Social 12 febrero 2021 [trabajo en compañía aérea: comparación entre la normativa laboral irlandesa elegida por las partes y la normativa española sobre extinción del contrato de trabajo]; ATS Social 15 septiembre 2005; STSJ Galicia 20 octubre 2005), o cabe comparar "Derecho Laboral por Derecho Laboral" (*ad ex.* comparar el Derecho Laboral español con el Derecho Laboral chino y decidir cuál resulta el más favorable al trabajador). La práctica judicial española se inclina por una comparación entre la regulación laboral del Estado A y la regulación laboral del Estado B en torno a la "cuestión litigiosa" (= la cuestión que constituye el "objeto del proceso"). Así, la SJSocial Palma de Mallorca 24 enero 2020 [sumisión a la Ley irlandesa y contrato de trabajo] compara la regulación de la extinción del contrato laboral entre la Ley irlandesa y la española (también SJSocial Palma de Mallorca 5 mayo 2020 [trabajo

---

[26]   STSJ Madrid Social 13 febrero 2006 [ECLI:ES:TSJM:2006:991].

[27]   STSJ Madrid Social 14 febrero 2007 [ECLI:ES:TSJM:2007:1761].

[28]   STJUE 15 julio 2021, *DG, EH y SC Gruber Logistics SRL (C-152/20), Sindicatul Lucrătorilor din Transporturi, TD y SC Samidani Trans SRL (C-218/20)*, C-152/20 y C-218/20, [ECLI:EU:C:2021:600].

[29]   Sent. Cour Cass. Francia 9 julio 2015, *Journal de droit international Clunet*, 2016, p. 912.

[30]   GARCIMARTÍN ALFÉREZ, FRANCISCO JOSÉ, "El Reglamento 'Roma I' sobre ley aplicable a las obligaciones contractuales: ¿Cuánto ha cambiado el Convenio de Roma de 1980?", *Diario La Ley*, n° 6957, Sección Doctrina, 30 mayo 2008, versión *on line*.

en cabina] y STSJ Baleares Social 12 febrero 2021 [trabajo en compañía aérea]). La sentencia de la Cour Cass. Francia Ch. sociale 12 julio 2010, indicó que debía aplicarse el Derecho francés (= país de prestación de los servicios) y no el Derecho español (= Ley elegida por las partes), porque el trabajador litigó contra su despido. Y mientras el Derecho español sólo permitía accionar judicialmente contra el despido durante veinte días tras el mismo, en Derecho francés ese plazo era de treinta años. Es claro que el Derecho laboral francés, en este punto, -el despido-, resultaba más favorable que la Ley española, elegida por las partes para regir el contrato de trabajo. De igual manera, la STSJ Cataluña Social 25 junio 2014 [contrato de trabajo *jure gestionis* a desarrollar en España por trabajadores italianos] señaló que la Ley española (= *Lex Loci Laboris*) resultaba más favorable que la Ley italiana (= Ley elegida por las partes) en relación con la conciliación laboral, punto discutido en la litis. Criterio, al parecer, similar, sigue la STSJ Madrid Social 9 diciembre 2014 [trabajadores italianos y servicios en España] y también la STSJ Madrid Social 30 enero 2015 [despido y domicilio en España del empleador][31].

Por otro lado, es claro que la comparación de Leyes sólo afecta a cuestiones legales relativas al contrato de trabajo, no a cuestiones relativas a la Seguridad Social. En realidad, el parámetro de la comparación se refiere a las "*disposiciones que establezcan condiciones mínimas de trabajo*". De este modo, si la Ley elegida por empleador y trabajador supera, en beneficio del trabajador, los mínimos legales fijados en la Ley del Estado cuya Ley habría sido aplicable al contrato si no hubiera habido elección de Ley por las partes, la elección de Ley es válida y eficaz (STSJ Asturias Social 1 febrero 2013 [trabajo a prestar en España y empleador con domicilio en Portugal])[32].

Si las partes han elegido como Ley aplicable la Ley del Estado donde se prestan los servicios, esta limitación a la Ley elegida por las partes carece de efecto legal alguno, ya que la Ley que sería aplicable en defecto de elección por las partes es, precisamente, esa misma Ley estatal (= el Derecho del país de prestación del servicio) (STSJ Madrid Social 30 junio 2011 [contrato de trabajo a prestar en Grecia])[33].

---

[31]　STSJ Baleares Social 12 febrero 2021 [ECLI:ES:TSJBAL:2021:184]; ATS Social 15 septiembre 2005 [ECLI:ES:TS:2005:10822A]; STSJ Galicia Social 20 octubre 2005 [ECLI:ES:TSJGAL:2005:2178]; SJSocial Palma de Mallorca 24 enero 2020 [ECLI:ES:JSO:2020:242]; SJSocial Palma de Mallorca 5 mayo 2020 [ECLI:ES:JSO:2020:1629]; STSJ Baleares Social 12 febrero 2021 [ECLI:ES:TSJBAL:2021:184]; Sent. Cour Cass. Francia Ch. sociale n. 07-44655 12 julio 2010 [*Bulletin*, 2010, V, nº 163]; STSJ Cataluña Social 25 junio 2014 [ECLI:ES:TSJCAT:2014:7285]; STSJ Madrid Social 9 diciembre 2014 [ECLI:ES:TSJM:2014:15671]; STSJ Madrid Social 30 enero 2015 [ECLI: ES:TSJM:2015:534].

[32]　STSJ Asturias Social 1 febrero 2013 [ECLI:ES:TSJAS:2013:402].

[33]　STSJ Madrid Social 30 junio 2011 [ECLI:ES:TSJM:2011:9097].

4. Fraude de Ley y elección de una Ley extranjera para regular un contrato de trabajo internacional

Cuando una empresa española contrata a sujetos que no son ciudadanos europeos para que presten sus servicios en España y el contrato se sujeta al Derecho de terceros Estados (= Perú, Uruguay, República Dominicana), no existe, en realidad, ningún fraude de Ley internacional. En dicho supuesto, el art. 8 RR-I impone la aplicación de las normas imperativas no derogables por contrato del Derecho español, que son las normas de la Ley del país donde se prestan los servicios laborales (STSJ Baleares CA 11 enero 2019 [fraude de ley internacional y sumisión a leyes extranjeras])[34]. Existiría fraude de ley internacional si los sujetos fueran españoles y el caso no presentase ningún elemento extranjero, tan sólo la elección de Ley. En tal supuesto sería de aplicación el art. 3.3 y 3.4 RR-I y no el art. 12.4 CC.

VI. CONCLUSIONES HETERODOXAS

La ordenación conflictual del art. 8.1 RR-I esta norma es clara. La regla general es que el contrato de trabajo internacional se rige por la Ley elegida por las partes. Ésa es, indica M. FORNASIER, la regla a interpretar de modo expansivo. Es ésa "la mejor conexión" en la mayor parte de los casos[35]. Como corrección, el precepto establece que pueden matizarse, atemperarse y moderarse los efectos jurídicos de dicha elección de Ley si el Derecho elegido por los contratantes recoge condiciones para el trabajador que son peores para éste que las fijadas por la *Lex Loci Laboris*, esto es, por la Ley del país de ejecución del trabajo.

Es fácil observar que, en el art. 8 RR-I, la primera conexión, la mejor conexión es, para el legislador, la elección de Ley por las partes, la autonomía de la voluntad conflictual. La aplicación de esta Ley puede ser corregida, en ciertos casos, si la Ley del país de prestación de los servicios laborales recoge una mejor posición jurídica del trabajador. Por tanto, la Ley elegida, explica JAN D. LÜTTRINGHAUS, no se emplea "para mejorar" el contenido ni el resultado de la aplicación de la Ley del lugar de ejecución de la prestación laboral[36].

---

[34]   STSJ Baleares CA 11 enero 2019 [ECLI:ES:TSJBAL:2019:26].

[35]   FORNASIER, MICHELE, "Die Ausweichklausel im europäischen Arbeitskollisionsrecht (EuGH, S. 556)", *Praxis des Internationalen Privat- und Verfahrensrechts (IPRax)*, 2015-4, pp. 517-522.

[36]   LÜTTRINGHAUS, JAN D., "Vorboten des internationalen Arbeitsrechts unter Rom I: Das bei „mobilen Arbeitsplätzen" anwendbare Recht und der Auslegungszusammenhang zwischen IPR und IZVR", *Praxis des Internationalen Privat- und Verfahrensrechts (IPRax)*, 2011-6, pp. 554-559. También IRIARTE ÁNGEL, JOSÉ LUIS, "Ley aplicable a los contratos internacionales de trabajo. Reflexiones sobre la jurisprudencia del Tribunal Supremo", en CALVO CARAVACA, ALFONSO LUIS y

A diferencia de los contratos internacionales celebrados por consumidores, como ha sido señalado, es también evidente[37]. En el art. 6 RR-I, la Ley elegida por las partes no es "la mejor conexión" para concretar la Ley aplicable al contrato celebrado por consumidores. La mejor conexión, señala WULF-HENNING ROTH, es la residencia habitual del consumidor, y además, es ése el país al que el empresario dirige su actividad profesional[38]. La Ley elegida por las partes sirve "para mejorar" la posición jurídica del consumidor establecida en la Ley del país de su residencia habitual. En suma, en los contratos internacionales de consumo, la autonomía de la voluntad conflictual despliega un papel secundario, mientras que en los contratos de trabajo desarrolla una función principal. Este entendimiento de las reglas citadas refleja una "comprensión profunda del sistema", una "pre-visión" de los principios que dan vida a ambos preceptos.

El art. 8 RR-I no es una "norma de conflicto materialmente orientada" en beneficio del trabajador. Lo único que persigue este art. 8 RR-I es evitar que los empresarios impongan a los trabajadores una elección de Ley aplicable al contrato de trabajo que pudiera perjudicar los derechos de los trabajadores recogidos en las normas imperativas de la Ley que regularía el contrato a falta de elección de Ley, que es, normalmente la Ley del país de prestación de los servicios.

VII. BIBLIOGRAFÍA

CARRASCOSA GONZÁLEZ, JAVIER, *Derecho internacional privado y dogmática jurídica*, Comares, Granada, 2021, pp. 172-174.

CASTELLANOS RUIZ, ESPERANZA, "El Convenio de Roma de 1980 ante los tribunales españoles, Balance de 15 años de vigencia", en CALVO CARAVACA, ALFONSO LUIS y CASTELLANOS RUIZ, ESPERANZA (Dirs.), *La Unión Europea ante el Derecho de la Globalización*, Colex, Madrid, 2008, pp. 121-188.

DE NOVA, RODOLFO, "Obbligazioni (Diritto internazionale privato)", en AA. VV., *Enciclopedia del diritto*, Giuffrè, Milán, vol. XXIX, Milán, 1979, pp. 456-500.

FORNASIER, MICHELE, "Die Ausweichklausel im europäischen Arbeitskollisionsrecht (EuGH, S. 556)", *Praxis des Internationalen Privat- und Verfahrensrechts (IPRax)*, 2015-4, pp. 517-522.

CARRASCOSA GONZÁLEZ, JAVIER (Dirs.), *El Tribunal Supremo y el Derecho Internacional Privado*, vol. 1, Rapid Centro Color S.L., Murcia, 2019, pp. 335-361.

[37]   CARRASCOSA GONZÁLEZ, JAVIER, *Derecho internacional privado y dogmática jurídica*, Comares, Granada, 2021, pp. 172-174.

[38]   ROTH, WULF-HENNING, "Rechtswahlklauseln in Verbraucherverträgen – eine schwierige Sache? (BGH, S. 557)", *Praxis des Internationalen Privat- und Verfahrensrechts (IPRax)*, 2013-6, pp. 515-525.

GARCIMARTÍN ALFÉREZ, FRANCISCO JAVIER, "El Reglamento 'Roma I' sobre ley aplicable a las obligaciones contractuales: ¿Cuánto ha cambiado el Convenio de Roma de 1980?", *Diario La Ley*, nº 6957, Sección Doctrina, 30 mayo 2008, versión *on line*.

IRIARTE ÁNGEL, JOSÉ LUIS, "Ley aplicable a los contratos internacionales de trabajo. Reflexiones sobre la jurisprudencia del Tribunal Supremo", en CALVO CARAVACA, ALFONSO LUIS y CARRASCOSA GONZÁLEZ, JAVIER (Dirs.), *El Tribunal Supremo y el Derecho Internacional Privado*, vol. 1, Rapid Centro Color S.L., Murcia, 2019, pp. 335-361.

LÜTTRINGHAUS, JAN D., "Vorboten des internationalen Arbeitsrechts unter Rom I: Das bei „mobilen Arbeitsplätzen" anwendbare Recht und der Auslegungszusammenhang zwischen IPR und IZVR", *Praxis des Internationalen Privat- und Verfahrensrechts (IPRax)*, 2011-6, pp. 554-559.

MARRELLA, FABIO, *Manuale di Diritto del commercio internazionale*, 2ª ed., Cedam, Pádua, 2020.

MOYA ESCUDERO, MERCEDES, "La capacidad del trabajador extranjero en Derecho internacional privado español", *Civitas. Revista Española de Derecho del Trabajo*, nº 10, 1982, pp. 223-246.

MOYA ESCUDERO, MERCEDES, "La ley aplicable al contrato de trabajo en Derecho internacional privado español», *Revista Española de Derecho Internacional*, vol. 34, nº 1, 1982, pp. 79-98.

MOYA ESCUDERO, MERCEDES, "Reflexiones en torno al párrafo 4 del art.1 del Estatuto de los Trabajadores", *Anuario de estudios sociales y jurídicos*, vol. VIII-IX, 1979-1980, pp. 349-362.

ROTH, WULF-HENNING, "Rechtswahlklauseln in Verbraucherverträgen – eine schwierige Sache? (BGH, S. 557)", *Praxis des Internationalen Privat- und Verfahrensrechts (IPRax)*, 2013-6, pp. 515-525.

VIRGÓS SORIANO, MIGUEL, "El convenio de Roma de 19 de junio de 1980 sobre la ley aplicable a las obligaciones contractuales", en GARCÍA DE ENTERRÍA, EDUARDO, GONZÁLEZ CAMPOS, JULIO DIEGO y MUÑOZ MACHADO, SANTIAGO (Dirs.), *Tratado de Derecho comunitario europeo (Estudio sistemático desde el Derecho español)*, vol. III, Civitas, Madrid, 1986, pp. 753-825.

VIRGÓS SORIANO, MIGUEL, "Art. 10.6 CC", en AA.VV., *Comentario del Código civil*, Ministerio de Justicia, Madrid, 1991, pp. 121-124.

VIRGÓS SORIANO, MIGUEL, "Art. 10.6 Cc.", en ALBALADEJO GARCÍA, MANUEL y DÍAZ ALABART, SILVIA (Dirs.), *Comentarios al Código Civil y a las Compilaciones forales*, t. I, vol. II, 2ª ed., Revista de Derecho Privado, Edersa, Madrid, 1995, pp. 587-609.

RETOS DEL DERECHO DE EXTRANJERÍA Y DE LA NACIONALIDAD ANTE LA MOVILIDAD INTERNACIONAL DE PERSONAS EN EL SIGLO XXI

EL ESTATUTO DEL EXTRANJERO Y SU CATEGORIZACIÓN: DE LA RESPUESTA JURÍDICA Y SU ADAPTACIÓN A LA REALIDAD MIGRATORIA

IRENE BLÁZQUEZ RODRÍGUEZ

Profesora Titular Derecho internacional privado
Universidad de Córdoba

SUMARIO: I. INTRODUCCIÓN. EL ESTATUTO, NOCIÓN BÁSICA EN DERECHO INTERNACIONAL PRIVADO. II. EL EXTRANJERO, CATEGORÍA CONTRAPUESTA AL NACIONAL. III. EL ESTATUTO DE EXTRANJERÍA Y LA CATEGORIZACIÓN JURÍDICA PREVIA. 1. Extranjería y estatutos jurídicos. 2. Derecho y categorización de los extranjeros. Sobre su utilidad y los riesgos. IV. A MODO DE REFLEXIÓN FINAL. El EXTRANJERO RESIDENTE: LA CATEGORÍA AUSENTE. V. BIBLIOGRAFÍA.

Entre la amplia trayectoria docente e investigadora de la Profª. Mercedes Moya hay un tema recurrente en su labor académica: el extranjero y su estatuto jurídico. En dicha labor hay la constante de visibilizar una realidad —durante mucho tiempo abandonada por nuestra disciplina—, y también una lucha por mejorar su situación —ya sea como menores abandonados, migrantes irregulares, trabajadores de temporada o mujeres en situación de especial vulnerabilidad—. Y junto a esta constante en su desempeño académico, su firme propósito de "transferir conocimiento". Mucho antes de su reconocimiento a nivel académico a esta labor universitaria, la Profª. Mercedes Moya ha sido una de las pioneras en acercar la Universidad —y los conocimientos que en ella se genera— a la sociedad y sus demandas. En el campo de la extranjería su dedicación ha sido única, contribuyendo a la reflexión jurídica sobre multitud de aspectos, compaginada con una importante labor formando a profesionales, al tiempo que creando una "vibrante" escuela. Sirvan estas líneas como mi más sincero agradecimiento a su maestría por su excelente legado humano, científico y académico.

I. INTRODUCCIÓN. EL ESTATUTO, NOCIÓN BÁSICA EN DERECHO INTERNACIONAL PRIVADO

La noción de "estatuto" utilizada de manera generalizada en las distintas ramas del Derecho, tiene unas connotaciones específicas en Derecho internacional privado (DIPr.). Su carácter multifocal y funcional es un denominador común en los distintos sectores de nuestra disciplina donde se utiliza con una sustantividad propia, a saber, la persona física y el derecho de extranjería. Si bien nuestro estudio, se ciñe al último aspecto, en su actual evolución ante una persona y familia que se internacionalizan no pueden entenderse como departamentos estancos, sino que *sensu contrario* asistimos a una sinergia necesaria. El proceso de integración europea juega un papel crucial en esta metamorfosis del estatuto —personal como del extranjero—.

Cuando nos referimos a la persona física, el término estatuto personal es tan usado como ambiguo en DIPr. Ello deriva fundamentalmente de que la expresión estatuto personal mezcla, en realidad dos conceptos jurídicos distintos: el "estado de las personas" (*status*) y el "estatuto" o Ley aplicable a la persona (*statum*)[1]. Dejando al margen los debates doctrinales en la materia[2], existe un consenso generalizado en definirlo como el conjunto de instituciones o situaciones jurídicas vinculadas a la persona y que, por razón de su naturaleza, son reguladas por la Ley personal del individuo. Fruto de la erosión producida por el Derecho de la Unión Europea —más allá de la materia "comunitarizada"—, se puede hablar de un enfoque tanto europeo como nacional sobre el estatuto personal[3]. Si bien en la actualidad las normas de conflicto reguladoras de la persona física se ubican en la soberanía estatal de cada Estado miembro, su aplicación no es ajena a las crecientes demandas de una libre circulación de personas que se reinterpreta bajo el estatuto del ciudadano de la Unión Europea. Una prueba evidente ante tal convergencia es la "técnica del reconocimiento mutuo" que garantiza la continuidad de situaciones jurídicas nacidas bajo el sistema conflictual de otro Estado miembro, trascendiendo la jurisdicción nacional. En este sentido, la permanencia del estatuto personal adquiere tintes novedosos, mediante su reinterpretación en clave funcional asistiendo a la conformación de un renovado estatuto personal a nivel de la Unión Europea o si preferimos a una nueva dimensión de la ciudadanía de la UE que circula con su estatuto[4].

Si nos referimos a la situación de los extranjeros, el recurso a su estatuto jurídico es una constante. A diferencia de otros sistemas cercanos al nuestro como el francés que abordan la cuestión desde *le droit des étrangère* o el italiano bajo el vocablo de *diritto degli stranieri*, en nuestro sistema dicha situación emana del

---

[1]   En este sentido, AGUILAR BENÍTEZ DE LUGO, MARIANO, "El estatuto personal", en AA.VV., *Lecciones de Derecho civil internacional*, Tecnos, Madrid, 1996, pp. 23 y ss.

[2]   *Vid. inter alia*, PANET, AMÉLIE, "Le statut personnel en droit international privé européen, *RCDIP*, nº 4, 2015, pp. 837-856; HUNTER-HENIN, MYRIAM, *Pour une redéfinition du statut personnel*, Presses Universitaires d'Aix-Marseille, Marsella, 2004; CALVO CARAVACA, ALFONSO LUIS y CARRASCOSA GONZÁLEZ, JAVIER, "Persona física", en *Tratado de Derecho internacional privado*, t. 1, Tirant lo Blanch, Valencia, 2020, en particular, pp. 1223-1235.

[3]   *Ibidem*, pp. 1225-1226.

[4]   En este sentido, PATAUT, ETIENNE, "La citoyenneté européenne: vers l'élaboration d'un statut personnel et familial?, en BIDEAUD-GARON, CHRISTINE y FULCHIRON, HUGHES, *Vers un statut européen de famille?*, Dalloz, París, pp. 97-109; PEIFF, SILVIA, *La portabilité du status personnel dans l'espace européen*, Bruylant, Bruselas, 2017.

"derecho de extranjería". La diferencia no es baladí. Mientras que unos se focalizan en la persona y con el uso del plural acogen *ab initio* la diversidad de estatutos, el nuestro parece centrarse en su dimensión administrativa y el estatuto jurídico que emana según las razones de entrada y estancia. Dicha diversidad ha sido puesta de relieve por la Prof[a]. Moya en multitud de sus trabajos, elementos claves, sin duda, del estado del arte sobre el que se fundamenta este estudio[5]. Por su parte, el otro gran actor en cuanto a la situación de los extranjeros —la Unión Europea— alude a la Política Europea de Inmigración, y desde aquí conforma paulatinamente una diversidad de estatutos jurídicos con un distinto nivel de definición según se trate de los ciudadanos de otros Estados miembros o de terceros países. Siendo conscientes de la distinta connotación que conlleva la utilización del vocablo Política frente a Derecho —al situarnos en disciplinas diferentes—, su interrelación es incuestionable. De todos es sabido que en la cuestión migratoria la actividad de los que ejercen el poder (*la politeia*), condiciona plenamente el estatuto jurídico de los extranjeros entendido este en sus dos acepciones de estado de las personas (*status*) y de norma aplicable (*statutum*)[6].

La interrelación entre el estatuto del extranjero y la propia evolución política, e incluso filosófica, de una determinada nación o ciudad, es una constante en el devenir de las migraciones. Así, según sean las motivaciones, se afecta el Derecho estatal de extranjería tanto en su ámbito subjetivo, en cuanto que identificación del migrante con relación al nacional o ciudadano, como en el aspecto material al delimitar su estatuto con relación a estos últimos. Se constata que, en periodos de cierre al exterior, se produce un fenómeno de restricción para acceder a la condición de ciudadano al tiempo que una marginalización del *status* del extranjero con respecto al nacional. Tal como se analizará a lo largo de estas líneas, los Estados —y las organizaciones de integración como la Unión Europea—, no son ajenos a dicha cadencia[7]. Desde este prisma, se realizará en primer lugar una aproximación a qué significa hoy la noción de extranjero, definición multifocal que desde el derecho español se concreta frente al nacional y desde el Derecho de la Unión Europea frente al ciudadano europeo. Y, en

---

[5]   *Vid.* MOYA ESCUDERO, MERCEDES, "¿Extranjería o extranjerías?", en GARCÍA CASTAÑO, FRANCISCO JAVIER y MURIEL LÓPEZ, CAROLINA (Coords.), *La inmigración en España: contextos y alternativas*, vol. II, Ed. Laboratorio de Estudios Interculturales, Granada, 2002, pp. 551-566; MOYA ESCUDERO, MERCEDES y RUBIO CASTRO, ANA, "La ciudadanía en Europa y el fenómeno migratorio: Nuevas desigualdades y servidumbres voluntarias", *Anales de la Cátedra Francisco Suárez*, nº 45, 2011, pp. 183-227.

[6]   GASPARINI, ERIC, "L'étranger et le droit: essai de mise en perspective historique", en DI MANNO, THIERRY y ELIE, PIERRE, *L'étranger: sujet du droit et sujet de droits*, Bruylant, Bruselas, 2008, pp. 17-24.

[7]   ATTINÀ, FULVIO, "Tackling the migrant wave: EU as a source and manager of crisis", *REDI*, vol. 70, nº 2, 2018, pp. 49-70, en especial p. 57.

segundo lugar, nos acercaremos a la noción de estatuto de extranjería, a sus caracteres y su categorización jurídica.

Dada la amplitud de la materia y del interés de la doctrina no solo *ius privatista*, sino también de otras disciplinas, más allá incluso de las ciencias jurídicas, mi ánimo no se rige por la exhaustividad —en el sentido de incorporar y detallar todas las normas que conforman las distintas situaciones jurídicas y sus modulaciones—, sino desde la reflexión hacia la comprensión de una cuestión clásica como es el "estatuto jurídico del extranjero" en continua evolución.

II. EL EXTRANJERO, CATEGORÍA CONTRAPUESTA AL NACIONAL

La palabra "extranjero" es una de esas nociones de amplio espectro tanto jurídico como coloquial, que además posee un indudable recorrido histórico[8]. Si bien todos sabemos qué es un extranjero, adentrarnos en su significado en el plano jurídico no es una tarea sencilla. En la actualidad, la dicotomía clásica que distingue al nacional[9] frente al extranjero está sujeta a una fuerte transformación por la erosión producida fundamentalmente por el derecho internacional —y en concreto, por los procesos de integración regional como la Unión Europea—[10]. En las siguientes líneas, esbozaremos sus principales caracteres.

El propio origen etimológico de la palabra "extranjero" evoca su carácter más notorio —y podemos decir constante en su *excursus* histórico— la "no-pertenencia". En efecto, el término proviene del francés antiguo *estrangier* (moderno *étranger*), y este, a su vez, del latín *extraneus*, de *extra*, «fuera de», «externo». En definitiva, se trata de personas que no pertenecen a una determinada comunidad política. En sus orígenes sería el no ciudadano de la πόλις (polis griega) o de la *cives romana*; hoy se predica de aquellos que no están en posesión de la nacionalidad. Por su parte, la palabra "migrante", acogida de manera generalizada en otras disciplinas como la sociología o la política, está formada igualmente con raíces latinas y significa «el que cambia de residencia». Sin duda, sus componentes

---

[8]   Para un examen en profundidad sobre la condición de los extranjeros en los distintos periodos históricos, *vid. inter alia*, AA.VV., *L'étranger*, Recueils de la Société Jean Bodin, Ed. Librairie encyclopédique de Bruxelles, Bruselas, 1958, 2 vols.; CHARPENTIER, JEAN, L'etranger en droit international, Cours IHEI, 1966-67, pp. 88 y ss.

[9]   Utilizaremos el término nacionalidad, propio de nuestro sistema jurídico, frente a otros que aluden a la ciudadanía, como el francés *citoyenneté* o el italiano *cittadinanza*.

[10]   En este sentido, ver por todos PÉREZ VERA, ELISA, "Citoyenneté de l'Union Européennne, nationalité et condition des étrangers", *RCADI*, vol. 261, 1996, pp. 234-425; ESCOBAR HERNÁNDEZ, CONCEPCIÓN, "Extranjería y ciudadanía de la Unión", en *Extranjería e inmigración en España y la Unión Europe*a, Asociación Española de Profesores de Derecho Internacional y Relaciones Internacionales, Madrid, 1998, pp. 103-128.

léxicos, *migrare* (cambiar de residencia, moverse), más el sufijo -nte (agente, el que hace la acción), tiene unos matices muy distintos a la de extranjero.

Desde el plano jurídico —y más aún a nivel interno—, la noción de extranjero tiene una connotación *negativa*, en el sentido de que se define por contraposición, en concreto en relación al nacional. En esta lógica nuestro ordenamiento jurídico, en el art. 1.1 de la LOEXIS, considera "extranjeros a aquellos que carezcan de la nacionalidad española"[11], de tal modo que a su concreción se llega tras el conocimiento de quién es nacional. Tradicionalmente, se ha definido la nacionalidad como la cualidad o condición de miembro de una comunidad política. De esta condición se deriva la posesión del estatuto de nacional en esa determinada comunidad[12]. Ahora bien, la concreción de quién es nacional tampoco está exenta de dificultades. Si bien la nacionalidad es una conexión de mayor estabilidad que otras como el domicilio o la residencia está sujeta tanto al "vaivén" geográfico de una persona como a unas normas, las de la nacionalidad, con una casuística notoria. Prueba de ello y de modo eminentemente práctico refería la Prof[a]. Moya que, en nuestro ordenamiento jurídico hay personas que, siendo españolas al nacer, no ostentan en la actualidad la nacionalidad española conforme a los preceptos de nuestro ordenamiento jurídico; y, al contrario, personas que, siendo aparentemente extranjeras, son españolas desde el momento de su nacimiento o adquieren esta nacionalidad posteriormente[13].

En segundo lugar, la condición de extranjero es *relativa*, se es *extraneus* con relación a una particular comunidad política —de la que se derivará un determinado estatuto jurídico—. Si bien el término ciudadano —y por ende extranjero— tiene sus raíces en el mundo clásico, su noción tal como la entendemos hoy es preciso ubicarla a partir de la Revolución francesa, donde se sitúa el nacimiento del Estado nacional y de Derecho. En efecto, al amparo de estructuras políticas más centralizadas para el espíritu nacional, la idea de nacionalidad toma una definición más patente y delimitada. En este periodo asistimos a una autonomía legislativa de las normas que reglamentan la nacionalidad y su adquisición —así el *Code civil* francés de 1804 o el *Codice civile* italiano de 1865—. De manera paralela, la definición negativa de extranjero en relación con una determinada comunidad se dibuja más claramente. Sin obviar, las categorías intermedias de extranjeros que son igualmente una constante —principalmente atendiendo a la especial vinculación con un determinado Estado como puede ser a través de la residencia— que modulan el estatuto jurídico frente a un Estado extranjero, la

---

[11]　Ley Orgánica 4/2000, de 11 de enero, sobre derechos y libertades de los extranjeros en España y su integración social, *BOE* n° 10, de 12 de enero de 2000.

[12]　Sobre la nacionalidad y sus retos actuales, *vid.* por todos, MOYA ESCUDERO, MERCEDES (Dir.), *Movilidad internacional de personas y nacionalidad*, Tirant lo Blanch, Valencia, 2021.

[13]　*Cit.*, pp. 551 y ss.

oposición entre ambas categorías no se extiende a todos los ámbitos. Así desde una perspectiva patrimonialista, la conexión con el Estado es diferente trascendiendo su carácter personal, de modo que el nacional y el extranjero no tendrían diferente *status*.

En tercer lugar, la noción de extranjero es de carácter *dinámico* y sujeta a evolución. Sin menoscabar el devenir existente en otros periodos históricos más lejanos en el tiempo —que han influido sin duda en la noción actual de extranjero—, nos detendremos en un *iter* clave más reciente como es el proceso de construcción europea. En efecto, esta organización regional tiene desde hace décadas un efecto directo sobre la política migratoria de los Estados miembros y ello va a conllevar un impacto asimismo sobre la propia noción de extranjero y su estatuto. En este sentido, es preciso distinguir dos momentos. Por un lado, con el objetivo clave de la reconstrucción de una Europa derruida por la II Guerra Mundial se gestaron los instrumentos legislativos necesarios para una circulación de trabajadores de los Estados miembros desde los países con excedente en mano de obra hacia aquellos otros deficitarios. En el contexto de la consecución de un Mercado común, el propio Tratado de Roma[14] incluye en su art. 3.C) la libre circulación de personas tanto en su vertiente de trabajadores asalariados como autónomos, así como reconoce un principio básico de la no discriminación por razón de la nacionalidad en su art. 7.1. Sin duda, en este proceso de identificación con la construcción europea se ubica la ciudadanía de la Unión Europea, estatuto reconocido a todos aquellos que ostentan la nacionalidad de un Estado miembro por el Tratado de Maastricht en 1992[15]. Por otra parte, desde la entrada en vigor del Tratado de Ámsterdam en 1999[16], las cuestiones de asilo, cruce de fronteras y la inmigración con relación a aquellos que no poseen la nacionalidad de un Estado miembro se han convertido en materias de capital importancia para la Unión Europea. Consecuencia del desplazamiento de estas materias del tercer pilar comunitario al primero, las instituciones comunitarias iniciaron una legislación profusa en cuestiones relativas al estatuto jurídico del nacional de tercer país[17].

Así las cosas, el estatuto del ciudadano europeo ha creado un vínculo jurídico-político entre el nacional de un Estado miembro y la Unión Europea que impide

---

[14]   Tratado constitutivo de la Comunidad Económica Europea, de 25 de marzo de 1957, Unión Europea, Recopilación de los Tratados, t. I, vol. II, Luxemburgo, Oficina de Publicaciones Oficiales de las Comunidades Europeas, 1995, pp. 209-307.

[15]   Tratado de la Unión Europea, de 7 de febrero de 1992, *DOCE* nº C 191, de 29 de julio de 1992.

[16]   Tratado de Ámsterdam, de 2 de octubre de 1997, por el que se modifica el Tratado de la Unión Europea, los Tratados constitutivos de las Comunidades Europeas y determinados actos conexos, *DOCE* nº C 340, de 10 de noviembre de 1997.

[17]   *Vid. amplius*, BEN HADID, SAMIR, *Le statut des étrangers dans le droit de l'UE*, Universitè Nice, inédito, 2014; BLÁZQUEZ RODRÍGUEZ, IRENE, *Los nacionales de terceros países en la Unión Europea*, 2ª ed., Servicio Publicaciones Universidad de Córdoba, Córdoba, 2003.

calificarlos, sin más, de extranjeros frente a otros Estados miembros distintos al de origen[18]. Con ello, la concepción clásica de la dicotomía nacional-extranjero se transforma, de tal modo que "el binomio se dirige hacia un trinomio que distingue al nacional, al europeo y a los otros"[19]. Sobre la base de estas premisas, se constata que los nacionales procedentes de terceros países pasan a ser los verdaderos extranjeros no solo frente a los propios países miembros, sino también frente a la Unión Europea. En efecto, en ellos confluyen los caracteres intrínsecos de una situación de extranjería[20].

Y, por último, la noción de "extranjero" *no es univoca* en cuanto a la concreción de un concreto estatuto, *a sensu contrario* se distingue una pluralidad de categorías. Dicha diversidad no ha de extrañarnos. Los Estados son soberanos para delimitar quiénes son sus nacionales, para fijar las condiciones para otorgar dicha condición, y del mismo modo son libres para establecer categorías intermedias de ciudadanos, de "gradaciones" particulares, de tal modo que se fijan derechos, y también obligaciones, particulares para determinados extranjeros, incluso llegando a asimilarlos en muchos aspectos al propio nacional[21]. Como dice B. Nascimbene, es preciso diferenciar un extranjero "común" de un extranjero "privilegiado" en virtud de diferentes factores (acuerdos concluidos entre Estados, entre los que incluimos necesariamente los procesos de integración regional)[22]. Es más, en cada uno de ellos se distinguen una pluralidad ya sea de situaciones o de categorías, que llevan a una flexibilización en cuanto a los derechos llamados instrumentales (que facilitan la entrada y residencia) como referenciales (en cuanto al disfrute de un principio de igualdad de tratamiento con el nacional en el estado de acogida) y donde el elemento de "no pertenencia" propio del extranjero se suaviza.

---

[18] PÉREZ VERA, ELISA, *cit.*, pp. 394-395.

[19] LE BRIS, RAYMOND-FRANÇOIS, "L'étranger et ses métamorphoses: quelques considérations contemporaines", en *L' Internationalisation du Droit, Mélanges en l'honneur de Yvon Loussouarn*, Dalloz, París, 1994, pp. 233-244, en particular p. 242.

[20] BLÁZQUEZ RODRÍGUEZ, IRENE, *op. cit.*, pp. 48 y ss.

[21] NASCIMBENE, BRUNO, "Le droit de la nationalité et le droit des organisations d'integration régionales. Vers de nouveaux status de résidents?, *RCADI*, vol. 367, 2013, pp. 253-414, en particular, p. 288.

[22] *Ibidem.*

III. EL ESTATUTO DE EXTRANJERÍA Y LA CATEGORIZACIÓN JURÍDICA PREVIA

1. Extranjerías y estatutos jurídicos

Tras la definición de quiénes son los extranjeros, se trata de aproximarnos a la noción y caracteres de ese *status* jurídico que lo distingue del nacional. El estatuto de extranjería definido de manera clásica como el conjunto de derechos que se le reconocen al extranjero en el ámbito territorial de un Estado del que no es nacional y las obligaciones que se les imponen, resulta a mi parecer hoy vacuo al ser excesivamente generalista. En efecto, de todos es sabido que es más correcto referirnos a estatutos cuyo necesario plural emana tanto del carácter multifocal como por la diversidad de supuestos de extranjería. El ordenamiento jurídico español dibuja un complejo mosaico legislativo que permite analizar la situación del extranjero desde distintas ópticas que conforman su particular estatuto, así hoy se habla *inter alia* del estatuto procesal, administrativo o constitucional del extranjero[23]. Esa perspectiva multifocal puede predicarse asimismo atendiendo a la fuente jurídica del que dimane tal situación, así no es difícil encontrar alusiones al estatuto jurídico internacional del extranjero o del nacional de tercer país en la Unión Europea. En cuanto a la esfera jurídica del extranjero, la norma tanto nacional como institucional dibuja una diversidad de regímenes atendiendo a distintas circunstancias —que van *inter alia* desde la nacionalidad de origen, su vínculo familiar o su situación de refugiado o apátrida—, y donde se impone por tanto hablar de "extranjerías"[24].

Teniendo presente el carácter multifocal y plural del estatuto realizar una reflexión en torno a este no es una empresa sencilla, y cuyo punto de partida inexcusable de nuevo es la "alteridad". El extranjero debe considerarse necesariamente como un "sujeto universal" en el sentido de que se trata de un fenómeno social —y también jurídico— que se encuentra a lo largo y ancho de la historia de la humanidad; igualmente, es una constante que el ajeno a una determinada comunidad política ha gozado de un estatuto particular y distinto al nacional o ciudadano[25]. Así como el extranjero es definido desde un punto de vista "negativo" —como el no nacional—, su estatuto particular se define indefectiblemente desde la "carencia" o por su "inferioridad" con respecto al que pertenece al

---

[23]   *Vid. inter alia*, ORDÓÑEZ SOLÍS, DAVID, *El estatuto administrativo de los extranjeros en España en clave judicial*, Editorial Reus, Madrid, 2008; GARCÍA VÁZQUEZ, SONIA, *El estatuto jurídico constitucional del extranjero en España*, Tirant lo Blanch, Valencia, 2007; TRIGUEROS MARTÍNEZ, LUIS ÁNGEL, *El estatuto jurídico laboral del trabajador extranjero migrante*, Bomarzo, Albacete, 2008.

[24]   MOYA ESCUDERO, MERCEDES, "Extranjería o extranjerías", *cit.*, pp. 551 y ss.

[25]   GILISSEN, JOHN, en AA.VV., *L'étranger*, *op. cit.*, t. X, p. 5.

grupo. Dicha diferenciación lógicamente no es homogénea, sino que tiene una escala de gradación. De manera gráfica, P. Lagarde refiere la "teoría de los círculos concéntricos"[26], donde el más separado ampara las discriminaciones más considerables y cuyo *status* es menos favorable. Dicha distinción de regímenes existe desde la antigüedad distinguiendo a los Metecos de los Bárbaros, al griego de otra ciudad del que no es griego; hasta al punto que esta no ha desaparecido, es más podemos afirmar que dicha diferenciación hoy emerge con toda la intensidad. Como hemos referido en el marco de la UE —y de los Estados miembros— se ha consolidado un trinomio básico que distingue al nacional, al ciudadano de la Unión Europea/AELC[27] y al nacional de tercer país; en el primer círculo se ubicarían a los beneficiarios de la libre circulación UE y cuyo principio guía es la no discriminación, reconociéndole una situación de "cuasi-nacional". En el segundo círculo se sitúan los nacionales de terceros países, que tienen un estatuto de auténtico extranjero, diferente y "discriminante" con respecto al nacional. Atendiendo a la diferenciación de *status* según se ejerza o no una actividad económica, J.-Y. Carlier añade otros círculos, posicionando en el centro al agente económico, a continuación, al ciudadano de la UE/AELC, y después a toda persona residente en la Unión Europea[28], distinguiéndose así del nacional de tercer país que carece de un vínculo estable en el territorio de los Estados Miembros. En mi opinión, dicha funcionalidad económica del extranjero es si cabe aún más evidente con el nacional de tercer país, propiciando la distinción de nuevos círculos; en efecto, fruto de la puesta en marcha de la migración legal a nivel de la Unión Europea, asistimos a un conjunto de Directivas que segmentan según los motivos de entrada y residencia en la UE[29], modulando un concreto estatuto

---

[26]   LAGARDE, PAUL, "L'étranger", *Travaux de l'association Henri Capitan*, vol. XLVIII, 1997, LGDJ, París, 2000, pp. 6-31, en particular pp. 25 y ss.

[27]   Se incluye por extensión a los ciudadanos de la Asociación Europea de Libre Cambio (AELC), formada en la actualidad por cuatro Estados miembros: Noruega, Islandia, Liechtenstein y Suiza. Y ello en virtud del Acuerdo sobre el Espacio Económico Europeo de 1992, suscrito entre los entonces Estados miembros de la CE y los Estados miembros de la AELC (*DOCE* L nº 1, de 3 de enero de 1994), así como del Acuerdo sobre la circulación de personas entre la Unión Europea y la Confederación Suiza de 1999, en base al cual a los nacionales de Suiza les es de aplicación la libre circulación de trabajadores desde el 1 de junio de 2002 (*DOCE* L nº 114, de 30 de abril de 2002).

[28]   CARLIER, JEAN-YVES, "Opérateur économique, citoyen, "personne": quelle liberte choisir pour la protection de ses droits? E pluribus unum", en DUBOUT, EDOURD y MAITROT DE LA MOTTE, ALEXANDRE (Dirs.), *L'unité des libertés de circulation. In varietate concordia*, Bruylant, Bruselas, 2013, pp. 233-244, en especial, p. 235.

[29]   Directiva (UE) 2016/801, de 11 de mayo, relativa a los requisitos de entrada y residencia de los nacionales de países terceros con fines de investigación, estudios, prácticas, voluntariado, programas de intercambio de alumnos o proyectos educativos y colocación *au pair*, *DOUE* nº C 132, de 21 de mayo de 2016; Directiva (UE) 2021/1883, de 20 de octubre, relativa a las condiciones de entrada y residencia de nacionales de terceros países para fines de empleo de alta cualificación, y por la que se deroga la Directiva 2009/50/CE, *DOUE* nº L 382, de 28 de octubre de 2021; Directiva 2014/36/UE, de 26 de febrero, sobre las condiciones de entrada y estancia de nacionales de terceros países para fines de

jurídico con una mayor o menor permeabilidad del principio básico de no discriminación del que disfruta el ciudadano de la Unión Europea.

Así las cosas, el estatuto jurídico, entendido como el conjunto de derechos y obligaciones que dibujan la situación del extranjero en un determinado territorio, resulta amplio y de contornos difusos. Dos matizaciones necesarias. Con relación al alcance material, es preciso tener en cuenta que, en determinados aspectos, como el de los derechos que se confieren a la persona en el marco constitucional, existe lógicamente una equiparación con el nacional: el art. 13 de nuestra Carta Magna los reconoce como titulares de las libertades fundamentales del Título I. De igual modo, el Código civil, en su capítulo I "De los españoles y de los extranjeros" tras concretar quiénes son sus nacionales cierra este capítulo consagrando que "Los extranjeros gozan en España de los mismos derechos civiles que los españoles, salvo lo dispuesto en las Leyes especiales y en los Tratados" (art. 27). Asimismo, cuando nos referimos al estatuto de las personas, la soberanía territorial se diluye dando paso a la reglamentación en muchos aspectos por parte de la legislación del Estado del que es nacional —y ello con independencia del lugar de residencia—. Así, nuestro art. 9.1 Cc somete esas cuestiones relativas a la persona y su estado a su ley personal —la de su nacionalidad—. Cuando nos referimos al estatuto de extranjería, la soberanía territorial y la diferencia de tratamiento entre nacionales y extranjeros se muestra con su mayor rigor, pivotando en los siguientes tres aspectos: la reglamentación de la entrada y residencia en el territorio nacional, la participación política y otros derechos vinculados a la ciudadanía y el ejercicio de una actividad económica mediante su incorporación al mercado de trabajo. Si bien el *status* del extranjero se conforma a través de un conjunto de disposiciones legales y reglamentarias que concretan el conjunto de derechos y libertades relativas a su cualidad de extranjero, sin duda el núcleo central de dicho *status* es aquel referente a la entrada, residencia y salida del territorio nacional, —normas además que se aplican en exclusiva a los extranjeros—. En efecto, estas disposiciones constituyen el baluarte de la cualidad de ajenidad y representan "el control y la discrecionalidad" a los que su situación jurídica se somete por el Estado soberano.

En cuanto al alcance territorial, asistimos a una transformación en este aspecto redimensionándose al ámbito nacional, comunitario e internacional. En su noción moderna, y a partir del siglo XVIII, el extranjero se conforma al tiempo del Estado nación, derivándose un determinado estatuto específico sobre ese territorio nacional; en este engranaje la soberanía estatal alcanza a sus nacionales, así como al extranjero y su situación jurídica. Con la construcción europea,

---

empleo como trabajadores temporeros, *DOUE* nº L 94, de 28 de marzo de 2014 y Directiva 2014/66/UE, de 15 de mayo, relativa a las condiciones de entrada y residencia de nacionales de terceros países en el marco de traslados intraempresariales, *DOUE* nº L 157, de 27 de mayo de 2014.

no es posible razonar exclusivamente en términos de soberanía nacional, hoy nadie duda del impacto directo del cuadro institucional sobre la noción de extranjero y su estatuto jurídico. En este sentido, basta recordar el conjunto de normativa bajo pautas armonizadas en relación con la entrada del nacional de tercer país[30], así como las implicaciones de la creación de una ciudadanía de la UE que, trasvasando la libre movilidad intra-UE, reconoce ciertas prerrogativas en materia de participación política[31]. La situación del migrante tampoco es ajena a su protección en el plano internacional. Así, desde principios del siglo XX, se dibuja un *standard mínimo internacional*[32] donde se incorpora un corpus de derechos fundamentales aplicable a todo ser humano con independencia de su condición de nacional, extranjero o migrante, así como del motivo de su *iter* migratorio[33]. Se trata de derechos de las personas en cuanto tal, con independencia de los derechos que deriven de su ciudadanía, del país de pertenencia o de su situación administrativa, y que son consecuencia inmediata del proceso de codificación internacional principalmente en el marco de las Naciones Unidas. Así mientras que un Estado soberano tiene escasos condicionamientos en cuanto al tratamiento de su propia población, cuando se trata de los extranjeros existen límites tanto internos como internacionales al propio Derecho de extranjería[34].

2. Derecho y categorización de los extranjeros. Sobre su utilidad y riesgos

En la actualidad, para concretar el régimen jurídico de un extranjero, asistimos a un proceso intermedio de clasificación, acción que en Derecho se traduce

---

[30]   Los hitos principales fueron el Acuerdo de Schengen, de 14 de junio de 1985 y su Convenio de Aplicación, firmado el 19 de junio de 1990 (ambos publicados en *DOCE* L n° 239, de 22 de septiembre de 2000), y cuyas normas relativas al control fronterizo exterior en la actualidad se incluyen en el Reglamento (UE) 2016/399 del Parlamento Europeo y del Consejo, de 9 de marzo de 2016, por el que se establece un Código de normas de la Unión para el cruce de personas por las fronteras (*DOCE* L n° 77, de 23 de marzo de 2016).

[31]   En este sentido, ex. art. 20 TFUE, los ciudadanos europeos tienen derecho: de sufragio activo y pasivo en las elecciones al Parlamento Europeo y en las elecciones municipales del Estado miembro en el que residan, en las mismas condiciones que los nacionales de dicho Estado (apdo. c); de formular peticiones al Parlamento Europeo; de recurrir al Defensor del Pueblo Europeo, así como de dirigirse a las instituciones y a los órganos consultivos de la UE en una de las lenguas de los Tratados y de recibir una contestación en esa misma lengua (apdo. d).

[32]   En su génesis es preciso mencionar a BORCHARD, EDWIN, "Minimum Standard of the Treatment of Aliens", *Michigan Law Review*, n° 4, 1940, pp. 446-461. Sobre su evolución reciente, DORCE, MILCAR JEFF, "L'émergence du standard minimum de traitement des étrangers en droit international", *Les annales de droit*, n° 14, 2020, pp. 9-36.

[33]   *Vid.* ESPINAR VICENTE, JOSÉ MARÍA, "La función de la nacionalidad y la extranjería en Derecho internacional contemporáneo", *AEDIPr.*, t. XII, 2012, pp. 39-64, en particular, p. 40.

[34]   FERNÁNDEZ ROZAS, JOSÉ CARLOS, "Extranjería: Principios de Derecho internacional general", *Revista de Economía y Sociología del Trabajo*, 1991, n° 11, pp. 39-51.

en una categorización[35]. Así, F. Julien-Laferrière se refiere al extranjero como categoría jurídica y, por su parte, S. Barbou des Places alude a su carácter plural como categorías jurídicas de migrantes. La categorización, ya tenga su génesis en una creación propiamente por el Derecho o bien de un suceso no jurídico que da lugar a reglas jurídicas[36], es una constante en las ciencias jurídicas, al garantizar una respuesta legal ágil ante la realidad. En el contexto que nos ocupa, el extranjero no es ajeno a dicha categorización. Así, el migrante, convertido en primer lugar en extranjero, para determinar el régimen jurídico aplicable, un estatuto concreto, pasa necesariamente por el tamiz de una determinada cualificación jurídica, una clasificación, y tras cuyo proceso este es incluido en una particular categoría jurídica.

En el ordenamiento jurídico español existe una pluralidad de "extranjeros" y consecuentemente de "situaciones jurídicas" fruto de esa categorización. Dicha acción no es inocua, sino que, *sensu contrario,* se afecta de la realidad circundante al tiempo que afecta construyendo el estatuto jurídico del migrante. Sirvan las siguientes líneas para reflexionar sobre los caracteres, y no menos riesgos de esta categorización de extranjeros.

Para entender qué supone este modo de organizar al extranjero y su realidad, son necesarias algunas consideraciones preliminares sobre la categorización en general. Atendiendo a la definición de F. Terré, la categoría "implica la búsqueda de un lugar adecuado y apropiado, tras una acción intelectual que conecta el hecho al derecho y el derecho con el hecho"[37]. De este modo, la categoría jurídica sirve para determinar para cada realidad fáctica el derecho adecuado, el régimen jurídico que conviene aplicar. Es cierto que el derecho va a diseñar el campo de aplicación de sus reglas, unas veces operando sobre categorías propiamente jurídicas y, otras, imponiéndose sobre categorías preexistentes del mundo extrajurídico. Así, si bien el extranjero es una categoría jurídica —que se define frente al nacional según las normas propias de cada país—, el migrante —en sentido amplio con su diversidad en cuanto a su origen, destino, o momento migratorio— es sin duda una categoría extrajurídica.

---

[35]   En este sentido, BARBOU DES PLACES, SÉGOLÈNE, "Les étrangers "saisis" par le droit: enjeux de l'édification des catégories juridiques de migrants", *Migrations Société,* 2012, nº 128, pp. 33-49; *id.,* "La catégorie en droit des étrangers: une technique au service d'une politique de contrôle des étrangers", *Revue Asylon(s),* n° 4, mayo 2008, [en línea], (2012), en http://www.reseau-terra.eu/article762.html [Consulta: 06/09/2022].

[36]   SCHAUER, FREDERICK, "La categorización, en el Derecho y en el mundo", *Doxa: Cuadernos de Filosofía del Derecho,* nº 28, 2005, pp. 307-320, en particular pp. 314-315.

[37]   TERRÉ, FRANÇOIS, "L'opération de catégorisation", en BLOCH, PASCALE, DUVERT, CYRILLE y SAUPHANOR-BROUILLAUD, NATACHA, *Différenciation et indifférenciation des personnes dans le code civil,* Economica, París, 2006, pp. 3-11, en particular p. 4.

La categorización es esencial para el pensamiento jurídico y su aportación fundamental es dar una respuesta ante la diversidad de cosas, hechos, personas y actos. En efecto, para visibilizar situaciones para el derecho existe una acción de organizar los datos de la realidad, de esos elementos extrajurídicos, en módulos o grupos. La categorización, que es un proceso intelectual, es inherente al propio proceso de establecer la norma jurídica aplicable y al razonamiento jurídico mismo[38]. Ahora bien, la categorización es una acción que depende de su actor y responde a un determinado propósito (idea sobre la que volveremos), de modo que no es aventurado afirmar que las categorías se mueven por ese *leitmotiv* más que por recopilar bajo un mismo epígrafe casos particulares que previamente son similares. Mediante la acción del derecho —a través del propósito de la categorización—, se convierte en similar a lo distinto. Así, bajo la categoría de nacionales de terceros países —que determina un régimen particular de extranjería—, son agrupadas situaciones muy diversas, desde el británico que se retira en su segunda residencia del sur de España, hasta el somalí que huye del cambio climático, o el colombiano que busca un futuro económico mejor para sí y sus hijos. Como señala F. Shauer, con la categorización tenemos el riesgo de tratar igual a casos que no son semejantes, acogiéndose en muchos casos una arbitrariedad totalmente irracional[39]. Si bien nadie duda, la utilidad y recurso generalizado a la categorización en el Derecho de extranjería, no se debe obviar que no existen dos particulares exactamente iguales en todos sus aspectos, de modo que hay que evitar la rigidez de las categorías: habrá "casos iguales" en cuestiones relevantes, si bien es preciso amparar su diferencia en otras.

La categorización en cuanto herramienta para determinar el estatuto jurídico de los extranjeros tiene sus riesgos, centrándome a continuación en dos de ellos.

La categorización no es neutra. La cualificación en las ciencias jurídicas si bien aporta seguridad al tiempo que una respuesta ágil ante las demandas de la realidad se trata de una construcción que no es neutra, *a sensu contrario* es un método utilizado por los poderes públicos para unos fines particulares. A través de la categorización se desnaturaliza la realidad migratoria, al ser abordada de un determinado modo. Es más, hay autores que advierten incluso que, mediante la categorización jurídica operada el Derecho permite a la autoridad pública

---

[38]   BARBOU DES PLACES, SÉGOLÉNE, "Les étrangers "saisis" par le droit: enjeux de l'édification des catégories juridiques de migrants", *cit.*, p. 35. En este sentido añade M. Waline que si no hubiese categorías jurídicas "sería imposible de admitir sin renunciar a todos método en el razonamiento jurídico". WALINE, MARCEL, "Empirisme et conceptualisme dans la méthode juridique: faut-il tuer les catégories juridiques?", en *Mélanges en l'honneur de Jean Dabin, Louvain-La-Neuve*, Bruylant, Bruselas, 1963, pp. 359-371, en particular p. 366.

[39]   *Cit.*, p. 309.

la remodelación de la realidad migratoria[40]. En la actualidad —y siendo una constante desde hace décadas— la preocupación principal tanto a nivel estatal como europeo es un control férreo de los flujos migratorios y, sin duda, ello está presente en la clasificación de los extranjeros[41]. Ya sea a nivel nacional como europeo, las dos categorías principales son "ciudadanos de la UE-AELC", por un lado, en tanto que beneficiarios de la libre circulación intra-UE, frente a los nacionales de terceros países, los auténticos extranjeros hoy; tanto una categoría como otra tienen modulaciones y su finalidad última es el intento de encauzar y frenar la migración proveniente de fuera de la Unión Europea. Así los primeros tienen libre acceso y los segundos se encuentran en todo caso bajo el instrumento de control básico que es el visado —en unos casos incluso para la entrada y en otros para estancias de más de tres meses—. En efecto, recordemos que el visado es la manifestación más evidente de la soberanía estatal sobre el propio territorio fijando las condiciones de entrada y residencia de los extranjeros bajo la tenencia de una autorización de carácter discrecional para los Estados miembros —cuando no se trata de estancias breves— y sujeta a armonización en cuanto a su requerimiento para las estancias de menos de tres meses[42].

No es casualidad que los criterios utilizados para categorizar a los extranjeros pongan el acento sobre las circunstancias de entrada y permanencia de estos en un determinado territorio, mientras que otras cuestiones como la situación de su estancia, los derechos o la protección que el extranjero espera obtener parecen no considerarse. Asimismo, una vez se trasvasa la cuestión relativa al acceso y requisitos de residencia, se asiste a un doble proceso o bien el *status* jurídico se difumina o en el mejor de los casos tiende a uniformarse. Así, ad *exemplum*, tras la batería de directivas que reglamentan la entrada de modo detallado según el motivo de su estancia en el territorio UE —estudiante, trabajador en práctica, transfronterizo, desplazado o altamente cualificado[43]—, ello contrasta con un raquítico estatuto jurídico en cuanto a su residencia. En este sentido, son claramente insuficientes las dos disposiciones básicas en el marco UE: por una parte, la Directiva 2011/98/UE[44] de permiso único que, junto con normas uniformes

---

[40]　　BARBOU DES PLACES, SÉGOLÉNE, "Les étrangers "saisis" par le droit: enjeux de l'édification des catégories juridiques de migrants", *cit.*, pp 37 y ss.

[41]　　Sobre la interrelación entre categorización de extranjeros y control migratorio, *vid. id.*, "La catégorie en droit des étrangers: une technique au service d'une politique de contrôle des étrangers", *cit.*

[42]　　En virtud del Reglamento (UE) 2018/1806 del Parlamento Europeo y del Consejo, de 14 de noviembre de 2018, por el que se establecen la lista de terceros países cuyos nacionales están sometidos a la obligación de visado para cruzar las fronteras exteriores y la lista de terceros países cuyos nacionales están exentos de esa obligación, *DOUE* n° L 303, de 28 de noviembre de 2018.

[43]　　*Vid.* nota n° 29 de este trabajo.

[44]　　Directiva 2011/98/UE del Parlamento Europeo y del Consejo. de 13 de diciembre de 2011, por la que se establece un procedimiento único de solicitud de un permiso único que autoriza a los nacionales de terceros países a residir y trabajar en el territorio de un Estado miembro y por la que

relativas a la entrada, establece un capítulo específico con un conjunto común de derechos para el residente —de carácter exclusivamente procedimental— y, por otro, la Directiva 2003/109/CE[45] que fija un estatuto para los extranjeros cuyo alcance se limita a los residentes de larga duración. Del mismo modo, resulta igualmente insuficiente la exigua disposición incluida en las diferentes Directivas sectoriales sobre migración legal bajo la rúbrica "Igualdad de trato": así la Directiva sobre trabajadores altamente cualificados (art. 16), la Directiva de trabajadores temporeros (art. 23), la Directiva de traslados intraempresariales (art. 18) o la Directiva con fines de investigación, estudio, intercambio y prácticas (art. 22)[46].

Las categorías —en tanto que elemento primario de constituirse destinatario de una determinada reglamentación— no olvidemos que son definidas por "otros", no por el propio migrante[47]. En este sentido, tienen un alto riesgo de no responder a la realidad migratoria, ni a las necesidades de los extranjeros, sino a los del país a los que se dirigen o donde se encuentran, siendo una muestra más de la soberanía nacional. El extranjero se encuentra totalmente al margen de su categorización —y del consiguiente *status* que le es asignado—, es ajeno, "*extraneus*" a la comunidad política y por tanto tampoco participa en las normas que rigen su realidad. El actor de la categorización es el legislador fundamentalmente y también la autoridad reglamentaria o el juez; en su acción, se prioriza la realidad nacional —o europea— en sus distintos aspectos desde político a económico y social del momento, y donde la realidad migratoria no es un fin en sí misma, sino que se instrumentaliza al servicio de otros fines. La migración es algo "externo", la categorización es "interna" y se mueve por intereses propios, salvo los escasos límites fijados por el estatuto internacional del migrante a través de tímidos pasos de la comunidad internacional —que no dudan en fijar siempre condiciones y excepciones a cualquier reconocimiento—.

La categorización jurídica es rígida. Una de las críticas generalizadas por parte de la doctrina hacia la categorización es la desnaturalización de la realidad social que conlleva, movido por una construcción que imprime al derecho de "un

---

se establece un conjunto común de derechos para los trabajadores de terceros países que residen legalmente en un Estado miembro, *DOUE* nº L 343, de 23 de diciembre de 2011.

[45] Directiva 2003/109/CE del Consejo, de 25 de noviembre de 2003, relativa al estatuto de los nacionales de terceros países residentes de larga duración, *DOUE* nº L 16, de 23 de enero de 2004.

[46] *Vid. amplius*, MOYA ESCUDERO, MERCEDES, "Un código de derechos para los nacionales de terceros países residentes legales en la UE: Un avance en derecho antidiscrimintario", *Revista Electrónica de Estudios Internacionales*, nº 34, 2017, pp. 1-27; BLÁZQUEZ RODRÍGUEZ, IRENE, "El estatuto jurídico de los nacionales de terceros países: de la reacción ante la crisis a la sinergia necesaria", *Revista Española de Derecho internacional*, vol. 72, nº 1, 2020, pp. 27-51, en especial pp. 34 y ss.

[47] En palabras de S. Barbou des Places, se trata de "categorías imperativas", no opcionales, dado que el migrante no puede elegir -o lo hace de manera muy limitada- la pertenencia a una u otra. BARBOU DES PLACES, SÉGOLÈNE, "Les étrangers "saisis" par le droit: enjeux de l'édification des catégories juridiques de migrants", *cit.*, p. 45.

dogmatismo y una rigidez incompatible con la realidad y la flexibilidad de la vida"[48]. Ello si cabe es aún más notorio cuando se trata de la realidad migratoria, en un doble sentido. Por una parte, la categorización es un método de abstracción —y por tanto de simplificación— de la esencia de las cosas o de las personas. Al pasar la realidad migratoria por ese tamiz jurídico de la categorización —que recordemos pivota en la realidad del legislador y no del fenómeno migratorio— se produce una nueva construcción ya jurídica del migrante. Las categorías jurídicas de extranjeros pese a su multiplicidad no acogen la diversidad del fenómeno migratorio. Por otra parte, la categorización es en muchos casos una "foto fija" de una realidad que se abstrae en un momento determinado. La realidad migratoria, vista de modo genérico en su cualidad de fenómeno, es indudablemente dinámica; asimismo, si nos referimos al sujeto en sí, al extranjero, su devenir a lo largo del *iter* migratorio es igualmente móvil por esencia.

La aludida rigidez de la categorización jurídica, junto con su naturaleza imperativa al margen de la voluntad de su destinatario, conlleva el riesgo de su "encasillamiento". El extranjero al ser incluido en una de ellas se determina su *status* jurídico actual, así como su proceso migratorio futuro. La categorización nos lleva a una contradicción: mientras que el migrante —y su recorrido migratorio— evoluciona, desde el punto de vista jurídico, la categoría y su adscripción a un determinado régimen jurídico tiene la vocación de ser estable. La autoridad pública —y su vocación de control— a través de esta categorización rígida dificulta enormemente que el extranjero cambie de categoría —algo que contradice la esencia cambiante de la realidad migratoria—. Las categorías jurídicas actuales se dirigen a una migración temporal —y desde esta perspectiva se otorga en muchos casos el estatuto jurídico a la persona— mientras que las migraciones actuales, la vocación del extranjero es la permanencia, el quedarse y formar parte de la sociedad. Recordemos que en cumplimiento de la Directiva 2003/109/UE, los Estados miembros estarían obligados a otorgar el estatuto de larga duración cuando se cumplen los criterios fijados en su art. 5[49], exceptuando una serie de casos expresamente: extranjeros categorizados como temporales, así los que prestan servicios *au pair*, trabajadores temporeros, por ser trabajadores en el marco de un servicio transfronterizo, o bien simplemente en los casos en que el permiso de residencia está limitado formalmente. De modo que el nacional de tercer país calificado como "trabajador temporal" tiene grandes dificultades

---

[48]   HUSSON, LÉON, "Les apories de la logique juridique", *Annales de la Faculté de droit de Toulouse*, vol. 15, nº 1, 1996, pp. 29-63.

[49]   En este sentido debemos recordar que, ante la reticencia de los Estados miembros para dicho reconocimiento, el TJUE ha convenido dicha prerrogativa con independencia de la temporalidad de los permisos, con excepción de los casos expresamente previstos mencionados en el texto. *Vid.* la sentencia TJUE asunto C-502/10, ECLI:EU:C:2012:636. En particular, véase Conclusiones del Abogado General Sr. Yves Bot, ECLI:EU:C:2012:294, apdos. 56-60.

tanto a nivel nacional como a nivel de la Unión Europea para asegurar la reno-vación de su permiso de residencia, cambiar a otras categorías más estables e in-cluso conseguir una autorización para ejercer una actividad distinta para la que obtuvo su primer acceso.

IV. A MODO DE REFLEXIÓN FINAL. EL EXTRANJERO RESIDENTE: LA CATEGORÍA AUSENTE

El debate sobre el estatuto jurídico del extranjero en clave plural a través del proceso de su categorización abre multitud de cuestionamientos, desde la des-naturalización de la realidad migratoria que pretende regular hasta la falta de adaptación al particular *iter* migratorio de cada individuo. A partir de aquí, emer-ge otro riesgo de dicha categorización y su carácter discriminante[50], en tanto que conlleva la diferenciación del tratamiento jurídico de la persona —no solo entre el nacional y el extranjero, sino también entre las distintas categorías de este último—. Dicho tratamiento diferente si bien no necesariamente ha de ser discri-minatorio, puede llegar a serlo si se perpetua una respuesta jurídica escasamente adaptada a la realidad migratoria y excesivamente fragmentada.

La categorización en cuanto proceso intelectual es una herramienta básica del Derecho para trasladar al mundo jurídico una realidad en principio ajena y propiciar así una respuesta ante las demandas existentes. En este sentido, emer-ge la necesidad de una visualización de la realidad migratoria en toda su diversi-dad —y no menos complejidad—, conformando una categoría que trasvasando el tratamiento diferenciado abogue por nuevas formas de asimilación entre el extranjero y el ciudadano.

En la actualidad asistimos a una reinterpretación del vínculo nacionalidad, fruto de la acción producida por procesos de integración como la Unión Euro-pea, extendiéndose así aspectos esenciales del estatuto jurídico del nacional a los nacionales de los Estados miembros. En este reconocimiento hay un elemento básico que trasciende la nacionalidad. Me refiero a la residencia, al hecho fáctico de formar parte de una determinada sociedad y el necesario vínculo que se crea con dicha comunidad política. Desde este prisma, hay autores que proponen una nueva categoría de "ciudadanía cívica" o "ciudadanía de residencia"[51], evitando la diversidad de tratamiento existente entre los residentes y cuyo principio guía sería la "no discriminación" entre el nacional, el residente nacional de tercer país y el ciudadano de la Unión Europea. Desde sus orígenes la ciudadanía europea

---

50   Siguiendo el pensamiento de FRANÇOIS JULIEN-LAFERRIÈRE, *cit.*
51   En este sentido, NASCIMBERE, BRUNO, *cit.*, pp. 342 y ss.

se conforma como un *status* donde la nacionalidad tradicional se amplía y evoluciona no solo en favor de los nacionales de otros Estados miembros sino también en favor de los residentes. Como aboga nuestra homenajeada, la Profª. Mercedes Moya Escudero, el reconocimiento de un código de derechos en la UE que todos los Estados miembros han de reconocer a los nacionales de terceros países residentes legales, no es solo posible institucionalmente sino el elemento básico ante la diversidad de estatutos jurídicos que volatizan el principio de igualdad de trato y la no discriminación[52].

V. BIBLIOGRAFÍA

AGUILAR BENÍTEZ DE LUGO, MARIANO, "El estatuto personal", en AA.VV., *Lecciones de Derecho civil internacional*, Tecnos, Madrid, 1996, pp. 23 y ss.

AA.VV., *L'étranger*, Recueils de la Société Jean Bodin, Ed. Librairie encyclopédique de Bruxelles, Bruselas, 1958, 2 vols.

ATTINÀ, FULVIO, "Tackling the migrant wave: EU as a source and manager of crisis", *REDI*, vol. 70, nº 2, 2018, pp. 49-70.

BARBOU DES PLACES, SÉGOLÈNE, "Les étrangers "saisis" par le droit: enjeux de l'édification des catégories juridiques de migrants", *Migrations Société*, 2012, nº 128, pp. 33-49.

BARBOU DES PLACES, SÉGOLÈNE, "La catégorie en droit des étrangers : une technique au service d'une politique de contrôle des étrangers", *Revue Asylon(s)*, nº 4, mayo 2008, Institutionnalisation de la xénophobie en France, [en línea] (2008), http://www.reseau-terra.eu/article762.html [Consulta: 06/09/2022].

BEN HADID, SAMIR, *Le statut des étrangers dans le droit de l'UE*, Universitè Nice, inédito, 2014.

BLÁZQUEZ RODRÍGUEZ, IRENE, *Los nacionales de terceros países en la Unión Europea*, 2ª ed., Servicio Publicaciones Universidad de Córdoba, Córdoba, 2003.

BLÁZQUEZ RODRÍGUEZ, IRENE, "El estatuto jurídico de los nacionales de terceros países: de la reacción ante la crisis a la sinergia necesaria", *Revista Española de Derecho internacional*, vol. 72, nº 1, 2020, pp. 27-51.

BORCHARD, EDWIN, "Minimum Standard of the Treatment of Aliens", *Michigan Law Review*, nº 4, 1940, pp. 446-461.

---

52   MOYA ESCUDERO, MERCEDES, *cit.*, p. 26.

CALVO CARAVACA, ALFONSO LUIS y CARRASCOSA GONZÁLEZ, JAVIER (coords.), *Tratado de Derecho internacional privado*, t.1, Tirant lo Blanch, Valencia, 2020.

CARLIER, JEAN-YVES, "Opérateur économique, citoyen, "personne": quelle liberte choisir pour la protection de ses droits? E pluribus unum", en DUBOUT, EDOURD y MAITROT DE LA MOTTE, ALEXANDRE (Dirs.), *L'unité des libertés de circulation. In varietate concordia*, Bruylant, Bruselas, 2013, pp. 233-244.

CHARPENTIER, JEAN, *L'etranger en droit international*, Cours IHEI, 1966-67.

DORCE, MILCAR JEFF, "L'émergence du standard mínimum de traitement des étrangers en droit international", *Les annales de droit*, nº 14, 2020, pp. 9-36.

ESCOBAR HERNÁNDEZ, CONCEPCIÓN, "Extranjería y ciudadanía de la Unión", en *Extranjería e inmigración en España y la Unión Europea*, Asociación Española de Profesores de Derecho Internacional y Relaciones Internacionales. Madrid, 1998, pp. 103-128.

ESPINAR VICENTE, JOSÉ MARÍA, "La función de la nacionalidad y la extranjería en Derecho internacional contemporáneo", *AEDIPr.*, t. XII, 2012, pp. 39-64.

FERNÁNDEZ ROZAS, JOSÉ CARLOS, "Extranjería: Principios de Derecho internacional general", *Revista de Economía y Sociología del Trabajo*, 1991, nº 11, pp. 39-51.

GARCÍA VÁZQUEZ, SONIA, *El estatuto jurídico constitucional del extranjero en España*, Tirant lo Blanch, Valencia, 2007.

GASPARINI, ERIC, "L'étranger et le droit: essai de mise en perspective historique", en di MANNO, THIERRY y ELIE, PIERRE, *L'étranger: sujet du droit et sujet de droits*, Bruylant, Bruselas, 2008, pp. 17-24.

HUNTER-HENIN, MYRIAM, *Pour une redéfinition du statut personnel*, Presses Universitaires d'Aix-Marseille, Marsella, 2004.

HUSSON, LÉON, "Les apories de la logique juridique", Annales de la Faculté de droit de Toulouse, vol. 15, nº 1, 1996, pp. 29-63.

LAGARDE, PAUL, "L'étranger", *Travaux de l'association Henri Capitan*, vol. XLVIII, 1997, LGDJ, París, 2000, pp. 6-31.

LE BRIS, RAYMOND-FRANÇOIS, "L'étranger et ses métamorphoses: quelques considérations contemporaines", en *L'Internationalisation du Droit, Mélanges en l'honneur de Yvon Loussouarn*, Dalloz, París, 1994, pp. 233-244.

MOYA ESCUDERO, MERCEDES, "¿Extranjería o extranjerías?", en GARCÍA CASTAÑO, FRANCISCO JAVIER y MURIEL LÓPEZ, CAROLINA (Coords.), *La inmigración en España: contextos y alternativas*, vol. II, Ed. Laboratorio de Estudios Interculturales, Granada, 2002, pp. 551-566.

MOYA ESCUDERO, MERCEDES, "Un código de derechos para los nacionales de terceros países residentes legales en la UE: Un avance en derecho antidiscriminatorio", *Revista Electrónica de Estudios Internacionales*, n° 34, 2017, pp. 1-27

MOYA ESCUDERO, MERCEDES (Dir.), *Movilidad internacional de personas y nacionalidad*, Tirant lo Blanch, Valencia, 2021.

MOYA ESCUDERO, MERCEDES y RUBIO CASTRO, ANA, "La ciudadanía en Europa y el fenómeno migratorio: Nuevas desigualdades y servidumbres voluntarias", *Anales de la Cátedra Francisco Suárez*, n° 45, 2011, pp. 183-227.

NASCIMBENE, BRUNO, "Le droit de la nationalité et le droit des organisations d'integration régionales. Vers de nouveaux status de résidents?, *RCADI*, vol. 367, 2013, pp. 253-414.

ORDÓÑEZ SOLÍS, DAVID, *El estatuto administrativo de los extranjeros en España en clave judicial*, Editorial Reus, Madrid, 2008.

PANET, AMÉLIE, "Le statut personnel en droit international privé européen, *RCDIP*, n° 4, 2015, pp. 837-856.

PATAUT, ETIENNE, "La citoyenneté européenne: vers l'elaboration d'un statut personnel et familial?, en BIDEAUD-GARON, CHRISTINE y FULCHIRON, HUGHES, *Vers un statut européen de famille?*, Dalloz, París, pp. 97-109.

PEIFF, SILVIA, *La Portabilité du status personnel dans l'espace européen*, Bruylant, Bruselas, 2017.

PÉREZ VERA, ELISA, "Citoyenneté de l'Union Européennne, nationalité et condition des étrangers", *RCADI*, vol. 261, 1996, pp. 234-425.

SCHAUER, FREDERICK, "La categorización, en el Derecho y en el mundo", *Doxa: Cuadernos de Filosofía del Derecho*, n° 28, 2005, pp. 307-320.

TERRÉ, FRANÇOIS, "L'opération de catégorisation", en BLOCH, PASCALE, DUVERT, CYRILLE y SAUPHANOR-BROUILLAUD, NATACHA, *Différenciation et indifférenciation des personnes dans le code civil*, Economica, París, 2006, pp. 3-11.

TRIGUEROS MARTÍNEZ, LUIS ÁNGEL, *El estatuto jurídico laboral del trabajador extranjero migrante*, Bomarzo, Albacete, 2008.

WALINE, MARCEL, "Empirisme et conceptualisme dans la méthode juridique: faut-il tuer les catégories juridiques?", en *Mélanges en l'honneur de Jean Dabin*, Bruylant y Sirey, Bruselas y París, 1963, pp. 359-371.

REFORMA DEL REGLAMENTO DE EXTRANJERÍA: ADAPTACIÓN A UN NUEVO ENTORNO LABORAL PARA EL SIGLO XXI

JUAN MANUEL PUERTA VÍLCHEZ

Jefe de la Dependencia Provincial de Trabajo e Inmigración
Subdelegación del Gobierno en Granada

I. RETOS DE LA MIGRACIÓN REGULAR EN LA TERCERA DÉCADA DEL SIGLO XXI

1. COVID-19. Situación pre y post pandémica

Los retos a los que se enfrentan los Estados europeos, inmersos en un contexto de globalización económica, social y cultural, potenciada por las redes sociales, son múltiples: el envejecimiento de la población activa, los vaivenes de los ciclos económicos, los movimientos migratorios laborales y humanitarios, escasez de mano de obra disponible, competencia internacional por los trabajadores cualificados…

En la última década hemos asistido a la crisis humanitaria de 2015 ocasionada por la guerra en Siria en el mediterráneo oriental; al enorme incremento de las entradas irregulares en los años siguientes en el mediterráneo central (*Lampedusa*), y en el occidental (*pateras* en Andalucía), o la crisis de los *cayucos* en Canarias. La incidencia mundial de la pandemia COVID-19, en la que aún nos hallamos inmerso, ha modificado profundamente las dinámicas e inercias internacionales, paralizando momentáneamente la economía mundial, y por tanto, las migraciones; entrando en un proceso de reactivación distorsionado por la crisis de los precios de producción energéticos y por las consecuencias internacionales de la invasión de Ucrania por parte de Rusia en febrero de 2022, que ha ocasionado el mayor éxodo europeo desde la Segunda Guerra Mundial[1].

La Comisión Europea ha fijado para el período 2019-2024, dentro de sus prioridades, un Nuevo Pacto sobre Migración y Asilo[2], con la intención de refundar sus políticas migratorias: mayor equilibrio y solidaridad entre Estados, procedimientos modernos, claros y eficaces, espacio Schengen y fronteras exteriores mejor gestionadas, asociaciones para la captación del talento…

2. La competencia internacional por la captación del talento

Ante esta situación la Unión Europea (UE) ha comenzado a desarrollar políticas públicas encaminadas al desarrollo de las capacidades profesionales existentes y la formación en nuevas capacidades en sectores considerados estratégicos (inicialmente en industria automovilística, microelectrónica e industrias aeroespaciales y de defensa; más adelante se incorporarán sin duda la inteligencia artificial, robótica…), promoviendo acciones conjuntas entre los Estados que deseen asociarse a la Agenda de Capacidades Europea[3], como, por ejemplo, la herramienta para crear perfil de capacidades de nacionales de terceros países[4]. Queda patente, pues, la evidencia para la Comisión Europea de incorporar migrantes al mercado laboral europeo, fundamentalmente cualificados, pero también no cualificados ante ofertas de trabajo que no son atendidas por los desempleados disponibles[5]. La captación del *talento* se desarrolla en un marco de competencia internacional con las economías norteamericanas y asiáticas, principalmente. También entre los propios miembros de la UE y del Espacio Económico Europeo (EEE)[6].

---

[1]   7,1 millones de personas han sido desplazadas por la guerra en Ucrania, según un informe de la OIM | International Organization for Migration (iom.int)

[2]   Nuevo Pacto sobre Migración y Asilo | Comisión Europea (europa.eu)

[3]   Agenda de Capacidades Europea–Empleo, Asuntos Sociales e Inclusión–Comisión Europea (europa.eu)

[4]   EU Skills Profile Tool for Third Country Nationals–Employment, Social Affairs & Inclusion–European Commission (europa.eu)

[5]   Según Eurostat, en 2020 (utilizando los datos de la EPA y la clasificación CIUO-08), representaban el 8,7 % de los limpiadores y asistentes, el 7,2 % de los ayudantes de preparación de alimentos, el 6,9 % de los peones agropecuarios, pesqueros y forestales, el 6,1 % de los oficiales y operarios de la construcción y el 6,0 % de los peones de la minería, la construcción, la industria manufacturera y el transporte.

[6]   En Estados Unidos, entre 2014 y 2019, las vacantes crecieron a un ritmo promedio del 9% y se han disparado al 40% en el promedio del 2021-2022. Este mismo comportamiento aparece reflejado en Reino Unido y en otros países europeos como Alemania, Holanda, Bélgica y Portugal, donde el ritmo promedio del crecimiento de las vacantes ha pasado del entorno del 10% durante la fase de expansión tras la crisis financiera, a cifras que en muchos casos superan el 50% una vez que las vacantes recuperaron el nivel anterior a la pandemia.

Esta situación no es ajena a España, donde muchos empleadores manifiestan la dificultad de cubrir puestos vacantes a pesar, incluso, de las cifras de paro registradas[7]. Las causas son complejas, pero, sin duda, el efecto demográfico es uno de los factores principales: en 2030, según las proyecciones de población del Instituto Nacional de Estadística habrá 1,5 millones menos de personas entre 18-65 años de las que había en 2020[8]. Además, las turbulencias producidas en el mercado laboral como consecuencia de los efectos de la pandemia han modificado las preferencias y exigencias de los trabajadores a la hora de incorporarse a un puesto de trabajo, como, por ejemplo, la reticencia a la movilidad laboral, determinados horarios laborales (hostelería, transportes...) o tareas mecánicas y repetitivas[9]. Desde una perspectiva migratoria, es posible ampliar la posibilidad de incorporación al mercado de trabajo tanto de extranjeros que se hallen ya en nuestro país, como de aquellos que podrían desplazarse a España para desempeñar una actividad que no se cubre con la actual oferta laboral, con algunos cambios en la normativa de extranjería.

3. La necesidad de nuevas herramientas jurídicas y técnicas

La Comisión Europea ha mostrado el camino para atraer *capacidades y talento* a la UE en su Comunicación de 27 de abril de 2022[10] considerando la migración legal como una parte crucial para la economía y la sociedad europeas. Este camino se basa en tres pilares fundamentales de políticas para una migración legal:

- un pilar legislativo, consistente en le refundición de la Directiva sobre residentes de larga duración y la Directiva de permiso único[11];
- un pilar operativo, que establezca relaciones concretas con países socios preferentes entre capacidades y necesidades del mercado laboral[12], y

---

[7]   Según el Banco de España, hasta el 30% de las vacantes ofertadas se quedaron sin cubrir en el primer trimestre de 2022. Crisis y recuperación de la economía española tras dos años de COVID-19 (bbvaresearch.com)

[8]   Microsoft Word–epa_proyec_2011-2026.pdf.doc (ine.es)

[9]   Informe Adecco Sobre Perfiles Deficitarios Y Escasez De Talento En España–Adecco Institute

[10]   https://eur-lex.europa.eu/legal-content/ES/TXT/PDF/?uri=CELEX:52022DC0657&from=EN

[11]   Directiva 2011/98/UE del Parlamento Europeo y del Consejo, de 13 de diciembre de 2011, por la que se establece un procedimiento único de solicitud de un permiso único que autoriza a los nacionales de terceros países a residir y trabajar en el territorio de un Estado miembro y por la que se establece un conjunto común de derechos para los trabajadores de terceros países que residen legalmente en un Estado miembro (*DO* L 343 de 23 de diciembre de 2011, p. 1). También incluye la supervisión de las Directivas sobre trabajadores temporeros y personas desplazadas en el marco intraempresarial, además de la reciente revisión de la Directiva de trabajadores altamente cualificados.

[12]   Apoyo directo a programas de movilidad con fines laborales o de formación, estables y temporal, con participación de varios Estados; puesta en funcionamiento de asociaciones en materia de *talentos* (Talent Partnerships (europa.eu), y, finalmente, una mejora de la gobernanza de la migración laboral en la UE.

– un pilar prospectivo, en tres áreas de actuación concretas: cuidados, juventud e innovación[13].

En el ámbito nacional, el *Consenso por la Migración* que propuso el Ministerio de Inclusión, Seguridad Social y Migraciones en febrero de 2020[14], apuesta por la necesaria reforma de la Ley de Extranjería, diseñada hace más de 20 años para una situación diferente a la actual y que no responde con agilidad a nuestras necesidades. Esta evaluación, centrada en las necesidades demográficas y del mercado laboral en la misma línea que la Comisión Europea, constata la necesidad de abordar los siguientes frentes para fortalecer las vías para una migración legal a nuestro país:

– elaborar nuevos métodos de diagnóstico de necesidades;
– potenciar los instrumentos de migración cualificada;
– mejorar la coordinación y medios de las oficinas de extranjería, y
– desarrollar proyectos de contratación temporal (migración circular).

Sin embargo, el estado de alarma[15] decretado en marzo de ese mismo año como consecuencia de los efectos de la pandemia ocasionada por la COVID-19 y, probablemente, la dificultad de un obtener un consenso con la mayoría absoluta necesaria en el Congreso de los Diputados, hicieron imposible la anunciada reforma de la Ley de Extranjería, con inclusión de los regímenes jurídicos de protección internacional, régimen comunitario, movilidad internacional y emprendedores... y el despliegue completo y ordenado de esta política migratoria.

II. JURISPRUDENCIA E INSTRUCCIONES PREVIAS A LA REFORMA

Se han hecho patentes las dificultades de interpretación y aplicación de la normativa de extranjería, quizá por tratarse de una normativa que necesita una reforma de calado y, como hemos apuntado, por su antigüedad: la Ley de Extranjería se diseñó a principios de siglo y su Reglamento es de 2011.

No es este el lugar para hacer un recorrido exhaustivo por la jurisprudencia, baste ahora, sin embargo, con recordar las más recientes sentencias del Tribunal

---

[13]   Atracción de residentes de larga duración de terceros Estados; fomento de la movilidad de jóvenes de terceros Estados que permitan la reciprocidad y facilitar la admisión de fundadores de empresas emergentes (Startup Europe | Configurar el futuro digital de Europa).
[14]   a13ef168-29fc-fd4a-a90a-894a089d1069 (inclusion.gob.es)
[15]   BOE.es–BOE-A-2020-3692 Real Decreto 463/2020, de 14 de marzo, por el que se declara el estado de alarma para la gestión de la situación de crisis sanitaria ocasionada por el COVID-19.

Supremo, relativas al arraigo laboral[16], a los de familiares de españoles[17] o a la prórroga de las residencias por circunstancias excepcionales[18].

Tanto la jurisprudencia del Supremo como la del Tribunal de Justicia de la Unión Europea han sido incorporadas a la reforma del Reglamento que ahora abordamos, y avanzadas en diversas instrucciones de la Secretaría de Estado de Migraciones y de la propia Dirección General de Migraciones: instrucciones sobre la residencia en España de los progenitores, nacionales de terceros países, de menores ciudadanos de la UE, incluidos los españoles[19], sobre el procedimiento relativo a las autorizaciones de residencia temporal por razones de arraigo laboral[20], o la más reciente sobre el arraigo para la formación y otras cuestiones comunes a las autorizaciones de residencia por motivos de arraigo[21].

Finalmente, hay que subrayar que algunos de los elementos de flexibilidad invocados se han aplicado como consecuencia, una vez más, de la incidencia de la pandemia en la economía y en el mercado laboral, como las instrucciones sobre la exigencia de medios suficientes en la reagrupación familiar[22], la renovación de las autorizaciones de residencia y/o trabajo[23] y los procedimientos de arraigo social en el contexto Covid-19[24].

III. EL REAL DECRETO 629/2022, DE 26 DE JULIO. ACTUALIZACIÓN Y MEJORA DE LA NORMATIVA MIGRATORIA LABORAL

La reforma del Reglamento de extranjería, operada a través del Real Decreto 629/2022, de 26 de julio[25], ha afectado casi exclusivamente a los aspectos laborales de la política migratoria orientada a satisfacer la necesidad de mano de obra de nuestro mercado laboral, centrándose en cinco elementos: la necesidad de actualizar y mejorar los apartados vinculados directamente a las autorizaciones de trabajo (catálogo de ocupaciones de difícil cobertura, situación nacional de

---

[16]   STS 1187/2021; 1802/2021; 1806/2021.
[17]   STS 2966/2017.
[18]   STS 702/2019.
[19]   Instruccion_progenitores_de_menores_ciudadanos_UE_y_nacionales.pdf (inclusion.gob.es)
[20]   Instruccion_arraigo_laboral.pdf (inclusion.gob.es)
[21]   221010_InstruccionesArraigoFormacionOtras.pdf (inclusion.gob.es)
[22]   INSTRUCCION_reagrupacion_familiar.pdf (inclusion.gob.es)
[23]   INSTRUCCION_renovaciones.pdf (inclusion.gob.es)
[24]   INSTRUCCION_iniciales.pdf (inclusion.gob.es)
[25]   *BOE* nº 179, de 27 de julio de 2022. Anteriores reformas del RD 557/2011: RD 844/2013, de 31 de octubre de 2013 (arts. 152, 153 y 166); RD 162/2014, de 14 de marzo de 2014 (deroga art. 258 y cap. 14.6); RD 987/2015, de 30 de octubre de 2015 (deroga D.A. 23ª); RDL 11/2018, de 31 de agosto de 2018 (arts. 37, 38, 39 y 44); RD 903/2021, de 19 de octubre de 2021 (arts. 118, 196, 197, 198, 311.5 y DD.AA. 3ª y 8ª).

empleo, adaptación de los contratos exigidos a la reforma laboral, gestión colectiva de contratación en origen y autorizaciones de temporada); la posibilidad de acceso al mercado de trabajo de los estudiantes; simplificación de los requisitos exigidos inicialmente para la autorización de trabajo por cuenta propia; las autorizaciones excepcionales por arraigo y, finalmente, la agilización de los trámites administrativos con el mandato de la creación de la Unidad de Tramitación de Expedientes de Extranjería.

1. Estudiantes y acceso al mercado laboral

Los extranjeros titulares de una autorización de estancia para estudios superiores, de una formación reglada para el empleo o destinada a la obtención de un certificado de profesionalidad, o una formación conducente a la obtención de la certificación de aptitud técnica o habilitación profesional necesaria para el ejercicio de una ocupación específica[26] (art. 37.1a) RLOE), estarán autorizados a trabajar tanto por cuenta propia como por cuenta ajena, en este último caso, con el límite de 30 horas semanales como máximo (art. 42 RLOE).

Asimismo, se flexibiliza la posibilidad de que, una vez hayan superado o finalizado sus estudios, puedan obtener una autorización de residencia y trabajo, eliminando los requisitos antes exigidos de una estancia previa en España de 3 años de duración y el hecho de no haber sido becados (art. 199 RLOE).

2. Autorizaciones de trabajo

Con la plena entrada en vigor de la reforma laboral[27], el contrato de trabajo se presume concertado por tiempo indefinido (art. 15 ET), por lo que la duración del contrato deja de ser el parámetro de referencia como requisito exigido para la concesión de las autorizaciones de trabajo y se desplaza al salario fijado tomando como referencia el SMI. Desparece así la vinculación de la duración del contrato de trabajo a la duración de la autorización de residencia tanto en las autorizaciones iniciales como en las renovaciones. Esta conciliación del Reglamento a las exigencias de la reforma laboral ha llevado también a la derogación, con efectos a partir de agosto de 2023, de los artículos relativos a la residencia y trabajo de duración determinada (arts. 97 a 102 RLOE).

---

[26]   España es uno de los países de nuestro entorno (por detrás sólo de Reino Unido, Alemania, Francia y Países Bajos) con mayor número de estudiantes extranjeros. Se considera que esta medida afectará a unas 50.000 personas. *Estrategia de Competencias de la OCDE 2019,* Fundación Santillana, 2019.

[27]   Real Decreto-ley 32/2021, de 28 de diciembre, de medidas urgentes para la reforma laboral, la garantía de la estabilidad en el empleo y la transformación del mercado de trabajo. *BOE* n° 313, de 30 de diciembre de 2021.

Para efectuar un diagnóstico más preciso dc las necesidades de mano de obra, se modificará por orden ministerial el método de elaboración del Catálogo de Ocupaciones de Difícil Cobertura[28], que era absolutamente ineficaz y en modo alguno reflejaba las necesidades reales de los empleadores, suponiendo, de este modo, un cuello de botella burocrático que impedía la contratación de nuevos trabajadores extranjeros. Se ha previsto expresamente la posibilidad de que la Comisión Delegada del Gobierno para Asuntos Económicos incluya en dicho catálogo las ocupaciones necesarias en los sectores económicos que se determinen, con lo que la inmediatez de la inclusión de estas ocupaciones dinamizará el acceso a la contratación de extranjeros. A su vez, se mantiene la posibilidad de acudir a los servicios autonómicos de empleo, reduciendo los plazos de gestión de las ofertas de trabajo, habilitando herramientas más dinámicas como el portal "Empléate"[29] del SEPE y autorizando a las oficinas de extranjería a valorar la urgencia en la contratación acreditada por las empresas (art. 65 RLOE).

En las renovaciones de las autorizaciones de trabajo es donde quizá se alcanza el mayor beneficio y dinamismo para el mercado laboral, pues se rompe definitivamente con la tradicional limitación de la autorización de trabajo para el ejercicio de actividad laboral por cuenta ajena o por cuenta propia[30]. Con la medida incorporada, una vez renovada la primera autorización de trabajo de carácter inicial, el trabajador extranjero queda autorizado para ejercer un trabajo en relación de ajenidad (Régimen General de la Seguridad Social) o por cuenta propia (Régimen Especial de Trabajadores Autónomos), es decir, en lo que se refiere al derecho al trabajo, en igualdad de condiciones que los residentes de larga duración. Se amplía el límite temporal de la autorización concedida a cuatro años, en lugar de los dos que estaban establecidos hasta ahora, con lo que la eliminación de cargas burocráticas es más que evidente (art. 72 y 109 RLOE) y, además, se flexibilizan los requisitos para la renovación de la autorización de trabajo por cuenta ajena (art. 71 RLOE).

El ajuste a los modelos de contratación de la reforma laboral y la flexibilidad se extienden a las autorizaciones de residencia por reagrupación familiar, al fijar el SMI o el IMV como criterio de minoración de los requisitos económicos exigibles en los supuestos en que haya menores a cargo (art. 54 RLOE); o al tomar como referencia del contrato, en lugar de su duración, el SMI para el acceso a una residencia de carácter independiente (art. 59 RLOE), o al autorizar el trabajo

---

[28]   Resolución de 14 de noviembre de 2005, del Servicio Público de Empleo Estatal, por la que se establece un nuevo procedimiento de elaboración del Catálogo de Ocupaciones de Difícil Cobertura. *BOE* nº 292, de 7 de diciembre de 2005.

[29]   Empléate | Ofertas de empleo y bolsa de trabajo (empleate.gob.es)

[30]   En aquellos supuestos en los que se mantiene la limitación para trabajo por cuenta ajena o propia, se simplifica la posibilidad de obtener una segunda autorización compatible (art. 201 RLOE).

por cuenta ajena y propia, sin limitaciones, a partir de la primera renovación (art. 61 RLOE).

A su vez, para potenciar el emprendimiento, se elimina el requisito exigido en la tramitación de las autorizaciones de trabajo por cuenta propia de que el ciudadano extranjero cuente con medios económicos para su manutención y alojamiento, y se contempla expresamente el autoempleo (art. 105 RLOE). También, alcanzada la renovación de la autorización inicial por cuenta propia, se extiende su duración a cuatro años, y su ámbito de actuación al ejercicio indistinto de trabajo por cuenta ajena o por cuenta propia.

3. Autorizaciones excepcionales por arraigo

La posibilidad de autorizar la residencia temporal de los extranjeros por razones de arraigo que ya se hallan en España y no disponen del visado correspondiente, prevista en el artículo 31.3 LOE, se desarrolló en tres tipos de arraigo: laboral, social y familiar. Razones jurisprudenciales, normativas y de oportunidad, han llevado a modular estas figuras a las que se ha sumado un nuevo supuesto: el arraigo para la formación, importando del modelo alemán de la denominada *estancia tolerada.*

Todas ellas tienen elementos comunes, inherentes al concepto de *arraigo,* como la acreditación de permanencia previa en España (3 o 2 años) o vínculos familiares con ciudadanos españoles o residentes extranjeros, o de índole gubernativa, como la carencia de antecedentes penales o, en el caso, del arraigo laboral, encontrarse irregularmente en nuestro país, o, incluso, la posibilidad de prórroga si se mantienen las circunstancias excepcionales que motivaron su concesión y no es posible obtener otro tipo de autorización. Las autorizaciones concedidas por arraigo laboral y familiar, habilitan a trabajar por cuenta ajena y propia, simultáneamente. En las de arraigo social, la autorización se limitará en función de si se aportó contrato de trabajo o se eximió de dicha obligación; y las de arraigo para la formación son autorizaciones de residencia temporales que no autorizan para trabajar, aunque son prorrogables por una sola vez. Tendrán una vigencia de 1 año, excepto las de arraigo familiar, que serán por cinco años.

La STS 1184/2021, de 25 de marzo de 2021, dictada en interés casacional, precisó que el *arraigo laboral* (art. 124.1 RLOE) podía acreditarse por cualquier medio de prueba válido en Derecho, y no únicamente a través de los medios establecidos en el desarrollo reglamentario. Esta sentencia dio lugar a la Instrucción SEM 1/2021, de 8 de junio 2021, que ahora se incorpora al reglamento, exigiendo que la relación laboral tenga entidad suficiente para acreditar dicho arraigo laboral, esto es, que sea de al menos seis meses en los dos años previos a la solicitud de permanencia exigidos, de al menos 30 horas semanales (6 meses) o 15 horas semanales (12 meses) en el caso de trabajo por cuenta ajena, y que se haya desarrollo en situación de regularidad administrativa, estancia o residencia. En cambio, en el momento de solicitar el arraigo, el extranjero deberá de encontrarse en situación irregular. En los casos de trabajo en situación de irregularidad administrativa, en los que se acredita la actividad laboral mediante resolución judicial o administrativa que confirme un acta de la Inspección de Trabajo y Seguridad Social, se traslada la autorización a las autorizaciones concedidas por colaboración con las autoridades administrativas, por ser este supuesto más acorde con esta tipología que con las figuras del arraigo. Se exige igualmente que la relación laboral acreditada sea de al menos seis meses por año (art. 127 RLOE).

Las medidas de flexibilidad y adecuación se concretan en que el contrato de trabajo que se requiere para obtener el *arraigo social* (art. 124.2 RLOE) exige ahora que se garantice el SMI o convenio colectivo aplicable y que tenga una jornada laboral no inferior a 30 horas semanales, que podrán reducirse hasta 20 en el caso de que haya menores o personas que necesiten apoyo a cargo del trabajador extranjero. Es posible también la presentación de más de un contrato de trabajo para la misma o distinta ocupación (art. 124.2 RLOE). Se elimina la exigencia de aportar la documentación del empleador para acreditar la disposición de medios para garantizar el puesto de trabajo ofertado, sin perjuicio de que la Administración pueda requerirlos cuando tenga dudas fundadas, en línea con la interpretación jurisprudencial del Tribunal Supremo[31].

En los supuestos de exención del contrato de trabajo por contar con medios económicos suficientes, el umbral fijado ahora toma como referencia el 100% del IMV con carácter anual.

En el *arraigo familiar* (art. 124.3. RLOE) se mantienen los supuestos ya incluidos para los hijos de padre o madre que hubiera sido originariamente español, y cuando se trate de padres de un menor de nacionalidad española a cargo[32]. Y se suma ahora la figura de la persona *tutora* que tenga a su cargo, además de a un menor, a personas con discapacidad de nacionalidad española.

La principal novedad reside en la inclusión en el arraigo familiar del que podríamos denominar *régimen jurídico de los familiares de los españoles*: cónyuges o pareja de hecho acreditada; descendientes menores de 21 años o mayores de dicha edad a cargo; y ascendientes mayores de 65 años o a cargo si aún no han alcanzado esa edad. Este colectivo se incluye en el ámbito de aplicación del Real Decreto 240/2007, de 16 de febrero, junto con el resto de familiares de ciudadanos de la UE/EEE/Suiza, por lo que, en principio, ambos regímenes jurídicos pudieran coexistir[33]. No obstante, en el caso del arraigo familiar únicamente se

---

[31]   STS 1603/2018.
[32]   Instruccion_progenitores_de_menores_ciudadanos_UE_y_nacionales.pdf (inclusion.gob.es)
[33]   Sobre el ámbito de aplicación a los familiares de ciudadanos españoles, *vid.* STS 4259/2010 y STS 2966/2017. Según el Dictamen del Consejo de Estado 1175/2022, de 14 de julio de 2022, sobre el

exige la carencia de antecedentes penales y la acreditación del vínculo familiar con el ciudadano español o el hecho de estar a cargo, cuando es preciso. En el régimen comunitario, para disponer de la residencia temporal en otro Estado miembro de la UE/EEE/Suiza, es preciso acreditar ser trabajador en activo, estudiante o disfrutar de medios económicos y seguro médico.

Las autorizaciones concedidas tienen una validez de cinco años y autorizan a trabajar por cuenta ajena y propia.

La nueva figura del *arraigo para la formación* (art. 124.4 RLOE) se conforma como una autorización de residencia temporal con un itinerario jurídico propio que finaliza, tras la conclusión de la formación, con la posibilidad de obtener una autorización de residencia y trabajo para un trabajo relacionado con dicha formación. Esta circunstancia, y el principio de especialidad, excluyen la posibilidad de que se autorice la modificación a una residencia o residencia y trabajo temporal por la vía del art. 200 RLOE.

El trámite para la obtención de la autorización temporal de doce meses es relativamente sencillo: se exige la carencia de antecedentes penales, la permanencia continuada previa en España de al menos dos años y el compromiso de matriculación en una formación reglada para el empleo o para obtener un certificado de profesionalidad, una formación conducente a la obtención de la certificación de aptitud técnica o habilitación profesional necesaria para el ejercicio de una ocupación específica. También una acción formativa promovida por los Servicios Públicos de Empleo y orientada al desempeño de ocupaciones incluidas en el Catálogo al que se refiere el art. 65.1 RLOE, o incluso, en el ámbito de la formación permanente de las universidades, comprometerse a la realización de cursos de ampliación o actualización de competencias y habilidades formativas o profesionales, así como de otras enseñanzas propias de formación permanente[34].

La matriculación debe acreditarse en el plazo de tres meses desde la concesión de la autorización que podrá prorrogarse por otros doce meses si fuera preciso para culminar la formación. Una vez superada la formación (totalidad del programa lectivo y certificación de la entidad que imparte la formación), puede obtener una autorización definitiva de residencia y trabajo, de dos años de duración, condicionada al alta en la Seguridad Social, que tendrá carácter de inicial y estará limitada al trabajo por cuenta ajena, si cuenta con un contrato de trabajo que garantice el SMI o el fijado en el convenio colectivo de aplicación.

Proyecto de Real Decreto, *"el arraigo familiar se amplía notablemente, en relación con la regulación vigente. No obstante, se hace de un modo imperfecto, desde punto de vista de la técnica jurídica"*.

[34]   Sobre la tipología de estudios y acciones permitidas susceptibles de ser solicitadas en el arraigo para la formación *vid.* la Instrucción primera SEM 1/2022, de 10 de octubre de 2022.

4. Migración circular

La reforma ha modificado en profundidad la *gestión colectiva de contrataciones en origen* (art. 167 RLOE), nuevamente para adaptarse a la reforma laboral, con la creación de un modelo plurianual de autorización de trabajo, siguiendo el ejemplo de países como Francia, Grecia o Italia. Se mantiene su regulación mediante una orden ministerial anual, que podrá incluir ofertas de trabajo a extranjeros que no se hallen en España dirigidas a los sectores económicos que se determine como deficitarios, y destinadas a una migración estable, circular o a la expedición de visados para búsqueda de empleo.

La selección de los trabajadores se realizará en los países preferentes con los que España tiene acuerdos de regulación y ordenación de flujos migratorios. Estos trabajadores deberán suscribir y cumplir posteriormente un compromiso de retorno. Las autorizaciones se expedirán para un período de 4 años, pero habilitarán para trabajar en un mismo sector de actividad durante un período máximo de 9 meses por año. De este modo se elimina la necesidad de tramitación cada año de estas autorizaciones, al comenzar cada ciclo de campaña o temporada, y se fideliza la vinculación de los trabajadores. Como medidas de flexibilidad se permite la concatenación de contratos entre provincias y empresarios, y se permite la prórroga de la autorización por el mismo período de 4 años, incluso la concesión de una autorización de residencia provisional de seis meses para aquellas ocupaciones que exijan un certificado de aptitud profesional supeditada a la obtención del título.

5. Medidas de organización administrativa

La parte expositiva de la reforma del Reglamento reconoce expresamente la lentitud en la tramitación de las autorizaciones iniciales y renovaciones, la limitada capacidad de reacción de las oficinas de extranjería, para lo que se hace necesario, a medio plazo, avanzar en la mejora de la dotación de sus puestos de trabajo.

A corto plazo, la reforma incluye un mandato para la creación en un plazo de 6 meses de la *Unidad de Tramitación de Expedientes de Extranjería* (D.A.Única RLOE),que dependerá de la Dirección General de Migraciones y que se presenta como unidad de gestión flexible, basada en los principios de deslocalización y tramitación electrónica, transversal, polivalente y de apoyo a la gestión y tramitación de los expedientes de extranjería.

IV. CONCLUSIONES

El Real Decreto 629/2022, de 26 de julio, afronta una reforma parcial y limitada del Reglamento de la Ley de Extranjería centrada en facilitar el acceso al mercado de trabajo de los extranjeros que se hallen en España o que se encuentren fuera para cubrir la escasez de mano de obra. Sin duda, medidas como la ampliación de la duración de las renovaciones de las autorizaciones de trabajo a cuatro años sin limitación de actividad, la autorización plurianual también de cuatro años de la migración circular, la creación de la nueva figura del arraigo para la formación, la posibilidad de trabajar del colectivo de estudiantes y la simplificación de requisitos y documentación exigible en otros supuestos tendrán una repercusión muy favorable en el dinamismo del mercado laboral.

Se ha aprovechado la oportunidad para alinear las modalidades de contratación a la reforma laboral, consiguiendo una mayor seguridad jurídica; para incorporar la jurisprudencia del Tribunal Supremo; para incluir nuevos indicadores económicos, como el IMV, y, finalmente, para consolidar algunas medidas de flexibilidad ya aplicadas desde 2020 con motivo de la pandemia.

No obstante, quedan pendientes de desarrollo aspectos fundamentales para el éxito de la reforma, como la concreción del método de elaboración del Catálogo de Ocupaciones de Difícil Cobertura o una mayor precisión sobre la gestión colectiva de contratación en origen. Habrá que estar pendientes de las correspondientes órdenes ministeriales. También hubiera sido deseable regular con mayor precisión los supuestos de modificación de algunas autorizaciones y, en el tránsito de las autorizaciones por razones de arraigo a las autorizaciones de trabajo, haber aplicado la misma flexibilidad que en los supuestos de renovación, esto es, vigencia de cuatro años para cualquier actividad.

La inclusión en el régimen general de los familiares de españoles, a nuestro juicio, se ha resuelto de un modo insuficiente, y probablemente volverá a generar inseguridad jurídica por su compatibilidad con el régimen comunitario. Esta situación no quedará resuelta hasta la elaboración de un verdadero régimen jurídico propio para este colectivo, como sucede en otros Estados de la UE. En realidad, es necesaria una revisión integral de los diferentes regímenes jurídicos de extranjería (régimen general, comunitario, protección internacional, emprendedores y movilidad internacional), que se sigue posponiendo y para lo que se precisa de un consenso general.

Probablemente, la virtud y el éxito de esta reforma radique en su limitado alcance, centrado en el acceso al mercado de trabajo de los extranjeros, lo que le permitirá dar respuesta a los problemas detectados con inmediatez y eficiencia.

MULTA O EXPULSIÓN PARA EL EXTRANJERO EN SITUACIÓN IRREGULAR. COMPATIBILIDAD DIRECTIVA DE RETORNO-LOEX Y EVOLUCIÓN JURISPRUDENCIAL

FRANCISCO JAVIER DURÁN RUIZ

Profesor Titular de Derecho Administrativo
Universidad de Granada

SUMARIO: I. LAS FLUCTUACIONES DE LA DOCTRINA JURISPRUDENCIAL RELATIVA A LA APLICACIÓN DE MULTA O EXPULSIÓN COMO MEDIDA SANCIONADORA A LAS PERSONAS EXTRANJERAS EN SITUACIÓN IRREGULAR. II. LA SENTENCIA DEL TRIBUNAL DE JUSTICIA DE 3 DE MARZO DE 2022. III. CONCLUSIONES. EL ENCAJE DE LA STJUE DE 3 DE MARZO DE 2022 EN LA ACTUAL POLÍTICA MIGRATORIA EUROPEA. IV. BIBLIOGRAFÍA.

Quiero comenzar, además de agradeciendo la invitación a participar en este libro cursada por el profesor Ricardo Rueda Valdivia, dirigiendo un agradecimiento muy especial a la persona que con él se homenajea: la profesora Mercedes Moya Escudero. Ella, con su fuerza y pasión en la docencia, marcó mi carrera académica cuando, por un feliz error, me apunté en primero de carrera a la asignatura optativa que por entonces impartía sobre "Derechos de los Extranjeros", y que estaba reservada a alumnos de 4º y 5º curso. Siendo el único suspenso de mi vida, tras estudiarla con más detenimiento (y recuperarla con sobresaliente), ha sido, sin embargo, la materia que más frutos me ha dado en lo personal y en lo profesional. La profesora Moya y yo terminamos siendo compañeros y amigos, colaborando con ella tanto en el excelente Master de Extranjería que durante tantos años dirigió, como en muchos de los proyectos de investigación que, con la energía e ilusión que siempre ha contagiado, Mercedes dirigió. Sin duda, ha sido (con mi querido prof. Rafael Barrranco -Falo, QEPD), una de mis grandes maestras de vida y en lo que es ser universitario; una excelente transmisora de valores y excelencia en la labor universitaria tanto investigadora como docente, con su capacidad de emocionar y despertar la curiosidad intelectual de los que tienen la suerte de escucharla. Mercedes es ejemplo de honestidad, tesón, ilusión y de otras muchas cosas. Con su forma de ser y hacer, han sido muchos los frutos que ha producido en todos aquellos ámbitos en los que se ha implicado y en los que siempre ha revolucionado, como ese ciclón que es, que desmonta todo para descubrir, tras su paso, que todo está mejor que antes. Y, sobre todo, ha sido capaz desde la Universidad de cambiar la vida de tantas y tantas personas, extranjeras o no. Yo soy una de esas tantas personas, y me siento muy afortunado por ello. Con todo mi cariño, gracias Mercedes.

I. LAS FLUCTUACIONES DE LA DOCTRINA JURISPRUDENCIAL RELATIVA A LA APLICACIÓN DE MULTA O EXPULSIÓN COMO MEDIDA SANCIONADORA A LAS PERSONAS EXTRANJERAS EN SITUACIÓN IRREGULAR

La cuestión de las sanciones aplicables a los extranjeros en situación irregular, que ha ido oscilando entre la multa y la expulsión, es una cuestión que ha sufrido múltiples cambios en la doctrina jurisprudencial desde la aprobación de la Ley Orgánica 4/2000 sobre derechos y libertades de los extranjeros en España y su integración social (en adelante, LOEx). Vamos a tratar de exponer tales oscilaciones de la jurisprudencia, marcada por las modificaciones operadas en la LOEx, especialmente para adaptarla a la Directiva de retorno de la Unión Europea (UE), y en la búsqueda de una interpretación compatible de ambas, que no siempre ha sido posible en virtud del principio de primacía del Derecho de la Unión y de la obligación de interpretación conforme por los tribunales internos de los Estados miembros.

Debemos partir, para situar la cuestión, de la consideración como infracción grave de la "situación irregular" del extranjero nacional de un tercer estado prevista en el art. 53.1 a) de la LOEx. Esta última dispone en su art. 55.1.b), de forma general, que las infracciones graves serán sancionadas con multa de 501 a 10.000 euros. A esta previsión debe añadirse la incluida en el art. 57.1 de la misma, que establece, en relación a la expulsión del territorio, que "*cuando los infractores sean extranjeros y realicen conductas de las tipificadas como muy graves, o conductas graves de las previstas en los apartados a), b), c), d) y f) del artículo 53.1 de esta Ley Orgánica, podrá aplicarse, en atención al principio de proporcionalidad, en lugar de la sanción de multa, la expulsión del territorio español, p*revia la tramitación del correspondiente expediente administrativo y mediante la resolución motivada que valore los hechos que configuran la infracción*". Añade el art. 57.3, y veremos que es una cuestión particularmente relevante, que "*en ningún caso podrán imponerse conjuntamente las sanciones de expulsión y multa*".

Encontrarse irregularmente en territorio español se incardina pues entre las infracciones graves susceptibles de aplicación de la medida de expulsión, tipificada en el art. 53.1.a) de la LOEx, debiendo respetarse el principio de proporcionalidad en la imposición de la sanción. Insistimos, como expone FUERTES LÓPEZ[1] "no hay duda, por tanto, que la transgresión de la normas de permanencia en España sin título (autorización) para ello, como es la estancia irregular, constituye una infracción calificada como grave por la LOEx", definiéndose la situación irregular como "*la presencia en el territorio de un Estado miembro de un*

---

[1]   FUERTES LÓPEZ, FRANCISCO JAVIER, "Expulsión de extranjeros en situación irregular. (Comentario a la Sentencia de la Sala de lo Contencioso-Administrativo del Tribunal Supremo de 17 de marzo de 2021)", *Revista Aranzadi Doctrinal*, nº 6, 2021.

nacional de un tercer país que no cumple o ha dejado de cumplir las condiciones de entrada establecidas en el artículo 5 del Código de fronteras Schengen u otras condiciones de entrada, estancia o residencia en ese Estado miembro" (art. 3.2 Directiva de retorno y art. 24 RD 557/2011, de 20 de abril, que desarrolla la LOEx).

Es oportuno recordar, dada la relevancia del Derecho de la UE en esta materia, que las anteriores previsiones traen causa de la reforma de la LOEx por la Ley Orgánica 2/2009, de 11 de diciembre, en transposición de la normativa migratoria europea y, concretamente, de la polémica Directiva 2008/115/CEE, de 16 de diciembre de 2008, del Parlamento Europeo y el Consejo, relativa a normas y procedimientos comunes en los Estados miembros para el retorno de los nacionales de terceros países en situación irregular, conocida como "Directiva de retorno" o "Directiva de la vergüenza", en foros del tercer sector especialmente.

Con anterioridad a la más reciente jurisprudencia europea que representa la STJUE de 3 de marzo de 2022, sobre la cuestión de la sanción aplicable a la situación administrativa irregular de una persona extranjera, los cambios en la normativa de la UE y en su interpretación por el TJUE, las diferencias interpretativas en los tribunales nacionales, así como los cambios de criterio en el Tribunal Supremo (TS) tratando de dar una interpretación conforme al Derecho de la Unión o las aportaciones del Tribunal Constitucional, han provocado una doctrina pendular en esta materia, con importantes hitos que trataremos de exponer a continuación.

Así, podemos afirmar que la doctrina del TS en supuestos de estancia irregular, al menos hasta la STJUE de 23 de abril de 2015, en el conocido asunto Zaizoune, era aplicar fundamentalmente el principio de proporcionalidad, de modo que la expulsión quedaba como una opción excepcional y reservada a supuestos que merecían una valoración especialmente negativa, siendo la regla general la sanción de multa.

Ahondando a este respecto, AGUELO NAVARRO y GRANERO SÁNCHEZ[2], distinguen dos etapas previas a dicha Sentencia, tomando como punto de referencia la aprobación de la Directiva de retorno. En una primera etapa, previa a la entrada de la Directiva de retorno, estos autores definen un primer período, que va desde la entrada en vigor de la LOEx y de su primer Reglamento (RD 864/2001, de 20 de julio, derogado posteriormente por el RD 2393/2004, de 30 de diciembre), hasta diciembre 2005. Consideran que, en dicho período, cada Juzgado de lo contencioso administrativo y sus respectivas Salas de los Tribunales Superiores de Justicia eran un "reino de taifas", sin que existieran criterios

---

[2]   AGUELO NAVARRO, PASCUAL y GRANERO SÁNCHEZ, HIPÓLITO VICENTE, "Estancia irregular: multa vs expulsión. El estado de la cuestión tras la STJUE de 8 de octubre de 2020 (As. Mo)", *Revista de Derecho Migratorio y Extranjería*, n° 56, 2021, pp. 103-132.

homogéneos ni objetivos a la hora de optar por la sanción de multa o de expulsión en las estancias irregulares.

En un segundo período, cuyo comienzo situamos en diciembre de 2005, y aún dentro de esta primera etapa, se dicta, a raíz de la reforma de la Ley 28/1998, de 13 de julio, de la Jurisdicción Contencioso-administrativa, una Sentencia del TS en unificación de doctrina, que intenta arrojar luz sobre esta cuestión: la STS (Sala 3.ª de lo Contencioso Administrativo) de 22 de diciembre de 2005. Esta sienta la tesis de la multa como sanción principal para las situaciones de mera estancia irregular, y de la expulsión como sanción subsidiaria a aplicar de concurrir alguna circunstancia agravante, supeditada a la concurrencia de "hechos negativos", sobre la base de la aplicación de los criterios de proporcionalidad (como había establecido la STS de 4 de octubre de 2007, rec. 8953/2003), manteniéndose esta doctrina hasta la STJUE de 23 de abril de 2015 en el caso Zaizoune, como hemos apuntado.

En una segunda etapa, ya posterior a la entrada en vigor de la Directiva de retorno, podemos diferenciar igualmente dos períodos. En un primer período, que va desde el 23 de abril de 2015, fecha de la STJUE en el asunto Zaizoune, hasta el 8 de octubre de 2020, en que el TJUE dicta una nueva Sentencia sobre esta materia, los Tribunales Superiores de Justicia entienden de forma mayoritaria en sus sentencias, corroborándolo a su vez el TS, que corresponde sancionar siempre la estancia irregular con expulsión, salvo en el caso de que se dé alguna de las excepciones previstas en los arts. 5 y 6 de la Directiva de retorno[3].

La STJUE de 23 de abril de 2015 (Asunto C-38/14: Subdelegación del Gobierno en Gipuzkoa c. Zaizoune), dictada a raíz de una cuestión prejudicial planteada a propósito de la interpretación de legislación española de extranjería, confirmó

---

[3]　　El art. 5 de la Directiva de retorno, relativo a la no devolución, dispone que, en la aplicación de la Directiva, los Estados miembros deberán tener en cuenta debidamente: a) el interés superior del niño, b) la vida familiar y c) el estado de salud del nacional de un tercer país de que se trate, y respetarán el principio de no devolución. Por su parte, el art. 6 de la Directiva, relativo a la decisión de retorno, dispone en su apartado 1 que "los Estados miembros dictarán una decisión de retorno contra cualquier nacional de un tercer país que se encuentre en situación irregular en su territorio, sin perjuicio de las excepciones contempladas en los apartados 2 a 5". Estas excepciones son: a) que el nacional de un tercer país que se encuentren en situación irregular en el territorio de un Estado miembro sea titular de un permiso de residencia válido u otra autorización que otorgue un derecho de estancia expedido por otro Estado miembro, en cuyo caso, para evitar la expulsión, se le exigirá que se dirija de inmediato al territorio de dicho Estado miembro (apartado 2); b) si se le otorga al extranjero en situación irregular un permiso de residencia autónomo u otra autorización que otorgue un derecho de estancia por razones humanitarias o de otro tipo, como es el caso de las autorizaciones de residencia que prevé la LOEx para víctimas de trata o de violencia de género (apartado 4); c) que el extranjero tenga un procedimiento pendiente de renovación del permiso de residencia u otra autorización que otorgue el derecho de estancia, en cuyo caso el Estado miembro podrá abstenerse de dictar una decisión de retorno hasta que finalice el procedimiento pendiente (apartado 5).

la improcedencia de la elección entre las sanciones de multa o expulsión, al establecer de manera nítida que *"ningún precepto de esa Directiva (2008/115/CE), ni ninguna disposición de un acto perteneciente al acervo comunitario permiten establecer un sistema que, en caso de situación irregular de nacionales de terceros países en el territorio de un Estado miembro, imponga, dependiendo de las circunstancias, o bien una sanción de multa o bien de expulsión"*. Asimismo, el TJUE declaró que la legislación española en cuestión, que en caso de situación irregular de nacionales de terceros países en territorio español impone, dependiendo de las circunstancias, o bien una sanción de multa, o bien la expulsión, siendo ambas medidas excluyentes entre sí, *"puede frustrar la aplicación de las normas y de los procedimientos comunes establecidos por la Directiva 2008/115 y, en su caso, demorar el retorno, menoscabando de este modo el efecto útil de dicha Directiva"* (apartado 40). En consecuencia, el TJUE resolvió que la Directiva 2008/115/CE, en particular sus arts. 6, apartado 1, y 8, apartado 1, en relación con su art. 4, apartados 2 y 3, *"debe interpretarse en el sentido de que se opone a tal normativa"* (apartado 41).

Quedaba así, como regla general, la expulsión como sanción para los extranjeros en situación irregular, considerando el TS que, en aplicación del principio de primacía del Derecho de la Unión Europea, las autoridades administrativas y judiciales españolas estaban habilitadas para inaplicar la normativa nacional por no ser conforme con la Directiva 2008/115/CE, y para invocar directamente lo dispuesto en la Directiva a fin de ordenar la expulsión en caso de situación irregular en territorio nacional, pese a no existir otros motivos agravantes. Tampoco dejaba lugar a la aplicación de los criterios de proporcionalidad de la sanción para extranjeros en situación irregular, tal y como ratificó el TS en su Sentencia de 12 de junio de 2018, rec. 2958/2017.

Sin embargo, como bien apunta TOLOSA TRIBIÑO[4], la conclusión a la que llega el TJUE en el asunto Zaizoune "debe considerarse que aparece como viciada por partir, en cuanto al Derecho español se refiere, de una premisa incompleta", pues repite la Sentencia en varias ocasiones que "l*a normativa nacional ... permite sancionar la situación irregular de un extranjero ... con una sanción económica que, además, resulta incompatible con la sanción de expulsión"*, olvidando que la decisión de retorno que se describe en el art. 3.4 de la Directiva tiene implícita la consecuencia de apercibimiento de salida del territorio nacional en el plazo que se establezca en la resolución sancionadora, que, en todo caso, será por un máximo de quince días, con advertencia de expulsión, recogida en el art. 24.1 y 2 del vigente Reglamento de la LOEx, aprobado por RD 557/2011, con lo que se da observancia a la previsión del art. 7.1 de la Directiva. Así, también en palabras

---

[4]   TOLOSA TRIBIÑO, CÉSAR, "Extranjeros en situación irregular: ¿expulsión o multa? El fin de una polémica", *Revista de Derecho Migratorio y Extranjería*, n° 49, 2018, pp. 49-68.

de TOLOSA TRIBIÑO[5], "en puridad, en el sistema sancionador español la resolución gubernativa que sanciona la «*mera estancia irregular*» no solo contiene una multa económica (que es la premisa incompleta de la que se parte en la STJUE), sino que conlleva asimismo e imperativamente «*la obligación legal de abandono del territorio español en el plazo de 15 días naturales, con la advertencia de sanción de expulsión en caso de incumplimiento de dicha obligación*»".

Esta circunstancia es la que dejaba abierta la vía a un cambio en la jurisprudencia del TJUE, que se ha producido en su Sentencia de 3 marzo de 2022 (Asunto C-409/20: UN c. Subdelegación del Gobierno en Pontevedra). No obstante, nos recuerda NÚÑEZ HERRERA[6] que ya en la STJUE de 6 de diciembre de 2012, asunto C-430/11, el Tribunal de la UE señalaba que la Directiva 2008/115/CE no se opone a una normativa nacional que establece una pena de multa que puede ser sustituida por una pena de expulsión.

El segundo período de esta segunda etapa comienza a partir de la STJUE de 8 de octubre de 2020 (Asunto C-518//19: MO c. Subdelegación del Gobierno de Toledo), que se dicta a tenor de una cuestión prejudicial planteada por el Tribunal Superior de Justicia de Castilla La Mancha, que preguntaba si la Directiva 2008/115/CE debe interpretarse en el sentido de que, cuando la normativa nacional, en caso de situación irregular de nacionales de terceros países en el territorio de un Estado miembro, imponga, o bien una sanción de multa, o bien la expulsión, teniendo en cuenta que la segunda medida solo puede adoptarse si existen circunstancias agravantes en la persona de dichos nacionales, adicionales a su situación irregular, la autoridad nacional competente pueda basarse directamente en lo dispuesto en la Directiva para adoptar una decisión de retorno y hacer cumplir dicha decisión aun cuando no existan circunstancias agravantes.

La Sentencia del TJUE resuelve que la Directiva de retorno "*debe interpretarse en el sentido de que, cuando la normativa nacional, en caso de situación irregular de nacionales de terceros países en el territorio de un Estado miembro, imponga, o bien una sanción de multa, o bien la expulsión, teniendo en cuenta que la segunda medida solo puede adoptarse si existen circunstancias agravantes en la persona de dichos nacionales, adicionales a su situación irregular, la autoridad nacional competente no podrá basarse directamente en lo dispuesto en la Directiva para adoptar una decisión de retorno y hacer cumplir dicha decisión aun cuando no existan circunstancias agravantes*".

---

[5]   *Ibidem.*
[6]   NÚÑEZ HERRERA, VLADIMIR E., "Refundición de la directiva 2008/115 CE. Garantías o retrocesos en los derechos fundamentales de los extranjeros en los procesos de retorno/expulsión", *Revista de Derecho Migratorio y Extranjería*, nº 52, 2019, pp. 17-54.

Como exponen CONTRERAS SOLER, GARRÓS FONT y CONTRERAS SO-LER[7], esta Sentencia establece que el efecto directo de las Directivas no puede emplearse para obviar la normativa nacional más favorable cuando el Estado no la ha transpuesto debidamente, y que "al fijarse en la normativa de extranjería que la multa es la regla general, no puede basarse España únicamente en la Directiva, para expulsar al extranjero, con preferencia a la opción de multa". Es decir, se vuelve atrás, disponiendo que no cabe adoptar la medida de expulsión si no se dan circunstancias agravantes.

Partimos, por tanto, antes de analizar la jurisprudencia más reciente, del giro de 180° operado por el TJUE en su planteamiento desde la STJUE de 23 de abril de 2015 en el Asunto Zaizoune, donde imponía la sanción de expulsión para los extranjeros en situación irregular en obligada aplicación de la Directiva de retorno, a la STJUE de 8 de octubre de 2020 en el Asunto Mo, donde el TJUE regresaba a la exigencia de circunstancias agravantes para poder aplicar a aquéllos la expulsión.

Tras esta última Sentencia, los Tribunales Superiores de Justicia entendieron mayoritariamente que procedía mantener la jurisprudencia previa, que interpretaba que únicamente en caso de concurrir circunstancias agravantes más allá de la mera irregularidad de la estancia, resultaba procedente optar por la expulsión, debiendo imponer la sanción de multa en cualquier otro supuesto.

Sobre este escenario trata de arrojar luz la Sentencia de la Sala de lo Contencioso-administrativo del TS de 17 de marzo de 2021, rec.2870/2020, en la que el planteamiento del recurso de casación sitúa como cuestión de interés casacional la de determinar el alcance de la citada STJUE de 8 de octubre de 2020 en el asunto Mo, relativa a la interpretación de la Directiva de retorno, en relación con la consideración que merece la expulsión del territorio español. Así, cuestiona si debe considerarse esta última como medida preferente a imponer a los extranjeros que hayan incurrido en las conductas tipificadas como graves en el art. 53.1.a) de la LOEx, o si, por el contrario, debe ser la multa la sanción principal para tales conductas, en el caso de que no se den circunstancias agravantes añadidas a la situación de estancia irregular del extranjero.

Partiendo del principio de primacía del Derecho de la UE y del principio de interpretación de la normativa interna conforme con a la de la UE, en esta Sentencia el TS dispone, en primer lugar, que la situación de estancia irregular determina, en su caso, la decisión de expulsión, y no cabe la posibilidad de sustitución por una sanción de multa. Considera que una sanción de multa, que

---

[7]   CONTRERAS SOLER, JAVIER, GARRÓS FONT, INMACULADA y CONTRERAS SOLER, BEATRIZ, "Estudio de distintos supuestos de expulsión de extranjeros a la luz de la jurisprudencia más reciente", *Revista Aranzadi Doctrinal*, n° 7, 2021.

excluye la expulsión, es contraria a la Directiva de retorno, y de ahí se deriva que, en la opción que contiene el art. 57.1 de la LOEx, debe rechazarse la posibilidad de la sanción de multa, que no procede en ningún caso, puesto que la finalidad de la Directiva es la salida del territorio de la Unión de todos los extranjeros que se encuentren irregularmente en algún Estado miembro, y la imposición de la multa al extranjero en situación irregular no es acorde a dicha finalidad. No admite sustituir la expulsión por multa, excluyendo la expulsión, ahí está la clave, y sigue su argumentación.

En segundo lugar, y sentado que ante un extranjero en situación irregular no cabe optar por la multa, y que el art. 57.1 de la LOEx únicamente puede interpretarse en el sentido de que tal estancia irregular sólo puede ser sancionada con la expulsión, destaca el TS que, según ha apreciado el TJUE, la norma comunitaria no establece un automatismo entre la estancia irregular y la expulsión. La mera estancia irregular, sin la concurrencia de otros factores, no puede justificar una decisión de retorno, y la expulsión, que comprende tanto la decisión de retorno como su ejecución, exige en cada caso, y de manera individualizada, la valoración y apreciación de circunstancias agravantes que pongan de manifiesto y justifiquen la proporcionalidad de la medida adoptada, tras tramitarse un procedimiento que garantice plenamente los derechos de los afectados, de conformidad con las exigencias de la jurisprudencia de la UE. En este sentido, se remite a la STS de 4 de octubre de 2007, rec. 2244/2004, donde se afirmaba que "*la expulsión requiere una motivación específica, y distinta o complementaria de la pura permanencia ilegal…*".

La argumentación insiste en la importancia de aplicar el principio de proporcionalidad, considerando que el art. 57.1 de la LOEx impone su utilización para determinar cuándo procede dictar una orden de expulsión. Teniendo en cuenta la jurisprudencia del TJUE, que había sentado la expulsión como única medida posible, el TS afirma que "*el principio de proporcionalidad ha de aplicarse ya para determinar cuándo la estancia irregular pueda o no dar lugar a la expulsión, única medida ya posible. Y en esa tesitura, resulta manifiesto que, para poder adoptar una decisión de esa entidad, la única interpretación admisible, conforme a la propia jurisprudencia comunitaria, es atender a factores añadidos a la mera estancia, que justifique –ello comporta el juicio de proporcionalidad– la expulsión. Y, a sensu contrario, ni en la Directiva, ni ahora en nuestro Derecho, la mera estancia irregular sin esos factores puede dar lugar a una decisión de retorno, es decir a una orden de expulsión*".

En tercer lugar, tras confirmar el TS que la adopción de la medida de expulsión requiere de una motivación específica y distinta o complementaria de la sola permanencia ilegal del extranjero, aclara qué circunstancias deben entenderse como agravantes para justificar la adopción de la medida de expulsión, recopilando las que había venido apreciando la jurisprudencia en relación con la gravedad de la mera estancia irregular, bien sean de carácter subjetivo u objetivo, y que pueden comprender otras de análoga significación[8]. No obstante, como recuerda PEY GONZÁLEZ[9], "sobre este extremo deberá estarse al criterio que la Sala vaya fijando en unificación de doctrina puesto que, no olvidemos, los Tribunales Superiores de Justicia discrepaban de la consideración de alguna de ellas. A modo de ejemplo, respecto a la consideración de la "indocumentación" inicial del expedientado, la ausencia de domicilio conocido, etc.".

En definitiva, el TS, en su Sentencia de 17 de marzo de 2021, unifica su doctrina aplicando la doctrina fijada en la STJUE de 23 de abril de 2015, considerando que la estancia irregular de un extranjero en el territorio nacional debe necesariamente ser objeto de una decisión de retorno, es decir, que el art. 57. 1º de la LOEX solo puede interpretarse en el sentido de considerar que la estancia irregular de un extranjero en España únicamente puede ser "sancionada" con expulsión. Ello supone que debe rechazarse, en la opción que se contiene en el precepto, la posibilidad de la sanción de multa, que no procede en ningún caso, es decir, de no proceder la expulsión, tampoco puede imponerse la pena de multa.

Finalmente, el TS llama la atención al legislador al afirmar, en el fundamento jurídico tercero *in fine* de la Sentencia que comentamos, que debería haber reformado el confuso art. 57.1 LOEx que tantos problemas ha creado en su

---

[8]   Estas circunstancias agravantes, o factores con virtualidad suficiente para decretar la expulsión, el TS los remite a las circunstancias negativas que venía considerando la jurisprudencia para avalar la expulsión, tales como encontrarse el extranjero indocumentado, haber obtenido fraudulentamente la autorización de residencia, o no dar cumplimiento de manera voluntaria a una orden previa de salida obligatoria. A estos añade los supuestos a los que se refiere el art. 63.1 de la LOEx, que determinan la aplicación del procedimiento preferente de expulsión: que el extranjero constituya un riesgo para el orden público, la seguridad pública o la seguridad nacional, o cuando además de su estancia irregular se acredita que haya tratado de evitar o dificultar la expulsión (incluido el riesgo de incomparecencia), junto con las pautas que contiene la Instrucción 11/2020, de 20 de octubre de 2020, del Ministerio del Interior, sobre los efectos de la Sentencia del TJUE sobre los procedimientos sancionadores por la estancia en situación irregular en España (art. 53.1 a) LOEx), que establece como circunstancias agravantes que determinan la opción por iniciar un expediente de expulsión al extranjero en situación irregular: a) haber sido detenido el extranjero en el marco de la comisión de un delito o que al mismo le conste antecedentes penales; b) que el extranjero invoque una falsa nacionalidad; c) la existencia de una prohibición de entrada anterior; d) la carencia de domicilio y de documentación; e) el incumplimiento de una salida obligatoria; f) la imposibilidad de comprobar cómo y cuando entró en territorio español, determinada por la indocumentación del extranjero o por la ausencia de sello de entrada en el documento de viaje. Esta última circunstancia, no parece ajustarse a la STJUE de 8 de octubre de 2020, puesto que un extranjero que entre sin documentación en España puede, pese a ello, llevar varios años en España, y encontrarse documentado con un pasaporte expedido por su representación consular, empadronado y con algún familiar residente en España. En tal caso, se encontraría simplemente en situación de estancia irregular, y correspondería sancionarlo con multa, y no con expulsión.

[9]   PEY GONZÁLEZ, JOSÉ MARÍA, "¿Multa versus expulsión ante la estancia irregular del ciudadano extranjero? Interpretación del precepto sancionador estrella de la normativa de extranjería a la luz de la Sentencia del Tribunal de Justicia de la UE, de 8/10/2020 (C-568/19)", *Diario La Ley*, nº 9827, 2021.

interpretación y aplicación: *"Y en ese estado de cosas debe dejarse constancia que este tan farragoso régimen que se había establecido en nuestra LOEx sobre la expulsión de los extranjeros en situación irregular, que viene, en sus más elementales principios, de la redacción originaria de la Ley en 2000, se ha mantenido con la confusión añadida de haber declarado nuestro Legislador que se reformaba la Ley para adaptar la Directiva 2008/115; originando una intensa problemática, no solo en su aplicación por la Administración, que es la destinataria de la norma, sino incluso a nivel jurisprudencial, como se ha puesto de manifiesto, con el riesgo de incurrir en un incumplimiento del Derecho comunitario de indudable trascendencia. Y esa circunstancia no ha debido ser ignorada por nuestro Legislador, que ha reformado la Ley hasta en 25 ocasiones, 5 de ellas tras la sentencia del TJUE de 2015, que bien debieron merecer haber acometido una reforma del tan problemático artículo 57.1º, evitando esta confusa regulación".*

II. LA SENTENCIA DEL TRIBUNAL DE JUSTICIA DE 3 DE MARZO DE 2022

Como acabamos de exponer, la doctrina jurisprudencial predominante desde la entrada en vigor de la Directiva de retorno hasta marzo de 2022, era que no cabía en ningún caso la imposición de multa por estancia irregular, y que la expulsión solo era posible en caso de concurrir circunstancias agravantes.

Sin embargo, la cuestión prejudicial planteada por el Juez del Juzgado de lo Contencioso Administrativo nº 1 de Pontevedra, resuelta por la STJUE de 3 de marzo de 2022 (Asunto C-409-20: UN c. Subdelegación del Gobierno en Pontevedra) ha provocado que se retorne a la situación previa, como veremos, y con mayores garantías para el extranjero.

En dicha cuestión prejudicial, el Juez planteaba al TJUE si la Directiva 2008/115/CE de retorno, debe interpretarse en el sentido de que se opone a una normativa de un Estado miembro que sanciona la permanencia irregular de un nacional de un tercer país en el territorio de ese Estado miembro, cuando no concurren circunstancias agravantes, en un primer momento, con una sanción de multa que lleva aparejada la obligación de abandonar el territorio de dicho Estado miembro en el plazo fijado, salvo que, antes de que este expire, se regularice la situación del nacional de un tercer país y, en un segundo momento, si no se ha regularizado su situación, con una decisión en la que se ordena obligatoriamente su expulsión.

Modificando su doctrina sentada en el asunto Zaizoune, el TJUE, en esta Sentencia, cambia de rumbo y declara su compatibilidad con la normativa española contenida en la LOEx. Así, la STJUE de 3 de marzo de 2022, afirma en su apartado 64 que: *"La Directiva 2008/115/CE del Parlamento Europeo y del Consejo, de 16 de diciembre de 2008, relativa a normas y procedimientos comunes en los Estados miembros para el retorno de los nacionales de terceros países en situación irregular, en particular sus artículos 6, apartado 1, y 8, apartado 1, leídos en relación con los artículos 6, apartado 4, y 7, apartados 1 y 2, de la misma, debe interpretarse en el sentido de que no se opone a una normativa de un Estado miembro que sanciona la permanencia irregular de un nacional de un tercer país en el territorio de ese Estado miembro, cuando no concurren circunstancias agravantes, en un primer momento, con una sanción de multa que lleva aparejada la obligación de abandonar el territorio de dicho Estado miembro en el plazo fijado salvo que, antes de que este expire, se regularice la situación del nacional de un tercer país y, en un segundo momento, si no se ha regularizado su situación, con una decisión en la que se ordena obligatoriamente su expulsión, siempre que dicho plazo se fije de conformidad con las exigencias establecidas en el artículo 7, apartados 1 y 2, de esta Directiva".*

De conformidad con esta doctrina del TJUE, se declara compatible con la normativa migratoria europea en materia de retorno el modelo sancionador para los extranjeros en situación irregular establecido en la LOEx, en el que la sanción de multa se establece como regla general, y la de expulsión únicamente como excepción si concurren circunstancias agravantes o hechos negativos. En la STS de 4 de mayo de 2022 (rec. 322/2020), que precisamente no encuentra procedente la expulsión de un extranjero en situación irregular por no darse circunstancias agravantes añadidas a la misma, encontramos un resumen la doctrina anterior y las modificaciones que ha ido sufriendo.

La novedad de este pronunciamiento del TJUE radica en su legitimación, no solo de aceptar la imposición de multa como alternativa a la expulsión, sino también de que dicha multa, como ocurre en el caso español, pueda ir acompañada de una advertencia relativa a la obligación de abandonar el territorio por parte del extranjero en un plazo razonable, que la legislación de extranjería española fija en 30 días. Más adelante analizamos un importante interrogante que esta interpretación plantea, derivado de la posible infracción del principio de *non bis in idem*, en el caso de imposición sucesiva de multa acompañada de plazo para la salida voluntaria del extranjero, y de una posterior expulsión del mismo por incumplir dicho plazo y orden de salida.

No obstante, consideramos que, aun de mayor importancia para los extranjeros que se encuentren en esta situación, resulta la posibilidad de regularización que abre el TJUE en su Sentencia de 3 de marzo de 2022, al establecer que, pese a la sanción, y dentro de ese plazo de tolerancia o gracia que se otorga al extranjero para emprender el retorno, este podrá solicitar y obtener un permiso de residencia que dejará sin efecto la orden de expulsión.

Tras la STJUE en el asunto Mo, LAFUENTE SÁNCHEZ[10] planteaba justamente esta posibilidad como forma de salvar la incompatibilidad entre la LOEx y la Directiva de retorno, que, en caso contrario, podría dar lugar a peticiones de responsabilidad contra el Estado español por la expulsión de extranjeros a los que se podría haber impuesto una multa con un período para cumplir la obligación de salida voluntaria de España, y posibilidad de regularizar su situación en tal período.

La Sentencia, por lo tanto, admite la existencia de un plazo razonable en que se posibilita la regularización del extranjero afectado por la sanción. En este sentido, el TJUE, siempre en la Sentencia de 3 de marzo de 2022, afirma que: "*En el presente asunto, de la normativa nacional aplicable resulta que la multa impuesta a un nacional de un tercer país al que se declara en situación irregular lleva necesariamente aparejada la obligación de abandonar el territorio nacional en el plazo fijado*". Y aclara a continuación que considera dicho plazo flexible, afirmando que "*Aunque de la definición del concepto de «salida voluntaria», recogido en el artículo 3, punto 8, de la Directiva 2008/115, resulta que el plazo fijado en la decisión de retorno tiene como objetivo que el nacional de un tercer país que se encuentra en situación irregular pueda cumplir la obligación de retorno que se le ha impuesto, ha de hacerse constar, no obstante, que ninguna disposición de esta Directiva se opone a que, durante todo ese plazo, ese nacional de un tercer país pueda tratar de regularizar su situación*".

El TJUE, inclusive considera en esta Sentencia que la regularización durante el período de gracia es lo más recomendable: "*Antes bien, el artículo 6, apartado 4, de la Directiva 2008/115 dispone que los Estados miembros podrán, en cualquier momento, decidir conceder a un nacional de un tercer país que se encuentre en situación irregular en su territorio un permiso de residencia autónomo u otra autorización que otorgue un derecho de estancia por razones humanitarias o de otro tipo. De haberse ya dictado una decisión de retorno, se revocará o se suspenderá durante el período de validez del permiso de residencia o de otra autorización que otorgue un derecho de estancia*".

La Sentencia admite que la Directiva de retorno, en sí misma, no se opone a que, cuando no concurre ninguna de las circunstancias previstas en el art. 7, apartado 4 de la misma (riesgo de fuga, solicitud de permanencia legal desestimada por ser manifiestamente infundada o fraudulenta o que la persona en

---

[10]   LAFUENTE SÁNCHEZ, RÁUL, "Decisiones de retorno contra nacionales de terceros estados que se encuentren en situación irregular en España: consecuencias de la (supuesta) incompatibilidad de la Ley de Extranjería con la Directiva 2008/115 y de su ausencia de efecto directo vertical", *Cuadernos de Derecho Transnacional*, vol. 13, n° 1, 2021, pp. 405-406.

cuestión represente un riesgo para el orden público, la seguridad pública o la seguridad nacional), que justifique la expulsión inmediata de un nacional de un tercer país en situación irregular sujeto a una obligación de retorno, un Estado miembro pueda prorrogar el plazo para la salida voluntaria del nacional de un tercer país hasta que concluya un procedimiento de regularización de la situación de este.

Cabe incluso, según la argumentación de esta STJUE de 3 de marzo de 2022, que el Estado miembro considere oportuno, a la luz de circunstancias subjetivas relevantes que concurran en el caso, posponer el momento de la ejecución del retorno mediante expulsión en el caso de que el nacional de un tercer país en situación irregular no haya acatado la obligación de retorno en el plazo para la salida voluntaria fijado de conformidad con el art. 7, apartado 1, de la Directiva 2008/115/CE, ya que el apartado 2 del mismo precepto lo permite, al disponer que "*Los Estados miembros prorrogarán cuando sea necesario el plazo de salida voluntaria durante un tiempo prudencial, atendiendo a las circunstancias concretas del caso de que se trate, como son la duración de la estancia, la existencia de niños escolarizados y la existencia de otros vínculos familiares y sociales*". En realidad, aunque no había sido la interpretación predominante hasta el momento, ya lo reflejaba así la propia Directiva de retorno en su considerando 10, al manifestar que en los casos en que existan razones para creer que con ello se dificulte el objetivo del procedimiento de retorno, debe preferirse el retorno voluntario al forzoso y concederse un plazo para la salida voluntaria, y que debe preverse una ampliación del plazo para la salida voluntaria cuando se considere necesario debido a las circunstancias específicas del caso concreto.

La STJUE de 3 de marzo de 2022, en definitiva, vuelve a situar el principio de proporcionalidad como eje principal sobre el que sustentar la decisión del Estado miembro, recordando el Considerando 6 de la propia Directiva de retorno, en el que se afirma que "*De conformidad con los principios generales del Derecho de la Unión, las decisiones que se tomen en el marco de esa Directiva deben adoptarse de manera individualizada y fundándose en criterios objetivos, lo que implica que se deben tener en cuenta otros factores además del mero hecho de la situación irregular. En particular, como ya ha declarado el Tribunal de Justicia, el respeto del principio de proporcionalidad debe garantizarse durante todas las fases del procedimiento de retorno regulado por dicha Directiva, incluida la fase relativa a la decisión de retorno, en cuyo marco el Estado miembro de que se trate debe pronunciarse sobre la concesión de un plazo de salida voluntaria en virtud del artículo 7 de esta misma Directiva (véase, en este sentido, la Sentencia de 11 de junio de 2015, Zh. y O., C-554/13, EU:C:2015:377, apartado 49 y jurisprudencia citada)*".

Por tanto, tras este pronunciamiento del TJUE el Derecho español vuelve a aplicarse, al dejar de ser desplazado por el Derecho de la UE y su primacía, y resurge dejando atrás la incongruencia que supone que la interpretación de una Directiva menoscabe garantías otorgadas a los extranjeros en situación irregular en Derecho interno. Recordemos que, aunque los procedimientos en materia de extranjería y asilo se rigen por su normativa específica, y solo de forma subsidiaria por la Ley 39/2015, de 1 de octubre, de Procedimiento Administrativo Común (DA 1ª), esta debe aplicarse de forma acorde con los principios del Derecho sancionador.

En consecuencia, como afirma PLEITE GUADAMILLAS[11], "una interpretación integradora de la normativa nacional y europea permitiría, ante la estancia irregular imponer bien la multa, con la declaración de la obligatoriedad de salida del territorio nacional en un plazo determinado o, bien, la medida de expulsión, valorando en esta ultima la proporcionalidad exigida por el artículo 57.1 de la Ley Orgánica 4/2000, de 11 de enero, atendiendo a la no concurrencia de las excepciones fijadas por la Directiva 2008/115, así como otros hechos relacionadas con la infracción como podrían ser las circunstancias agravantes. Ambas resoluciones entrarían dentro del concepto de «decisión de retorno» de la Directiva 2008/115, por lo que se conseguiría la compatibilidad del ordenamiento interno español con el europeo".

De este modo, se aplica de nuevo la multa para la estancia irregular simple que no cuente con circunstancias agravantes, abriéndose el camino a una posible regularización dentro del plazo de 30 días que se otorga al extranjero en situación irregular multado por ello para la salida voluntaria.

En estas circunstancias, aunque es necesario estar atento a las jurisprudencia que vaya surgiendo y a la normativa que pueda dictar el Ministerio en forma de circulares o instrucciones para las oficinas de extranjería y subdelegaciones del gobierno, la mejor opción para el extranjero en situación irregular, considerando que un plazo de 30 días es bastante breve, será la de solicitar una autorización para la regularización de su situación dentro de ese plazo, al tiempo que solicita, como medida cautelar, que se suspenda la ejecución de su salida obligatoria del país.

La conducta o hecho agravante que justifica la expulsión pasa a ser el incumplimiento de la orden de abandonar el territorio en el plazo marcado por la sanción inicial de multa, y, por tanto, lo que determinará la posterior expulsión. Queda de este modo sin efecto la calificación de hecho o conducta agravante del mero incumplimiento de la advertencia de salir del territorio español que se acompañaba como cláusula de estilo a las resoluciones denegatorias de asilo o residencia, que carecía de sentido[12].

---

[11]   PLEITE GUADAMILLAS, FRANCISCO, "¿Es compatible la sanción de multa por estancia irregular con la «decisión de retorno» de la Directiva 2008/115 CE del Parlamento Europeo y del Consejo de 16 de diciembre de 2008?". *Actualidad Administrativa*, nº 10, 2021.

[12]   Tampoco admite el TS, en su Sentencia de 18 de febrero de 2022 (rec. 5883/2020), que constituya "hecho negativo", el que no se haya solicitado autorización o prórroga o regularización, pues es

Obviamente, el intento y voluntad de regularizar su situación solicitando un permiso de residencia por arraigo, motivos humanitarios u otros, no puede merecer la calificación de hecho agravante para justificar una expulsión, por lo que, como hemos indicado, la condición de hecho agravante a la mera estancia irregular recaerá con toda probabilidad en la voluntad negativa de salir del país ligada a una resolución sancionadora de multa, ya que no cabe en este caso utilizar la expulsión como medida de ejecución forzosa de la obligación de salida voluntaria sin una reforma de la legislación de extranjería, al estar la medida de expulsión regulada por la LOEx, y tipificados claramente también los supuestos en que es de aplicación, sin que ninguno de ellos incluya como causa de la expulsión el incumplimiento de una medida de salida voluntaria del país.

En este este sentido se ha pronunciado claramente el TS en su Sentencia de 21 de febrero de 2022 (rec.8385/2019), que resulta bastante clara a este respecto: *"(...) nuestro Legislador no contiene en la LOEX regulación alguna de qué trámites haya de seguirse tras esa orden de salida voluntaria o, al menos, nada establece para cuando el extranjero no cumpla dicha orden.*

Bien es verdad que cabría pensar que ese incumplimiento se podría ejecutar por vía forzosa, lo cual es acorde al régimen de los actos administrativos. Pero se da la peculiaridad de que esa ejecución forzosa, en materia de extranjería, solo puede llevarse a efectos por la expulsión y esa expulsión, por la regulación que se contienen en la Ley Orgánica, solo puede llevarse a cabo por los trámites que se establecen en la propia Ley, es decir, conforme a los supuestos establecidos en el artículo 57 y por los procedimientos, ordinario o preferente, de los artículos 63, 63 bis y 64.

Pues bien, ninguno de dichos preceptos autoriza a la Administración española a expulsar a un extranjero por el mero hecho de haber desobedecido una orden de salida voluntaria. Para el Legislador nacional, la orden de salida voluntaria no tiene mayores efectos jurídicos, lo cual, a los efectos de la imperatividad de la normativa comunitaria, nuestro Derecho vulneraría la Directiva porque no se atienen a lo establecido en el artículo 8.1º".

Surgen dudas, como hemos apuntado anteriormente, sobre la posible vulneración del principio *ne bis in idem* que derivaría de la imposición a un extranjero de las medidas de multa y expulsión, de forma simultánea o sucesiva.

Recordemos, como recordatorio de la medida de expulsión establecida en nuestro ordenamiento jurídico, que la legislación de extranjería en España la configura como una forma de salida obligada por el ordenamiento del territorio nacional de los extranjeros.

La expulsión, puede tener varios motivos y producirse por distintas vías: puede ordenarse judicialmente, en los supuestos que prevé el Código Penal (CP), o

---

un «*dato propio de la situación*» de estancia ilegal, como no lo es el que se carezca de arraigo familiar o social que «*de existir constituiría, más bien, un dato a valorar positivamente*».

acordarse por medio de una resolución administrativa, en los casos establecidos en la normativa administrativa (art. 28.3 LOEx).

La medida de expulsión, sea penal o administrativa, implica la salida forzosa del territorio nacional del extranjero afectado, llevando aparejada la prohibición temporal de entrada en el mismo. Dicha prohibición tiene mayor duración si la expulsión es judicial, ya que es de 5 a 10 años, si se impone sobre la base del art. 89 del CP, y de 10 años si es aplicando el art. 108 del CP, mientras que en el caso de la expulsión administrativa la prohibición de entrada, según el art. 58, apartados 1 y 2 de la LOEx, se establece por un período máximo de hasta 5 años como regla general, pudiendo excepcionalmente ser de hasta 10 años. No obstante, la salida voluntaria del extranjero durante la tramitación del expediente conducente a la expulsión, o bien en el período voluntario que prevé la orden de expulsión, supone la revocación de la prohibición de entrada, salvo en el caso de expulsión por el procedimiento preferente, en que no existe tal período voluntario de salida.

Pero en su relación con el *ne bis in idem,* como ha dejado claro la doctrina, y nos remitimos a las consideraciones realizadas a este respecto por ALASTUEY DOBÓN[13], "con independencia de su configuración formal, la expulsión del extranjero no posee materialmente naturaleza sancionadora en ninguno de los supuestos en los que nuestro ordenamiento jurídico permite ordenarla".

Así, la expulsión tiene las características de una medida de restablecimiento de la legalidad cuando se basa únicamente en el hecho de que el extranjero se encuentre en situación de irregularidad administrativa, no constituyendo en sentido estricto tal situación una infracción administrativa.

III. CONCLUSIONES. EL ENCAJE DE LA STJUE DE 3 DE MARZO DE 2022 EN LA ACTUAL POLÍTICA MIGRATORIA EUROPEA

Como es conocido, ante las deficiencias y fracasos del Sistema Europeo Común de Asilo (SECA), evidenciados en la crisis de refugiados causada por la guerra en Siria y por las dificultades con las que se encontró de la política migratoria europea para gestionar las fuertes llegadas irregulares de inmigrantes provenientes del Norte de África y África Subsahariana, se ha hecho evidente la necesidad en la UE de renovar la política migratoria y de asilo[14], y, por ello, la

---

[13] ALASTUEY DOBÓN, CARMEN, "Sobre la naturaleza jurídica de la expulsión de extranjeros en el derecho español", *Revista Aragonesa de Administración Pública*, nª 56, 2021, p. 118.

[14] DURÁN RUIZ, FRANCISCO JAVIER, "Luces y sombras del Nuevo Pacto Europeo sobre Migración y Asilo en la Unión Europea", en ARROYO MARTÍNEZ SOTOMAYOR, ALEJANDRA, SUÁREZ MUÑOZ, ROBERTO y PÉREZ ALONSO, EDUARDO (Coords.), *Globalización: tipos y problemas mi-*

Comisión presentó el 23 de septiembre de 2020 su propuesta de Nuevo Pacto sobre Migración y Asilo de la Unión Europea[15].

La esencia de esta propuesta es tratar de proporcionar un marco más estable y sólido para una gestión coordinada y común de los desafíos fundamentales que plantean las migraciones en el territorio de la Unión, y se acompaña de una propuesta de paquete de nuevas normas que componen el marco legislativo que la Comisión lanza para tratar de poner en práctica un enfoque integral de la gestión del asilo y la migración.

Ya hemos criticado esta propuesta, sobre todo porque vuelve a pivotar sobre la obsesión securitaria de la Europa fortaleza y, en consecuencia, a nivel legislativo, sobre la Directiva de retorno[16] y su aplicación a los extranjeros en situación irregular, los solicitantes de protección internacional cuyas solicitudes sean rechazadas, etc. Seguir confiando el éxito de la política migratoria y de asilo de la UE al retorno carece de sentido, dado el escaso porcentaje de decisiones de retorno que consiguen ejecutarse finalmente, menor del 30% en términos globales[17].

Sin embargo, la cuestión del retorno como eje central de la política migratoria comunitaria aparece también en la STJUE de 3 de marzo de 2022 que estamos analizando, que recuerda en su apartado 45 que *"la obligación de proceder a la expulsión que el artículo 8 de dicha Directiva (la de retorno) impone a los Estados miembros debe cumplirse lo antes posible."* Asimismo, subraya que el Estado miembro de que se trate velará porque la prórroga del plazo para la salida voluntaria, concedida con arreglo al art. 7, apartado 2, de la Directiva 2008/115/CE, se limite a un tiempo prudencial y necesario en atención a las circunstancias específicas del caso concreto.

Consideramos que en las nuevas propuestas efectuadas en el marco de la política migratoria y de asilo de la UE la balanza se inclina demasiado hacia reforzar soluciones como el retorno, que se han demostrado ineficaces, y no se exploran vías muy positivas para la inserción social de los inmigrantes como los permisos de residencia por arraigo social, o la facilitación de la obtención y renovación de permisos de residencia y trabajo. En ellas, además, choca con el reparto actual de competencias con los Estados miembros.

---

gratorios en América Latina y la Unión Europea, Guanajuato: Universidad de Guanajuato (División de Derecho, Política y Gobierno) y Secularte A.C., 2021, p. 151.

15   Comunicación de la Comisión Europea al Parlamento Europeo, al Consejo, al Comité Económico y Social Europeo y al Comité de las Regiones COM (2020) 609 final, de 23 de septiembre de 2020.

16   DURÁN RUIZ, FRANCISCO JAVIER, "Política y regulación de la migración y el asilo en la Unión Europea en un contexto de pandemia y guerra", *Revista TraHs – Trayectorias Humanas Transcontinentales. Números especiales: Movilidad humana,* n° 8, 2022, p. 72.

17   DURÁN RUIZ, FRANCISCO JAVIER, "Luces y sombras del Nuevo Pacto Europeo sobre Migración y Asilo en la Unión Europea", *op. cit.,* p. 171.

En esta línea de agotar las posibilidades existentes en nuestro ordenamiento para la regularización del extranjero y no recurrir *prima facie* a la expulsión, compartimos y debemos subrayar, para para finalizar, la conclusión de COMINGES CÁCERES[18], el juez que planteó la cuestión prejudicial al TJUE que dio lugar a esta Sentencia de 3 de marzo de 2022, de que *"Por fin el TJUE ha comprendido que el sistema español no permite «regularizar» a un inmigrante sin autorización de residencia mediante la mera imposición de una multa. La multa no contiene una «reserva de dispensación». No exime al sancionado de su obligación de obtener los permisos preceptivos o de abandonar España en plazo determinado. Pero sí tiene la función de evitar un daño o sufrimiento desproporcionado e innecesario en supuestos en los que el extranjero cumpliría los requisitos para regularizarse en España, por ejemplo, por arraigo familiar o por razones humanitarias, ofreciendo así una última oportunidad para poder solicitar y obtener aquí la autorización de residencia. O para, retornando a su país de origen, poder instar desde allí una autorización de residencia y trabajo para regresar legalmente a España (lo que sería imposible con la prohibición de entrada ínsita a la sanción de expulsión)"*.

IV. BIBLIOGRAFÍA

AGUELO NAVARRO, PASCUAL y GRANERO SÁNCHEZ, HIPÓLITO VICENTE, "Estancia irregular: multa vs expulsión. El estado de la cuestión tras la STJUE de 8 de octubre de 2020 (As. Mo)", *Revista de Derecho Migratorio y Extranjería*, nº 56, 2021, pp. 103-132.

ALASTUEY DOBÓN, CARMEN, "Sobre la naturaleza jurídica de la expulsión de extranjeros en el derecho español", *Revista Aragonesa de Administración Pública*, nº 56, 2021, pp. 63-127.

COMINGES CÁCERES, FRANCISCO DE, "El Tribunal de Justicia de la UE valida la normativa española que prima la sanción de las situaciones de permanencia irregular de extranjeros con multa antes que expulsión (STJUE de 03/03/2022, asunto C-409/20)", *Diario La Ley*, nº 10033, 2022.

CONTRERAS SOLER, JAVIER, GARRÓS FONT, INMACULADA y CONTRERAS SOLER, BEATRIZ, "Estudio de distintos supuestos de expulsión de extranjeros a la luz de la jurisprudencia más reciente", *Revista Aranzadi Doctrinal*, nº 7, 2021.

---

18   COMINGES CÁCERES, FRANCISCO DE, "El Tribunal de Justicia de la UE valida la normativa española que prima la sanción de las situaciones de permanencia irregular de extranjeros con multa antes que expulsión (STJUE de 03/03/2022, asunto C-409/20)", *Diario La Ley*, nº 10033, 2022.

DURÁN RUIZ, FRANCISCO JAVIER, "Luces y sombras del Nuevo Pacto Europeo sobre Migración y Asilo en la Unión Europea", en ARROYO MARTÍNEZ SOTOMAYOR, ALEJANDRA, SUÁREZ MUÑOZ, ROBERTO y PÉREZ ALONSO, EDUARDO (Coords.), *Globalización: tipos y problemas migratorios en América Latina y la Unión Europea*, Universidad de Guanajuato (División de Derecho, Política y Gobierno) y Secularte A.C., 2021, Guanajuato, pp. 151-177.

DURÁN RUIZ, FRANCISCO JAVIER, "Política y regulación de la migración y el asilo en la Unión Europea en un contexto de pandemia y guerra", *Revista TraHs – Trayectorias Humanas Transcontinentales. Números especiales: Movilidad humana*, n° 8, 2022, pp. 51-74.

FUERTES LÓPEZ, FRANCISCO JAVIER, "Expulsión de extranjeros en situación irregular. (Comentario a la Sentencia de la Sala de lo Contencioso-Administrativo del Tribunal Supremo de 17 de marzo de 2021)", *Revista Aranzadi Doctrinal*, n° 6, 2021.

LAFUENTE SÁNCHEZ, RÁUL, "Decisiones de retorno contra nacionales de terceros estados que se encuentren en situación irregular en España: consecuencias de la (supuesta) incompatibilidad de la Ley de Extranjería con la Directiva 2008/115 y de su ausencia de efecto directo vertical", *Cuadernos de Derecho Transnacional*, vol. 13, n° 1, 2021, pp. 388-407.

NÚÑEZ HERRERA, VLADIMIR E., "Refundición de la directiva 2008/115 CE. Garantías o retrocesos en los derechos fundamentales de los extranjeros en los procesos de retorno/expulsión", *Revista de Derecho Migratorio y Extranjería*, n° 52, 2019, pp. 17-54.

PEY GONZÁLEZ, JOSÉ MARÍA, "¿Multa versus expulsión ante la estancia irregular del ciudadano extranjero? Interpretación del precepto sancionador estrella de la normativa de extranjería a la luz de la Sentencia del Tribunal de Justicia de la UE, de 8/10/2020 (C-568/19)", *Diario La Ley*, n° 9827, 2021.

PLEITE GUADAMILLAS, FRANCISCO, "¿Es compatible la sanción de multa por estancia irregular con la «decisión de retorno» de la Directiva 2008/115 CE del Parlamento Europeo y del Consejo de 16 de diciembre de 2008?", *Actualidad Administrativa*, n° 10, 2021.

TOLOSA TRIBIÑO, CÉSAR, "Extranjeros en situación irregular: ¿expulsión o multa? El fin de una polémica", *Revista de Derecho Migratorio y Extranjería*, n° 49, 2018, pp. 49-68.

TELETRABAJADORES A DISTANCIA EXTRANJEROS Y DERECHO DE EXTRANJERÍA: ¿QUIÉNES SON Y CUÁL ES SU ESTATUS JURÍDICO?[*]

LUCÍA I. SERRANO SÁNCHEZ

Profesora Ayudante Doctora de Derecho internacional privado
Universidad de Málaga

I. INTRODUCCIÓN

La relevancia de esta investigación está en su novedad, así como en la escasa doctrina existente respecto a la residencia en nuestro país de extranjeros que teletrabajan para un empleador establecido en España, en otro Estado miembro de la UE/EEE, o en un tercer Estado. Es esta, sin embargo, una cuestión que presenta un mayor desarrollo doctrinal en el Derecho laboral, con especial incidencia en el período de pandemia por Covid-19[1]. Ello justifica que el objetivo

---

[*] Trabajo realizado en el marco de los proyectos de I+D+i "El derecho al respeto a la vida familiar transfronteriza en una Europa compleja: cuestiones abiertas y problemas de la práctica" (PID2020-113061GB-I00) y "Nuevos retos y reformas pendientes de la justicia penal de menores (PID2021-125718NB-100), financiados ambos por el Ministerio de Ciencia e innovación.

[1] Sobre los efectos del Covid.19 en la normativa laboral y el teletrabajo *vid.* MONEREO PÉREZ, JOSÉ LUIS y LÓPEZ VICO, SHEILA, *El teletrabajo tras la pandemia del Covid-19. Una reflexión sobre su ordenación y normalización jurídica*, Laborum, Murcia, 2022. Sobre los derechos digitales de los trabajadores *vid.* LOZANO LARES, FRANCISCO, "Tiempo de trabajo y derechos digitales", en GONZÁLEZ ORTEGA, SANTIAGO (Coord.), *El nuevo escenario en materia de tiempo de trabajo*, Consejo Andaluz de Relaciones Laborales, Sevilla, 2020, pp.289-326. Y sobre el derecho a la intimidad en el trabajo en relación con las nuevas tecnologías *vid.* LÓPEZ INSUA, BELÉN DEL MAR, "Derecho a la intimidad en el trabajo y nuevas tecnologías", en AA.VV., *Innovación tecnológica, cambio social y sistema de relaciones laborales: Nuevos paradigmas para comprender el derecho del trabajo del siglo XXI*, Comares, Granada, 2021, pp. 253-300.

principal de este capítulo sea precisamente identificar cuáles son las diferentes categorías, implícitas y explícitas, de teletrabajadores existentes[2], así como precisar cuál es el estatus legal que tales teletrabajadores, de ser extranjeros no comunitarios[3], tienen a la luz de la vigente legislación española de extranjería, en concreto: a) en la Ley Orgánica 4/2000, de 11 de enero, sobre derechos y libertades de los extranjeros en España y su integración social[4] (en adelante, LOEx), así como en su Reglamento de desarrollo, aprobado por RD 557/2011, de 20 de abril[5] (en adelante, RLOEx), este último reformado por el RD 629/2022, de 26 de julio[6]; b) en el Real Decreto 240/2007, de 16 de febrero, sobre entrada, libre circulación y residencia en España de ciudadanos de los Estados miembros de la Unión Europea y de otros Estados parte en el Acuerdo sobre el Espacio Económico Europeo[7], y, finalmente, c) en la Ley 14/2013, de 27 de septiembre, de apoyo a los emprendedores y su internacionalización[8] (en adelante, Ley 14/2013). Esta última ha sido recientemente reformada por la Ley 28/2022, de 21 de diciembre, de fomento del ecosistema de las empresas emergentes (en adelante, Ley de startups)[9], por lo que en este trabajo trataremos igualmente de efectuar una aproximación al estatus legal que para los teletrabajadores a distancia extranjeros se prevé en la ya reformada Ley 14/2013.

El marco legal de los teletrabajadores extranjeros en nuestro país es, evidentemente, un marco normativo que no puede permanecer impasible frente a los cambios sociales y hábitos laborales tanto de la población nacional como de la no nacional con deseo de establecerse en España. Tampoco frente a la tendencia mundial de creación de empresas emergentes o "startup", de su reciente regulación jurídica, y de las nuevas vacantes caracterizadas por la deslocalización del trabajo y del trabajador, lo que a su vez se presenta como un incentivo tentador para la captación de plantilla laboral o profesional. Según InfoJobs, "1 de cada 4 personas que trabajan en remoto, dejará su lugar de residencia actual a lo largo de 2022 para vivir en otro lugar. El 17 % cambiará de residencia de forma puntual, y el 7 % de los teletrabajadores lo hará de forma permanente"[10]. Este

---

[2]   A los teletrabajadores también se los denomina nómadas digitales o trabajadores a distancia.

[3]   Centramos nuestra atención, efectivamente, en los extranjeros nacionales de terceros Estados, con independencia de que sean o no familiares de ciudadanos de la UE/EEE/Suiza.

[4]   *BOE* n° 10, de 12 de enero de 2000.

[5]   *BOE* n° 103, de 30 de abril de 2011.

[6]   *BOE* n° 179, de 27 de julio de 2022.

[7]   Real Decreto 240/2007, de 16 de febrero, sobre entrada, libre circulación y residencia en España de ciudadanos de los Estados miembros de la Unión Europea y de otros Estados parte en el Acuerdo sobre el Espacio Económico Europeo (*BOE* n° 51, de 28 de febrero de 2007).

[8]   *BOE* n° 233, de 28 de septiembre de 2013.

[9]   *BOE* n° 306, de 22 de diciembre de 2022.

[10]   *Vid.* INFOJOBS, *Estado del mercado laboral en España*, marzo de 2022, p. 135. Disponible en: https://nosotros.infojobs.net/wp-content/uploads/2022/03/Informe-Anual-InfoJobs-Esade-2021.pdf

cambio de residencia se acompaña del mayor número de vacantes ofertadas en modalidad de teletrabajo: "se ha pasado de 15.711 puestos vacantes en el año 2015, a 556.088 en el año 2021. Y en agosto del año 2022 esta cifra ya ascendía a 516.162"[11]. Esto significa que ha habido un incremento en esta modalidad de trabajo de más de 3.539 % en tan solo seis años. Una tendencia de crecimiento que sigue en aumento, y que, si se acompaña de las reglas fiscales, laborales, mercantiles y de extranjería adecuadas, determinará un considerable incremento de solicitudes de autorizaciones de residencia y de trabajo y, por ende, de pago de tasas, con el consiguiente beneficio para las arcas públicas españolas.

En este trabajo se parte, como es obvio, de las normas que respaldan la contratación de extranjeros en esta modalidad de trabajo: la Ley 10/2021, de 9 de julio de trabajo a distancia[12]; el RDL 32/2021, de 28 de diciembre de medidas urgentes para la reforma laboral, la garantía de la estabilidad en el empleo y la transformación del mercado de trabajo[13] y, finalmente, la Ley de startups ya mencionada. En los dos primeros instrumentos normativos, es verdad, solo encontramos mínimas alusiones al elemento extranjero. La Ley 10/2021, concretamente, solo se refiere a los extranjeros en dos ocasiones: 1) en relación con la cuantía de las infracciones y sanciones en el orden social[14] y 2) al contemplar la posibilidad de que el trabajador a distancia se beneficie del ingreso mínimo vital, imponiendo al teletrabajador extranjero la obligación de comunicar, y en su caso justificar, las salidas, continuadas o no al extranjero, superiores a 90 días naturales durante cada año natural[15]. El RDL 32/2021, por su parte, solo alude en su Preámbulo a la atracción de inversión extranjera. Sin embargo, en la Ley de startups sí que encontramos un mayor desarrollo normativo de extranjería, contemplándose en él, por primera vez, la categoría legal de teletrabajador con carácter internacional. De ahí que en nuestro estudio prestemos especial atención a esta última norma, examinando, contrastadamente, el nuevo régimen de extranjería en él previsto con el marco legal de extranjería vigente con anterioridad a su existencia[16].

---

[11]   *Vid.* MENESES, NACHO, "Y después de la pandemia, ¿qué pasa con el teletrabajo", Diario El País, 21 de septiembre de 2022. Disponible en: https://elpais.com/economia/formacion/2022-09-21/y-despues-de-la-pandemia-que-pasa-con-el-teletrabajo.html

[12]   *BOE* n° 164, de 10 de julio de 2021.

[13]   *BOE* n° 313, de 30 de diciembre de 2021.

[14]   *Vid.* Disposición Final Primera Ley 10/2021.

[15]   *Vid.* Disposición Final Undécima Ley 10/2021.

[16]   Las normas de extranjería españolas, tal y como señala, el Prof. Ángel Espiniella Menéndez, son leyes de policía ajenas al Derecho privado contractual, pero que tienen especial incidencia en el contenido del contrato de trabajo y en la posibilidad real de desempeñar una actividad laboral o profesional a distancia desde el domicilio del extranjero en España. Por consiguiente, pudieran considerarse como un paso previo a dar, antes de la firma de un contrato laboral internacional. *Vid.* ESPINIELLA MENÉNDEZ, ÁNGEL, *La relación laboral internacional*, Tirant lo Blanch, Valencia, 2022, p. 100. De ahí que en esta investigación nos centremos en el análisis de las categorías legales de teletrabajadores implícitas y explícitas en la normativa de extranjería española. En nuestra opi-

II. LOS TELETRABAJADORES A DISTANCIA EXTRANJEROS SOMETIDOS AL RÉGIMEN GENERAL O COMUNITARIO DE EXTRANJERÍA

En este primer apartado analizaremos el régimen al que en la actualidad quedan sometidos en nuestro país los teletrabajadores a distancia extranjeros, examinando de forma diferenciada según que a los mismos resulte de aplicación el régimen general previsto en la LOEx y el RLOEx, el régimen especial de Ley 14/2013 (antes de su reforma por la Ley de startups), o el régimen comunitario del RD 240/2007. En todo caso, hemos de empezar destacando que en el vigente marco legal de extranjería no existe una categoría específica de "teletrabajador a distancia extranjero", por lo que hemos de tener presente que, en el ámbito laboral, se define el teletrabajo como "aquel trabajo a distancia que se lleva a cabo mediante el uso exclusivo o prevalente de medios y sistemas informáticos, telemáticos y de telecomunicación" (art. 2, letra b, Ley 10/2021), y el trabajo a distancia como "la forma de organización del trabajo o de realización de la actividad laboral conforme a la cual esta se presta en el domicilio de la persona trabajadora o en el lugar elegido por esta, durante toda su jornada o parte de ella, con carácter regular" (art. 2, letra a, Ley 10/2021). Este último, a su vez, se considera regular si, en un período de referencia de 3 meses, supone un mínimo del 30 % de la jornada, o el porcentaje proporcional equivalente en función de la duración del contrato de trabajo (art. 1 Ley 10/2021). La prestación laboral del teletrabajador a distancia se realiza de ordinario para un empresario o empleador que tiene su "sede laboral" en España, aun cuando puede tratarse de un teletrabajador cedido por otra empresa que no se encuentre en España (art. 1.2 Estatuto de los Trabajadores).

Por la redacción que presenta la Ley 10/2021, se podría en principio entender que el teletrabajo a distancia solo se contempla para los trabajadores por cuenta ajena y, además, para empresas radicadas en España. Sin embargo, a nuestro entender, el teletrabajo queda también abierto para los trabajadores por cuenta propia, esto es, para los autónomos. Además, no hay nada que impida que, valiéndose de medios y sistemas informáticos, telemáticos y de telecomunicación,

---

nión, esta incidencia del Derecho de extranjería sobre el contrato de trabajo será el relativo a las obligaciones contractuales del empleador (o del cliente/s) de proporcionar la documentación que se le solicite por parte del extranjero con intención de teletrabajar desde su domicilio en España. También, en el caso de las diversas autorizaciones de residencia por cuenta ajena, de que sea el propio empresario el que tramita la autorización de residencia del extranjero ante la autoridad española competente. Sobre la documentación que se debe aportar actualmente, y la que consideramos que debería aportarse, profundizaremos a lo largo de este trabajo distinguiendo entre si el empleador radica en España, en un Estado miembro de la UE/EEE, o en un tercer Estado, del tipo de régimen de extranjería aplicable, y de la categoría implícita o explícita de teletrabajador.

un teletrabajador, sea por cuenta ajena o propia, pueda trabajar o presentar servicios para clientes o empresas que no se hallen establecidos en nuestro país. Partiendo de esta concepción propia, trataremos a continuación de desvelar cuáles son las categorías legales en las que, en la normativa de extranjería vigente, puede tener encaje un teletrabajador a distancia extranjero. Todo ello, independientemente de que su empleador o cliente se halle o no establecido en España, precisando, asimismo, el régimen al que aquél, en cada caso, quedará sometido. Si bien es verdad que un teletrabajador extranjero, en estos momentos, se podría ciertamente subsumir en casi todas las categorías legales contempladas tanto en el régimen general de extranjería[17], como en el especial de la Ley 14/2013 antes de su reforma por la Ley de startups.

1. Extranjeros residentes en España y teletrabajadores a distancia también en España

Dentro del vigente marco legal de extranjería, pueden ciertamente ejercer el teletrabajo a distancia algunas categorías de trabajadores sujetos a autorización de residencia y trabajo, sea por cuenta ajena o propia[18]. Así, dentro del régimen general de extranjería, pueden ejercer el teletrabajo a distancia los extranjeros titulares de cualquiera de las siguientes autorizaciones: a) autorización de residencia y trabajo por cuenta ajena inicial (arts. 36, 38, y 40 LOEx y arts. 62-72 RLOEx); b) autorización de residencia y trabajo por cuenta propia (arts.103-109 RLOEx); c) autorización de residencia y trabajo por cuenta ajena de duración determinada (arts. 97-102 RLOEx)[19]; d) autorización de trabajo por cuenta propia/ajena para trabajadores transfronterizos (arts. 182-184 RLOEx); e) autorización de residencia y trabajo en el marco de prestaciones transnacionales de servicios o autorización para trabajos de temporada o campaña en el marco de prestaciones transnacionales de servicios (art. 43.2 LOEx, arts. 110-116 RLOEx y Ley 45/1999[20]); f) autorización de residencia y trabajo de extranjeros admitidos como investigadores en un Estado miembro de la UE (arts. 18.1 y 38 bis LOEx

---

[17]   Para un análisis más profundo sobre el régimen general de extranjería *vid.* AZCÁRRAGA MONZONÍS, CARMEN, "Lección 5ª. El régimen jurídico de la extranjería en España", en FERNÁNDEZ MASIÁ, ENRIQUE, *Nacionalidad y extranjería*, 3ª edic., Tirant lo Blanch, Valencia, 2021, pp. 79-94.

[18]   Para un análisis más profundo sobre las autorizaciones de residencia de trabajo y residencia por cuenta ajena y propia *vid.* PUERTA VÍLCHEZ, JUAN MANUEL, "Capítulo 7. Autorizaciones de residencia y trabajo", en *Memento de extranjería,* 3ª edic., Francis Lefebvre, Madrid, 2021, pp. 95-154.

[19]   Son autorizaciones de residencia y trabajo por un período de tiempo inferior a un año. Se distingue entre contratos de temporada, prácticas de formación, contratos de obra o servicio, y contratos para personal de alta dirección. Este tipo de autorización de residencia y trabajo del Reglamento de extranjería ha sido suprimido por el RD 629/2002 y dejará de aplicarse a partir del 27 de julio de 2023 (artículo único y Disposición Final única RD 629/2022).

[20]   Ley 45/1999 de 29 de noviembre, sobre el desplazamiento de trabajadores en el marco de una prestación de servicios transnacional (*BOE* nº 286, de 30 de noviembre de 1999).

y arts. 73-84 RLOEx); g) autorización de residencia y trabajo de profesionales altamente cualificados (art. 38 ter LOEx, y arts. 85-94 RLOEx); h) autorización de residencia y trabajo por la que se habilita a extranjeros titulares de una tarjeta azul-UE en otro Estado de la UE a ejercer un empleo cualificado en España (art. 38 ter LOEx y arts. 84-93 RLOEx); i) autorización de residencia con exceptuación de autorización de trabajo (art. 41 LOEx y arts. 117 y 119 RLOEx); j) autorización de residencia temporal y trabajo por cuenta ajena para deportistas profesionales estables (arts. 62-70 RLOEx); k) autorización de residencia y trabajo de duración determinada (arts. 97-102 RLOEx); l) autorización de residencia y trabajo en el marco de la gestión colectiva de contrataciones en origen (arts. 167-177 RLOEx), etc.

Por lo que respecta al régimen especial de la Ley 14/2013 (antes de su reforma por la Ley de startups)[21], pueden entrar y permanecer en España por razones de interés económico, y, una vez en España, ejercer el teletrabajo a distancia, los extranjeros que, de conformidad con lo previsto en la citada Ley, tengan la condición de: a) inversores (arts. 63-67); b) emprendedores (arts. 68-70); c) profesionales altamente cualificados (art. 71); d) investigadores (art. 72); e) trabajadores que efectúen movimientos intra empresariales (arts. 73-75); f) familiares de los supuestos anteriores (art. 62); g) trabajadores en producciones del sector audiovisual y cultural (Orden PCM/1238/2021, de 12 de noviembre, por la que se publica el Acuerdo del Consejo de Ministros de 2 de noviembre de 2021 por el que se aprueban las instrucciones por las que se determina el procedimiento de entrada y permanencia de nacionales de terceros países que ejercen actividad en el sector audiovisual[22]) o h) participantes profesionales en la copa de América de Vela (Orden PCM/861/2022, de 8 de septiembre, por la que se publica el Acuerdo del Consejo de Ministros de 6 de septiembre de 2022, por el que se aprueban las instrucciones por las que se determina el procedimiento de entrada y permanencia de nacionales de terceros países que participan profesionalmente en la 37.ª Copa América de Barcelona[23]).

Entre las autorizaciones de residencia y/o trabajo expuestas, consideramos que, en la actualidad, lo más factible es que el ejercicio del teletrabajo a distancia por extranjeros se lleve a cabo bajo la modalidad de trabajador por cuenta ajena, trabajador por cuenta propia, y, en ocasiones, trabajadores altamente cualificados. Y ello teniendo presente que los trabajos o profesiones en las que, en estos momentos, existen mayores posibilidades de teletrabajar a distancia, están

---

[21]   Para un análisis más profundo sobre la Ley 14/2013 desde un punto de vista práctico, *vid.* TORRES RODRÍGUEZ, ANA MARÍA, "Capítulo 19. Entrada y permanencia por razones de interés económico" y "Capítulo 20. Requisitos que deben cumplir los solicitantes de visado o autorización de residencia", en *Memento de extranjería, op. cit.*, pp. 279-283 y pp. 285-309, respectivamente.

[22]   *BOE* nº 272, de 13 de noviembre de 2021.

[23]   *BOE* nº 218, de 10 de septiembre de 2022.

relacionados con: informática y telecomunicaciones; comercial y ventas; marketing y comunicación; finanzas y banca; recursos humanos; atención al cliente; asesoramiento legal, etc.[24].

En el caso de los teletrabajadores a distancia extranjeros por cuenta ajena por el régimen de extranjería se entiende que están trabajando para un empleador establecido en España. Y ello por cuanto al regular la documentación que ha de aportar el empleador para la obtención de la correspondiente autorización para el teletrabajador extranjero, figura, además de la acreditativa de la solvencia económica del empleador, el certificado negativo de no adeudar aquél nada a Hacienda y a la Seguridad Social, así como copia del IVA o IRPF. Así pues, la "sede laboral" del empleador para el que se prestan los servicios de teletrabajo coincide con el lugar de residencia del teletrabajador extranjero, quedando este último sometido a la regulación laboral, social y fiscal española. Y, entre las obligaciones laborales, figura además el acuerdo de trabajo a distancia (art. 5 Ley 10/2021). Además, no debemos olvidar que, la mayoría de las veces habrá que tomar en consideración la situación nacional de empleo (art. 40 LOEx).

También los profesionales extranjeros con autorización de residencia y trabajo por cuenta propia que prestan servicios de teletrabajo a distancia, en principio, solo van a poder prestar sus servicios a personas físicas o jurídicas establecidas en España. Así parece desprenderse de la Sentencia de la Sala de lo contencioso administrativo del TSJM de 20 de enero de 2022[25], en la que se desestima el recurso de un nacional estadounidense que pretendía teletrabajar desde su domicilio en España como técnico informático para la subcontrata de Microsoft Excel, Excel4Business de Cambridge, localizada en Inglaterra. En el Fundamento de Derecho primero se afirma que "el interesado pretende desarrollar una actividad laboral desde su domicilio sin acreditar una estructura empresarial propia de los trabajadores autónomos, no hay constancia de la existencia de ningún acuerdo de relación laboral en nuestro país, su proyecto no implica la apertura de establecimiento alguno que requiera la tramitación de las licencias propias de un negocio y el único documento presentado junto a la interposición del presente recurso es un acuerdo de asesoría con una empresa con sede en Cambridge". Se explica así que uno de los documentos cuya presentación se suela exigir al teletrabajador a distancia extranjero que pretenda obtener una autorización de residencia y trabajo inicial por cuenta propia entregar sea una hoja de posibles encargos de empresas o personas físicas que se encuentren en el país.

El solicitante de una autorización de residencia y trabajo por cuenta propia puede presentar perfiles muy diversos. Así, bien podría ser un extranjero que

---

[24]   INFOJOBS, *loc. cit.*, p.134.
[25]   Roj: STSJ Madrid 511/2022–ECLI:ES: TSJM: 2022:511.

haya constituido previamente una empresa en España (p.e., una empresa de importación y exportación de productos informáticos), pero esta se encuentre inactiva mientras se dota a la citada persona con una autorización de residencia y trabajo; o un extranjero que pretenda ejercer en España su actividad profesional, sin constituir empresa alguna, dedicándose, p.e., al diseño gráfico o a la prestación de servicios de traducción con diversas empresas o personas físicas que le encarguen trabajos con los que obtener los medios económicos suficientes para mantener su derecho de residencia y trabajo en España; o incluso un extranjero que haya cursado estudios de traducción en el país y que pretenda darse de alta como autónomo y empezar a trabajar desde casa. Y, en cualquiera de estos supuestos, el teletrabajador a distancia extranjero quedará sometido a la legislación española en materia social y fiscal.

Tanto en uno como en otro supuesto, esto es, tanto si el teletrabajador a distancia extranjero pretende trabajar por cuenta ajena como si lo va a hacer por cuenta propia, se deberá acreditar que se halla en posesión de la formación necesaria para el desempeño de la actividad de que se trate. Y, en el supuesto de que el extranjero haya obtenido su formación en el extranjero, será preciso aportar prueba de que el título acreditativo de estar aquél en posesión de la formación necesaria, dependiendo del caso, ha sido sometido al preceptivo trámite de homologación o de reconocimiento de cualificaciones profesionales, así como también, en los casos que resulte exigible, prueba de estar colegiado[26]. El trabajador por cuenta propia, además, debe agregar documentación que acredite la sufi-

---

[26]   La normativa reguladora de la homologación y de la declaración de equivalencia de los títulos de educación universitaria se halla constituida por el RD 889/2022, de 18 de octubre, por el que se establecen las condiciones y los procedimientos de homologación, de declaración de equivalencia y de convalidación de enseñanzas universitarias de sistemas educativos extranjeros y por el que se regula el procedimiento para establecer la correspondencia al nivel del Marco Español de Cualificaciones para la Educación Superior de los títulos universitarios oficiales pertenecientes a ordenaciones académicas anteriores (*BOE* nº 251, de 19 de octubre de 2022), debiéndose tener igualmente presente lo establecido en el RD 459/2010, de 16 de abril, por el que se regulan las condiciones para el reconocimiento de efectos profesionales a títulos extranjeros de especialista en Ciencias de la Salud, obtenidos en Estados no miembros de la Unión Europea (*BOE* nº 107, de 3 de mayo de 2010). Y tratándose de títulos de educación no universitaria, habrá que estar a lo previsto en el RD 104/1988, de 29 de enero (*BOE* nº 41, de 17 de febrero de 1988), así como en la OM de 14 de marzo de 1988 (*BOE* nº 66, de 17 de marzo de 1988), modificada por las OOMM de 30 de abril de 1996 (*BOE* nº 112, de 8 de mayo de 1996) y de 16 de diciembre de 2002 (*BOE* nº 311, de 28 de diciembre de 2022). Por lo que respecta al reconocimiento de cualificaciones profesionales, la normativa a la que habrá que atender será la contenida en el Real Decreto 581/2017, de 9 de junio, por el que se incorpora al ordenamiento jurídico español la Directiva 2013/55/UE del Parlamento Europeo y del Consejo, de 20 de noviembre de 2013, por la que se modifica la Directiva 2005/36/CE relativa al reconocimiento de cualificaciones profesionales y el Reglamento (UE) nº 1024/2012 relativo a la cooperación administrativa a través del Sistema de Información del Mercado Interior (Reglamento IMI) (*BOE* nº 138, de 10 de junio de 2017). Respecto al reconocimiento de cualificaciones profesionales y a la homologación, como presupuestos para el ejercicio de una profesión regulada en nuestro país, *vid.* MORENO CORDERO, GISELA, "La nacionalidad y el ejercicio de una

ciente inversión prevista para la implantación del proyecto y sobre la incidencia, en su caso, en la creación de empleo, incluyendo autoempleo; y un informe de valoración emitido por las organizaciones autorizadas[27].

El extranjero profesional altamente cualificado requiere, para poder obtener su autorización de residencia y/o trabajo inicial, la misma documentación que el trabajador por cuenta ajena, excepto el formulario y el requisito del salario bruto anual. En este tipo de autorización de residencia el salario debe ser al menos 1.5 veces el salario bruto medio de la profesión que vaya a desempeñar, salvo que se trate de una profesión en la que haya una necesidad particular y pertenezca a los grupos 1 y 2 de la clasificación internacional uniforme de ocupaciones, ya que, en tales casos, se permite que el salario sea 1.2 veces el salario bruto anual. Estos dos grupos son los relativos a los miembros del poder ejecutivo y de los cuerpos legislativos y personal directivo de la Administración pública y de empresas, así como profesionales científicos e intelectuales. Y, de estos dos grandes grupos, los más proclives para el teletrabajo son los profesionales de la informática, así como los profesionales de la enseñanza, siempre que sea virtual. Tal es el caso de, p.e., de los profesores universitarios que trabajan en una Universidad a distancia como la UNED, aun cuando no hemos de olvidar que, durante la pandemia, todos los profesionales de la enseñanza teletrabajaron a distancia. Este tipo de autorización de residencia y trabajo es, sin duda, más difícil de obtener por parte de un extranjero, pues no solo requiere de la homologación del título o reconocimiento de la cualificación profesional que posea el extranjero, sino también de que aquél encuentre a un empresario que esté dispuesto a contratarlo con un salario elevado. De ahí que no sea el tipo de autorización de residencia y trabajo que se suela solicitar para el ejercicio en nuestro país de una actividad de teletrabajo a distancia

En resumen, un extranjero, antes de la reforma del régimen especial de la Ley 14/2013 por la Ley de startups, podía estar residiendo en España y teletrabajando legalmente, sea por cuenta ajena o propia, pero solo para empresas radicadas en nuestro país.

A nuestro entender, el régimen general y el régimen comunitario de la normativa de extranjería vigente (LOEx, RLOEx, y RD 240/2007) debería modificarse, no solo para incorporar la categoría legal de teletrabajador a distancia, sino asimismo para contemplar la posibilidad de solicitar una autorización de

---

profesión regulada en la UE", en MOYA ESCUDERO, MERCEDES (Dir.), *Movilidad internacional de personas y nacionalidad,* Tirant lo Blanch, Valencia, 2021, pp. 297-338.

[27] Las organizaciones autorizadas son: Federación Nacional de Asociaciones de Empresarios y Trabajadores Autónomos (ATA); Unión de Profesionales y Trabajadores Autónomos (UPTA); Confederación Intersectorial de Autónomos del Estado Español (CIAE); Organización de Profesionales y Autónomos (OPA) y la Unión de Asociaciones de Trabajadores Autónomos y Emprendedores (UATAE).

residencia y trabajo para un extranjero que vaya a residir en nuestro país y desarrollar, sea por cuenta ajena o propia, una actividad de teletrabajo a distancia
para un empresario o para clientes establecidos fuera de España. Esta última
propuesta consideramos que debería incorporarse en la recién reformada Ley
14/2013 también. Y, para tales situaciones, debería establecerse la necesidad de
que la persona que vaya a solicitar la correspondiente autorización de residencia
y trabajo especifique el país en que se dará de alta al trabajador y dónde este
pagará sus impuestos por recibir en él su salario o sus ingresos, esto es, si será en
España o en el país donde se halle establecido el empleador o, en su caso, los
clientes del teletrabajador a distancia. Asimismo, en el caso del teletrabajador
por cuenta ajena, será preciso que el empleador establecido en el extranjero
aporte copia del contrato de trabajo extranjero, el acuerdo de trabajo a distancia
firmado por el trabajador por cuenta ajena, así como certificado negativo de no
adeudar nada a la Hacienda y a la Seguridad social (u órganos respectivos) del
país donde radique la empresa empleadora.

De este modo nos estaríamos asegurando que no se acabe realizando ninguna
actividad laboral/profesional encubierta, esto es, que la prestación laboral o profesional que se lleve a cabo en nuestro país no se ejerza en economía sumergida,
garantizando de este modo que la actividad en cuestión quede sujeta a las obligaciones laborales, sociales o fiscales pertinentes, sea en nuestro país o en aquél a
cuya legislación haya que estar al respecto. Cierto es que el art. 7.1 del TRLGSS[28]
obliga a los extranjeros residentes y trabajadores a distancia por cuenta ajena a
estar dados de alta en la Seguridad Social española; pero no podemos ignorar
que, en la práctica, se pueden ciertamente dar supuestos en que un extranjero
con residencia en España esté ejerciendo, asimismo, en nuestro país una actividad laboral o profesional a distancia no declarada para un empresario o para
unos clientes establecidos en un país extranjero, ya se trate del país de origen del
trabajador o de cualquier otro.

2. Extranjeros residentes en España y teletrabajadores a distancia en el extranjero

Dentro de este colectivo se integran todos aquellos extranjeros que residen
en nuestro país con una autorización de residencia no lucrativa (arts. 30 bis, y 31
LOEx, y arts. 45-49 RLOEx), autorización esta última que, como es sabido, solo
autoriza al extranjero a residir en España sin realizar ninguna actividad laboral
o profesional. La cuestión está en saber si un extranjero con autorización de
residencia no lucrativa puede, pese a no estar autorizado a ejercer ninguna actividad laboral o profesional en España, desarrollar una actividad de teletrabajo a

---

[28]   Real Decreto Legislativo 8/2015, de 30 de octubre, por el que se aprueba el texto refundido de la
       Ley General de la Seguridad Social (*BOE* n° 261, de 31 de octubre de 2015).

distancia para un empresario o para unos clientes establecidos en el extranjero. Y ello, por cuanto la normativa de extranjería no precisa si la limitación que la autorización de residencia no lucrativa conlleva para su titular de no poder realizar ninguna actividad laboral o profesional, se halla referida exclusivamente a servicios laborales o profesionales prestados en España, o incluye, asimismo, servicios prestados en cualquier otro Estado bajo la modalidad de trabajo a distancia. En definitiva, existe un vacío en la normativa de extranjería vigente respecto a si cabe o no entender que trabaja en España el extranjero que, residiendo en nuestro país, presta telemáticamente servicios laborales o profesionales para un empresario o unos clientes establecidos en el extranjero.

En este punto, no obstante, no podemos ignorar una realidad, y es que la posibilidad de que un extranjero con residencia no lucrativa en España pueda teletrabajar fuera del país ha sido rechazada en reiteradas ocasiones por la Sala de lo Contencioso- Administrativo del TSJ de Madrid, por entender que ello resulta incompatible con la naturaleza de este tipo de autorizaciones, de conformidad con el tenor literal del art. 46.1 RLOEx, que exige la no realización de ningún tipo de actividad laboral o profesional[29].

Sirvámonos de ejemplo dos recientes Sentencias del TSJ de Madrid, en las que se niega la solicitud de visado de residencia no lucrativa a extranjeros que pretendían teletrabajar desde España en el ámbito laboral legal. Nos referimos, concretamente, a las SSTSJ Madrid de 26 de julio de 2022[30] y de 10 de junio de 2022[31]. En la primera de ellas se desestima el recurso contencioso-administrativo planteado por un ciudadano libanés con residencia en el Líbano y letrado de profesión en dicho país, que pretendía trasladar su residencia efectiva a España, contra la denegación de su solicitud de visado de residencia no lucrativa. En esta última el solicitante alegaba ser abogado colegiado en el Líbano, aportando contratos como consultor jurídico de varias empresas y acreditando su condición de cooperador con causas pendientes de una firma de abogados libanesa. En la segunda sentencia, por su parte, se deniega la solicitud de visado a un ciudadano iraní residente en Teherán. Este último, al ser entrevistado en la Embajada de España en Teherán, había hecho saber que era abogado senior y dueño de un despacho en el que trabajaban otros abogados y que su intención, una vez afincado en España, era de no dejar su despacho y seguir trabajando en él desde nuestro país, coordinando y gestionando todos los casos mediante reuniones en línea, y teletrabajando.

---

[29]   Así se interpreta reiteradamente en las múltiples Sentencia por este Tribunal entre otras, en las SSTSJ de Madrid de 11 de junio de 2021 (Roj: STSJ Madrid 7357/2021–ECLI:ES: TSJM:2021:7357) y de 22 de febrero de 2021 (Roj: STSJ Madrid 2181/2021-ECLI:ES: TSJM:2021:2181).
[30]   Roj: STSJ Madrid 10348/2022- ECLI:ES: TSJM: 2022:10348.
[31]   Roj: STSJ Madrid 8219/2022-ECLI:ES: TSJM: 2022: 8219.

En la Sentencia de la Sala de lo Contencioso-Administrativo del TSJ de Madrid de 11 de marzo de 2022[32] se deniega igualmente el visado de residencia no lucrativa a un extranjero residente en esta ocasión en Argelia. Este último, en su solicitud, presenta un certificado de la empresa argelina en la que presta servicios donde se afirma que el solicitante podrá seguir cumpliendo con sus obligaciones profesionales mientras reside en España, sirviéndose de las herramientas informáticas que permiten el teletrabajo, y, de este modo, continuará asegurando el desarrollo de los proyectos de la empresa en Argelia.

No podemos ciertamente olvidar que el art. 46, letra d), inciso primero del RLOEx exige para la obtención de un visado de residencia no lucrativa "*contar con medios económicos suficientes para atender sus gastos de manutención y estancia*". Tales medios económicos, en los supuestos a los que en este momento nos referimos, acabarán procediendo la mayoría de las veces de la actividad laboral o profesional que desarrolle el extranjero en nuestro país como teletrabajador. Pero, al no estar dicha actividad declarada, no cabrá esgrimir tales medios de cara a la obtención del correspondiente visado de residencia no lucrativa. El interesado, al ser entrevistado en el Consulado de España en el país de origen, declarará que no va a trabajar y que tiene previsto vivir de los medios económicos con los que cuenta. De ahí que se vea en la obligación de aportar prueba de "ingresos periódicos y suficientes, tenencia de un patrimonio que garantice dicha percepción de ingresos, y cualquier medio de prueba admitido en Derecho. Incluyendo la aportación de títulos de propiedad, cheques, certificados, tarjetas de créditos, que deben ir acompañados de una certificación bancaria que acredite la cantidad disponible como crédito de la citada tarjeta" (art. 47.3 RLOEx). E igual sucederá cuando, una vez extinguida la vigencia de la autorización de residencia inicial que le sea concedida al solicitante del visado de residencia no lucrativa, aquél pretenda obtener su renovación.

La actividad laboral o profesional desarrollada por el teletrabajador extranjero, pese a ser una actividad no declarada, puede dar lugar a conflictos de carácter transfronterizo, como sucederá, por ejemplo, en caso de impago de salarios por parte de la empresa extranjera para la que el extranjero residente en nuestro país teletrabaja por cuenta ajena, o en aquellos en que los clientes extranjeros dejan de abonar los servicios que el teletrabajador, por cuenta propia, presta desde España en favor de aquéllos. Y, de cara a la resolución de tales conflictos o litigios, habrá que atender necesariamente a lo previsto en la reglamentación española de DIPr. a efectos de determinar si los órganos jurisdiccionales españoles cuentan o no con competencia internacional para conocer de los mismos, y, en caso de que lo sean, cuál habrá de ser la legislación a la que aquéllos habrán de

---

[32]   Roj: STSJ Madrid 3444/2022–ECLI:ES: TSJM: 2022:3444.

atender para la resolución de la controversia ante los mismos planteada[33]. Tales aspectos, sin duda relevantes, no serán objeto de estudio en esta investigación, siendo nuestra intención abordar su estudio en un trabajo posterior.

A nuestro entender, la falta de concreción del vigente Derecho de extranjería respecto a la extensión geográfica de la prohibición de realizar actividad laboral o profesional prevista para quienes soliciten y obtengan una autorización de residencia no lucrativa, debería subsanarse, introduciendo la premisa de que dicha prohibición queda únicamente limitada a la realización de actividades en España. Esto dejaría la puerta abierta a que, quienes cuentan en nuestro país con una autorización de residencia no lucrativa, puedan teletrabajar desde nuestro país para empresas o clientes establecidos o residentes en el extranjero. Aunque, para los casos en que sea esto lo que suceda, consideramos que sería necesario imponer al extranjero residente que pretenda teletrabajar, ciertas obligaciones. En concreto, entendemos que debería exigírsele el alta en la Seguridad Social española, y, como es obvio, al ser residente en España por más de 183 días, la obligación tributar en nuestro país. Además, en caso de que el teletrabajo sea por cuenta ajena, estimamos que debería exigírsele al trabajador la aportación de copia del contrato de trabajo suscrito con la empresa radicada en el exterior y, en su caso, del acuerdo en el trabajo a distancia establecido entre empresa y trabajador, o en su defecto, certificado de la empresa acreditativo de que el trabajador puede llevar a cabo su actividad laboral a distancia y de que puede tramitar en nombre propio su autorización de residencia para él y, en su caso, para su familia. De esta manera nos estaríamos asegurando que no se realice ninguna actividad laboral en economía sumergida y, con ello, que no se esté evadiendo el pago de impuestos.

---

[33] Sobre la competencia internacional de los tribunales españoles en materia de contratos individuales de trabajo, así como sobre la ley aplicable a estos últimos, *vid.* GARCIMARTIN ÁLFEREZ, FRANCISCO, *Derecho internacional privado*, 6ª edic., Thomson Reuters, Cizur Menor, 2021, pp. 136-140 y pp. 385-388. FERNÁNDEZ ROZAS, JOSÉ CARLOS y SÁNCHEZ LORENZO, SIXTO, *Derecho internacional privado*, Civitas-Thomson Reuters, Madrid, 2021, pp. 703-712. CALVO CARAVACA, ALFONSO LUIS y CARRASCOSA GONZÁLEZ, JAVIER, "Tema XIII. Contrato internacional de trabajo" en *Compendio de Derecho internacional privado*, Rapid Centro, Murcia, 2022. Y en relación específicamente con los conflictos transfronterizos que pueden surgir entre trabajador y empresa cuándo aquél trabaja telemáticamente, entre otros, *vid.* ESPINIELLA MENÉNDEZ, ÁNGEL, *La relación laboral internacional, op. cit.*; LAPIEDRA ALCALMÍ, ROSA *et al.*, *La internacionalización de las relaciones internacionales*, Tirant lo Blanch, Valencia, 2017 y CARO GÁNDARA, ROCÍO y MÁRQUEZ PRIETO, ANTONIO, "Competencia judicial internacional y ley aplicable en materia de ciber empleo", *Actualidad Jurídica Aranzadi*, nº 355, 1998.

3. Extranjeros con autorización de estancia en España y teletrabajadores a distancia en el extranjero

Quedan englobados dentro de esta categoría legal aquellos extranjeros que llegan a España para realizar estudios y, a la par que cursan estudios, trabajan telemáticamente para su país (arts. 25 bis f), 30 y 33 LOEx, y arts. 37-42 RLOEx). Piénsese, por ejemplo, en un estudiante de doctorado en nuestro país que trabaja a distancia para una Universidad radicada en su país de origen, sea como profesor o como investigador; o en aquel extranjero que, trabajando para una empresa de su país, es becado por esta última para cursar estudios en España y perfeccionar sus conocimientos lingüísticos o sobre aspectos relacionados con las que son sus funciones dentro de la empresa, continuando, mediante teletrabajo, su actividad laboral en esta última.

La autorización de estancia por estudios es verdad, permite a su titular, siempre que se solicite y se obtenga previamente la preceptiva autorización de trabajo, desarrollar, a la par que cursa sus estudios, una actividad laboral o profesional (en función del tipo de autorización de trabajo obtenida), con la particularidad que dicho trabajo no puede ser superior a las 30 horas semanales y ha de ser en todo caso compatible con la realización de los estudios (art. 42 RLOEx). Pero el legislador, al imponer la obligación de que el estudiante, para trabajar, obtenga una autorización de trabajo, tampoco especifica si el trabajo que aquél, desde el momento en que obtenga la correspondiente autorización de trabajo, va a poder desarrollar, queda restringido al ámbito geográfico español o si incluye igualmente el trabajo a distancia para un empleador o para unos clientes establecidos en el extranjero.

Desde nuestro punto de vista, sería necesaria una ampliación de la documentación exigida para la obtención de una autorización de estancia por estudios, exigiéndose al extranjero solicitante la presentación de un certificado acreditativo oficial de no estar realizando ninguna actividad laboral o profesional ni en el país de origen ni en un tercer Estado. Y para el caso en que el extranjero sí estuviera realizando una actividad de esta naturaleza y su pretensión fuera seguir desarrollándola, mediante teletrabajo, desde nuestro país, debería, una vez en España, obtener la preceptiva autorización de trabajo, aportando la misma documentación que, como hemos indicado en el epígrafe anterior, deberían exigirse a los extranjeros con residencia no lucrativa que pretendan teletrabajar desde nuestro país para empresas o clientes en el extranjero, aunque con la particularidad de que, en este caso, se debería restringir el número de horas de trabajo semanales realizadas en el exterior para así cumplir con la limitación que nuestra legislación de extranjería impone con carácter general al trabajo de cualquier extranjero en situación de estancia por estudios en nuestro país.

4. Extranjeros familiares de ciudadanos comunitarios residentes en España y teletrabajadores a distancia en España o en el extranjero

Estos extranjeros, pese a ser nacionales de terceros Estados, por su condición de familiares de "ciudadanos de la UE", del EEE o de Suiza, quedan sometidos al régimen comunitario de extranjería, contenido en el RD 240/2007, a través del que el legislador español lleva a cabo la transposición a nuestro ordenamiento de la Directiva 2004/38/CE[34] (arts. 1.1, 2 y 2 bis RD 240/2007); la Orden PRE/1490/2012, de 9 de julio, por la que se dictan normas para la aplicación del artículo 7 del RD 240/2004[35]; e Instrucciones DGM 8/2022 sobre la residencia en España de los progenitores, nacionales de terceros países, de menores ciudadanos de la Unión, incluidos españoles[36]–en adelante Instrucciones DGM 8/2022[37]-.

Dentro de la noción de "ciudadano de la UE", encontramos a los nacionales españoles con ciertas particularidades, que derivan en la extensión del régimen comunitario a sus familiares extranjeros o a la aplicación del régimen general de extranjería. Se les aplicará el régimen comunitario cuando se esté ejerciendo la libertad de circulación. Esto es, cuando los extranjeros acompañen o se reúnan con el ciudadano de la Unión. Por ejemplo, un español que quiere reagrupar a su mujer boliviana, quien se encuentra en Bolivia; o un español que llega a España con su mujer desde Francia para establecerse en el país. En ese sentido, los extranjeros que sean familiares de un ciudadano de la Unión, incluidos los españoles, pueden ser dotados de una tarjeta de residencia de familiar de un ciudadano de la Unión si, además de acreditar el vínculo familiar con el ciudadano

---

[34]   Directiva 2004/38/CE del Parlamento Europeo y del Consejo de 29 de abril de 2004 relativo al derecho de los ciudadanos de la Unión y de los miembros de sus familias a circular y residir libremente en el territorio de los Estados miembros (*DOUE* n° L 229/35, de 29 de junio de 2004). La aplicación de la Directiva a Noruega, Islandia y Liechtenstein es consecuencia del Acuerdo sobre el Espacio Económico Europeo firmado en Oporto el 2 de mayo de 1992 (*BOE* n° 21, de 25 de enero de 1994). Y su aplicación a Suiza es resultado del Acuerdo sobre la libre circulación de personas entre la Comunidad Europea y sus Estados miembros, por una parte, y la Confederación Suiza, por otra, hecho en Luxemburgo el 21 de junio de 1999 (*BOE* n° 148, de 21 de junio de 2002).

[35]   *BOE* n° 164, de 10 de julio de 2012.

[36]   Disponible en: https://extranjeros.inclusion.gob.es/ficheros/normativa/nacional/instrucciones_sgie/documentos/2020/instruccion_progenitores_de_menores_ciudadanos_UE_y_nacionales.pdf. Nueva regulación jurídica del régimen de extranjería que no abordamos en esta investigación.

[37]   Consideramos que la Disposición Derogatoria única del RD 629/2022 ha derogado implícita y parcialmente las Instrucciones DGM 8/2022 en lo referido a los "progenitores de un menor español". Los extranjeros que sean progenitores de un menor español no podrán ser documentados por el régimen comunitario sino por el régimen general de extranjería. Deberán acudir obligatoriamente a la figura del arraigo familiar, con independencia de que convivan o no con este. Por el contrario, entendemos que las Instrucciones DGM 8/2022, seguirán siendo aplicables al resto de extranjeros que sean progenitores de un menor nacional de otro Estado miembro de la Unión que haya ejercido por tanto la libertad de circulación.

de la Unión ("familia" –art. 2 RD 240/2007- y/o "familia extensa" –art. 2 bis RD 240/2007-), se cuenta con los medios económicos suficientes, y/o seguro sanitario correspondiente[38].

Cuando los extranjeros familiares sean componentes de la "familia" del español (art. 2 RD 240/2007), pero no se ejerza la libertad de circulación ni se cuenten con medios económicos y/o seguro de sanidad para ser reagrupados por el régimen comunitario, se les permite acudir al nuevo régimen general de extranjería del RD 629/2022. En concreto, podrán solicitar un arraigo familiar del art. 125.3 RD 629/2022 o la gestión colectiva de contratación en origen del art. 169.2 RD 629/2022. Una nueva regulación del régimen de extranjería que no es objeto de este trabajo, pero que consideramos relevante señalar en este apartado porque son extranjeros que pueden ejercer el teletrabajo y que son familiares de ciudadanos de la Unión.

Como beneficiarios que son del régimen comunitario, los extranjeros aquí considerados (exceptuados obviamente a los que se le aplica el régimen general de extranjería por no cumplir con los requisitos legales para ser beneficiarios del régimen de extranjería comunitario), podrán residir en España y, a la par, trabajar, sea por cuenta propia o ajena; y en modalidad presencial o a distancia, sin que en ningún caso precisen ningún tipo de autorización, al ser titulares, como los ciudadanos de la UE/EEE/Suiza, del derecho a residir y a trabajar en nuestro país. De estar trabajando para un empleador o para clientes establecidos en España, puede que les esté reconocido el teletrabajo, y, en tal caso, les sería de aplicación la legislación laboral española en cuanto al porcentaje que les viene permitido trabajar a distancia, al contrato, y al acuerdo de teletrabajo. Y de estar teletrabajando por cuenta propia para clientes establecidos en España tampoco habrá ningún problema. El inconveniente, sin embargo, puede surgir cuando estén teletrabajando a distancia, sea por cuenta ajena o propia, para un empleador o para clientes que se encuentren en el extranjero. Piénsese, por ejemplo, en el caso de un arquitecto cubano casado con española y residente en España, con título universitario cubano, que trabaja para una empresa radicada en un país africano proyectando casas y fábricas. Al igual que dijéramos en relación con los extranjeros a los que nos referimos en el sub-epígrafe 2, también en estos casos se plantea la cuestión de saber si el trabajador se ha de dar de alta en España o en el extranjero, o la de si aquél, para poder ejercer su actividad desde nuestro país, precisa o no someter su titulación al trámite de homologación o de reconocimiento de cualificaciones profesionales o, en su caso, si le es o no exigible la colegiación en nuestro país. La actividad laboral o profesional de estos extranjeros,

---

[38]   Para un análisis en profundidad del derecho a la reagrupación familiar en el régimen comunitario, *vid.* SOTO MOYA, MERCEDES, "Capítulo 14. Titulares del derecho de libre circulación", en *Memento de extranjería, op. cit.*, pp. 241-250.

mientras no sea objeto de algún tipo de regulación, seguirá formando parte de la economía sumergida.

Teniendo en cuenta, por una parte, la alta tasa de desempleo existente en nuestro país, y, por otra, la deslocalización del trabajo a nivel mundial, consideramos que debería contemplarse de manera segregada la posibilidad de mantener la residencia legal en España y teletrabajar en el extranjero. De esta manera, se estaría evitando las salidas involuntarias del territorio nacional tanto de españoles, como de ciudadanos europeos, nacionales del EEE y suizos, así como de sus familiares nacionales de terceros Estados. Con ello se estaría incentivando el mantenimiento de la vida familiar y residencia en España. Por ese motivo, consideramos conveniente la modificación del RD 240/2007 en el sentido de incluir entre los supuestos en los que se reconoce el derecho a residir en España en régimen comunitario aquél en el que el extranjero teletrabaja a distancia, sea por cuenta ajena o propia, para un empleador o para clientes de otro Estado miembro o de un tercer Estado. Asimismo, estimamos que debería contemplarse una documentación acreditativa del ejercicio del teletrabajo por parte de nacionales de terceros Estados sometidos al régimen comunitario.

III. LOS TELETRABAJADORES A DISTANCIA EXTRANJEROS EN LA LEY DE STARTUPS

En la vigente Ley 14/2013, son varias las categorías legales en las que pueden tener encaje los teletrabajadores extranjeros a distancia: inversores; emprendedores; profesionales altamente cualificados; investigadores y trabajadores que efectúan movimientos interempresariales.

La Ley de startups, a estas categorías, añade una nueva al art. 61.1 Ley 14/2013, y además específica para los trabajadores a los que en este estudio nos referimos: la del teletrabajador con carácter internacional (D.F. 5ª Ley de startups).

Parte de estas autorizaciones de residencia y/o trabajo previstas en la Ley 14/2013 ha sido modificadas por la Ley de startups. El requisito esencial reformado, como se analizará más adelante, son los referidos a que la actividad laboral o profesional a distancia se realice para una empresa radicada fuera del territorio nacional. Un término, el de "radicar", que no aparece en la normativa laboral y que hasta el momento solo está contemplado para referirse: a las obligaciones y responsabilidades que han de asumir las empresas usuarias y empresas que reciban en España la prestación de servicios de los trabajadores desplazados (D.A. 2ª Ley 45/1999); y a las competencias de los representantes legales de los trabajadores de las empresas usuarias y empresas que reciben en España la prestación de servicios de los trabajadores desplazados sobre éstos (D.A. 3ª Ley 45/1999). También, se ha modificado la noción laboral de teletrabajador a distancia. Esto es, no solamente podrán teletrabajar a distancia los trabajadores por cuenta ajena, sino también los trabajadores por cuenta propia, al menos los extranjeros. Una reforma que podría concadenar, en virtud del principio de no discriminación, otra consiguiente reforma laboral de la recién estrenada Ley 10/2021, de la que no nos ocupamos en este capítulo.

De las distintas categorías legales a las que acabamos de hacer referencia, centraremos nuestra atención, como es obvio, en la nueva categoría prevista en la Ley de startups. Igualmente nos referiremos a dos de las categorías preexistentes, como son la de los inversores y la de los emprendedores, tanto por haber sido reformadas por la Ley de startups, como por tratarse de categorías sobre las que incide la Resolución del Parlamento Europeo de 9 de marzo de 2022, con propuestas a la Comisión, sobre los regímenes de ciudadanía y residencia por inversión- en adelante, Resolución de 9 de marzo de 2022-[39].

1. Teletrabajadores de carácter internacional

La razón principal por la que se crea la categoría legal de teletrabajador con carácter internacional está en la alta competencia existente en el plano internacional por captar capital y talento extranjeros. España, como señala el Preámbulo de la Ley de startups de 21 de diciembre de 2022, presenta importantes activos para la atracción de profesionales altamente cualificados que desarrollen su actividad, por cuenta propia o ajena, mediante herramientas digitales.

La atracción de este tipo de perfiles es perseguida con el objetivo de que tengan efectos positivos en el nuevo lugar de residencia del teletrabajador internacional, entre los que destacan los económicos, con la atracción de recursos procedentes del exterior para su inversión en el nuevo lugar de residencia. La definición y la regulación de esta nueva categoría la encontramos en la Disposición Final quinta de la Ley de startups, que ha incluido en la Ley 14/2013 de un nuevo Capítulo, el Capítulo V bis, dedicado a los teletrabajadores de carácter internacional[40].

Para crear esta nueva categoría legal de "teletrabajador con carácter internacional", se modifica, en primer lugar, el art. 61.1 de la Ley 14/2013 incorporando un apartado f, a fin de dar a aquél cabida como extranjero que pretende entrar en España y permanecer por razones de interés económico. Asimismo, se

---

[39]   *DOUE* nº C 347/97, de 9 de septiembre de 2022.

[40]   Esta regulación del teletrabajador con carácter internacional será desarrollada a más tardar el 31 de marzo de 2023, mediante Instrucciones con los requisitos específicos para los visados y autorizaciones de residencia a los que se refiere esta Ley. Los umbrales económicos utilizados para evaluar los recursos económicos de los solicitantes se referenciarán al Salario Mínimo interprofesional (D.A. 20ª, incorporada a la Ley 14/2013 por la Ley de Startups).

recoge una definición de esta nueva categoría en el art. 74 bis cuya inclusión se propone: teletrabajador solo será el nacional de un tercer Estado, autorizado a permanecer en España para ejercer una actividad laboral (cuenta ajena) o profesional (cuenta propia) a distancia para empresas radicadas fuera del territorio nacional, mediante el uso exclusivo de medios y sistemas informáticos, telemáticos y de telecomunicación. Como se puede apreciar, se introduce, con carácter general, el requisito de que el extranjero solo pueda trabajar para empresas radicadas fuera del territorio nacional, si bien hay que tener presente que este requisito admite una excepción en el caso de los teletrabajadores "autónomos", a quienes se les permite trabajar para una empresa ubicada en España, pero siempre y cuando el porcentaje de dicho trabajo no sea superior al 20% del total de su actividad profesional (art. 74 bis, apartado 1). Lo que no queda claro es cómo, en estos últimos casos, se procederá al cálculo del porcentaje de trabajo desarrollado por el teletrabajador para empresas ubicadas en España. Esto es, si el cálculo en cuestión se llevará a cabo a partir de una mera declaración del extranjero, o si, por el contrario, se exigirá a este último la aportación de medios probatorios que acrediten tal extremo, como pudieran ser la presentación de las hojas de encargo o la aportación de las declaraciones de impuestos en España y en el extranjero.

Por otra parte, nos resulta llamativo que no se distinga la categoría del teletrabajador con carácter internacional de otra categoría muy próxima, como es la del trabajador prestador transnacional de servicios en los casos en que este preste sus servicios desde España para empresas radicadas en el territorio de terceros Estados, lo que, sin duda, puede suscitar no pocas dificultades de delimitación de figuras.

La Ley de startups nada dispone tampoco respecto a la que habrá de ser la ley aplicable a la relación contractual que vincula al teletrabajador con carácter internacional y al empresario o empleador radicado en el extranjero y que autoriza que el teletrabajador que trabaje para él a distancia, lo cual contrasta con lo que sucede en la Ley 45/1999, de 29 de noviembre, sobre el desplazamiento de trabajadores en el marco de una prestación de servicio transnacional[41], donde sí que se hace referencia a dicha cuestión.

El presupuesto esencial exigido por la Ley de startups para que un extranjero pueda quedar incluido en la categoría legal de teletrabajador con carácter internacional es que aquél sea graduado o postgraduado universitario, cuente con una titulación de formación profesional o de escuela de negocio, o disponga de una experiencia mínima de tres años (art. 74 bis, apartado 2). Pero nada dice aquél sobre si, en los casos en que la titulación académica o profesional invocada por el extranjero que pretende trabajar en nuestro país como teletrabajador con carácter internacional, haya sido obtenida en el extranjero, la titulación

---

[41]   *BOE* nº 286, de 30 de noviembre de 1999.

en cuestión debe haber sido sometida previamente al correspondiente trámite de homologación o de reconocimiento de cualificaciones profesionales, ni si, en los casos en que para el ejercicio en España de la profesión de que se trate se requiere colegiación, esta última resulta o no exigible al teletrabajador con carácter internacional.

El interesado tendrá que cumplir, en todo caso, los requisitos establecidos en el vigente art. 62 de la Ley 14/2013, así como los previstos en el nuevo art. 74 ter: no encontrarse irregularmente en territorio español; ser mayor de 18 años; carecer de antecedentes penales en España y en los países donde haya residido durante los dos últimos años, así como una declaración responsable de los cinco últimos años; no figurar como rechazable en el espacio territorial de países con los que España tenga firmado un convenio; contar con un seguro público o un seguro privado de enfermedad con validez en España; contar con recursos económicos suficientes para sí y los miembros de su familia durante su residencia en España; abonar la tasa de tramitación de la autorización o visado; acreditar la existencia de una actividad real y continuada durante al menos un año de la empresa o grupo de empresas con la que el trabajador mantiene relación laboral o profesional; documentación acreditativa de que la relación laboral o profesional se puede realizar en remoto. En el supuesto de relación laboral, se deberá acreditar la existencia de esta entre el trabajador y la empresa no localizada en España durante al menos, los últimos tres meses anteriores a la presentación de la solicitud, así como documentación que acredite que dicha empresa permite al trabajador realizar la actividad laboral a distancia. Y en el supuesto de relación profesional, se deberá acreditar que el trabajador tiene una relación mercantil con una o varias empresas no localizadas en España durante, al menos, los tres últimos meses, así como documentación que acredite los términos y condiciones en los que va a ejercer la actividad profesional a distancia.

A nuestro entender, y a la vista de lo establecido en la Ley de startups, nada impedirá que los extranjeros que se encuentren en España como turistas puedan presentar una solicitud de autorización de residencia como teletrabajadores con carácter internacional en cualquier momento. También, podrán hacerlo aquellos extranjeros que se encuentren en España en calidad de estancia por estudios; residencia para prácticas profesionales[42]; residencia para búsqueda de empleo[43];

---

[42] Se modifica el apartado 6 de la Disposición Adicional decimoctava de la Ley 14/2013: "el período de validez de esta autorización de residencia para prácticas será de doce meses o igual a la duración del convenio de prácticas, de ser inferior. Pudiendo ser renovada, por una sola vez, sin exceder de dos años el período total de la autorización inicial y de su prórroga. En el caso de que se trate de un contrato de trabajo en prácticas, la duración será la prevista en el mismo y regida por la legislación laboral aplicable en cada momento.

[43] Se modifica el apartado 1 de la Disposición Adicional decimoséptima de la Ley 14/2013: se permite tramitar una autorización de residencia de búsqueda de empleo de 24 meses para los extranjeros

como trabajadores por cuenta ajena o propia, y que cambien de empleador o empresas para las que trabajen; trabajadores por cuenta ajena o propia, cuyos empleadores o empresas para las que trabajen pasen, de estar radicadas en territorio nacional a radicarse fuera de nuestro país; autorización de residencia de larga duración UE; o cualquier otro tipo de autorización de estancia o residencia por el que permanezcan en situación regular en España.

Ahora bien, aquellos extranjeros que pretendan entrar a España con el fin de teletrabajar a distancia para una empresa no ubicada en España tendrán que solicitar necesariamente el visado para teletrabajo. Este visado tendrá la vigencia de un año, salvo que el período de trabajo sea inferior (art. 74 quater, apartado 1). Constituye título suficiente para residir y trabajar en España durante su vigencia, sin tener que solicitar autorización de residencia por teletrabajo (art. 74 quater, apartado 2). Los extranjeros que estén interesados en residir en España más de un año con este estatus tendrán que solicitar la autorización de residencia por teletrabajo 60 días naturales antes de la expiración del visado (art. 74 quater, apartado 3).

La autorización de residencia para teletrabajo de carácter internacional, ya se solicite por parte de un extranjero que se halle en España de forma regular o por un extranjero que haya entrado en territorio nacional tras la obtención del correspondiente visado para teletrabajo, tendrá validez en todo el territorio nacional y tendrá una vigencia de tres años, salvo que se solicite para un período de trabajo inferior (art. 74 quinquies, apartados 1 y 2). Una vez extinguida su vigencia, se podrá solicitar su renovación por períodos de dos años, siempre y cuando se mantengan las condiciones que generan el derecho (art. 74 quinquies, apartado 3).

A la vista de lo expuesto respecto a la regulación que en la Ley de startups se ofrece de la nueva categoría de "teletrabajador con carácter internacional", bien se puede decir que son varios los aspectos que en él no se abordan y que, sin duda, presentan gran relevancia. Por lo que concierne a los teletrabajadores por cuenta ajena, no se precisa dónde se considera que estos llevan a cabo su prestación laboral, esto es, si se considera que es en España, en un Estado miembro de la UE/EEE, o en un tercer Estado; guardando también silencio respecto a si las condiciones de trabajo de tales trabajadores son las previstas por la legislación laboral española o si, por el contrario, son las establecidas en la ley que

---

que hayan finalizado los estudios en una institución de educación superior equiparable a la acreditación de grado. Podrán buscar empleo adecuado en relación con el nivel de los estudios finalizados o para emprender un proyecto empresarial. Un tipo de autorización de residencia que fue desarrollada en el año 2018 por las Instrucciones DGM 1/2018 sobre la transposición al ordenamiento jurídico español de la Directiva 2016/801/UE: autorización de residencia al estudiante para la búsqueda de empleo o para emprender un proyecto empresarial. Disponible en: https://extranjeros.inclusion.gob. es/ficheros/normativa/nacional/instrucciones_sgie/documentos/2018/busqueda_de_empleo.pdf.

resulte aplicable al contrato de trabajo entre el teletrabajador y su empleador. Y en cuanto a los teletrabajadores por cuenta propia, nada dice la Ley de startups sobre si con él se está modificando la noción de "teletrabajador" ofrecida por la Ley 10/2021, al admitir que el teletrabajador pueda ser un trabajador por cuenta propia. Tampoco señala cómo se habrá de controlar que un teletrabajador por cuenta propia no presta más del 20% de sus servicios profesionales a empresas ubicadas en España, aunque, desde nuestro punto de vista, no es este un aspecto cuyo control haya de plantear demasiados problemas, ya que, a tal efecto, consideramos que sería suficiente con exigir que el IVA se pague en todo caso en España, de forma que el teletrabajador se vea en la necesidad de hacer declaración trimestral de los ingresos percibidos por sus servicios tanto en el extranjero como en España[44].

2. Inversores y emprendedores

Dos son las categorías previstas en la Ley 14/2013 bajo las que puede, hoy en día, operar un teletrabajador extranjero a distancia, de ordinario por cuenta propia: la de inversor (arts. 63-67) y la de emprendedor (arts. 68-70). Y son precisamente las dos categorías respecto de las cuales la Ley de startups ha introducido ciertas modificaciones. La primera de ellas, además, bien se podrá acabar viendo afectada por un posible futuro Reglamento de la UE destinado a regular la ciudadanía y residencia por inversión en los Estados miembros de la UE.

En este punto, hay que mencionar la Resolución del Parlamento Europeo de 9 de marzo de 2022, con propuestas a la Comisión, sobre los regímenes de ciudadanía y residencia por inversión. Resolución que, pese a no tener fuerza vinculante, propone a la Comisión la aprobación de un paquete legislativo que incluye: la eliminación de los regímenes de ciudadanía por inversión en toda la Unión a más tardar en 2025; un Reglamento global que cubra todos los regímenes de residencia por inversión en la Unión, al considerar que la residencia por inversión plantea riesgos en distinta medida, en corrupción, blanqueo de capitales, amenazas a la seguridad, elusión fiscal, desequilibrios macroeconómicos, presión sobre el sector inmobiliario rediciendo el acceso a la vivienda, erosión de la integridad del mercado interior, etc.; una nueva categoría de recursos propios de la Unión, consistente en un mecanismo de ajuste de los regímenes de ciudadanía y residencia por inversión; una revisión específica de los actos jurídicos en el ámbito

---

[44]   No obstante, somos conscientes de que la Disposición Final tercera pretende modificar el art. 93 de la Ley 35/2006, de noviembre, del Impuesto sobre la Renta de las personas físicas y de modificación parcial de las leyes de los Impuestos sobre sociedades, sobre la renta de no residentes y sobre el patrimonio, en el sentido de permitir a los teletrabajadores con carácter internacional el optar por el impuesto de renta de no residentes.

de la lucha contra el blanqueo de capitales y la financiación del terrorismo; una revisión selectiva de la Directiva sobre la residencia de larga duración[45]; y garantizar que los terceros países no gestionen regímenes de ciudadanía por inversión y residencia por inversión perjudiciales. Todas estas propuestas legislativas, de aprobarse en un futuro cercano, nos situarán ante una armonización europea de la residencia por inversión, modalidad esta última de residencia a la que se ha venido acudiendo para la captación de "nómadas digitales", y no solamente en España, sino también en otros países europeos (Alemania, República Checa, Estonia, Grecia, Hungría, Islandia, Italia, Noruega, Portugal, Rumanía…), e incluso no europeos (Australia, Islas Caimán, Colombia, Costa Rica, México…)[46].

Por lo que respecta a los cambios introducidos por la Ley de startups en la residencia por inversión, hay que señalar que la autorización inicial de residencia para inversores pasa, de tener dos años de duración, a tener tres años (art. 67.1 Ley de startups). No obstante, se prevé que existan extranjeros que sean inversores y no deseen residir en España. En esos casos, solo deberán obtener un número de identificación fiscal que soliciten a la Agencia estatal de Administración tributaria española sin tener que obtener, sin embargo, un número de identidad de extranjero (Preámbulo IV Ley de startups). Los inversores podrán ser personas físicas o personas jurídicas (art. 9). Se creará un portal web en el que se informe sobre la forma de entrada y residencia (art. 24.2).

Por lo que a los emprendedores se refiere, la Ley de startups modifica el capítulo III de la sección 2ª del título V relativo a emprendedores y actividad empresarial. Se elimina el art. 68 de la Ley 14/2013 y se modifican los siguientes artículos en su enumeración. La autorización de residencia inicial tendrá una validez de 3 años. Se podrá renovar por 2 años más y obtener la residencia permanente al alcanzar los 5 años (art. 69.1). Esta solicitud podrá presentarse por el propio interesado, a través de representante legal o de forma electrónica ante la Unidad de Grandes empresas y colectivos estratégicos (art. 69.1, último inciso). En el supuesto de que el extranjero se encuentre fuera de España, se solicitará simultáneamente la autorización de residencia y el visado. Y se simplifica la definición de actividad emprendedora y empresarial. Ya no se tendrá en cuenta para su valoración la creación de puestos de trabajo en España (art. 70).

Desde nuestro punto de vista, la reforma que de la residencia por inversión y de los emprendedores que se ha llevado a cabo por la Ley de startups debería haber ido en todo caso en la misma línea que aquélla que, como se ha indicado,

---

[45]	Ya se cuenta con una Propuesta de Directiva del Parlamento Europeo y del Consejo relativo al estatuto de los nacionales de terceros Estados de larga duración (refundición) de 27 de abril de 2022. Disponible en: https://eur-lex.europa.eu/legal-content/EN/TXT/?uri=CELEX:52022PC0650.

[46]	Para ampliar más información *Vid.* ETIASVISA. "Visas para nómadas digitales en países de la UE", 25 de marzo de 2022. Disponible en: https://www.etiasvisa.com/es/noticias/nomadas-digitales-ue.

planea abordar la UE para prevenir precisamente los riesgos que ya se están detectando en todos los Estados miembros sin excepción.

IV. CONCLUSIONES

Primera: Como primera conclusión, consideramos que el legislador español debería establecer un concepto claro y uniforme de lo que por teletrabajador se ha de entender, pues la concepción que de este último acoge en la proyectada reforma de la Ley 14/2013 no parece que coincida con la que se acoge en la normativa laboral que regula el trabajo a distancia.

Como se ha visto, la categoría legal de teletrabajador con carácter internacional, que se ha incorporado a la legislación de extranjería, con la reciente reforma de la Ley 14/2013 por la Ley de startups, no coincide con la figura del teletrabajador contemplada en la Ley 10/2021. En esta última, el teletrabajador es un trabajador por cuenta ajena que presta sus servicios laborales para un empleador con sede en España. En cambio, el teletrabajador con carácter internacional previsto en la Ley de startups engloba a todos aquellos nacionales de terceros Estados que trabajan, sea por cuenta ajena o propia, mediante el uso exclusivo de medios y sistemas informáticos, telemáticos y de telecomunicación, prestando sus servicios, en el caso del trabajador por cuenta ajena, para un empleador radicado fuera del territorio nacional (sin distinción según que aquél se halle radicado en un Estado de la UE/EEE o en un tercer país) y, en el caso del trabajador por cuenta propia, con la posibilidad de que la actividad profesional se preste, además de para empresas ubicadas fuera de España, para empresas radicadas en nuestro país, aunque en este último caso con un límite: la actividad profesional para empresas ubicadas en España no puede en ningún caso superar el 20% de la actividad profesional total del teletrabajador (quedando en el aire la cuestión de saber cómo se deberá proceder al control de este último punto).

Segunda: La vigente normativa española de extranjería se caracteriza por su falta de adaptación a la realidad que supone el teletrabajo a distancia. Aquélla, efectivamente, no contempla el trabajo a distancia para extranjeros, a pesar de lo cual no son pocos los extranjeros que ejercen el teletrabajo en nuestro país bajo alguna de las autorizaciones de estancia, residencia o residencia y trabajo previstas en la legislación actual, unas veces declarando su actividad (como suele suceder, según evidencia la práctica, en el caso de los extranjeros que residen en nuestro país con una autorización de residencia no lucrativa y que se dedican al ejercicio de la abogacía, al asesoramiento legal o a la prestación de servicios informáticos), y otras -la mayoría- manteniéndola oculta, engrosando en este último caso su actividad la economía sumergida de nuestro país. De ahí que, sin perjuicio de la reforma que de la Ley 14/2013 llevada a cabo por la Ley de startups, consideramos imprescindible hacer penetrar la noción de trabajo a distancia en las distintas categorías legales previstas en la normativa de extranjería (régimen general de extranjería y régimen comunitario de extranjería). Categorías bajo las cuales, como se puede constatar en la práctica, puede acabar ejerciéndose teletrabajo a distancia en nuestro país. Para evitar el trabajo no declarado, consideramos esencial que se prevea la aportación de documentación específica por parte de aquellos extranjeros que pretendan obtener un visado y/o una autorización de estancia, residencia o residencia y trabajo con el propósito de ejercer desde nuestro país teletrabajo a distancia.

Como documentación común para todos los casos en que un extranjero pretenda teletrabajar a distancia desde España, ya lo haga para empleadores o clientes radicados en España o en el extranjero, estimamos que habría que exigir, entre otra: a) documentación acreditativa de que la empresa para la que el teletrabajador por cuenta ajena preste sus servicios cuenta con solvencia económica para hacer frente a las obligaciones que le atañen con respecto al trabajador; así como la que permita comprobar que aquélla se halla al corriente, o en España o en el país en el que la misma se halle radicada, de sus obligaciones fiscales y de Seguridad Social; b) certificado negativo o positivo sobre la realización de una actividad laboral o profesional en el país de origen del trabajador; c) en los casos en que la profesión que el interesado pretenda ejercer en nuestro país mediante teletrabajo sea una profesión regulada y, por tanto, para su ejercicio en nuestro país se exija estar en posesión de una concreta titulación o cualificación, documentación acreditativa de haber obtenido la preceptiva homologación del título o, en su caso, de haber conseguido el reconocimiento de la cualificación profesional y d) acreditación, en los casos en que el ejercicio de la profesión de que se trate en nuestro país requiera de colegiación, documentación acreditativa de haber solicitado y obtenido esta última.

V. BIBLIOGRAFÍA CITADA

AZCÁRRAGA MONZONÍS, CARMEN, "Lección 5ª. El régimen jurídico de la extranjería en España", en FERNÁNDEZ MASIÁ, ENRIQUE (Dir.), *Nacionalidad y extranjería*, 3ª edic., Tirant lo Blanch, Valencia, 2021, pp. 79-94.

CALVO CARAVACA, ALFONSO LUIS y CARRASCOSA GONZÁLEZ, JAVIER, *Compendio de Derecho internacional privado*, Rapid Centro, Murcia, 2022.

CARO GÁNDARA, ROCÍO y MÁRQUEZ PRIETO, ANTONIO, "Competencia judicial internacional y ley aplicable en materia de ciber empleo", *Actualidad Jurídica Aranzadi*, nº 355, 1998.

ESPINIELLA MENÉNDEZ, ÁNGEL, *La relación laboral internacional*, Tirant lo Blanch, Valencia, 2022.

FERNÁNDEZ ROZAS, JOSÉ CARLOS y SÁNCHEZ LORENZO, SIXTO, *Derecho internacional privado*, Civitas-Thomson Reuters, Madrid, 2021, pp. 703-712.

GARCIMARTIN ÁLFEREZ, FRANCISCO, *Derecho internacional privado*, 6ª edic. Thomson Reuters, Cizur Menor, Navarra, 2021.

LAPIEDRA ALCALMÍ, ROSA *et al.*, *La internacionalización de las relaciones internacionales*, Tirant lo Blanch, Valencia, 2017.

LÓPEZ INSUA, BELÉN DEL MAR, "Derecho a la intimidad en el trabajo y nuevas tecnologías", en AA.VV., *Innovación tecnológica, cambio social y sistema de relaciones laborales: Nuevos paradigmas para comprender el derecho del trabajo del siglo XXI*, Comares, Granada, 2021, pp. 253-300.

LOZANO LARES, FRANCISCO, "Tiempo de trabajo y derechos digitales", en *El nuevo escenario en materia de tiempo de trabajo*, Consejo Andaluz de Relaciones laborales, Sevilla, 2020, pp. 289-326.

MENESES, NACHO, "Y después de la pandemia, ¿qué pasa con el teletrabajo", Diario El País, 21 de septiembre de 2022. Disponible en: https://elpzais.com/economia/formacion/2022-09-21/y-despues-de-la-pandemia-que-pasa-con-el-teletrabajo.html

MONEREO PÉREZ, JOSE LUIS y LÓPEZ VICO, SHEILA, *El teletrabajo tras la pandemia del Covid-19. Una reflexión sobre su ordenación y normalización jurídica*, Laborum, Murcia, 2022.

MORENO CORDERO, GISELA, "La nacionalidad y el ejercicio de una profesión regulada en la UE", en MOYA ESCUDERO, MERCEDES (Dir.), *Movilidad internacional de personas y nacionalidad*, Tirant lo Blanch, Valencia, 2021, pp. 297-338.

PUERTA VÍLCHEZ, JUAN MANUEL, "Capítulo 7. Autorizaciones de residencia y trabajo", en *Memento de extranjería*, 3ª edic., Francis Lefebvre, Madrid, 2021, pp. 95-154.

SOTO MOYA, MERCEDES, "Capítulo 14. Titulares del derecho de libre circulación", en *Memento de extranjería*, 3ª edic., Francis Lefebvre, Madrid, 2021, pp. 241-250.

TORRES RODRÍGUEZ, ANA MARÍA, "Capítulo 19. Entrada y permanencia por razones de interés económico" en *Memento de extranjería*, 3ª edic., Francis Lefebvre, Madrid, 2021, pp. 279-283.

TORRES RODRÍGUEZ, ANA MARÍA, "Capítulo 20. Requisitos que deben cumplir los solicitantes de visado o autorización de residencia", en *Memento de extranjería*, 3ª edic., Francis Lefebvre, 2021, pp. 285-309.

IDENTIFICACIÓN DE EXTRANJEROS EN ESPAÑA POR MOTIVOS ÉTNICOS VEINTE AÑOS DESPUÉS DE LA SENTENCIA DEL TRIBUNAL CONSTITUCIONAL 13/2001

JUAN FRANCISCO SÁNCHEZ BARRILAO

Profesor Titular de Derecho Constitucional
Universidad de Granada

I. INTRODUCCIÓN

Hace más de 20 años, con la Sentencia 13/2001, la Sala Segunda del Tribunal Constitucional denegaba un recurso de amparo (n° 490/1997) sobre la identificación de una mujer a partir de sus rasgos étnicos, y al respecto de su hipotética condición de extranjera ilegal en nuestro país; y ello, al entender que sobre la misma recaía una carga inherente a la vida social (FFJJ n° 3 y 9), por más que dicha mujer fuera, y sin embargo, de nacionalidad española. Aunque la Sentencia estaba llamada a resolver un evidente supuesto de discriminación entre nacionales (art. 14 Constitución), pues la identificación causa del amparo únicamente se le practicó a dicha mujer mientras se encontraba en una situación que afectaba a otras personas[1], como así se determinó en un Dictamen del Comité de Derechos Humanos de 27 de julio de 2009, también supuso una

---

[1] Sobre esta Sentencia, SÁNCHEZ BARRILAO, JUAN FRANCISCO, "Identificación documental de nacionales y extranjeros (Comentario a la STC 13/2001, de 29 de enero)", *Revista Española de Derecho Constitucional*, n° 64, 2002, pp. 217-238. Dicho trabajo, a su vez, tiene su origen en otro anterior sobre el tema publicado en una obra coordinada precisamente por la Profesora Mercedes Moya Escudero: SÁNCHEZ BARRILAO, JUAN FRANCISCO, "El derecho-deber de los extranjeros a la documentación", en MOYA ESCUDERO, MERCEDES (Coord.), *Comentario sistemático a la Ley de Extranjería (LO 4/2000 y LO 8/2000)*, Comares, Granada, 2001, pp. 491-528.

aproximación al régimen constitucional de la identificación de extranjeros, por cuanto que aquella, en razón a su etnia, había sido considerada
como extranjera e ilegal, motivando la referida identificación; a esto, precisamente, dedicamos estas páginas[2].

A tales efectos, vamos a recordar la citada Sentencia del Tribunal Constitucional 13/2001, de 29 de enero, deteniéndonos en los hechos que le dieron causa,
en el racionamiento de la Sala Segunda del Tribunal y en el voto particular del
Magistrado don Julio Diego González Campos que la acompaña. Pero antes, se
verá el contexto jurídico que habría enmarcado la Sentencia, para luego ver su
influencia formal en la ulterior jurisprudencia constitucional, en especial con
relación a la identificación de extranjeros en España, así como en su régimen
legal durante estos últimos años. También, claro, se verá el referido Dictamen del
Comité de Derechos Humanos de 2009, como otras denuncias al Estado español
por sucesos similares. Se concluirá, finalmente, con unas consideraciones críticas
sobre todo ello.

II. CONTEXTO JURÍDICO PREVIO EN MATERIA DE IDENTIFICACIÓN DOCUMENTAL DE EXTRANJEROS

1. Identificación documental

La documentación, en sí, es un medio de acreditación de datos que se contienen en un escrito o soporte oficial, y sirviendo este de ordinario de prueba cierta
de los mismos. Ella obedece, en general, al interés público en poder conocer de
manera segura, sencilla y permanente dichos datos con relación a una persona
en cuestión, a los efectos de un normal desarrollo de las relaciones jurídicas en
las que ella se ve inmersa con otros y con los poderes públicos; pero a la par, al
particular interés de los individuos en poder acreditar de manera segura, sencilla
y permanente tales datos, a fin de un normal desenvolvimiento de sus propias
relaciones jurídicas. Para el caso de los españoles, es el Documento Nacional
de Identidad (art. 9.1 Ley Orgánica 1/1992, de 21 de febrero, sobre Protección

---

[2]   Los anteriores trabajos (Nota 1), junto con mi participación en el Curso "Experto Universitario
       en Derecho de Extranjería" del Centro de Formación Continua de la Universidad de Granada
       (desde el curso 2001-2002, al 2012-2013), coordinado nuevamente por la Profesora Mercedes Moya
       Escudero, y con el tema de "El deber de los extranjeros a la documentación", son la razón por la
       que participe, con tal tema, en este homenaje a ella; y es que, desde que me diera clase en quinto
       de la Licenciatura de Derecho (hace algunos años…), la Profesora Mercedes Moya Escudero no ha
       dejado de animarme en mi aventura universitaria (primero como alumno, y luego como docente e
       investigador). Gracias por tanto.

de la Seguridad Ciudadana) "el documento público que acredita la auténtica personalidad de su titular, constituyendo el justificante completo de la identidad de la persona"[3]; mientras, es el pasaporte el documento básico para la salida de estos del territorio nacional (arts. 10.1 Ley Orgánica 1/1992 y 1 Real Decreto 3129/1977, de 23 de septiembre)[4].

Concretando en la prueba de la identidad y la nacionalidad de los extranjeros, ella recae principalmente en la documentación que a este fin expidan "las autoridades competentes del país de origen o de procedencia" de aquellos (arts. 4.1 Ley Orgánica 4/2000, de 11 de enero, sobre Derechos y Libertades de los Extranjeros en España y su Integración Social, y 4.1 y 59.3 Real Decreto 864/2001, de 20 de julio, por el que se aprueba su Reglamento); es decir, cédulas identificativas nacionales (análogas al DNI en España, o documentos sustitutivos de éstas), y pasaporte[5]. Y en cuanto a la acreditación de la situación jurídica de los extranjeros en territorio español, esta se viene basando principalmente en documentación española[6]: el visado, que se considera condición necesaria para su entrada

---

[3]   Al momento de la STC 13/2001, art. 1 Decreto 196/1976, de 6 de febrero, modificado por Real Decreto 1245/1985, de 17 de julio. El DNI, por sí solo, tiene valor suficiente para acreditar la identidad de su titular ante entidades públicas españolas, como ante particulares, mediante su exhibición y, en su caso, aportación de copia (disp. adic. segunda, tercera y quinta Real Decreto 1245/1985).

[4]   Siendo considerado como un derecho de los ciudadanos españoles a fin de permitírseles viajar al extranjero, y sin perjuicio de que el DNI sea documento supletorio del pasaporte de los españoles en su entrada en el territorio nacional español, y respecto a la salida fuera siempre y cuando se prevea conforme a los términos de Acuerdo internacional suscrito por el Estado español (nuevamente arts. 10.1 Ley Orgánica 1/1992, y 1 Real Decreto 3129/1977).

[5]   En relación a las primeras, se ha de estar a la legislación propia del país de origen o procedencia del extranjero, sea o no nacional del mismo, siempre y cuando estas sean válidas a tales efectos (art. 4.2 Real Decreto 864/2001); y es que es posible que un extranjero pueda encontrarse documentado por un Estado distinto al de su nacionalidad (p.e., art. 25.4 Ley Orgánica 4/2000, en el caso de España). Y respecto al pasaporte, como documento de viaje por excelencia, sirve también para la adecuada acreditación de la identidad y la nacionalidad de los extranjeros; mas, dada su índole eminentemente internacional, el pasaporte queda sujeto a norma internacional, de forma que su validez en territorio español resulta condicionada a su adecuación a los convenios suscritos por España.

[6]   Si bien son posibles supuestos de documentación foránea. Este es el caso del turista procedente de un país para el que no se exija visado (art. 30.1 Ley Orgánica 4/2000), siendo suficiente el pasaporte o documento de viaje que acredite su identidad y siempre que se considere válido para tal fin en virtud de convenios internacionales suscritos por España (art. 25.1 Ley Orgánica 4/2000). Sin embargo, en tales documentos extranjeros es posible encontrar cierta actividad documental española, en cuanto que en estos documentos se haga constar gráficamente (sello, signo o marca de control), o de alguna otra forma (un impreso adjunto), la conformidad de la entrada del extranjero en territorio español (art. 28.2 y 3 Real Decreto 864/2001), o alguna limitación a su estancia (p.e., art. 24.3 Real Decreto 864/2001).

en España[7]; y para el supuesto de extranjeros en situación regular en territorio español y en estancia prolongada, la Tarjeta de Identidad de Extranjero[8].

2. *Identificación personal*

De la articulación jurídica del referido interés público en conocer, de manera sencilla, cierta y constante, diversos aspectos de los individuos, es de donde surge no solo un específico deber a la documentación, sino la potestad pública dirigida a hacerlo valer a fin de conocer cuál sea la identidad y la nacionalidad de las personas, además de la situación jurídica de las extranjeras en España. Y a efectos, que se adviertan diversas vertientes: de este modo, como genérico deber de obtener tal documentación; también, como simple deber a la posesión y custodia, o conservación, de la documentación; y finalmente, como concreto deber a acreditar la identidad y la nacionalidad a través de dicha documentación.

En cuanto al deber de documentación y los extranjeros, se establece su obligación de "conservar la documentación que acredite su identidad, expedida por las autoridades competentes del país de origen o de procedencia, así como la que acredite su situación en España" (art. 4.1 Ley Orgánica 4/2000). Más allá de la literal dicción de este precepto, fruto de la situación de carencia documental en la que se encontraban (y siguen encontrándose) no pocos extranjeros ilegales, se vino a conformar un auténtico deber legal de todos los extranjeros a poseer la documentación que permitiera satisfacer adecuadamente el interés público en conocer cuál fuera su identidad, nacionalidad y situación jurídica en territorio español[9]. Y en relación a los precisos contenidos de este deber, cabiéndose distinguir la solicitud y obtención de la documentación (de un lado), y su válida conservación (de otro), lo que llevaría no sólo a su mera custodia, sino también a su permanente puesta al día mediante su renovación[10]. No obstante, dicho

---

[7] Salvo disposición contraria en convenio internacional suscrito por España o estos sean titulares de una autorización de residencia o de un documento análogo que les permita la entrada o hayan solicitado acogerse al derecho de asilo (arts. 25.2 y 3 Ley Orgánica 4/2000). El visado es expedido por el Estado español (arts. 5 ss. Real Decreto 864/2001).

[8] Como documentación española a fin de reflejar y acreditar las diversas circunstancias características de la situación legal de una persona extranjera, así como su identificación, y logrando, también, que estas puedan justificar oficialmente el hallarse legalmente en España y cuál sea su régimen jurídico (arts. 52 y 59.1 Real Decreto 864/2001, y hoy 210 Real Decreto 557/2011, de 20 de abril).

[9] Pero ello, sin dejar de advertir cómo dicho deber legal no es sino, esencialmente, un reflejo formal de su estancia legal en España, al quedar la misma formalmente condicionada, en gran medida, a la posesión de dicha documentación.

[10] A estos efectos, se habrá de distinguir entre la documentación foránea, es decir la expedida por el Estado del que es nacional o procede el extranjero, y la documentación española de los extranjeros. La documentación extranjera, obviamente, queda fuera del ámbito de eficacia del Derecho español, con lo que no es posible mayor exigencia al extranjero que: su efectiva obtención, como

deber no es absoluto, pues la falta de tal documentación puede ser suplida en ciertos supuestos mediante documentación expedida ad hoc por el propio Estado español (p.e., arts. 25.4 *in fine*, 34.1 y 34.2 Ley Orgánica 4/2000). Al hilo de tal documentación española, y en particular con relación a la Tarjeta de Identidad de Extranjero, es deber de los extranjeros su obtención en situación de permanencia prolongada y legal en España, así como su renovación y conservación y custodia[11].

Respecto al deber de identificación, finalmente, se parte de la referida obligación de los extranjeros de "disponer de la documentación que acredite su identidad y el hecho de hallarse legalmente en España, con arreglo a lo dispuesto en las normas vigentes" (art. 11 Ley Orgánica 1/1992); y a tales efectos, que sea posible hablar de un singular deber de identificación y acreditación legal de los extranjeros ante las autoridades y los funcionarios públicos e, incluso, de un más concreto deber de llevar consigo siempre dicha documentación a este fin[12]. De esta forma, y con un evidente carácter instrumental para una efectiva acreditación documental, los extranjeros no solo se encontrarían legalmente obligados a conservar el pasaporte o documento con base al cual hubieran efectuado su entrada en España y, en su caso, la Tarjeta de Identidad de Extranjero, sino a exhibirlos cuando fueran requeridos por las autoridades o sus agentes, y con ello abriéndose la posibilidad de que se sancionara como desobediencia la negativa del extranjero a acreditarse cuando le fuera requerido (conforme art. 26.h Ley Orgánica 1/1992); sin embargo, con esto, es que se abra alguna que otra cuestión en relación con la propia identificación, según se muestra a continuación.

Primeramente, se ha de tener en cuenta cómo el deber de los extranjeros de exhibir la documentación citada, cuando sea requerida por autoridades o agentes públicos, se habría de entender satisfecho si estos, aún no presentado tales documentos, colaboran en la acreditar su identidad o situación jurídica por cualquier otro medio. Ciertamente, con ello, se relativiza ya en gran medida el anterior deber de disponer de tal documentación, pues es lo esencial no es tanto dicho deber abstracto sino la colaboración del extranjero con la autoridad y la

---

presupuesto para su entrada legal en territorio español (art. 25.1 Ley Orgánica 4/2000); y su constante renovación, como condición para su permanencia legal.

[11]   El art. 26.a Ley Orgánica 1/1992 tipificaba, como infracción leve, "el incumplimiento de la obligación de obtener la documentación personal".

[12]   Y es que "disponer" va más allá de la mera posesión y conservación, pues, aun suponiéndolas, conlleva cierta capacidad de preparación o prevención (o lo que es igual, tener la documentación en condición conveniente para acreditar la identidad y la situación legal de aquellos en el caso de ser solicitado).

efectiva acreditación de la identidad y, en su caso, de la nacionalidad y la situación jurídica de aquel[13].

Y luego está la razonabilidad misma de la petición de identificación a una persona extranjera, en cuanto que acreditación de su identidad, y su nacionalidad y regularidad en territorio español; y esto en atención a la causa de la exigencia de dicha acreditación y a la propia proporcionalidad de la medida. No en vano, es dable preguntarse por los motivos que singularizan el deber de llevar la documentación en la obligación de exhibirla ante autoridades y agentes de las Fuerzas y Cuerpos de Seguridad, y esto, por cuanto que el Estado de Derecho excluye (art. 1.1 Constitución), por definición, la arbitrariedad y la sospecha generalizada[14]. A estos efectos siempre será necesaria una razón o motivo que justifique objetivamente tanto la identificación de una persona, como, y en particular, la acreditación de la situación legal del extranjero, si bien cabe distinguir a grandes rasgos entre uno y otro lance.

En cuanto a lo primero, la identificación del extranjero coincide con la del nacional. En este sentido (art. 20.1 Ley Orgánica 1/1992, y Ley Orgánica 2/1986, de 13 de marzo, de Fuerzas y Cuerpos de Seguridad), "los agentes de las Fuerzas y Cuerpos de Seguridad podrán requerir, en el ejercicio de sus funciones de indagación o prevención, la identificación de las personas y realizar las comprobaciones pertinentes en la vía pública o en el lugar donde se hubiere hecho el requerimiento, siempre que el conocimiento de la identidad de las personas requeridas fuere necesario para el ejercicio de las funciones de protección de la seguridad que a los agentes encomiendan la presente Ley y la Ley Orgánica de Fuerzas y Cuerpos de Seguridad"[15].

Sería así posible que la motivación de dicha necesidad afectara de manera particular a una persona, o bien fuera genérica o colectiva (p.e. un control, al amparo art. 19.2 Ley Orgánica 1/1992), pero aquella siempre habría de darse objetivamente, pues de lo contrario la medida sería arbitraria e ilegítima.

---

[13]   Pues el deber de los extranjeros de disponer su documentación para su exhibición a autoridades y agentes cuando esta se les requiera, tiene un valor meramente instrumental. Si lo que el art. 11 de la Ley Orgánica 1/1992 pretende es garantizar que los extranjeros puedan acreditar dichos aspectos, lo esencial es que lo hagan, y no tanto cómo lo realicen; cuestión distinta es que la acreditación haya de entenderse, o no, suficiente por las autoridades y agentes públicos, según el caso. Si el extranjero colabora con la autoridad o agente en la actividad acreditativa e identificativa, pero sin aportar documentos, no hay desobediencia alguna, sin perjuicio de que tal acreditación sea considerada insuficiente por aquellos, y puedan incluso trasladar al extranjero a dependencias policiales a fin de su efectiva y adecuada identificación (art. 20.2 Ley Orgánica 1/1992).

[14]   En este sentido MARTÍN MORALES, RICARDO, "Primera parte. Teoría general", en MARTÍN MORALES, RICARDO (Coord.), *El principio constitucional de intervención indiciaria*, Grupo Editorial Universitario, Granada, 2000, pp. 9 ss.

[15]   *Cfr.* GARCÍA MORILLO, JOAQUÍN, *El derecho a la libertad personal (Detención, privación y restricciones de libertad)*, Tirant lo Blanch, Valencia, 1995, pp. 152-154.

Por otra parte, y en cuanto a la acreditación de la nacionalidad y situación legal de los extranjeros en especial, dada la particularidad de la comprobación, esta debería fundamentarse en un motivo concerniente a la propia legalidad de la estancia en España (Sentencia del Tribunal Constitucional 86/1996, de 21 de mayo, FJ nº 2, *in fine*)[16], siendo asimismo posible que la medida sea con relación a uno o a varios extranjeros, o se amplíe a grupos o a zonas geográficas más o menos delimitados. Pero esto, añadimos, habría de encontrar respaldo en un supuesto real o presunto (nunca hipotético) que justifique objetivamente dicha medida. Además, tales medidas no deberían encubrir discriminación alguna en razón de la raza o a cualquier otra circunstancia personal, como el idioma o el acento, a salvo de la propia nacionalidad, en tanto que constitucionalmente prohibido (art. 14 Constitución); otra cosa es que determinadas circunstancias objetivas puedan racionalmente llevar a pensar que una persona sea extranjera y que se encuentre dentro de uno de los supuestos en los que sea efectivamente necesaria acreditar su nacionalidad o su situación legal en España[17].

En relación ahora a la proporcionalidad stricto sensu de la identificación, la actuación pública de requerimiento para la misma supone una inicial parada, dando lugar a una inmovilización momentánea a tales efectos; en todo caso, se deberá observar un trato correcto, además de proporcionarse información cumplida sobre las causas y finalidades de la intervención (Sentencia del Tribunal Constitucional 86/1996, FJ nº 3)[18]. Como consecuencia de dicho requerimiento, el sujeto debe proceder a identificarse, pues de lo contrario este incurriría en una infracción o delito de desobediencia a la autoridad (art. 20.4 Ley Orgánica

---

[16]   "Es cierto que la Ley de Extranjería sólo establece el control policial del cumplimiento de los requisitos legales para circular y residir en España con ocasión de entrar a través de los puestos fronterizos o, de manera más laxa, -en el momento de abandonar el país (arts. 11.3 y 21.1 LEx.). Sin embargo, la Ley de Protección de la Seguridad Ciudadana (Ley Orgánica 1/1992, de 21 febrero) sí permite a los agentes de policía identificar a las personas en la vía pública, cuando resulta necesario para ejercer sus funciones de indagación o prevención dirigidas a proteger la seguridad ciudadana de acuerdo con las leyes (art. 21.1 L.S.C.). Entre esas funciones se incluye la de comprobar que los extranjeros que se encuentran en territorio español disponen de la documentación obligatoria: la que acredita su identidad, y la que acredita el hecho de encontrarse legalmente en España (art. 11 L.S.C.)".

[17]   Piénsese, p.e., en la identificación de un grupo de subsaharianos en una playa del sur, tras descubrirse en esta una patera varada.

[18]   "Por consiguiente, la inicial parada y requerimiento de identificación al actor, cuando circulaba por las Ramblas, por parte de los policías de la Brigada de Seguridad Ciudadana, contaba con cobertura legal. Y no existe ninguna razón en este proceso que pueda llevar a pensar que la inmovilización momentánea sufrida por el señor García Melani haya sido llevada a cabo de manera arbitraria, o sin cumplir el deber que incumbe a todos los miembros de las fuerzas de seguridad de observar un trato correcto con los ciudadanos, proporcionando información cumplida sobre las causas y finalidad de su intervención (art. 5.2.b de la Ley Orgánica de Fuerzas y Cuerpos de Seguridad, L.O. 2/1986, de 13 marzo). De aquí que la primera restricción a su libertad personal no haya supuesto una vulneración del art. 17.1 C.E.".

1/1992). A este fin, la persona puede/debe exhibir su documentación personal (documento de identidad, pasaporte o Tarjeta de Identificación de Extranjero), la cual ha de entenderse suficiente al respecto, sin perjuicio de[19] poder demostrar su identidad por cualquier otro medio si no la llevara consigo. Solo en el supuesto en que se constate que no es posible comprobar suficientemente la identidad (en el instante mismo del requerimiento), los miembros de las Fuerzas y Cuerpos de Segundad podrían trasladar al individuo a dependencias policiales a meros efectos identificativos (art. 20.2 Ley Orgánica 1/1992); pero ello, siempre y cuando, razonable y fundadamente, quepa presumirse que este ha cometido, o se encuentra en disposición actual de cometer, un ilícito penal, o haya incurrido en una infracción administrativa (Sentencia del Tribunal Constitucional 341/1993, de 18 de noviembre, FJ n° 5)[20]. En cambio, si lo que no resulta suficientemente acreditado es la regular situación en territorio español de una persona extranjera, y razonada y fundadamente los miembros de las Fuerzas y Cuerpos de Seguridad entienden ilegal su estancia en España, lo que cabe es la detención cautelar del mismo a fin de su expulsión (arts. 28.3, y 57 ss. Ley Orgánica 4/2000).

III. LA SENTENCIA DEL TRIBUNAL CONSTITUCIONAL 13/2001, DE 29 DE ENERO

1. Hechos

A finales de 1992 una mujer fue requerida en la estación de ferrocarril de Valladolid por un funcionario de Policía Nacional para que se identificase por considerarla extranjera y en condición de ilegal en territorio nacional; estando acompañada de su esposo e hijo, únicamente a ella le fue solicitada la

---

[19]   Recuérdese.

[20]   "[…] la privación de libertad con fines de identificación sólo podrá afectar a personas no identificadas de las que razonable y fundadamente pueda presumirse que se hallan en disposición actual de cometer un ilícito penal (no de otro modo cabe entender la expresión legal «para impedir la comisión de un delito o falta») o a aquellas, igualmente no identificables, que hayan incurrido ya en una «infracción» administrativa, estableciendo así la Ley un instrumento utilizable en los casos en que la necesidad de identificación surja de la exigencia de prevenir un delito o falta o de reconocer, para sancionarlo, a un infractor de la legalidad. […] si bien la exigencia de identificarse ante el requerimiento de los agentes (art. 20.1 de la L.O.P.S.C.) nunca podría llevar, por sí sola, a la aplicación de lo dispuesto en el art. 20.2, no es menos cierto que tal deber constituye una «obligación» legal, en el sentido dicho, que permite, dadas las circunstancias previstas en este último precepto, asegurar la identificación de las personas afectadas, cuando no haya otro medio para ello, incluso mediante su privación de libertad".

documentación, y ello por su raza. Ante las protestas de su marido, por la forma discriminatoria con que estaba siendo tratada su esposa, la familia fue trasladada a las dependencias policiales sitas en la propia estación, dejándoles marchar la policía tras comprobar la nacionalidad española de la mujer.

La anterior intervención policial dio lugar a una serie de actuaciones jurídicas por parte de aquella, su esposo y su hijo: una denuncia, con sus consiguientes diligencias previas (n° 4392/1992, del Juzgado de Instrucción n° 5 de Valladolid), sobreseídas provisionalmente por no resultar justificada la perpetración de delito alguno; un recurso de alzada frente a una Orden (no escrita) del Ministerio del Interior, por la cual habría de solicitarse la documentación a personas de color (15 de febrero de 1993); y una solicitud de responsabilidad patrimonial de la Administración General del Estado ante el Ministerio del Interior, dado el trato discriminatorio relatado, y las lesiones morales y psicológicas producidas a la requerida y a sus familiares como consecuencia de la humillación sufrida (también, de 15 de febrero de 1993)[21]. Inadmitido el recurso administrativo por falta de acto recurrible, al considerarse que tal Orden (verbal) no existía, y desestimado un subsiguiente recurso jurisdiccional (Sentencia de la Sala de lo Contencioso-Administrativo de la Audiencia Nacional de 15 de marzo de 1996)[22], la segunda solicitud también fue desestimada: primero por el Ministerio del Interior, pues "los funcionarios policías actuaron dentro del marco de sus competencias de control de inmigración ilegal y respondiendo a la apariencia extranjera de la interesada"[23]; y segundo jurisdiccionalmente (Sentencia de la Sala Contencioso-Administrativo de la Audiencia Nacional de 29 de noviembre de 1996), pues "el requerimiento de identificación por razón más que de raza, [es] de nacionalidad", enmarcándose "en lo que se ha dado en llamar cargas de la vida social o en sociedad", y no ser "desproporcionado el requerimiento de identificación" en dicho caso al ser la "recurrente de raza negra" (tampoco quedó acreditado que la recurrente sufriera daño alguno, por el hecho "en sí de exigírsele su identificación por razón de nacionalidad y raza")[24].

Es de este modo que la actuación policial, convalidada jurisdiccionalmente, centraría el recurso de amparo por la mujer y su familia por discriminación (nuevamente, art. 14 Constitución), pues la etnia, según esta, "fue lo único que determinó que se le pidiese la documentación, pues a ninguna otra persona que bajó del tren se solicitó que se identificara"[25]. Con todo, además se invocó vulneración de la libertad y de la seguridad (art. 17 Constitución), de la libertad de

---

[21]   Antecedente n° 2.a.
[22]   Antecedente n° 2.b.
[23]   Antecedente n° 2.c.
[24]   Antecedente n° 2.d.
[25]   Antecedente n° 3.

circulación (art. 19 Constitución), y de la tutela judicial efectiva y presunción de inocencia (art. 24 Constitución).

2. Fundamentos jurídicos y Fallo

Una vez que el Tribunal Constitucional desestima el motivo relativo a la tutela judicial efectiva (FFJJ nº 2 y 3), declara la falta de legitimación del esposo y del hijo de la mujer recurrente (FJ nº 4), y rechaza de plano los demás motivos anteriormente señalados (FJ nº 5), este centraría su resolución del amparo en la supuesta discriminación (FFJJ nº 3 y 6). A tales efectos, el Tribunal Constitucional comenzó recordando pronunciamientos sobre discriminación racial o étnica (FJ nº 7)[26], para, a continuación, pasar a razonar la adelantada desestimación del amparo (Fallo); estos son los argumentos.

Primero, el Tribunal partió, de un lado, de la doble obligación de los extranjeros de llevar consigo y exhibir documentación que acredite su identidad y el hallarse legalmente en España (arts. 11 Ley Orgánica 1/1992 y, en aquel entonces, 4.2 Ley Orgánica 7/1985, de 1 de julio, sobre Derechos y Libertades de los Extranjeros y 72.1 Real Decreto 1119/1986, de 26 de mayo, como Reglamento de su ejecución); y de otro, de la posibilidad de controles identificativos a realizar por la Policía, a dichos efectos (art. 20.1 Ley Orgánica 1/1992). De ambos presupuestos cabría, entonces, que "determinadas características físicas o étnicas pueden ser tomadas en consideración en ellos como razonablemente indiciarias del origen no nacional de la persona que las reúne" (FJ nº 8); y todavía más, a la vista del lugar en que la identificación se llevó a cabo, como fue una estación de ferrocarril, dado el constante flujo de viajeros y extranjeros (FJ nº 8, *in fine*).

Segundo, y como núcleo de la argumentación del Constitucional, los agentes de policía únicamente apreciaron la raza de la mujer recurrente en amparo como indicio "de una mayor probabilidad de que la interesada fuese extranjera", y no como manifestación racista o xenófoba, a tenor del correcto trato en todo momento demostrado por los agentes con aquella, lo que a su vez evidenció la proporcionalidad de la medida y la falta de perjuicio ocasionado en ella (FJ nº 9)[27].

---

[26]   Así: "afirmando tajantemente el carácter odioso de la aludida forma de discriminación"; "calificamos la discriminación racial de perversión jurídica"; o "el odio y el desprecio a todo un pueblo o a una etnia [...] son incompatibles con el respeto a la dignidad humana, que sólo se cumple si se atribuye por igual a todo hombre, a toda etnia, a todos los pueblos".

[27]   Es más, pues los recurrentes en amparo, según el Tribunal, no denunciaron "que se produjese un trato ni siquiera incorrecto, sino que atacan la utilización del color de la piel de la" mujer "como criterio determinante de que se le pidiese su documentación" (todavía, FJ nº 9). Parece, con ello, observarse cierto tono de reproche por parte del Constitucional, pero no con la supuesta víctima, sino con su marido, en tanto que instigador de la "discusión" y negativa a que ésta se identificara en un primer momento (FJ nº 10, *in fine*).

Tercero, y aunque a modo de *obiter dicta*, el Tribunal Constitucional recordó cómo "los requerimientos de identificación en función de las apariencias que permitían razonablemente presumir la condición de extranjeros de determinadas personas hicieron posible que la actividad de la Brigada Móvil de Valladolid diera lugar a la localización de 126 extranjeros en situación ilegal durante 1992"; y de ahí que las "incomodidades que todo requerimiento de identificación genera" para las personas a las que tan selectivamente se les solicitan, sean "razonablemente asumibles como cargas inherentes a la vida social" (FJ n° 9). Pero también, según el Tribunal, que la obligación de identificación documental no sea exclusiva de los extranjeros, sino también de los españoles (FJ n° 9, *in fine*)[28].

Y cuarto, y a modo de conclusión, que el Constitucional considere que la Administración habría justificado "adecuadamente" cómo "su actuación goza[ba] de cobertura legal y se ajusta[ba] a criterios de razonabilidad y proporcionalidad" (FJ n° 10).

3. *Voto particular*

Tal parecer de la Sala Segunda del Tribunal Constitucional encuentra contrapunto en el Voto Particular del Magistrado don Julio Diego González Campos, para quien el "control de extranjeros" que se mantiene en la Sentencia "sólo constituye un residuo histórico del «Estado policía» y, como consecuencia, que la «policía de extranjeros», entendida como control de alcance general, se acomod[e] mal, en principio, con los valores de un Estado democrático y social de Derecho"; y por ello, que lo anterior "hubiera debido llevar a la Sentencia […] a una interpretación bien excluyente o, cuando menos, restrictiva y sujeta a estrictas condiciones del control general de los extranjeros en cualquier lugar del territorio nacional".

En cuanto a la discriminación denunciada, el Magistrado va más allá en su crítica, pues, de admitirse la raza como un criterio indiciario abstracto en controles generales por la policía, ciertos extranjeros (legalmente en España), e incluso nacionales, pueden verse sujetos a reiterados controles simplemente por su etnia; o lo que es lo mismo, verse así discriminados. Y esto, además, al no tenerse en cuenta en la Sentencia cómo "España, al igual que muchos Estados europeos, ya es una «sociedad multirracial», en la que convive un número no desdeñable de personas de otras razas. Y estas personas son tanto extranjeros en una situación regular como nacionales españoles".

---

[28]   Curiosa esta última referencia a los españoles, pues es este momento cuando el Tribunal Constitucional viene a considerar a la recurrente como auténtica nacional española.

IV. LA IDENTIFICACIÓN DE EXTRANJEROS A PARTIR DE PERFILES ÉTNICOS TRAS LA SENTENCIA DEL TRIBUNAL CONSTITUCIONAL 13/2001

1. Dictamen del Comité de Derechos Humanos de 27 de julio de 2009, relativo a la comunicación 1493/2006

Según se adelantó al comienzo de estas páginas, la Sentencia 13/2001 encontró contrapunto ocho años después en un Dictamen del Comité de Derechos Humanos de 27 de julio de 2009. En el se resolvía, a nivel de Naciones Unidas, la denuncia (comunicación 1493/2006, de 11 de septiembre) de la mujer cuyo amparo había sido desestimado por el Tribunal Constitucional en la comentada Sentencia, al respecto, nuevamente, de una discriminación con motivo de un control de identidad (arts. 2.3 y 26 Pacto Internacional de Derechos Civiles y Políticos). Siendo los hechos denunciados similares a los vistos en el anterior epígrafe (§ 3), el Comité, tras la admisión de la denuncia (§ 6), entraría en el fondo del asunto partiendo de la legitimidad de los controles de identidad genéricos "con fines de protección de la seguridad ciudadana y de prevención del delito o con miras a controlar la inmigración ilegal"; mas ello, advirtiendo (a renglón seguido) que "las meras características físicas o étnicas de las personas objeto de los mismos no deben ser tomadas en consideración como indicios de posible situación ilegal en el país" por la autoridades encargadas de aquellos (§ 7.2).

A partir de tales consideraciones, el Comité de Derechos Humanos considera que, aunque no parece probado que en España existiera "una orden escrita y expresa de realizar controles policiales de identidad tomando como criterio el color de la piel de las personas", sí que "el agente de policía actuó conforme a dicho criterio" según se evidencia en las ulteriores resoluciones judiciales (§ 7.3). Es más, dice el Comité, "no [se] puede sino concluir que la autora fue individualizada para dicho control de identidad únicamente por razón de sus características raciales y que estas constituyeron el elemento determinante para sospechar de ella una conducta ilegal" (§ 7.4)[29].

Por último, el Comité de Derechos Humanos advierte expresamente al Estado español que tiene "la obligación de tomar todas las medidas necesarias para evitar que sus funcionarios incurran en actos como los del presente caso" (§ 9).

---

[29]   "Además, no se ha ofrecido satisfacción a la autora, por ejemplo, mediante la presentación de excusas como reparación" (§ 7.4, *in fine*).

2. La Sentencia del Tribunal Constitucional 13/2001 en la ulterior jurisprudencia de este

En cuanto a la repercusión de la Sentencia 13/2001 en la propia labor del Tribunal Constitucional, y centrándonos en tratos por perfiles étnicos[30], ya al poco tiempo de la misma, en su Sentencia 200/2001, de 4 de octubre, este vino a declarar: "No obstante *este Tribunal ha admitido también que los motivos de discriminación que dicho precepto constitucional prohíbe puedan ser utilizados excepcionalmente como criterio de diferenciación jurídica* (en relación con el sexo, entre otras, SSTC 103/1983, de 22 de noviembre, FJ 6; 128/1987, de 26 de julio, FJ 7; 229/1992, de 14 de diciembre, FJ 2; 126/1997, de 3 de julio, FJ 8; en relación con las condiciones personales o sociales, SSTC 92/1991, de 6 de mayo, FFJJ 2 a 4; 90/1995, de 8 de julio, FJ 4; en relación con la edad, STC 75/1983, de 3 de agosto, FFJJ 6 y 7; en relación con la raza, STC 13/2001, de 29 de enero, FJ 8), si bien en tales supuestos el canon de control, al enjuiciar la legitimidad de la diferencia y las exigencias de proporcionalidad resulta mucho más estricto, así como más rigurosa la carga de acreditar el carácter justificado de la diferenciación" (FJ nº 4)[31].

Con ello, y aun condicionando el juicio de constitucionalidad a una justificación más estricta y rigurosa de la legitimidad y de las exigencias de proporcionalidad de tratos basados en la etnia, es que el Tribunal viniera a convalidar su Sentencia 13/2001 (es sus aspectos básicos), de modo que el anterior párrafo viniese a repetirse, consolidándose, en otros pronunciamientos constitucionales, como son las Sentencias: 39/2002, de 14 de febrero (FJ nº 4); 182/2005, de 4 de julio (FJ nº 3); 233/2007, de 5 de noviembre (FJ nº 5); 63/2011, de 16 de mayo (FJ nº 3); 79/2011, de 6 de junio (FJ nº 3); 117/2011, de 4 de julio (FJ nº 4); y 1/2021, de 25 de enero (FJ nº 3).

Sin duda esta normalización de la Sentencia 13/2001 en la jurisprudencia del Tribunal Constitucional llama la atención especialmente tras el referido Dictamen del Comité de Derechos Humanos de 2009[32]. No se comprende bien que

---

[30]   Pues son algunas las Sentencias del Tribunal Constitucional que vienen a hacer referencia a la 13/2001 también por otros motivos: así, sobre la tutela judicial, 70/2021, de 18 de marzo (FJ nº 2), y 144/2007, de 18 de junio (FJ nº 3); acerca del interés al respecto de la interposición del recurso amparo, 39/2020, de 25 de febrero (FJ nº 3), 131/2017, de 13 de noviembre (FJ nº 2), y 233/2005, de 26 de septiembre (FJ nº 3); acerca de las indemnizaciones económicas por violación de un derecho fundamental, 14/2003, de 28 de enero (FJ nº 1); y en relación a la subsidiariedad del recurso de amparo, 90/2001, de 2 de abril (FJ nº 1). Más llamativo, sin duda, es la propia cita de la Sentencia 13/2001 en otros pronunciamientos constitucionales al respecto de la discriminación encubierta, como 45/2007, de 1 de marzo (FJ nº 4), y 69/2007, de 16 de abril (FJ nº 3); sobre la igualdad en general, en 96/2003, de 22 de mayo (FJ nº 9), y 76/2003, de 23 de abril (FJ nº 8); o incluso en relación a la dignidad y los delitos de odio, en 235/2007, de 7 de noviembre (FJ nº 5).

[31]   La cursiva es nuestra.

[32]   Más allá, claro, de cierto olvido por casi diez años entre las Sentencias del Tribunal Constitucional 117/2011 y 1/2021.

con dicho Dictamen, por su contundencia, el Tribunal Constitucional no haya sometido a revisión la cita de un pronunciamiento expresamente desautorizado por aquel. Pero es más, pues lo que ya no se comprende en absoluto es que en su supuesto similar de identificación de un extranjero por motivo de su etnia[33], lejos de admitirse el recurso de amparo (n° 3800/2016), el Tribunal viniera a inadmitirlo a trámite por no apreciar especial trascendencia constitucional (Resolución de 3 noviembre de 2016 de la Sección Primera, Sala Primera), cuando hubiera sido la primera vez en la que el Tribunal podría haber repasado (al menos) su doctrina a la vista de tal Dictamen del Comité de Derechos Humanos[34].

3. Reformas normativas en materia de identificación de extranjeros

A diferencia de la referida normalización de la Sentencia 13/2001 en la jurisprudencia constitucional, el Dictamen del Comité de Derechos Humanos de 2009 sí parecería haber tenido reflejo normativo, y al menos con carácter formal, a la vista de los cambios que se han dado con relación al régimen legal de la identificación de personas extranjeras, si bien cabría insistir aún más al respecto de identificaciones por motivación exclusivamente étnica o a tenor de perfiles únicamente étnicos.

En cuanto a la legislación de extranjería, aunque la reforma de 2009 sobre el derecho y el deber de los extranjeros a la documentación no añade nada en tal sentido (art. 4 Ley Orgánica 4/2000, conforme art. único.6 Ley Orgánica 2/2009, de 11 de diciembre), sí que prohíbe expresamente cualquier acto de discriminación efectuado por autoridad o funcionario público, "que en el ejercicio de sus funciones, por acción u omisión, realice cualquier acto discriminatorio prohibido por la ley contra un extranjero solo [...] por pertenecer a una determinada raza, religión, etnia o nacionalidad" (art. 23.2.a Ley Orgánica 4/2000, conforme art. único.23 Ley Orgánica 2/2009)[35].

Otra cosa acontece con la vigente legislación relativa a la seguridad ciudadana, pues el régimen de la identificación documental de los extranjeros no solo ha recogido alguna de las cuestiones comentadas en apartados anteriores (art. 13.2 Ley Orgánica 4/2015, de 30 de marzo, de Protección de la Seguridad Ciudadana)[36], sino que introduce la expresa cautela de que en la práctica de tales

---

[33]   En 2013 un joven pakistaní con residencia legal en España era identificado por dos agentes de la Policía Nacional en Barcelona exclusivamente por su etnia.

[34]   SIMANCAS SÁNCHEZ, DANIEL, "Identificación policial por perfil étnico a partir del caso Zeshan Muhammad", en LÓPEZ MARTÍN, ANA GEMMA y OTERO GARCÍA-CASTRILLÓN, CARMEN (Dirs.), *Las minorías en el contexto actual*, Dykinson, Madrid, 2020, pp. 215-230.

[35]   También, art. 54.1.c Ley Orgánica 4/2000, conforme art. único.57 Ley Orgánica 2/2009.

[36]   Por su interés: "Los extranjeros estarán obligados a exhibir la documentación mencionada en el apartado 1 de este artículo y permitir la comprobación de las medidas de seguridad de la misma,

identificaciones "se respetarán estrictamente los principios de proporcionalidad, igualdad de trato y no discriminación por [...] origen racial o étnico" (art. 16.1, *in fine*, Ley Orgánica 4/2015). Y ello, en la línea de la Circular 2/2012, de 16 de mayo, sobre "identificación de ciudadanos" de la Dirección General de la Policía, por la que se establecía ya la limitación de realizar controles de inmigración según los rasgos físicos de estos. No obstante, podía incluirse una cláusula más específica a nivel legislativo sobre la prohibición de perfiles raciales sin justificación objetiva y razonable de la raza u origen étnico en actividades de control, conforme, por ejemplo, advierte Amnistía Internacional[37], lo que, sin duda, contribuiría de manera abstracta a una mejor garantía ante dichas situaciones de discriminación en la identificación de personas extranjeras; y ello, además, al hilo de la Recomendación de Política General número 11 de la Comisión Europea contra el Racismo y la Intolerancia (ECRI), de 29 de junio de 2007, o, más recientemente, de la Resolución 2364/2021 sobre Perfiles Étnicos en Europa de la Asamblea Parlamentaria del Consejo de Europa, de 28 de enero de 2021.

4. Denuncias al Estado español por identificación de extranjeros por motivos étnicos

Como se ha adelantado, en 2016 el Tribunal Constitucional inadmitía un recurso de amparo en un supuesto similar al resuelto en la Sentencia 13/2001; respuesta a ello fue su ulterior recurso ante el Tribunal Europeo de Derechos Humanos en 2017 (n° 34085/17), y admitido, en cambio, por este (comunicación de 14 de diciembre de 2017)[38]. Más allá de tal caso en cuestión, y a la espera de su resolución por aquel, lo cierto es que el Estado español sigue, en materia de identificación de personas por motivos étnicos (y aun después del art. 16.1, *in fine*, Ley Orgánica 4/2015), bajo el foco de instituciones privadas y públicas nacionales e internacionales relativas a derechos humanos, al venir a denunciar reiteradamente tratos discriminatorios al respecto[39].

---

cuando fueran requeridos por las autoridades o sus agentes de conformidad con lo dispuesto en la ley, y por el tiempo imprescindible para dicha comprobación, sin perjuicio de poder demostrar su identidad por cualquier otro medio si no la llevaran consigo".

[37]   AMNISTÍA INTERNACIONAL, "Preocupaciones y recomendaciones de Amnistía Internacional sobre la propuesta de reforma de la Ley Orgánica de Protección de la Seguridad Ciudadana", 10 de febrero de 2022, pp. 2-3, [en línea], (2022), https://www.es.amnesty.org/fileadmin/user_upload/Recomendaciones_reforma_LOSC.pdf [Consulta: 01/09/2022].

[38]   SANGÜESA RUIZ, NURIA, "Ethnic profiling Zeshan Muhammad c. España", en CARUSO FONTÁN, MARÍA VIVIANA y PÉREZ ALBERDI, MARÍA REYES (Dirs.), *Diálogos judiciales en el sistema europeo de protección de derechos: Una mirada interdisciplinar*, Tirant lo Blanch, Valencia, 2018, pp. 291-306.

[39]   A nivel doctrinal, p.e.: MARTÍNEZ ESCAMILLA, MARGARITA y SÁNCHEZ TOMÁS, JOSÉ MIGUEL, "Controles de identidad, detenciones y uso del perfil étnico en la persecución y castigo del inmigrante 'sin papeles': ilegalidad e inconstitucionalidad de determinadas prácticas policiales", INMIGRAPENAL (Grupo Inmigración y Sistema Penal), [en línea], (2011), https://info.nodo50.org/IMG/pdf/documentos_controles_de_identidad_detenciones_y_uso_del_perfil_etnico-

Así, es que en el quinto informe periódico sobre España de la Comisión Europea contra el Racismo y la Intolerancia, de 2017, se advierta de "la elaboración de perfiles según la raza por las autoridades encargadas de hacer cumplir la ley" como "un problema continuo"; incluso, que las personas pertenecientes a minorías étnicas tengan "dos veces más probabilidades de ser objeto de controles de identidad por la policía"[40].

Igualmente, en el Informe del Grupo de Trabajo de Expertos sobre los Afrodescendientes acerca de su misión a España, de 2018, se llega a decir expresamente que: "[…] el establecimiento de perfiles raciales de los afrodescendientes es un problema endémico. Por lo que escuchó una y otra vez, a los afrodescendientes se los toma constantemente por inmigrantes indocumentados y se los detiene mucho más a menudo que a personas de otro origen étnico en los controles en la vía pública y sin que existan problemas de seguridad. El sesgo racial es la realidad que viven los afrodescendientes. La sociedad civil informó de que la población negra corre el riesgo de ser señalada 42 veces más a menudo en los puertos y el transporte público, simplemente por el color de su piel. Esta práctica generalizada no solo discrimina a los extranjeros y a los ciudadanos españoles pertenecientes a minorías étnicas, sino que también alimenta el racismo, ya que quienes presencian esas interpelaciones dan por sentado que las víctimas desarrollan actividades delictivas"[41].

Y al hilo de ello, que el referido Grupo hiciera específicas recomendaciones al Estado español al respecto, como el "poner fin al uso de perfiles raciales"[42].

---

1. 6db317d0.pdf [Consulta: 01/09/2022]; AA.VV., *Identificación policial por perfil étnico en España: Informe sobre experiencias y actitudes en relación con las actuaciones policiales*, Tirant lo Blanch, Valencia, 2013; AA.VV., "Identificaciones policiales por perfil racial. Estudio criminológico sobre las experiencias de identificación en España en 2020-2021", *Revista Logos Ciencia y Tecnología*, vol. 14, nº 1, 2022, pp. 41-56.

40   COMISIÓN EUROPEA CONTRA EL RACISMO Y LA INTOLERANCIA, "Informe de la ECRI sobre España (quinto ciclo de supervisión)", pp. 14, 16 y 35, [en línea], (2018), https://rm.coe.int/fifth-report-on-spain-spanish-translation-/16808b56cb [Consulta: 01/09/2022].

41   NACIONES UNIDAS, "Informe del Grupo de Trabajo de Expertos sobre los Afrodescendientes acerca de su misión a España", A/HRC/39/69/Add.2, p. 7, [en línea], (2018), https://documents-dds-ny.un.org/doc/UNDOC/GEN/G18/249/78/PDF/G1824978.pdf?OpenElement [Consulta: 01/09/2022].

42   "En cuanto a la cuestión de los perfiles raciales, el Grupo de Trabajo recomienda al Gobierno que: a) Ponga en marcha un mecanismo de denuncia específico e independiente para abordar la cuestión; b) Siga las recomendaciones del Defensor del Pueblo nacional de poner fin al uso de perfiles raciales y avanzar hacia un discurso oficial más matizado al respecto; c) Ofrezca una formación especializada a los agentes de policía y a los funcionarios públicos para prohibir y sancionar la utilización de perfiles raciales; d) Lleve a cabo campañas de sensibilización específicas para cambiar los estereotipos sobre los afrodescendientes". *Ibidem*, p. 14.

Por su puesto que el uso de perfiles étnicos no es un problema exclusivamente español, tal como se advierte en el resto de Europa[43], pero ello no rebaja su importancia, dada su supuesta persistencia aquí. Y es que, en menos de 10 años (2013-2022), el propio Defensor de Pueblo ha presentado cinco recomendaciones al Ministerio del Interior para la erradicación de las identificaciones por perfil racial, y en las que solicita expresamente la puesta en práctica de instrumentos que faciliten información y datos al respecto ante la opacidad de aquel; que se adopten medidas necesarias para establecer reglas o pautas unificadas y homogéneas de actuación en el ejercicio de las funciones policiales y en las que se establezcan claramente los elementos específicos a tener en cuenta para evitar acciones que puedan implicar conductas racistas, xenófobas o discriminatorias en sus relaciones con la ciudadanía por cualquier causa, y así como para la sensibilización y capacitación del personal al servicio de las Fuerzas y Cuerpos de Seguridad del Estado en la gestión de la diversidad de la ciudadanía y en la lucha contra los ilícitos motivados por el odio y la discriminación contra personas diferentes (y dando la máxima difusión a estas medidas e incluyéndose en los planes de formación inicial y continua de todos los agentes); además de que, y conforme lo adelantado, se estudie la posible reforma del marco jurídico en materia de seguridad ciudadana para establecer como obligación general de todos los funcionarios de los Cuerpos y Fuerzas de Seguridad del Estado en sus relaciones con la ciudadanía la prohibición de toda discriminación por razón de raza y etnia[44].

V. CONSIDERACIONES FINALES

Después de más de 20 años de la Sentencia 13/2001, lo cierto es que la situación que dio origen a la misma sigue sin estar adecuadamente resuelta; y ello, a pesar del Dictamen del Comité de Derechos Humanos de 27 de julio de 2009 y la expresa advertencia al Estado español de "la obligación de tomar todas las medidas necesarias para evitar que sus funcionarios incurran en actos" como los ocurridos en tal caso (§ 9), o, al tiempo, como el que efectivamente diera lugar a la comentada inadmisión en 2016 del recurso de amparo que luego ha llegado ante el Tribunal Europeo de Derecho Humanos. Es más, y según lo referido en el anterior apartado, la sombra generalizada de un trato discriminatorio con ocasión de la identificación de personas extranjeras por meros motivos étnicos

---

[43]   COMMISSIONER FOR HUMAN RIGHTS, "Ethnic profiling: a persisting practice in Europe", [en línea], (2019), https://www.coe.int/en/web/commissioner/-/ethnic-profiling-a-persisting-practice-in-europe [Consulta: 01/09/2022].

[44]   La última recomendación es de 20 de abril de 2022; DEFENSOR DEL PUEBLO, "Recomendación", [en línea], (2022), https://www.defensordelpueblo.es/resoluciones/obligaciones-generales-de-los-funcionarios-de-los-cuerpos-y-fuerzas-de-seguridad-del-estado/ [Consulta: 01/09/2022].

sigue enquistada en nuestro sistema constitucional, y con ello la sospecha sobre nuestra lucha en materia de igualdad (art. 14 Constitución); no en vano, solicitar la identificación a una persona solo por motivos étnicos supone presumirle ser responsable de una conducta ilícita sin más indicios que su etnia o raza, algo del todo contrario al reconocimiento y garantía de la dignidad de las personas (art. 10.1 Constitución).

Desde luego, no cabe exigirles jurídicamente a unos más que a otros una carga social (nuevamente Sentencia del Tribunal Constitucional 13/2001, FFJJ nº 3 y 9) cuando ello depende de un aspecto o condición inherente a las personas, como es la etnia o la raza, y de ahí que la Sentencia 13/2001 debiera haber sido, desde hace años, enmendada por el propio Tribunal Constitucional. Y es que no basta con reformas legales (como la del art. 16.1, *in fine*, Ley Orgánica 4/2015) si luego el Tribunal Constitucional, por unos u otros motivos, viene a aceptar conductas de autoridades y agentes públicos que, aun sin ser teleológicamente discriminatorias, acaban por manifestar resultados lesivos a la dignidad de la persona. Lo contrario, legitimar actuaciones inapropiadas al respecto, perpetúa y refuerza prejuicios raciales contrarios a la igual dignidad de todas las personas (art. 1 Declaración Universal de los Derechos Humanos).

VI. BIBLIOGRAFÍA

AMNISTÍA INTERNACIONAL, "Preocupaciones y recomendaciones de Amnistía Internacional sobre la propuesta de reforma de la Ley Orgánica de Protección de la Seguridad Ciudadana", 10 de febrero de 2022, pp. 2-3, [en línea], (2022), https://www.es.amnesty.org/fileadmin/user_upload/Recomendaciones_reforma_LOSC.pdf [Consulta: 01/09/2022].

AA.VV., *Identificación policial por perfil étnico en España: Informe sobre experiencias y actitudes en relación con las actuaciones policiales*, Tirant lo Blanch, Valencia, 2013.

AA.VV., "Identificaciones policiales por perfil racial. Estudio criminológico sobre las experiencias de identificación en España en 2020-2021", *Revista Logos Ciencia y Tecnología*, vol. 14, nº 1, 2022, pp. 41-56.

COMISIÓN EUROPEA CONTRA EL RACISMO Y LA INTOLERANCIA, "Informe de la ECRI sobre España (quinto ciclo de supervisión)", pp. 14, 16 y 35, [en línea], (2018), https://rm.coe.int/fifth-report-on-spain-spanish-translation-/16808b56cb [Consulta: 01/09/2022].

COMMISSIONER FOR HUMAN RIGHTS, "Ethnic profiling: a persisting practice in Europe", [en línea], (2019), https://www.coe.int/en/web/commissioner/-/ethnic-profiling-a-persisting-practice-in-europe [Consulta: 01/09/2022].

DEFENSOR DEL PUEBLO, "Recomendación", [en línea], (2022), https://www.defensordelpueblo.es/resoluciones/obligaciones-generales-de-los-funcionarios-de-los-cuerpos-y-fuerzas-de-seguridad-del-estado/ [Consulta: 01/09/2022].

GARCÍA MORILLO, JOAQUÍN, *El derecho a la libertad personal (Detención, privación y restricciones de libertad)*, Tirant lo Blanch, Valencia, 1995.

MARTÍN MORALES, RICARDO, "Primera parte. Teoría general", en MARTÍN MORALES, RICARDO (Coord.), *El principio constitucional de intervención indiciaría*, Grupo Editorial Universitario, Granada, 2000.

MARTÍNEZ ESCAMILLA, MARGARITA y SÁNCHEZ TOMÁS, JOSÉ MIGUEL, "Controles de identidad, detenciones y uso del perfil étnico en la persecución y castigo del inmigrante 'sin papeles': ilegalidad e inconstitucionalidad de determinadas prácticas policiales", INMIGRAPENAL (Grupo Inmigración y Sistema Penal), [en línea], (2011), https://info.nodo50.org/IMG/pdf/documentos controles de identidad detenciones y uso del perfil etnico-1. 6db317d0.pdf [Consulta: 01/09/2022].

NACIONES UNIDAS, "Informe del Grupo de Trabajo de Expertos sobre los Afrodescendientes acerca de su misión a España", A/HRC/39/69/Add.2, p. 7, [en línea], (2018), https://documents-dds-ny.un.org/doc/UNDOC/GEN/G18/249/78/PDF/G1824978.pdf?OpenElement [Consulta: 01/09/2022].

SÁNCHEZ BARRILAO, JUAN FRANCISCO, "El derecho-deber de los extranjeros a la documentación", en MOYA ESCUDERO, MERCEDES (Coord.). *Comentario sistemático a la Ley de Extranjería (LO 4/2000 y LO 8/2000)*, Comares, Granada, 2001, pp. 491-528.

SÁNCHEZ BARRILAO, JUAN FRANCISCO, "Identificación documental de nacionales y extranjeros (Comentario a la STC 13/2001, de 29 de enero)", *Revista Española de Derecho Constitucional*, n° 64, 2002, pp. 217-238.

SANGÜESA RUIZ, NURIA, "Ethnic profiling Zeshan Muhammad c. España", en CARUSO FONTÁN, MARÍA VIVIANA y PÉREZ ALBERDI, MARÍA REYES (Dirs.), *Diálogos judiciales en el sistema europeo de protección de derechos: Una mirada interdisciplinar*, Tirant lo Blanch, Valencia, 2018, pp. 291-306.

SIMANCAS SÁNCHEZ, DANIEL, "Identificación policial por perfil étnico a partir del caso Zeshan Muhammad", en LÓPEZ MARTÍN, ANA GEMMA y OTERO GARCÍA-CASTRILLÓN, CARMEN (Dirs.), *Las minorías en el contexto actual*, Dykinson, Madrid, 2020, pp. 215-230.

DERECHO DE SUFRAGIO EN LAS ELECCIONES MUNICIPALES DE LOS NACIONALES BRITÁNICOS RESIDENTES EN ESPAÑA*

MARÍA ÁNGELES SÁNCHEZ JIMÉNEZ

Profesora Titular de Derecho internacional privado
Universidad de Murcia

SUMARIO: I. INTRODUCCIÓN. II. NACIONALES BRITÁNICOS RESIDENTES EN UN ESTADO MIEMBRO Y STJUE DE 9 DE JUNIO DE 2022. 1. La pérdida del estatuto de ciudadanos de la Unión Europea. 2. La pérdida del derecho de sufragio y su alcance. III. DERECHO DE SUFRAGIO EN ESPAÑA Y SITUACIÓN DE LOS NACIONALES BRITÁNICOS. 1. El limitado marco para el reconocimiento del derecho. 2. Reciprocidad y reconocimiento del derecho de sufragio activo y pasivo de los nacionales británicos. IV. A MODO DE CONCLUSIÓN. V. BIBLIOGRAFÍA.

La participación en la presente obra homenaje a la Profesora Mercedes Moya Escudero me brinda la oportunidad de expresar la gratitud y el más profundo reconocimiento que me merece por las muchas razones, difíciles de exponer en apenas unas líneas, tanto personales, como profesionales, que hacen especialmente grata esta colaboración. Tuve el honor de ser su alumna en la Licenciatura, y su docencia, además de dejarme un recuerdo imborrable por su implicación y entrega, constituyó el impulso de mi decisión para continuar en el camino universitario en el que siempre he encontrado su ayuda en el más amplio sentido que se pueda esperar. Es también admirable su dilatada trayectoria profesional. Son sobradamente conocidas y reconocidas sus aportaciones en el ámbito de la nacionalidad, la extranjería, y el Derecho de familia internacional, donde ha abordado una amplia variedad de materias, con la profundidad y el rigor que caracteriza su investigación. A todo lo anterior se añade la indudable y demostrada capacidad del liderazgo para la coordinación de proyectos de investigación configurados por grupos de profesores de gran amplitud y pertenecientes a diversas Universidades españolas. Quienes hemos tenido la oportunidad de participar en estos proyectos bajo su dirección conocemos esta indudable cualidad de la Dra. Moya Escudero y su demostrada capacidad de ilusionarnos e impulsarnos en su desarrollo. Precisamente, el impulso que su investigación ha supuesto en, entre otras, la línea de la nacionalidad y extranjería, ha motivado la elección del tema abordado para la presente obra homenaje.

*   Trabajo realizado en el marco del Proyecto I+D+i, PID2020-113444RB-I00, "*Matrimonio y otros modelos familiares: crisis y protección de menores en un contexto de creciente migración*", financiado por MCIN/ AEI /10.13039/501100011033.

I. INTRODUCCIÓN

La fecha de entrada en vigor del Acuerdo sobre la retirada del Reino Unido de Gran Bretaña e Irlanda del Norte de la Unión Europea y de la Comunidad Europea de la Energía Atómica (a partir de ahora "Acuerdo de Retirada")[1], el 1 de febrero de 2020, marca un momento clave para los nacionales británicos que residen en algún Estado miembro de la UE. Sus consecuencias han de repercutir en los derechos que, hasta ese momento, han tenido como ciudadanos europeos. Sobre esta base se centra el doble objeto del presente trabajo y paralelamente la sistemática por la que discurre. Por una parte, se aborda la incidencia que presenta el "Acuerdo de Retirada" en el derecho de sufragio activo y pasivo que podían ejercer los ciudadanos británicos en las elecciones municipales celebradas en el Estado miembro de su residencia. Se trata de precisar el alcance que presenta la pérdida del estatuto de ciudano de la Unión Europea en la paralela pérdida de este derecho siguiendo la interpretación que aporta el TJUE en su Sentencia (Gran Sala), de 9 de junio de 2022, C-673/20, *EP*[2] (apartado II). De acuerdo con esta delimitación, y atendiendo a la argumentación de la Sentencia, se puede abordar después la situación actual de los nacionales británicos que residen en España respecto al reconocimiento del derecho de sufragio en las elecciones municipales. Un análisis que ha de realizarse sobre la base de los requisitos previstos en nuestro ordenamiento interno para los ciudadanos extracomunitarios (apartado III).

La transcendencia que presenta este derecho de sufragio como mecanismo de integración y visibilidad en el país de residencia son los aspectos que motivan la relevancia del presente estudio, a los que se añade, en particular, el significativo número de nacionales británicos que residen en España[3], motivo de la singular importancia del planteamiento sobre el posible ejercicio de este derecho en la actualidad.

---

[1]   Adoptado el 17 de octubre de 2019, fue aprobado en nombre de la Unión y de la Comunidad Europea de la Energía Atómica (CEEA) mediante la Decisión (UE) 2020/135 del Consejo, de 30 de enero de 2020 (*DOUE* L 29, de 31 de enero de 2020). En virtud de lo previsto en su art. 185, su entrada en vigor se produjo el 1 de febrero de 2020.

[2]   ECLI:EU:C:2022:449.

[3]   Basta constatar los datos del padrón, en los que constan 282.124 británicos residentes en España https://padron.com.es/británicos-en-españa/ donde se indica que, si bien su presencia se constata en todas las provincias, son mayoritariamente residentes en Alicante y Andalucía. Cabe así destacar los 75.715 británicos registrados en la Comunidad Valenciana (https://www.levante-emv.com/economia/2019/01/17/75-715-britanicos-registrados-comunitat-13905000.html).

II. NACIONALES BRITÁNICOS RESIDENTES EN UN ESTADO MIEMBRO Y STJUE DE 9 DE JUNIO DE 2022

La situación de los nacionales británicos que residen en un Estado miembro de la UE queda sustancialmente modificada tras el "Acuerdo de Retirada" en lo que respecta al estatuto configurador de sus derechos. De la interpretación de su alcance se ha ocupado el TJUE en su Sentencia de 9 de junio de 2022, C-673/20, *EP*, respondiendo a la solicitud formulada por el *Tribunal judiciaire d'Auch* (Francia) en el contexto de un litigio entre, por un lado, EP., nacional del Reino Unido que, desde el año 1984, reside en Francia y, por otro, el *préfet du Gers* y el *Institut national de la statistique et des études économiques* (INSEE).

El caso que aborda esta STJUE se plantea cuando EP es eliminada (por el INSEE) del censo electoral del municipio de Thoux (Francia) con efectos del 1 de febrero de 2020, fecha de entrada en vigor del "Acuerdo de Retirada". No se le permitió por ello participar en las elecciones municipales celebradas en Francia el 15 de marzo de 2020. Ante esta situación EP formaliza una solicitud de reinscripción en el censo electoral especial para ciudadanos no franceses de la UE, que es denegada por el alcalde del municipio de Thoux mediante resolución de 7 de octubre de 2020. Con el objeto de impugnar dicha resolución EP presenta demanda ante el *Tribunal judiciaire d'Auch* que, ante las dudas relativas a las consecuencias que en el caso concreto genera la aplicación de las disposiciones del "Acuerdo de Retirada" en el derecho de voto (que entiende desproporcionadas), decide suspender el procedimiento y plantear al TJUE las cuestiones prejudiciales que resuelve la Sentencia[4]. La respuesta del Tribunal de Luxemburgo, así como la argumentación en la que se basa, son aspectos esenciales para extraer las consecuencias que presenta el denominado "Brexit" para los nacionales del Reino Unido de Gran Bretaña e Irlanda del Norte, respecto a sus derechos en

---

[4]   «1) ¿Deben interpretarse el artículo 50 [TUE] y el [Acuerdo de Retirada] en el sentido de que anulan la ciudadanía europea de los nacionales [del Reino Unido] que, antes del final del período transitorio, hayan ejercido su derecho a la libertad de circulación y a establecerse libremente en el territorio de otro Estado miembro, en particular para quienes hayan residido en el territorio de otro Estado miembro durante más de 15 años y estén sujetos a la "15-year rule" (regla de los 15 años) del Reino Unido, lo que les priva por completo del derecho al voto?
2) En caso de respuesta afirmativa, ¿debe considerarse que los artículos 2, 3, 10, 12 y 127 del Acuerdo de Retirada, en relación con el párrafo sexto de su Preámbulo, y los artículos 18, 20 y 21 [TFUE] permiten a esos nacionales [del Reino Unido] conservar, sin excepciones, los derechos de la ciudadanía [de la Unión] de que disfrutaban antes de la retirada de su país de la Unión Europea?».
En las cuestiones prejudiciales tercera y cuarta, se pregunta, en esencia, si, a la luz del art. 9 TUE, de los arts. 18 TFUE, 20 TFUE, y 21 TFUE, y del art. 40 de la Carta y del principio de proporcionalidad, la Decisión 2020/135 adolece de invalidez en la medida en que el "Acuerdo de Retirada" no confiere a los nacionales del Reino Unido que hayan ejercido su derecho a residir en un Estado miembro antes del final del período transitorio el derecho de sufragio activo y pasivo en las elecciones municipales de su Estado de residencia.

general, y en particular respecto al derecho de sufragio en las elecciones municipales del Estado miembro donde residen.

1. La pérdida del estatuto de ciudadanos de la Unión Europea

El punto de partida para abordar estas consecuencias pasa por considerar las razones expuestas por el TJUE en la Sentencia C-673/20 como motivos de la pérdida del estatuto de ciudadanos de la UE (apdos. 46 a 51). Estos argumentos se basan en la vinculación entre la ciudadanía de la Unión y la nacionalidad de los Estados miembros en virtud de lo que prevén los arts. 9 del TUE y 20.1 del TFUE. La ciudadanía de la Unión se añade, pero no sustituye, a la nacionalidad. Se trata de la causa del "vínculo indisociable y exclusivo entre la posesión de la nacionalidad de un Estado miembro y la adquisición, pero también la conservación, del estatuto de ciudadano de la Unión" (apdo. 48)[5]. Sobre esta base se configura la atribución de los derechos al ciudadano de la Unión que recogen los arts. 20.2, 21 y 22 del TFUE. Tratándose de los ciudadanos de la Unión que residan en un Estado miembro del que no sean nacionales, entre estos derechos se comprende el relativo al sufragio activo y pasivo en las elecciones municipales de dicho Estado miembro que pueden ejercer en las mismas condiciones que los propios nacionales (art. 20.2 b) y art. 22 TFUE). El artículo 40 de la Carta reconoce igualmente este derecho que se integra en el estatuto del ciudadano de la Unión[6].

---

[5]   Como señala la propia Sentencia (apdo. 49) el Tribunal de Justicia ha declarado que el artículo 20 TFUE confiere a toda persona que tenga la nacionalidad de un Estado miembro el estatuto de ciudadano de la Unión, que, según reiterada jurisprudencia, está destinado a convertirse en el estatuto fundamental de los nacionales de los Estados miembros (STJUE de 18 de enero de 2022, *Wiener Landesregierung*, As. C-118/20, apdo. 38 y jurisprudencia citada. ECLI: EU:C: 2022:34).

[6]   El art. 20.2 b) del Tratado de Funcionamiento de la Unión Europea (versión consolidada en *DOUE* C 83, de 30 de marzo de 2010) indica que "Los ciudadanos de la Unión son titulares de los derechos y están sujetos a los deberes establecidos en los Tratados. Tienen, entre otras cosas, el derecho (…) (b) de sufragio activo y pasivo en las elecciones al Parlamento Europeo y en las elecciones municipales del Estado miembro en el que residan, en las mismas condiciones que los nacionales de dicho Estado". Por su parte, el art. 22 establece que "(1) Todo ciudadano de la Unión que resida en un Estado miembro del que no sea nacional tendrá derecho a ser elector y elegible en las elecciones municipales del Estado miembro en el que resida, en las mismas condiciones que los nacionales de dicho Estado. Este derecho se ejercerá sin perjuicio de las modalidades que el Consejo adopte, por unanimidad con arreglo a un procedimiento legislativo especial, y previa consulta al Parlamento Europeo; dichas modalidades podrán establecer excepciones cuando así lo justifiquen problemas específicos de un Estado miembro. (2). Sin perjuicio de lo dispuesto en el apartado 1 del artículo 223 y en las normas adoptadas para su aplicación, todo ciudadano de la Unión que resida en un Estado miembro del que no sea nacional tendrá derecho a ser elector y elegible en las elecciones al Parlamento Europeo en el Estado miembro en el que resida, en las mismas condiciones que los nacionales de dicho Estado. Este derecho se ejercerá sin perjuicio de las modalidades que el Consejo adopte, por unanimidad con arreglo a un procedimiento legislativo especial, y previa consulta al Parlamento Europeo; dichas modalidades podrán establecer excepciones cuando así lo justifiquen problemas específicos de un Estado miembro". El art. 40 de la Carta de los Derechos Fundamenta-

Este conjunto de derechos se vincula a la posesión de la nacionalidad de un Estado miembro como "requisito indispensable para que una persona pueda adquirir y conservar el estatuto de ciudadano de la Unión. La pérdida de la nacionalidad de un Estado miembro entraña, pues, para la persona afectada, la pérdida automática de su estatuto de ciudadano de la Unión" (apdo. 57). En este contexto se integran los nacionales de un Estado que retira de la UE, al dejar de ostentar la nacionalidad de un Estado miembro[7]. Se trata de las consecuencias que afectan a los nacionales del Reino Unido desde el 1 de febrero de 2020, fecha de la entrada en vigor del "Acuerdo de Retirada" en la que los Tratados de la UE dejaron de ser aplicables a este país (art. 50.3 TUE). Esta fecha marca el momento en el que los ciudadanos británicos, pasan a ser nacionales extracomunitarios[8]. El resultado afecta de forma paralela a la pérdida del derecho de sufragio activo y pasivo en las elecciones municipales del Estado miembro en el que residan.

2. La pérdida del derecho de sufragio y su alcance

La pérdida del estatuto de ciudadano de la Unión conlleva la de los derechos que comprende. Sobre esta base descansa la argumentación de la STJUE C-673/20 para responder a la preocupación expuesta por el *tribunal judiciaire d'Auch* (órgano jurisdiccional remitente). Concretamente, este órgano constata, como indica la Sentencia (apdo. 36), que EP carece totalmente de derecho de sufragio, ya que, por una parte, no puede votar en las elecciones en el Reino Unido al estar sujeta a la norma en virtud de la cual un nacional de ese Estado que resida desde hace más de 15 años en el extranjero no tiene derecho a participar en las elecciones de dicho Estado ("15-year rule", en lo sucesivo "regla de los 15 años") y, por otra, ha perdido el derecho de voto en las elecciones municipales en Francia con arreglo a lo dispuesto en el artículo 127 del "Acuerdo de Retirada". Considera, por ello, que la aplicación de estas disposiciones a los nacionales del Reino Unido que, como es el caso de EP, llevan residiendo en un

---

les de la Unión Europea (*DOCE* C 364, de 18 de diciembre de 2000) señala que "Todo ciudadano de la Unión tiene derecho a ser elector y elegible en las elecciones municipales del Estado miembro en que resida, en las mismas condiciones que los nacionales de dicho Estado".

[7] Señala la Sentencia (apdo. 52) que "(c)omo ha puesto de relieve la Comisión, la circunstancia de que un particular haya ejercido, cuando el Estado del que es nacional era un Estado miembro, su derecho a circular y residir libremente en el territorio de otro Estado miembro no le permite, en consecuencia, conservar el estatuto de ciudadano de la Unión y todos los derechos que atribuye a este estatuto el Tratado FUE si, a raíz de la retirada de su Estado de origen de la Unión, ya no posee la nacionalidad de un Estado miembro".

[8] Como indica la Sentencia (apdo. 55), "(...) desde el 1 de febrero de 2020, los nacionales del Reino Unido ya no poseen la nacionalidad de un Estado miembro, sino la de un Estado tercero".

Estado miembro más de 15 años, lleva a unas consecuencias "desproporciona-das", en tanto vulnera de forma excesiva su derecho fundamental de voto.

Frente a esta consideración la respuesta del TJUE es clara como muestra el primer apartado del fallo de la Sentencia cuando indica que "(l)os artículos 9 TUE y 50 TUE y los artículos 20 TFUE a 22 TFUE, deben interpretarse en el sentido de que, desde la retirada del Reino Unido de Gran Bretaña e Irlanda del Norte de la Unión Europea y de la Comunidad Europea de la Energía Atómica, adoptado el 17 de octubre de 2019 y que entró en vigor el 1 de febrero de 2020, los nacionales de ese Estado que hayan ejercido su derecho a residir en un Estado miembro antes del final del período transitorio ya no disfrutan del estatuto de ciudadano de la Unión ni, más concretamente, con arreglo a los artículos 20 TFUE, apartado 2, letra b), y 22 TFUE, del derecho de sufragio activo y pasivo en las elecciones municipales de su Estado miembro de residencia, incluso cuando también están privados, en virtud del Derecho del Estado del que son nacionales, del derecho de voto en las elecciones organizadas por este último Estado".

La relevancia de esta respuesta va unida a la argumentación en la que se basa. Señala el TJUE que la pérdida del estatuto de ciudadano de la Unión, y por consiguiente la pérdida del derecho de sufragio activo y pasivo en las elecciones municipales del Estado miembro de residencia de ese nacional, "es, como ha señalado el Abogado General en el punto 42 de sus conclusiones, una consecuencia automática de la mera decisión adoptada soberanamente por el Reino Unido de retirarse de la Unión, con arreglo al artículo 50 TUE, apartado 1" (apdo. 59). A ello añade, por otra parte, que la "regla de los 15 años" corresponde a una elección de Derecho electoral realizada por este antiguo Estado miembro, que ahora es un Estado tercero" (apdo. 60). En estas circunstancias considera que, ni las autoridades competentes de los Estados miembros, ni sus órganos jurisdiccionales, están obligados a llevar a cabo un examen individual de las consecuencias de la pérdida del estatuto de ciudadano de la Unión para la persona afectada a la luz del principio de proporcionalidad" (apdo. 61). Precisa además (apdo. 62) que no es aplicable a la situación que ahora resuelve la jurisprudencia derivada de las sentencias el TJUE en los asuntos en los que ha considerado obligatorio el examen individual de la proporcionalidad de las consecuencias de la pérdida de la ciudadanía de la Unión, y ello porque estos venían referidos a situaciones específicas comprendidas en el ámbito del Derecho de la Unión, en las que un Estado miembro había retirado la nacionalidad a particulares en aplicación de una medida legislativa de ese Estado miembro, o de una decisión individual adoptada por las autoridades competentes de dicho Estado miembro[9].

---

[9]   Para el primer caso (retirada por un Estado miembro de la nacionalidad a particulares en aplicación de una medida legislativa de ese Estado miembro) remite a la Sentencia de 12 de marzo de 2019, *Tjebbes*, C-221/17 (ECLI:EU:C:2019:189), apdo. 48, y para el segundo (decisión individual adop-

Todo lo anterior lleva al TJUE a señalar que ninguna disposición del "Acuerdo de Retirada" permite constatar que este mantenga, después de su entrada en vigor, el derecho de sufragio activo y pasivo en las elecciones municipales del Estado miembro de residencia a favor de los nacionales del Reino Unido que hayan ejercido su derecho a residir en un Estado miembro de conformidad con el Derecho de la Unión antes del final del período transitorio (apdo. 63). De este modo, tras el análisis de las disposiciones del "Acuerdo de Retirada"[10], concluye señalando que los arts. 18.1 y 21 del TFUE "no pueden interpretarse en el sentido de que obligan a los Estados miembros a seguir concediendo, después del 1 de febrero de 2020, a los nacionales del Reino Unido que residan en su territorio el derecho de sufragio activo y pasivo en las elecciones municipales organizadas en dicho territorio que conceden a los ciudadanos de la Unión" (apdo. 81). Ahora bien, es esencial destacar la relevante precisión con la que finaliza el TJUE cuando señala que "esta interpretación se entiende sin perjuicio de la facultad de los Estados miembros de conceder, en las condiciones que establezcan en su Derecho interno, un derecho de sufragio activo y pasivo a los nacionales de terceros Estados que residan en su territorio" (apdo. 82). Esta última afirmación es la que motiva el análisis realizado en el siguiente apartado con el objeto de abordar la situación actual de los nacionales británicos respecto al reconocimiento del derecho de sufragio en el contexto de la legislación española.

---

tada por las autoridades competentes de dicho Estado miembro, a las Sentencias de 2 de marzo de 2010, *Rottmann*, C-135/08 (ECLI:EU:C:2010:104), apdo. 42, y de 18 de enero de 2022, *Wiener Landesregierung* (Revocación de un seguro de naturalización), C-118/20 (ECLI:EU:C:2022:34), apdo. 74.

[10] Los siguientes apartados de la Sentencia realizan un pormenorizado análisis de las disposiciones del "Acuerdo de Retirada" determinantes para la delimitación del momento de su ejecución y aplicación por los Estados miembros, con especial consideración de los arts. 20.2 b) del TFUE y 22 TFUE, así como de los arts. 39 y 40 de la Carta, como disposiciones del Derecho primario de la Unión relativas al derecho de sufragio activo y pasivo de los ciudadanos de la Unión en el Parlamento Europeo y en las elecciones municipales de su Estado miembro de residencia. Este análisis permite al TJUE señalar en el segundo apartado del fallo de la Sentencia que "El examen de las cuestiones prejudiciales tercera y cuarta no ha puesto de manifiesto ningún elemento que pueda afectar a la validez de la Decisión 2020/135 del Consejo, de 30 de enero de 2020, relativa a la celebración del Acuerdo sobre la retirada del Reino Unido de Gran Bretaña e Irlanda del Norte de la Unión Europea y de la Comunidad Europea de la Energía Atómica".

III. DERECHO DE SUFRAGIO EN ESPAÑA Y SITUACIÓN DE LOS NACIONALES BRITÁNICOS

1. El limitado marco para el reconocimiento del derecho

En el marco de nuestro ordenamiento jurídico el derecho de sufragio activo y pasivo ha sido expresión última del nacionalismo estatal. Su titularidad, frente a la de los derechos civiles, sociales y económicos, no ha ido desligándose de forma generalizada de la nacionalidad para asociarse a la residencia. La reserva del derecho de voto exclusivamente a los nacionales se ha basado en la tradicional vinculación entre nacionalidad y pertenencia a una comunidad política, con la clara consecuencia de la exclusión del extranjero.

El reconocimiento del derecho de sufragio en las elecciones municipales para los extranjeros residentes en España tiene unos límites muy estrictos introducidos por el Texto constitucional. El art. 13 CE, en su apartado segundo, establece que "solamente los españoles serán titulares de los derechos reconocidos en el artículo 23, salvo lo que, atendiendo a criterios de reciprocidad, pueda establecerse por tratado o ley para el derecho de sufragio activo y pasivo en las elecciones municipales". Teniendo en cuenta que el art. 23 se refiere al derecho de participación política, este precepto constitucional marca la restricción más importante de los derechos de los extranjeros[11]. La regla general que se deriva de este precepto es que el derecho de participación política corresponde a los españoles, si bien, inmediatamente introduce la posibilidad de establecer el derecho de sufragio activo y pasivo en las elecciones municipales por ley o tratado atendiendo a criterios de reciprocidad.

El objeto de este precepto no es reconocer directamente el derecho de sufragio, sino establecer la necesaria vinculación entre el posible establecimiento del derecho y los criterios de reciprocidad. A partir del Texto constitucional, la posible titularidad que pudieran tener los extranjeros residentes en España sobre

---

[11]   Conviene recordar lo establecido por el TC en su conocida Sentencia 107/1984, de 23 de noviembre, de la que se derivó su célebre clasificación tripartita en cuanto a la titularidad de los derechos por parte de los extranjeros: derechos que corresponden por igual a españoles y extranjeros debido a su relación incuestionable con la dignidad de la persona; derechos que pertenecerán a los extranjeros según dispongan los tratados o las leyes; y, en tercer lugar, señaló "existen derechos que no pertenecen en modo alguno a los extranjeros, los reconocidos en el artículo 23 de la Constitución, según dispone el artículo 13.2 y con la salvedad que contienen". Igualmente, estableció que cuando la participación comporte el ejercicio del poder político, estaremos en presencia de la participación en los asuntos públicos como derecho reconocido en el art. 23 CE, manifestación del ejercicio de la soberanía popular (STC 119/1985, de 17 de julio) -Vid. SSTC 99/1985, de 30 de septiembre; 115/1987, de 7 de julio, 94/1993, de 22 de marzo y 130/1995, de 11 de septiembre donde, del mismo modo, señala, que los extranjeros no gozan del derecho del art. 23.2 CE-.

el derecho de sufragio en las elecciones municipales queda supeditada a los criterios de la reciprocidad, a los que quedaría vinculado el establecimiento que pudiera hacerse por vía legal o convencional[12]. La posibilidad que introduce el art. 13.2 CE para el establecimiento del derecho de sufragio, hace del criterio de reciprocidad el eje fundamental sobre el que gravita su posible reconocimiento para los extranjeros. El resultado es un limitado marco jurídico que genera diferentes categorías de extranjeros de acuerdo con las posibilidades de la titularidad de este derecho en función del reconocimiento del mismo a los españoles en su país de origen[13]. Esta es la causa por la que el reconocimiento del derecho de sufragio a favor de los extranjeros tenga, en unos casos, unos límites insalvables y, en otros, unos obstáculos significativos[14]. Unos y otros revelan que, por la acción directa de los criterios de reciprocidad, la posibilidad para el reconocimiento a los extranjeros residentes del derecho de sufragio en las elecciones municipales es restringida (tiene un "techo máximo"), y no presenta una sencilla aplicación práctica. Es más, la complejidad se incrementa si se considera que, aun siendo la reciprocidad el eje central para el reconocimiento del derecho de sufragio, no es

---

[12]   De esta vinculación, Lozano García deriva que estamos ante un "derecho expectante" que pasará a ser un "derecho real y efectivo" cuando un tratado o ley lo desarrollen LOZANO GARCÍA, JOSÉ LUIS, *Derecho de sufragio de los extranjeros en las elecciones locales*, Cuadernos de la Escuela Diplomática. Ministerio de Asuntos Exteriores, Madrid, 1991, en esp. p. 95. Por su parte, señala Sagarra i Trias, que el derecho de sufragio activo y pasivo para las elecciones municipales viene configurado en la Constitución como un derecho público fundamental de los extranjeros, que pasará de ser un derecho expectante a un derecho real y efectivo cuando un tratado o ley lo desarrollen. SAGARRA I TRIAS, EDUARD, "Derechos públicos y participación en elecciones", en BORRÁS RODRÍGUEZ, ALEGRÍA (Dir.), *Diez años de la Ley de extranjería: balance y perspectivas*, Itinera, Barcelona, 1995, pp. 38-44, en esp. p. 39; *id.*, "El derecho de voto de los extranjeros en España en las elecciones municipales", *REDI*, vol. 47, nº 1, 1995, pp. 332-337, en esp. p. 333.

[13]   Frente a esta restricción no pueden alegarse nuestros instrumentos internacionales ya que la participación electoral de los extranjeros no está entre el catálogo de los derechos que recogen, en unos casos porque no se refieren al mismo (DUDH), en otros porque reservan expresamente a los ciudadanos la participación en los asuntos públicos (art. 25 del PIDCP o en la CEDH). España no es parte del Convenio, realizado en el seno del Consejo de Europa, sobre la Participación de los Extranjeros en la Vida Pública a Nivel Local, 1992, en vigor desde el 1 mayo 1997.

[14]   El presupuesto básico para el reconocimiento del derecho de sufragio al extranjero residente en España es la existencia, en su país de procedencia, de elecciones libres y democráticas en las que se reconozca a los españoles este derecho. El resultado es que el principio de reciprocidad se presenta como un límite insalvable para el reconocimiento del derecho de sufragio para el conjunto de los extranjeros residentes en España. En tanto exista este principio en el Texto constitucional (art. 13.2) es impensable el establecimiento del derecho de sufragio con carácter general. Es más, consecuencia del mismo se genera, a efectos del posible reconocimiento del derecho de sufragio, una esencial distinción entre el "grupo de los incluidos por efecto de la reciprocidad" y el "grupo de los excluidos por efecto de la reciprocidad". Estos últimos sobrepasan el "techo máximo" del reconocimiento permitido en la CE para el derecho y, por tanto, no pueden ser titulares del derecho de sufragio, a menos que las normas de su país de origen cambiaran y ello le permitiera pasar al primero de los grupos señalados. No deja de ser llamativo que la titularidad de un derecho personal dependa de tales circunstancias.

en sí misma suficiente para su titularidad, ya que de acuerdo con el art. 13.2 CE es necesario que, sobre la base de la misma, el derecho venga establecido, bien mediante un Tratado, o mediante una Ley que así lo reconozca. La constatación de la reciprocidad ha de ir unida al reconocimiento del derecho y para la configuración de los cauces formales el precepto constitucional ofrece una doble vía alternativa (Tratado/Ley).

Estos resultados, a los que conduce el precepto constitucional, son la consecuencia de los intensos debates políticos que generó esta norma en el proceso constituyente[15], motivo de la solución de consenso a la que parece obedecer como resultado de las dificultades del momento[16]. Muestra de los problemas generados por la solución finalmente adoptada es la reforma que en 1992 hubo de llevarse a cabo del art. 13.2 CE, como consecuencia de la aparición en el TUE de

---

[15]   El Texto constitucional, en la redacción del anteproyecto elaborado por la ponencia elegida en el seno de la Comisión constitucional, establecía, en concreto, en el entonces art. 12.1: "La condición jurídica del extranjero se regulará por ley y por los tratados, atendiendo siempre al principio de efectiva reciprocidad. Solamente los españoles serán titulares de derechos políticos". A ello, el art. 12.2 añadía: "Los extranjeros residentes en España gozarán de las libertades públicas del presente título, en los términos que la ley establezca". Sobre la evolución parlamentaria del art 13 CE, vid. RODRÍGUEZ-DRINCOURT ÁLVAREZ, JUAN, *Los derechos políticos de los extranjeros*, Civitas, Madrid, 1997, en esp. pp. 196-206; MASSÓ GARROTE, MARCOS FRANCISCO, *Los derechos políticos de los extranjeros en el Estado nacional. Los derechos de participación política y el derecho de acceso a funciones públicas*, Colex, Madrid, 1997, en esp. pp. 24 ss.; SAGARRA I TRIAS, EDUARD, *Los derechos fundamentales y las libertades públicas de los extranjeros en España*, Bosch, Barcelona,1991; id., *La Legislación sobre extranjería e inmigración: una lectura. Los derechos fundamentales y las libertades públicas de los extranjeros en España*, Publicacions de la Universitat de Barcelona, Barcelona, 2002, en esp. pp. 58-66; PÉREZ VERA, ELISA y ABARCA JUNCO, PALOMA, "Artículo 13 Extranjería" (Actualización), en ALZAGA VILLAAMIL, ÓSCAR (Dir.), *Comentarios a la Constitución española*, T. II, Edersa, Madrid, 1997, pp. 185-209.

[16]   Massó Garrote, tras el estudio de las enmiendas y propuestas formuladas al proyecto de Constitución, sintetiza las dos posiciones netamente diferenciadas que, como indica, eran, por un lado, las encarnadas básicamente por UCD y AP, que mantenían la exclusión absoluta de los extranjeros en el ejercicio de los derechos políticos, con los siguientes argumentos: "(a) la vinculación tradicional del derecho de sufragio al estatuto de ciudadano o nacional; (b) los peligros acechantes de la inmigración emergente; (c) la vinculación del derecho de sufragio a los deberes públicos derivados de la nacionalidad". Por otro lado, la otra posición, representada por el Grupo Socialista y Comunista, defendía el reconocimiento parcial de los derechos políticos, basada en siguientes argumentos: "(a) la progresiva quiebra de la vinculación entre nacionalidad y titularidad de los derechos políticos, consecuencia de la internacionalización de la vida social y política desde una perspectiva de la integración de España en organismos supranacionales, que obligaría en el futuro a una reforma constitucional, que presentaría dificultades, (b) la integración real de los extranjeros residentes en España en la vida social y política; (c) la evolución de esta materia en derecho comparado y los tratados internacionales que introducen el reconocimiento del derecho de sufragio de los extranjeros". MASSÓ GARROTE, MARCOS FRANCISCO, *Los derechos políticos…, op. cit.*, pp. 126-127.

la figura jurídica del ciudadano de la Unión[17], con el reconocimiento a su favor de la titularidad del derecho de sufragio activo y pasivo[18].

En este contexto se integraban los nacionales británicos con carácter previo a la retirada del Reino Unido de la UE. La pérdida de la condición de ciudadanos de la UE desde el momento de la entrada en vigor del "Acuerdo de Retirada", motiva el planteamiento de la situación actual respecto al reconocimiento que puedan tener de acuerdo con lo previsto en nuestra legislación interna del derecho de sufragio en las elecciones municipales que se celebren en España.

---

[17] La reforma de la Constitución, llevada a cabo por exigencia del Tratado de Maastricht, de 7 de febrero de 1992, motivó la consulta que el Gobierno elevó al Consejo de Estado sobre las distintas cuestiones constitucionales que podrían suscitarse consecuencia del reconocimiento a los ciudadanos europeos residentes en España, de los derechos de sufragio activo y pasivo en las elecciones municipales y en las relativas al Parlamento Europeo. Nuestro máximo órgano consultivo entendió –Dictamen del Consejo de Estado 850/1991, de 20 de junio, sobre posibles cuestiones constitucionales en el caso de ratificación del Tratado en curso de negociación sobre la Unión Política, *Boletín de Legislación Extranjera*, núms. 149 y 150, 1994, pp. 77 a 80– que, el instrumento jurídico para la concesión del derecho de sufragio pasivo podría ser el art. 93 CE, por cuanto atribuye a una organización o institución internacional el ejercicio de competencias derivadas de la Constitución, sin que sea preciso acudir al expediente de una reforma constitucional, si bien, también indicaba la posibilidad de que algunas "desviaciones argumentales" pudieran justificar reservas, por lo que, se ocupó de recordar que la CE en su art. 95.2 establece el mecanismo que permite acudir al TC. Requerido el TC instado por el Gobierno a pronunciarse sobre la posible contradicción del Tratado con la Constitución, la solución definitiva (con carácter vinculante), fue la ofrecida por la Declaración del TC 1/1992, de 1 de julio sobre el derecho de sufragio pasivo de nacionales comunitarios en el Tratado de Maastricht (*BOE* nº 207, de 28 de agosto de 1992), que llegó a la conclusión de la necesaria reforma del art. 13.2 CE, la cual llevó a introducir el inciso "y pasivo" en el precepto constitucional, por una parcial contradicción entre el art. 13.2 CE y el Tratado. Por consiguiente, era precisa la revisión de la norma fundamental (art. 95.1 CE) por el procedimiento menos agravado del art. 167, lo que, posteriormente, permitió la ratificación del TUE por España, mediante Instrumento de 29 de diciembre de 1992, una vez que la LO 11/1992, de 28 de diciembre, así lo autorizara.

[18] Reforma que obligaba a la modificación del art. 176 de la Ley Orgánica 5/1985, de 19 de junio, del Régimen Electoral General (*BOE* nº 147, de 20 de junio de 1985). Este precepto, tras señalar que "(s)in perjuicio de lo regulado en el Título I, capítulo I, de esta Ley, gozan del derecho de sufragio activo en las elecciones municipales los residentes extranjeros en España cuyos respectivos países permitan el voto a los españoles en dichas elecciones, en los términos de un tratado", continúa indicando que "(a)simismo, gozan del derecho de sufragio activo en las elecciones municipales todas las personas residentes en España que, sin haber adquirido la nacionalidad española: a) Tengan la condición de ciudadanos de la Unión Europea según lo previsto en el párrafo 2 del apartado 1 del artículo 8 del Tratado Constitutivo de la Comunidad Europea. b) Reúnan los requisitos para ser elector exigidos en esta Ley para los españoles y hayan manifestado su voluntad de ejercer el derecho de sufragio activo en España".

2. *Reciprocidad y reconocimiento del derecho de sufragio activo y pasivo de los nacionales británicos*

Los nacionales británicos que residan en España, al perder la condición de ciudadanos de la Unión desde el 1 de febrero de 2020, son nacionales de un tercer Estado (extracomunitarios). De este modo, en lo que respecta a las normas que delimitan sus derechos es preciso aplicar la denominada Ley de extranjería, esto es, la Ley Orgánica 4/2000, de 11 de enero, sobre derechos y libertades de los extranjeros en España y su integración social[19] (a partir de ahora LOEx). En particular, en su art. 6 se refiere al posible reconocimiento del derecho de sufragio en las elecciones municipales a favor de los extranjeros residentes.

Este precepto de la LOEx relativo a la participación pública, comienza recogiendo la expectativa del derecho de sufragio en las elecciones municipales a favor de los extranjeros residentes (al señalar que "podrán ser titulares")[20]. Un derecho que, para ser efectivo, requiere su reconocimiento "de acuerdo con los términos establecidos en la CE, en los Tratados internacionales, en su caso, o en la Ley" (apdo.1). En realidad, se trata de una remisión innecesaria ya que el reconocimiento del derecho de sufragio para los extranjeros ha de hacerse, no puede ser de otro modo, de acuerdo con lo previsto en el art. 13.2 CE, precepto que remite a los Tratados y a la Ley.

En todo caso, a pesar de la vía alternativa que ofrece para el reconocimiento de este derecho, la realidad es que el desarrollo ha tenido lugar a través de la vía convencional[21]. El alcance que actualmente presenta el derecho de sufragio es, en consecuencia, paralelo al avance de los acuerdos bilaterales que con este objeto han sido celebrados por España. En este sentido es llamativo que hasta el año 2009, es decir transcurridos treinta años de la aprobación del Texto constitucional, solo el Canje de Notas con Noruega (1990) mantenía vigencia[22]. Es en el

---

[19]   *BOE* nº 10, de 12 de enero de 2000 (reformada por LO 8/2000, LO 14/2003, LO 2/2009, LO 10/2011 y RDL 16/2012).

[20]   Establece el art. 6.1 de la LOEx que "(l)os extranjeros residentes en España podrán ser titulares del derecho de sufragio, en las elecciones municipales, en los términos establecidos en la Constitución, en los tratados internacionales, en su caso, y en la Ley".

[21]   Al respecto *vid.* SÁNCHEZ JIMÉNEZ, MARÍA ÁNGELES, "El impulso del reconocimiento del derecho de sufragio de los inmigrantes a través de la vía legislativa" en SÁNCHEZ LORENZO, SIXTO (Ed.), *La integración de los extranjeros. Un análisis transversal desde Andalucía*, Atelier, Barcelona, 2009, pp. 323-365.

[22]   *BOE* nº 153, de 27 de junio de 1991. A este Acuerdo se habrían de añadir los suscritos con los Países Bajos (1989 –*BOE* nº 189, de 8 de agosto de 1990–), Dinamarca (1989 –*BOE* nº 287, 30 noviembre 1990–) y Suecia (1990 -*BOE* nº 153, de 27 de junio de 1991–). No obstante, estos tres Acuerdos quedaron sustituidos consecuencia de la modificación operada por el Tratado de Maastricht al TCEE que, en relación a este derecho, supuso el reconocimiento del sufragio activo y pasivo para los ciudadanos de la UE en las elecciones municipales a celebrar en los Estados miembros (art. 8 B) TCEE –actualmente art. 22 TFUE–.

período comprendido entre los años 2009 a 2011 cuando se constata un importante impulso materializando en la conclusión de diversos convenios bilaterales para el mutuo reconocimiento del derecho de sufragio en las elecciones municipales. Son los concluidos con Ecuador, Nueva Zelanda, Colombia, Chile, Perú, Paraguay, Islandia, Bolivia, Cabo Verde, Corea del Sur y Trinidad y Tobago[23].

En todos estos acuerdos el derecho que se reconoce en virtud del principio de reciprocidad es el de sufragio activo (no el pasivo) y queda sometido al cumplimiento de una serie de condiciones necesarias para su ejercicio. En consecuencia, no basta para tener el derecho de sufragio activo el hecho de ser nacional de un país con el que España ha suscrito un acuerdo, sino que, además es necesario que cumplan los requisitos que recogen estos convenios, referidos, en primer lugar, a la autorización de residencia, legal e ininterrumpida, la cual habrá de constatarse con arreglo a la regulación establecida en la LOEx y su Reglamento de desarrollo[24], durante, al menos, los cinco años (tres en el acuerdo con Noruega) anteriores al momento en que el extranjero formule la solicitud de inscripción en el Censo Electoral. Es necesario además que el derecho se ejerza en el municipio de la residencia habitual, en cuyo Padrón Municipal deberán figurar inscritos. El empadronamiento es esencial, entre otros aspectos, para poder inscribirse en el Censo Electoral de extranjeros residentes en España, último de los requisitos exigidos en todos los convenios, como condición indispensable para poder

---

[23]   Estos convenios tienen la común denominación de Canje de Notas constitutivo de Acuerdo entre el Reino de España y (el otro país) sobre participación en las elecciones municipales de los nacionales de cada país residentes en el territorio del otro, de la que se prescinde a los efectos de indicar su fecha de celebración: Acuerdo con Ecuador, de 25 de febrero 2009 (*BOE* nº 4, de 5 de enero de 2010); Acuerdo con Nueva Zelanda, de 23 junio de 2009 (*BOE* nº 5, de 6 de enero de 2010); Acuerdo con Colombia, de 5 febrero de 2009 (*BOE* nº 18, de 21 de enero de 2010); Acuerdo con Chile, de 12 mayo de 2009 (*BOE* nº 35, de 9 de febrero de 2010); Acuerdo con Perú, de 6 febrero de 2009 (*BOE* nº 122, de 19 de mayo de 2010); Acuerdo con Paraguay, de 13 mayo de 2009 (*BOE* nº 150, de 21 de junio de 2010); Acuerdo con Islandia, de 31 marzo de 2009 (*BOE* nº 305, de 16 de diciembre de 2010); Acuerdo con Bolivia, de 15 septiembre de 2009 (*BOE* nº 306, de 17 de diciembre de 2010); Acuerdo con Cabo Verde, de 8 abril de 2009 (*BOE* nº 11, de 13 de enero de 2011), Acuerdo con Corea, de 16 de noviembre de 2010 y 26 de enero de 2011 (*BOE* nº 160, de 6 de julio de 2011), Acuerdo con Trinidad y Tobago, de 17 de febrero de 2009 (*BOE* nº 290, de 2 de diciembre de 2011). Quedaban fuera países como Argentina, Uruguay o Burkina Faso, a pesar del inicio de las negociaciones. En el caso de Argentina y Uruguay no superaron la tramitación parlamentaria por las dificultades que presentaban para su aprobación. En el caso de Burkina Faso, aunque en el Consejo de Ministros se autorizaba la firma del correspondiente Canje de Notas, no llegó a ser remitido a las Cortes.

[24]   Real Decreto 557/2011, de 20 de abril, por el que se aprueba el Reglamento de la Ley Orgánica 4/2000, sobre derechos y libertades de los extranjeros en España y su integración social, tras su reforma por Ley Orgánica 2/2009 (*BOE* nº 103, de 30 de abril de 2011). Este Reglamento ha sido objeto de la reciente reforma aprobada mediante el Real Decreto 629/2022, de 26 de julio (*BOE* nº 179, de 27 de julio de 2022) con el objeto, esencialmente, de aportar la necesaria agilidad en la capacidad de respuesta a los retos del mercado laboral.

ejercer el derecho de sufragio activo, y esta inscripción, señalan, se ha de hacer a instancia de parte y ha de presentarse en el Ayuntamiento en cuyo Padrón Municipal figure inscrito en el plazo que se fije para cada elección municipal.

Estos requisitos son también la base para la elaboración del "Acuerdo entre el Reino de España y el Reino Unido de Gran Bretaña e Irlanda del Norte sobre la participación en determinadas elecciones de nacionales de cada país residentes en el territorio del otro", hecho en Madrid el 21 de enero de 2019[25]. Su celebración se realiza ante la inminente fecha del "Acuerdo de Retirada", con el objetivo de mantener la misma situación del ejercicio del derecho que tenían los ciudadanos británicos en España y los españoles en el Reino Unido. Por este motivo prevé en su art. 6 que su entrada en vigor habría de producirse, "bien el día siguiente a la fecha en que el Reino Unido abandone la Unión Europea, o bien el día siguiente a la fecha en que se reciba la última notificación; lo que suceda más tarde". No obstante, el art. 8 añade que, "(s)in perjuicio del art. 6 del Acuerdo, las Partes acuerdan aplicar provisionalmente el Acuerdo en el momento en que el Reino Unido abandone la Unión Europea".

Este convenio, si bien elaborado sobre la base de que los nacionales británicos[26] han de recibir el mismo tratamiento que el resto de los extranjeros no europeos y, por tanto, de los presupuestos recogidos en los anteriores convenios bilaterales tiene, sin embargo, un resultado de mayor amplitud que estos últimos por dos razones esenciales. La primera porque, de acuerdo con el principio de reciprocidad, este derecho que se reconoce para las elecciones municipales viene referido tanto al sufragio activo como, además, al pasivo[27]. La segunda porque, como puede constatarse en los presupuestos que recoge en su art. 3.2 para el ejercicio por los nacionales británicos del derecho de sufragio, el plazo de residencia legal e ininterrumpida previa a la solicitud de inscripción en el censo electoral que exige es, únicamente, de tres años (art. 3.2 b), frente a los cinco que, con carácter general, recogen los demás acuerdos bilaterales.

Finalmente cabe destacar que, además de España, también otros Estados miembros de la UE, hasta el momento Portugal, Luxemburgo y Polonia, han firmado un acuerdo bilateral con el Reino Unido con el objeto de permitir a los respectivos nacionales, con residencia en el otro Estado parte, el derecho de

---

[25]   *BOE* nº 41, de 16 de febrero de 2019.

[26]   El art. 1 introduce la definición relativa a los "nacionales del Reino Unido" indicando que, a los exclusivos efectos de este convenio, se entiende referida a: a) los ciudadanos británicos, y b) súbditos británicos en virtud de la Parte IV de la Ley de Nacionalidad Británica de 1981 y que tienen derecho a residir en el Reino Unido y están por tanto exentos del control migratorio del Reino Unido, y por «Reino Unido» se entenderá el Reino Unido de Gran Bretaña e Irlanda del Norte.

[27]   Tanto a favor de los españoles que residan en el Reino Unido (art. 2) como, al contrario, de los nacionales del Reino Unido que residan en España (art. 3). Estos últimos de acuerdo con los requisitos previstos en la LO 5/1985 de 19 de junio, del Régimen Electoral General.

sufragio en las elecciones municipales. El resultado, por lo tanto, es la diversidad en lo que respecta al reconocimiento de este derecho a los ciudadanos europeos que residan en el Reino Unido y, al contrario, el ejercicio de este derecho por los nacionales británicos depende del Estado miembro donde residan.

IV. A MODO DE CONCLUSIÓN

La entrada en vigor (1 de febrero de 2020) del "Acuerdo de retirada del Reino Unido de Gran Bretaña e Irlanda del Norte de la Unión Europea y de la Comunidad Europea de la Energía Atómica" marca el momento en el que los nacionales británicos pierden el estatuto de ciudadanos de la Unión y los derechos que al mismo se vinculan. La relevancia es esencial en el caso de nacionales británicos que residen en un Estado miembro de la Unión Europea ya que, la pérdida de estos derechos implica la del derecho de sufragio activo y pasivo para las elecciones municipales del que disfrutaban en dicho Estado miembro.

La interpretación que realiza el TJUE de las disposiciones del "Acuerdo de Retirada" en su Sentencia de 9 de junio de 2022, C-673/20 permite señalar que la pérdida por los nacionales británicos del derecho de sufragio en las elecciones municipales del Estado miembro en el que residan se produce con independencia de las consecuencias a las que pudiera dar lugar y, en particular por la que puede motivar la carencia de este derecho de sufragio por el hecho de que tampoco pudieran ejercerlo en el Reino Unido cuando llevaran residiendo en otro Estado durante más de 15 años, en virtud de la norma de este país que así lo establece ("15-year rule", o "regla de los 15 años"). Como indica el TJUE, los arts. 18.1 y 21 del TFUE no pueden interpretarse en el sentido de que obligan a los Estados miembros, después del 1 de febrero de 2020, a seguir concediendo a los nacionales del Reino Unido que residan en su territorio el derecho de sufragio activo y pasivo. No obstante, también señala que esta interpretación ha de entenderse sin perjuicio de la facultad de los Estados miembros de conceder este derecho a los nacionales de terceros Estados que residan en su territorio en las condiciones que establezcan en sus respectivos ordenamientos internos.

Esta facultad motiva, de acuerdo con lo previsto en el ordenamiento jurídico español, el reconocimiento de este derecho a los nacionales del Reino Unido en las elecciones municipales celebradas en España. Con este objetivo y puesto que tras el "Acuerdo de Retirada" quedaban sometidos al mismo tratamiento que los nacionales de un Estado no miembro de la UE (extracomunitario), hubo de ser elaborado el "Acuerdo entre el Reino de España y el Reino Unido de Gran Bretaña e Irlanda del Norte sobre la participación en determinadas elecciones de nacionales de cada país residentes en el territorio del otro", hecho en Madrid el 21 de enero de 2019. Se basa en el principio de reciprocidad del art. 13 de la CE y permite el derecho de sufragio activo y pasivo en las elecciones municipales, tanto a los nacionales españoles que residan en el Reino Unido, como a los ciudadanos británicos que residan en España. La finalidad de mantener la misma situación que la existente con anterioridad al denominado *Brexit*, y sin interrupción alguna, motiva, por una parte, que este Acuerdo venga referido al reconocimiento del derecho de sufragio activo y también el pasivo y, por otra, que en su art. 8 establezca el acuerdo de las partes para su aplicación provisional "en el momento en que el Reino Unido abandone la Unión Europea", ello sin perjuicio de lo previsto en el art. 6 (relativo a su entrada en vigor). Se trataba de permitir su aplicación en las últimas elecciones municipales celebradas en España (26 de mayo de 2019), eliminando cualquier problema del ejercicio del derecho de sufragio (activo y pasivo) de los ciudadanos británicos.

V. BIBLIOGRAFÍA

LOZANO GARCÍA, JOSÉ LUIS, *Derecho de sufragio de los extranjeros en las elecciones locales*, Cuadernos de la Escuela Diplomática. Ministerio de Asuntos Exteriores, Madrid, 1991.

MASSÓ GARROTE, MARCOS FRANCISCO, *Los derechos políticos de los extranjeros en el Estado nacional. Los derechos de participación política y el derecho de acceso a funciones públicas*, Colex, Madrid, 1997.

PÉREZ VERA, ELISA y ABARCA JUNCO, PALOMA, "Artículo 13 Extranjería" (Actualización), en ALZAGA VILLAAMIL, ÓSCAR (Dir.), *Comentarios a la Constitución española*, T. II, Edersa, Madrid, 1997, pp. 185-209.

RODRÍGUEZ-DRINCOURT ÁLVAREZ, JUAN, *Los derechos políticos de los extranjeros*, Civitas, Madrid, 1997.

SAGARRA I TRIAS, EDUARD, *Los derechos fundamentales y las libertades públicas de los extranjeros en España*, Bosch, Barcelona,1991.

SAGARRA I TRIAS, EDUARD, "Derechos públicos y participación en elecciones", en BORRÁS RODRÍGUEZ, ALEGRÍA (Dir.), *Diez años de la Ley de extranjería: balance y perspectivas*, Itinera, Barcelona, 1995, pp. 38-44.

SAGARRA I TRIAS, EDUARD, "El derecho de voto de los extranjeros en España en las elecciones municipales", *REDI*, 1995, vol. 47, n° 1, pp. 332-337.

SAGARRA I TRIAS, EDUARD, *La Legislación sobre extranjería e inmigración: una lectura. Los derechos fundamentales y las libertades públicas de los extranjeros en España*, Publicacions de la Universitat de Barcelona, Barcelona, 2002.

SÁNCHEZ JIMÉNEZ, MARÍA ÁNGELES, "El impulso del reconocimiento del derecho de sufragio de los inmigrantes a través de la vía legislativa" en SÁNCHEZ LORENZO, SIXTO (Ed.), *La integración de los extranjeros. Un análisis transversal desde Andalucía*, Atelier, Barcelona, 2009, pp. 323-365.

EL DERECHO AL RESPETO A LA VIDA FAMILIAR DE LOS INMIGRANTES EN LA DOCTRINA CONSTITUCIONAL[*]

Mª VICTORIA CUARTERO RUBIO

Catedrática de Derecho internacional privado
Ex Letrada del Tribunal Constitucional

JOSÉ MIGUEL SÁNCHEZ TOMÁS

Profesor Titular de Derecho Penal
Letrado del Tribunal Constitucional

I. INTRODUCCIÓN

La lucha por los derechos fundamentales de los migrantes en los regímenes constitucionales más pretendidamente avanzados es una constante condicionada por la circunstancia de que son países receptores de personas en movimiento internacional. Los discursos sobre la pérdida de identidad cultural, la inadaptación, los costes económicos, etc., desarrollados en el contexto del fenómeno migratorio, a pesar del canto en favor de la globalización propio de la posmodernidad, están propiciando un serio retraso en la consolidación de un estándar equiparable de reconocimiento de los derechos fundamentales de las personas

---

[*] Trabajo realizado en el marco de la colaboración entre los proyectos de investigación I+D+i DERFA-MEUR (PID2020-113061GB-100): *"El derecho al respeto a la vida familiar transfronteriza en una Europa compleja: cuestiones abiertas y problemas de la práctica"*, del que la primera autora es investigadora principal, y el I+D+i IUSMIGRANTE (PID2019-1057778RB-100): *"Exclusión social y sistema penal y penitenciario: análisis y propuestas acerca de tres realidades (inmigración y refugio, enfermedad mental y prisión)"*, del que el segundo autor es investigador, ambos financiados por MCIN/AEI.

en situación de movimiento transnacional respecto de los nacionales[1]. La importancia de algunos aspectos socio-culturales para el mantenimiento del asentamiento y la convivencia en estos países de recepción de personas extranjeras como es la posibilidad de estar acompañados de sus familias o de facilitar la integración y el bienestar de sus familiares determina que, además, en esas cuestiones el retraso se convierta, con frecuencia, en una (in)disimulada involución no solo legislativa sino incluso en la jurisprudencia de los órganos encargados del control al respeto de los derechos fundamentales[2].

La jurisprudencia constitucional española, frente al avance en la jurisprudencia del Tribunal Europeo de Derechos Humanos (TEDH) y del Tribunal de Justicia de la Unión Europea (TJUE), muestra una actitud renuente al establecimiento de un estándar homologable del derecho fundamental a la intimidad/vida familiar de los extranjeros. Esa renuncia se pone de manifiesto a través de un argumento con fundamento pretendidamente técnico-constitucional como es el negar que el concepto constitucional de intimidad familiar del art. 18.1 de la Constitución española (CE) incluya lo que el TEDH y el TJUE han dicho que sí está incluido en el concepto de vida familiar: el mantenimiento de la unidad familiar; lo que le excluye de la categoría de derecho fundamental invocable en el recurso de amparo[3]. Esta posición jurisprudencial se mantiene en contraste con una recepción no controvertida de otras dimensiones del derecho a la vida familiar desarrolladas en la jurisprudencia comunitaria o del TEDH como son, por ejemplo, el derecho a no sufrir inmisiones domiciliarias de la contaminación acústica[4], el derecho a decidir sobre el enterramiento o incineración de un fami-

---

[1]   Es sintomático que, de los grandes convenios de derechos humanos patrocinados por Naciones Unidas, la Convención internacional sobre la protección de los derechos de todos los trabajadores migratorios y de sus familiares, aprobada por la Asamblea General en su resolución 45/158, de 18 de diciembre de 1990, sea el único que no haya recibido ninguna acción por parte de las democracias occidentales, todos ellos países de destino de personas migrantes.

[2]   Esta involución cabe apreciarse, por ejemplo, en lo que respecta al derecho a la educación de los extranjeros, comparando la STC 236/2007, de 7 de noviembre, FJ 8, con la STC 155/2015, de 9 de julio.

[3]   Sobre la cuestión, CUARTERO RUBIO, Mª VICTORIA, "El derecho al respeto a la vida familiar (art. 8.1 CEDH): una aproximación iusprivatista desde el recurso de amparo", *Revista Española de Derecho Constitucional*, nº 115, enero-abril 2019, pp. 363-389.

[4]   Así, SSTC 119/2001, de 24 de mayo, 16/2004, de 23 de febrero, o 150/2011, de 29 de septiembre. En la STC 16/2004, por ejemplo, se afirma que "una exposición prolongada a unos determinados niveles de ruido, que puedan objetivamente calificarse como evitables e insoportables, ha de merecer la protección dispensada al derecho fundamental a la intimidad personal y familiar, en el ámbito domiciliario, en la medida en que impidan o dificulten gravemente el libre desarrollo de la personalidad, siempre y cuando la lesión o menoscabo provenga de actos u omisiones de entes públicos a los que sea imputable la lesión producida" (FJ 4). Es de interés el voto particular formulado en la STC 150/2011 por el magistrado Manuel Aragón Reyes ya que incide, precisamente, en esta cuestión al señalar que "ahora bien, que el `derecho frente al ruido´ *ex* art. 8.1 CEDH, definido por la dimensión positiva de la vida privada, sea un derecho subjetivo aplicable por los Jueces y

liar o de criaturas abortivas[5] o el derecho a materializar la gestación y a desarrollarla conforme a sus deseos[6]. Por tanto, no deja de llamar la atención esa cierta distorsión axiológica en la jurisprudencia constitucional española en la construcción del contenido del derecho fundamental a la intimidad familia al incluir en su ámbito de protección el poder velar y tener en compañía a un hijo o familiar muerto y no el poder tenerlo al lado para cuidarlo y atenderlo cuando está vivo.

En este complicado contexto jurisprudencial, el objeto de este trabajo es el análisis del derecho a la vida familiar de los migrantes en la jurisprudencia constitucional del amparo. Nos parece que es un tema adecuado para sumarnos al homenaje a la profesora Mercedes Moya Escudero, persona que de manera tan intensa en lo vital y en lo académico se ha dedicado a los derechos de aquellos que se ven privados de ellos o les son restringidos por la sola condición de no contar con la nacionalidad correcta en el lugar adecuado.

II. LAS CIRCUNSTANCIAS FAMILIARES DE LOS INMIGRANTES EN EL RECURSO DE AMPARO

1. Derecho fundamental versus ponderación de las circunstancias familiares

Los textos internacionales consagran el derecho al respeto de la vida familiar de las personas. Con un tenor muy similar la previsión se encuentra en diversas normas integradas en el ordenamiento español: el art. 12 de la Declaración Universal de Derechos Humanos de 1948, el art. 17 del Pacto Internacional de Derechos Civiles y Políticos de 1966 (en relación con los arts. 16.3 y 23.1 respectivamente) y el art. 8 del Convenio Europeo de Derechos Humanos (CEDH). En

---

Tribunales de Justicia españoles de conformidad con lo dispuesto en el art. 96.1 CE no significa en modo alguno que, además, sea en España un derecho fundamental, en el sentido constitucional del término, tutelable en amparo por el Tribunal Constitucional, como se pretende en la Sentencia de cuya fundamentación discrepo, aplicando la errónea doctrina sentada por la STC 119/2001 (reiterada por la STC 16/2004), que parte de una interpretación insostenible, a mi juicio, de la previsión contenida en el art. 10.2 CE".

5   STC 11/2016, de 1 de febrero.
6   Así, la STC 66/2022, de 2 de junio, afirma que "el deseo de ser padres y la materialización de dicho deseo, que culmina con el parto, se integra en el derecho a la intimidad personal y familiar, como proyección directa y derivada de la dignidad humana, en especial de la dignidad de la mujer que da a luz un nuevo ser, alcanzando, igualmente, a todas las decisiones que tienen que ver con la gestación y con ese alumbramiento. Por tanto, decidir, como en este caso sucedió, que doña C.P., quisiera dar a luz a su hija en el domicilio familiar forma parte del derecho a la intimidad personal, extensible también a la familiar del art. 18.1 CE, en conexión con la dignidad de la persona, en un aspecto muy concreto como es el de la condición de la mujer y de la maternidad, que entronca, además, con el derecho de la mujer a la integridad física, *ex* art. 15 CE" [FJ 4 A) d)].

el ámbito de la Unión Europea, el derecho se reconoce en el art. 7 de la Carta de los Derechos Fundamentales de la Unión Europea (Carta). Sin embargo, la Constitución no contempla un derecho fundamental equivalente, protegible en amparo (art. 53.2 CE), encuadrable en los contenidos del art. 18.1 CE, el precepto que parecería más idóneo en cuanto reconoce un derecho fundamental a la intimidad personal y familiar. De esta suerte, la invocación del derecho al respeto a la vida familiar adquiere relevancia constitucional por su conexión con los principios constitucionales de libre desarrollo de la personalidad (art. 10.1 CE) y protección de la familia y de los menores (art. 39.1 y 4 CE). El ATC (Pleno) 40/2017, de 28 de febrero, contiene una clara síntesis de este entendimiento en la doctrina constitucional[7]. Hay, no obstante, disidencias: los Votos particulares de algunas Sentencias son elocuentes, por ejemplo, los formulados a la STC 186/2013, de 4 de noviembre y el muy explícito al ya citado ATC 40/2017. También excepciones pues, aun a título incidental, es posible encontrar alusiones a un derecho subjetivo a la vida familiar *ex* art. 18.1 CE (por ejemplo, en la STC 46/2014, de 7 de abril, FJ 7)[8].

La cuestión es que un número significativo de los asuntos en los que se plantea la defensa en sede constitucional de la vida familiar de las personas tienen un fondo de extranjería. De manera que puede afirmarse que la doctrina constitucional sobre vida familiar es, en esencia, la doctrina constitucional sobre la vida familiar de los inmigrantes. Este dato ha resultado además determinante a la hora de la solución. En efecto, como es bien sabido, el TEDH ha elaborado una jurisprudencia consolidada en materia de expulsión de extranjeros que obliga a ponderar en el caso concreto los fines perseguidos por la medida con las circunstancias familiares concurrentes, como exigencia del art. 8.1 CEDH. Esta lógica se contiene asimismo en el art. 7 de la Carta conforme a la interpretación del TJUE respecto a las normas de la Unión Europea en materia de asilo e inmigración. Esta vinculación art. 8 CEDH—art. 7 de la Carta tiene un particular valor como vertebrador europeo dada la multiplicación de regímenes jurídicos de los

---

[7]   El Auto inadmite el recurso de amparo que cuestiona la denegación del traslado del preso recurrente a un centro penitenciario más próximo a su domicilio familiar. De la doctrina constitucional reiterada, recuérdese, por ejemplo, la clásica STC 236/2007, de 7 de noviembre, dictada con ocasión del Recurso de inconstitucionalidad 1707/2001 contra la LOEX, FJ 11. Respecto a los contenidos familiares que sí incluye el art. 18.1 CE, véase, por ejemplo, la reciente STC 66/2022, de 2 de junio, FJ 4 A).

[8]   Este juego negación del derecho-alusiones incidentales continúa. Por ejemplo, aunque la STC 151/2021 reitera la doctrina ortodoxa, deja fuera de su control "el examen de las resoluciones impugnadas desde la perspectiva de la lesión del derecho a la intimidad del art. 18.1 CE" por la falta de invocación en el recurso de amparo [FJ 1 b) ii)], afirmación interesante cuando la doctrina niega precisamente la posibilidad de tal perspectiva.

extranjeros en la Unión y las distorsiones y complejidades que comporta[9]. La consecuencia es que, aunque la doctrina constitucional no admita un derecho sustantivo protegible en amparo, correspondiente con el art. 8.1 CEDH, para garantizarlo, ha precisado constitucionalizar aquella exigencia de motivación, la necesidad de un juicio de proporcionalidad.

En definitiva, la vida familiar de los inmigrantes encuentra protección en el recurso de amparo, con carácter general, subsumida en el derecho fundamental a la tutela judicial efectiva sin indefensión (art. 24.1 CE) en la vertiente de derecho a una resolución motivada. El enjuiciamiento pasa entonces por constatar que se ha realizado el juicio de proporcionalidad y examinarlo con los parámetros propios de esta vertiente del derecho a la tutela judicial efectiva: razonabilidad y proscripción de la arbitrariedad. La doctrina constitucional sobre vida familiar de los inmigrantes, a falta de un derecho fundamental sustantivo protegible en amparo, es la doctrina sobre la ponderación de las circunstancias familiares como contenido indeclinable de la motivación en las decisiones en materia de extranjería. Y en la medida en que la protección de la familia está constitucionalizada en el art. 39.1 CE y también lo están la protección integral de los hijos (art. 39.2 CE) y el deber de asistencia de los progenitores a los hijos (art. 39.3 CE), aunque lo sea dentro de los principios rectores de la política social y económica, ese deber de motivación judicial lo es con carácter reforzado. De ese modo, el respeto al art. 24.1 CE exige no solo la razonabilidad de la decisión, sino que, además, se desarrolle un juicio de proporcionalidad en que se ponderen las consecuencias de la decisión controvertida sobre la vida familiar del interesado y la finalidad perseguida por la ley con la ejecución de esa decisión (STC 151/2021, de 13 de septiembre, FJ 2).

2. La especial trascendencia constitucional en estos supuestos

Establecida la doctrina constitucional en estos términos, ya se sostuvo que la ponderación de las circunstancias familiares debe considerarse condición de suficiencia y razonabilidad de la motivación en todo caso, esto es, que no se justifica una acotación material a los solos supuestos de expulsión, más aún, ni a los solos supuestos de extranjería[10]. Sin embargo, esta solución, positiva en cuanto al alcance del derecho, presenta también algún serio inconveniente derivado

---

[9] *Vid.* MOYA ESCUDERO, MERCEDES, "La libertad de circulación en Europa: los nuevos estatutos personales", en ESPLUGUES MOTA, CARLOS y PALAO MORENO, GUILLERMO (Eds.), *Nuevas fronteras del Derecho de la Unión Europea. Liber amicorum José Luis Iglesias Buhigues*, Tirant lo Blanch, Valencia, 2012, pp. 661-675; *id.*, "Un código de derechos para los nacionales de terceros Estados residentes legales en la UE. Un avance en Derecho antidiscriminatorio", *Revista Electrónica de Estudios Internacionales*, nº 34, 2017-2, pp. 1-27.

[10] *Cfr.* CUARTERO RUBIO, Mª VICTORIA, *loc. cit. op. cit.*, p. 378.

de la técnica del amparo que conviene tener en cuenta. Lo explicamos. Tras la reforma operada por la Ley Orgánica 6/2007, de 24 de mayo, el recurso de amparo es objetivo. Esto es, su admisión está condicionada por el hecho de que el asunto presente especial trascendencia constitucional. Este requisito se suma a los demás, en particular, a la verosimilitud de la vulneración de derechos fundamentales denunciada[11]. Las causas de especial trascendencia han sido explicitadas por el Tribunal Constitucional (TC), aun en forma de *numerus apertus*[12]. La más habitual consiste en entender que el asunto plantea una cuestión nueva. Por tanto, considerar que estamos ante una cuestión resuelta, cuya solución es predicable más allá del ámbito material del caso concreto en el que se ha aplicado dificulta, incluso puede impedir, la admisión de los futuros asuntos, que se verían abocados al inframundo de la inadmisión[13].

Los argumentos para evitar este escenario son muchos. El primero y principal: asegurar la intervención de una última instancia, el TC, capaz de proteger la vida familiar del inmigrante ante la constatación de la vulneración del derecho

---

[11]   En este modelo, la jurisdicción ordinaria no solo es la primera garante en la protección de los derechos fundamentales, sino que, como regla general, será la única.

[12]   "Tales casos serán los siguientes: a) el de un recurso que plantee un problema o una faceta de un derecho fundamental susceptible de amparo sobre el que no haya doctrina del Tribunal Constitucional, supuesto ya enunciado en la STC 70/2009, de 23 de marzo; b) o que dé ocasión al Tribunal Constitucional para aclarar o cambiar su doctrina, como consecuencia de un proceso de reflexión interna, como acontece en el caso que ahora nos ocupa, o por el surgimiento de nuevas realidades sociales o de cambios normativos relevantes para la configuración del contenido del derecho fundamental, o de un cambio en la doctrina de los órganos de garantía encargados de la interpretación de los tratados y acuerdos internacionales a los que se refiere el art. 10.2 CE; c) o cuando la vulneración del derecho fundamental que se denuncia provenga de la ley o de otra disposición de carácter general; d) o si la vulneración del derecho fundamental traiga causa de una reiterada interpretación jurisprudencial de la ley que el Tribunal Constitucional considere lesiva del derecho fundamental y crea necesario proclamar otra interpretación conforme a la Constitución; e) o bien cuando la doctrina del Tribunal Constitucional sobre el derecho fundamental que se alega en el recurso esté siendo incumplida de modo general y reiterado por la jurisdicción ordinaria, o existan resoluciones judiciales contradictorias sobre el derecho fundamental, ya sea interpretando de manera distinta la doctrina constitucional, ya sea aplicándola en unos casos y desconociéndola en otros; f) o en el caso de que un órgano judicial incurra en una negativa manifiesta del deber de acatamiento de la doctrina del Tribunal Constitucional (art. 5 LOPJ); g) o, en fin, cuando el asunto suscitado, sin estar incluido en ninguno de los supuestos anteriores, trascienda del caso concreto porque plantee una cuestión jurídica de relevante y general repercusión social o económica o tenga unas consecuencias políticas generales, consecuencias que podrían concurrir, sobre todo, aunque no exclusivamente, en determinados amparos electorales o parlamentarios" (STC 155/2009, de 25 de junio, FJ 2). Ampliamente, sobre este nuevo sistema de admisibilidad del recurso de amparo, BELADÍEZ ROJO, MARGARITA, "El recurso de amparo y la especial trascendencia constitucional", en AA.VV., *La nueva perspectiva de la tutela procesal de los derechos fundamentales*, CEPC, Madrid, 2018, pp. 13-98.

[13]   Conviene poner de relieve el carácter sesgado que imprime el hecho de no incluir en el análisis los asuntos que fueron inadmitidos y su causa (inadmisiones sólo excepcionalmente publicadas en forma de Auto, como es el caso del ATC 40/2017 precitado).

(del art. 24.1 CE, del art. 8 CEDH, y, eventualmente, del art. 7 de la Carta). Pero hay otros, tales como mantener al TC en el diálogo multinivel entre Tribunales y en la construcción internacional del derecho, prevenir condenas del TEDH a España por su violación aprovechando la oportunidad procesal del amparo o coadyuvar a una construcción más holística de los principios constitucionales de libre desarrollo de la personalidad (art. 10.1 CE) y protección de la familia y de los menores (art. 39.1 y 4 CE).

Puede optarse por entender que la extensión de la doctrina sobre el juicio de proporcionalidad de las circunstancias familiares no supone tanto una cuestión nueva como la necesidad de aclaración de doctrina, otra de las causas previstas. Es el caso de la reciente STC 151/2021[14]. Desde luego, el problema no se plantea en el caso de que el Tribunal quiera avanzar mediante aclaración en el alcance de la protección constitucional del derecho. Al fin, con todas las críticas que puede suscitar en términos de técnica jurídica, acaso podría defenderse como una cuestión jurídica de relevante y general repercusión social. O aprovechar el carácter abierto del catálogo de causas y proponer la más precisa: considerar causa de especial trascendencia la participación del Tribunal en la construcción europea de los derechos fundamentales[15].

III. EL JUICIO DE PROPORCIONALIDAD CIRCUNSTANCIAS FAMILIARES-EXPULSIÓN

1. La doctrina constitucional

Los supuestos de expulsión constituyen el grueso de la doctrina constitucional sobre esta cuestión y resultan de la traslación de la jurisprudencia del TEDH conforme a la cual el arraigo familiar puede constituir un límite a la expulsión de extranjeros en la medida en que se impone una ponderación de los bienes jurídicos e intereses en presencia: por un lado, los fines que persigue la norma sancionadora, esto es, orden público y seguridad ciudadana, y, por otro, lo que

---

[14]   *Cfr.* Antecedentes, 5. En el caso, la aclaración vendría demandada como previa a la extensión de la doctrina reiterada en materia de expulsión *ex* art. 57.2 LOEX de los residentes de larga duración a los supuestos de residentes temporales. Pero la propia Sentencia ha de reconocer (en forma de argumento para la estimación) que "el deber judicial de ponderación de la proporcionalidad de la medida de expulsión prevista en el art. 57.2 LOEX, con arreglo a las circunstancias concretas de la persona afectada y su núcleo familiar, sin hacer distinción en cuanto a su situación legal o no de residencia" ya quedó establecido en la STC 186/2013 (FJ 3 a).

[15]   *Cfr.* GARCÍA COUSO, SUSANA, "La participación del TC en la construcción europea de los derechos y libertades", *Revista CEFLEGAL*, nº 187-188, 2016, p. 135.

sacrifica en términos de vida familiar. Este requisito se encuentra positivizado en el Derecho europeo; así, en la Directiva 2003/109/CE del Consejo, de 25 de noviembre de 2003, relativa al estatuto de los nacionales de terceros países residentes de larga duración y en la norma española de trasposición, art. 57.5 b) de la Ley Orgánica 4/2000, de 11 de enero, sobre derechos y libertades de los extranjeros en España y su integración social (LOEX)[16]. Este juicio de proporcionalidad imprescindible es doctrina reiterada por lo que, cuando la decisión de expulsión no la contempla, la traslación al caso de dicha doctrina aboca directamente al amparo.

La STC 140/2009, de 15 de junio, resolvió un supuesto de libro. Primero, la Administración y el órgano de apelación se negaron expresamente a tener en cuenta las circunstancias familiares del recurrente antes de decretar la expulsión. Sí las tuvo en cuenta el Juzgado de lo Contencioso-Administrativo, por lo que sustituyó la expulsión por multa. Pero esta decisión fue anulada por el Tribunal Superior de Justicia (TSJ) para el que la situación familiar era una cuestión que no afectaba al expediente de expulsión. Y segundo: los hechos que pesan en uno y otro de los términos de la ponderación hurtada son significativos. En el caso, el recurrente fue sancionado con expulsión del territorio nacional y prohibición de entrada por cinco años a resultas de carecer de documentación acreditativa de su estancia legal en España [art. 53 a) LOEX]. Frente a este hecho, el recurrente alegó que estaba inscrito en el Registro de parejas no casadas, que su pareja tenía una segunda tarjeta de residencia y trabajo, y que tenían cuatro hijos menores de edad y escolarizados en España[17]. El TC estima el amparo al apreciar la vulneración del derecho a la tutela judicial efectiva (art. 24.1 CE) por falta de motivación respecto a la sanción de expulsión en vez de la sanción de multa; en concreto, respecto a las circunstancias familiares alegadas, "la ausencia de motivación resulta especialmente evidente" y "la negativa a valorar dichas circunstancias debe ser considerada una decisión arbitraria"[18].

---

[16]   De conformidad con el art. 12.3 de la Directiva, que regula la "Protección contra la expulsión", antes de adoptar una decisión de expulsión respecto de un residente de larga duración se debe tomar en consideración, entre otros, "c) las consecuencias para él y para los miembros de su familia". Recuérdese también el art. 57.5 LOEX *in fine*.

[17]   *Cfr.* FJ 4.

[18]   *Cfr.* FJ 6. Hay que advertir que esta primera Sentencia ya conecta de forma explícita esta solución con el derecho a la vida familiar *ex* art. 8.1 CEDH y se sustenta en la jurisprudencia del TEDH sobre el arraigo familiar como potencial límite a la expulsión (así como con invocación del art. 10.2 CE, art. 39.1 CE, y, en particular respecto a menores, art. 39.4 CE, en conexión con art. 3.1 de la Convención NU de 20 de noviembre de 1989, de derechos del niño). Sobre la cuestión multa-expulsión que subyacía y su posterior desenlace, nos remitimos a DURÁN RUIZ, FRANCISCO JAVIER, "Multa o expulsión para el extranjero en situación irregular. Compatibilidad Directiva de retorno-LOEX y evolución jurisprudencial", en esta obra.

Tras aquella Sentencia el Tribunal se enfrentó a un nuevo supuesto de expulsión sin valoración de las circunstancias familiares en la STC 145/2011, de 26 de septiembre, pero el debate jurídico se desarrolló por otros derroteros[19]. Y llegó entonces al asunto resuelto por la STC 186/2013, de 4 de noviembre. Se trata de un caso particular que merece un apartado específico, aunque para la mejor comprensión del desarrollo de la doctrina constitucional conviene dejar señalado lo esencial. En el asunto se cuestiona la expulsión de una extranjera sobre la base del art. 53 a) LOEX, pero también del art. 57.2 LOEX, con lo que abre el problema jurídico de la permeabilidad de la expulsión *ex* art. 57 LOEX a las circunstancias familiares. En este caso, las distintas instancias sí razonaron sobre la concurrencia de la vida familiar de la recurrente, pero el tenor literal del art. 57 y una interpretación que supone la imposibilidad de una medida alternativa de multa condujeron a sostener la expulsión.

La saga continuó en la STC 131/2016, de 18 de julio. En el caso, una sanción de expulsión impuesta *ex* art. 57.2 LOEX sin ponderar el arraigo familiar, el recurrente, residente de larga duración, convivía con su esposa, tenían dos hijos escolarizados en España, y tanto él como su esposa tenían permiso de residencia[20]. Concurrían también otros datos tales como la inexistencia de antecedentes en España o, indicativos de su arraigo, que tenía un negocio propio desde 2008, cuenta bancaria abierta y declaración del impuesto sobre la renta. El íter procesal reproducía el seguido en el caso resuelto por la STC 140/2009: la Administración impone la expulsión, el Juzgado la anula y el TSJ la recupera. A diferencia de aquel caso, la Administración sí repara en la alegación de circunstancias familiares, si bien para descartarla mediante fórmula estereotipada[21]. Por su parte, el TSJ no valoró las circunstancias personales ni familiares pues consideró que el art. 57.2 no permitía modulación y, en consecuencia, atribuyó a tales circunstancias "ninguna relevancia respecto a ese motivo de expulsión"[22]. Reiterando la doctrina constitucional precedente, el Tribunal estimó el amparo por vulneración del derecho a la tutela judicial efectiva (art. 24.1).

---

[19]   Denunciada vulneración del derecho a la defensa (art. 24.2 CE), motivación (art. 24.1 CE) e intimidad familiar (art. 18.1 CE), la fundamentación giró en torno a la primera, por la falta de notificación de la propuesta de resolución del expediente de expulsión.

[20]   El recurrente acreditó en el proceso de amparo que carecía de antecedentes penales en Bélgica, cuando la aplicación del art. 57.2 LOEX y la rigurosa consecuencia se sustentaban en una supuesta condena penal a una pena de prisión de tres años en aquel país (FJ 5).

[21]   La motivación del instructor: las circunstancias alegadas "fueron consideradas improcedentes al no desvirtuar los hechos que motivaron la apertura del presente expediente" (Antecedentes, 2 b). La valoración del TC: "… existe una clara negativa de la Administración a valorar las circunstancias alegadas por el actor, ya que se limita a rechazar las alegaciones mediante fórmulas estereotipadas, en lugar de llevar a cabo una motivación más detallada y apegada al caso, en la que se ponderaran de manera constitucionalmente adecuada los derechos en juego y las circunstancias personales y familiares del actor" (FJ 5 *in fine*).

[22]   *Cfr.* Antecedentes 2 d) y FJ 6.

La siguiente decisión del Tribunal, la STC 201/2016, de 28 de noviembre, aplica la lógica familiar más allá de las "familias con niños". En este sentido, es una decisión relevante pues son excepcionales los supuestos en que las circunstancias familiares a ponderar no estén marcadas igualmente por el interés superior del menor (la reciente STC 151/2021, de 13 de septiembre, comparte este dato). En el caso resuelto por la STC 201/2016 el recurrente fue sancionado con expulsión, prohibición de entrada en España por cinco años y extinción de la autorización de residencia. La base jurídica era el art. 57.2 LOEX, al haber sido condenado por delito con pena privativa de libertad superior a un año. Esto, por un lado. Por otro, el recurrente estaba legalmente incapacitado por enfermedad mental y bajo la tutela de su hermano (con arraigo en España). Además, era residente de larga duración (vivía en España desde hacía veinte años), empadronado con su padre, madre y hermanos, de nacionalidad española, y sin vínculos con Marruecos, su país de origen. El asunto reproduce en buena medida el resuelto pocos meses antes por la STC 131/2016 y la Sentencia sigue estrechamente su estela (la STC 131/2016 se invoca de forma reiterada en la fundamentación); de hecho, es indicativo que no solo el Ministerio Fiscal sino la propia Abogacía del Estado interesaran la estimación del amparo por pura aplicación de doctrina. Como en aquel caso, el Tribunal aprecia una motivación estereotipada en cuanto a la decisión en sede administrativa para descartar el peso de las circunstancias alegadas y reitera el veto a la interpretación del art. 57.2 como impermeable a la ponderación de las resoluciones judiciales[23]. En conclusión, el TC estimó el recurso y declaró la vulneración del derecho a la tutela judicial efectiva (art. 24.1 CE).

La STC 29/2017, de 27 de febrero, avanza en el alcance que se atribuye a la exteriorización de la ponderación y su escrutinio por el Tribunal. El problema jurídico versaba en este caso sobre el art. 89.1 Código Penal (CP) (en su versión anterior al art. 89.4 CP, tras la reforma por LO 1/2015, de 30 de marzo). La recurrente en amparo residía en España con su marido (matrimonio inscrito en España) y sus dos hijos menores nacidos en España; su marido tenía residencia legal en España y ella había intentado regularizar su situación. La recurrente fue condenada por un delito de falsedad en documento público a la pena de dos años de prisión y se enfrentaba a la sustitución de la pena de prisión por la expulsión y prohibición de entrada en España durante seis años, lo que combatía a la luz de las circunstancias familiares. Los órganos judiciales lo descartaron al entender que tales circunstancias alegadas no habían quedado probadas (FJ 4). El Tribunal estableció que, aunque los órganos judiciales consideraron necesaria

---

[23]   *Cfr.* FFJJ 2, 4 i) y 4 ii). La motivación en la resolución administrativa: "[e]n la instrucción del expediente de expulsión se ha tomado en consideración los elementos siguientes: la permanencia en territorio español, la edad de la persona implicada, las consecuencias para él y para los miembros de su familia y los vínculos con el país de residencia o la ausencia de vínculos con el país de origen" (Antecedentes, 2 a).

la ponderación, la motivación que la exteriorizaba fue insuficiente en cuanto a la valoración de la prueba, que califican de apodíctica por contraste con las pruebas documentales que constaban en los autos. El salto es relevante pues no se trata ya de reclamar la ponderación de las circunstancias familiares sino de valorar la suficiencia y razonabilidad de la exteriorización del juicio realizado; en el caso, la propia sentencia recuerda la doctrina reiterada sobre valoración probatoria *ex* art. 24.1 CE: razonabilidad del discurso que enlaza la actividad probatoria con el relato fáctico resultante y discurso que permita conocer los criterios esenciales que fundamentan la decisión[24]. En consecuencia, se estimó el amparo por esta motivación insuficiente, con vulneración del derecho a la tutela judicial efectiva (art. 24.1 CE) en la vertiente de derecho a obtener una resolución judicial motivada y fundada en derecho[25].

El episodio más reciente de la serie lo constituye la STC 151/2021, de 13 de septiembre. En el caso, se acordó la expulsión del recurrente y la extinción de su autorización de residencia con prohibición de retorno por un año, por aplicación del art. 57.2 LOEX, con causa en dos condenas penales por delitos de robo con violencia y lesiones leves. Frente a ello, y además de otras consideraciones de índole personal (como la juventud y problema de alcoholismo del recurrente cuando delinquió o su falta de vínculos con Moldavia, su país de origen), las circunstancias familiares del recurrente: conforma una familia con sus padres y hermana, con quienes convive en España desde los doce años por reagrupación familiar. La Sentencia argumenta la extensión de la necesidad de ponderación de las circunstancias familiares en los expedientes de expulsión de ciudadanos extranjeros, aunque no sean residentes de larga duración, y estima el amparo por vulneración del derecho fundamental del recurrente a la tutela judicial efectiva (art. 24.1 CE) en su vertiente de derecho a la motivación.

2. El caso particular de la STC 186/2013, de 4 de noviembre

Aunque terminó en desestimación del amparo, la STC 186/2013 no constituye una excepción al general reconocimiento de las circunstancias familiares como elemento indeclinable en la motivación. Más aun, por un camino heterodoxo,

---

[24]   El relato resultante (es decir, que las circunstancias familiares no habían sido probadas) "contrasta con la realidad incontrovertida y no negada por las resoluciones judiciales de que se hizo efectiva entrega, se propusieron y se admitieron como prueba en el proceso penal, al menos, la fotocopia del libro de familia de la recurrente, las inscripciones literales del Registro Civil del nacimiento de sus dos hijos menores de edad nacidos en España y de su matrimonio en España, las tarjetas de residencia de sus hijos y marido, y la resolución sobre reconocimiento de alta de su marido en el régimen especial de trabajadores por cuenta propia o autónomos" (FJ 4).

[25]   Siguen esta línea otras SSTC posteriores en las que las circunstancias familiares ocupan un lugar accesorio en los asuntos resueltos (STC 14/2017, de 30 de enero, STC 113/2018, de 29 de octubre).

fue su consagración. Los hechos de los que trae causa la Sentencia son un caso paradigmático. Se dicta orden de expulsión con prohibición de entrada por diez años contra una nacional argentina. La recurrente tiene una hija de tres años de nacionalidad española, nacida en España y de padre español, en aquellos momentos ingresado en prisión. La pareja ya estaba separada y la menor vive en casa de la abuela paterna. La expulsión resulta de la entrada y estancia irregular en España [art. 53 a) LOEX] y la autoría de un delito doloso con pena privativa de libertad superior a un año (art. 57.2 LOEX)[26]. La recurrente alega la desproporción de la medida de expulsión a la luz de sus circunstancias familiares. Como ya se ha avanzado, las circunstancias familiares fueron tenidas en cuenta, pero descartadas como susceptibles de modular la aplicación del art. 57.2 LOEX[27]. Finalmente, el Juzgado de lo Contencioso-Administrativo rebaja a cinco años la prohibición de entrada en territorio español, pero mantiene la expulsión, decisión reiterada por el Tribunal Superior de Justicia.

En el recurso de amparo la incidencia de las circunstancias familiares en la situación de la menor se erige en argumento principal. En este sentido, se expone que la medida de expulsión contra la madre coloca a la menor española en la siguiente alternativa: bien permanecer en España sin progenitores, bien salir de España, el país de su nacionalidad, y ver impedidas las relaciones con su padre. El Ministerio Fiscal interesó la desestimación del amparo, poniendo el acento en la realidad de la situación familiar de la menor, previa a la medida (convivencia familiar interrumpida cuando ambos progenitores estaban ingresados en prisión, ausencia de decisión judicial sobre la patria potestad) y las incertidumbres de cuál pueda resultar en el futuro, aunque la expulsión no llegara a ejecutarse. Hay que subrayar que el Fiscal incide en las diferencias del caso de autos con los precedentes: la STC 145/2011, claramente diversa, y la STC 140/2009, donde concurría un déficit de motivación sobre las circunstancias familiares.

El recurso de amparo fue desestimado. Pero la *ratio* de la desestimación obedece a una causa de pura técnica jurídica. En efecto, el recurso denunciaba la vulneración del derecho al respeto a la vida familiar de la recurrente, con invocación del art. 18 CE, en la vertiente de derecho fundamental a la intimidad

---

[26]   La recurrente se encontraba en libertad provisional tras cumplir una pena de cuatro años por tráfico de estupefacientes (*cfr.* Decisión TEDH, p. 2).

[27]   *Vid. supra.* De hecho, el juez acordó la suspensión precisamente en atención a la situación de la menor (*cfr.* Decisión TEDH, p. 2). En sede de amparo, también la suspensión fue acordada por ATC 116/2013, de 20 de mayo. La fundamentación jurídica reitera la doctrina constitucional en cuanto a la suspensión en procedimientos de amparo sobre expulsión, pero refiere expresamente la consideración en el caso del conjunto de las circunstancias personales y, de conformidad con la opinión del Ministerio Fiscal, la afectación de la convivencia familiar (Antecedentes, 5). Curiosamente, el Auto de suspensión sí indica como denunciada la vulneración del art. 24.1, derecho a la motivación de las resoluciones sancionadoras (Antecedentes, 2), lo que, como se verá *infra*, es relevante.

familiar[28]. Pero esta denuncia no se acompañaba de la correspondiente de violación del art. 24.1 CE, en su vertiente de derecho fundamental a una resolución motivada. Como se ha establecido, de conformidad con la doctrina constitucional el art. 18 CE no incluye un derecho subjetivo en esos términos, correspondiente al reconocido en los arts. 8 del CEDH y art. 7 de la Carta, por tanto, no es posible su protección por la vía del amparo. En definitiva, el recurso se desestima simple y llanamente porque se reclama la vulneración de un derecho fundamental subjetivo no contemplado en la Constitución. En este sentido, es elocuente que los Votos particulares (de lectura tan obligada como la propia Sentencia para la comprensión exacta de los términos del debate) incidan en negar la mayor y entender que la pretensión sí incluía la denuncia de vulneración del art. 24.1 CE. Porque, de hecho, pese a la desestimación, el FJ 7 determina con nitidez que la exclusión del derecho a la vida familiar se afirma "sin perjuicio de que su reconocimiento, respeto y protección informará la práctica judicial (art. 53.3 CE), lo que supone que los jueces ordinarios han de tenerlos especialmente presentes al ejercer su potestad de interpretar y aplicar el art. 57.2 LOEX, verificando si, dadas las circunstancias del caso concreto, la decisión de expulsión del territorio nacional y el sacrificio que conlleva para la convivencia familiar es proporcional al fin que dicha medida persigue, que no es otro en el caso del art. 57.2 LOEX que asegurar el orden público y la seguridad ciudadana, en coherencia con la Directiva 2001/40/CE, de 28 de mayo de 2001 del Consejo".

La suerte de este asunto es sobradamente conocida. Tras la desestimación del recurso en sede constitucional, la recurrente interpuso recurso ante el TEDH y, antes de resolver sobre el asunto, se decidió el archivo de la demanda por acuerdo amistoso entre las partes[29]. El acuerdo amistoso pasó por el reconocimiento por el Gobierno de España de la vulneración de los derechos *ex* art. 8 y 13 CEDH, invocados en la demanda, así como la adopción de medidas tanto individuales (se deja sin efecto la decisión de expulsión y se acuerda el abono de cantidad a título de satisfacción equitativa) como generales. En este último capítulo, el Gobierno se comprometía a asegurar la interpretación del art. 57.2 LOEX de conformidad con el art. 8 CEDH. El tenor literal de la declaración es interesante: "en el futuro la interpretación del artículo 57.2 LOEX, se realizará puesta en relación con los criterios que recoge el artículo 57.5.b) de la misma Ley Orgánica, en conformidad con el artículo 8 del Convenio y se tutelará de manera efectiva por la jurisdicción ordinaria, por haberlo así ordenado el Tribunal Constitucional en su sentencia 186/2013, de 4 de noviembre, dictada en el recurso de amparo recaído en este asunto".

---

[28]   Asimismo, se alegaba la vulneración del derecho fundamental a elegir residencia y a circular por el territorio nacional (art. 19 CE).

[29]   Decisión TEDH (Sección Tercera) 17 de marzo de 2015, asunto n°. 35765/14, *G.V.A. c. España*.

El resultado final merece una valoración. Primero, la recurrente ve colmadas sus pretensiones, aunque denunciaba la vulneración de un derecho constitucional subjetivo que no existe y que sigue sin existir. Segundo, el TC "declara" jurisprudencia reiterada la obligación de interpretar y aplicar el art. 57.2 LOEX previa ponderación del sacrificio de la convivencia familiar con los fines de orden público y seguridad ciudadana que esta disposición persigue, esto es, la obligación que ya se deducía de la jurisprudencia del TEDH. Tercero, el Gobierno se compromete a "asegurar esta interpretación", lo que solo puede comprenderse como un ejercicio de diálogo con el TEDH[30]. En definitiva, en lo que aquí interesa, a resultas de un recurso de amparo que no plantea un vicio de motivación y de una Sentencia de amparo que no entra en un derecho al respeto a la vida familiar, la necesidad de ponderación de las circunstancias familiares en la motivación sale asegurada[31].

IV. LAS DECISIONES SOBRE AUTORIZACIONES DE RESIDENCIA: SSTC 46/2014 Y 42/2020

El necesario juicio de proporcionalidad entre circunstancias familiares y la situación generada por una decisión en materia migratoria no ha quedado limitado a los supuestos de irregularidad migratoria y las decisiones de retorno que conlleva. Ha tenido otros desarrollos vinculados a las decisiones sobre las diferentes autorizaciones administrativas en materia de extranjería con los que ha tenido que enfrentarse la jurisdicción constitucional de amparo. A esos efectos, son de destacar las SSTC 46/2014, de 7 de abril, y 42/2020, de 9 de marzo. El contexto fáctico que dio lugar a ambos pronunciamientos fue diferente, pero no lo fue el proceso de razonamiento que llevó a la estimación de sendos recursos de amparo por vulneración del derecho a la tutela judicial efectiva (art. 24.1 CE) al no haberse dado cumplimiento al deber de motivación reforzado por falta de ponderación de las circunstancias personales y familiares concurrentes en la decisión enjuiciada.

La STC 46/2014 trae causa de la denegación de la renovación de un permiso –hoy denominada autorización- de residencia y trabajo, que se había

---

[30]   La STC 151/2021, FJ 3 B) lo explica como una vía de información al TEDH sobre la doctrina constitucional en estos supuestos (más allá del caso concreto en el que, estaría elíptico, la protección del derecho falló por otras razones, como la invocación del derecho equivocado).

[31]   Esto respecto al alcance general de la resolución del asunto. Respecto a su alcance en el caso concreto, el recurso puede considerarse un éxito: la recurrente ve anulada la orden de expulsión y obtiene satisfacción equitativa. Y esto sin que, en el caso concreto, se haya enmendado la interpretación del art. 57.2 en sede de legalidad ordinaria o su suficiencia y razonabilidad en sede de legalidad ordinaria o constitucional.

fundamentado en la existencia de antecedentes penales en el interesado derivados de la comisión de un delito contra la seguridad en el tráfico que supuso la pena de cuatro meses de multa y de ocho meses de privación del permiso de conducir. Ninguna otra circunstancia había sido relevante en la decisión administrativa para justificar dicha denegación. El demandante alegó en la vía judicial, entre otras causas, que no se habían valorado las circunstancias de arraigo concurrentes: su madre residía en Valencia, siendo titular de una autorización de residencia permanente, disponía de trabajo indefinido y tenía dos hijos menores bajo su guarda y custodia que dependían económicamente de él, uno de ellos de nacionalidad española. La decisión fue confirmada en vía judicial destacando la sentencia de instancia que la denegación de la renovación venía directamente impuesta por la normativa aplicable, por lo que "no es procedente cuestionarse ni el interés del menor, ni la proporcionalidad de la misma"; insistiendo la sentencia de apelación en que en cuanto a la renovación del permiso de residencia y trabajo la normativa de extranjería solo permite la valoración de las circunstancias personales en determinadas circunstancias que no concurría en aquel caso.

La STC 46/2014 mantuvo la posición tradicional de que el derecho fundamental afectado era la tutela judicial efectiva, desde la perspectiva del deber de motivación reforzado, al estar concernido "el derecho a la intimidad familiar (art. 18 CE), junto al de protección social, económica y jurídica de la familia (art. 39 CE) en relación al mandato del art. 10.2 CE, así como el art. 3.1 de la Convención de las Naciones Unidas de 20 de noviembre de 1989, de derechos del niño" (FJ 7); concluyendo que el deber de ponderación de las circunstancias que incidían en la vida familiar del demandante de amparo lo eran incluso contra la expresa limitación legal (FJ 6). Ahora bien, en este caso, frente a lo que sucedía en los supuestos ya comentados de decisiones de expulsión como consecuencia de la comisión de la infracción de estancia en España en situación de irregularidad migratoria, la decisión administrativa impugnada carecía de naturaleza sancionadora. De ese modo, existía el obstáculo de que las exigencias derivadas del deber de motivación reforzado del art. 24.1 CE no eran directamente aplicables a las decisiones administrativas. En este caso, a pesar del excurso que se hace en esta resolución sobre la eventual aplicación del deber de motivación del art. 24.1 CE no solo a los procedimiento sancionadores administrativos, sino también a los actos administrativos que limiten o restrinjan el ejercicio de otros derechos, y de que parece propender a que en ese caso la decisión de denegación de un permiso de residencia y trabajo tiene ese carácter de acto restrictivo de derechos (FJ 4); finalmente se concluye que "las resoluciones administrativas que no tienen carácter sancionador, como son las impugnadas en este caso, no pueden vulnerar el art. 24 CE, como antes se ha señalado; sin embargo, sí lo han hecho en el presente supuesto los órganos judiciales que en su labor de fiscalización de los actos administrativos recurridos se han opuesto a la ponderación de las circunstancias personales del recurrente bajo una interpretación de la norma que no respeta el canon constitucional de motivación del derecho a la tutela judicial efectiva" (FJ 7).

Por su parte, el hecho que dio lugar a la STC 42/2020 fue la decisión de denegar al demandante de amparo la tarjeta de residencia como familiar de una ciudadana de la Unión Europea para residir en España tras su matrimonio con una persona de nacionalidad española. El fundamento de la denegación fue que su cónyuge de nacionalidad española no contaba con medios económicos suficientes para mantenerle, conforme a lo previsto en el art. 7.1 b) del Real Decreto 240/2007, de 16 de febrero, sobre entrada, libre circulación y residencia en España de ciudadanos de la Unión Europea, no siendo suficiente la circunstancia alegada de que contaba con seguro médico privado e ingresos propios suficientes como trabajador autónomo, en su condición de ingeniero informático. En vía judicial, la pretensión del demandante fue estimada en la primera instancia, al considerar que el requisito de la suficiencia de medios del cónyuge nacional no era exigible para este tipo de autorizaciones; pero fue revocada en apelación y confirmada en casación insistiendo en que la normativa aplicable al caso exigía la acreditación documentaria de ingresos del cónyuge nacional.

La demanda de amparo se fundamentó, entre otras invocaciones, en el derecho a la tutela judicial efectiva (art. 24.1 CE), en relación con el derecho a la vida en familia y a la convivencia matrimonial con su cónyuge. La STC 42/2020 insistió en la posición tradicional de la jurisprudencia constitucional sobre la inexistencia de un derecho a la unidad y convivencia familiar amparado en el derecho a la intimidad familiar del art. 18.1 CE, recordando que "la STC 236/2007, de 7 de noviembre, FJ 11, al examinar la constitucionalidad de la regulación por la Ley de extranjería de la reagrupación familiar de extranjeros en España, si bien reconoció la existencia de una dimensión familiar de la intimidad, niega que la misma permita identificar `un derecho a la vida familiar en los mismos términos en que la jurisprudencia del Tribunal Europeo de Derechos Humanos ha interpretado el art. 8.1 CEDH, y menos aún un derecho fundamental a la reagrupación familiar, pues ninguno de dichos derechos forma parte del contenido del derecho a la intimidad familiar garantizado por el art. 18.1 CE´" [FJ 4 b)]. Por tanto, reiteró que el parámetro constitucional de control aplicable era exclusivamente el del derecho a la tutela judicial efectiva, en su versión reforzada que implica la ponderación de la afectación a las circunstancias personales de la decisión impugnada, y que dicha exigencia solo alcanzaba a las resoluciones judiciales y no a la administrativa que carecía de carácter sancionador. A partir de ello concluyó que se había vulnerado este derecho tras constatar que las resoluciones judiciales confirmaron la decisión denegatoria "sin ponderar adecuadamente las circunstancias personales y familiares del solicitante, con lo que se impidió la estancia y residencia en España del demandante de amparo, a falta de otro título habilitante, permitiendo, en su caso, la expulsión del mismo de territorio nacional" [FJ 4 b)][32].

En conclusión, también en el contexto de estas situaciones, la jurisprudencia constitucional española viene exigiendo, aunque sea por la vía del art. 24.1 CE y solo respecto de las resoluciones judiciales y no las administrativas, la obligación de ponderar la eventual afectación que la decisión impugnada tiene en las circunstancias familiares del interesado.

V. ESTADO DE LA CUESTIÓN Y PERSPECTIVAS

La actual jurisprudencia constitucional española, en los términos expuestos anteriormente, sostiene que el derecho a la intimidad familiar reconocido en el art. 18.1 CE no es coincidente con el derecho a la vida familiar de los arts. 8.1 CEDH y 7 de la Carta en la amplitud dada por el TEDH y el TJUE, respectivamente. Esta posición se mantiene de manera constante en lo que se refiere a la proyección del derecho al mantenimiento de la unidad familiar en los casos en que se ve afectado por decisiones en materia migratoria[33]. Quiebra, sin embargo, en lo que se refiere a la proyección de otras dimensiones innovadoras del derecho a la vida familiar reconocidas en la jurisprudencia comunitaria o del TEDH como son, por ejemplo, el derecho a no sufrir inmisiones domiciliarias de la contaminación acústica, el derecho a decidir sobre el enterramiento o incineración de un familiar o de criaturas abortivas o el derecho a materializar la gestación y a desarrollarla conforme a sus deseos.

---

[32]   Es de interés destacar la relevancia que en el razonamiento para la estimación del amparo se da a la STJUE de 27 de febrero de 2020, asunto C-836/18, en que se resuelve la petición de decisión prejudicial planteada por el TSJ de Castilla-La Mancha sobre la posible vulneración del artículo 20 del Tratado de funcionamiento de la Unión Europea (TFUE) debida a la exigencia de que el ciudadano español deba cumplir de suficiencia de medios económicos como condición necesaria para el reconocimiento del derecho de residencia de su cónyuge extracomunitario, en la que se concluyó que "cuando un nacional de un tercer país presenta ante la autoridad nacional competente una solicitud de residencia con fines de reagrupación familiar con un ciudadano de la Unión, nacional del estado miembro de que se trate, dicha autoridad no puede denegar de manera automática esa solicitud por la única razón de que el ciudadano de la Unión no disponga de recursos suficientes. Por el contrario, le corresponde valorar, basándose en los datos de que el nacional del tercer país y el ciudadano de la Unión deben poder facilitarle libremente y procediendo, en su caso, a las investigaciones necesarias, si existe entre esas dos personas una relación de dependencia [...] de modo que, en principio, deba concederse a dicha nacional de un tercer país un derecho de residencia derivado al amparo del artículo 20 TFUE" (§ 53).

[33]   Como se ha señalado *supra,* esta posición es también mantenida en su proyección a otros supuestos que no implican elementos de extranjería como son los referidos a la pena de prohibición de comunicación con familiares (STC 60/2010, de 7 de octubre) o al traslado de personas privadas de libertad para el cumplimiento de la pena cerca de su domicilio familiar (ATC 40/2017, de 28 de febrero).

La exclusión de esta concreta dimensión del derecho a la vida familiar ha sido compensada, dotándola de una eficacia equivalente ante la jurisdicción constitucional de amparo, recurriendo al derecho a la tutela judicial efectiva (art. 24.1 CE), desde la perspectiva del deber de motivación reforzado, cuando puedan verse implicados en ese tipo de decisiones intereses de relevancia constitucional como puede ser, por ejemplo, la protección de la familia o el interés superior del menor (art. 39 CE), lo que implica el deber de ponderación de esa afectación.

No es improbable que la jurisprudencia constitucional decida mantener esta posición habida cuenta de su carácter consolidado y de que ha venido siendo reiterada incluso en pronunciamientos recientes [así, STC 42/2020, FJ 4 b)]. La percepción de que la solución alcanzada con el parámetro de control del deber de motivación reforzado permite llegar a soluciones equiparables a la de su pleno reconocimiento como una dimensión más del derecho a la intimidad familiar puede servir de acicate a esa decisión. Ahora bien, es preciso reparar en que ese supuesto efecto equivalente tiene un alcance restringido al control de constitucionalidad de decisiones judiciales o de decisiones administrativas sancionadoras. No es equivalente, por el contrario, cuando se trata de decisiones administrativas –como las relativas a autorizaciones en materia de extranjería- que carecen de naturaleza sancionadora. Ello implica, por ejemplo, que frente a decisiones denegatorias de autorizaciones de residencia o de su renovación que supongan la obligación de retorno con separación de la familia no cabe la tutela por el procedimiento preferente y sumario de protección de los derechos fundamentales (art. 53.2 CE), desarrollado en el ámbito contencioso-administrativo en los arts. 114 y ss. de la Ley 29/1998, de 13 de julio, reguladora de la Jurisdicción Contencioso-administrativa, ya que, en última instancia, el mantenimiento de la unidad familiar ni es un derecho fundamental sustantivo ni, por la naturaleza de la resolución administrativa a impugnar, puede ser invocado el art. 24.1 CE ante cualquier defecto de su motivación.

Una alternativa, probablemente la más plausible y no lejana en el tiempo, sería que la jurisprudencia constitucional, dentro del llamado diálogo entre tribunales y en el contexto de la protección multinivel de los derechos fundamentales representados por las jurisdicciones constitucional, comunitaria y del TEDH, decidiera, al amparo del mandato de interpretación conforme impuesto por el art. 10.2 CE, una rectificación de su jurisprudencia en favor de una convergencia con esas otras jurisdicciones en diálogo para reconocer el derecho al mantenimiento de la unidad familiar como una garantía más de la intimidad familiar[34].

---

[34]   En esa dirección apunta el voto particular suscrito por tres magistrados al ya citado ATC 40/2017, al destacar que la renuencia de la jurisprudencia constitucional a reconocer como contenido del

No obstante, todavía puede atisbarse una nueva perspectiva para afrontar esta situación vinculada a la incipiente creación de un novedoso parámetro en la configuración del control a desarrollar por la jurisdicción de amparo constitucional en los países miembros de la Unión Europea respecto de decisiones que están plenamente regidas por el Derecho de la Unión, como ocurre en materia de extranjería. Nos referimos a la posibilidad de que estas jurisdicciones de amparo utilicen en esos casos como parámetro de control no solo los derechos fundamentales en la extensión y reconocimiento de las constitucionales nacionales sino directamente en la extensión y reconocimiento de la Carta[35]. Esta posibilidad, saliendo al paso de las SSTJUE de 26 de febrero de 2013, pronunciadas en los asuntos C-617/10 (*caso Åklagaren*) y C-399/11 (*caso Melloni*), ya ha sido establecida por la jurisprudencia constitucional alemana en sendas sentencias de la Sala Primera del Tribunal Constitucional Federal de 6 de noviembre de 2019[36], con el precedente de la jurisprudencia constitucional austriaca en la Sentencia de 14 de marzo de 2012[37].

La fundamentación esencial de esta doctrina en la jurisprudencia austriaca descansa en el principio de equivalencia propio del Derecho de la Unión y se concreta en el argumento de que si los estados tienen vedado que sus tribunales otorguen al Derecho de la Unión una efectividad inferior a la que otorgan a su propio derecho; entonces "lo mismo que los derechos fundamentales nacionales, los de la Carta deben ser también objeto de protección por medio del amparo ante la jurisdicción constitucional"[38]. Por su parte, aunque la fundamentación de la jurisprudencia constitucional alemana también es rica en matices, es de destacar el argumento vertido en la sentencia conocida como *caso Derecho al olvido II*, referido a que, en la medida en que los derechos fundamentales de la Unión integran un nivel de protección en las materias en que la regulación es de competencia comunitaria, y que la garantía del respeto a los derechos fundamentales, entendida como una protección integral frente a cualquier manifestación de los poderes públicos, es función de la jurisdicción constitucional

---

derecho a la intimidad familiar del art. 18.1 CE la convivencia y contacto entre los miembros de una familia debe ser reconsiderada por carecer de un sustento argumental sólido y haber derivado en algunas paradojas axiológicas sobre su contenido esencial.

35   Ampliamente, CRUZ VILLALÓN, PEDRO, "¿Una forma de cooperación judicial no reclamada? Sobre la extensión del amparo a la Carta de Derechos Fundamentales de la UE", *Anuario Iberoamericano de Justicia Constitucional*, nº 25-1, 2021, pp. 61-76, que se muestra escéptico con la asunción de esta alternativa, p. 81; y ARZOZ SANTISTEBAN, XABIER, *Transformaciones judiciales: Karlsruhe y los derechos fundamentales de la Unión Europea*, CEPC, Madrid, 2022, pp. 201-234.

36   1 *BvR* 16/13 y 1 *BvR* 276/17. Sobre su consolidación mediante su recepción por la Sala Segunda, ARZOZ SANTISTEBAN, XABIER, *op. cit.*, pp. 225-233.

37   U 466/11, *VfSlg.* 19632/201. Al respecto, CRUZ VILLALÓN, PEDRO, *loc. cit. op. cit.*, pp. 64-70.

38   CRUZ VILLALÓN, PEDRO, *loc. cit. op. cit.*, p. 67.

de amparo; entonces la realización efectiva de esa función exige incorporar los derechos reconocidos en la Carta en el parámetro de control del amparo[39].

La jurisprudencia constitucional española no afrontó la posibilidad de transitar esta vía en la STC 26/2014, de 13 de febrero, cuando resolvió el recurso de amparo en cuyo marco se planteó la cuestión prejudicial que dio lugar a la ya citada STJUE del *caso Melloni*, como bien advierte la magistrada Adela Asua Batarrita en su voto particular. No obstante, más recientemente, aunque no lo haya hecho expresamente, el Pleno del TC parece haber ensayado esta alternativa en las SSTC 89/2022, de 29 de junio, y 105/2022, de 13 de septiembre. En ellas, si bien formalmente se considera vulnerado el derecho sustantivo a la protección de datos establecido en el art. 18.4 CE, en sendos supuestos que planteaban la cuestión del derecho al olvido; sin embargo, todo el razonamiento se residencia en la jurisprudencia comunitaria en la materia, que es la utilizada como verdadero parámetro de control para la estimación del recurso de amparo despreciando incluso los precedentes de la jurisprudencia constitucional española[40].

VI. CONCLUSIONES

1) La jurisprudencia constitucional española, afincada en el mandato del art. 1.1 de la Ley Orgánica 2/1979, de 3 de octubre, del Tribunal Constitucional, de que solo está sometido a la Constitución y a su Ley Orgánica, ha establecido que el derecho fundamental a la intimidad familiar (art. 18.1 CE) no incluye el derecho al mantenimiento de la unidad familiar. Ello ha propiciado que en su proyección a la normativa de extranjería los supuestos de decisiones de retorno, bien como sanción bien como consecuencia de la denegación o no renovación de autorizaciones de residencia, que suponían la ruptura de contactos familiares no tuvieran el acceso a la jurisdicción de amparo constitucional mediante la invocación del art. 18.1 CE.

2) El Tribunal Constitucional ha mantenido esta doctrina contra la jurisprudencia del TEDH y del TJUE, que han reconocido el derecho al mantenimiento a la unidad familiar como contenido propio del derecho a la vida familiar establecido en los arts. 8.1 CEDH y 7 de la Carta; y contra la apertura mostrada respecto de otras dimensiones de este derecho reconocidas en

---

[39]   Ampliamente, ARZOZ SANTISTEBAN, XABIER, *op. cit.*, pp. 211-217 y CRUZ VILLALÓN, PEDRO, *loc. cit. op. cit.*, pp. 70-76.

[40]   Esta lectura de la alteración del parámetro de control en la resolución de esos recursos de amparo es advertida en el voto particular que formula el magistrado Juan Antonio Xiol Rios y sobre ello incide también de forma muy acertada ALONSO GARCÍA, RICARDO, "El TC y el derecho al olvido: ¿allanando un camino `a la alemana´ de la CDFUE como parámetro directo de amparo?", *Revista Española de Derecho Europeo*, nº 82, 2022, pp. 9-16.

dicha jurisprudencia como las relativas a no sufrir inmisiones domiciliarias de la contaminación acústica, decidir sobre los restos mortales de un familiar o sobre el desarrollo de la gestación.

3) La jurisprudencia constitucional española ha establecido como doctrina sustitutiva equivalente el deber de ponderación de las circunstancias personales y familiares en las decisiones en materia de extranjería que puedan conllevar una ruptura de la convivencia familiar al amparo del derecho a la tutela judicial efectiva (art. 24.1 CE) con fundamento en el deber de motivación reforzado por la afectación que puede suponer en el interés de relevancia constitucional referido en el art. 39 CE a la protección de la familia y el superior interés del menor.

4) Esta jurisprudencia supone que este deber de ponderación resulte equivalente al que podría derivarse de reconocerse como contenido propio del derecho fundamental sustantivo a la intimidad familiar (art. 18.1 CE) en su proyección a las decisiones judiciales y las administrativa de carácter sancionador, únicas a las que resulta aplicable el deber de motivación reforzado, pero no a las decisiones administrativas, como las relativas a denegaciones o no renovaciones de autorizaciones de estancia o residencia, que no tienen un carácter sancionador, lo que implica un nivel de protección inferior.

5) La posibilidad de establecer un estándar de protección del derecho a la convivencia familiar de los migrantes como contenido del derecho a la intimidad familiar en el mismo nivel que el establecido en la jurisprudencia comunitaria y del TEDH se derivaría bien de una rectificación de la actual jurisprudencia constitucional española en la materia por la vía de la obligación de la interpretación conforme (art. 10.2 CE) bien mediante la asunción de la incipiente doctrina de que el parámetro de control en el recurso de amparo debe incluir también los derechos fundamentales de la Carta en aquellas materias regidas por completo por el Derecho de la Unión Europea.

VII. BIBLIOGRAFÍA Y JURISPRUDENCIA CONSULTADAS

Bibliografía

ALONSO GARCÍA, RICARDO, "El TC y el derecho al olvido: ¿allanando un camino `a la alemana´ de la CDFUE como parámetro directo de amparo?", *Revista Española de Derecho Europeo*, nº 82, 2022, pp. 9-16.

ARZOZ SANTISTEBAN, XABIER, *Transformaciones judiciales: Karlsruhe y los derechos fundamentales de la Unión Europea*, CEPC, Madrid, 2022.

BELADÍEZ ROJO, MARGARITA, "El recurso de amparo y la especial trascendencia constitucional", en AA.VV., *La nueva perspectiva de la tutela procesal de los derechos fundamentales*, CEPC, Madrid, 2018, pp. 13-98.

CRUZ VILLALÓN, PEDRO, "¿Una forma de cooperación judicial no reclamada? Sobre la extensión del amparo a la Carta de Derechos Fundamentales de la UE", *Anuario Iberoamericano de Justicia Constitucional*, n° 25-1, 2021, pp. 57-85.

CUARTERO RUBIO, Mª VICTORIA, "El derecho al respeto a la vida familiar (art. 8.1 CEDH): una aproximación iusprivatista desde el recurso de amparo", *Revista Española de Derecho Constitucional*, n° 115, enero-abril 2019, pp. 363-389.

GARCÍA COUSO, SUSANA, "La participación del TC en la construcción europea de los derechos y libertades", *Revista CEFLEGAL*, n° 187-188, 2016, pp. 115-144.

MOYA ESCUDERO, MERCEDES, "La libertad de circulación en Europa: los nuevos estatutos personales", en ESPLUGUES MOTA, CARLOS y PALAO MORENO, GUILLERMO (Eds.), *Nuevas fronteras del Derecho de la Unión Europea. Liber amicorum José Luis Iglesias Buhigues*, Tirant lo Blanch, Valencia, 2012, pp. 661-675.

MOYA ESCUDERO, MERCEDES, "Un código de derechos para los nacionales de terceros Estados residentes legales en la UE. Un avance en Derecho antidiscriminatorio", *Revista Electrónica de Estudios Internacionales*, n° 34, 2017-2, pp. 1-27.

Jurisprudencia

Tribunal Constitucional

STC 119/2001, de 24 de mayo (*Tol 2778*)

STC 16/2004, de 23 de febrero (*Tol 500186*)

STC 236/2007, de 7 de noviembre (*Tol 1179106*)

STC 140/2009, de 15 de junio (*Tol 1561641*)

STC 155/2009, de 25 de junio (*Tol 1568033*)

STC 60/2010, de 7 de octubre (*Tol 1982919*)

STC 145/2011, de 26 de septiembre (*Tol 2254246*)

STC 150/2011, de 29 de septiembre (*Tol 2254301*)

ATC 116/2013, de 20 de mayo (*Tol 3760888*)

STC 186/2013, de 4 de noviembre (*Tol 4021099*)

STC 26/2014, de 13 de febrero (Tol *4129144*)

STC 46/2014, de 7 de abril (*Tol 4236042*)

STC 155/2015, de 9 de julio (*Tol 5430186*)

STC 11/2016, de 1 de febrero (*Tol 5669392*)

STC 131/2016, de 18 de julio (*Tol 5863818*)

STC 201/2016, de 28 de noviembre (*Tol 5930941*)

STC 14/2017, de 30 de enero (*Tol 5985476*)

STC 29/2017, de 27 de febrero (*Tol 6026433*)

ATC 40/2017, de 28 de febrero (*Tol 6186254*)

STC 113/2018, de 29 de octubre (*Tol 6920526*)

STC 42/2020, de 9 de marzo (*Tol 8441212*)

STC 151/2021, de 13 de septiembre (*Tol 8605859*)

STC 66/2022, de 2 de junio

STC 89/2022, de 29 de junio

STC 105/2022, de 13 de septiembre

Otros Tribunales

Sentencia del Tribunal Constitucional austriaco (*Verfassungsgerichtshof Österreich*) de 14 de marzo de 2012, U466/11 y acumulados, *VfSlg.* 19632/2012

STJUE de 26 de febrero de 2013, Åklagaren, C-617/10

STJUE de 26 de febrero de 2013, Melloni, C-399/11 (*Tol 3061437*)

Decisión TEDH (Sección Tercera) 17 de marzo de 2015, asunto nº 35765/14, *G.V.A. c. España* (*Tol 6407385*)

Sentencias del Tribunal Constitucional Federal alemán (*Bundesverfassungsgericht*) de 6 de noviembre de 2019, 1 *BvR* 16/13 (*caso Derecho al olvido I*) y 1 *BvR* 276/17 (*caso Derecho al Olvido II*)

STJUE de 27 de febrero de 2020, Subdelegación del Gobierno en Ciudad Real, C-836/18 (*Tol 7789836*)

UCRANIA Y PROTECCIÓN INTERNACIONAL. DE LA DENEGACIÓN A LA PROTECCIÓN SUBSIDIARIA POR CIRCUNSTANCIAS SOBREVENIDAS

CARMEN AZCÁRRAGA MONZONÍS

Profesora Titular de Derecho internacional privado
Universitat de València

I. UNAS SENTIDAS PALABRAS PREVIAS

En 2023 se cumplirán veinte años desde que inicié mi carrera académica en el Departamento de Derecho internacional "Adolfo Miaja de la Muela" de la Universitat de València, una cifra que me produce inevitablemente cierto vértigo, pero también mucha satisfacción al recordar los frutos recogidos durante tantos años. La carrera académica es muy exigente y no sería posible transitar por la misma sin el apoyo intelectual y personal de maestros y maestras como la Profesora Mercedes Moya Escudero, Catedrática de Derecho Internacional Privado de la Universidad de Granada, quien me ha acompañado en los principales hitos de mi carrera profesional. Gracias Profesora Moya, querida Mercedes, por tantos momentos inolvidables que me han permitido ir avanzando tanto profesional como personalmente.

Ahora, de nuevo, con ocasión de este merecido homenaje, tengo la oportunidad de continuar aprendiendo sobre una materia de la que la Profesora Moya es un referente: el Derecho de extranjería. El objeto de estudio elegido para participar en esta obra parte del impacto que ha generado la invasión de Ucrania por parte Rusia en las vidas de millones de personas que se han visto obligadas a cruzar fronteras y cuya situación jurídica ha debido ser atendida por la normativa sobre protección internacional. Comenzaremos por exponer el planteamiento del estudio.

II. PLANTEAMIENTO DEL ESTUDIO

El 24 de febrero de 2022 el territorio de Ucrania fue invadido por las fuerzas armadas rusas. La guerra había vuelto a Europa bajo la atenta y preocupada mirada del mundo y mientras parte de la ciudadanía permanecía en territorio ucraniano, ya fuera forzosa o voluntariamente, otros salían del país buscando refugio a distintos lugares del continente europeo. En el momento de escribir estas líneas se contabilizan en Europa debido al conflicto armado más de siete millones cuatrocientos mil refugiados y más de cuatro millones de beneficiarios de protección temporal (o regímenes nacionales similares) según el Alto Comisionado de las Naciones Unidas para los Refugiados (ACNUR)[1], lo que supone un flujo masivo de personas hacia la Unión Europea (UE) que se suma a los cien millones de desplazados forzosos que se contabilizan en el mundo (1,3% de los habitantes del planeta) como consecuencia de violaciones de derechos humanos, conflictos y persecuciones, una cifra histórica de desplazamiento forzado según ACNUR[2] que lamentablemente parece que continuará creciendo.

Ante este panorama que caracteriza en la actualidad al fenómeno de las migraciones forzosas transfronterizas, son diversos los estatutos que contempla la normativa sobre extranjería para acoger legalmente a aquellas personas que llegan a territorio nacional solicitando protección internacional: asilo, protección subsidiaria, protección temporal en caso de afluencia masiva de personas desplazadas o la posibilidad de permanecer por motivos humanitarios.

Ciñéndonos a la protección que se ha otorgado en España a las personas acogidas como consecuencia de la guerra de Ucrania, este conflicto ha colocado en primera línea del Derecho de extranjería a dos estatutos en particular entre los citados anteriormente. Por un lado, la protección subsidiaria con base en el art. 10.c) de la Ley 12/2009, de 30 de octubre, reguladora del derecho de asilo y de la protección subsidiaria[3]. Por otro lado, la protección temporal por la afluencia masiva de personas desplazadas, un régimen que se ha activado por primera vez en la UE y que procede de la Directiva 2001/55/CE, de 20 de julio de 2001,

---

[1]   ACNUR, "Operational Data Portal Ukraine Refugee Situation" [en línea], (2022), https://data2.un-hcr.org/en/situations/ukraine#_ga=2.207779284.79312819.1647990979-834248501.1613898081 [Consulta: 28/09/2022].

[2]   ACNUR, "100 millones de personas obligadas a huir" [en línea], (2022), https://eacnur.org/es/actualidad/noticias/emergencias/100-millones-refugiados-desplazados [Consulta: 28/09/2022].

[3]   *BOE* nº 263, de 31 de octubre de 2009.

relativa a las normas mínimas para la concesión de protección temporal en caso de afluencia masiva de personas desplazadas y a medidas de fomento de un esfuerzo equitativo entre los Estados miembros para acoger a dichas personas y asumir las consecuencias de su acogida[4].

Como estudiaremos en este trabajo, ya se haya utilizado una vía u otra para amparar jurídicamente a las personas que han visto truncadas sus vidas debido a la guerra que ahora mismo se libra en Ucrania, en la práctica se ha tenido que considerar no solo a las personas que han huido de ese país por estas circunstancias sino también a aquellas que ya se encontraban fuera del mismo en ese momento y que como consecuencia de acontecimientos sucedidos con posterioridad a su salida (por lo tanto, debido a circunstancias sobrevenidas) no pueden regresar en condiciones de seguridad. Se trata precisamente de la situación que ha vivido una familia ucraniana en la interesante decisión que ha motivado este trabajo: la reciente sentencia de la Audiencia Nacional 478/2022, de 24 de febrero de 2022 (SAN 478/2022[5]). El Tribunal ha estimado parcialmente las pretensiones de estos solicitantes de protección internacional como consecuencia de la situación actualmente existente en su país de origen, unos acontecimientos sobrevenidos que no se podían obviar en el momento temporal en el que la Audiencia Nacional se debía pronunciar sobre el recurso a una desestimación anterior.

Esta sentencia ha puesto el foco con ocasión de la guerra de Ucrania en dos aspectos importantes en el ámbito de la protección internacional. Por un lado, la necesidad de que esta clase de solicitudes se valoren considerando la evolución en el tiempo de las circunstancias concurrentes en el país de origen y en los posibles cambios que se puedan advertir desde la formalización de la petición hasta el momento en que la autoridad competente haya de pronunciarse. Y, por otro lado, la importancia de conceder protección no solo a aquellas personas que huyen de sus países por los motivos contemplados en la normativa sobre protección internacional sino también a aquellas que se encuentran fuera por otras causas y que, como consecuencia de hechos acaecidos con posterioridad a su salida, no pueden volver de forma segura por los mismos motivos que contempla tal normativa.

En este trabajo nos centraremos en los supuestos que se caracterizan por la concurrencia de nuevos acontecimientos en el marco de la protección internacional, los cuales justificarían bien la concesión de la protección internacional por circunstancias sobrevenidas, bien su denegación o cese ante la constatación de esos nuevos hechos. Analizaremos su marco regulador en los diferentes estatutos mencionados (asilo, protección subsidiaria, protección temporal) y nos

---

4   *DOCE* L 212, de 7 de agosto de 2001.
5   *Tol 8.814.883.*

detendremos en particular en la citada SAN 478/2022 con el fin de conocer con más detalle el razonamiento que ha llevado al Tribunal a otorgar el estatuto de protección subsidiaria a una familia procedente de Ucrania a la que se había denegado la protección internacional en instancias inferiores. Terminaremos con unas consideraciones finales.

III. LA PROTECCIÓN SUBSIDIARIA POR CIRCUNSTANCIAS SOBREVENIDAS A RAÍZ DEL CONFLICTO DE UCRANIA: LA SENTENCIA DE LA AUDIENCIA NACIONAL 478/2022

El 24 de febrero de 2022, la sección 5ª de la Sala de lo Contencioso-Administrativo de la Audiencia Nacional resolvía el recurso nº 769/2020 promovido por una familia ucraniana formada por un matrimonio y dos hijos menores. Habían solicitado protección internacional en España en 2018 y la vieron denegada en 2020 al considerarse que los solicitantes no residían en ninguna de las regiones concretas en las que se localizaba entonces la situación de conflicto en Ucrania. En febrero de 2022, sin embargo, la citada sentencia otorgó a esta familia la protección internacional que les había sido denegada anteriormente; concretamente, el estatuto de "protección subsidiaria". Las circunstancias habían variado sustancialmente en aquel país en los últimos meses y ello había requerido una revisión del criterio aplicado a la valoración de su solicitud, al constatarse que hoy en día ese país no puede ofrecer garantías para su protección debido a la situación de conflicto que actualmente se vive en el mismo.

Retomemos el íter procedimental y los argumentos esgrimidos. El matrimonio ucraniano formuló la solicitud de protección internacional inicialmente el 20 de diciembre de 2018 en la Brigada Provincial de Extranjería y Fronteras de Soria, con extensión familiar a sus hijos menores de edad, también de nacionalidad ucraniana. La Subsecretaria del Interior, actuando por delegación del Ministro del Interior, denegó las solicitudes en julio de 2020, tanto en el caso del estatuto de refugiado como en el de la protección subsidiaria.

En el primer caso se consideró que no había quedado establecida la existencia de una persecución ni de una problemática susceptible de protección conforme a lo prevenido en la Convención de Ginebra sobre el Estatuto de los Refugiados de 1951[6]. El asunto se centra en particular en la obligatoriedad de la prestación del servicio militar pero se consideró que no existía prueba indiciaria de que el

---

[6]   Instrumento de Adhesión de España a la Convención sobre el Estatuto de los Refugiados, hecha en Ginebra el 28 de julio de 1951, y al Protocolo sobre el Estatuto de los Refugiados, hecho en Nueva York el 31 de enero de 1967. *BOE* nº 252, de 21 de octubre de 1978.

incumplimiento del requerimiento al llamamiento al servicio militar en Ucrania conllevara consecuencia alguna que pudiera constituir una violación grave de los derechos fundamentales, de ahí que no pudiera considerarse que ninguna persona en Ucrania pudiera temer fundadamente ser perseguida en el sentido del art. 3 de la Ley 12/2009 por motivo de los procesos de reclutamiento para el ejército de ese país.

Por lo que respecta a la protección subsidiaria, en la resolución denegatoria se analizó la zona donde se estaba llevando a cabo el enfrentamiento armado (en unos 450 kilómetros a lo largo de las regiones de Donetsk y Lugansk) para concluir finalmente que las personas solicitantes no residían en ninguna de las regiones en las que se localizaba el conflicto armado, luego se consideró que el regreso a su país de origen no suponía un riesgo real de sufrir amenazas graves contra su vida o su integridad motivadas por una violencia indiscriminada en situaciones de conflicto internacional o interno, tal y como reza el art. 10 de la Ley 12/2009. También con base en dicho precepto se descartó la posibilidad de sufrir condena a pena de muerte o riesgo de su ejecución material, así como de riesgo de tortura o tratos inhumanos o degradantes.

La denegación se recurrió por los interesados en vía judicial, refutando los argumentos anteriormente expuestos. Destacaron, por un lado, que la resolución recurrida reconoce la gravísima situación que atravesaba el país y, por otro lado, lo desamparada que quedaría la familia si el padre fuera reclutado o bien encarcelado si se negara a incorporarse al ejército. Insistieron asimismo en que la zona en la que residían en Ucrania era muy peligrosa (Kherson, ciudad fronteriza con Crimea, muy cerca de Donetsk y Lugansk) y en cualquier caso consideraban que serían merecedores de la protección internacional de carácter humanitario.

Considerados los hechos y los argumentos anteriores, el Tribunal analizó los dos estatutos por separado. La condición de refugiado fue rechazada coincidiendo con la resolución denegada, sobre la base de tres argumentos principalmente. Primero, la existencia de reiteradas sentencias dictadas en numerosos recursos interpuestos por nacionales de Ucrania en la misma línea expuesta. Segundo, la Directriz n° 10 de ACNUR sobre las solicitudes de la condición de refugiado relacionadas con el servicio militar[7], que alude al derecho de legítima defensa de los Estados, que se traduce en su derecho a exigir que sus ciudadanos realicen el servicio militar con fines militares sin que ello suponga una violación de sus derechos. Tercero, jurisprudencia del Tribunal Supremo que ha declarado que

---

[7]   ACNUR, "Directrices sobre protección internacional N° 10: Solicitudes de la condición de refugiado relacionadas con el servicio militar en el contexto del artículo 1A (2) de la Convención sobre el Estatuto de los Refugiados de 1951 y/o su Protocolo de 1967", [en línea], (2013), https://www.acnur.org/prot/instr/5c6c39274/directrices-sobre-la-proteccion-internacional-no-10-solicitudes-de-la-condicion.html [Consulta: 28/09/2022].

la mera condición de desertor del servicio militar no constituye una causa que evidencie la necesidad de la concesión del derecho de asilo si en el país de origen es un deber cívico obligatorio.

Por el contrario, como adelantábamos al inicio de este trabajo, el Tribunal sí consideró el posible otorgamiento de la protección subsidiaria en virtud del apartado c) del art. 10 de la Ley 12/2009, ya que las circunstancias en el momento de la valoración del recurso son muy diferentes respecto a las existentes cuando se denegaron las solicitudes iniciales. La sentencia recoge jurisprudencia del Tribunal Supremo[8] según la cual "en trance de resolver los recursos contra las resoluciones administrativas de asilo ha de ponderarse la evolución de las circunstancias en el país de origen desde la formalización de la petición hasta el momento en que el Tribunal haya de pronunciarse". Del mismo modo, cita normativa y jurisprudencia europea, así como la Directriz nº 4 de ACNUR[9], para aclarar cuándo se puede concluir que el país de origen puede realmente garantizar la protección y en qué circunstancias se puede considerar la reubicación interna una posibilidad de protección nacional en "condiciones de seguridad, accesibilidad y razonabilidad".

A la luz de lo anterior, el Tribunal concluye que a la fecha en que se dicta esta sentencia "es notorio y suficientemente conocido que Ucrania se encuentra inmersa en un conflicto internacional incardinable en el citado art. 10 c) de la Ley de Asilo, sin que la estabilidad y volatilidad de la situación permita considerar la posibilidad de reubicación interna en condiciones de seguridad y razonabilidad". Añade que "en las fechas y circunstancias actuales, ha de estimarse que no se puede garantizar la protección en ninguna zona del país", de ahí que se considere que existen "elementos necesarios para la concesión del estatuto para la protección subsidiaria a los recurrentes".

En conclusión, el factor temporal y las circunstancias sobrevenidas han sido determinantes en la valoración de las solicitudes de protección internacional de esta familia ucraniana, una realidad que se puede extender a otros asuntos considerando que se trata de procedimientos que en no pocas ocasiones se alargan en el tiempo. Mientras en julio de 2020 la situación vivida en ese país no permitió justificar la necesidad de protección internacional en España, en febrero de 2022 el contexto era bien distinto y ello dio lugar, primero, a reconsiderar el criterio

---

[8]   Entre otras, SSTS 17 de junio de 2013 (casación 4355/2012; *Tol 3.791.397*) y 31 de octubre de 2014 (casación 407/2014; *Tol 4.552.142*).

[9]   ACNUR, "Directrices sobre protección internacional Nº 4: La "alternativa de huida interna o reubicación" en el contexto del artículo 1A(2) de la Convención de 1951 o el Protocolo de 1967 sobre el Estatuto de los Refugiados", [en línea], (2003), https://www.refworld.org.es/cgi-bin/texis/vtx/rwmain?page=search&docid=57f76bcd1b&skip=0&query=Directrices%20sobre%20protecci%C3%B3n%20internacional [Consulta: 28/09/2022].

de valoración y, como consecuencia de lo anterior, a otorgarles la protección subsidiaria.

Las consideraciones anteriores nos han llevado a preguntarnos si esta clase de circunstancias se regulan de manera expresa en la normativa sobre protección internacional. Para averiguarlo analizaremos a continuación los instrumentos legales que conforman su marco regulador.

IV. LAS CIRCUNSTANCIAS SOBREVENIDAS EN LA PROTECCIÓN INTERNACIONAL

Las circunstancias que rodean la vida de las personas pueden variar a largo del tiempo y esta irrefutable premisa afecta también a aquellas que se ven impulsadas a solicitar protección internacional en otros países. A continuación, analizaremos cómo se articula el factor temporal y las circunstancias sobrevenidas, primero, en el régimen del asilo y la protección subsidiaria y, segundo, en la normativa reguladora de la protección temporal, esto es, la figura que se ha aplicado en la UE a los desplazados por la guerra de Ucrania.

1. Las circunstancias sobrevenidas en la Ley 12/2009 reguladora del derecho de asilo y de la protección subsidiaria

Las circunstancias sobrevenidas que pueden afectar a una persona solicitante o beneficiaria de protección internacional pueden conllevar efectos tanto positivos (de concesión de derechos) como negativos (de denegación o cese de un estatuto ya concedido) en su estatus jurídico.

A. Efectos positivos de las circunstancias sobrevenidas en la Ley 12/2009

Comenzaremos por los efectos positivos en el sentido de concesión de derechos como se ha indicado *supra*. Para ello partiremos del art. 15 de la Ley 12/2009, que regula las denominadas "Necesidades de protección internacional surgidas «in situ»", una norma que permite solicitar protección internacional en España en aquellos supuestos en que los fundados temores de persecución o el riesgo real de sufrir daños graves (según se trate de asilo o protección subsidiaria, respectivamente[10]) se hayan basado en "*acontecimientos sucedidos o actividades en*

---

[10]   Véanse los arts. 3, 4 y 10 de la Ley 12/2009.

que haya participado la persona solicitante con posterioridad *al abandono del país de origen o, en el caso de apátridas, el de residencia habitual*[11] (…)".

De esta regla, que cuenta con una naturaleza excepcional dentro del Título I de la Ley 12/2009 (y que por lo tanto requerirá la acreditación de los hechos relatados para ser aplicada[12]), es posible inferir *sensu contrario* que con carácter general estas personas se hallarán fuera del país de origen *debido* a tales fundados temores de ser perseguidas (o por el riesgo real de sufrir daños graves) por acontecimientos surgidos *con anterioridad* al abandono del país. Así se desprende también de una forma clara del art. 3 de la Ley 12/2009 cuando regula la condición de refugiado, que se refiere a personas que se encuentran fuera del país de la nacionalidad a causa precisamente de esos fundados temores de ser perseguidas.

Por lo tanto, en el caso del derecho de asilo y la protección subsidiaria el factor temporal ha sido tenido en cuenta por el legislador en un sentido amplio. Ya hayan tenido lugar los acontecimientos de los que derivan esos fundados temores o el riesgo de sufrir los daños graves antes o después de abandonar el país, o, dicho de otro modo, ya hayan motivado o no la salida de este, el foco se pone en la imposibilidad de regresar a dicho país y de acogerse a la protección de sus autoridades por las causas contempladas en cada uno de esos estatutos.

Por otro lado, el art. 15 de la Ley 12/2009 se completa con otras dos reglas de distinta naturaleza por lo que respecta al acceso a la protección internacional, una en sentido positivo y la otra de carácter restrictivo.

La primera viene a reforzar la posibilidad de obtener protección internacional cuando se aprecian circunstancias sobrevenidas estando la persona fuera de su país de origen, *"en especial si se demuestra que dichos acontecimientos o actividades constituyen la expresión de convicciones u orientaciones mantenidas en el país de origen* (…)". Por lo tanto, de esta norma se extrae que la solicitud estará especialmente

---

[11]   Nótese que todas las reglas recogidas en el art. 15 de la Ley 12/2009 se hacen extensivas a los apátridas, sustituyendo en cada una de ellas el "país de origen" o "país de la nacionalidad" de la persona afectada por el "país de la residencia habitual". Ello en coherencia con el art. 1 de la Ley 12/2009, que regula el objeto de la ley y que establece, también en línea con el art. 13.4 de la Constitución Española, que los titulares del derecho a solicitar protección internacional en España en virtud de la Ley 12/2009 son "*las personas nacionales de países no comunitarios y las apátridas*".

[12]   Así se aprecia en la reciente Sentencia de la Audiencia Nacional de 23 de diciembre de 2019 (*Tol 7.856.260*) relativa a una familia de origen iraní que alegaba para fundamentar su petición de protección internacional, entre otros, motivos religiosos por la intención del grupo familiar de cambiar de la religión musulmana a la cristiana. De acreditarse esta conversión en España se tendría que haber valorado a la luz del art. 15 de la Ley 12/2009 ya que se hubiera tratado de circunstancias producidas con posterioridad a la salida del país. Sin embargo, en este caso se consideró, al igual que en las resoluciones impugnadas, que se trataba de una declaración de intenciones y que no había quedado acreditado si dicha circunstancia se había llevado efectivamente a cabo o no, no pudiendo constituir por tanto un motivo que pudiera dar lugar a temores fundados de persecución por esta causa.

fundamentada en estos casos si se demuestra que tales hechos producidos con posterioridad a la salida del país se vinculan con expresiones o acciones desarrolladas por la persona interesada en el país de origen. Se aprecia por lo tanto una vinculación directa entre las circunstancias sobrevenidas a partir de las cuales se dan los fundados temores o el riesgo de sufrir daños y la actuación de la persona en el país de origen, antes de que saliera de este, lo que refuerza la necesidad de protección internacional, aunque tales acontecimientos o actividades en los que haya participado la persona solicitante hayan tenido lugar con posterioridad a su salida del país.

La segunda regla que completa el art. 15 de la Ley 12/2009 se recoge en el apartado 2 con carácter restrictivo. El mismo consagra un límite en el caso del derecho de asilo -no se refiere expresamente a la protección subsidiaria- relacionado con la responsabilidad que pudiera haber tenido la persona solicitante con los nuevos acontecimientos que dan lugar al temor de ser perseguida. Dispone tal precepto que "*a efectos de no reconocer la condición de refugiado*" se deberá ponderar en los supuestos contemplados en el art. 15 "*el hecho de que el riesgo de persecución esté basado en circunstancias expresamente creadas por la persona solicitante tras abandonar su país de origen* (…)". Para que se pueda fundamentar con base en esta regla una denegación del derecho de asilo se deberá valorar, por lo tanto, si se trata de circunstancias creadas de forma expresa por la persona que solicita protección tras la salida de su país, siendo que estas, además, constituyen el origen del riesgo de persecución. Se diferencia pues de la regla anterior en que se atribuye a la persona afectada la responsabilidad de haberse colocado ante un riesgo de persecución que ella misma sufre y no necesariamente por expresiones o convicciones mantenidas en el país de origen.

Junto con el art. 15 de la Ley 12/2009, otros preceptos del mismo cuerpo normativo se refieren asimismo al factor temporal y a la posible evolución de los hechos en los que participan las personas como elementos que podrían incidir en la eventual aplicación o inaplicación del régimen de protección internacional. Lo constataremos a continuación en el art. 17 de la Ley 12/2009 relativo a la presentación de estas solicitudes.

Esta disposición contempla ciertos requisitos procedimentales a la hora de presentar una solicitud de protección internacional ante las autoridades españolas. A los efectos de este estudio interesa especialmente centrarse en el apartado 2, donde se indica que este trámite deberá realizarse "*sin demora y en todo caso en el plazo máximo de un mes desde la entrada en el territorio español o, en todo caso, desde que se produzcan los acontecimientos que justifiquen el temor fundado de persecución o daños graves*". El plazo que se establece es por lo tanto de un mes, diferenciando dos posibles momentos a partir de los cuales se debería comenzar a contar. La regla general indica que se tratará de un mes desde la entrada en España, y el último inciso añade una regla especial que contempla un momento inicial posterior derivado de ciertos acontecimientos que justifican el temor fundado de persecución o los daños graves.

Una interpretación conjunta del art. 15 anteriormente analizado y de este art. 17 nos sitúa, por lo tanto, en el posible escenario en el que los acontecimientos que provocan esos temores pueden haber surgido con posterioridad a la salida del país de origen, de ahí que sea necesario contemplar un momento de inicio del plazo de un mes posterior a la entrada en territorio español. Por ello resulta coherente que se haya previsto que dicho plazo pueda comenzar a contar no solo a partir de la entrada en España sino también una vez en nuestro país a partir del momento en que se produzcan los hechos sobrevenidos que hayan generado esos temores de persecución o el riesgo de sufrir los daños graves, ya que solo desde ese momento surge realmente la necesidad o el legítimo interés de solicitar protección a las autoridades españolas.

Continuando con el análisis de los efectos positivos de las circunstancias sobrevenidas en la Ley 12/2009, resulta asimismo necesario referirse al art. 20 de dicha norma, que aborda la inadmisión a trámite de las solicitudes presentadas dentro del territorio español. De acuerdo con esta disposición, el Ministerio del Interior, a propuesta de la Oficina de Asilo y Refugio (OAR) y siempre mediante resolución motivada, podrá no admitir a trámite las solicitudes de protección internacional cuando concurra alguna de las circunstancias que se relacionan en el apartado primero. Los motivos pueden deberse bien a la falta de competencia de las autoridades españolas para el examen de las solicitudes bien a la ausencia de cumplimiento de los requisitos previstos para ser admitidas a trámite. Es en esta última categoría donde será posible apreciar la concurrencia de nuevos acontecimientos como una excepción a la inadmisión a trámite, es decir, abriendo la posibilidad de su admisión ante la constatación de nuevos hechos.

Así, una solicitud de protección internacional podrá *no* ser admitida a trámite "*cuando la persona solicitante hubiese reiterado una solicitud ya denegada en España o presentado una nueva solicitud con otros datos personales*", pero, matiza a continuación el legislador español que se inadmitirá "*siempre que no se planteen nuevas circunstancias relevantes en cuanto a las condiciones particulares o a la situación del país de origen o de residencia habitual de la persona interesada*" (art. 20.1 e) Ley 12/2009). Por lo tanto, tales "nuevas circunstancias" podrían suponer que se admita a trámite una solicitud a pesar de la constatación de dos situaciones que conllevarían inicialmente su inadmisión: por un lado, que la persona la haya reiterado habiendo sido previamente denegada en nuestro país, o, por otro lado, que haya presentado una nueva con otros datos personales. El legislador obliga a valorar la solicitud cursada considerando la situación vigente en el momento de su presentación y de apreciarse nuevas circunstancias *con la suficiente relevancia* se procedería a dictar la admisión a trámite. Dichas circunstancias pueden referirse bien a las condiciones particulares de la persona interesada bien a la situación de su país de origen (o de la residencia habitual en el caso de los apátridas).

B. Efectos negativos de las circunstancias sobrevenidas en la Ley 12/2009

Para terminar el análisis de la repercusión de las circunstancias sobrevenidas en la Ley 12/2009, estudiaremos brevemente los posibles efectos negativos que unos nuevos acontecimientos pueden causar en la situación jurídica de los beneficiarios de protección internacional. Con este fin analizaremos los arts. 42 y 43 de la Ley 12/2009, que regulan el cese del estatuto de refugiado y de la protección subsidiaria, respectivamente.

En lo que concierne al cese del estatuto de refugiado, en primer lugar, el art. 42.1 de la Ley 12/2009 relaciona una serie de motivos que darían lugar a esa consecuencia, seis de los cuales reflejan una voluntariedad del sujeto, quien desarrolla ciertas acciones que desembocarían en el cese de la condición de refugiado. Los dos últimos, sin embargo, no dependen de la voluntad del beneficiario y se apreciarían de oficio por las autoridades españolas.

La primera categoría de motivos incluye los siguientes: personas a) que expresamente así lo soliciten; b) que se hayan acogido de nuevo, voluntariamente, a la protección del país de su nacionalidad; c) que habiendo perdido su nacionalidad, la hayan recobrado voluntariamente; d) que hayan adquirido una nueva nacionalidad y disfruten de la protección del país de su nueva nacionalidad; e) que se hayan establecido, de nuevo, voluntariamente, en el país que habían abandonado, o fuera del cual habían permanecido, por temor a ser perseguidos; o finalmente, f) que hayan abandonado el territorio español y fijado su residencia en otro país. Como se desprende de este primer grupo de motivos, la persona refugiada ha tomado una serie de decisiones que comportan el cese de dicho estatuto y lo ha hecho, además, "voluntariamente", como se preocupa el legislador de subrayar de forma reiterada. Si de forma voluntaria se acoge de nuevo a la protección del país de su nacionalidad o ha adquirido una nueva nacionalidad y disfruta de la protección de las autoridades de ese otro país, entre otras circunstancias, se entiende que ya no necesite la protección que le estaba brindando el Estado español.

Por el contrario, la segunda categoría de motivos carece del elemento volitivo de voluntariedad por parte del beneficiario (letras g) y h) del art. 42.1 de la Ley 12/2009), lo que implica que se producirá una evaluación por parte del Estado que llevará a concluir que la persona debe ser privada del estatuto de refugiado. Interesa detenernos a analizar en qué consisten tales motivos debido a su carácter especialmente gravoso, y lo primero que se advierte es que se trata realmente del mismo motivo diferenciándose el perfil de los beneficiarios afectados: en el primer caso (letra g) personas que ostentan una nacionalidad y en el segundo (letra h) personas que no poseen nacionalidad alguna, es decir, apátridas.

De acuerdo con el art. 42.1 letra g) de la Ley 12/2009, cesarán en la condición de refugiados quienes "*no puedan continuar negándose a la protección del país de su nacionalidad por haber desaparecido las circunstancias en virtud de las cuales fueron reconocidos como refugiados* (…)". Al respecto cabe recordar la propia definición de la condición de refugiado recogida en el art. 3 de la Ley 12/2009, que establece como uno de los elementos clave de este régimen el hecho de que la persona que presenta los fundados temores de ser perseguida por las causas contempladas no pueda o, a causa de dichos temores, no quiera acogerse a la protección del país de su nacionalidad. Por ello, si como indica el art. 42.1 g) de la Ley 12/2009, desaparecen las circunstancias en virtud de las cuales la persona fue reconocida como refugiada, esta no puede seguir negándose a la protección de las autoridades de su país de origen. Si las circunstancias con base en las cuales se reconoció a alguien el estatuto de refugiado desaparecen, también lo harán los fundados temores de ser perseguida por los motivos contemplados en la norma, produciéndose un efecto en cadena que resultará en la ausencia de necesidad de protección internacional ya que la persona interesada ya no debería tener obstáculo alguno para recurrir a las autoridades de su país en búsqueda de protección.

Ahora bien, el legislador añade en esta misma disposición que el Estado deberá tener en cuenta si el cambio de circunstancias es "*lo suficientemente significativo, sin ser de carácter temporal, como para dejar de considerar fundados los temores del refugiado a ser perseguido*". De esta regla se extraen varias cuestiones de interés. En primer lugar, al igual que en la norma anteriormente analizada sobre la inadmisión a trámite, se utiliza un concepto jurídico indeterminado que queda a la valoración de la autoridad que esté conociendo del caso. Antes hablábamos de "nuevas circunstancias *relevantes*"; ahora de "cambio de circunstancias *suficientemente significativo*". Además, en segundo lugar, tal cambio no podrá ser de "de carácter temporal", sino *sensu contrario*, deberá tratarse de un cambio de circunstancias *definitivo*, con la dificultad que tal valoración entraña igualmente. Por lo anterior, entendemos que la autoridad competente deberá tomar una decisión informada y prudente por los riesgos que podría conllevar para la vida de la persona beneficiaria la adopción de una decisión errónea en este contexto. En tercer y último lugar por lo que respecta a las reflexiones que suscita ese último inciso del art. 42.1 g), se exige que el cambio de circunstancias que motivará el cese del estatuto de refugiado sea lo suficientemente significativo y definitivo "*como para dejar de considerar fundados los temores del refugiado a ser perseguido*".

Recopilando pues todas las exigencias de aplicabilidad previstas en el art. 42.1 g) de la Ley 12/2009, para que se produzca el cese de la condición de refugiado por la constatación de circunstancias sobrevenidas valoradas de oficio por el Estado se requiere, primero, que desaparezcan las circunstancias en virtud de las cuales se concedió el estatuto de refugiado y, segundo, que el cambio de circunstancias sea cualificado en el sentido de que cumpla con unas características que aseguren que no se va a poner en peligro a una persona que ha sido beneficiaria de este estatuto en España si se adopta esta gravosa decisión. El cambio de circunstancias será cualificado si se considera suficientemente significativo además de definitivo (no temporal, como exige la norma), y de modo que permita dejar de considerar fundados los temores de esa persona a ser perseguida.

Por otro lado, de acuerdo con la letra h) del art. 42.1 de la Ley 12/2009, las personas que no ostentan nacionalidad alguna también cesarán en la condición de refugiadas si pueden *"regresar al país de su anterior residencia habitual por haber desaparecido las circunstancias en virtud de las cuales fueron reconocidos como refugiados"*. Como sabemos, la ausencia de nacionalidad no es obstáculo para poder ser beneficiario de protección internacional como indican los arts. 3 y 4 de la Ley 12/2009. Ahora bien, de forma coherente con la realidad migratoria de estas personas, esa circunstancia provoca que la norma no se refiera al "país de origen" o al "país de la nacionalidad" de la persona sino al "país de su anterior residencia habitual". Partiendo de esta base, en un caso particular se puede constatar que han desaparecido las circunstancias que permitieron reconocer el estatuto de refugiado a una persona apátrida y como consecuencia de ello se prevé el cese del mismo y de la consecuente protección del Estado español. En esta ocasión el legislador no ha previsto expresamente que el cambio de circunstancias tenga carácter cualificado, pero entendemos que los criterios anteriormente analizados deberían extenderse de manera análoga a este supuesto porque de lo contrario se podría exponer a la persona afectada a un riesgo no justificado por el mero hecho de ser apátrida.

Termina el art. 42 con un apartado 2 en el que se ofrece al extranjero una alternativa a tener que abandonar el país como consecuencia del cese de la condición de refugiado. Este dispone que tal circunstancia *"no impedirá la continuación de la residencia en España conforme a la normativa vigente en materia de extranjería e inmigración"*, pudiendo además contar el periodo de tiempo que lleve la persona residiendo legalmente en España para distintos efectos (por ejemplo, para la adquisición de la nacionalidad española por residencia).

Finalizaremos el análisis de los efectos negativos de las circunstancias sobrevenidas en el régimen de protección internacional centrando nuestra atención en el cese de la protección subsidiaria tal y como se regula en el art. 43 de la Ley 12/2009. El apartado primero de este precepto recoge tres posibles motivos de cese de este estatuto, entre los que nos interesa especialmente el tercero de ellos por las mismas razones anteriormente expuestas en el contexto del derecho de asilo, esto es, las gravosas consecuencias que puede tener para una persona beneficiaria del régimen de protección subsidiaria que el Estado valore unas circunstancias sobrevenidas que escapan a su voluntariedad.

El apartado primero del art. 43 indica que la protección subsidiaria cesará cuando a) se solicite expresamente por la persona beneficiaria; b) la persona beneficiaria haya abandonado el territorio español y fijado su residencia en otro país; o c), en similares términos a los vistos en relación con el estatuto refugiado, cuando dejen de existir las circunstancias que condujeron a su concesión o cambien de tal forma que dicha protección ya no sea necesaria. Este último motivo requerirá de las autoridades españolas un análisis pormenorizado de los nuevos hechos concurrentes para llegar a tal conclusión sin poner en riesgo a la persona afectada. Con ese fin, se exige de nuevo que el cambio de circunstancias sea *"lo suficientemente significativo, sin ser de carácter temporal, como para que la persona con derecho a protección subsidiaria ya no corra un riesgo real de sufrir daños graves"*.

A pesar de que la protección subsidiaria también se puede otorgar a las personas que carecen de nacionalidad en virtud del art. 4 de la Ley 12/2009, este art. 43 no se refiere expresamente a este colectivo al abordar el cese de este estatuto, a diferencia de lo visto en el caso de los refugiados (art. 42.1 h) Ley 12/2009).

Finaliza el art. 43 con una regla en su apartado 2 de casi idéntica formulación a la señalada anteriormente en el cese de la condición de refugiado por lo que respecta a la posibilidad de permanecer en España conforme a la normativa vigente en materia de extranjería a pesar de la finalización de la protección subsidiaria. También se tendrá en cuenta el tiempo que lleve esa persona residiendo legalmente en nuestro país.

2. Las circunstancias sobrevenidas en la protección temporal por la afluencia masiva de personas desplazadas

Al inicio de este estudio hacíamos hincapié en que el conflicto de Ucrania ha conllevado la activación por primera vez en la UE de la Directiva 2001/55/CE sobre normas mínimas para la concesión de protección temporal en caso de afluencia masiva de personas desplazadas, una norma que encuentra su génesis en los conflictos surgidos tras la disolución de Yugoslavia[13] y cuya transposición dio lugar en su momento en España al Real Decreto 1325/2003, de 24 de octubre, por el que se aprueba el Reglamento sobre régimen de protección temporal en caso de afluencia masiva de personas desplazadas[14].

La previsión de la llegada de un elevado número de personas en poco tiempo y el consiguiente riesgo de colapso de los sistemas de asilo de los Estados miembros de la UE conllevó la adopción por parte del Consejo de la UE (a propuesta

---

[13]   VILLAR, SANTIAGO A., "Refugiados e (in)solidaridad en la UE: la no aplicación de la Directiva 2001/55/CE", *Documentos CIDOB*, nº 8, 2017, p. 2.

[14]   *BOE* nº 256, de 25 de octubre de 2003.

de la Comisión como exige la Directiva[15]) de la Decisión de ejecución (UE) 2022/382, de 4 de marzo de 2022, por la que se constata la existencia de una afluencia masiva de personas desplazadas procedentes de Ucrania en el sentido del art. 5 de la Directiva 2001/55/CE y con el efecto de que se inicie la protección temporal[16]. La novedosa aplicación de este régimen ha conllevado necesariamente el impulso de medidas internas por parte de los Estados miembros de la UE para proceder a su ejecución. Así ha sido en el caso de España, donde se han dictado varios textos normativos de interés desde marzo de 2022 al amparo del marco legal que regula este estatuto[17].

Al igual que se ha examinado en la regulación del derecho de asilo y la protección subsidiaria, en este apartado se pretende analizar si el régimen de la protección temporal ha sido también sensible a las circunstancias sobrevenidas que pueden alterar la vida de las personas que se han visto afectadas por el conflicto de Ucrania. Es evidente que la respuesta es afirmativa por lo que respecta a los desplazados que salieron huyendo del país tras ese fatídico 24 de febrero de 2022, ya fueran nacionales ucranianos o ciudadanos de otras nacionalidades residentes en ese país. Pero ¿y los que se encontraban fuera de Ucrania por otros motivos cuando se produjo la invasión? Parece obvio que también habrán requerido de una protección por parte de las autoridades de otros Estados ante la imposibilidad de regresar a su país de origen sin poner en riesgo sus vidas. Y, por otra parte, como hemos visto anteriormente en el asilo y la protección subsidiaria, ¿podrían asimismo nuevos acontecimientos conllevar la finalización de este estatuto por un motivo distinto al transcurso del tiempo?

Para responder a las preguntas formuladas de forma paralela a lo visto en los estatutos anteriores, analizaremos en qué términos se han previsto las circunstancias sobrevenidas en la protección temporal de los desplazados de Ucrania diferenciando los efectos positivos (concesión de protección temporal) y los negativos (cese de la protección).

---

[15] Propuesta de Decisión de Ejecución del Consejo, de 2 de marzo de 2022, por la que se constata la existencia de una afluencia masiva de personas desplazadas procedentes de Ucrania a tenor del artículo 5 de la Directiva 2001/55/CE del Consejo, de 20 de julio de 2001, y entra en vigor la introducción de la protección temporal (COM/2022/91 final). Disponible en https://eur-lex.europa.eu/legal-content/ES/TXT/?qid=1646384923837&uri=CELEX%3A52022PC0091 [Consulta 28/09/2022].

[16] *DOUE* L 71, de 4 de marzo de 2022. Corrección de errores *DOUE* L 79, de 9 de marzo de 2022.

[17] Véase un análisis de tales textos legales en AZCÁRRAGA MONZONÍS, CARMEN, "La "afluencia masiva de personas desplazadas" desde Ucrania y su protección temporal en la Unión Europea y en España: la activación de la Directiva 2001/55/CE", *Revista General de Derecho Europeo*, nº 57, 2022, pp. 77-116.

A. Efectos positivos de las circunstancias sobrevenidas en la protección temporal por la afluencia masiva de personas desplazadas

Para conocer si el régimen aplicable a los desplazados por la invasión de Ucrania cubre también la situación de necesidad de protección sobrevenida de las personas que se hallaban fuera del país cuando acontecieron tales hechos debemos referirnos a la citada Decisión del Consejo de 4 de marzo de 2022, donde se aprecia cómo se anima a los Estados miembros de la UE a proteger también a estas personas. Primero se refiere a las desplazadas del país a partir de la fecha de la invasión rusa y después va ampliando el ámbito de aplicación personal a otras categorías de personas afectadas por el conflicto, aunque sea en términos potestativos.

Tras constatar la afluencia masiva de personas en el art. 1, las que van a ser concretamente beneficiarias de este régimen se contemplan en el art. 2 de la Decisión. Se aplicará a determinadas categorías de personas desplazadas desde Ucrania a partir de la fecha de inicio de la invasión militar, y en particular a: a) nacionales ucranianos que residieran en Ucrania antes del 24 de febrero de 2022; b) apátridas y nacionales de terceros países distintos de Ucrania que gozaran de protección internacional o de una protección nacional equivalente en Ucrania antes del 24 de febrero de 2022, y c) miembros de las familias de las personas a que se refieren las letras a) y b)[18].

Y junto con las categorías anteriores, la Decisión obliga asimismo a los Estados miembros a aplicar este régimen o bien una "protección adecuada" en virtud de su Derecho interno a las personas apátridas y a los nacionales de terceros países distintos de Ucrania que, a diferencia de los anteriores, no gozaran de protección internacional en dicho país pero sí puedan demostrar que residían de

---

[18]   En los Considerandos de la Decisión se resalta la importancia de preservar la unidad de las familias y de evitar que los miembros de una misma familia tengan estatutos diferentes. El apartado 4 de este mismo art. 2 aclara quiénes van a ser considerados "miembros de la familia" a estos efectos, siempre que la familia ya estuviera presente y residiendo en Ucrania antes de la fecha de la invasión. En algunos extremos se ha optado por respetar las distintas tradiciones jurídicas en materia de Derecho de familia y de extranjería de los países de acogida., mientras que en otros se han establecido normas uniformes de aplicación en todos ellos. Serán miembros de una familia a estos efectos, en la línea del art. 15 de la Directiva: 1. El cónyuge de las personas incluidas en las anteriores letras a) y b), o bien la pareja de hecho con la que mantenga una relación estable, si la legislación o la práctica del Estado miembro de que se trate les otorga un trato comparable al de las parejas casadas en virtud del Derecho nacional en materia de extranjería; 2. Los hijos menores solteros de las personas contempladas en las letras a) y b), o los del cónyuge, sin distinguir la clase de filiación (matrimonial o extramatrimonial, biológica o adoptiva); 3. Otros parientes cercanos que vivieran juntos como parte de la unidad familiar en el momento de las circunstancias relacionadas con la afluencia masiva de personas desplazadas y que dependieran en aquel momento, total o principalmente, de las personas contempladas en las letras a) o b).

forma permanente en el mismo antes del 24 de febrero de 2022 y que no puedan regresar a su país o región de origen en condiciones seguras y duraderas.

La obligación de aplicar esta Decisión se torna potestativa respecto de aquellos que residían legalmente en Ucrania, pero sin una autorización permanente. Los Estados miembros "podrán" aplicarles este régimen, de conformidad con el art. 7 de la Directiva 2001/55/CE[19]. En los Considerandos se hace referencia, por ejemplo, a los nacionales de terceros países que estuvieran estudiando o trabajando en Ucrania por períodos breves en el momento de los acontecimientos. En cualquier caso, se ordena que dichas personas sean admitidas en la Unión por razones humanitarias para garantizar un paso seguro con el fin de que puedan regresar a sus países o regiones de origen, sin exigirles visado o que dispongan de medios de subsistencia suficientes o de documentos de viaje válidos.

Finalmente, en esta misma Decisión se insta a los Estados miembros en el Considerando 14 a considerar a las personas que huyeron poco antes del 24 de febrero de 2022 cuando empezaba a escalar el conflicto o a las que se encontraban en el territorio de la UE, por ejemplo, de vacaciones o por motivos laborales, y que por lo tanto no pueden regresar ahora a Ucrania debido al conflicto armado[20].

El Estado español respondió positivamente desde el inicio a la posible extensión de este régimen, tal y como se desprende de los distintos instrumentos adoptados desde marzo de 2022 para hacer frente a esta crisis migratoria.

El primer texto que se publicó sobre el impacto en materia de extranjería que iba a tener en España el conflicto armado en Ucrania tuvo que ver con la acogida que se iba a prestar a las personas que iban a salir del país o que no iban a poder regresar a él por estos acontecimientos. La Dirección General de programas de protección internacional y atención humanitaria del Ministerio de Inclusión, Seguridad Social y Migraciones dictó una Nota informativa el 4 de marzo de 2022[21] donde se constata el compromiso del Gobierno español a velar por el bienestar

---

[19]   Art. 7.1 Directiva 2001/55/CE: *"Los Estados miembros podrán otorgar la protección temporal prevista en la presente Directiva a otras categorías de personas desplazadas, además de las cubiertas por la decisión del Consejo a que se refiere el artículo 5, que se hayan desplazado por las mismas razones y procedan del mismo país o región de origen".*

[20]   Considerando 14 Decisión del Consejo de la UE 2022/382 de 4 de marzo de 2022: *"En este contexto, debe animarse a los Estados miembros a que consideren la posibilidad de ampliar la protección temporal a las personas que huyeron de Ucrania poco antes del 24 de febrero de 2022, conforme aumentaban las tensiones, o que se encontraron en el territorio de la Unión (por ejemplo, de vacaciones o por motivos laborales) justo antes de esa fecha y que, como consecuencia del conflicto armado, no pueden regresar a Ucrania".*

[21]   DIRECCIÓN GENERAL DE PROGRAMAS DE PROTECCIÓN INTERNACIONAL Y ATENCIÓN HUMANITARIA DEL MINISTERIO DE INCLUSIÓN, SEGURIDAD SOCIAL Y MIGRACIONES, "Nota informativa 04/03/2022 de la sobre la acogida de personas que huyen de la guerra de Ucrania o que no pueden regresar a este país a causa de ella", [en línea], (2022), https://www.icagi.net/archivos/archiveszonapublica/noticias/ficheros/isntrucciones%20ucranianos.pdf [Consulta: 28/09/2022].

y las necesidades no solo de los desplazados desde Ucrania sino también de los residentes en ese país presentes en España cuando estalló el conflicto sin posibilidad de regresar.

Unos días más tarde, dos órdenes ministeriales dictadas por el Ministro de la Presidencia, Relaciones con las Cortes y Memoria Democrática a los pocos días de entrar en vigor la Decisión del Consejo Europeo[22] volvían a confirmar la extensión del régimen de protección temporal más allá del perfil de las personas huidas a raíz de la invasión: la Orden PCM/169/2022, de 9 de marzo, por la que se desarrolla el procedimiento para el reconocimiento de la protección temporal a personas afectadas por el conflicto en Ucrania (que regula normas complementarias para el reconocimiento individual[23] de la protección temporal de las personas afectadas por este conflicto) y la Orden PCM/170/2022, de 9 de marzo, por la que se publica el Acuerdo del Consejo de Ministros de 8 de marzo de 2022, por el que se amplía la protección temporal otorgada en virtud de la Decisión de Ejecución (UE) 2022/382 del Consejo de 4 de marzo de 2022 a personas afectadas por el conflicto de Ucrania que puedan encontrar refugio en España. Nos interesa especialmente la segunda a los efectos estudiados.

De acuerdo con la propia Orden PCM/170/2022, la ampliación del ámbito subjetivo se adoptó a propuesta de los Ministros de Inclusión, Seguridad Social y Migraciones, de Asuntos Exteriores, Unión Europea y Cooperación y de Interior. La Orden realiza un repaso de las reglas del marco normativo de la protección temporal en virtud de las cuales se permite que se amplíen las categorías de personas que van a ser beneficiarias de este régimen, y con base en las mismas, el Consejo de Ministros acuerda extender el alcance de esta protección a las cuatro siguientes categorías de personas:

1. Nacionales ucranianos que se encontrasen en situación de estancia en España antes del 24 de febrero de 2022 y que, como consecuencia del conflicto armado, no pueden regresar a Ucrania[24].

---

[22]   *BOE* nº 59, de 10 de marzo de 2022, en ambos casos.

[23]   La protección temporal no supone el estudio individualizado de los motivos que han llevado a la persona a solicitar protección internacional en España porque los mismos quedan establecidos de forma grupal en la oportuna Declaración, por medio de un procedimiento "*prima facie*" como denomina SÁNCHEZ FERNÁNDEZ, ALEJANDRA, "Protección internacional: asilo, protección subsidiaria y protección temporal en España", *Diario La Ley*, nº 8655, 2015. Sin embargo, la concesión de los beneficios o derechos que esta conlleva requiere que se presente una solicitud, que dará lugar a una concesión o denegación a cada persona de manera individualizada.

[24]   Se entienden por tales aquellos que estuvieran en España antes de esa fecha bien por un tiempo no superior a noventa días, bien en calidad de estudiantes (permanencia a efectos de estudios, intercambio de alumnos, prácticas no laborales o servicios de voluntariado), de conformidad con el art. 30 de la LO 4/2000, de 11 de enero, sobre derechos y libertades de los extranjeros en España y su integración social.

2. Nacionales de terceros países o apátridas que residieran legalmente en Ucrania sobre la base de un permiso de residencia legal válido (sea permanente o de otro tipo como estudiantes) expedido de conformidad con el Derecho ucraniano, que no pueden regresar a su país o región[25].

3. Nacionales de Ucrania que se encontraban en situación irregular en España antes del 24 de febrero y que, como consecuencia del conflicto armado, no pueden regresar a ese país[26].

4. Miembros de las familias de las personas a las que se refieren los apartados 1 y 2 (no por lo tanto los de la categoría 3 –nacionales ucranianos en situación irregular-) en los siguientes términos, similares a los recogidos por este concepto en la Directiva y en la Decisión del Consejo: a) cónyuge o pareja de hecho (sin detallar si esta última ha de estar registrada ni dónde, en su caso); b) hijos menores solteros o del cónyuge, sin distinción del tipo de filiación (matrimonial o extramatrimonial, biológica o adoptiva); y c) otros parientes cercanos que vivieran juntos como parte de la unidad familiar en el momento de las circunstancias relacionadas con la afluencia masiva de personas desplazadas y que dependieran total o principalmente de ellos[27].

En consecuencia, el alcance personal de la protección temporal ha sido amplio en España ya que ha incluido las necesidades sobrevenidas de protección, lo que se considera una buena noticia para los afectados por el conflicto de Ucrania ya que se les ha otorgado un tratamiento favorable que no han recibido las

---

[25]   Cabe recordar en este punto que la Decisión del Consejo exigía proporcionar protección temporal a los nacionales de terceros países diferentes a Ucrania que tuvieran en ese país una autorización de residencia permanente, dejando a la consideración de los Estados miembros la extensión de este régimen a otras personas que residieran en aquel país de forma regular pero sin esa naturaleza permanente de la autorización concedida con base en el Derecho ucraniano.

[26]   Estaríamos ante casos de nacionales ucranianos que han devenido en situación administrativa irregular sobrevenida tras su entrada en el país de forma regular, por puestos habilitados al efecto, y habiendo sobrepasado los plazos de estancia o residencia permitidos sin proceder a la prórroga o renovación de la autorización para permanecer en España. La situación de irregularidad se considera en el art. 53.1.a) de la LO 4/2000 como una infracción grave, que podría conllevar una multa de 501 a 10.000 euros, o bien la expulsión del país (arts. 55.b) y 57.1 de la LO 4/2000), atendiendo al principio de proporcionalidad. El conflicto armado en Ucrania y la activación de la protección temporal (y concretamente en España la extensión de este régimen a las personas que se hallen en esas circunstancias) ha conllevado consecuentemente que estas vean regularizada su situación durante su vigencia evitando así incurrir en tal infracción administrativa que podría conllevar incluso su expulsión del país. Se trataría por tanto de una suerte de protección internacional surgida "*in situ*" similar a la reconocida en el ámbito del asilo o de la protección subsidiaria en el art. 15.1 de la Ley 12/2009, como se ha explicado en este mismo trabajo.

[27]   Esta última categoría se corresponde más con la amplitud del art. 15.1 b) de la Directiva que con el criterio más restrictivo del art. 21.2 c) del Reglamento de 2003 que la transpuso, al no ceñir los "otros parientes cercanos dependientes" a los ascendientes de primer grado.

personas que huyen de otras guerras ni siquiera en momentos de nuestra Historia en los que ha existido asimismo una importante presión migratoria[28].

B. Efectos negativos de las circunstancias sobrevenidas en la protección temporal por la afluencia masiva de personas desplazadas

Unos nuevos acontecimientos pueden conllevar el cese del estatuto temporal que nos ocupa tal y como se aprecia en los instrumentos reguladores al abordar el periodo de disfrute del mismo.

De acuerdo con el art. 4 de la Directiva de 2001, la protección temporal se otorgará por un año, será prorrogable automáticamente por dos períodos de seis meses, pudiendo extenderse hasta otro año más si persisten los motivos para la protección temporal y se dan las condiciones establecidas en el apartado 2 de dicho precepto, esto es, una nueva decisión del Consejo, por mayoría cualificada, a propuesta de la Comisión, la cual estudiará las solicitudes de los Estados miembros de que presente la propuesta al Consejo. Por lo tanto, la protección podría extenderse hasta un máximo de tres años y según el art. 6 de la Directiva concluirá cuando se cumpla el plazo máximo concedido, pero también podría finalizar en cualquier momento mediante la aprobación de una decisión del Consejo por mayoría cualificada (de nuevo a propuesta de la Comisión, como en el caso de su activación) tras comprobar que la situación en el país de origen permite el regreso seguro y de forma duradera de las personas a las que se otorgó la protección temporal, respetando debidamente los derechos humanos y las libertades fundamentales y cumpliendo con las obligaciones en materia de no devolución.

En coherencia con lo anterior, el art. 7 del Reglamento español de 2003 señala que si la protección temporal se declara por el Gobierno, la duración inicial será de un año, automáticamente prorrogable por otro periodo anual y, excepcionalmente, si persistieran los motivos que empujaron a su adopción, otro año más como máximo (tres en total) por decisión del Consejo de Ministros, a propuesta

---

[28]   Nos referimos a la crisis migratoria derivada de la guerra de Siria, país con mayor número de personas refugiadas desde 2014. Diez años después del inicio del conflicto armado, más de 13 millones de personas sirias, en un país de 17 millones de habitantes, se encuentran en situación de desplazamiento forzado, más de 6,6 millones dispersos en 127 países y casi 6,7 millones de personas desplazadas internamente. COMISIÓN ESPAÑOLA DE AYUDA AL REFUGIADO (CEAR), "Informe 2021: Las personas refugiadas en España y Europa", [en línea], (2021), https://www.cear.es/wp-content/uploads/2021/06/Informe-Anual-CEAR-2021.pdf, p. 26 [Consulta: 28/09/2022]. A pesar de esos datos y del importante flujo migratorio que llegó a las puertas de la UE, en aquel momento no se activó la protección temporal ni se consiguió equilibrar la responsabilidad de los Estados miembros de la UE ante la carga asistencial que supuso, dando lugar a una profunda crisis del sistema vigente de gestión de los flujos migratorios en la UE. SCARANO, VINCENZO MARIA, "La reciente afluencia masiva de refugiados y asilados a la Unión Europea: la crisis de los sistemas de Dublín III y de Schengen", *Revista de Derecho Migratorio y Extranjería*, nº 44, 2017, pp. 81-102.

del Ministro del Interior y oída la Comisión Interministerial de Extranjería. Se podrá dar por finalizada la protección en cualquier momento cuando se considere que se ha resuelto el conflicto que dio lugar a su adopción y además, al igual que proclama la Directiva, se den condiciones favorables para el retorno. Evidentemente, la evaluación de la situación y, en su caso, la eventual obligación de salida del territorio español como consecuencia de una sobrevenida irregularidad derivada del cese de este estatuto no podrá contravenir el compromiso del Estado español con el principio del *non-refoulement* en el contexto de la protección internacional, que cuenta con carácter imperativo también en los flujos masivos[29].

El art. 7 del Reglamento ha de completarse con los arts. 23 a 26 del mismo cuerpo normativo, que conforman el Capítulo V titulado "Extinción de la protección temporal". En estos preceptos encontraremos más disposiciones que reflejan cómo posibles circunstancias sobrevenidas podrían afectar al régimen administrativo de los beneficiarios de protección temporal en España. Tales preceptos regulan diferentes situaciones: la finalización de la protección temporal, el cese de los beneficios que implica esa protección, la revocación de la resolución por la que se concede la protección y el regreso al país de origen. Nos centraremos en los arts. 24 y 25, en los que el legislador ha contemplado las consecuencias de eventuales nuevos acontecimientos.

El art. 24 del Reglamento de 2003 regula el cese de los beneficios de la protección temporal que disfrutan las personas cubiertas por la Declaración colectiva. Tal cese podría darse bien de forma automática o bien por renuncia tácita del beneficiario. En el primer caso, a) por el transcurso del plazo establecido en el art. 7.1 del Reglamento; b) cuando el beneficiario de protección temporal haya obtenido la nacionalidad española; c) cuando decida voluntariamente regresar a su lugar de procedencia y así lo manifieste de forma expresa ante la autoridad gubernativa competente; d) por renuncia expresa del beneficiario; y finalmente e) cuando se efectúe su traslado al territorio de otro Estado miembro de la UE con arreglo a lo dispuesto en el art. 21.4 sobre reagrupación familiar. Junto al cese automático, la renuncia tácita a los beneficios de la protección temporal se producirá cuando tras haber sido requerida la comparecencia del beneficiario ante la autoridad competente para la realización de un "*trámite indispensable*", este

---

[29]   Art. 3.2 Directiva 2001/55/CE: "*2. Los Estados miembros aplicarán la protección temporal respetando debidamente los derechos humanos y las libertades fundamentales y cumpliendo con sus obligaciones en materia de no devolución*"; Art. 6.2 Directiva 2001/55/CE: "*2. La decisión del Consejo se basará en la comprobación de que la situación en el país de origen permite, de forma duradera, el regreso seguro de las personas a las que se otorgó la protección temporal, respetando debidamente los derechos humanos y las libertades fundamentales y cumpliendo con sus obligaciones en materia de no devolución*". Insiste sobre este punto SOLANES CORELLA, ÁNGELES, "Protección y principio de *non-refoulement* en la Unión Europea", *SCIO. Revista de Filosofía*, n° 19, noviembre de 2020, p. 40.

no se persone en el plazo de 45 días desde que se practicó el requerimiento, salvo que pueda acreditar que la incomparecencia se debió a una causa justificada.

Por otro lado, el art. 25 del Reglamento contempla asimismo la posible revocación de la resolución por la que se concede la protección cuando se haya obtenido mediante datos, documentos o declaraciones cuya falta de veracidad se acredite posteriormente. También se revocará cuando con posterioridad a su concesión se tengan razones fundadas para considerar que el beneficiario incurre en alguna de las causas de denegación recogidas en el art. 12.

V. CONSIDERACIONES FINALES

El presente trabajo ha partido de las lecciones que nos ha dejado la SAN 478/2022, de 24 de febrero de 2022, en torno a dos cuestiones que se consideran de primer orden en la valoración de las solicitudes de protección internacional: por un lado, la necesidad de que se estudien considerando la evolución en el tiempo de las circunstancias concurrentes en el país de origen y en los posibles cambios que se puedan advertir desde la petición inicial hasta el momento en que se tenga que pronunciar la autoridad competente; y, por otro lado, la importancia de conceder protección no solo a aquellas personas que huyen de sus países por los motivos contemplados en la normativa sobre protección internacional sino también a aquellas que se ven sorprendidas fuera del país de origen por nuevos acontecimientos que imposibilitan su regreso de forma segura por los mismos motivos que contempla tal normativa.

La normativa reguladora de los diferentes estatutos que integran la protección internacional, así como los criterios interpretativos en la aplicación de la misma, han de ser sensibles al impacto de estos acontecimientos sobrevenidos en cualquier momento del procedimiento, tanto *ab initio* como una vez cursada la solicitud (en la primera valoración o en ulteriores instancias, como hemos visto en la SAN 478/2022), y ello tanto desde un punto de vista positivo (de concesión de derechos) como negativo (de denegación o cese de un estatuto ya concedido).

A la luz del estudio realizado es posible concluir que tales elementos se aprecian efectivamente en los distintos regímenes recogidos en la protección internacional. Tanto en el derecho de asilo y en la protección subsidiaria como en la protección temporal por la afluencia masiva de personas desplazadas.

En un sentido positivo, la figura relativa a las "Necesidades de protección internacional surgidas «in situ»" del art. 15 de la Ley 12/2009 es una muestra de ello, así como, en el caso de la protección temporal, la inclusión de ciertas categorías de personas que se encontraban fuera de Ucrania aquel 24 de febrero de 2022 sin posibilidad de regresar en condiciones de seguridad por un plazo incierto (ahora sabemos que por largo tiempo). En sentido negativo también hemos visto cómo la normativa recoge el impacto que puedan tener unos nuevos acontecimientos en el régimen aplicable a los beneficiarios de protección internacional. Así, cesará el estatuto de refugiado, por ejemplo, si ha adquirido una nueva nacionalidad y disfruta de la protección de ese país. En la protección subsidiaria, entre otros motivos, cuando dejen de existir las circunstancias que condujeron a su concesión o cambien de tal forma que dicha protección ya no sea necesaria. Y finalmente, en el régimen de la protección temporal constituye igualmente otra muestra del impacto de unos hechos sobrevenidos en este estatuto que se produzca la revocación de la resolución por la que se concede la protección si se prueba que se ha obtenido mediante datos, documentos o declaraciones no veraces.

En definitiva, la vida de las personas no es estática y tampoco lo puede ser una normativa y unos criterios interpretativos reguladores de ciertos acontecimientos que impactan en el día a día de muchas personas que sufren contextos de violencia. Ya sea por la vía de la protección subsidiaria o por la de la protección temporal, las personas que están sufriendo la guerra que se libra en Ucrania han de ser protegidas internacionalmente no solo ante los acontecimientos que ya se han producido sino ante los que queden por venir. Y finalizaré estas líneas refiriéndome no solo a los ucranianos que huyen o que no pueden regresar a causa del conflicto sino también a los rusos que han comenzado a huir del país al cierre de estas líneas debido al reclutamiento forzoso anunciado por Putin. Lamentablemente, otro éxodo que se sumará a las migraciones forzosas del siglo XXI.

VI. FUENTES CONSULTADAS

Bibliografía

AZCÁRRAGA MONZONÍS, CARMEN, "La "afluencia masiva de personas desplazadas" desde Ucrania y su protección temporal en la Unión Europea y en España: la activación de la Directiva 2001/55/CE", *Revista General de Derecho Europeo*, nº 57, 2022, pp. 77-116.

SÁNCHEZ FERNÁNDEZ, ALEJANDRA, "Protección internacional: asilo, protección subsidiaria y protección temporal en España", *Diario La Ley*, nº 8655, 2015.

SCARANO, VINCENZO MARIA, "La reciente afluencia masiva de refugiados y asilados a la Unión Europea: la crisis de los sistemas de Dublín III y de Schengen", *Revista de Derecho Migratorio y Extranjería*, nº 44, 2017, pp. 81-102.

SOLANES CORELLA, ÁNGELES, "Protección y principio de *non-refoulement* en la Unión Europea", *SCIO. Revista de Filosofía*, nº 19, noviembre de 2020, pp. 27-62.

Fuentes de Internet

ACNUR, "Directrices sobre protección internacional Nº 4: La "alternativa de huida interna o reubicación" en el contexto del artículo 1A(2) de la Convención de 1951 o el Protocolo de 1967 sobre el Estatuto de los Refugiados", [en línea], (2003), https://www.refworld.org.es/cgi-bin/texis/vtx/rwmain?page=search&docid=57f76bcd1b&skip=0&query=Directrices%20sobre%20protecci%C3%B3n%20internacional

ACNUR, "Directrices sobre protección internacional Nº 10: Solicitudes de la condición de refugiado relacionadas con el servicio militar en el contexto del artículo 1A (2) de la Convención sobre el Estatuto de los Refugiados de 1951 y/o su Protocolo de 1967", [en línea], (2013), https://www.acnur.org/prot/instr/5c6c39274/directrices-sobre-la-proteccion-internacional-no-10-solicitudes-de-la-condicion.html

ACNUR, "Operational Data Portal Ukraine Refugee Situation" [en línea], (2022), https://data2.unhcr.org/en/situations/ukraine#_ga=2.207779284.79312819.1647990979-834248501.1613898081

ACNUR, "100 millones de personas obligadas a huir" [en línea], (2022), https://eacnur.org/es/actualidad/noticias/emergencias/100-millones-refugiados-desplazados

COMISIÓN ESPAÑOLA DE AYUDA AL REFUGIADO (CEAR), "Informe 2021: Las personas refugiadas en España y Europa", [en línea], (2021), https://www.cear.es/wp-content/uploads/2021/06/Informe-Anual-CEAR-2021.pdf

DIRECCIÓN GENERAL DE PROGRAMAS DE PROTECCIÓN INTERNACIONAL Y ATENCIÓN HUMANITARIA DEL MINISTERIO DE INCLUSIÓN, SEGURIDAD SOCIAL Y MIGRACIONES, "Nota informativa 04/03/2022 de la sobre la acogida de personas que huyen de la guerra de Ucrania o que no pueden regresar a este país a causa de ella", [en línea], (2022), https://www.icagi.net/archivos/archivoszonapublica/noticias/ficheros/isntrucciones%20ucranianos.pdf

EL PRIMER CASO DE ACTIVACIÓN DE LA DIRECTIVA 2001/55/CE. CARACTERÍSTICAS SINGULARES DEL SISTEMA DE PROTECCIÓN TEMPORAL Y APLICACIÓN ANTE LA AFLUENCIA MASIVA DE PERSONAS DESPLAZADAS DESDE UCRANIA[*]

NURIA ARENAS HIDALGO

Profesora Titular de Derecho Internacional Público
Universidad de Huelva[1]

I. INTRODUCCIÓN

Desde la invasión rusa de Ucrania el 24 de febrero de 2022, Europa está siendo testigo de una destrucción y un desplazamiento de población cuya magnitud no se había visto desde los tiempos más oscuros del siglo pasado[2]. Las más de 650.000 personas que abandonaban el país, a los pocos días de iniciado el conflicto, eran solo la punta del iceberg de la celeridad y escalada de un exilio que, hoy día, supera ya los siete millones –el 90% son mujeres y menores de edad– y lo convierten en una de las mayores crisis de desplazamiento forzado del mundo[3].

[*]   Trabajo realizado en el marco del Proyecto I+D+i *"Teorías de la justicia y Derecho global de los derechos humanos [JUSGLOBAL]"*, PID2019-107172RB-I00 / AEI / 10.13039/501100011033.

[1]   La profesora Arenas Hidalgo es asimismo miembro del Centro de Investigación en Pensamiento Contemporáneo e Innovación para el Desarrollo Social (COIDESO).

[2]   Comisión Europea, Comunicación de la Comisión al Parlamento Europeo, al Consejo, al Comité Económico y Social Europeo y al Comité de las Regiones, *Solidaridad europea con los refugiados y con quienes huyen de la guerra en Ucrania*, Estrasburgo, 8 de marzo de 2022, p. 3.

[3]   UNICEF, Ukraine Situation: Refugee Response in Neighbouring Countries. Humanitarian Situation Report No. 4 – 2022. Según ACNUR, a 4 de octubre de 2022, Europa ha registrado 7.643.944 personas procedentes de Ucrania. En cuanto al número de personas desplazadas internas se eleva a 6,9 millones de personas. UNHCR. Operational Data Portal. Ukraine Refugee Situation [en

Ante tamaño desafío, la Unión Europea ha respondido poniendo en marcha la norma del Sistema Europeo Común de Asilo (SECA), expresamente dedicada a abordar el fenómeno de los desplazamientos masivos de población, esto es, la Directiva 2001/55/CE[4]. Esta norma de Derecho derivado, adoptada a raíz del desplazamiento a gran escala provocado como consecuencia de la guerra en la Ex Yugoslavia, es un dispositivo excepcional que tiene como objeto establecer normas mínimas para la concesión de una protección temporal, en casos de afluencia masiva de personas desplazadas, y fomentar un esfuerzo equitativo entre los Estados miembros para acoger a dichas personas y asumir las consecuencias de su acogida[5]. A pesar de que los desplazamientos de gran magnitud se han ido sucediendo, en los últimos años en Europa, hasta ahora no se había activado un dispositivo considerado inoperante, obsoleto, excesivamente dependiente de la voluntad política y poco eficaz, razón por la cual se había previsto su derogación en el Nuevo Pacto Europeo de Migración y Asilo publicado en 2020[6]. La Directiva resulta de gran relevancia porque demuestra el suficiente consenso en torno a la idea de que la decisión de acogida, en caso de afluencia masiva de determinadas poblaciones, debe ser vinculante, pero no establece un criterio de reparto de personas entre los países que, finalmente, quedan a la merced de la capacidad de recepción que determine cada uno de ellos *ad hoc*. El hecho además de que disponga de un ámbito de aplicación personal que supera hoy día

---

línea], 2022: https://data.unhcr.org/en/situations/ukraine. REGIONAL REFUGEE RESPONSE PLAN FOR THE UKRAINE SITUATION. "Ukraine Situation. Recalibration. Regional Refugee Response Plan, March-December 2022" [en línea], 2022, https://data.unhcr.org/en/documents/details/95965.

4   Directiva 2001/55/CE del Consejo de 20 de julio de 2001 relativa a las normas mínimas para la concesión de protección temporal en caso de afluencia masiva de personas desplazadas y a medidas de fomento equitativo entre los Estados miembros para acoger a dichas personas y asumir las consecuencias de su acogida. *DOCE* nº L 212/12, de 7 de agosto de 2001. En adelante, Directiva 2001/55/CE o Directiva de Protección Temporal.

5   Véase el art. 1 de la Directiva.

6   INELI-CIGER, MELTEM, "Has the Temporary Protection Directive Become Obsolete? An Examination of the Directive and Its Lack of Implementation in view of the Recent Asylum Crisis in the Mediterranean", en BAULOZ, CELINE, INELI-CIGER, MELTEM, SINGER, SARAH y STOYANOVA, VLADISLAVA (Eds.), *Seeking Asylum in the European Union: Selected Protection Issues Raised by the Second Phase of the Common European Asylum System,* Brill-Nijhoff, Leiden/Boston, 2015, pp. 237-238. BEIRENS, HANNE, MAAS, SHEILA, PETRONELLA, SALVATORE y VAN DER VELDEN, MAURICE, *Study on the Temporary Protection Directive. Study on the Temporary Protection Directive. Final Report,* European Commission, Directorate-General for Migration and Home Affairs, enero de 2016, pp. 34-36. La Propuesta de Reglamento del Parlamento Europeo y del Consejo relativo a las situaciones de crisis y de fuerza mayor en el ámbito de la migración y asilo destaca que ha sido prácticamente imposible alcanzar un acuerdo entre los Estados miembros sobre la eventual activación de la Directiva. Por tanto, "el documento de trabajo concluye que la Directiva de protección temporal ya no responde a la realidad y las necesidades actuales de los Estados miembros, y debe derogarse". Comisión Europea. Propuesta de Reglamento del Parlamento Europeo y del Consejo relativo a las situaciones de crisis y de fuerza mayor en el ámbito de la migración y asilo. COM (2020) 613 final. Bruselas, 23 de septiembre de 2020, p. 10.

los colectivos que la Unión ha determinado que son beneficiarios de protección internacional, y que el sistema esté supeditado a la doble voluntariedad manifestada por Estados y particulares parecían razones suficientes que justificaban que el instrumento no se hubiera utilizado nunca[7].

Sin embargo, en el caso de la crisis de Ucrania, el Sistema de Protección Temporal se convierte en el baluarte de la estrategia de la Unión frente al exilio y pronto encuentra un amplio consenso entre las Instituciones respecto a la idoneidad de su respuesta. La Comisión Europea presenta su propuesta de Decisión de Ejecución del Consejo el día 2 de marzo de 2022, y tan solo dos días más tarde, se adopta la Decisión de Ejecución (UE) 2022/382 del Consejo, de 4 de marzo de 2022, por la que se constata la existencia de una afluencia masiva de personas procedentes de Ucrania en el sentido del artículo 5 de la Directiva 2001/55/CE y con el efecto de que se inicie la protección temporal[8]. De forma inmediata, los Estados miembros toman las medidas legislativas oportunas para complementar la normativa interna que, en su momento, había supuesto la transposición de la Directiva en cada uno de ellos[9]. Tras más de veinte años de inactividad desde su

---

7   ARENAS HIDALGO, NURIA, "Flujos masivos de población y seguridad. La crisis de personas refugiadas en el Mediterráneo", *Araucaria*, vol. 18, nº 36, 2016, pp. 360-361. INELI-CIGER, MELTEM, *Temporary Protection in Law and Practice*, Brill-Nijhoff, Leiden/Boston, 2018. INELI CIGER, MELTEM, *5 Reasons Why: Understanding the Reasons behind the Activation of the Temporary Protection Directive in 2022*, EU Immigration and Asylum Law and Policy, 7 de marzo de 2022.

8   Comisión Europea. Propuesta de Decisión de Ejecución del Consejo por la que se constata la existencia de una afluencia masiva de personas desplazadas procedentes de Ucrania a tenor del artículo 5 de la Directiva 2001/55/CE del Consejo, de 20 de julio de 2001, y entra en vigor la introducción de la protección temporal. COM (2022) 91 final. Bruselas, 2 de marzo de 2022. En adelante, Propuesta de Decisión de Ejecución. UE. Decisión de Ejecución (UE) 2022/382 del Consejo, de 4 de marzo de 2022, por la que se constata la existencia de una afluencia masiva de personas procedentes de Ucrania en el sentido del artículo 5 de la Directiva 2001/55/CE y con el efecto de que se inicie la protección temporal. *DOUE* nº L 71/1, de 4 marzo de 2022. En adelante, Decisión de Ejecución 2022/382.

9   El artículo 39 de la Directiva 2001/55/CE establecía la obligación de adoptar las disposiciones legales, reglamentarias y administrativas necesarias para dar cumplimiento a lo establecido en los artículos 1, 2, 4, 7, 8, 9, 10, 11, 16, 19, 20, 22, 23, 24, 25, 26, 27, 28, 29, 30, 31, 32, 33, 34 y 35 a más tardar el 21 de diciembre de 2013. Con bastante antelación, España da cumplimiento a esta disposición a través del citado Reglamento de 2003. *BOE* nº 256, de 25 de octubre de 2003, pp. 38160-38167. En adelante, Reglamento de Protección Temporal español. Tras la adopción de la Decisión de Ejecución (UE) 2022/382, se publica la Orden PCM/169/2022, de 9 de marzo, por la que se desarrolla el procedimiento para el reconocimiento de la protección temporal a personas afectadas por el conflicto en Ucrania. *BOE* nº 59, de 10 de marzo de 2022. Dicha norma tiene como objeto complementar las previsiones del Reglamento de Protección Temporal español, para el reconocimiento individual de la protección temporal, en el caso concreto de las personas desplazadas por el conflicto en Ucrania (art. 1). Sobre el desarrollo del procedimiento en España, véase AZCÁRRAGA MONZONÍS, CARMEN, "La "afluencia masiva de personas desplazadas" desde Ucrania y su protección temporal en la Unión Europea y en España: la activación de la Directiva 2001/55/CE", *Revista General de Derecho Europeo*, nº 57, 2022, pp. 1-40. La página web de la EUAA ofrece información sobre las medidas legislativas adoptadas por los Estados europeos en aplicación de la Decisión de

adopción, la norma que inauguró la construcción del SECA ha podido, por fin, desplegar sus efectos y proporcionar acogida inmediata a más de cuatro millones de personas[10].

Así las cosas, este estudio pretende analizar las características básicas del sistema de Protección Temporal, al hilo del primer caso de activación de la Directiva 2001/55/CE. Se parte de un primer capítulo dedicado a revisar los antecedentes normativos y particularidades definitorias del sistema para, a continuación, revisar algunas claves de la activación de la Directiva en el caso del exilio desde Ucrania. El trabajo finaliza con un epílogo y una relación de la bibliografía citada.

II. GENEALOGÍA Y CARACTERÍSTICAS SINGULARES DEL SISTEMA DE PROTECCIÓN TEMPORAL

1. Antecedentes normativos. La conformación de la obligación de acogida temporal

Si bien la Convención de Ginebra de 1951 permite el reconocimiento de la condición de refugiado, mediante una determinación grupal *prima facie*, a grupos enteros de personas desplazadas, los Estados han rechazado habitualmente esta posibilidad, y han recurrido en su lugar a fórmulas de acogida de base temporal[11]. La protección temporal, de esta forma, dispone de una larga trayectoria, a nivel internacional y nacional. Sin embargo, no existe una definición ampliamente aceptada, ni acuerdo sobre su contenido o las situaciones a las que podría aplicarse[12]. Podría hablarse, pues, de una precariedad normativa en la regulación internacional de los desplazamientos a gran escala, en la que se observa una ausencia de instrumentos jurídicos específicamente dedicados a abordar estos fenómenos y una importante dependencia de aproximaciones *ad hoc*[13].

Ejecución. Puede consultarse un mapa interactivo en: https://whoiswho.euaa.europa.eu/Pages/Temporary-protection.aspx. Y también se dispone de información adicional en la página Ukraine Crisis: Data and Analysis: https://euaa.europa.eu/ukraine-crisis-data-and-analysis.

[10]   En concreto, 4.210.542 millones de personas han sido acogidas en Europa bajo el régimen de protección temporal o mecanismos similares nacionales. UNHCR. Operational Data Portal. Ukraine Refugee Situation, [en línea], 2022: https://data.unhcr.org/en/situations/ukraine.

[11]   La determinación grupal *prima facie* significa el reconocimiento de la condición de refugiado por parte de un Estado o del ACNUR con base en circunstancias evidentes y objetivas en el país de origen o, en el caso de los solicitantes de asilo apátridas, el país de su anterior residencia habitual. ACNUR, Directrices sobre Protección Internacional nº 11. Reconocimiento *prima facie* de la condición de refugiado. HCR/GIP/15/11, 25 de junio de 2015, p. 2.

[12]   UNHCR, *Discussion Paper, Roundtable on Temporary Protection, International Institute of Humanitarian Law*, San Remo (Italy), 19-20 de julio de 2012, p. 1.

[13]   ARENAS HIDALGO, NURIA, "El sistema de protección temporal europeo. El resurgimiento de una renovada acogida territorial como respuesta a los desplazamientos masivos de población", *Re-*

Las primeras manifestaciones de la concesión de acogida temporal en contextos de éxodos masivos (entonces denominado *temporary refuge*) se producen poco tiempo después de la adopción de la Convención de Ginebra, con motivo del desplazamiento de procedencia húngara y checa. Alrededor del dos por ciento de la población húngara huye a Austria y Yugoslavia, donde se les proporciona una protección interina, de acuerdo con la legislación interna de estos países[14]. Posteriormente, son los desplazamientos masivos del sudeste asiático los que vuelven a plantear la necesidad de proporcionar una acogida de tales características. Al hilo de dicho exilio, el Comité Ejecutivo de ACNUR se pronuncia, por primera vez, sobre este tipo de protección en 1979 y, a iniciativa de la Delegación australiana, resuelve necesario crear un grupo de expertos que pudiera examinar la figura. Los estudios del profesor Coles resultan el primer intento de conceptualización de la institución de la acogida temporal[15].

La experiencia en torno al *temporary refugee* permite establecer una clara distinción entre el asilo de base permanente y el de base temporal, que no se otorga bajo el paraguas del Convenio ginebrino, si bien parte del principio de *non refoulement* como su fundamento jurídico básico[16]. Las características de la admisión, así como el estatuto básico de derechos obtienen un importante consenso reflejado en la famosa Conclusión nº 22 del Comité Ejecutivo del Alto Comisionado, utilizada ampliamente a posteriori, incluso como parámetro de control de los trabajos preparatorios de la actual Directiva 2001/55[17].

A partir de la década de los noventa, emerge una nueva fase en la evolución de esta fórmula de protección, como consecuencia del enfrentamiento en la Ex Yugoslavia. Ya en los prolegómenos del conflicto, la Alta Comisionada, la

---

vista Española de Derecho Internacional, vol. LVI, 2003, p. 747.

14   La normativa austriaca de 1968 puede considerarse de los primeros antecedentes. HARTMAN, JOAN F. y PERLUSS, DEBORAH, "Temporary Refuge: Emergence of a Customary Norm", *Virginia Journal of International Law,* vol. 26, 1986, p. 559.

15   El informe final puede consultarse en ACNUR. Comité Ejecutivo. Sub-Committee of the Whole of International Protection: *Report on the Meeting of the Expert Group on Temporary Refuge in Situation of Large-Scale Influx,* EC/SCP/16/Add. 1, 17 de julio de 1981, [en línea], 1981: https://www.unhcr.org/excom/scip/3ae68cd04/report-meeting-expert-group-temporary-refuge-situations-large-scale-influx.html. Un intento de definición de la protección temporal más avanzado se produjo en el contexto del proceso de Consultas Globales de 2001: UNHCR. *Global Consultations on International Protection/Third Track: Protection of Refugees in Mass Influx Situations: Overall Protection Framework,* 19 de febrero de 2001. EC/GC/01/4.

16   La aplicación del principio de no devolución en casos de afluencia a gran escala ha sido defendida ampliamente por la doctrina. Véase al respecto el análisis de los profesores Lauterpacht y Bethlehem, en el marco de las Consultas Globales organizadas por ACNUR con motivo del cincuenta aniversario de la Convención de Ginebra. LAUTERPACHT, ELIHU y BETHLEHEM, DANIEL, *The Scope and Content of the Principle of Non Refoulement,* 20 de junio de 2001, [en línea], 2001: https://www.unhcr.org/419c75ce4.pdf.

17   ACNUR. Comité Ejecutivo. *Protección de las Personas que buscan Asilo en situaciones de Afluencia a gran escala.* Conclusión nº 22, 1981 (32 periodo de sesiones del Comité Ejecutivo).

pragmática Sadako Ogata, advierte que la escalada y naturaleza del desplazamiento, así como la limitada capacidad de absorción de los países de acogida,
indicaban claramente que los métodos tradicionales de protección ya no resultaban suficientes y debían complementarse con "enfoques flexibles"[18]. A pesar de
la resistencia inicial de algunos países, los Estados europeos acogen a dichas poblaciones en sus países confirmando así la obligación general de todo Estado de
permitir la entrada y, al menos, la acogida temporal, siempre que pudiera verse
afectado el principio de no devolución, en caso de afluencia masiva[19].

Las diversas iniciativas nacionales adaptan, en definitiva, la clásica respuesta
de acogida temporal para desplazamientos masivos de población desde un nuevo
enfoque que, a la vista de la disparidad de criterios entre los Estados, requería de
una aproximación europea común complementaria. Sin embargo, en aquellos
momentos no se dispone de una base jurídica que permitiese dicho tratamiento
colectivo. Las propuestas adoptadas en el marco del Tratado de Maastricht establecen disposiciones de emergencia en las que la acogida temporal se considera
en su máxima excepcionalidad[20]. Las consecuencias inmediatas resultan en un
amplio margen de apreciación estatal y, por tanto, en la adopción de medidas
unilaterales tan dispares que provocan un llamativo desequilibrio en la acogida.
La experiencia respecto a la protección temporal de la población bosnia y ko-
sovar –sus logros y deficiencias– apuntan a la necesidad de una aproximación
común[21]. Con la entrada en vigor del Tratado de Ámsterdam y la celebración del
Consejo europeo de Tampere cambian las condiciones jurídicas de manera que
se abre la puerta a la adopción de una Directiva al respecto, y con ella se inicia

---

[18]   UNHCR. Statement of the United Nations High Commissioner for Refugees to the International
Meeting on Humanitarian Aid for Victims of the Conflict in the Former Yugoslavia. Ginebra, 29
de julio de 1992, [en línea], 1992: https://www.unhcr.org/admin/hcspeeches/3ae68fac1a/state-
ment-mrs-sadako-ogata-united-nations-high-commissioner-refugees-international.html. Las comil-
las son de la autora.

[19]   La consideración del *temporary refuge* como una norma de Derecho consuetudinario fue defendida
por las profesoras Perluss y Hartman en los tempranos años ochenta. Sin embargo, no se puede
hablar de consenso doctrinal en ese sentido. HARTMAN, JOAN F. y PERLUSS, DEBORAH, "Temporary Refuge: Emergence of a Customary Norm", *op. cit.*, pp. 551-626.

[20]   Resolución del Consejo de 25 septiembre de 1995 sobre el reparto de cargas en relación con la
acogida y estancia, con carácter temporal, de las personas desplazadas (*DOCE* nº C 262, de 7 de octubre de 1995), Decisión de 4 de marzo de 1996 sobre un procedimiento de alerta y urgencia para
el reparto de cargas en relación con la acogida y la estancia, con carácter temporal, de las personas
desplazadas (*DOCE* nº L 063, de 13 de marzo de1996), así como la Propuesta de Acción Común de
1997 dirigida al Consejo sobre la base de la letra b) del apartado 2 del artículo k3 del Tratado de la
Unión Europea relativa a la protección temporal de las personas desplazadas (*DOCE* nº C 106, de 4
de marzo de 1997) y la modificada de 1998 (*DOCE* nº C 268, de 27 de agosto de1998). Ninguna de
ellas llega a aplicarse.

[21]   Sobre la experiencia de concesión de protección temporal con motivo de la crisis yugoslava véase
VAN SELM-THORBURN, JOANNE, *Refugee Protection in Europe. Lesson from the Yugoslave Crisis*, Martinus Nijhoff, La Haya/Boston/Londres, 1998.

la primera fase de construcción del SECA. La Directiva 2001/55/CE viene a responder a esa necesidad de disponer de un enfoque coordinado, al tiempo que se convierte en una pieza esencial de la conformación de la obligación general de acogida en estos casos, así como en referencia normativa para el contexto internacional.

2. Particularidades definitorias del Sistema de Protección Temporal en el contexto de la Protección Internacional europea

La Directiva 2001/55 define "protección temporal" como: un procedimiento de carácter excepcional por el que, en caso de afluencia masiva o inminencia de afluencia masiva de personas desplazadas procedentes de terceros países que no puedan volver a entrar en su país de origen, se garantiza a las mismas protección inmediata y de carácter temporal, en especial si el sistema de asilo también corre el riesgo de no poder gestionar este flujo de personas sin efectos contrarios a su buen funcionamiento, al interés de las personas afectadas y al de las otras personas que soliciten protección (art. 2 a). De esta definición nos interesa destacar ahora algunas de las que consideramos particularidades definitorias del dispositivo, como son: su carácter excepcional, su función de soporte del sistema de asilo en casos extraordinarios, así como la inmediatez y provisionalidad de la protección ofrecida, basada en el esfuerzo equitativo de todos los Estados miembros. Todo ello servirá de presupuesto al análisis del primer caso de activación del dispositivo que se realiza en el siguiente capítulo.

El carácter excepcional del procedimiento está directamente relacionado con los casos que está llamado a atender, esto es, las afluencias masivas de personas desplazadas. Se trata de servir de sostén a una situación excepcionalmente grave que requiere de la atención de la Unión, la cual, en esos casos, proporciona un sistema de protección inmediata, dirigido a un conjunto de sujetos que se considera beneficiarios del estatuto previsto en la norma. Estos desplazamientos a gran escala se convierten en la esencia del concepto que así lo singulariza. Su ámbito concreto de aplicación permite al SECA tender a la exhaustividad –en palabras del Abogado General Mengozzi– y cubrir así cualquier situación en la que un nacional de un país tercero o un apátrida que no pueda obtener protección por parte de su país de origen reclame la protección internacional en el territorio de la Unión[22]. Es, pues, el complemento esencial que permite al sistema garantizar el derecho a la protección internacional, independientemente del contexto en que se produzca el exilio.

---

[22]   Opinión del Abogado General Mengozzi, presentada el 18 de julio de 2012, asunto *Diakité*, apdo. 60. ECLI:EU:C:2013:500.

La principal controversia suscitada en torno a la adopción de un dispositivo jurídico específico y excepcional para los desplazamientos en masa giró en torno a la compatibilidad del mismo con las obligaciones contraídas por los Estados miembros respecto a la Convención de Ginebra de 1951. El argumento defendido por la Comisión, como base y fundamento para la creación de un nuevo medio de protección determinado venía a sustentarse en la propia supervivencia del sistema de asilo. En la medida en que los Estados habían rechazado la posibilidad de proceder a un reconocimiento del estatuto de refugiado a grupos enteros de personas *prima facie*, esto podía suponer que los procedimientos de determinación individual de asilo propios de las tradiciones europeas resultaran inoperantes ante una llegada a gran escala[23]. En consecuencia, como complemento al sistema europeo de asilo y en salvaguarda de éste, se dispone la creación de un nuevo instrumento para afrontar jurídicamente el problema de los grandes exilios.

No obstante, existía cierto temor a que la excusa de inoperatividad del sistema de determinación individual pudiera dar lugar a la activación de un dispositivo que sirviera de vía de escape de las obligaciones internacionales en casos de desplazamientos forzosos. Bajo este prisma, la Directiva 2001/55, más que completar el Convenio de Ginebra o salvaguardarlo, vendría a restarle aplicación ante ciertos colectivos, en función del número de afectados. Una arbitraria delimitación de lo que pudiera considerarse afluencia masiva tendría como resultado un estatuto diferente para personas que huyen de peligros similares. Con la protección temporal obtendrían una acogida urgente, pero de carácter interino, y podrían ver suspendidos algunos derechos tan fundamentales como el derecho a solicitar asilo. Efectivamente, la Directiva permite la suspensión de la resolución del estatuto de refugiado hasta el periodo máximo de duración de la acogida (art. 17 Directiva), posibilidad a la que se opusieron países como Francia o España y que protagonizó un intenso debate durante la redacción de la norma[24].

---

[23] Comisión Europea. Propuesta de Directiva del Consejo relativa a unas normas mínimas para la concesión de protección temporal en caso de afluencia masiva de personas desplazadas y a medidas de fomento de un esfuerzo equitativo entre los Estados miembros para acoger a estas personas y asumir las consecuencias de dicha acogida. Exposición de Motivos, explicación del artículo 2 d). COM (2000)0303 final, CNS 2000/0127, *DOCE* nº C 311, de 31 de octubre de 2000, para. 2.1. La Comisión no explica suficientemente la negativa de los Estados a utilizar la determinación grupal *prima facie*, en el marco del Convenio ginebrino. Según Arenas, la tradición, los motivos de conveniencia personal, la necesidad de armonización y de disponer de un sistema de responsabilidad compartida pesaron en la decisión de optar por un mecanismo específico. ARENAS HIDALGO, NURIA, *El Sistema de Protección Temporal de Desplazados en la Europa Comunitaria*, Universidad de Huelva Publicaciones, Huelva, 2005, p. 101.

[24] Tanto ACNUR, como Francia o España apoyaron que las personas beneficiarias pudieran presentar la solicitud de asilo en cualquier momento. Finalmente, ante la oposición de otros Estados, se opta por esa fórmula de consenso, en virtud de la cual, las personas pueden presentar la solicitud en cualquier momento, pero su examen puede ser suspendido hasta que finalice el dispositivo.

A diferencia de lo que se esperaba en un inicio y como ha podido comprobarse a lo largo de los últimos años, el problema en torno a la activación de la Directiva no ha sido su uso arbitrario, sino más bien su abandono como instrumento de protección. La Directiva establece el marco normativo para un potencial sistema de protección temporal[25]. Ello es así, en tanto en cuanto, dicho procedimiento no se establece de manera automática, sino que tiene que activarse por parte del Consejo, a través de una decisión adoptada por mayoría cualificada. Al tratarse de un procedimiento centralizado, cuya iniciación depende del logro del suficiente consenso en el Consejo que, a su vez, dispone para ello de bastante margen de apreciación ha llevado a una infrautilización del dispositivo, incluso ante los evidentes efectos adversos que las afluencias a gran escala estaban causando en diferentes Estados miembros.

Basado en ese carácter excepcional, la Directiva 2001/55/CE va a proporcionar una acogida limitada en el tiempo, bajo la premisa de que el exilio puede encontrar vías de solución a corto plazo y permitir que las personas desplazadas regresen a sus hogares como término natural del sistema[26]. Así, la acogida se concederá por un año, plazo de duración que podría prolongarse, en función de las circunstancias en el país de origen, hasta un máximo de tres[27]. La viabilidad del "regreso seguro y duradero" se convierte en una vara de medir la propia necesidad del sistema. Es el indicador elegido por el dispositivo europeo como parámetro de control de su mayor o menor vigencia en el tiempo. Es una estrategia dual que combina la garantía de un estatuto que permite cierta integración (educación, acceso al mercado laboral, etc.) con la repatriación como término natural del sistema. Conseguida la naturaleza temporal de la protección, garan-

---

Dada la posición mantenida por España, no sorprende que en la transposición de la Directiva se haga caso omiso de esa opción y, a diferencia de la normativa de otros Estados, permita solicitar protección internacional en cualquier momento, sin que puedan acumularse, no obstante, los beneficios de la protección temporal con los de solicitante de protección internacional (*vid.* art. 22 Reglamento de Protección Temporal español). BEIRENS, HANNE, MAAS, SHEILA, PETRONELLA, SALVATORE y VAN DER VELDEN, MAURICE, *Study on the Temporary Protection Directive. Final Report, op. cit.*, p. 7. KERBER, KAROLINE, "The temporary protection Directive", *European Journal of Migration and Law*, vol. 4, nº 2, 2002, p. 206.

[25]   PEERS, STEVE, "Temporary Protection for Ukrainians in the EU? Q and A", *EU Law Analysis*, 27 de febrero de 2022.

[26]   De hecho, el instrumento de protección temporal no se considera apropiado cuando las causas que se encuentran en el origen del exilio pueden alargarse en el tiempo y hacer el retorno improbable a corto plazo. UNHCR, *Discussion Paper, Roundtable on Temporary Protection, International Institute of Humanitarian Law*, San Remo (Italy), 19-20 de julio de 2012, p. 6.

[27]   De esta forma, el dispositivo europeo tendría dos causas de cesación principales: en primer lugar, el término del plazo máximo de duración (art. 6.1 Directiva) y, en segundo lugar, en cualquier momento, cuando las Instituciones europeas así lo decidan siempre que la situación en el país de origen permita el regreso seguro de las personas desplazadas (art. 6.1.b y 6.2 Directiva). Existiría una tercera causa de cesación, en este caso de carácter opcional, el regreso voluntario de las personas desplazadas (art. 21 Directiva).

tizar unos derechos que superaron las expectativas no resultaba tan gravoso para unos Estados que ya contaban con versiones de la protección temporal en sus ordenamientos internos y que, en muchos casos, eran bastante generosos. Se ofrece un estatuto garantista, a cambio de una protección interina y orientada al retorno; una acogida inmediata, a cambio de la ausencia de integración como modelo. En todo caso, las normas mínimas (art. 1 Directiva) anuncian un reparto de competencias en el que los Estados van a gozar de un importante margen de apreciación que conlleva, a su vez, que puedan darse importantes asimetrías en la aplicación del sistema de protección temporal en el territorio de cada Estado.

Si las circunstancias en el país de origen que provocaron el flujo masivo no se han erradicado, la Protección temporal no deviene en una integración definitiva en el país de acogida, de manera automática, sino que el dispositivo deja de ser aplicable por completo y entra a colación la aplicación de la legislación de extranjería o el sistema de protección internacional (art. 20 Directiva). La Protección Temporal tiene una vigencia muy concreta, unas determinadas coordenadas de espacio y tiempo. No obstante, al formar parte de un engranaje con más piezas, su cesación no ha de implicar la desprotección de las personas beneficiarias, sino la puesta en funcionamiento de otros dispositivos a tal efecto.

Igualmente, derivado de su carácter excepcional, la Directiva incorpora la obligación de fomentar el esfuerzo equitativo entre los Estados miembros para acoger a las personas desplazadas y asumir las consecuencias de dicha acogida (art. 63.2 b TCE). El mandato del Tratado suponía ir más allá de la mera cooperación para llegar a la solidaridad comunitaria. De esta forma, se incorpora un capítulo específico, titulado "solidaridad", que permite un reparto equitativo de la responsabilidad –no solo de carácter financiero, sino también de las personas desplazadas–, con objeto de equilibrar las cargas asociadas a la protección. La solidaridad financiera sí queda previamente institucionalizada (en su origen por el Fondo Europeo de Refugiados). Sin embargo, en lo que respecta a la potencial distribución de las personas beneficiarias entre los Estados miembros, no se establece fórmula alguna de reparto predeterminada, sino que su concreción queda relegada a la fase de implementación de la norma. La Directiva regula, eso sí, dos condiciones para que dicho reparto se consume: la anuencia tanto de los Estados de acogida, como de las personas desplazadas, el llamado "principio de doble voluntariedad" (art. 25 Directiva)[28]. No cabe duda de que la propia regulación y el establecimiento del carácter vinculante de la solidaridad interestatal resulta un aspecto completamente innovador, comparado con el resto del SECA, y un paso trascendental en la asunción de que las crisis de tal calado han de ser responsa-

---

[28]   Sobre este principio, ver ARENAS HIDALGO, NURIA, "El sistema de protección temporal europeo. El resurgimiento de una renovada acogida territorial como respuesta a los desplazamientos masivos de población", *op. cit.*, pp. 773-775.

bilidad de la Unión en su conjunto. No obstante, su dependencia de la voluntad expresada por los Estados miembros, caso por caso, lo convierten en un avance limitado. La solidaridad es obligatoria, pero solo llegado el caso de activación de la Directiva se sabría cuánta solidaridad se ofrece y por parte de quién.

III. ALGUNAS CLAVES SOBRE LA ACTIVACIÓN DE LA DIRECTIVA 2001/55/CE EN EL CASO DE AFLUENCIA MASIVA DE PERSONAS DESPLAZADAS DESDE UCRANIA.

La Directiva 2001/55/CE requiere de una norma complementaria, a través de la cual se constate la existencia de la afluencia masiva y, se inicie el procedimiento de protección temporal. En virtud del artículo 5 de la Directiva, la Comisión es quien ostenta el monopolio de iniciar el procedimiento, bien sea de oficio o a instancia de un Estado miembro, así como el Consejo la capacidad de decisión, por mayoría cualificada. La propuesta de activación, en el caso de Ucrania, partió directamente de la Comisión, quien la pone encima de la mesa en la reunión del Consejo Extraordinario de Justicia e Interior, de 27 de febrero de 2022, donde encuentra un "amplio apoyo"[29]. La Propuesta formal de la Comisión, publicada el 2 de marzo de 2022, fue aprobada por los Estados al día siguiente y adoptada formalmente el 4 de marzo de 2022. En el caso de España, la Orden por la que se desarrolla el procedimiento para el reconocimiento de la protección temporal data del día 9 de marzo. En tan solo una semana estaba activado el procedimiento y puesto en funcionamiento en la mayoría de los Estados miembros. Las dificultades asociadas a un procedimiento considerado largo y engorroso se han demostrado infundadas[30]. Cuando existe la suficiente voluntad política, la decisión de activación del procedimiento puede adoptarse en pocos días, como así ha sido en este caso.

La norma complementaria de la Directiva va a tener como objetivo constatar la existencia una afluencia masiva. Así, la Decisión de Ejecución (UE) 2011/382 establece que: "Queda constatada la existencia de una afluencia masiva a la Unión de personas desplazadas que han tenido que abandonar Ucrania como

---

[29]   Consejo de la UE. "Consejo Extraordinario de Justicia y Asuntos de Interior, 27 de febrero de 2022" [en línea], 2022, https://www.consilium.europa.eu/es/meetings/jha/2022/02/27/

[30]   El Informe Beirens consideraba que ésta es una de las razones principales por las que la Directiva nunca ha sido aplicada hasta la fecha. Básicamente, estimaba que el número de pasos para adoptar la decisión es elevado; no queda claro qué condiciones ha de cumplir la solicitud de un Estado para ser considerada "formal"; y finalmente, dado que no existen criterios claros, ni indicadores tanto para la evaluación como para la toma de decisiones sobre la activación del dispositivo, la discrecionalidad es demasiado amplia. BEIRENS, HANNE, MAAS, SHEILA, PETRONELLA, SALVATORE y VAN DER VELDEN, MAURICE, *Study on the Temporary Protection Directive. Final Report, op. cit.*, pp. 19-20.

consecuencia de un conflicto armado". La comprobación de que nos hallamos ante una afluencia de tales características es, por tanto, el presupuesto que activa el dispositivo de protección temporal, en los términos temporales y sustantivos que estipule la norma de ejecución. Sin embargo, la Directiva no define, con suficiente precisión, qué ha de entenderse por "afluencia masiva". El artículo 2 d) tan solo indica que será un "número importante" de personas desplazadas, por lo que se trata de un concepto indeterminado que deja un amplio margen de apreciación al Consejo[31].

La decisión de la Institución deberá basarse en unas fuentes de contraste previamente determinadas por la Directiva (art. 5.4) y que obligan a que el Consejo haya manejado toda esa información y entre en diálogo con ella, con objeto de cumplir adecuadamente con la motivación que se exige de estos actos. Así, la Decisión se basará en: a) El examen de la situación y la magnitud de los movimientos de personas desplazadas; b) La valoración de la conveniencia de establecer la protección temporal, teniendo en cuenta las posibilidades de ayuda de urgencia, y de acciones *in situ* o su insuficiencia; c) La información comunicada por los Estados miembros, la Comisión, el ACNUR, y otras organizaciones internacionales pertinentes.

En el caso de Ucrania, el Consejo examina la situación y la magnitud del desplazamiento en el considerando 5, subrayando que, a 1 de marzo de 2022, más de 650.000 personas habían llegado a la Unión y se calcula que estas cifras van a aumentar (entre 2,5 y 6.5 millones, según el considerando 6). La valoración de la conveniencia de iniciar la protección temporal se puede observar en el considerando 16, donde se incide en que ésta es el instrumento más adecuado para la situación actual, habida cuenta del carácter extraordinario y excepcional de la situación, que incluye la invasión militar de Ucrania y la magnitud de la afluencia masiva de personas desplazadas que, de esta forma, se beneficiarían de un nivel de protección adecuado. El Consejo debe realizar esta valoración, tomando en consideración las posibilidades de la ayuda de emergencia y de acciones *in situ* o su insuficiencia. Sin embargo, no se realiza mención alguna a estos supuestos. La celeridad y entidad de los desplazamientos han hecho imposible adoptar medidas preventivas *in situ* que, de alguna manera, hubieran evitado adoptar la decisión de iniciar este procedimiento. En pocos días, las personas ya estaban en la frontera y no cabía más que establecer una acogida inmediata. La ayuda humanitaria que se está adoptando, de manera complementaria, para atender a las personas afectadas por la guerra, se lleva a cabo a través de un paquete de financiación humanitaria inmediata, por el que se suministran alimentos, agua, medicamentos, capacidad sanitaria, alojamiento y protección, en el marco del

---

[31]   ARENAS, NURIA, "The Concept of "Mass Influx of Displaced Persons" in the European Directive Establishing the Temporary Protection System", *European Journal of Migration and Law*, 7, 2005, p. 438.

Mecanismo de Protección Civil de la Unión[32]. Finalmente, tampoco se menciona la información comunicada por los Estados miembros. Tan solo se alude a las estimaciones de desplazamiento realizadas por el Alto Comisionado (considerando 6) y su agradecimiento al apoyo expresado por muchos países a la activación de la protección temporal prevista en la Directiva (considerando 9), así como al llamamiento urgente humanitario lanzado por Naciones Unidas para la protección y las necesidades de asistencia en Ucrania y el Plan de Respuesta a los Refugiados para Ucrania, donde se detallan el número de personas necesitadas y las que deben ser destinatarias de la ayuda (considerando 8).

Resulta de gran importancia que tanto la decisión de activar el dispositivo, como su cese, se deba someter al dictamen de ACNUR y otras organizaciones internacionales pertinentes. Se trata de un deber de consulta que al Consejo le toca satisfacer y que resulta preceptivo, si bien su opinión no resulta vinculante[33]. En la Propuesta de Decisión de Ejecución de la Comisión se puede comprobar que efectivamente se lleva a cabo esta consulta[34] y cómo se establece la obligación de los Estados miembros de colaborar con la Agencia de Naciones Unidas, con objeto de facilitar la aplicación de la Decisión (especialmente, en lo que respecta a sus capacidades de acogida y el número de personas que gocen de protección internacional en sus territorios)[35].

En todo caso, como puede verse, la Directiva no incorpora indicadores que puedan ayudar a "medir" la magnitud de la afluencia, con objeto de conocer si ésta ha llegado al nivel de "masiva" o no. La consulta a fuentes especializadas no suple el vacío normativo en torno a las variables, ya fueran cuantitativas o cualitativas, que debieran definir mejor el presupuesto de hecho del sistema de protección temporal (se ha propuesto incluir diferentes indicadores como, por ejemplo, atender al número de solicitudes de asilo recibidas por el Estado, el incremento relativo de dichos números, el número total de solicitudes en atención al tamaño de la población del país o el PIB...)[36]. El Consejo dispone, pues, de una potestad discrecional para constatar la existencia de una afluencia masiva, si bien esa decisión no puede ser arbitraria. Como se ha indicado, el dispositivo

---

[32] Comisión Europea, Comunicación, *Solidaridad europea con los refugiados refugiados y con quienes huyen de la guerra en Ucrania, op. cit,* pp. 3-4.

[33] Este deber de consulta aparece definido en el artículo 3.3 de la Directiva y está íntimamente relacionado con las obligaciones que derivaban entonces de la Declaración nº 17 al Tratado de Ámsterdam.

[34] Comisión Europea. Propuesta de Decisión de Ejecución, p. 7.

[35] Comisión Europea. Propuesta de Decisión de Ejecución, considerando 18 y Decisión de Ejecución, considerando 20. La referencia a la colaboración con ACNUR se realiza en el citado considerando, pero no así en el artículo de la Decisión de Ejecución (art. 3), específicamente destinado a regular la cooperación y seguimiento de la aplicación del dispositivo. En ese caso, las obligaciones concretas se establecen respecto a los EMs, Comisión Europea, FRONTEX, AAUE y EUROPOL.

[36] BEIRENS, HANNE, MAAS, SHEILA, PETRONELLA, SALVATORE y VAN DER VELDEN, MAURICE, *Study on the Temporary Protection Directive. Final Report, op. cit.,* pp. 38-40.

cuenta con determinadas garantías que permiten la sujeción a unas reglas de control: el hecho de que la propuesta de la Comisión disponga de un contenido básico que limita la capacidad, por parte del Consejo, de eludir una propuesta lo suficientemente detallada; el hecho de que el Consejo deba entrar a valorar la información emitida por determinados sujetos y que no se trate de una cuestión de libre disposición, sino de obligado cumplimiento; y, por último, en cuanto a la motivación de la decisión del Consejo, supondría una garantía de que ha manejado toda esa información suministrada y debe entrar en diálogo con ella[37]. Sin embargo, la experiencia reciente nos demuestra que estas garantías son relativas habida cuenta de que la Comisión no parece dispuesta a presentar una propuesta sin un previo apoyo mayoritario del Consejo y que éste, en consecuencia, no se hallaría en la tesitura de tener que fundamentar una decisión en contra de la propuesta de la Comisión Europea o de los informes de Instituciones especializadas. Sin desmerecer el hecho de que con indicadores más claros se limitaría la capacidad discrecional, no creo que aun así el Consejo esté en disposición de perder el amplio margen de apreciación concedido.

Por otro lado, a parte de esas variables, la Directiva también se refiere a las "consecuencias" de ese desplazamiento masivo. El artículo 2 a) establece que se garantizará protección inmediata y de carácter temporal, *en especial*, si el sistema de asilo también corre el riesgo de no poder gestionar este flujo de personas sin efectos contrarios a su buen funcionamiento, al interés de las personas afectadas y al de las otras personas que soliciten protección. Tomar en consideración los "efectos contrarios" al buen funcionamiento del sistema de asilo resultaba una condición coherente con la creación de un dispositivo que tenía como objeto principal garantizar el funcionamiento del sistema y que no se hundiese, en caso de afluencia masiva[38]. En todo caso, tampoco se define qué serían esos "efectos contrarios" al funcionamiento del sistema, ni de qué manera tendrían que afectar a las personas interesadas o a otras que soliciten protección.

En la Decisión de Ejecución (UE) 2022/382 se establece que se espera que el inicio de la protección temporal beneficie a los Estados miembros, ya que los derechos que la acompañan limitan la necesidad para las personas desplazadas de solicitar inmediatamente protección internacional y, por lo tanto, el riesgo de desbordar sus sistemas de asilo, al reducir al mínimo las formalidades debido a la urgencia de la situación (considerando 16). En el momento de adoptar la decisión, nada parece indicar que la capacidad de acogida esté comprometida. A 8 de marzo de 2022, la capacidad de acogida era suficiente, habida cuenta que las personas que llegan se desplazan rápidamente para reunirse con sus familiares

---

[37]   ARENAS, NURIA, "The Concept of "Mass Influx of Displaced Persons" in the European Directive Establishing the Temporary Protection System", *op. cit.*, pp. 446-449.

[38]   Comisión Europea, Propuesta de Directiva, *op. cit.*, Exposición de Motivos, explicación del artículo 2 d).

o amigos. Hungría, Eslovaquia, Polonia y Rumanía notificaron que disponían de capacidad[39]. En atención a la redacción de la Decisión de Ejecución, todo muestra que el requisito de los efectos contrarios ha adquirido cierta singularidad y ya no es un indicador más, sino una variable de análisis obligado a la hora de iniciar el dispositivo. Sin embargo, la incertidumbre en torno a cómo debería ser un desplazamiento para considerarse masivo o de qué manera podría provocar efectos contrarios en el sistema de asilo o las personas afectadas sigue necesitando mayor concreción.

En todo caso, no es suficiente con que exista un desplazamiento "masivo", sino que la Directiva 2001/55 está pensada para proporcionar protección a "determinadas" personas que se desplazan de forma masiva. La concreción del ámbito de aplicación personal puede deducirse del artículo 2 c) que define qué se entiende por "persona desplazada"[40].

De entrada, se puede observar que la Directiva establece que el exilio debe proceder de un país concreto o zona geográfica determinada, que habrá de precisar la norma de ejecución. De los trabajos preparatorios se deduce que la norma no está pensada para dar protección en casos de flujo acumulado de personas procedentes de diferentes países[41]. Nada parece indicar que además deban ser países vecinos, en absoluto. Es más, el hecho de que las personas hayan podido llegar a través de programas de evacuación proporciona al dispositivo la oportunidad de atender desplazamientos de población que se produzcan más allá de la frontera exterior común.

Por otro lado, el hecho de que el artículo 2 c) permita la aplicación de la Directiva 2001/55 a quienes abandonan su país "o región de origen" supone que la misma puede proporcionar protección tanto a los y las nacionales del país o región determinada por la decisión de ejecución, como a los y las nacionales de terceros países, cuyo origen reciente sea ese mismo país o región establecida. Este es un tema del todo relevante en el caso actual, pues los conflictos armados suelen provocar el exilio no solo de las personas nacionales del país, sino de todas aquellas que expuestas a las consecuencias del mismo. Así se ha documentado por

---

[39]　Comisión Europea, Comunicación, *Solidaridad europea con los refugiados y con quienes huyen de la guerra en Ucrania, op. cit.,* p. 3.

[40]　Art. 2 c) Directiva 2001/55/CE: "Personas desplazadas: los nacionales de un tercer país o apátridas que hayan debido abandonar su país o región de origen, o que hayan sido evacuados, en particular respondiendo al llamamiento de organizaciones internacionales, y cuyo regreso en condiciones seguras y duraderas sea imposible debido a la situación existente en ese país, que puedan eventualmente caer dentro del ámbito de aplicación del artículo 1A de la Convención de Ginebra u otros instrumentos internacionales o nacionales de protección internacional, y en particular: i) las personas que hayan huido de zonas de conflicto armado o de violencia permanente; ii) las personas que hayan estado o estén en peligro grave de verse expuestas a una violación sistemática o generalizada de los derechos humanos".

[41]　Comisión Europea, Propuesta de Directiva, *op. cit.,* Exposición de Motivos, explicación del artículo 2 d).

parte de la Comisión, que ha aludido a la huida desde Ucrania de personas de India, Nigeria o Turquía[42]. En consecuencia, tanto la Propuesta de la Comisión, como la Decisión de Ejecución incluye a estos colectivos en el dispositivo de acogida, pero ambas difieren en el tipo de protección concedida.

Del artículo 2 de la Decisión de Ejecución del Consejo se observa que existe una primera categoría de personas beneficiarias que incluye a: "a) nacionales ucranianos que residieran en Ucrania antes del 24 de febrero de 2022; b) apátridas y nacionales de terceros países distintos de Ucrania que gozaran de protección internacional o de una protección nacional equivalente en Ucrania antes del 24 de febrero de 2022, y c) miembros de las familias de las personas a que se refieren las letras a) y b)". La segunda categoría serían las personas apátridas y aquellas nacionales de terceros países distintos de Ucrania, que puedan demostrar que residían legalmente en Ucrania antes del 24 de febrero de 2022, sobre la base de un permiso de residencia permanente válido expedido de conformidad con el Derecho ucraniano y que no puedan regresar a su país o región de origen en condiciones seguras y duraderas. A este conjunto de personas, la Decisión de Ejecución exige que se les proporcione protección, pero permite a los Estados que decidan si ésta debe ser la que resulta de la aplicación de la Decisión o "una protección adecuada en virtud del Derecho interno" (art. 2.2 Decisión de Ejecución). Así las cosas, los Estados estarían autorizados a no conceder a este colectivo la protección derivada de la Directiva 2001/55/CE y optar, en su lugar, por una acogida "adecuada" que ni siquiera tendría que ser "equivalente". Dicha diferenciación no tiene base jurídica en la normativa y estaría basada única y exclusivamente en el origen nacional, no en los motivos de la huida.

Quedaría aun una tercera posibilidad derivada del artículo 7 de la Directiva, que permite a los Estados otorgar protección temporal a otras categorías de personas desplazadas, a parte de las cubiertas por la decisión del Consejo, que se hayan desplazado por las mismas razones y procedan del mismo país o región de origen. En el caso de las autoridades españolas, se ha hecho uso de esta potestad para proporcionar acogida, de conformidad con el modelo de protección temporal nacional, y ampliar así el ámbito de aplicación personal de la Decisión de Ejecución a las siguientes personas[43]: 1) Nacionales ucranianos que se en-

---

[42] Comisión Europea, Comunicación, *Solidaridad europea con los refugiados y con quienes huyen de la guerra en Ucrania, op. cit.,* p. 2

[43] Ministerio de la Presidencia, Relaciones con las Cortes y Memoria Democrática. Orden PCM/170/2022, por la que se publica el Acuerdo del Consejo de Ministros de 8 de marzo de 2022, por el que se amplía la protección temporal otorgada en virtud de la Decisión de Ejecución (UE) 2022/382 del Consejo de 4 de marzo de 2022 a personas afectadas por el conflicto de Ucrania que puedan encontrar refugio en España. Anexo. Tal y como indica la citada norma, la protección otorgada a esta categoría adicional sería la resultante de la aplicación del Real Decreto 1325/2003, de 24 de octubre, por el que se aprueba el Reglamento sobre régimen de protección temporal en caso de afluencia masiva de personas

contrasen en situación de estancia en España antes del 24 de febrero de 2022 que, como consecuencia del conflicto armado, no pueden regresar a Ucrania. 2) Nacionales de terceros países o apátridas que residieran legalmente en Ucrania sobre la base de un permiso de residencia legal válido (sea permanente u otro tipo, como en el caso del estudiantado) expedido de conformidad con el derecho ucraniano y no pueden regresar a su país o región. 3) Nacionales de Ucrania que se encontraban en situación irregular en España antes del 24 de febrero y que, como consecuencia del conflicto armado, no pueden regresar a Ucrania. 4) Miembros de las familias de las personas a que se refiere los apartados 1 y 2. La protección de todos estos colectivos depende, pues, de la buena voluntad de los Estados, lo que dará lugar a importantes discrepancias en la acogida, en función del Estado en el que se encuentren.

Por último, la Directiva exige que el exilio vaya asociado a la huida respecto a determinados "peligros" que la norma especifica. De su definición de persona desplazada, unido a las conclusiones que se extraen de los artículos 2 a), d), 3.4, 7 y 28, se deduce que el procedimiento iría destinado a: 1. Potenciales personas refugiadas (personas desplazadas de terceros países que pudieran ser consideradas refugiados/as, según el art. 1 A 2 de la Convención de Ginebra); 2. Personas desplazadas que pudieran caer dentro del ámbito de aplicación de otros instrumentos internacionales o nacionales de protección internacional. 3. Casos particulares: personas que han huido de zonas de conflicto armado o violencia permanente o que hayan estado o estén en peligro de verse expuestas a una violación sistemática o generalizada de derechos humanos.

Como puede comprobarse, el ámbito de aplicación elegido por la Directiva va más allá de las clásicas categorías protegidas por la Convención de Ginebra o incluso de la definición actual de "protección subsidiaria"[44], especialmente en cuanto contempla la violencia permanente o la violación sistemática de derechos

---

desplazadas habilita en sus artículos 4 apartado b) y 6 al Gobierno español a declarar el régimen de protección temporal en supuestos de emergencia por Acuerdo de Consejo de Ministros.

[44]   Recuérdese que, en virtud del artículo 2 a) de la Directiva 2011/95/UE del Parlamento Europeo y del Consejo por la que se establecen normas relativas a los requisitos para el reconocimiento de nacionales de terceros países o apátridas como beneficiarios de protección internacional, a un estatuto uniforme para los refugiados o para las personas con derecho a protección subsidiaria y al contenido de la protección concedida (refundición), se entiende por "protección internacional" el estatuto de refugiado y de protección subsidiaria. Concretamente, una persona con derecho a la protección subsidiaria sería un nacional de un tercer país o un apátrida que no reúne los requisitos para ser refugiado, pero respecto del cual se den motivos fundados para creer que, si regresase a su país de origen o, en el caso de un apátrida, al país de su anterior residencia habitual, se enfrentaría a un riesgo real de sufrir alguno de los daños graves definidos en el artículo 15, y al que no se aplica el artículo 17, apartados 1 y 2, y que no puede o, a causa de dicho riesgo, no quiere acogerse a la protección de tal país (art. 2 f). Según el artículo 15 constituyen daños graves: a) la condena a la pena de muerte o su ejecución, o b) la tortura o las penas o tratos inhumanos o degradantes de un solicitante en su país de origen, o c) las amenazas graves e individuales contra la vida o la integridad

humanos no asociada directamente a un conflicto armado, ni exige un determinado nivel de discriminación en la violencia asociada a éstos[45]. En el caso que nos ocupa, la Decisión de Ejecución del Consejo hace alusión a la existencia de un "conflicto armado" como el peligro que se haya en el origen de la existencia de una afluencia masiva de personas desplazadas que han tenido que abandonar Ucrania y que la norma se dispone a constatar[46]. Tanto la Propuesta de Decisión de Ejecución de la Comisión como la Decisión del Consejo se empeñar en subrayar que el conflicto es consecuencia de la invasión militar de las fuerzas armadas rusas, no provocada e injustificada, que supone una grave violación del Derecho internacional y de los principios de la Carta de Naciones Unidas, y que busca socavar la seguridad y estabilidad europea y mundial[47]. La mención de la gravedad del ilícito y la directa implicación para la Unión no son baladíes, así como el hecho de que los conflictos armados sean uno de los riegos graves que hacen a la persona merecedora de la protección internacional en Europa. Queda en el aire si, en circunstancias de violación sistemática o generalizada de derechos humanos, no directamente relacionadas con las causas que de manera tradicional dan lugar al estatuto de persona refugiada o el de beneficiario de protección subsidiaria hubiera dado lugar a la misma respuesta de la Unión, aun siendo contemplada por la Directiva.

---

[45]   física de un civil motivadas por una violencia indiscriminada en situaciones de conflicto armado internacional o interno. *DOUE* nº L 337, de 30 de diciembre de 2011. En adelante, Directiva 2011/95. El uso de la disyuntiva "o" entre conflicto armado y violencia permanente parece diferenciar ambas situaciones. Del mismo modo, al incluir un segundo apartado dedicado a la violación sistemática o generalizada de derechos humanos, de manera independiente, muestra que ésta podría darse en circunstancias ajenas a lo que el art. 15 c) de la Directiva 2011/95 entiende por tal, por mucho que el TJUE en el asunto Diakite brindara una interpretación flexible del término, al no exigir que se satisficieran los criterios establecidos en el Derecho Internacional Humanitario (TJUE, sentencia de 30 de enero de 2014, en el asunto C-285/12, Aboubacar Diakité contra Commissaire général aux réfugiés et aux apatrides, apdo. 35, ECLI:EU:C:2014:39). Los casos particulares incluidos en la Directiva de Protección Temporal se diferencian y exceden de los peligros que darían lugar a la protección internacional, de conformidad con el Derecho europeo de asilo.

[46]   Véase art. 1 de la Decisión de Ejecución.

[47]   Véanse los considerandos 1, 2 y 3 de la Decisión de Ejecución del Consejo. La Comisión Europea alude específicamente a cómo esta invasión tiene como objetivo desestabilizar la arquitectura de seguridad europea. Comisión Europea, Comunicación, *Solidaridad europea con los refugiados y con quienes huyen de la guerra en Ucrania, op. cit.,* p. 1. En la Orden PCM/170/2022 de 9 de marzo se menciona directamente el conflicto armado como causa que imposibilita el regreso de las personas nacionales de Ucrania que se encontraban en situación de estancia en España antes del 24 de marzo de 2022, a las que la norma nacional incluye entre los beneficiarios de la protección temporal. Tanto en la Propuesta de Decisión de la Comisión como en la Decisión del Consejo se alude mayoritariamente a que la razón última es la invasión militar de las fuerzas armadas rusas que ha devenido en el conflicto armado y no un conflicto que ha estallado por la actuación de ambas partes. La Decisión se esfuerza en subrayar que el conflicto armado –palabra que se menciona en menor medida– es consecuencia de la invasión ilegal y responsabilidad última de la Federación rusa.

IV. EPÍLOGO

La activación de la Directiva 2001/55/CE, en el caso del desplazamiento masivo de personas desplazadas como consecuencia de la invasión de Ucrania supone un positivo cambio de paradigma en la acogida europea a grandes grupos de desplazados forzosos. La falta del suficiente consenso político para iniciar este procedimiento en el pasado hizo olvidar las bondades de un procedimiento que permite proporcionar una protección inmediata, así como un estatuto jurídico garantista, evitando el colapso de las estructuras de asilo, y con el resguardo que supone contar con la compensación de esfuerzos entre todos los Estados miembros. Sin obviar que se trata de un procedimiento que abusa de los conceptos indeterminados y que deja en manos del Consejo un amplio margen de maniobra, no cabe duda de que es un complemento imprescindible del SECA que le permite responder ante las necesidades de protección internacional, sean cuales fueran los números de personas afectadas.

No obstante, la puesta en marcha del dispositivo en este caso deja un amargo precedente en cuanto a las diferencias de trato observadas en el ámbito de aplicación personal. Permitir a los Estados conceder una protección ajena a la Directiva, a las personas nacionales de terceros países, no encuentra sustento en la norma de Derecho derivado. Tales diferencias, basadas única y exclusivamente en el origen nacional y no en los peligros asociados a la huida, suponen un trato discriminatorio, no solo con respecto a la protección que obtengan las personas nacionales de Ucrania en el país de acogida, sino también con relación a aquellas del mismo origen nacional que sean acogidas en otros Estados miembros, dada la libertad de la que dispone cada uno. La defensa del principio de no discriminación que se ha de hacer en este caso enlaza con tantos brillantes estudios de la Profesora Mercedes Moya, a quien de forma tan merecida se homenajea en este libro[48]. Si sumamos esto a las denuncias de denegación racializada de la entrada a personas de ascendencia africana, preferencias raciales en la administración de servicios de socorro, restricciones raciales a la libertad de circulación o diferencia racial en el acceso al estatuto migratorio, en el contexto del exilio desde Ucrania[49], no parece que la bienvenida y solidaridad sea con "todas" las personas

---

[48] Ver, *inter alia*, MOYA ESCUDERO, MERCEDES, "Un código de derechos para los nacionales de terceros estados residentes legales en la UE. Un avance en derecho antidiscriminatorio", *Revista Electrónica de Estudios Internacionales*, nº 34, 2017.

[49] Naciones Unidas. Grupo de Trabajo de Expertos sobre los Afrodescendientes, la Relatora Especial sobre las formas contemporáneas de racismo, discriminación racial, xenofobia y formas conexas de intolerancia, y el Relator Especial sobre los Derechos Humanos de los Migrantes. Comunicado conjunto, 3 de marzo de 2022 [en línea], https://www.ohchr.org/en/press-releases/2022/03/ukraine-un-experts-concerned-reports-discrimination-against-people-african. También: Naciones Unidas. Alta Comisionada de NNUU para los Derechos Humanos, Debate urgente sobre la situación de derechos humanos en Ucrania a resultas de la agresión por parte de

que huyen del conflicto[50]. En caso de éxodo masivo cualquier diferencia de trato que implique arbitrariedad, discriminación o racismo violaría las obligaciones derivadas del Derecho internacional y europeo más básicas y muestran el largo recorrido que queda aún para que el cambio de paradigma que anuncia el caso de Ucrania sea efectivo y real.

V. BIBLIOGRAFÍA

ARENAS HIDALGO, NURIA, "El sistema de protección temporal europeo. El resurgimiento de una renovada acogida territorial como respuesta a los desplazamientos masivos de población", *Revista Española de Derecho Internacional,* vol. LVI, 2003, pp. 745-777.

ARENAS HIDALGO, NURIA, *El Sistema de Protección Temporal de Desplazados en la Europa Comunitaria,* Universidad de Huelva Publicaciones, 2005.

ARENAS, NURIA, "The Concept of "Mass Influx of Displaced Persons" in the European Directive Establishing the Temporary Protection System", *European Journal of Migration and Law,* 7, 2005, pp. 435-450.

ARENAS HIDALGO, NURIA, "Flujos masivos de población y seguridad. La crisis de personas refugiadas en el Mediterráneo", *Araucaria,* vol. 18, n° 36, 2016, pp. 339-372.

BEIRENS, HANNE, MAAS, SHEILA, PETRONELLA, SALVATORE y VAN DER VELDEN, MAURICE, *Study on the Temporary Protection Directive. Final Report,* European Commission, Directorate-General for Migration and Home Affairs, enero de 2016.

HARTMAN, JOAN F. y PERLUSS, DEBORAH, "Temporary Refuge: Emergence of a Customary Norm", *Virginia Journal of International Law,* vol. 26, 1986, pp. 551-626.

INELI-CIGER, MELTEM, "Has the Temporary Protection Directive Become Obsolete? An Examination of the Directive and Its Lack of Implementation in view of the Recent Asylum Crisis in the Mediterranean", en BAULOZ, CELINE, INELI-CIGER, MELTEM, SINGER, SARAH y STOYANOVA, VLADISLAVA

Rusia, 49° periodo de sesiones del Consejo de Derechos Humanos, 3 de marzo de 2022 [en línea], https://www.ohchr.org/es/statements/2022/03/ukraine-high-commissioner-cites-new-and-dangerous-threats-human-rights
La Agencia Europea de Derechos Fundamentales ha denunciado también casos de discriminación a población romaní, colectivo LGBTI u otros grupos marginados. FRA, *The war in Ukraine-Fundamental Rights implications within the EU,* 1 de marzo-27 de abril de 2022, p. 18.

[50]   El 2 de marzo de 2022, la Comisión Europea había asegurado que todos los que huyen de las bombas de Putin serían bienvenidos. Comisión Europea. "Ukraine: Commission proposes temoprary protection for people fleeing war in Ukraine and guidelines for borders checks", 2022 [en línea], https://ec.europa.eu/commission/presscorner/detail/en/ip_22_1469

(Eds.), *Seeking Asylum in the European Union: Selected Protection Issues Raised by the Second Phase of the Common European Asylum System*, Brill-Nijhoff, Leiden/Boston, 2015, pp. 223-246.

INELI-CIGER, MELTEM, *Temporary Protection in Law and Practice*, Brill-Nijhoff, Leiden/Boston, 2018.

INELI CIGER, MELTEM, *5 Reasons Why: Understanding the Reasons behind the Activation of the Temporary Protection Directive in 2022*, EU Immigration and Asylum Law and Policy, 7 de marzo de 2022.

KERBER, KAROLINE, "The temporary protection Directive", *European Journal of Migration and Law*, vol. 4, n° 2, 2002, pp. 193-214.

MOYA ESCUDERO, MERCEDES, "Un código de derechos para los nacionales de terceros estados residentes legales en la UE. Un avance en derecho antidiscriminatorio", *Revista Electrónica de Estudios Internacionales*, n° 34, 2017.

PEERS, STEVE, "Temporary Protection for Ukrainians in the EU? Q and A", EU Law Analysis, 27 de febrero de 2022.

VAN SELM-THORBURN, JOANNE, *Refugee Protection in Europe. Lesson from the Yugoslave Crisis*, Martinus Nihjoff, La Haya/Boston/Londres, 1998.

EXTRANJERÍA Y LIBERALIZACIÓN INTERNACIONAL DEL COMERCIO DE SERVICIOS[*]

CARMEN OTERO GARCÍA-CASTRILLÓN

Catedrática de Derecho internacional privado
Universidad Complutense de Madrid

I. INTRODUCCIÓN

La liberalización multilateral del comercio transfronterizo de servicios es el resultado de la incorporación a la Organización Mundial del Comercio (OMC)[1] del Acuerdo General sobre Comercio de Servicios (AGCS)[2], en vigor desde enero de 1995. Siguiendo el modelo marcado para el comercio de mercancías por el Acuerdo General sobre Aranceles y Comercio (GATT), el AGCS pretende lograr el desarrollo económico eliminando barreras a las operaciones comerciales relativas a la prestación de servicios[3].

Además de a su extenso ámbito de aplicación espacial (164 Estados), el AGCS debe su impacto práctico a su alcance material. A estos efectos hay que tener en cuenta, en primer lugar, la definición de "servicios", que comprende operaciones que van desde el transporte y la banca a la educación, la gestión o la tecnología[4]. En segundo término, la internacionalidad de las prestaciones de servicios

---

[*]   Trabajo realizado en el marco del Proyecto de Investigación *"El Derecho del Comercio internacional en la era de las guerras comerciales y la economía digital"*, PID2020-113968RB-I00.

[1]   https://www.wto.org/. [Consulta: 08/08/2022].

[2]   Anexo IB del Acuerdo de la OMC, https://www.wto.org/spanish/tratop_s/serv_s/serv_s.htm. [Consulta: 08/08/2022].

[3]   Preámbulo: "Deseando establecer un marco multilateral de principios y normas para el comercio de servicios con miras a la expansión de dicho comercio en condiciones de transparencia y de liberalización progresiva y *como medio de promover el crecimiento económico de todos los interlocutores comerciales y el desarrollo de los países en desarrollo"*.

[4]   Sólo dos sectores son excluidos del ámbito de aplicación del AGCS; (1) "servicios suministrados en ejercicio de facultades gubernamentales" (art. I.3); esto es, los no suministrados en condiciones co-

se perfila de manera amplia. Así, el artículo I distingue cuatro modalidades: (1) el comercio transfronterizo; referido a las corrientes de servicios del territorio de un Miembro al de otro (por ejemplo, los servicios bancarios o los de arquitectura prestados a través del sistema de telecomunicaciones o de correo); (2) el consumo en el extranjero; que abarca a las situaciones en que un consumidor (por ejemplo, un paciente o un estudiante) se desplaza a otro país para obtener un servicio; (3) la presencia comercial supone que un proveedor de servicios se establece en el territorio de otro Estado mediante la adquisición en propiedad o arrendamiento de locales (por ejemplo, filiales nacionales de compañías de seguros extranjeras o cadenas hoteleras); y, finalmente, (4) la presencia de personas físicas, que consiste en el desplazamiento de individuos de un país a otro para prestar un servicio (por ejemplo, contables, médicos o profesores).

Los compromisos que se adquieran sobre la liberalización de la segunda modalidad de prestación de servicios (consumo en el extranjero) pueden llevar aparejada la obligación de permitir la movilidad internacional de los consumidores, entendida la noción en sentido lato; esto es, quien recibe la prestación de servicio con independencia de su calificación como profesional o particular. Igualmente, en el caso de la cuarta modalidad (presencia de personas físicas), se hace necesaria la apertura a la movilidad internacional de los prestadores de estos servicios que sean personas físicas y desempeñen su actividad profesional, ya sea por cuenta propia o ajena, en el extranjero. De ahí que quepa plantear la incidencia de este tipo de compromisos de liberalización comercial -que, además de en el AGCS, pueden encontrarse en diversidad de acuerdos de integración económica regional- en el régimen jurídico de entrada y estancia o establecimiento (residencia) de los individuos que se trasladan a Estados distintos a los de su nacionalidad con estos fines.

Como dijera Mercedes Moya Escudero, sobre la base de una definición negativa común del extranjero –el no nacional-, no hay un único estatus de extranjería, sino que existen diferentes "extranjerías". El Derecho (de integración regional y/o nacional) arbitra una regulación distinta en función de la nacionalidad, los vínculos familiares, la procedencia y las razones de la entrada en el territorio, dibujando un amplio y complejo mosaico legislativo en el que la identificación de la norma aplicable se configura como una empresa harto difícil[5]. Ratificando

---

merciales ni en competencia con otros proveedores (i.e. los sistemas de seguridad social y cualquier otro servicio público); y (2) medidas que afectan a los derechos de tráfico aéreo ni a los servicios directamente relacionados con el ejercicio de esos derechos (Anexo sobre Servicios de Transporte Aéreo).

[5]   MOYA ESCUDERO, MERCEDES, "¿Extranjería o extranjerías?", en GARCÍA CASTAÑO, FRANCISCO JAVIER y MURIEL LÓPEZ, CAROLINA (Coords.), *La inmigración en España: contextos y alternativas*, Universidad de Granada, Laboratorio de Estudios Interculturales, Granada, vol. 2, 2002, pp. 551-565, señala a nacionales de la UE y del EEE, familiares de estos y de españoles, nacionales

este aserto e incidiendo en la extranjería económica y laboral, esta contribución pretende mostrar la relación entre la regulación de la liberalización del comercio internacional de servicios y el Derecho de extranjería con particular referencia a la situación en la Unión Europea (UE) y España. Con ella, rindo modesto tributo y testimonio de gratitud por la importante y destacadísima labor realizada por Mercedes Moya Escudero en su carrera universitaria que, como pocas personas y, desde luego, pionera entre las mujeres, ha sabido llevar adelante con paciencia y perseverancia como rigurosa académica, así como eficaz y preocupada maestra, siendo, además, siempre generosa con todos los que, de un modo u otro, hemos tenido la fortuna de encontrarnos con ella en el camino profesional.

II. POLÍTICA COMERCIAL Y POLÍTICA DE INMIGRACIÓN EN LA UNIÓN EUROPEA

Desde sus orígenes, la hoy UE disfrutó de competencias exclusivas en materia de política comercial. La configuración de la nueva organización internacional como una unión aduanera lo requería[6] y, en consecuencia, así continúa recogido en sus textos constitutivos (arts. 3 TUE y 206-207 TFUE) incorporando la progresión de su alcance que, resultado del paso del tiempo, acompaña el desarrollo de la Organización. En este ámbito, además de la membresía de la UE en la OMC y, consiguientemente, en el AGCS, hay que tener en cuenta el amplio desarrollo de acuerdos de liberalización comercial con terceros Estados que incorporan disposiciones relativas al comercio de servicios[7]. El Tribunal de la hoy UE ha venido contribuyendo en esta dirección desde la emisión del Dictamen 1/1994, en el que se estableció el carácter compartido de las competencias entre la Comunidad Económica Europea y sus Estados miembros (EM) para la firma del AGCS[8], hasta el Dictamen 1/2008, donde, ya adoptado el Tratado de Niza que modificó el TUE en 2001, la competencia exclusiva de la Unión en esta materia quedó expresamente reconocida a la hora de modificar las listas de compromisos

---

de terceros Estados; refugiados, desplazados, apátridas, solicitantes de asilo; Acuerdos de asociación, de supresión de visados, de doble nacionalidad, de readmisión ... ; entrada y permanencia en España por motivos turísticos, de estudios o laborales; contingente, trabajo de temporada u oferta nominativa de empleo; situación regular o irregular; mayoría o minoría de edad; país de origen o de procedencia.

[6]   Art. XXIV GATT-47 y GATT-94.

[7]   *Vid.* https://policy.trade.ec.europa.eu/eu-trade-relationships-country-and-region/countries-and-regions_en. [Consulta: 08/08/2022].

[8]   Dictamen del TJCE (Pleno) 1/1994 de 15 de noviembre de 1994, ECLI:EU:C:1994:384. El para. LIII estableció la exclusividad de la competencia para "únicamente los suministros transfronterizos ..., y que los Acuerdos internacionales en materia de transportes están excluidos del mismo".

específicos de la UE en el AGCS[9]. Esta posición se ha visto ratificada en el Dictamen 2/2015 con motivo de la firma del Acuerdo de libre comercio entre la UE y Singapur[10].

Por el contrario, la inmigración se incorporó al ámbito competencial de la UE en 1999 con el Tratado de Ámsterdam, que confirió autoridad a sus instituciones para desarrollar una política en esta materia conjuntamente con los EM (arts. 4 TUE y 77 y 79 TFUE). No obstante, desde 1990 -en términos prácticos, el 26 de marzo de 1995- la movilidad interna de los ciudadanos y el control de las fronteras exteriores interesó a algunos EM de la actual UE que, junto a otros pertenecientes a la Asociación Europea de Libre Comercio (AELC), crearon el llamado Espacio Schengen[11]. Este Espacio, del que hoy forman parte 26 Estados, 22 de la UE y 4 de la AELC, supuso suprimir los controles interiores permitiendo la libre circulación de sus respectivos ciudadanos y estableciendo un régimen común de visados de corta duración –visado Schengen- para los nacionales de terceros países[12].

Reconociendo que beneficia tanto a los países de origen como a los de destino y que permite a las personas mejorar su situación, el Pacto sobre Migraciones y Asilo de la UE 2020, destaca que esta política no debe ser abordada aisladamente, sino que ha de tener en cuenta, entre otras, la política comercial[13]. Como se ha indicado, la política comercial asume compromisos de liberalización del comercio internacional de servicios para que las personas físicas puedan tanto consumir (modo 2) como prestar (modo 4) servicios en otro país e, incluso, en la dirección de personas jurídicas, establecerse en el mismo a estos efectos (modo

---

[9]   Dictamen del TJUE (Pleno) 1/2008, de 30 de noviembre de 2009, EU:C:2009:739, paras. 118 y 119.

[10]   Dictamen del TJUE (Pleno) 2/2015 de 16 de mayo de 2017, ECLI:EU:C:2017:376; si bien, las cuestiones relativas a los transportes que exceden de la prestación del servicio no forman parte de la política comercial; paras. 69 y 168.

[11]   Convenio para la aplicación del Acuerdo Schengen, de 19 de junio de 1990, para la supresión de los controles en las fronteras interiores, a la definición de procedimientos para la expedición de un visado uniforme y a la creación de una base de datos única para todos los miembros (SIS) y del sistema de información de visados (VIS), última modificación Reglamento (UE) 2021/1134 del Parlamento Europeo y del Consejo de 7 de julio de 2021, por el que se modifican los Reglamentos 767/2008, 810/2009, 2016/399, 2017/2226, 2018/1240, 2018/1860, 2018/1861, 2019/817 y 2019/1896 y por el que se derogan las Decisiones 2004/512/CE y 2008/633/JAI, para reformar el Sistema de Información de Visados, *DOUE* L 248, de 13 de julio de 2021.

[12]   Reglamento (UE) 2018/1806 del Parlamento Europeo y del Consejo, de 14 de noviembre de 2018, por el que se establecen la lista de terceros países cuyos nacionales están sometidos a la obligación de visado para cruzar las fronteras exteriores y la lista de los 62 terceros países cuyos nacionales están exentos de esa obligación, *DOUE* L 303, de 28 de noviembre de 2018. Relación actualizada en https://www.schengenvisainfo.com/es/schengen-paises/. [Consulta: 08/08/2022].

[13]   Comunicación de la Comisión al Parlamento Europeo, al Consejo y al Comité Económico y Social Europeo y al Comité de las Regiones, relativa al Nuevo Pacto sobre Migración y Asilo, COM/2020/609 final, de 23 de septiembre de 2020, para. 6.1 y 3.

3). Para todo ello resulta imprescindible que el régimen de inmigración permita la entrada y estancia, cuando no la residencia, de los ciudadanos extranjeros.

III. MOVILIDAD INTERNACIONAL PARA LA PRESTACIÓN DE SERVICIOS

El suministro de muchos servicios requiere la presencia física simultánea del productor y del consumidor mientras que, en otros, esta coincidencia resulta conveniente o recomendable. De ahí que la liberalización internacional del comercio de servicios deba contemplar, además de la posibilidad del establecimiento de una presencia comercial en el territorio (modo 3) -que suele realizarse a través del establecimiento de filiales o sucursales, en definitiva, personas jurídicas-[14], la movilidad, con carácter temporal, de los consumidores (modo 2) o de los proveedores (modo 4) de los servicios, personas físicas.

Las obligaciones dimanantes del AGCS se pueden clasificar en dos grandes categorías: (1) las generales, aplicables a todos los Miembros y sectores de servicios, y (2) las obligaciones "específicas", que solo comprometen respecto de los sectores consignados en la lista de compromisos de cada uno de los Miembros (listas positivas) y que son, por tanto, diferentes para cada país, sector y modo de prestación de servicios. Sin duda, esto hace que, más allá de su negociación constante tendente a la reducción de obstáculos al comercio (art. XIX) pudiéndose, además, celebrar acuerdos de integración regional (art. V), la identificación y aplicación de los compromisos de cada país resulte altamente compleja.

Aunque las obligaciones derivadas del AGCS no tienen carácter autoejecutivo (*self-executing*) y, por consiguiente, no confieren derechos que las personas, ni físicas ni jurídicas, puedan reivindicar directamente frente a las autoridades, no cabe duda de que suponen un condicionamiento para el Derecho de extranjería de todos los Estados parte en la OMC, lo que incluye a la UE y sus EM.

---

[14] Las medidas relativas a las personas jurídicas pueden también tener efecto sobre la movilidad de las personas físicas cuando, por ejemplo, se requiera que los directores gerentes de las mismas residan en el país; *vid.* nota 17, lista de compromisos específicos de la UE; compromisos horizontales, TN, 4) para Austria). Asimismo, con el fin de planificar una actividad emprendedora o empresarial en otro Estado, también las personas físicas pueden precisar entrar temporalmente en el mismo. En España, *vid.* nota 45 y https://www.mites.gob.es/es/guia/texto/guia_15/contenidos/guia_15_38_3.htm. [Consulta: 08/08/2022].

1. Obligaciones generales

Partiendo del compromiso de otorgar el tratamiento de la nación más favorecida (TNMF; art. II)[15], las obligaciones generales comprenden aspectos tales como la transparencia (art. III) y el buen gobierno (art. VI) que conllevan, además de la publicidad de las normas y de su aplicación, asegurar que su administración se lleve a cabo de manera razonable, objetiva e imparcial. Asimismo, se adquieren obligaciones generales en el ámbito de la defensa de la competencia (arts. IX y XV) y la libertad de pagos se limita a los servicios incorporados en las listas de compromisos específicos (art. XI). Por lo demás, con respecto a los países en desarrollo, las obligaciones se centran en flexibilizar (art. XIX.2) y asistir (art. XXV) en la aplicación de las normas.

2. Compromisos específicos: listas

Como se ha indicado, los deberes concretos de cada Miembro hay que buscarlos en su lista de compromisos específicos, donde aparecen organizados en torno a tres dimensiones obligacionales: (a) el acceso a los mercados (art. XVI); (b) el tratamiento nacional (TN–art. XVII) y, finalmente (c) los llamados compromisos adicionales (art. XVIII). En la configuración de la lista, cada una de estas dimensiones se presenta en su correspondiente columna, siempre referidas al sector o subsector de servicios indicado en la primera columna (así, el total de columnas es 4). Cuando, en esta primera columna, la lista incluye "compromisos horizontales" supone la aplicación de los mismos a todos los sectores de servicios comprendidos en el AGCS[16]. Cuando los compromisos se circunscriben a un sector o subsector –como se ha dicho, en la primera columna- se habla de "compromisos verticales". Por lo tanto, la lista incluirá tantas filas como sectores y subsectores sean incorporados a la misma.

La adquisición de compromisos relativos al (a) acceso a los mercados supone la eliminación de (i) restricciones cuantitativas tales como las basadas en el número de proveedores, en el valor de las transacciones y en el número de operaciones, así como aquellas basadas en el (ii) tipo de persona jurídica y en la (iii) participación de capital extranjero en quienes están detrás de la prestación del servicio. Este tipo de medidas incide tanto en la entrada como en la estancia en el

---

[15]   No aplicable a los acuerdos sobre reconocimiento de títulos de aptitud profesional (art. VII). Tampoco resultaría exigible respecto de los acuerdos de integración regional firmados por los Miembros (art. V). Además, el AGCS contiene un Anexo sobre exenciones al TNMF.

[16]   *Vid.* nota 4. La clasificación, que establece 12 sectores y más de 160 subsectores, puede encontrarse en MTN.GNS/W/120, de 10 de julio de 1991 y se completa con la Clasificación de Estadísticas Económicas de Naciones Unidas https://unstats.un.org/unsd/classifications/Econ/Structure/Detail/EN/16/92310. [Consulta: 08/08/2022].

territorio de los prestadores de servicios. Por su parte, el compromiso con el (b) TN conlleva la prohibición de discriminación de los consumidores y prestadores de servicios extranjeros en el territorio patrio. Finalmente, (c) los compromisos adicionales son todos los que no encajan en ninguno de los ámbitos anteriores, incluidos los que se refieran a "títulos de aptitud, normas o cuestiones relacionadas con las licencias".

Si el compromiso es de liberalización total, en la lista figurará la expresión "Ninguna" (ninguna restricción de los tipos indicados). Si, por el contrario, no hay compromiso alguno de liberalización, en la lista figurará la expresión: "Sin consolidar". Por lo demás, en la lista aparecerán tantos detalles y precisiones como se hayan considerado necesarios.

Para ilustrar lo antedicho con los compromisos específicos de la UE que inciden en la movilidad internacional de las personas físicas, en particular, hacia España, se ha extractado parte del contenido de su lista en los modos de prestación de servicios de consumo en el extranjero (de ahí que aparezca el número 2 por delante del texto que señala el contenido obligacional) y de presencia de personas físicas (precedida por un 4), tanto en los compromisos horizontales como en los verticales, entre los que se han escogido los servicios de educación superior. De esta forma será posible identificar la incidencia de la liberalización comercial en lo que concierne a la entrada y permanencia de ciudadanos extranjeros.

Lista de compromisos específicos de la UE (extracto; modos 2 y 4)[17]

Sector o subsector	Limitaciones acceso a los mercados (art. XVI.2)	Limitaciones al trato nacional (art. XVII)	Comp. adicionales (art. XVIII)
COMPROMISOS HORIZONTALES			
TODOS LOS SECTORES EN LISTA	**Categorías de personas físicas abarcadas por el modo 4** **4) Todos los EM: Sin consolidar, excepto** en lo que se refiere a las medidas que afectan a la entrada y estancia temporal** en un EM de las siguientes categorías de personas físicas que presten servicios: **i) Traslados dentro de una misma empresa:** Todos los EM: El acceso de la persona física se condiciona a: debe trabajar en una persona jurídica, distinta de una organización sin fines lucrativos, establecida en el territorio de un Miembro OMC, y debe haber sido contratada por ella. ... es trasladada temporalmente en relación con la prestación de un servicio mediante presencia comercial en el territorio del EM. ... - La persona física de que se trate debe pertenecer a una de las siguientes categorías: a) trabajar en cargos superiores de una persona jurídica, encargado de la gestión y sujeta a la supervisión o dirección general del consejo de administración o los accionistas o sus equivalentes, ...: b) trabajar en una persona jurídica y poseer conocimientos excepcionales esenciales para el servicio del establecimiento, su equipo de investigación, sus técnicas o su gestión. Al evaluar esos conocimientos se tendrán en cuenta los referidos al establecimiento y si la persona tiene una calificación de alto nivel para una clase de trabajo o actividad que lo requiera. **Todos los Estados miembros excepto FI, LV, PL:** No se requerirá una prueba de necesidades económicas. ... AT, BE, CY, CZ, DE, DK, **ES**, FR, FI, EL, HU, IT, IE, LU, MT, NL, PT, SK, UK: La **duración de la "estancia temporal"** para los traslados dentro de una misma empresa es definida por los EM y, en su caso, por las leyes y reglamentos comunitarios en materia de entrada, estancia y trabajo. ... **ii) Visitantes de negocios** **Todos los EM:** Se permite la entrada y estancia temporal, sin prueba de necesidades económicas, de: ... **iii) Proveedores de servicios por contrato:** AT, BE, DE, DK, **ES,** EE, FR, FI, EL, IT, IE, LU, LV, NL, PT, SE, UK: condiciones para el acceso: - Las personas físicas deben dedicarse a la prestación de un servicio temporal, como empleados de una persona jurídica que no tenga presencia comercial en EM. ...	**Reconocimiento de títulos** **Todos los EM:** Las Directivas sobre el reconocimiento recíproco de títulos no se aplican a los nacionales de terceros países. El reconocimiento de los títulos que se necesitan para el ejercicio por nacionales de países no comunitarios de servicios profesionales regulados sigue siendo de competencia de cada EM, a menos que el derecho comunitario disponga otra cosa. El derecho a ejercer actividades profesionales reguladas en un EM no otorga el derecho a ejercerlas en otro EM. **Categorías de personas físicas abarcadas por el modo 4** **4) Todos los EM: Sin consolidar, excepto**: **4) Traslados dentro de una misma empresa:** Todos los Estados miembros: Sin consolidar, excepto las medidas relativas a las categorías de personas físicas mencionadas y objeto de compromisos en la columna de acceso a los mercados. **Visitantes de negocios:** **Todos los EM: Sin consolidar, excepto** **Proveedores de servicios por contrato** AT, BE, DE, DK, **ES,** EE, FI, FR, EL, IE, IT, LV, LU, NL, PT, SE, UK: Sin consolidar, excepto las medidas relativas a las categorías de personas físicas mencionadas y objeto de compromisos en la columna de acceso a los mercados. CY, CZ, HU, LT, MT, PL, SI, SK: **Sin consolidar.**	

[17]   GATS/SC/157, actualizada a 7 de mayo de 2019 (el documento completo tiene una extensión de 250 páginas). Las abreviaturas se utilizan del siguiente modo: Austria (AT), Bélgica (BE), Chipre (CY), República Checa (CZ), Alemania (DE), Dinamarca (DK), Estonia (EE); Grecia (EL); España (ES), Finlandia (FI); Francia (FR); Hungría (HU); Irlanda (IE); IT Italia; Lituania (LT); Luxemburgo (LU); Letonia (LV); Malta (MT); Países Bajos (NL); Polonia (PL); Portugal (PT); Suecia (SE); Eslovenia (SI); República Eslovaca (SK) y, hasta su salida de la UE el 31 de enero de 2020, Reino Unido (UK).

- la persona jurídica haya concertado un contrato por un período no superior a tres meses (…) con un consumidor final del EM en cuestión (…), a través de licitación pública u otro procedimiento que garantice la buena fe del contrato (por ejemplo, publicidad de la posibilidad de concertar el contrato), en aquellos casos en que este requisito exista o sea introducido en el EM de acuerdo con las leyes, reglamentos y prescripciones de la UE y el EM.

- El contrato de servicios deberá respetar las leyes, reglamentos y prescripciones de la UE y EM en el que se ejecuta el contrato.

- La persona física tiene que haber prestado los servicios como empleado de la persona jurídica por lo menos durante el año inmediatamente anterior al movimiento. ….

- La entrada y estancia temporales en el EM no deberán ser superiores a 3 meses durante cualquier período de 12 meses (…) o durante el período de duración del contrato, si este fuera inferior.

- La persona física debe estar en posesión de las calificaciones académicas y la experiencia profesional necesarias en el sector o actividad en cuestión en el EM.

- No se requerirá una prueba de necesidades económicas salvo cuando se indique otra cosa con respecto a un subsector determinado.

- El compromiso se refiere solo a la actividad de servicios que sea objeto del contrato; no faculta para ejercer la profesión titulada en el Estado miembro en cuestión.

- El número de personas abarcadas por el contrato de servicios no debe ser superior al necesario para ejecutar el contrato, de acuerdo con lo que puedan establecer las leyes, reglamentos y prescripciones de la UE y del EM en que se suministre el servicio.

- El contrato de servicios ha de concertarse en **uno de los sectores de actividad mencionados más adelante y debe estar sujeto a un compromiso específico asumido por el EM de que se trate en la parte dedicada a los compromisos relativos a sectores específicos,** así como a cualquiera de las condiciones adicionales indicadas en esa parte:

….

- Servicios de enseñanza superior

***Todos los demás requisitos de las leyes y reglamentos comunitarios y de los EM acerca de la entrada, la estancia, el trabajo* y el régimen de seguridad social *continuarán aplicándose,* incluidas las reglamentaciones relativas a la duración de la estancia, los salarios mínimos, así como los convenios colectivos sobre salarios. *Los compromisos en materia de movimiento de personas no se aplican en los casos en que la intención o efecto de dichos movimientos sea interferir con el resultado de alguna negociación o la solución de alguna diferencia laboral o de gestión,* o afectar de otro modo a ese resultado o solución. (La cursiva es mía).

La lista incorpora el detalle sobre las *categorías* de **personas físicas que podrán prestar servicios** en la UE (modo 4) incidiendo tanto en las medidas relativas a su entrada y estancia (acceso a los mercados) como en el tratamiento que recibirán una vez se encuentren dentro del territorio UE (TN). De entrada, tras explicitar que los extranjeros no comunitarios no se beneficiarán de ninguna norma de la UE relativa al reconocimiento de títulos (cuestión que continuará siendo regulada internamente por cada EM), se confirma la inexistencia de compromiso alguno en ambas dimensiones. No obstante, a continuación, se establecen pautas liberalizadoras para los traslados de prestadores de servicios dentro de una misma empresa; los visitantes de negocios y los proveedores de servicios por contrato.

Así, en cuanto a los traslados dentro de una misma empresa, el acceso a los mercados queda sujeto al cumplimiento de una serie de condiciones relativas al empleador, al empleado y al empleo, que habrá de ser temporal. En varios EM, incluida España, esta temporalidad será determinada por el propio EM y, en su caso, por la normativa UE que resulte aplicable. Además, salvo en Finlandia, Letonia y Polonia, no se requerirá acreditación relativa a las circunstancias económicas. Por otro lado, sólo las personas que cumplan las condiciones establecidas podrán disfrutar del TN.

De forma paralela, los visitantes de negocios que encajen en el perfil de vendedores de servicios -excluyendo ventas al público- por cuenta de un proveedor extracomunitario disfrutarán de acceso a los mercados con carácter temporal en la UE (determinada en los términos señalados para los traslados), sin tener que acreditar cumplimiento de requisitos económicos. Durante su estancia, recibirán TN.

En el caso de los proveedores de servicios por contrato, la lista fija condiciones para el acceso a los mercados en una serie de EM entre los que se encuentra España. A pesar de su inicial planteamiento general, el compromiso de liberalización se limita a aquellos sectores expresamente mencionados en la lista, que, entre otros, incluye la enseñanza superior y, además, sólo se materializarán en la medida en que cada EM haya adquirido compromisos específicos al respecto y, siempre, sujetos a los requisitos marcados en los mismos. Las condiciones para beneficiarse del acceso a los mercados pasan por la existencia de un contrato para prestar servicios en el territorio, temporalidad (hasta 3 meses), que el prestador del servicio esté cualificado y sea empleado del proveedor del mismo con una antigüedad de al menos un año (no estará facultado para ejercer la profesión en el EM en cuestión). Las personas físicas que encajen en el perfil establecido para el acceso a los mercados serán las que puedan beneficiarse del TN que, de otro modo, aparece sin consolidar; esto es, sin que la UE adquiera compromiso alguno.

Lista compromisos específicos de la UE (extracto; modos 2 y 4)[18] – continuación

Sector o subsector	Limitaciones acceso a los mercados (art. XVI.2)	Limitaciones al trato nacional (art. XVII)	Comp. adicionales (art. XVIII)
COMPROMISOS VERTICALES			
C. Servicios de enseñanza superior (Todos los Estados miembros excepto CZ, SK: CPC 923. CZ, SK: Únicamente CPC 92310)	**2) Todos los Estados miembros excepto** AT, CY, FI, MT, PL, SE: **Ninguna.** ... **4) Traslados dentro de una misma empresa y visitantes de negocios:** **Todos los Estados miembros excepto** AT, CY, FI, MT, SE: Sin consolidar, **excepto** lo indicado en los compromisos horizontales y con sujeción a las siguientes limitaciones específicas: AT, CY, FI, MT, SE: **Sin consolidar** <u>Proveedores de servicios por contrato:</u> **Todos los Estados miembros: Sin consolidar, excepto,** para FR y LU y en relación con la entrada temporal de investigadores, lo indicado en los compromisos horizontales y con sujeción a las siguientes limitaciones específicas: **Otras:** **Todos los EM excepto** HU: **Sin consolidar.** HU: Personalidades de reconocido prestigio internacional que hayan sido invitadas por instituciones de enseñanza superior, mientras dure la invitación.	**2) Todos los Estados miembros excepto** AT, CY, FI, MT, SE: **Ninguna.** ... **4) Traslados dentro de una misma empresa y visitantes de negocios:** **Todos los Estados miembros excepto** AT, CY, FI, LV, MT, PL, SE: Sin consolidar, excepto lo indicado en los compromisos horizontales. AT, CY, FI, LV, MT, PL, SE: **Sin consolidar** <u>Proveedores de servicios por contrato:</u> **Todos los Estados miembros excepto** CY, CZ, HU, LT, LV, MT, PL, SI, SK: **Sin consolidar, excepto** lo indicado en los compromisos horizontales. CY, CZ, HU, LT, MT, PL, SI, SK: Sin consolidar. LV: Ninguna. **Otras:** **Todos los EM excepto** HU: **Sin consolidar.** HU: Sin consolidar, con excepción de las medidas relativas a la categoría de personas físicas mencionada en la columna de acceso a los mercados.	

Esta parte de la lista incluye específicamente a los servicios de enseñanza superior, cuyo código de clasificación es (*Central Product Classification* -CPC) 923. De entrada, los compromisos relativos este sector se establecen para todos los EM de la UE excepto las Repúblicas Checa y Eslovaca, que sólo contemplan el subsector de los servicios de educación técnica y vocacional (CPC 9310).

El <u>acceso a los mercados</u> para **el consumo en la UE** (modo 2) de estos servicios está liberalizado en la mayor parte del territorio, incluyendo España (no lo está en Austria, Chipre, Finlandia, Malta, Polonia y Suecia). En consonancia, los consumidores se beneficiarán del <u>TN</u>.

A la hora de que las **personas físicas** presten servicios de educación superior en la UE (modo 4), no hay compromisos para el <u>acceso a los mercados</u>, quedando la mayoría de los EM, entre ellos España, sujetos únicamente a lo establecido en los compromisos horizontales, a cuyas condiciones algunos añaden requisitos específicos. En todo caso Austria, Chipre, Finlandia, Malta y Suecia no adquieren ninguna obligación de apertura. De modo paralelo, el <u>TN</u> sólo compromete a algunos EM –España incluida- y respecto de quienes resulten beneficiarios del régimen de liberalización de acceso al mercado.

---

[18]   *Vid.* nota 17.

Ni la UE ni España recogen tampoco compromisos de liberalización para los proveedores de servicios de educación superior **por contrato** en el <u>acceso al mercado</u>. Sólo Francia y Luxemburgo contemplan la entrada temporal de investigadores conforme a lo establecido en los compromisos horizontales siempre que se cumplan una serie de condiciones adicionales. En cuanto al <u>TN</u>, los EM no adquieren obligaciones en este sector salvo, en la medida en que sean aplicables, los derivados de los compromisos horizontales y el caso de Letonia, que sí otorga este beneficio.

Lo mismo ocurre en el caso de las prestaciones de educación superior no incluidas en las categorías anteriores (**otras**); no hay compromisos para permitir el <u>acceso a los mercados</u> y otorgar el <u>TN</u> excepto en Hungría, que liberaliza las realizadas por personalidades reconocido prestigio internacional invitadas por instituciones de enseñanza superior.

3. Incidencia en políticas migratorias

Parece evidente que estos compromisos inciden en la regulación de la entrada y estancia de extranjeros con la finalidad de recibir y prestar servicios, en la UE y en España. Y ello sin perjuicio de que el AGCS reconozca "el derecho de los Miembros a reglamentar el suministro de servicios en su territorio, y a establecer nuevas reglamentaciones al respecto, con el fin de *realizar los objetivos de su política nacional*"[19]. En esta línea, dado el carácter especialmente sensible de las políticas migratorias, el AGCS cuenta, además, con un Anexo dedicado al "Movimiento de Personas Físicas".

El Anexo pone de relieve que el contenido del GATS "*no afecta a la libertad de sus miembros* para aplicar medidas relativas a la ciudadanía, *la residencia o el acceso al mercado de trabajo con carácter permanente*" (la cursiva es mía). No puede dejarse de notar que, como se ha visto, la presencia de personas físicas (modo 4) tiene carácter temporal por definición y éste es también el sentido de la modalidad del consumo en el extranjero. De ahí que el propio Anexo destaque que, en el marco del Acuerdo, los Miembros pueden adquirir compromisos específicos aplicables al movimiento de personas físicas prestadoras de servicios (modo 4), ya sea por sí mismas o como empleadas de un proveedor. No obstante, a continuación se reconoce expresamente que el AGCS no les impide aplicar "medidas para *regular la entrada o la estancia temporal de personas físicas* en su territorio, incluidas las medidas necesarias para proteger la integridad de sus fronteras y garantizar el movimiento ordenado de personas físicas a través de las mismas, *siempre que esas*

---

[19]   Preámbulo AGCS. La cursiva es mía.

medidas no se apliquen de manera que anule o menoscabe las ventajas resultantes para un Miembro de los términos de un compromiso específico"[20].

En este sentido, la lista de la UE revela la existencia de cierto grado de compromiso liberalizador si bien merece atención la nota a pie que, tras recordar la aplicabilidad de la normativa UE y nacional en la materia, señala que los compromisos de liberalización "dejarán de aplicarse cuando interfieran en negociaciones o resoluciones de diferencias laborales o de gestión". En esta línea cabe reseñar que, paralelamente, como otros acuerdos de libre comercio de la UE, el firmado con Singapur excluye de su ámbito de aplicación la ciudadanía, la residencia, *el empleo con carácter permanente y, en general, el acceso al mercado de trabajo,* obligando a las Partes a conceder a los servicios, a los establecimientos y a los empresarios de la otra Parte un trato no menos favorable que a sus equivalentes nacionales, en función de las condiciones y limitaciones recogidas en la lista de compromisos específicos[21].

IV. UNIÓN EUROPEA: EXTRANJERÍA Y PRESTACIÓN INERNACIONAL DE SERVICIOS

El régimen de Schengen cuenta con un importante acervo normativo del que cabe destacar, en lo que concierne a la entrada en el territorio de la UE, los llamados Código de Fronteras[22] -en la actualidad, en proceso de modificación[23]- y Código de Visados[24]. Además, la UE ha adoptado normas (con efectos en el Espacio Económico Europeo –EEE- y Suiza)[25] para armonizar las condiciones de entrada y residencia de ciertas categorías de nacionales de terceros países. Este conjunto normativo se complementa y completa con las regulaciones nacionales; en España

---

[20]   Anexo sobre el Movimiento de Personas Físicas.

[21]   Dictamen 2/2015 del TJUE, de 16 de mayo de 2017, para. 51. ECLI:EU:C:2017:376.

[22]   Reglamento (UE) 2016/399 del Parlamento Europeo y del Consejo, de 9 de marzo de 2016, por el que se establece Código de normas de la Unión para el cruce de personas por las fronteras, *DOUE* L 77, de 23 de marzo de 2016 y sucesivas modificaciones.

[23]   Dirigida, entre otras cosas, a establecer un nuevo marco jurídico para las medidas en fronteras exteriores en casos de crisis sanitarias, Orientación general sobre la reforma nº 9937/22 Bruselas, 9 de junio de 2022 (OR. fr, en).

[24]   Reglamento (CE) nº 810/2009 del Parlamento Europeo y del Consejo, de 13 de julio de 2009, por el que se establece un Código Comunitario sobre Visados, versión consolidada ELI: http://data.europa.eu/eli/reg/2009/810/2020-02-02. Sin olvidar los Acuerdos con terceros países para agilizar la obtención de visados; https://home-affairs.ec.europa.eu/policies/schengen-borders-and-visa/visa-policy_es. [Consulta: 08/08/2022].

[25]   El Acuerdo del Espacio Económico Europeo integra a Islandia, Liechtenstein y Noruega, mientras que con Suiza se firman Acuerdos bilaterales; https://www.europarl.europa.eu/factsheets/es/sheet/169/el-espacio-economico-europeo-suiza-y-el-norte. [Consulta: 08/08/2022].

la Ley Orgánica 4/2000, de Extranjería (LOE), y el Real Decreto 557/2011, que la desarrolla (RLOE)[26], además de los tratados internacionales[27]. Todo el sistema debe respetar los compromisos adquiridos para la liberalización del comercio de servicios, tanto en el AGCS como en los acuerdos de libre comercio.

1. Entrada y presencia en la UE

Junto con los visados Schengen o de corta duración (tipo C, que autorizan la entrada y permanencia hasta 90 días por semestre)[28], los visados nacionales de estudiante (corta o larga duración) y de larga duración (más de 90 días) por motivos de trabajo (ambos catalogados como tipo D)[29] permiten, a los consumidores extranjeros entrar, entre otras cosas, para recibir prestaciones de servicios, autorizando, además, los segundos a prestar dichos servicios (por cuenta ajena o propia)[30].

En síntesis, salvo en los casos en los que se establecen exenciones[31], para acceder al Espacio Schengen o al de un Estado Miembro de la UE (en este caso España), los nacionales de terceros países han de solicitar el visado en la Oficina Consular -que les corresponda por residencia- del Estado a los que se dirijan como destino único o principal, ya sea un visado Schengen (uniforme) o nacional[32].

---

[26]   Ley Orgánica 4/2000, de 11 de enero, sobre derechos y libertades de los extranjeros en España y su integración social, BOE n° 10, de 12 de enero de 2000, modificada por la Ley Orgánica 2/2009, de 11 de enero, BOE n° 299, de 12 de diciembre de 2009, y Real Decreto 557/2011, de 20 de abril, por el que se aprueba el Reglamento de la Ley, *BOE* n° 103, de 30 de abril de 2011.

[27]   A efectos de este trabajo, cabe destacar, los relativos a facilitar la movilidad de jóvenes (https://extranjeros.inclusion.gob.es/es/normativa/internacional/movilidad_jovenes/index.html) y de ordenar los flujos migratorios (https://extranjeros.inclusion.gob.es/es/normativa/internacional/flujos_migratorios/index.html). [Consulta: 08/08/2022].

[28]   No autoriza para trabajar ni desarrollar actividades económicas, pero sí realizar cualquier tipo de actividad formativa, prácticas no laborales y negocios puntuales; para estos últimos, hay que solicitar el visado de negocios.

[29]   Incluye también el visado nacional de entrada múltiple, que permite viajar dentro y fuera del Espacio Schengen.

[30]   También permite el desempeño de actividad económica y laboral el visado de inversor, que autoriza la entrada a quienes invierten por valor de 500.000 euros. en inmuebles o valores mobiliarios en España.

[31]   Reglamento (UE) 2018/1806, *cit. supra* nota 12, y acuerdos internacionales al respecto. Para los casos de exención, previsiblemente a partir de mayo de 2023, será necesario obtener una autorización previa conforme al Reglamento (UE) 2018/1240 del Parlamento Europeo y el Consejo, de 12 de septiembre de 2018, que establece el Sistema europeo de autorización de viajes (*European Travel Authorisation System*–ETIAS) y modifica los Reglamentos 1077/2011, 515/2014, 2016/399, 2016/1624 y 2017/2226. Véase https://www.etiasvisa.com/. [Consulta: 08/08/202]. Su función realizar una valoración previa por medios tecnológicos del cumplimiento de requisitos para la entrada (riesgos de inmigración ilegal, seguridad, salud u orden público).

[32]   Art. 25 LOE y arts. 4, 6-10 RLOE. Sobre la documentación y el procedimiento para los visados españoles *vid.* https://www.exteriores.gob.es/en/ServiciosAlCiudadano/Paginas/Servicios-consulares.aspx?scco=Estados+Unidos&scd=251&scca=Visados&scs=Visado+de+estancia+(visado+Schengen). [Consulta: 08/08/2022].

Una vez analizada la solicitud y documentación requerida, la Oficina Consular resolverá sobre su concesión. Conviene señalar que hay quienes están incursos en situaciones que dan lugar a una prohibición de entrada y, en consecuencia, de denegación de visado, ya sea por (1) haber sido previamente expulsado o devuelto (por España o algún Estado Schengen); (2) tener prohibida la entrada de forma expresa al haber llevado a cabo actividades contrarias a los intereses nacionales, a los derechos humanos o por su notoria conexión con organizaciones delictivas; (3) estar reclamado internacionalmente por causas criminales; o (4) tener prohibida la entrada en virtud de convenios internacionales (en los que el Estado Miembro en cuestión sea parte o de acuerdo con lo establecido en la normativa comunitaria); salvo que se considere necesario establecer una excepción por motivos humanitarios o de interés nacional[33]. En todo caso, la denegación del visado ha de ser motivada y es susceptible de recurso[34].

A diferencia de los nacionales, los visados Schengen permiten viajar a cualquiera de los países que integran su Espacio y transitar por sus territorios. Pero, atención, contar con un visado, Schengen o nacional, no implica disponer de un derecho automático de entrada al territorio que, en todo caso habrá de realizarse por los puestos habilitados[35]. Las autoridades en frontera de los distintos Estados pueden denegarla, de forma motivada y sin perjuicio de recurso, si no se cumplen los requisitos fijados al efecto[36]. En función de la finalidad de la entrada, los requisitos, concretados por las legislaciones nacionales, comprenden una serie de exigencias de viaje (billete de retorno), económicas (mantenimiento)[37] y documentales (pasaporte, visado y actividad[38]), además de no encontrarse incurso en ninguna de las ya mencionadas prohibiciones de entrada, ni suponer

---

[33]   Art. 26 LOE y art. 11 RLOE.

[34]   En esta línea, la STJUE (Sala Primera) de 10 de marzo de 2021, C-949/19, ECLI:EU:C:2021:186, para. 48, reconoce esta obligación que se impone, además, en relación con el art. 47 de la Carta de los Derechos Fundamentales de la UE. En España, en primer término, de reposición ante la propia oficina consular y, en segundo lugar, contencioso-administrativo ante el Tribunal Superior de Justicia de Madrid.

[35]   Arts. 25 LOE y 1 RLOE.

[36]   Art. 15 RLOE.

[37]   Orden PRE/1282/2007, de 10 de mayo, *BOE* nº 113, de 11 de mayo de 2007.

[38]   Para los viajes de carácter profesional: invitación de una empresa o autoridad para participar en reuniones de carácter comercial, industrial o vinculadas a la actividad, documentos de los que se desprenda que existen relaciones comerciales o vinculadas a la actividad; o tarjetas de acceso a ferias y congresos. Para los de turismo o privados: disponibilidad de hospedaje, reserva de viaje o invitación de un particular. Para los de formación; carnet de estudiante y certificado de matrícula, y, finalmente, el resto, invitaciones, reservas u otros equivalentes.

un peligro para el orden[39] y salud[40] públicos, o para la seguridad interior o exterior del Estado[41]. No obstante, en caso de no cumplirse alguno de ellos, se podrá autorizar la entrada en España cuando existan razones excepcionales de índole humanitaria, interés público o cumplimiento de compromisos internacionales[42].

Una vez realizada la entrada legal en el territorio, el extranjero se encontrará bien en una situación de estancia o de residencia, ambas susceptibles de prórroga[43]. Mientras que, con carácter general, la estancia supone una permanencia en territorio español por un período no superior a 90 días en un semestre[44], la residencia autoriza a una permanencia más prolongada, que puede tener carácter temporal o indefinida[45]. En todo caso, para poder desarrollar una actividad laboral o económica, como las prestaciones de servicios, el extranjero habrá de contar con autorización[46]. Hasta aquí, el sistema parece adecuarse a los compromisos fijados en la lista.

2. *Prestación de servicios*

La UE cuenta con normas (fundamentalmente Directivas) que armonizan las condiciones para que los extranjeros puedan desempeñar actividades económicas remuneradas, como las prestaciones de servicios. A estos efectos resultan de especial interés las disposiciones relativas a los trabajadores altamente especializados [Directiva (UE) 2021/1883 sobre la Tarjeta Azul[47]], a los transferidos den-

---

[39]   En este sentido, STJUE (Sala Primera) de 12 de diciembre de 2019, C-380/18, al interpretar la referencia a "amenaza para el orden público" (art. 6) del Código de Fronteras Schengen como motivo para la denegación de entrada, señala que la sospecha de haber cometido delito no impide el retorno de un nacional de un tercer país no sujeto a la obligación de visado.

[40]   Entre ellas, destacan recientemente las medidas UE y nacionales relativas al COVID-19, https://www.sanidad.gob.es/profesionales/saludPublica/ccayes/alertasActual/nCov/spth.htm. [Consulta: 08/08/2022].

[41]   Entre ellas, cabe reseñar las prohibiciones de viajar a determinadas personas de nacionalidad rusa (un total de 1212) resultado de las medidas restrictivas contra Rusia. Reglamento (UE) n° 269/2014 del Consejo, de 17 de marzo de 2014, relativo a la adopción de medidas restrictivas respecto de acciones que menoscaban o amenazan la integridad territorial, la soberanía y la independencia de Ucrania, versión consolidada ELI: http://data.europa.eu/eli/reg/2014/269/2022-06-04. [Consulta: 08/08/2022].

[42]   Art. 4.2 RLOE.

[43]   Arts. 30 y 31 LOE.

[44]   Art. 30 LOE. No obstante, las de los estudiantes se extienden a la duración del curso (art. 33 LOE).

[45]   Arts. 30 bis, 31 y 32 LOE.

[46]   Art. 10 LOE.

[47]   Directiva (UE) 2021/1883 del Parlamento Europeo y del Consejo, de 20 de octubre de 2021, relativa a las condiciones de entrada y residencia de nacionales de terceros países con fines de empleo de alta cualificación, *DOUE* L 382, de 28 de octubre de 2021; que habrá de ser transpuesta a los ordenamientos nacionales hasta el 18 de noviembre de 2023 (art. 32) cuyo contenido se entiende comprendido en la Ley 14/2013, de 27 de septiembre, de apoyo a los emprendedores y su internacionalización, texto consolidado en https://www.boe.es/eli/es/l/2013/09/27/14/con. En este

tro de empresas (Directiva 2014/66/UE sobre Tarjetas ICT-UE -*Intra-Corporate Transferees*[48]) y a los de temporada[49]; todas ellas de carácter temporal.

La Directiva (UE) 2021/1883, establece las condiciones de entrada y residencia de los nacionales de terceros países con fines de empleo de alta cualificación. Conforme a la LOE (art. 38ter) y el RLOE (Título IX) en esta categoría se encuentran quienes vayan a realizar trabajos que la requieran, lo que incluye aquellos en cuya actividad profesional concurran razones de interés económico, social o laboral, a los altos directivos (en casos de empresas o proyectos empresariales que reúnan ciertos requisitos)[50], quienes realizan labores de investigación o desarrollo[51], docentes universitarios y artistas que realicen actuaciones de especial interés cultural[52]. Como es obvio, la actividad de todos ellos se corresponderse con prestaciones de servicios (modo 4). La Directiva pretende facilitar la gestión y obtención de las autorizaciones de residencia y trabajo para este colectivo y, además, introduce disposiciones relativas a sus derechos al acceso al mercado laboral (art. 15), a la igualdad de trato (art. 16) y a la reagrupación familiar (art. 17). Como alternativa a la Tarjeta Azul, en España estos extranjeros pueden obtener autorizaciones de residencia temporal y trabajo por cuenta ajena en general, de duración determinada para artistas de prestigio, o en el marco de prestaciones transnacionales de servicios. Para su otorgamiento no se tiene en cuenta la situación nacional del empleo.

Los trabajadores desplazados a España en el marco de una relación laboral con una empresa (o grupo) establecida en España o en otro país, para el ejercicio de su actividad o para su formación, podrán obtener autorizaciones de residencia y trabajo conforme a la Directiva 2014/66 (art. 42 LOE y Ley 45/1999, de 29 de noviembre, sobre el desplazamiento de trabajadores en el marco de una

---

marco se desarrolla el Programa de Residencia para Inversores y Emprendedores (PRIE), https://prie.comercio.gob.es/es-es/Paginas/index.aspx. *Vid.* también COM 2022/657 de 27 de abril de 2022 sobre atracción de talento a la UE [Consulta: 08/08/2022].

[48] Directiva 2014/66/UE del Parlamento Europeo y del Consejo, de 15 de mayo de 2014, relativa a las condiciones de entrada y residencia de nacionales de terceros países en el marco de traslados intra-empresariales, *DOCE* L 157, de 27 de mayo de 2014; desarrollada por la Ley 14/2013, *loc. cit.*

[49] Directiva 2014/36/UE del Parlamento Europeo y del Consejo, de 26 de febrero de 2014, sobre las condiciones de entrada y estancia de nacionales de terceros países para fines de empleo como trabajadores temporeros, *DOCE* L 94, de 28 de marzo de 2014, Art. 42 LOE.

[50] En caso de no cumplirlos, la opción puede estar en la autorización de residencia de profesionales altamente cualificados, para la que las condiciones son menos estrictas. Esta autorización tiene una duración de hasta dos años o la duración del contrato si fuese menor; https://www.mites.gob.es/es/guia/texto/guia_15/contenidos/guia_15_38_4.htm. [Consulta: 08/08/2022].

[51] En función de las características del investigador y el proyecto, la opción puede estar en la autorización de residencia para realizar actividades de formación, investigación, desarrollo e innovación; https://www.mites.gob.es/es/guia/texto/guia_15/contenidos/guia_15_38_5.htm.[Consulta: 08/08/2022].

[52] https://www.mites.gob.es/es/guia/texto/guia_15/contenidos/guia_15_36_17.htm. [Consulta: 08/08/2022].

prestación de servicios transnacional[53]) de forma individual[54] o colectiva (procedimiento simplificado)[55]. En este ámbito, existe una autorización específica para el trabajador extranjero que se desplace a un centro de trabajo en España y dependa, por contrato, de una empresa establecida en un Estado no perteneciente a la UE en el marco de prestaciones transnacionales de servicios que, eventualmente, podrán ser de temporada o campaña (arts. 110-116 RLOE)[56].

Al margen de estas últimas, las autorizaciones para trabajos de temporada (art. 42 LOE) serán, lógicamente, temporales. Pueden ser por cuenta propia, para las que habrá de atender a la situación nacional del empleo (arts. 62-70 RLOE), o ajena, caso en el que hay que acreditar la cualificación profesional, las condiciones para el desarrollo del negocio y la disponibilidad de recursos económicos para el propio sustento (arts. 103-109 RLOE).

Con el fin de agilizar su tramitación, además de introducirse categorías como la de "empleadores reconocidos", en España, la competencia para gestionar las autorizaciones para profesionales altamente cualificados, desplazados y trabajos de temporada por cuenta ajena (en este caso, para empresas con más de 500 trabajadores con centros de trabajo en varias provincias) corresponde a la Unidad de Grandes Empresas y Colectivos Estratégicos (UGE-CE)[57]. Estas solicitudes han de ser presentadas por los propios empresarios y venir acompañadas de toda la documentación requerida.

3. España: algunos datos

Aunque no existan datos estadísticos concretos sobre la entrada de extranjeros en España para recibir o prestar servicios, los relativos a los visados concedidas por las Oficinas consulares de nuestro país en 2020 proporcionan algunos indicios al respecto[58]. Así, el porcentaje de visados de corta y larga duración es de 73 y 27. En el caso de los 276.852 de corta duración, el 48% (133.649) fueron de turismo y estancia, el 6% (15.842) para visitas de familiares de ciudadanos comunitarios y 448 para trabajo. Todas ellas pueden responder al modo 2 de

---

[53]   Texto consolidado ELI: https://www.boe.es/eli/es/l/1999/11/29/45/con. [Consulta: 08/08/2022]. *Vid.* Disp. ad. 4 LOE

[54]   https://www.mites.gob.es/es/guia/texto/guia_15/contenidos/guia_15_38_6.htm. [Consulta: 08/08/2022].

[55]   https://www.mites.gob.es/es/guia/texto/guia_15/contenidos/guia_15_38_7.htm. [Consulta: 08/08/2022].

[56]   https://www.mites.gob.es/es/guia/texto/guia_15/contenidos/guia_15_36_5.htm. [Consulta: 08/08/2022].

[57]   https://www.inclusion.gob.es. [Consulta: 08/08/2022].

[58]   Recientemente, la Orden ETD/378/2022, de 27 de abril, ha creado la División Unidad de Grandes Empresas en el INE, *BOE* n° 105, de 3 de mayo de 2022, que presumiblemente permitirá contar con datos más concretos.

prestación internacional de servicios, pero sólo la última encajaría en el modo 4. En cuanto a los 133.649 de larga duración, el 32% (32.832) fueron de estudios y el 34% (35.557) y el 10% (10.417) por motivos familiares y para residencia respectivamente; encajando todos ellos en el modo 2 de prestación de servicios, mientras que para trabajar, entre los que se encontrarían quienes presten servicios en nuestro país (modo 4), los visados concedidos fueron 22.274 (22%)[59].

V. CONCLUSIONES

Permitir la entrada a extranjeros en el territorio constituye un elemento básico para dar cumplimiento a las obligaciones relativas a la liberalización del comercio internacional de servicios, tanto para el consumo en el extranjero como para la prestación del servicio por personas físicas que se derivan del GATS y de los acuerdos de integración regional. De entrada, el GATS reconoce respeto a las normas de los Miembros en materia de inmigración permanente y temporal, remarcando, en cuanto a ésta última, la posibilidad de establecer compromisos liberalizadores. A título de ejemplo, se observa que, a resultas de las obligaciones horizontales y sectoriales de lista de compromisos específicos de la UE, España debe, sin perjuicio de la general obligación de transparencia y buen gobierno, permitir el consumo de los servicios de educación superior sin restricciones de acceso al mercado, así como dar TN a los consumidores/estudiantes. En cuanto a la prestación de estos servicios en nuestro país la liberalización del acceso al mercado aparece limitada básicamente a traslados temporales entre empresas, en los que el prestador ha de recibir TN. Esta liberalización –como la del resto del AGCS- debe aplicarse sin discriminación a los nacionales de los Miembros de la OMC. Sin embargo, el TNMF no alcanza las facilidades que la UE concede en virtud de acuerdos de integración regional ni de los relativos a exención o facilitación de visados, como tampoco lo hace a los firmados por EM en materia de flujos migratorios.

La UE y sus EM, en concreto España, cuentan con un complejo sistema normativo para permitir la entrada y estancia en el territorio que parece ajustarse a dichos compromisos con un Derecho de extranjería que, como ya destacara Mercedes Moya, dibuja un mosaico legislativo que, me permito decir, más que a un puzle, se asemeja a un rompecabezas en el que ella ha tenido la sabiduría y la paciencia de adentrarnos y dirigirnos con gran solvencia y un siempre constructivo espíritu crítico.

---

[59]   Informe del Observatorio Permanente de la Inmigración (OPI) sobre la Estadística de extranjeros en España 2020, https://extranjeros.inclusion.gob.es/es/Estadisticas/operaciones/visados/index.html. [Consulta: 08/08/2022].

VI. BIBLIOGRAFÍA

MOYA ESCUDERO, MERCEDES, "¿Extranjería o extranjerías?", en GARCÍA CASTAÑO, FRANCISCO JAVIER y MURIEL LÓPEZ, CAROLINA (Coords.), *La inmigración en España: contextos y alternativas,* Universidad de Granada, Laboratorio de Estudios Interculturales, Granada, vol. 2, 2002, pp. 551-565.

DE PROFESIÓN, ABOGADO: MOVILIDAD INTRAEUROPEA MEDIANTE EL ESTABLECIMIENTO O LA PRESTACIÓN TEMPORAL U OCASIONAL DE UN SERVICIO EN ESPAÑA[*]

GISELA MORENO CORDERO

Profesora Ayudante Doctora (acreditada a Profesora Contratada Doctora)
de Derecho internacional privado
Universidad de Granada

I. INTRODUCCIÓN

La movilidad internacional es una nota característica del mundo globalizado de hoy. Pero esta posibilidad, a la que cada vez optan más personas, implica, con frecuencia, que algunos derechos adquiridos en el lugar de la residencia o de la nacionalidad de las personas se vean sustancialmente limitados cuando deciden cruzar las fronteras[1].

En el ámbito integrado europeo esta consecuencia se contrarresta a través del principio fundamental de libertad de circulación establecido en el art. 45

---

[*]   Trabajo realizado en el marco del Proyecto I+D+I *"Análisis transversal y nuevas propuestas para las políticas jurídicas de retorno de emigrantes andaluces y la atracción de talento global en Andalucía"*, del Programa Operativo FEDER Andalucía 2014-2020, IP: José Antonio Fernández Avilés y Nuria Marchal Escalona, así como del Proyecto internacional otorgado por la Secretaría de Investigación de la Universidad Siglo 21 de Córdoba (Argentina), *"Aspectos internacionales en la protección de las personas migrantes y refugiados: la transversalidad de la perspectiva de género"*, IP: Carmen Ruiz Sutil y Candela Villegas.

[1]   DÍAZ CREGO, MARÍA, "El derecho a no ser discriminado por razón de nacionalidad: ¿un derecho de los extranjeros?, *Revista Española de Derecho Constitucional*, n° 89, 2010, pp. 115-155.

del Tratado de Funcionamiento de la Unión Europea (TFUE)[2], cuya finalidad es eliminar las fronteras interiores y garantizar la libre circulación dentro de la UE, incluida la libertad de establecimiento y de prestación de servicio.

En base a este principio, y con respecto de los derechos inherentes al estatuto de ciudadano europeo consagrado en el art. 20.1 del TFUE, quedan expresamente prohibidas tanto las discriminaciones directas por razón de nacionalidad (arts. 18 y 19 TFUE y 21.2° Carta de Derechos Fundamentales de la Unión Europea -CDFUE-)[3], como aquellos otros criterios diferenciadores que, no fundados en la nacionalidad (discriminación indirecta), impliquen una limitación a la libertad de circulación, de residencia y de prestación de servicios en el territorio de los Estados miembros [art. 20.2, inciso a) TFUE][4].

El principio de libre circulación constituye la piedra angular de la ciudadanía de la Unión creada por el Tratado de Maastricht de 1992[5] y ha tenido una amplia expresión en el Derecho derivado europeo y en la jurisprudencia del TJUE. Sin embargo, su reconocimiento y ejercicio por parte de los ciudadanos europeos no es en modo alguno ilimitado, al quedar sujeto a condicionamientos impuestos por los Tratados y demás medidas que afecten su aplicación (arts. 20.3 y 21.1 TFUE[67] y arts. 45 y 52.2 CDFUE)[8].

---

[2]   RUBIO CASTRO, ANA y MOYA ESCUDERO, MERCEDES, "Nacionalidad y ciudadanía: una relación a debate", *Anales de la Cátedra Francisco Suárez*, n° 37, 2003, pp. 105-153, pp. 148-153; CARRERA NÚÑEZ, SERGIO y MARRERO GONZÁLEZ, GUAYASEN, "La ciudadanía europea en venta. El programa de venta de la nacionalidad maltesa: ¿una brecha en el principio de cooperación leal en el ámbito de ciudadanía de la Unión?", *Revista de Derecho Comunitario Europeo*, n° 49, 2014, pp. 847-885, p. 849.

[3]   ÁLVAREZ RODRÍGUEZ, AURELIA, "Binacionalidad en el ordenamiento español y su repercusión en la Unión Europea", en DÍAZ FRAILE, JUAN M³ (Coord.), *Estudios de Derecho europeo privado*, Centro de Estudios Regístrales, Madrid, 1994, pp. 27-119, pp. 58 y 59.

[4]   MORENO CORDERO, GISELA, "La nacionalidad y el ejercicio de una profesión regulada en la Unión Europea", en MOYA ESCUDERO, MERCEDES (Dir.), *Movilidad internacional de personas y nacionalidad*, Tirant lo Blanch, Valencia, 2021, pp. 280-326, pp. 282 y 283.

[5]   PÉREZ VERA, ELISA, "Ciudadanía y nacionalidad de los Estados Miembros", *Revista de Derecho de la Unión Europea*, n° 27, 2014 y n° 28, 2015, pp. 215-230, pp. 215 y 216; *id.*, "La ciudadanía europea en el Tratado de Maastricht", en *Hacia un Nuevo orden internacional y europeo. Homenaje al Profesor Díez de Velasco*, Tecnos, Madrid, 1993, pp. 1123-1148.

[6]   CHUECA SANCHO, ANGEL G., "La libertad de circulación de trabajadores en el EEE", *Revista de Derecho Migratorio y Extranjería*, n³ 35, 2014, pp. 83-111; MARCHAL ESCALONA, NURIA, "El desplazamiento de trabajadores en el marco de una prestación transnacional de servicios: hacia un marco normativo europeo más seguro, justo y especializado", *Revista de Derecho Comunitario Europeo*, n° 62, 2019, pp. 81-116.

[7]   PÉREZ VERA, ELISA, "La Carta de derechos fundamentales de la Unión Europea. Los derechos humanos", en ZUGALDÍA ESPINAR, JOSÉ MIGUEL y ROCA ROCA, EDUARDO (Coords.), *Libro homenaje al Excmo. Sr. D. Luis Portero García*, Universidad de Granada, Granada, 2001, p. 843.

[8]   JUÁREZ PÉREZ, PILAR, "Dieciocho años de ciudadanía de la Unión: ¿Hacia una figura emancipada?", *Cuadernos de Derecho Transnacional*, vol. 2, n° 2, 2010, pp. 261; CARMONA LUQUE, MARÍA DEL ROSARIO, "El disfrute efectivo de la esencia de los derechos de Ciudadanía de la Unión", *Revista de Derecho Comunitario Europeo*, n° 38, 2011, pp. 185-202, p. 199.

Los límites a la libertad de circulación se han venido sustentando tradicionalmente en razones de orden público, seguridad y salud, correspondiendo a cada Estado miembro fijar cuáles son esos valores que amparan sus respectivos ordenamientos jurídicos que caben oponer a la libertad de circulación[9], si bien tales limitaciones estatales deben adecuarse a la finalidad protegida por Derecho de la UE[10], como así se ha hecho patente en un número considerable de sentencias sometidas al control del TJUE en ámbitos muy diversos[11].

El TJUE sostiene al respecto que las medidas nacionales no pueden obstaculizar o hacer menos atractivo el ejercicio de las libertades fundamentales garantizadas por el TFUE, debiendo cumplir en todo caso cuatro requisitos: a) que no sean discriminatorias; b) que estén justificadas por razones imperiosas de interés general; c) que sean adecuadas para garantizar la realización del objetivo que persiguen; y d) que no vayan más allá de lo necesario para alcanzar dicho objetivo[12].

Como no podía ser de otra manera, la facultad de ejercer una profesión regulada por cuenta propia o ajena, o, simplemente, la realización de una prestación temporal u ocasional de un servicio en un Estado miembro distinto de aquel en que se ha obtenido una determinada cualificación profesional, quedan igualmente cubiertas por el principio supraestatal de libertad de circulación. Así lo dispone el art. 53 del TFUE, cuando reconoce que el Parlamento Europeo y el Consejo adoptarán las directivas pertinentes para garantizar los certificados y otros títulos, además de la coordinación de las disposiciones legales, reglamentarias y administrativas de los Estados miembros necesarias para facilitar el acceso a actividades por cuenta propia y su ejercicio.

En el caso concreto del ejercicio permanente, temporal u ocasional de la profesión de abogado en el marco de la movilidad intraeuropea, quienes ostentan el estatuto de ciudadano europeo reciben una protección especial frente a nacionales de terceros Estados no protegidos por el derecho derivado de la UE. Tal protección viene contenida de tres directivas: Directiva la 77/249/CE, del

---

[9]   LLANO SÁNCHEZ, MÓNICA, "Libre circulación y exigencia de títulos y acreditaciones profesionales", en GARCÍA MURCIA, JOAQUÍN y GARCÍA TORRES, ALBA (Coords.), *Libertad de circulación y derechos de protección social en la Unión Europea. Un estudio de Jurisprudencia del Tribunal de Justicia*, Juruá Editorial, Lisboa, 2016, pp. 71-90.

[10]   MARTÍN MARTÍNEZ, MAGDALENA M., "Límites a la libre circulación de personas en la UE por razones de orden público, seguridad o salud pública en tiempos de crisis: una revaluación a la luz de la jurisprudencia del TJUE, *Revista de Derecho Comunitario Europeo*, n° 49, 2014, pp. 767-804, pp. 773-774.

[11]   Sobre el tratamiento de la discriminación fundada en la nacionalidad en la jurisprudencia del TJUE véase, SOTO MOYA, MERCEDES, "El derecho humano a la nacionalidad: perspectiva europea y latinoamericana", *Revista Iberoamericana de Filosofía, Política, Humanidades y Relaciones Internacionales*, n° 40, 2018, pp. 453-481, pp. 469-476.

[12]   Véase STJCE de 31 de marzo de 1993 (As. *Kraus*, C-19/92).

Consejo, de 22 de marzo de 1977, dirigida a facilitar el ejercicio efectivo de la libre prestación de servicios por los abogados[13] (Directiva 77/ 249/CEE); Directiva 98/5/CE del Parlamento Europeo y del Consejo, de 16 de febrero de 1998, destinada a facilitar el ejercicio permanente de la profesión de abogado en un Estado miembro distinto de aquel en el que se haya obtenido el título[14] (Directiva 98/5/CE); y la Directiva 2013/55/UE del Parlamento Europeo y del Consejo, de 20 de noviembre de 2013, que también modificó el Reglamento nº 1024/2012 relativo a la cooperación administrativa a través del Sistema de Información del Mercado Interior[15] (Directiva 2013/55/CE)[16].

El régimen privilegiado establecido en las mencionadas directivas europeas para el acceso a la profesión de abogado trae como consecuencia una distinción de trato a la hora de ejercer una esta profesión en España, ya que el régimen previsto para situaciones no cubiertas por las mencionadas directivas suele ser más restrictivo. No obstante, hay que tener presente que los ciudadanos europeos no siempre van a quedar cubiertos por el régimen más favorecedor que deriva de la trasposición de las Directivas al Derecho interno de cada Estado, ya que su aplicación no va a depender únicamente de su condición de ciudadano europeo, sino también de que el "título de abogado" lo haya alcanzado en un Estado miembro de la EU, del EEE o en Suiza, entre otras exigencias.

De esta suerte, el ejercicio de la profesión de abogado en España, sea este con carácter permanente, temporal u ocasional, se verá afectado por dos regímenes diferentes: a) el derivado de la trasposición de las directivas europeas; y b) el previsto para situaciones no cubiertas por éstas.

En el presente trabajo, fiel al objeto que nos delimita el título elegido, nos ceñiremos a abordar el tratamiento de esta cuestión solo en relación con el régimen de trasposición derivado de las directivas europeas, con exclusión del régimen previsto para el ejercicio de dicha profesión en situaciones no cubiertas por tales instrumentos.

Para la consecución de este objetivo hemos estructurado el presente trabajo en dos bloques. En el primer bloque abordaremos las posibilidades existentes para aquellos sujetos que, disponiendo de un título profesionalizante alcanzado en un Estado miembro de la UE, del EEE o en Suiza, pretendan ejercer con carácter permanente la abogacía en España. En el segundo, serán analizadas las exigencias establecidas para la prestación de un servicio temporal u ocasional como abogado en nuestro país, de quienes se encuentra ejerciendo con carácter

---

[13]   *DOCE* nº L 78, de 26 de marzo de 1977.
[14]   *DOCE* nº L 77, de 14 de marzo de 1998.
[15]   En vigor a partir del 17 de enero de 2014.
[16]   *DOUE* nº L 255, de 30 de septiembre de 2005.

permanente dicha actividad en un Estado miembro de la UE, del EEE o en Suiza. El estudio culminará con algunas conclusiones de interés.

II. DELIMITACIÓN DE REGÍMENES APLICABLES AL ESTABLECIMIENTO Y A LA PRESTACIÓN TEMPORAL U OCASIONAL DE UN SERVICIO DE LOS ABOGADOS EN ESPAÑA

El ejercicio permanente, temporal u ocasional de la profesión de abogado en nuestro país, derivado de la trasposición al ordenamiento español de las directivas europeas antes mencionadas, se encuentra regulado en la actualidad en distintos reales decretos, que son, en orden cronológico, los siguientes:

1°) Real Decreto 607/86 de 21 de marzo, de desarrollo de la Directiva del Consejo de las Comunidades Europeas de 22 de marzo de 1977, encaminada a facilitar el ejercicio efectivo de la libre prestación de servicios de los Abogados (RD 606/86)[17].

2°) Real Decreto 936/2001, de 3 de agosto, por el que se regula el ejercicio permanente en España de la profesión de abogado con un título profesional obtenido en otro Estado miembro de la Unión Europea o del EEE [18] (RD 936/2001)[19].

3°) Real Decreto 1837/2008, de 8 de noviembre de 8 de noviembre, por el que se incorporan al ordenamiento jurídico español la Directiva 2005/36/ CE, del Parlamento Europeo y del Consejo, de 7 de septiembre de 2005, y la Directiva 2006/100/CE, del Consejo, de 20 de noviembre de 2006, relativas al reconocimiento de cualificaciones profesionales, así como a determinados aspectos del ejercicio de la profesión de abogado[20] (RD 1837/2008)[21]. El RD 1837/2008 fue derogado por Real Decreto 581/2017, de 9 de junio, por el que se modifica la Directiva 2005/36/CE relativa al reconocimiento de cualificaciones profesionales y el Reglamento (UE)

---

[17]   *BOE* n° 78, de 1 de abril de 1986.
[18]   *BOE* n° 186, de 4 de agosto de 2001.
[19]   Es el encargado de incorporar la Directiva 98/5/CE (RD 936/2001), destinada a facilitar el ejercicio permanente de la profesión de abogado en un Estado miembro distinto de aquel en el que se haya obtenido el título profesional, *DOUE* n° L 77, de 14 de marzo de 1998.
[20]   *BOE* n° 280, de 20 de noviembre de 2008.
[21]   El RD 1837/2008, concretamente, modifica la Directiva 2006/100/CE, del Consejo, de 20 de noviembre de 2006, por la que se adaptan determinadas directivas en el ámbito de la libre circulación de personas, con motivo de la adhesión de Bulgaria y Rumanía (*DOUE* n° L 141, de 20 de diciembre de 2006) figurando entre las directivas adaptadas la Directiva 77/249/CEE, dirigida a facilitar el ejercicio efectivo de la libre prestación de servicios por los abogados (*DOCE* n° L 78, de 26 de marzo de 1977).

n.º 1024/2012 relativo a la cooperación administrativa a través del Sistema de Información del Mercado Interior[22] (RD 581/2017), pero sigue manteniendo provisionalmente vigencia, a efectos de la aplicabilidad del sistema de reconocimiento y de los anexos VIII y X, hasta tanto concluyan los trabajos de revisión a que se refiere el art. 81 (disposición derogatoria única, segundo párrafo, del RD 581/2017).

El elemento distintivo entre los distintos regímenes derivados de la trasposición de las directivas europeas al ordenamiento español radica en la intención del abogado en establecerse o en prestar un servicio temporal y ocasional en nuestro país. No encontramos, pues, con dos regímenes bien diferenciados: a) el previsto para el establecimiento, que su vez incorpora dos vías diferentes de acceso a la abogacía en España, y cuyo régimen quedará regido por el RD 936/2011 y por el RD 581/2017, según se trate; y b) el contemplado para la realización de una prestación temporal y ocasional de un servicio, que implica atender a las previsiones contenidas en el RD 606/86 y en el RD 581/2017.

III. EL DERECHO DE ESTABLECIMIENTO EN ESPAÑA DE ABOGADOS EJERCIENTES EN OTRO ESTADO MIEMBRO DE LA UE, DEL EEE O EN SUIZA

El ejercicio permanente de la abogacía en España puede tener lugar de dos maneras posibles: a) mediante el reconocimiento del título de abogado extranjero en España a través del régimen amparado en el RD 581/2007; y b) con un título profesional obtenido en otro Estado miembro de la UE, del EEE o en Suiza, régimen que quedará regido por lo dispuesto en el RD 936/2001. Ambas rutas de acceso no se superponen entre sí, de modo que los abogados que deseen ejercer esta profesión en nuestro país podrán elegir libremente cualquiera de ellas.

En ambos casos se parte del presupuesto de que un abogado cualificado en otro Estado miembro de la UE, del EEE o en Suiza no necesita comenzar de cero su formación profesional en España, pero sí deberá cumplir algunas exigencias establecidas por nuestro ordenamiento, exigencias que pueden variar en las distintas vías de acceso a esta concreta profesión[23].

---

22   *BOE* n° 138, de 10 de junio de 2017.
23   Véase *Guidelines for Bars & Law Societies On Free Movement of Lawyers within the European Union*, 2021, p. 34, disponible en https://www.ccbe.eu/fileadmin/speciality_distribution/public/documents/ EU_LAWYERS/EUL_Guides___recommendations/EN_EUL_20210521_FML-guide.pdf

1. El RD 571/2017

El RD 581/2017 es la norma encargada de regular en el ordenamiento interno español el ejercicio permanente de la profesión de abogado en los casos en que el interesado cuente con un título profesional de abogado en el Estado miembro de la UE, del EEE o en Suiza y pretenda que dicha cualificación profesional sea reconocida en nuestro país.

Los presupuestos para la activación del régimen establecido por el RD 581/2017 son tres: a) que la profesión cuyo ejercicio se pretenda se encuentre regulada en España[24]; b) que el reconocimiento venga reclamado por nacionales de Estados miembros de la UE, del EEE -Liechtenstein, Noruega e Islandia- o de Suiza[25], o por nacionales de terceros países que gocen de la igualdad de trato por mandato de otras directivas europeas[26]; y c) estar en posesión de un título profesional de abogado expedido por la autoridad competente de un Estado miembro de la UE, del EEE, o de Suiza que le habilite para el ejercicio de esta profesión en el país donde se haya alcanzado dicha cualificación (art. 2). En ningún caso serán reconocidas resoluciones de reconocimiento adoptadas por dichos Estados en aplicación de la normativa de trasposición de la Directiva 2005/36/CE[27].

Varias son las situaciones de reconocimiento excluidas del ámbito aplicación del RD 581/2017, a saber:

a) Las cualificaciones profesionales obtenidas en un tercer país por nacionales de un Estado miembro, del EEE -Liechtenstein, Noruega, Islandia- o de Suiza (art. 2.2);

---

[24]   La profesión de abogado, según dispone el Anexo VIII del Real Decreto 1837/2008, es una profesión regulada en España.

[25]   La Directiva 2005/36/CE se aplica con algunas adaptaciones sobre la base de un acuerdo internacional UE-Suiza. Las reglas básicas de reconocimiento son similares a las que se aplican entre países de la UE, pero se introducen algunas diferencias (p.e., el acuerdo limita la libertad de prestación de servicios a 90 días por año calendario).

[26]   En esta situación se encuentran los familiares de nacionales comunitarios con arreglo a la Directiva 2004/38/CE del Parlamento Europeo y del Consejo, de 29 de abril de 2004, relativa al derecho de los ciudadanos de la Unión y de los miembros de sus familias a circular y residir libremente en el territorio de los Estados miembros (*DOUE* nº L 158, de 30 de abril de 2004)), siempre que el nacional comunitario ejercite el derecho de libre circulación o cuando el familiar nacional de un tercer Estado pretenda reunirse con él. Mediante esta Directiva se equiparán los derechos de nacionales de terceros Estados a los de un ciudadano comunitario. MORENO CORDERO, GISELA, "La nacionalidad y el ejercicio de una profesión regulada en la Unión Europea", *op. cit.*, pp. 291-328.

[27]   Esto significa que las cualificaciones profesionales ya reconocidas en otro Estado miembro, en un Estado del EEE -Liechtenstein, Noruega, Islandia- o en Suiza no puedan hacerse valer en España para obtener derechos diferentes de los que otorga la cualificación profesional en el Estado miembro en que fue alcanzada, salvo que el interesado acredite haber logrado otra cualificación distinta en el Estado donde tuvo lugar el reconocimiento (Considerando 12 Directiva 2005/36/CE).

b) Las cualificaciones profesionales obtenidas en un tercer país por nacionales de terceros Estados que no se encuentren protegidos por la igualdad de
trato reconocida a estos nacionales en otras Directivas europeas; y

c) Cuando la profesión que se pretenda ejercer en otro Estado miembro de la
UE, del EEE, o en Suiza no se encuentre regulada en España.

Las dos primeras situaciones van a quedar regidas por el régimen previsto
para situaciones excluidas del ámbito de aplicación del RD 851/2017, pero solo
para el primer reconocimiento, ya que, tras haber alcanzado este primer reconocimiento, se 'comunitariza' el efecto profesional de la titulación o formación
obtenida en un tercer país y podrá ser reconocida en otro Estado miembro de la
UE, del EEE, o en Suiza si se acredita una experiencia profesional de al menos 3
años en el Estado en que tuvo lugar el primer reconocimiento. Quiere esto decir
que, para que una la cualificación obtenida en un tercer Estado por nacionales
de un Estado miembro de la UE, del EEE, por suizos o por nacionales de terceros Estados protegidos por la igualdad de trato pueda reconocida en otro Estado
miembro distinto, tal cualificación tendrá que ser previamente reconocida en el
Estado requerido en aplicación de su normativa interna (primer reconocimiento), y, una vez reconocida en este último, es que entran en juego las disposiciones contenidas en el RD 851/2017 (segundo reconocimiento). Tal es el caso,
por ejemplo, de un nacional alemán que cuenta con una cualificación jurídica
obtenida en Argentina que ha sido reconocida en Alemania. La cualificación
profesional reconocida en Alemania podría reconocerse en cualquier otro Estado miembro de la UE, del EEE o en Suiza si el abogado alemán cuenta con una
experiencia profesional en Alemania de, al menos, 3 años.

En cuanto a la tercera situación, el reconocimiento de una cualificación profesional obtenida en un Estado miembro por nacionales de terceros Estados, será
igualmente aplicable un régimen diferente, pensado para situaciones no cubiertas por el RD 851/2017, salvo que se trate de sujetos amparados por la igualdad
de trato en aplicación de otras directivas. Aunque los nacionales de terceros quedan excluidos del ámbito subjetivo de la Directiva y, consecuentemente, del RD
581/2017, sin embargo, las disposiciones de uno y otro instrumento normativo
extienden asimismo su aplicación a aquellos sujetos que se benefician de la igualdad de trato reconocida en otras directivas específicas, donde se equiparán sus
derechos a los de un ciudadano comunitario[28]. En esta situación se encuentran
los familiares de nacionales comunitarios con arreglo a la Directiva 2004/38/CE

---

[28]   Sobre la igualdad de trato dispensada por el Derecho europeo a nacionales de terceros Estados
véase, aunque desde otra perspectiva, RUIZ SUTIL, CARMEN, "La movilidad intra-europea de las
mujeres extranjeras irregulares víctimas de la violencia intrafamiliar: carencia de igualdad de género en la normativa de la Unión Europea", *La Ley Unión Europea*, n° 83, julio 2020, pp. 1-29, pp. 5-7.

del Parlamento Europeo y del Consejo, de 29 de abril de 2004, relativa al derecho de los ciudadanos de la Unión y de los miembros de sus familias a circular y residir libremente en el territorio de los Estados miembros (Directiva 2004/38/CE)[29], siempre que el nacional comunitario ejercite el derecho de libre circulación o cuando el familiar nacional de un tercer Estado pretenda reunirse con él. Igual trato es dispensado en otras directivas a los residentes de larga duración[30] (titulares de la tarjeta azul UE); a beneficiarios de protección internacional[31]; a trabajadores objeto de traslados intra empresariales[32]; a profesionales altamente cualificados[33]; a quienes acceden a estudios y prácticas e investigadores[34]; y a los beneficiarios de un único procedimiento de solicitud conducente a la expedición de un título combinado de permiso de residencia y de trabajo en un único acto administrativo[35].

---

[29] *DOUE* n° L 158, de 30 de abril de 2004.

[30] Considerandos 18 y 19 de la Directiva 2003/109/CE del Consejo, de 25 de noviembre de 2003, relativa al estatuto de los nacionales de terceros países residentes de larga duración (*DOUE* n° L 16, de 23 de enero de 2004).

[31] Considerando 32 de la Directiva 2004/83/CE, de 29 de abril de 2004, por la que se establecen normas mínimas relativas a los requisitos para el reconocimiento y el estatuto de nacionales de terceros países o apátridas como refugiados o personas que necesitan otro tipo de protección internacional y al contenido de la protección concedida (*DOUE* n° L 304, de 30 de septiembre de 2004) y la Directiva 2011/51/UE, de 11 de mayo de 2011, que modifica la Directiva 2003/109/CE del Consejo con la finalidad de hacer extensivo el reconocimiento de la condición de residente de larga duración a las personas beneficiarias de protección internacional (*DOUE* n° L 132, de 19 de mayo de 2011).

[32] Considerando 22 de la Directiva 2014/66/UE del Parlamento Europeo y del Consejo de 15 de mayo de 2014, relativa a las condiciones de entrada y residencia de nacionales de terceros países en el marco de traslados intra empresariales (*DOUE* n° L 157, de 27 de mayo de 2014).

[33] Considerando 19 de la Directiva 2009/50 CE del Consejo, de 25 de mayo de 2009, relativa a las condiciones de entrada y residencia de nacionales de terceros países para fines de empleo altamente cualificado (*DOUE* n° L 155, de 18 de junio de 2009). El art. 18 de esta Directiva contempla la posibilidad de realizar una actividad en un segundo Estado miembro.

[34] Tanto la Directiva 2004/114/CE, sobre acceso de nacionales de terceros países a efecto de estudios y prácticas (*DOUE* n° L 375, de 3 de diciembre de 2004) como la Directiva 2005/71/CE sobre investigadores (*DOUE* n° L 289/15, de 3 de noviembre de 2005), han sido recientemente sustituidas por el Texto Refundido de la Directiva (UE) 2016/801, de 11 de mayo de 2016, relativa a los requisitos de entrada y residencia de los nacionales de países terceros con fines de investigación, estudios, practicas, voluntariado, programas de intercambio de alumnos o proyectos educativos y colocación *au pair* (*DOUE* n° L 132, de 21 de mayo de 2016), que tiene por objeto facilitar la movilidad de investigadores y estudiantes dentro de la Unión.

[35] Considerando 23 de la Directiva 2011/98/UE del Parlamento Europeo y del Consejo, de 13 de diciembre de 2011, por la que se establece un procedimiento único de solicitud de un permiso único que autoriza a los nacionales de terceros países a residir y trabajar en el territorio de un Estado miembro y por la que se establece un conjunto común de derechos para los trabajadores de terceros países que residen legalmente en un Estado miembro (*DOUE* n° L 343, de 23 de diciembre de 2011).

A. Procedimiento establecido por el RD 581/2017 para el reconocimiento en España de la profesión de abogado

Fiel a la Directiva 2006/36/CE, el RD 581/2017 habilita tres regímenes de reconocimiento, de los cuales los dos primeros implican el reconocimiento automático de la cualificación, sin que sea necesario llevar a cabo control alguno de las condiciones por parte de la autoridad española competente.

Sin embargo, la profesión de abogado queda sujeta al régimen general de reconocimiento de títulos de formación, régimen que será de aplicación subsidiaria a las profesiones excluidas de las normas de reconocimiento específicas no cubiertas por los capítulos II, III y IV del título III[36], así como para aquellos supuestos previstos en el siguiente apartado, en los que la persona solicitante no reúna, por razones particulares y excepcionales, las condiciones exigidas en los citados capítulos[37].

---

[36]   Este régimen prevé cinco niveles de cualificaciones profesionales: 1º) un certificado de competencias expedido por una autoridad competente del Estado miembro de origen que acredite: una formación que no forma parte de un certificado o título, bien de un examen específico sin formación previa, o el ejercicio a tiempo completo de la profesión en un Estado miembro durante tres años consecutivos o durante un período equivalente a tiempo parcial en el transcurso de los diez últimos años; o una formación general de los niveles de enseñanza de primaria o de secundaria que acredite que su titular posee conocimientos generales, o un examen específico sin formación previa, o a una experiencia profesional de tres años [art. 11, inciso a)]; 2º) un certificado que sanciona un ciclo de estudios secundarios de carácter general o técnico o profesional, completado con un ciclo de estudios o de formación profesional; y/o con el período de prácticas o la práctica profesional exigidos, además, en dicho ciclo de estudios [art. 11, inciso b)]; 3º). un título acreditativo de una formación de nivel de enseñanza postsecundaria de una duración mínima de un año, o de una duración equivalente a tiempo parcial, o una formación de nivel profesional comparable en términos de responsabilidades y funciones, en caso de una profesión regulada de estructura particular [art. 11, inciso c)]; 4º) un título acreditativo de una formación de nivel de enseñanza postsecundaria (superior o universitaria) de una duración mínima de tres años e inferior a cuatro años o de una duración equivalente a tiempo parcial, dispensada en una universidad o un centro de enseñanza superior o en otro centro del mismo nivel de formación, así como la formación profesional exigida en su caso, además del ciclo de estudios postsecundarios [art. 11, inciso d)], y 5º) un título acreditativo de una formación de nivel de enseñanza postsecundaria (superior o universitaria), de una duración mínima de cuatro años o de una duración equivalente a tiempo parcial, en una universidad o centro de enseñanza superior o en otra institución de nivel equivalente [art. 11, inciso e)].

[37]   En concreto, "A los profesionales que pretendan establecerse al amparo de alguna de las actividades previstas en el anexo II, cuando no cumplan los requisitos de una práctica profesional y efectiva en los términos establecidos en los artículos 26, 27 y 28. b) Sin perjuicio de lo dispuesto en el capítulo III del presente Título, a los médicos con formación básica, médicos especialistas, enfermeras responsables de cuidados generales, odontólogos, veterinarios, matronas, farmacéuticos y arquitectos, cuando no cumplan con el requisito de haber desarrollado una práctica profesional efectiva y válida, en los términos a que se refieren los artículos 30, 32, 33, 34, 38, 43 a 45, 48, 49, 51, 55 a 58, y 65. c) A los arquitectos, cuando posean un título de formación que no figure recogido en el punto 5.7 del anexo III. d) No obstante lo dispuesto en el artículo 29.1 y en los artículos 30 a 34 y 38, a los médicos, enfermeras o farmacéuticos que posean títulos de formación como especialista y que deberán haber seguido una formación para obtener uno de los títulos enumerados en los

El reconocimiento que tiene lugar a través del régimen general no contempla la posibilidad de un reconocimiento automático, lo que implicará, en todo caso, que nuestras autoridades lleven a cabo un control del título profesional de abogado cuyo reconocimiento se pretenda en nuestro país.

B. Cuestiones susceptibles control

Lo primero que deberá comprobar la autoridad requerida en solicitudes de reconocimiento de cualificaciones profesionales incluidas en el régimen general es si el solicitante cuenta con un título profesionalizante[38]. Y, si cuenta con dicha titulación, comprobará, en segundo lugar, si la formación o titulación acreditada por el interesado se encuentra regulada en nuestro país[39]. Si la profesión se encuentra regulada en España, pero no en el Estado donde esta se ha alcanzado, se requerirá al interesado para que acredite haber ejercido la profesión en cuestión en el Estado miembro que expidió la titulación durante al menos dos años en los diez últimos años, y si esta cualificación se hubiera obtenido en un tercer país, este término se extenderá a 3 años de ejercicio en el país donde haya tenido lugar el primer reconocimiento (aplicable a un segundo reconocimiento)[40]. Pero si la profesión que se pretende ejercer en un Estado miembro no se encuentra

---

puntos 5.1.1, 5.2.2 y 5.6.2 del anexo III, a los solos efectos de reconocimiento de la especialidad correspondiente. e) A las enfermeras especialistas sin formación en materia de cuidados generales. f) A los profesionales que cumplan los requisitos establecidos en la letra b) del artículo 4.13".

[38]   Véase la STSJ de Madrid de 11 de diciembre de 2018 (Sala de lo Contencioso-Administrativo), cuando afirma que, "conforme lo establecido en el art. 5.2 de la Orden PRE/42/2013, sobre acceso a las profesiones de Abogado y Procurador de los Tribunales, es necesario estar en posesión del título oficial de abogado, o su equivalente como profesión regulada en un Estado miembro de la Unión Europea o del Espacio Económico Europeo, para acceder en España a la prueba de aptitud para el ejercicio de dicha profesión regulada a que se refieren los arts. 22.3 y 23 del RD 1837/2008, como requisito necesario para el reconocimiento de la cualificación profesional para el ejercicio de la profesión regulada de Abogado en España. De lo anterior se colige que la titulación del solicitante es un requisito necesario en el País de origen, en cuanto que solo quien ya estuviera habilitado en su País como tal, podrá serle reconocido el ejercicio de la profesión en España, tras la superación de la mencionada prueba. En el presente caso el solicitante no ha acreditado tener dicha habilitación profesional en los Países Bajos". En igual sentido se pronuncia la STSJ de Madrid (Sala de lo Contencioso-Administrativo), de 31 de marzo de 2015 al denegar la solicitud presentada por no disponer la solicitante de una experiencia previa acreditada mediante el título de profesional de abogado para clasificar en el régimen previsto en el RD 1837/2008. El Tribunal insiste en que esta posibilidad solo se le otorga a quienes hayan obtenido en su país de origen el "título profesional" no el "título académico", y lo cierto era que la recurrente disponía del título académico italiano de licenciada en Derecho, pero no del título profesional, que en dicho país se denomina "Avvocato".

[39]   El listado de profesiones reguladas puede variar de un país a otro y, en determinados países como Irlanda y Reino Unido, se incluyen profesiones cuya regulación se lleva a cabo por ciertas asociaciones u organizaciones.

[40]   Para que la experiencia profesional pueda sustentarse en las disposiciones del RD 581/2017, esta deberá acreditarse mediante un certificado expedido por el país donde la cualificación haya sido reconocida en primer lugar según su normativa interna.

regulada en España, el interesado podrá ejercer la profesión en nuestro país en las mismas condiciones que este reclama para sus nacionales, incluso si la profesión invocada se encontrara regulada en el Estado donde el solicitante ha alcanzado la titulación o formación.

En el caso de la profesión de abogado, se da la circunstancia de que es esta una profesión que se encuentra regulada en la mayoría de los Estados en los que resulta de aplicación la Directiva 2006/36/CE, lo que significa que, para que tenga lugar el reconocimiento del título profesional de abogado extranjero en España, será preceptivo que el reconocimiento tenga lugar a través de un procedimiento ante la autoridad competente, autoridad que será la encargada de controlar las condiciones que dicho título debe superar.

La segunda cuestión a la que la autoridad española requerida se deberá enfrentar es la de precisar a cuál de los niveles de cualificación previstos en el art. 19 del RD 581/2017 corresponde la cualificación cuyo reconocimiento se insta[41]. Con esta identificación se pretende determinar si la formación o titulación alcanzada en el extranjero es equiparable a la exigida en España, y si de este ejercicio resultara que dicha formación clasifica en el mismo nivel que el exigido aquí o en un nivel inmediatamente inferior, se procederá, sin más, a su reconocimiento (art. 19.5)[42]. Pero si, como resultado de esta contrastación, la autoridad competente detecta diferencias sustanciales entre la formación alcanzada en otro Estado miembro de la UE, del EEE, o en Suiza y la exigida en nuestro país[43], el reconocimiento de la cualificación profesional podrá entonces sujetarse a una medida compensatoria[44].

---

[41]   Para comprobar los niveles de cualificación en los distintos Estados miembros consúltese: http://ec.europa.eu/internal_market/qualifications/regprof/index.cfm?newlang=en

[42]   Con carácter excepcional se puede admitir una diferencia de hasta tres niveles, si la cualificación profesional exigida en el Estado requerido corresponde al nivel e) y siempre el solicitante avale una formación de cuatro años. *Vid.* Guía práctica sobre la aplicación de la Directiva, p. 35.

[43]   El art. 22 del RD 581/2017 entiende que las materias son sustancialmente distintas: a) cuando la formación, acreditada por el título de formación presentado corresponda a materias sustancialmente distintas de las cubiertas por el título de formación exigido en España; o b) cuando la profesión regulada en España abarque una o varias actividades profesionales reguladas que no existan en la profesión correspondiente en el Estado miembro de origen del solicitante, y tal diferencia esté caracterizada por una formación específica exigida en España que se extienda a materias sustancialmente distintas de las cubiertas por el certificado que acredite una competencia o el título de formación del solicitante.

[44]   Sobre la exigencia de medidas compensatorias el TJUE estableció algunas precisiones de interés en la sentencia de 6 octubre 2015 (*As.* C-298/14, *Brouillard*). En este asunto un tribunal belga planteó, entre otras, la siguiente cuestión prejudicial: si supeditar la participación del interesado en una oposición para la selección de letrados de la *Cour de cassation* belga a la posesión de distintas titulaciones (título de doctor o de licenciado en Derecho otorgado por una universidad belga o al reconocimiento por la *Communauté française de Belgique* de la equivalencia académica del máster otorgado al recurrente por la universidad francesa de Poitiers con el grado de doctor, de licenciado o de máster en Derecho concedido por una universidad belga), contravenía las libertades reconoci-

Las medidas compensatorias susceptibles de ser exigidas por la autoridad competente española podrán consistir, bien en una prueba de aptitud[45], o bien en la realización de un período de prácticas de adaptación de no más de tres años (art. 22). El interesado podrá elegir entre una u otra medida compensatoria (art. 22.2), salvo que afecte a algunas de las excepciones previstas en el art. 22.3[46]. En España, dichas profesiones son las relacionadas en el anexo VI[47], y una de ellas es precisamente la de abogado. Por este motivo–a diferencia de lo que sucede con el resto de profesiones no incluidas en el Anexo VI-, el interesado no podrá optar entre la realización de una prueba de aptitud o un período de práctica para compensar este déficit (art. 22, apartados 1 y 2)[48], cuando dicha profesión comprenda una o varias actividades profesionales reguladas que no existan en la profesión correspondiente en el Estado miembro de origen, y tal diferencia esté caracterizada por una formación específica exigida en España relativa a materias

---

das en los arts. 45 y 49 del TFUE y la Directiva 2005/36/CE. El Alto Tribunal contestó reconociendo que el acceso de nacionales de otros Estados miembros y de los propios nacionales a determinadas funciones no puede supeditarse a la posesión de los títulos exigidos por la legislación de dicho Estado miembro o al reconocimiento de la equivalencia académica de un título de máster expedido por una universidad de otro Estado miembro, sin antes tomar en consideración todos los diplomas, certificados y otros títulos del interesado, así como la experiencia acreditada. El TJUE insiste en que este examen no implica la búsqueda de una identidad absoluta entre titulaciones o la experiencia adquirida en el extranjero y las locales, sino en una equivalencia que permita considerar únicamente el grado de conocimiento y la cualificación que de la titulación extranjera cabe inferir, teniendo en cuenta la naturaleza y duración de los estudios y la formación práctica acreditada. Y si tal correspondencia se demuestra, la autoridad estará obligada a reconocer que el interesado está en condiciones de ejercer la profesión de que se trate en dicho territorio. Las medidas compensatorias solo podrán ser exigidas si esta correspondencia es parcial, a fin de paliar las exigencias que para tal ejercicio el Estado requerido exige a sus nacionales en igualdad de condiciones, y siempre que antes haya comprobado que los conocimientos adquiridos en un ciclo de estudios o por la experiencia práctica demostrada, no pueden servir para compensar el déficit detectado.

[45]   La prueba de aptitud -que puede ser una prueba de aptitud teórica o práctica- debe referirse a aquellas materias concretas que resulten esenciales para que el solicitante compense las diferencias advertidas para su futuro ejercicio de la profesión en las condiciones exigidas en el EM de acogida. En consecuencia, la autoridad que resuelve deberá hacer describir en la resolución que adopte qué materias está obligado a superar el interesado. Y si el interesado no superara en un primer intento dicha prueba, éste podrá presentarse a una nueva convocatoria, que dependerá de los cronogramas establecidos en cada EM.

[46]   La realización de las pruebas de aptitud se desarrollará de conformidad con los criterios generales establecidos por la autoridad competente (art. 23). Por su parte, el período de prácticas tendrá lugar conforme a un programa cuyas modalidades, duración y criterios de evaluación serán igualmente determinados por dicha autoridad (art. 24).

[47]   Se refiere a profesiones con condiciones de formación armonizadas que no pueden ser reconocidas automáticamente -excepto enfermeros especializados-, así como las recogidas en el anexo IV (artesanales, comerciales e industriales mencionadas de la Directiva que no disfruten de reconocimiento automático y cuyos titulares deseen establecerse como trabajadores independientes o gerentes de empresa, cuando su actividad profesional implique el conocimiento y la aplicación de la normativa nacional específica vigente y las profesiones jurídicas).

[48]   Todos los Estados miembros, excepto Dinamarca, suelen exigir la prueba de aptitud.

sustancialmente distintas de las cubiertas por el certificado de competencia o el título de formación que alegue la parte solicitante. Por tanto, corresponderá a la autoridad española competente prescribir, bien un período de prácticas o bien una prueba de aptitud. A esta primera precisión hay que añadir que, el último párrafo del propio art. 22.3 impone que, "cuando se pretenda ejercer las profesiones de Abogado y Procurador, la persona solicitante deberá superar "en todo caso" una prueba previa de aptitud"[49].

Los criterios generales para la realización de la prueba de aptitud en el caso de la profesión de abogado han sido desarrollados por la Orden PRE/421/2013, de 15 de marzo[50], Orden que, coherente con las exigencias previstas en el art. 22.3 del RD 581/2017, exige que sea acreditado un conocimiento preciso del derecho positivo español.

Para la realización de la prueba de aptitud, el interesado deberá presentar una solicitud dirigida a la Dirección General de Relaciones con la Administración de Justicia dentro del plazo de 20 días naturales, contados a partir del día siguiente de la publicación en el BOE de la convocatoria anual[51], y solo podrá participar en dicha prueba si es admitido mediante resolución (art. 7, párrafo segundo).

La prueba consistirá en la resolución de un caso práctico, a elección del participante, que versará sobre las materias propias del ordenamiento jurídico español no cubiertas por el título de abogado extranjero (art. 9 y anexos III y IV de la Orden PRE/421/2013). Si la prueba es superada (apto) el interesado deberá acreditar al Ministerio de Justicia la nacionalidad que ostenta y el título oficial de abogado o su equivalente obtenido en un Estado miembro de la UE, del EEE o en Suiza[52] (art. 5), y tras quedar acreditados estos extremos, el Ministerio de Justicia expedirá un certificado de reconocimiento.

---

[49]   "El principio en que se inspira Directiva sobre cualificaciones profesionales es el del reconocimiento de las cualificaciones que ya posee el abogado solicitante en otro Estado. Por lo tanto, no es necesario que el abogado solicitante comience de nuevo los estudios de derecho, sino más bien llenar los vacíos de diferencia entre el conocimiento legal ya adquirido a través de la posesión del título de propiedad y el conocimiento requerido para la adquisición del nuevo título. debe cubrir solo aquellos temas que son esenciales para ejercer como abogado en el país de acogida. Para permitir la realización de esta prueba, las autoridades competentes elaborarán una lista de materias que, sobre la base de una comparación de la educación y formación requerida en el Estado miembro de acogida y la recibida por el solicitante, no están cubiertas por el título u otra prueba de cualificación formal que posea el solicitante". Véase *Guidelines for Bars & Law Societies On Free Movement of Lawyers...*, cit., pp. 35 y 36.

[50]   *BOE* nº 66, de 18 de marzo de 2013.

[51]   De conformidad con lo establecido en la Resolución de 4 de junio de 2009, de la Dirección General de Relaciones con la Administración de Justicia (*BOE* nº 216, de 9 de septiembre de 2013).

[52]   Véase al respecto la STS (Sala de lo Contencioso-Administrativo, Sección 3ª), de 11 de diciembre de 2018, por la que se deniega el reconocimiento profesional solicitado por el interesado puesto que el título aportado por el solicitante solo constituía una vía de acceso a la abogacía en los Países Bajos, pero no le habilitaba para su ejercicio en este país. La traducción del documento original en

La no superación de la prueba (no apto) no impedirá que el solicitante se presente a posteriores convocatorias (art. 9), así como tampoco la posibilidad de interponer recurso potestativo de reposición o recurso contencioso-administrativo ante Sala de lo Contencioso de la Audiencia Nacional o ante el TSJ de la Comunidad Autónoma correspondiente, según corresponda.

C. Efectos del reconocimiento del título profesional extranjero de abogado en España

El reconocimiento de las cualificaciones profesionales alcanzadas por nacionales de un Estado miembro de la UE, del EEE o de Suiza, en otro de estos Estados (o, en su caso, por nacionales de terceros Estados beneficiados por el principio la igualdad), entre las que se encuentran la profesión de abogado, permitirá al beneficiario acceder en España a la misma profesión que aquélla para la que está cualificado en el Estado miembro de origen, en igualdad de condiciones que sus nacionales (art. 3 RD 581/2017). Pero solo se entenderá que la profesión que se propone ejercer el solicitante en España es la misma que aquella para la que está cualificada en su Estado miembro de origen, cuando las actividades profesionales cubiertas por el título de abogado extranjero sean similares a las exigidas por su homólogo español (art. 3.2). Por tanto, los que accedan a la profesión de abogado en España a través de esta vía podrán realizar cualquier actividad profesional -por cuenta propia o por cuenta ajena- permitida por la normativa aplicable a los abogados ejercientes con este título en España.

Por lo demás, conviene saber que nos encontramos ante la vía más recomendada, entre todas las posibles, ya que reduce significativamente el tiempo de acceso del interesado al ejercicio pleno de esta profesión y su posterior colegiación en nuestro país[53].

---

neerlandés puso de relieve que dicho título daba acceso a lo que allí se denomina *"advocatuur"*, no al *"advocaat"*, que es, en definitiva, la actividad profesional que, según lo establecido en el Anexo I de la Orden, resulta equivalente a la titulación de abogado en nuestro país.

[53]   MORENO CORDERO, GISELA, "Las políticas de emprendimiento y empleabilidad en la Unión Europea frente al reconocimiento de cualificaciones profesionales", en ORTEGA PÉREZ, NIEVES y RODRÍGUEZ-RICO ROLDÁN, VICTORIA (Eds.) y DEL ARCO BLANCO, MIGUEL ÁNGEL (Dir.), *Emprendimiento y cultura de transferencia en la Universidad: una visión teórica y práctica en Ciencias Sociales*, Comares, Granada, 2021, pp. 32-52; *id.*, "El acceso a la abogacía en España de nacionales españoles retornados", en FERNÁNDEZ AVILÉS, JOSÉ ANTONIO y GARCÍA VALVERDE, MARÍA DOLORES (Dirs.), *Instrumentación normativa de la política de retorno de emigrantes españoles y la atracción de talento global*, Thomson-Reuters/Aranzadi, Cizur Menor, 2021, pp.1-21; *id.*, "Regímenes aplicables al ejercicio de la profesión de abogado en España: disociación del efecto profesional y académico", *Revista Española de Derecho Internacional*, vol. 73, nº 2, 2021, pp. 435-443.

2. El RD 936/2001

Fuera de los supuestos previstos en el RD 581/2007, nuestro ordenamiento arbitra otra posibilidad para el ejercicio de la abogacía en España. La nota distintiva del régimen previsto en el RD 936/2001 y el previsto en el RD 581/2017 reside en que el ejercicio de esta profesión en territorio español no precisa el reconocimiento del título extranjero de abogado, puesto que por esta vía se autoriza a que el interesado ejerza con el título de abogado obtenido en otro Estado miembro de la UE, del EEE o en Suiza. El acceso a esta vía no impedirá, según vimos, que los interesados soliciten en cualquier momento el reconocimiento de su título profesional de abogado en España, amparándose en el sistema establecido por el RD 518/2017.

Bajo este régimen, el acceso a la profesión de abogado tiene lugar en dos fases: inscripción (primera fase) e incorporación (segunda fase). La principal diferencia que existe entre ambas fases es que el alcance del ejercicio de la profesión de abogado no es el mismo.

El acceso mediante la inscripción (primera fase), se inicia mediante solicitud dirigida al Colegio de abogados correspondiente al ámbito territorial en que se encuentre el domicilio profesional del solicitante (art. 5, apartado 2), y será la Junta de Gobierno de dicho Colegio la encargada de resolver motivadamente sobre la solicitud inscripción en un plazo máximo de 2 meses, considerándose admitida la solicitud si no responde dentro de este término (art. 7).

La inscripción implica la inclusión del solicitante en una lista denominada "abogados europeos inscritos"[54], la asignación de su correspondiente número afiliación y su asimilación a las actividades y reglas profesionales y deontológicas que rigen para los abogados ejercientes con el título de abogado español (art. 9). Pero, a diferencia del supuesto que más adelante veremos, éste estará obligado a ejercer con expresa mención de su título de origen (art.10) y su ejercicio quedará sometido a ciertas restricciones. Así, el abogado inscrito podrá prestar asesoramiento jurídico en materia de Derecho de su Estado miembro de origen, de la UE y de Derecho internacional y español; en cambio, precisará de una actuación concertada con un abogado colegiado en España para actividades que impliquen la defensa del cliente ante juzgados o tribunales u organismos públicos con funciones jurisdiccionales, para la asistencia, comunicación y visitas a detenidos y presos en que sea preceptiva la intervención de un abogado, así como

---

[54]   El Colegio requerido deberá habilitar un registro independiente para estos profesionales, debiendo poner en conocimiento de estos extremos al Consejo General de la Abogacía y al Ministerio de Justicia en el plazo máximo de 15 días desde la inscripción, que a su vez informará a la autoridad competente del Estado miembro de origen del interesado en los 15 días siguientes.

en aquellos casos en que, no siendo preceptiva tal intervención, la normativa española la exija si el interesado no desea intervenir por sí mismo.

En toda intervención concertada, el abogado colegiado y el abogado europeo inscrito asumen solidariamente las responsabilidades civiles y deontológicas derivadas de su actuación, pero este último no podrá incorporarse a las listas del turno de oficio de los colegios, ni ejercer actividades que en España que se encuentren reservadas a otras profesiones, aunque esté autorizado a realizarlas en su país de origen (art. 11).

Por su parte, la incorporación plena al ejercicio de la abogacía del abogado inscrito (segunda fase), tiene lugar siempre que acredite al Colegio donde reza su inscripción un ejercicio efectivo y regular en España durante 3 años como mínimo (art 17). La solicitud de incorporación debe venir acompañada de toda la documentación e información relativa al número y naturaleza de los asuntos que el solicitante haya tratado durante ese tiempo (art. 18). Valorada la solicitud, el Colegio dictará la resolución que corresponda en el plazo de 3 meses desde su presentación, previo informe del Consejo General de la Abogacía (CGAE).

La resolución en cuestión podrá decretar: a) la denegación de la colegiación, por no haberse acreditado un ejercicio efectivo y regular en España durante al menos tres años o por motivos de orden público relacionados con procedimientos disciplinarios, quejas o incidentes de cualquier tipo; b) la integración del solicitante en la abogacía española; o c) que el solicitante se someta a una entrevista, de considerar que ha quedado acreditada una actividad efectiva y regular de una duración mínima de 3 años, pero de inferior duración en materias relativas al Derecho español.

La entrevista tiene la finalidad de verificar si la actividad ejercida por el solicitante es efectiva y regular en base a la información y documentación aportada de los asuntos tratados, sus conocimientos y experiencia profesional en derecho español, así como su participación en cursos o seminarios que involucren el derecho interno, incluidas las normas reguladoras de la profesión y deontológicas. De su resultado dependerá la autorización de integración en la profesión o su denegación (art. 19).

Si la resolución dictada autoriza la integración en la profesión, ésta se hará efectiva una vez formalizada la colegiación. De esta forma el solicitante alcanza la plena equiparación con los abogados ejercientes con el título español a todos los efectos, teniendo derecho a utilizar el título profesional de abogado de origen sin ninguna limitación y sin estar obligado a hacer mención de este extremo (art. 20.2)[55]. En caso de denegación, el solicitante podrá continuar ejerciendo bajo la

---

[55]   En el plazo máximo de 15 días desde la resolución, el Colegio de abogados procederá a la comunicación de la misma al Estado de origen del interesado, al CGAE y al Ministerio de Justicia (art.

modalidad de "abogado inscrito" en los términos antes referidos, sin perjuicio de poder activar paralelamente el reconocimiento en España de ese título profesional al amparo del RD 581/2017. Contra dicha resolución cabe interponer los recursos colegiales (ante el Consejo de Colegios de la Comunidad Autónoma correspondiente o, en su defecto, ante el CGAE) y jurisdiccionales establecidos con carácter general para este tipo de trámites (art. 19.2)[56].

IV. LA PRESTACIÓN TEMPORAL U OCASIONAL DE UN SERVICIO POR ABOGADOS ESTABLECIDOS EN OTRO ESTADO MIEMBRO DE LA UE, DEL EEE O EN SUIZA

La prestación de un servicio temporal u ocasional de la profesión de abogado se encuentra regulada en dos cuerpos normativos: el RD 607/1989 y el RD 581/2017.

El RD 607/1989 contiene normas especialmente diseñadas para regular la prestación de un servicio temporal u ocasional de abogados y procurades. Los requisitos que esta norma prevé para la realización de este tipo de prestaciones son: a) que los interesados sean nacionales de un Estados miembro de la UE o del EEE; y b) que se encuentren establecidos con carácter permanente en dicho Estado o en cualquier otro Estado miembro.

Cumplidas estas dos condiciones previas, el abogado visitante–término asignado a estos profesionales por el art. 5 del RD 607/1989-, podrá desarrollar libremente sus actividades profesionales en España en régimen de prestación ocasional de servicios, pero no estará habilitado para abrir un despacho en nuestro país, ya que su apertura significaría el ejercicio del derecho de establecimiento (art. 1), y, por consiguiente, la sujeción a otro régimen diferente, en concreto al previsto en el RD 581/2017 o al establecido en el RD 936/2001, según se trate.

Las actividades que, con carácter temporal y ocasional, puede desarrollar en España un abogado establecido en otro Estado miembro de la UE, del EEE o en Suiza comprenden la consulta, el asesoramiento jurídico y la actuación en juicio (art. 3.1), quedando excluidas aquellas actividades que impliquen el ejercicio de una función pública o cuando estas sean incompatibles con el carácter ocasional de sus servicios (art. 3.2). Para la realización de tales actividades el abogado visitante "hará uso" del título profesional expresado en la lengua del Estado de que proceden, debiendo indicar, además, el Colegio u Organización Profesional

---

21.1), afectando este mismo plazo a la formalización del trámite de colegiación (art. 21.2).

56 MORENO CORDERO, GISELA, "Regímenes aplicables al ejercicio de la profesión de abogado en España: disociación del efecto profesional y académico", *op. cit.*, p. 441.

al que se encuentra adscrito, precisión que implica que el abogado visitante no podrá utilizar en España la denominación de "abogado", sino la correspondiente al país de procedencia (art. 4°). Así, por ejemplo, el abogado italiano utilizará la denominación "Avvocato", el griego "Δικιγορς", el húngaro "Ügyvéd" y así sucesivamente[57]. El desarrollo de esta actividad no supone, por tanto, ni el reconocimiento ni la colegiación del abogado visitante en España.

La realización de una prestación ocasional de un servicio requiere que el abogado visitante se presente ante el Decano de la Junta de Gobierno del Colegio de Abogados correspondiente al territorio en que haya de prestarlos, quien dirigirá oficio comunicando la actuación pretendida al Juez o Presidente del Tribunal en que debieran de actuar y al Consejo General de la Abogacía Española a efectos de registrar sus actuaciones en el Libro registro de actuaciones de Abogados visitantes de Estados comunitarios en régimen de prestación ocasional de servicios (art. 9). El Abogado visitante facilitará al Decano, además de su nombre y apellidos, el título profesional poseído, la dirección de su despacho permanente, la organización profesional a la que pertenece su dirección durante su permanencia en España y, en su caso, el nombre, apellidos y domicilio del abogado con el que actuará concertadamente. El abogado visitante hará asimismo una declaración de no estar incurso en causa de incompatibilidad ni de haber sido objeto de sanción penal, administrativa o profesional con efectos sobre el ejercicio profesional (art. 5).

Por otro lado, cabe precisar que, en los casos que sea preceptiva la intervención de abogado para las actuaciones ante Juzgados o Tribunales o ante Organismos públicos relacionados con el ámbito de la Administración de Justicia o que ejerzan algún tipo de función jurisdiccional, así como para la asistencia, comunicación y visitas con detenidos y presos, el abogado visitante deberá concertarse con un abogado inscrito en el Colegio en cuyo territorio vaya a actuar[58] (art.

---

57   Véase el art. 4 del RD 607/1989, por el que se define lo que se entenderá por "abogado" a efectos de dicha norma.

58   En la sentencia del TJCE de 10 de julio de 1991 (*As.* C-294/89, *Comisión de las Comunidades Europeas contra la República Francesa*), el Tribunal acoge las posiciones sostenidas por la Comisión en un recurso con arreglo al art. 169 del TCEE, por incumpliendo por parte de Francia en la adecuación de su ordenamiento interno a la Directiva 77/249/CEE. El Alto Tribunal identifica, entre otras contrariedades, que en el Decreto n° 72/468, por el que se traspone la Directiva 77/249/CEE a aquel ordenamiento, la prevista en el párrafo quinto del art. 126.3, resulta contraria al art. 5 de la Directiva y a los arts. 59 y 60 TCEE, en tanto obliga al abogado prestador de servicios a actuar de acuerdo con un abogado miembro de un Colegio francés en procedimientos que se desarrollen ante organismos y autoridades que no forman parte del ámbito judicial, cuando la Directiva solo impone esta limitación para actividades de representación y defensa ante los Tribunales, con exclusión de las ejercitadas ante organismos o autoridades que no desempeñan la función jurisdiccional. Una restricción que debe extenderse asimismo a procedimientos en los que, en virtud del Derecho francés, no sea preceptiva la intervención de un abogado, y a aquellas otras que, siendo ejercitadas ante autoridades jurisdiccionales, no encuentren equivalente alguno en las normas profesionales

6.1)[59]. La concertación se requerirá asimismo cuando no sea preceptiva la intervención del abogado, pero la Ley imponga su intervención porque el interesado no intervenga por sí mismo (art. 6.2). En ambos casos, el abogado inscrito con el que se establezca la concertación responderá ante los órganos jurisdiccionales u Organismo públicos[60].

Finalmente, las actividades relativas a la representación y defensa ante órganos jurisdiccionales y organismos públicos, serán ejercidas por el abogado visitante en las mismas condiciones que los abogados españoles, debiendo respetar las reglas profesionales españolas, así como las del Estado de establecimiento (art. 7.1). Para el resto de actividades, el abogado visitante quedará sometido, además de a las condiciones y reglas profesionales del Estado miembro de procedencia y a las que rigen la profesión en España, especialmente aquellas que regulan la incompatibilidad entre el ejercicio de las actividades como abogado y el de otras actividades, el secreto profesional, las relaciones de compañerismo, la prohibición de asistencia por un mismo abogado a partes que tengan intereses opuestos y a la publicidad (art. 78.2). El sometimiento del abogado visitante se hará extensivo al régimen disciplinario de su homólogo español, y en caso de que las sanciones de carácter deontológico que le fuesen impuestas implicaren la suspensión o expulsión definitiva del Colegio de Abogados, las mismas serán sustituidas por la prohibición temporal o definitiva de la prestación de servicios (art. 8).

Junto al régimen previsto en el RD 607/1989, el RD 581/2017 (antes analizado), incluye asimismo algunas disposiciones que afectan a la prestación un servicio temporal u ocasional de cualquier profesión. Tales disposiciones se entienden igualmente aplicables a la profesión de abogado, ya que el RD 581/2017 no deroga el RD 607/1989.

El RD 581/2017, de forma similar a lo que prevé el RD 607/1989 para prestaciones de servicios temporales u ocasionales en España, no requiere acudir a ninguno de los procedimientos anteriormente mencionados (reconocimiento, inscripción e integración), aunque sí que exige que la persona que pretenda prestar ese tipo de servicios en nuestro país se encuentre establecido legalmente

---

que resultarían de aplicación en defecto de la prestación de servicios, es decir, para las que la legislación francesa no exige la intervención preceptiva de un abogado.

[59]   Se trata de la misma exigencia establecida por el art. 11 RD 936/2001 para abogados que pretendan ejercer con carácter permanente en España con el título de abogado extranjero en la fase de inscripción. Véase *supra* epígrafe II.2

[60]   La versión original de este precepto fue modificada por Real Decreto 1062/88, de 16 de septiembre, por el que se modifica el Real Decreto 607/1986, de 21 de marzo, de desarrollo de la Directiva del Consejo de las Comunidades Europeas de 22 de marzo de 1977, encaminada a facilitar el ejercicio efectivo de la libre prestación de servicios por los Abogados (*BOE* nº 227, de 21 de septiembre de 1988), que hace suya la jurisprudencia sentada por el TJCE en la sentencia de 25 de febrero de 1988, por la que se aconseja la modificación parcial del mentado Real Decreto en este punto.

en otro Estado miembro y ejerza como abogado en el mismo; y en el supuesto de que dicha profesión no se encuentre regulada en el Estado de establecimiento del solicitante, el mismo deberá asimismo acreditar que ha ejercido como abogado en dicho país durante al menos dos años, en el curso de los diez años anteriores a la prestación que desea realizar en nuestro país (art. 12.3).

En consonancia con lo dispuesto en los arts. 7 y 8 del RD 607/1989, el art. 12.4 del RD 581/2017 establece que el profesional que pretenda prestar un servicio temporal u ocasional quedará sujeto a las normas españolas de carácter profesional, jurídico o administrativo que estén directamente relacionadas con dicha cualificación profesional de que se trate, incluyendo la definición de la profesión, el empleo de títulos y la negligencia profesional grave que se encuentre directa y específicamente relacionada con la protección y la seguridad del consumidor, así como a las disposiciones disciplinarias aplicables en España a los profesionales que ejerzan la misma profesión.

Con carácter previo al desplazamiento el abogado que pretenda prestar un servicio temporal en nuestro país, deberá informar a la autoridad española competente de su intención, a través de una declaración previa por escrito, según modelo establecido en anexo XI (art. 13.1). En tal declaración deberá dejar constancia de una descripción de los servicios que vaya a prestar, la duración de los mismos, continuidad y periodicidad, así como una información sobre garantías de seguros o medios similares de protección personal o colectiva de que pueda disponer en relación con su responsabilidad profesional (art. 13.2). Esta declaración se renovará anualmente, siempre que el prestador de servicios comunique a dicha autoridad su intención de continuar la prestación temporal u ocasional de servicios en España en períodos anuales sucesivos (art. 13.3).

Para la primera prestación de servicios, la declaración previa deberá ir acompañada de los siguientes documentos: a) documentación que acredite la nacionalidad del prestador de servicios; b) certificado acreditativo de que el declarante está establecido legalmente en un Estado de la Unión Europea para ejercer en él las actividades de que se trate, así como de la inexistencia de prohibición alguna, en el momento de formular la declaración, que le impida ejercer la profesión en el Estado de origen, ni siquiera temporalmente, expedido por la autoridad competente del país de procedencia; c) prueba de las cualificaciones profesionales, d) documento acreditativo de la prestación de servicios a la que se refiere el artículo 12.3.b), durante un mínimo de dos años en el curso de los diez anteriores, cuando corresponda; e) en el caso de las profesiones del sector de la seguridad, certificado de antecedentes penales o documento análogo.

Al prestador de servicios se le dispensará de las obligaciones impuestas a los profesionales establecidos en territorio español relativas a la autorización, inscripción, colegiación o adhesión a una organización o Colegio profesional, en los términos previstos en el art. 2. Para ello deberá remitir una copia de la declaración previa y, en su caso, de la renovación, reguladas en el artículo anterior, será remitida por la autoridad competente a la organización colegial que corresponda. La remisión de dicha documentación por la autoridad competente constituirá, a estos efectos, una inscripción temporal automática, y supondrá el sometimiento de la persona interesada a las disposiciones disciplinarias vigentes. Cuando dicha autoridad entienda que no se cumplen los requisitos establecidos en el art. 12.3, comunicará a la persona interesada, mediante resolución motivada acerca de la imposibilidad de verificar la prestación de servicios y a la organización colegial correspondiente.

V. CONCLUSIONES

La supresión de los obstáculos a la libre circulación de personas y servicios entre los Estados miembros constituye uno de los principales objetivos de UE. Para los nacionales de los Estados miembros, tal intención permitirá el ejercicio de una profesión -por cuenta propia o ajena-, en un Estado miembro distinto de aquel en el que tales cualificaciones se hayan obtenido, previo cumplimiento de las condiciones establecidas en los regímenes internos de trasposición de distintas Directivas europeas que afectan a este concreto ámbito.

En el ordenamiento español esta garantía se establece a través de tres cuerpos normativos a los que habrá que atender para dar respuesta a esta cuestión, todos ellos pensados para facilitar que quien ejerza la profesión de abogado en otro Estado miembro de la UE, del EEE o de Suiza, también pueda hacerlo en nuestro país.

No obstante, el acceso a la profesión de abogado en España o en cualquier otro Estado miembro de la UE, del EEE o en Suiza no es en modo alguno incondicionado, ya que, en caso de establecimiento, su ejercicio quedará sujeto al cumplimiento de dos condiciones cumulativas: a) que se trate de un nacional de un Estado miembro de la UE, del EEE o de Suiza, o de nacionales de terceros Estados protegidos por otras Directivas europeas que equiparan sus derechos a los de nacionales de los mencionados Estados; y b) que el nacional en cuestión haya alcanzado dicha cualificación en algún Estado miembro de la UE, del EEE o en Suiza.

Cumplidas estas dos condiciones previas, quien desea establecerse en España para ejercer como abogado tendrá ocasión de optar por dos vías habilitadas al efecto: mediante el reconocimiento del título de abogado alcanzado en otro Estado miembro de la UE, del EEE o en Suiza o con el título de abogado extranjero obtenido en cualquiera de estos Estados.

En caso de reconocimiento del título profesional extranjero, el ejercicio en España de la abogacía implica recurrir a un procedimiento y superar determinadas condiciones impuestas por el RD 581/2017. Para ello será imperativo superar una prueba de aptitud con la finalidad de acreditar un conocimiento preciso del Derecho positivo español, que consistirá en la resolución de un caso práctico sobre las materias propias del ordenamiento jurídico español.

El reconocimiento del título de abogado extranjero provocará una equiparación con el título de abogado español, lo que permitirá, previa colegiación, que su titular ejerza cualquier actividad profesional -por cuenta propia o por cuenta ajena- autorizada a los abogados ejercientes que hayan obtenido dicho título en España.

Otra opción habilitada para el ejercicio permanente de la abogacía en España es la establecida en el RD 936/2001, que permite el acceso a esta profesión con el título de abogado obtenido en cualquier Estado miembro de la UE, del EEE o en Suiza. Para esta modalidad no se exige el reconocimiento de la cualificación profesional extranjera, sino que el solicitante discurra por dos fases. En la primera fase, se exigirá que el interesado solicite su inscripción en el Colegio de abogados correspondiente, aunque su actividad profesional quedará limitada durante 3 años en ciertos aspectos. Pasado este tiempo, el abogado inscrito podrá solicitar la integración plena a la profesión, y solo entonces podrá ejercer sin tener que hacer especial mención al título extranjero y sin ninguna limitación.

Un análisis detenido de ambas posibilidades arroja que esta última vía presenta una clara limitación que la hace menos atractiva que la vía del reconocimiento del título profesional extranjero arbitrada por el RD 581/2017, ya que, en la fase de inscripción, el ejercicio de la abogacía está restringido a ciertas actividades, limitación que solo será superada una vez tenga lugar la incorporación plena del abogado inscrito, es decir, cuando acredite al Colegio de Abogados donde se encuentra inscrito un ejercicio efectivo y regular durante al menos 3 años en nuestro país. El reconocimiento de la cualificación profesional, sin embargo, puede tardar mucho menos tiempo en resolverse. Por este motivo, cabe sostener que la vía del reconocimiento resulta la más recomendable para lograr una integración más inmediata y plena a esta profesión, que la vía de la inscripción y posterior incorporación.

El incumplimiento de cualquiera de las exigencias cumulativas exigidas para calificar en el régimen de trasposición de las Directivas europeas, esto es, en todas las situaciones en que el título profesional de abogado de un nacional de cualquiera de Estados miembros de la UE, del EEE y Suiza o de nacionales de terceros países no protegidos por el Derecho europeo se haya alcanzado en un tercer país, implica una remisión directa a las regulaciones internas de estos Estados, circunstancia que a su vez implica que el acceso a la profesión de abogado y a cualquier otra profesión regulada, quede condicionada a la mayor o menor laxitud con que dichos Estados regulen este tipo de efecto, y por tanto, a una distinción de trato no solo respecto de los nacionales de terceros Estados no protegidos por el Derecho de la UE, sino también respecto de los propios nacionales europeos. La titulación o formación profesional acreditada por un Estado miembro de la UE, del EEE o en Suiza será, por tanto, la única considerada para beneficiarse de un régimen más rápido y efectivo que el arbitrado para el resto de supuestos no amparados por los regímenes de trasposición de las directivas analizadas.

Mucho menos problemática se plantea la prestación temporal y ocasional de un servicio del profesional de la abogacía, ya que en nuestro país -ni en ningún otro Estado miembro de la UE, del EEE o en Suiza- tal intención no precisa discurrir por alguna de las vías antes mencionas para consolidar la libertad de circular libremente por territorio de la UE, entre la que se encuentra la de prestación de servicios. No obstante, es preciso retener que, con carácter previo al desplazamiento, el abogado deberá informar a la autoridad española competente de su intención a través de una declaración previa por escrito, a la que deberá acompañar la documentación requerida por el RD 581/2017, así como cumplir las exigencias y respetar las restricciones que para su ejercicio impone el RD 607/1989.

VI. BIBLIOGRAFÍA

ÁLVAREZ RODRÍGUEZ, AURELIA, "Binacionalidad en el ordenamiento español y su repercusión en la Unión Europea", en DÍAZ FRAILE, JUAN Mª (Coord.), *Estudios de Derecho europeo privado*, Centro de Estudios Regístrales, Madrid, 1994, pp. 27-119.

BORRAJO INIESTA, IGNACIO y DE LA QUADRA-SALCEDO JANINI, TOMÁS, "Libre establecimiento y libre prestación de servicios. Reconocimiento de cualificaciones profesionales", en BENEYTO PÉREZ, JOSÉ MARÍA (Dir.), *Tratado de Derecho y Políticas de la Unión Europea*, Thomson Reuters/ Aranzadi, Cizur Menor, 2013, pp. 524-529.

CARMONA LUQUE, MARÍA DEL ROSARIO, "El disfrute efectivo de la esencia de los derechos de Ciudadanía de la Unión", *Revista de Derecho Comunitario Europeo*, n° 38, 2011, pp. 185-202.

CHUECA SANCHO, ANGEL G., "La libertad de circulación de trabajadores en el EEE", *Revista de Derecho Migratorio y Extranjería*, n° 35, 2014, pp. 83-111.

DÍAZ CREGO, MARÍA, "El derecho a no ser discriminado por razón de nacionalidad: ¿un derecho de los extranjeros?", *Revista Española de Derecho Constitucional*, n° 89, 2010, pp. 115-155.

LLANO SÁNCHEZ, MÓNICA, "Libre circulación y exigencia de títulos y acreditaciones profesionales", en GARCÍA MURCIA, JOAQUÍN y GARCÍA TORRES,

ALBA (Coords.), *Libertad de circulación y derechos de protección social en la Unión Europea. Un estudio de Jurisprudencia del Tribunal de Justicia,* Juruá Editorial, Lisboa, 2016, pp. 71-90.

JUÁREZ PÉREZ, PILAR, "Dieciocho años de ciudadanía de la Unión: ¿Hacia una figura emancipada?», *Cuadernos de Derecho Transnacional,* vol. 2, nº 2, 2010, pp. 261.

MARCHAL ESCALONA, NURIA, "El desplazamiento de trabajadores en el marco de una prestación transnacional de servicios: hacia un marco normativo europeo más seguro, justo y especializado", *Revista de Derecho Comunitario Europeo,* nº 62, 2019, pp. 81-116.

MARTÍN MARTÍNEZ, MAGDALENA M., "Límites a la libre circulación de personas en la UE por razones de orden público, seguridad o salud pública en tiempos de crisis: una revaluación a la luz de la jurisprudencia del TJUE, *Revista de Derecho Comunitario Europeo,* nº 49, 2014, pp. 767-804.

MORENO CORDERO, GISELA, "La nacionalidad y el ejercicio de una profesión regulada en la Unión Europea", MOYA ESCUDERO, MERCEDES (Dir.), *Movilidad internacional de personas y nacionalidad,* Tirant lo Blanch, Valencia, 2021, pp. 280-326.

MORENO CORDERO, GISELA, "Las políticas de emprendimiento y empleabilidad en la Unión Europea frente al reconocimiento de cualificaciones profesionales", en ORTEGA PÉREZ, NIEVES y RODRÍGUEZ-RICO ROLDÁN, VICTORIA (Eds.) y DEL ARCO BLANCO, MIGUEL ÁNGEL (Dir.), *Emprendimiento y cultura de transferencia en la Universidad: una visión teórica y práctica en Ciencias Sociales,* Comares, Granada, 2021, pp. 33-52.

MORENO CORDERO, GISELA, "El acceso a la abogacía en España de nacionales españoles retornados", en FERNÁNDEZ AVILÉS, JOSÉ ANTONIO y GARCÍA VALVERDE, MARÍA DOLORES (Dirs.), *Instrumentación normativa de la política de retorno de emigrantes españoles y la atracción de talento global",* Thomson-Reuters/Aranzadi, Cizur Menor, 2021, pp. 1-21.

MORENO CORDERO, GISELA, "Regímenes aplicables al ejercicio de la profesión de abogado en España: disociación del efecto profesional y académico", *Revista Española de Derecho Internacional,* vol. 73, nº 2, 2021, pp. 435-443.

PÉREZ VERA, ELISA, "Ciudadanía y nacionalidad de los Estados Miembros", *Revista de Derecho de la Unión Europea,* nº 27, 2014 y nº 28, 2015, pp. 215-230.

PÉREZ VERA, ELISA, "La ciudadanía europea en el Tratado de Maastricht", en *Hacia un Nuevo orden internacional y europeo. Homenaje al Profesor Díez de Velasco,* Tecnos, Madrid, 1993, pp. 1123-1148.

PÉREZ VERA, ELISA, "La Carta de derechos fundamentales de la Unión Europea. Los derechos humanos", en ZUGALDÍA ESPINAR, JOSÉ MIGUEL y

ROCA ROCA, EDUARDO (Coords.), *Libro homenaje al Excmo. Sr. D. Luis Portero García*, Universidad de Granada, Granada, 2001, pp. 837-846.

RUIZ SUTIL, CARMEN, "La movilidad intra-europea de las mujeres extranjeras irregulares víctimas de la violencia intrafamiliar: carencia de igualdad de género en la normativa de la Unión Europea", *La Ley Unión Europea*, n° 83, julio 2020, pp. 1-29.

SOTO MOYA, MERCEDES, "El derecho humano a la nacionalidad: perspectiva europea y latinoamericana", *Revista Iberoamericana de Filosofía, Política, Humanidades y Relaciones Internacionales*, n° 40, 2018, pp. 453-481.

EL DELITO DE AYUDA A LA INMIGRACIÓN CLANDESTINA EN EL CÓDIGO PENAL ESPAÑOL

ESTEBAN PÉREZ ALONSO

Catedrático de Derecho Penal
Universidad de Granada

I. INTRODUCCIÓN

El delito de ayuda a la inmigración clandestina se introdujo en el art. 318 bis del Código Penal español (CP), bajo la eufemística rúbrica de los "Delitos contra los derechos de los ciudadanos extranjeros", mediante la LO 4/2000, de 11 de enero, sobre derechos y libertades de los extranjeros en España y su integración social (LOEX). Este delito, junto al delito de trata de seres humanos, han sido un claro ejemplo de la política migratoria restrictiva y trafiquista seguida por el Estado Español y por la UE para hacer frente al complejo fenómeno de la migración internacional que se está produciendo desde las tres últimas décadas a nivel mundial[1]. Frente a este gran reto global los países más ricos responden con una política anti-migratoria de cierre de fronteras, levantando muros físicos como la valla de Ceuta y la de Melilla o el muro en la frontera entre EEUU y México, que

---

[1]   *Vid.* por todos, RODRÍGUEZ MESA, MARÍA JOSÉ, *Los delitos contra los derechos de los ciudadanos extranjeros,* Tirant lo Blanch, Valencia, 2001; DE LEÓN VILLALBA, JAVIER, *Tráfico de personas e inmigración ilegal,* Tirant lo Blanch, Valencia, 2003; PÉREZ CEPEDA, ANA, *Globalización, tráfico internacional de personas y derecho penal,* Comares, Granada, 2004; PÉREZ FERRER, FÁTIMA, *Análisis dogmático y político-criminal de los delitos contra los derechos de los ciudadanos extranjeros,* Dykinson, Madrid, 2006; ZUGALDÍA ESPINAR, JOSÉ MIGUEL (Dir.) y PÉREZ ALONSO, ESTEBAN (Coord.), *El Derecho Penal ante el fenómeno de la inmigración,* Tirant lo Blanch, Valencia, 2007: DÍAZ Y GARCÍA CONLLEDO, MIGUEL (Dir.), *Protección y expulsión de extranjeros en Derecho Penal,* La Ley, Madrid, 2007; MARTÍNEZ ESCAMILLA, MARGARITA, *La inmigración como delito. Un estudio político criminal, dogmático y constitucional del tipo básico del art. 318 bis CP,* Atelier, Barcelona, 2007; PÉREZ ALONSO, ESTEBAN, *Tráfico de personas e inmigración clandestina: un estudio sociológico, internacional y jurídico-penal,* Tirant lo Blanch, Valencia, 2008, pp. 51 y ss.

son ejemplos idénticos y palmarios de la política de exclusión y discriminación del extranjero-inmigrante-ilegal. Pero, no solo se levantan muros físicos para cerrar países o regiones, sino que también se crean muros jurídicos cuando se toma la decisión político-legislativa de utilizar el Derecho Penal como principal instrumento de control de los flujos migratorios y de protección de las fronteras.

En España, como en Europa, se sigue un enfoque trafiquista para abordar el fenómeno migratorio actual, haciendo del Derecho Penal su principal instrumento de erradicación y lucha contra la inmigración ilegal, situando la nota de ilegalidad en la persona del inmigrante y no en la acción, fin y medios empleados para su traslado. Por tanto, la avalancha de inmigrantes a nuestro país se quiso frenar, desde un principio, criminalizando la ayuda a la entrada, tránsito o salida ilegal de España, con un tipo penal absolutamente expansivo y punitivista tanto en la descripción de la conducta típica como en las penas previstas en el art. 318 bis CP. Aunque pronto se transformó por vía de su interpretación y aplicación judicial en un precepto que criminalizaba todo trato con inmigrantes en situación irregular, castigando también la ayuda a la permanencia ilegal, administrativizando de forma grosera el Derecho Penal y ampliando la jurisdicción penal para la aplicación de dicho precepto. Todo ello mediante una aplicación analógica de las normas penales y procesales para cubrir las lagunas legales en contra del reo, en una clara afrenta al principio de legalidad penal y, por ende, en una clara quiebra del Estado de Derecho. El tratamiento judicial del art. 318 bis CP constituye quizá uno de los escenarios más oscuros y arbitrarios de la justicia penal española en la época democrática, que no resulta compatible ni admisible en un verdadero Estado de Derecho, pues la Ley es obra del poder legislativo y no del poder judicial[2].

La última reforma de estos delitos se ha llevado a cabo por la LO 1/2015, de 30 de marzo, donde trece años después se ha producido la transposición del contenido literal de la Directiva 2002/90/CE del Consejo, de 28 de noviembre de 2002, destinada a definir la ayuda a la entrada, a la circulación y a la estancia irregulares. Como veremos, esta reforma supone una mejora técnica con respecto a la normativa que deroga y, sobre todo, una considerable rebaja de las penas que salva, en gran medida, la desproporcionalidad existente hasta entonces. No obstante, se sigue enmarcando en el enfoque trafiquista que venimos denunciando y que hace del Derecho Penal el instrumento esencial para la lucha contra la inmigración clandestina, al tiempo que sigue sin respetar el Protocolo de Naciones Unidas contra el tráfico ilícito de migrantes por tierra, mar y aire, adoptado en Palermo en el año 2000.

---

[2]   *Vid.* PÉREZ ALONSO, ESTEBAN, "Las últimas reformas del principio de justicia universal legalizadoras de la jurisprudencia "creativa" del Tribunal Supremo español", *Estudios Penales y Criminológicos,* nº 32, 2012, pp. 131 y ss.

II. PROCESO DE REFORMA LEGISLATIVA

El Código Penal de 1995 ofreció una regulación muy parcial y escasa de esta materia[3], reducida a reprimir la explotación laboral de los trabajadores extranjeros mediante su contratación ilegal (art. 312 CP) y la inmigración clandestina de trabajadores (art. 313 CP). No se castigaba, por tanto, ni la inmigración clandestina de personas ni la trata de seres humanos. Una versión parcial de este delito se ofreció a través de la LO 11/1999, de 30 de abril, por la que se introdujo el delito de tráfico de personas con fines de explotación sexual en el art. 188.2 y 4 CP, en el contexto de los delitos relativos a la prostitución y la corrupción de menores, considerándolo, por tanto, como un delito contra la libertad e indemnidad sexual. Hubo que esperar al año 2000 para que se llevara a cabo una regulación más completa, a través de la aprobación de la LOEX que supuso un aumento de las penas previstas en los arts. 312 y 313 CP, al tiempo que se modificaron los arts. 515, 517 y 518 CP, para considerar como asociaciones ilícitas a las que promovieran el tráfico ilegal de personas. Pero, de esta reforma hay que destacar, sobre todo, la introducción en el Código Penal del nuevo Título XV bis, que lleva por rúbrica "Delitos contra los derechos de los ciudadanos extranjeros", en donde se viene a castigar en el nuevo art. 318 bis CP el favorecimiento del tráfico ilegal de personas o la ayuda a la inmigración clandestina.

Sin embargo, muy pronto, a través de la LO 11/2003, de 29 de septiembre, se volvió a modificar el Código Penal para rectificar las reformas de 1999 y de 2000, dando una nueva configuración a estos delitos. De esta reforma cabe destacar ahora tres aspectos: a) se introduce en la redacción típica del art. 318 bis.1 CP una referencia expresa a la inmigración clandestina, junto a la de tráfico ilegal de personas, para evidenciar que ambos conceptos son equivalentes; b) el delito de tráfico con fines de explotación sexual del art. 188.2 CP introducido por la LO 11/1999, de 30 de abril, pasa a convertirse en un tipo agravado del delito de promoción de la inmigración clandestina en el art. 318 bis.2 CP; y c) además se produce un incremento muy considerable de las penas previstas para estas figuras delictivas. Pero todavía en ese mismo año se llevó a cabo otra reforma más mediante la LO 15/2003, de 25 de noviembre, que suprimió la consideración delictiva de las asociaciones que promovieran el tráfico ilegal de personas, cuya ilicitud había sido introducida en el año 2000 en los arts. 515, 517 y 518 CP.

Cuatro años después se produjo una nueva reforma a través de la LO 13/2007, de 19 de noviembre, para la persecución extraterritorial del tráfico ilegal o la

---

[3]   *Vid.* al respecto, PÉREZ ALONSO, ESTEBAN, *Tráfico de personas e inmigración clandestina...*, *op. cit.*, pp. 208 y ss.; VILLACAMPA ESTIARTE, CAROLINA, en QUINTERO OLIVARES, GONZALO (Dir.), *Comentarios a la Parte Especial del Código Penal*, 10ª ed. (electrónica), Aranzadi, Pamplona, 2016, pp. 1 y ss.

inmigración clandestina de personas. Con esta ley se modificó la Ley Orgánica del Poder Judicial (LOPJ) para incluir estos delitos dentro del criterio de competencia de jurisdicción universal, al tiempo que se amplió el elemento geográfico de estos delitos para incorporar a cualquier otro país de la UE junto a España como lugar del desplazamiento de personas.

Pero el proceso de reforma sigue avanzando de forma ininterrumpida, llegando a la quinta reforma en una década, mediante la LO 5/2010, de 22 de junio. Reforma de especial calado por cuanto que supuso la introducción del delito de trata de seres humanos en el art. 177 bis CP del nuevo Título VII Bis, ofreciendo una regulación separada y diferenciada del delito de ayuda a la inmigración clandestina del art. 318 bis CP, así como la derogación del delito de inmigración clandestina de trabajadores del art. 313 CP y del tipo agravado de tráfico de personas con fines de explotación sexual del art. 318 bis 2 CP. La Exposición de Motivos de dicha ley acertó en el diagnóstico de la defectuosa regulación existente en ese momento y que justificó, en gran medida, la necesidad de una profunda reforma penal de esta materia. Señalaba que "el tratamiento penal unificado de los delitos de trata de seres humanos e inmigración clandestina que contenía el artículo 318 bis resultaba a todas luces inadecuado, en vista de las grandes diferencias que existen entre ambos fenómenos delictivos. La separación de la regulación de estas dos realidades criminológicas resulta imprescindible tanto para cumplir con los mandatos de los compromisos internacionales como para dar fin a los constantes conflictos interpretativos".

Pese a la necesidad y el acierto de introducir el delito de trata de seres humanos, sin embargo, el legislador español seguía pensando y actuando en clave migratoria como lo delataba la propia redacción del nuevo delito y la pena prevista en el art. 177 bis CP en comparación con la pena del art. 318 bis CP, que era prácticamente la misma, cuando la diferencia de injusto es abismal o con las penas previstas para los delitos de explotación posterior a la trata[4]. Además, se mantenía casi íntegramente la regulación de la ayuda a la inmigración clandestina del art. 318 bis CP, que parecía intocable. Así se seguía hablando de tráfico ilegal de personas junto a la inmigración clandestina, con la confusión que ello puede provocar con la trata de personas, se seguía considerando el ánimo de

---

[4]   Vid. POMARES CINTAS, ESTHER, "El delito de trata de seres humanos con finalidad de explotación laboral", *Revista Electrónica de Ciencia Penal y Criminología*, n° 13-15, 2011; PÉREZ ALONSO, ESTEBAN, "El delito de trata de seres humanos: regulación internacional, europea y española", en LARA AGUADO, ÁNGELES (Dir.), *Nuevos retos en la lucha contra la trata de personas con fines de explotación sexual. Un enfoque interdisciplinar*, Civitas Thomson Reuters, Pamplona, 2012; *id.*, "La trata de seres humanos en el Derecho Penal español", en VILLACAMPA ESTIARTE, CAROLINA (Coord.), *La delincuencia organizada: un reto a la política criminal actual*, Thomson Reuters Aranzadi, Pamplona, 2013; VILLACAMPA ESTIARTE, CAROLINA, "El delito de trata de seres humanos en el Código Penal español", en LARA AGUADO, ÁNGELES (Dir.), *Nuevos retos en la lucha contra la trata…*, *op. cit.*

lucro como una circunstancia agravante y no como un elemento esencial del delito, se mantenían como circunstancias agravantes del delito de inmigración clandestina los elementos comisivos de la trata de personas, es decir, el empleo de violencia, intimidación, engaño o abuso de una situación de superioridad o de especial vulnerabilidad de la víctima, previstas en el párrafo 2º del art. 318 bis CP. Con ello, de nuevo, se hacía ciertamente difícil la distinción entre inmigración clandestina y trata de personas, pues las acciones de ayuda a la entrada ilegal realizadas con los medios comisivos señalados darían lugar a un delito de tráfico o trata de personas y no al de contrabando de inmigrantes o inmigración clandestina. Aunque, quizá, lo que quería el legislador era que dieran lugar a los dos delitos al mismo tiempo, si tenemos en cuenta la regla concursal establecida en el nº 9 del art. 177 bis CP[5], cuando señala que las penas por el delito de trata "se impondrán sin perjuicio de las que corresponda, en su caso, por el delito del artículo 318 bis de este Código".

En último término, todavía hay una reforma más –de momento-, llevada a cabo a través de la LO 1/2015, de 30 de marzo, que será el objeto de análisis en este trabajo y que supone una nueva configuración del delito de ayuda a la inmigración clandestina del art. 318 bis CP.

III. BIEN JURÍDICO PROTEGIDO

La determinación del bien jurídico protegido en los delitos contra los derechos de los ciudadanos extranjeros ha sido una tarea ciertamente compleja y no exenta de dificultades a lo largo de sus veinte años de existencia normativa. Complejidad que se pone de manifiesto además por la contradicción existente en el plano doctrinal, en donde se han mantenido posturas muy dispares y contrapuestas. Hay interpretaciones formales del bien jurídico, que se cifra en intereses supraindividuales, pasando por la atribución de un carácter pluriofensivo, hasta llegar a posiciones que atribuyen un contenido material, vinculado a intereses individuales. No obstante, hay que reconocer que, tras el proceso de reforma sufrido en esta materia, sobre todo en las dos últimas, la cuestión resulta más clara y unívoca, por lo que ya carece de sentido entrar en esta discusión y referirnos a las posiciones que en su origen entendían que se protegían bienes de carácter personal, como la integración social de los extranjeros, su estatus legal, sus derechos potenciales, la dignidad personal o la integridad moral[6].

---

[5]   *Vid.* nota anterior.
[6]   *Vid.* por todos, PÉREZ ALONSO, ESTEBAN, *Tráfico de personas e inmigración clandestina...*, pp. 335 y ss.; VILLACAMPA ESTIARTE, CAROLINA, en *Comentarios..., op. cit.*, pp. 10 y ss.

Así, un sector considerable de la doctrina ha venido manteniendo, desde un principio, que el bien jurídico protegido en estos delitos tiene carácter supraindividual vinculado a un interés del propio Estado. En particular, se estimó que el bien jurídico protegido era el interés estatal en el control de los flujos transfronterizos de personas como medio para mantener la política migratoria establecida por el Estado español en el marco más amplio de la UE[7]. Idea que se vio reforzada tras la inclusión de la inmigración clandestina en el tipo básico de este delito mediante la LO 11/2003. En este sentido se afirmó que con esta inclusión se hace "más evidente que este delito gira principalmente en torno a la inmigración ilegal, despejando así cualquier duda sobre la forma de interpretar el concepto de «tráfico ilegal de personas»"[8]. Por ello, se considera que la prohibición total de la promoción, favorecimiento o facilitación de la inmigración clandestina que se lleva a cabo con la nueva regulación del art. 318 bis CP "no atiende a la tutela del inmigrante, sino a la garantía de las barreras de autoprotección frente a los flujos migratorios del Estado receptor"[9].

Este planteamiento es mucho más claro en la actualidad, tras la inclusión del delito de trata de seres humanos en el art. 177 bis CP de forma diferenciada del delito del art. 318 bis CP, como se pone de manifiesto en el propio Preámbulo de esta ley de reforma (LO 5/2010). Así, señala de forma expresa, en cuanto a la trata de seres humanos, que "el artículo 177 bis tipifica un delito en el que prevalece la protección de la dignidad y la libertad de los sujetos pasivos que la sufren (…). En cambio, el delito de inmigración clandestina siempre tendrá carácter transnacional, predominando en este caso la defensa de los intereses del Estado en el control de los flujos migratorios". Por lo que parece evidente que el art. 318 bis CP, tras la reforma de 2010, protege un bien jurídico de carácter supraindividual referido al interés estatal en controlar el tránsito fronterizo de personas, de acuerdo con la política migratoria fijada por el Estado para preservar sus propios intereses, fundamentalmente, de cohesión social y de tipo socioeconómico, en el marco de la política migratoria común de la Unión Europea.

Finalmente, siguiendo la estela de la reforma de 2010, la LO 1/2015, de 30 de marzo mantiene ya claramente la misma concepción del bien jurídico protegido en el delito de ayuda a la inmigración clandestina, que no es otro que uno de

---

[7]   Uno de los primeros autores en defender este planteamiento fue ARROYO ZAPATERO, LUIS, "Propuesta de un eurodelito de trata de personas", en *Homenaje al Dr. Marino Barbero Santos. In Memoriam*, vol. 2, Ediciones UCLM, Ciudad Real, 2001, pp. 32 y 33.

[8]   *Cfr.* CANCIO MELIÁ, MANUEL y MARAVER GÓMEZ, MARIO, "El Derecho Penal español ante la inmigración: un estudio político-criminal", en BACIGALUPO, SILVINA y CANCIO MELIÁ, MANUEL (Coords.), *Derecho penal y política transnacional*, Atelier, Barcelona, 2005, p. 375.

[9]   *Cfr.* GUARDIOLA GARCÍA, JAVIER, "Tráfico ilegal o inmigración clandestina de personas: comentario a la reciente reforma del art. 318 bis del Código Penal", *Revista de Derecho y Proceso penal*, nº 13, 2005, p. 17.

carácter supraindividual cifrado en el interés del Estado español en el control de los flujos migratorios en nuestro país y por extensión también en el territorio de la UE, tal y como se desprende de la simple lectura del nuevo art. 318 bis CP[10]. Así lo expresa también el propio Preámbulo de la ley de reforma cuando señala que "el delito de inmigración clandestina siempre tendrá carácter transnacional, predominando en este caso la defensa de los intereses del Estado en el control de los flujos migratorios". Por ello, aunque ya había sido cuestionada desde hace tiempo, la rúbrica del Título XV Bis relativa a los "Delitos contra los derechos de los ciudadanos extranjeros" resulta bastante inapropiada, por no decir una falacia, pues el control de los flujos migratorios se cohonesta mal con los derechos de los ciudadanos extranjeros[11].

---

[10]   Así, VILLACAMPA ESTIARTE, CAROLINA, en *Comentarios...*, *op. cit.*, pp. 10 y ss.; MARTÍNEZ BUJÁN PÉREZ, CARLOS, *Derecho Penal económico y de la empresa, Parte Especial*, 6ª ed., Tirant lo Blanch, Valencia, 2019, pp. 945 y ss.; GONZÁLEZ CUSSAC, JOSÉ LUIS (Dir.), *Derecho Penal*, 5ª ed., 2016, p. 567; LAMARCA PÉREZ, CARMEN, *Delitos. La Parte Especial del Derecho Penal*, 4ª ed., Dykinson, Madrid, 2019, p. 614. Exige, no obstante, un peligro abstracto para la vida o salud SÁNCHEZ LÁZARO, FERNANDO, en ROMEO CASABONA, CARLOS, SOLA RECHE, ESTEBAN y BOLDOVA PASAMAR, MIGUEL ÁNGEL (Coords.), *Derecho Penal, Parte Especial*, Comares, Granada, 2016, p. 528.

[11]   En sentido crítico, *vid.* POMARES CINTAS, ESTHER, "La colaboración de terceros en la inmigración ilegal a partir de la reforma de 2015 (artículo 318 bis CP): ¿una cuestión penal?", en QUINTERO OLIVARES, GONZALO (Dir.), *Comentario a la reforma penal de 2015*, Aranzadi, Pamplona, 2015, p. 621, donde ha denunciado que "mientras que el delito de trata de seres humanos protege la dignidad y la libertad de las víctimas, el castigo de la colaboración de terceros en la inmigración ilegal forma parte de un amplio conjunto de medidas dirigidas a la lucha contra la presencia del extranjero-inmigrante ilegal o clandestino en el territorio de la UE, esto es, tutela *exclusivamente* los intereses que subyacen al control de los flujos migratorios, encarnados en la custodia del modelo de entrada, circulación y permanencia de extranjeros. Hasta tal punto es ambiciosa la Directiva 2002/90/CE, que ha sobrepasado los objetivos del Protocolo de Naciones Unidas, de 15 de noviembre de 2000, contra el Tráfico ilícito de migrantes por tierra, mar y aire, que complementa la Convención contra la Delincuencia Organizada Transnacional: en el ámbito de la Unión Europea se sanciona cualquier ayuda a la operación migratoria ilegal , también la individual, esporádica o no, incluso se permite hacerlo frente a la ayuda humanitaria (artículo 1 Directiva 2002/90/CE). En este contexto, el extranjero no es considerado víctima, sino *objeto de la infracción*, es el objeto de persecución y control: pertenece, por su condición migratoria, a un colectivo marcado por un estigma de exclusión-inocuización, que otorga carta de naturaleza a la instauración de un régimen de *Apartheid* consolidado por la Directiva 2008/115/CE del Parlamento Europeo y del Consejo, de 16 de diciembre de 2008".

IV. ANÁLISIS DEL DELITO DE AYUDA A LA INMIGRACIÓN CLANDESTINA

1. La configuración inicial del art. 318 bis CP hasta la reforma de 2010

Como ya se ha apuntado, la cruda realidad social de la inmigración va acompañada de una legislación penal extraordinariamente grave, que se ceba con la inmigración irregular, mostrando el cinismo legislativo propio de las sociedades opulentas, que viven en la cultura de las apariencias y que demonizan al inmigrante para afianzar los lazos de integración (y de exclusión) entorno a su modelo de convivencia social. Un buen ejemplo de este enfoque trafiquista que utiliza al Derecho Penal como principal instrumento de control de los flujos migratorios lo encontramos en el art. 318 bis CP español. Desde que este precepto se introdujo en el Código Penal en el año 2000 hasta la reforma de 2010, pasando sobre todo por la reforma de 2003, se ha venido ofreciendo una visión cada vez más expansiva y punitivista del Derecho Penal como medio de contención y freno de la inmigración clandestina en nuestro país, hasta que finalmente se ha producido una modificación importante de esta regulación penal a través de la reforma de 2015.

Pero, hasta esta última reforma, la tipificación penal de la ayuda o favorecimiento a la inmigración clandestina prevista en el art. 318 bis CP ha venido siendo prácticamente la misma, ofreciendo la versión más expansiva y punitivista posible de la Directiva 2002/90/CE del Consejo, de 28 de noviembre de 2002, destinada a definir la ayuda a la entrada, a la circulación y a la estancia irregulares. De hecho, nuestra legislación nacional como la europea, mantienen un enfoque criminocéntrico del fenómeno migratorio que vinculan de forma estrecha al fenómeno de la trata de seres humanos y la delincuencia organizada transnacional, como si se tratara de un fenómeno único, cuando realmente son fenómenos diferentes que, no obstante, tienen elementos en común[12]. Por ello, desde un principio se ha venido mezclando y confundiendo estos fenómenos de forma interesada para mostrar y utilizar la vulnerabilidad de las víctimas de trata como escudo protector de las fronteras españolas y europeas. Por eso, según creo, el art. 318 bis CP utiliza el término de tráfico ilegal de personas, que tres años más tarde hace equivalente al de inmigración clandestina, pues se trata de un término confuso cuya traducción podía dar lugar a varios significados (tanto

---

[12]   Vid. al respecto, PÉREZ ALONSO, ESTEBAN, "Regulación internacional y europea sobre el tráfico ilegal de personas", en *El Derecho Penal ante el fenómeno de la inmigración...*, *op. cit.*, pp. 31 y ss.; *id.*, "Marco normativo y política criminal contra la trata de seres humanos en la Unión Europea", en PÉREZ ALONSO, ESTEBAN y POMARES CINTAS, ESTHER (Coords.), *La trata de seres humanos en el contexto penal iberoamericano*, Tirant lo Blanch, Valencia, 2019, pp. 63 y ss.

trata como inmigración), aunque rápidamente se impuso la interpretación legal y judicial que lo hacía equivalente a la inmigración clandestina. De este modo, en nuestro país a través del art. 318 bis CP, "so pretexto de luchar contra el tráfico ilegal de personas, verdadera forma de esclavitud que debe ser erradicada, se ha luchado contra el tráfico de personas ilegales, pues la nota de ilegalidad se ha puesto en la persona y no en la acción de la que es víctima"[13].

Estamos, por tanto, ante un ejemplo más de expansión del Derecho Penal, de huida hacia el Derecho Penal, en la falsa creencia de que resolverá todos los problemas sociales. Pero, se trata de una huida simbólica, para trasladar el mensaje tranquilizador de que se está preocupado por el fenómeno migratorio y que se está llevando a cabo una gestión adecuada del mismo, cuando realmente se hace más bien poco, pues se alude a una problemática social para eludir su solución. No cabe duda que "una buena reforma penal" hecha a tiempo es más rentable económica y políticamente que enfrentar realmente el problema social en cuestión. Con ello, se deslegitima la función del Derecho Penal y se desfigura y descompone al propio Derecho Penal, transformándolo además en un Derecho Administrativo sancionador reforzado. Sin duda que el tratamiento jurídico-penal de la inmigración irregular a través del art. 318 bis CP ha sido un claro ejemplo de expansión del Derecho Penal; que, además, ha sido doble o al cuadrado, pues desde que inició su vigencia ha habido una expansión legal y otra judicial, además de la administrativización del Derecho Penal.

A. Expansión legal

La criminalización primaria de la ayuda a la inmigración clandestina se lleva a cabo a través de la ley, cuando el Código Penal tipifica como delito esta conducta en el art. 318 bis CP en el año 2000 y sobre todo en los años 2003 y 2010. La acción típica se describía con los verbos promover, favorecer o facilitar, de forma directa o indirecta, el tráfico ilegal de personas o la inmigración clandestina desde, en tránsito o con destino a España, o con destino a otro país de la Unión Europea. Dicha conducta se castigaba con pena de 4 a 8 años de prisión. Como es fácil constatar, la amplitud del significado de los verbos típicos convierte a estos delitos en tipos abiertos y amplísimos en donde, en principio, todo parece punible, como ha venido denunciando la doctrina[14]. En realidad, esta tipifica-

---

13   Cfr. PÉREZ ALONSO, ESTEBAN, *Tráfico de personas...*, *op. cit.*, pp. 145 y 146.
14   *Vid.* PORTILLA CONTRERAS, GUILLERMO, "Disposición Final segunda. Inclusión de un nuevo Título XV bis en el Código Penal", en MONEREO PÉREZ, JOSÉ LUIS y MOLINA NAVARRETE, CRISTÓBAL (Coords.), *Comentarios a la Ley y al Reglamento de Extranjería e Integración Social (LO 4/2000, LO 8/2000 y RD 864/2001)*, Comares, Granada, 2001, p. 1008; CARMONA SALGADO, CONCEPCIÓN, "La nueva regulación del tráfico ilegal de personas con fines de explotación sexual según la LO 11/2003: reflexiones críticas acerca de un injustificado despropósito legislativo", en

ción tan omnicomprensiva de la ayuda a la inmigración ha permitido terminar criminalizando todo trato con inmigrantes en situación irregular.

Así, una interpretación literal del precepto ha permitido aplicarlo de forma rigurosa en decenas de casos y condenar con penas de 4 a 8 años de prisión a la persona que oculta al inmigrante dentro de su vehículo mientras pasa el control fronterizo, aunque no tenga ninguna finalidad reprochable, sino de simple ayuda al inmigrante "sin papeles"[15]. Incluso, aunque no se oculte al inmigrante, si pretende entrar de forma ostensible y abierta, a plena luz del día y a cara descubierta, también se ha condenado por este delito[16]. Aunque sin duda los casos más dramáticos fueron los de condena a personas por ayudar a sus familiares a entrar de forma irregular en España[17], como la condena a la tía de una niña guineana de 14 años de edad, que se quedó huérfana y se encontraba sola en un internado de Malabo, y que fue a recogerla para que se fuera a vivir con sus tíos y primos a las Palmas de Gran Canaria, donde residían legalmente, y así convertirse en la tutora de la niña[18].

Esta expansión legal también supone al mismo tiempo la administrativización del Derecho Penal, es decir, convertir al Derecho Penal en una función propia del Derecho Administrativo de policía y extranjería, que debe ocuparse de comprobar si los extranjeros que llegan a España cumplen o no con los requisitos legales que establece la legislación de extranjería para su entrada en España, para su residencia legal, para trabajar en nuestro país, etc.[19]. No parece razonable ni

---

ZUGALDÍA ESPINAR, JOSÉ MIGUEL (Dir.) y PÉREZ ALONSO, ESTEBAN (Coord.), *El Derecho Penal ante el fenómeno de la inmigración…*, *op. cit.*, p. 246.

[15] *Vid.* al respecto, PÉREZ ALONSO, ESTEBAN, *Tráfico de personas…*, *op. cit.*, pp. 247 y ss., 396 y ss.

[16] Así, por ejemplo, *vid.* la nota anterior o el acuerdo del pleno no jurisdiccional de la Sala Segunda del Tribunal Supremo de 13 de julio de 2005, donde se acuerda que "el facilitar el billete de ida y vuelta a extranjeros que carecen de permiso de trabajo y residencia en España, para poder entrar en España como turistas cuando no lo eran y ponerlos a trabajar, constituye un delito de inmigración clandestina".

[17] Así, por ejemplo, llevar oculto en el coche a su hermano para intentar pasar el puesto fronterizo de Ceuta (STS de 19 de diciembre de 2007, donde se aplica como atenuante la circunstancia de parentesco), llevar a la vista a la hermana con tarjeta de residencia francesa falsa, con idea de pasar de Ceuta a Algeciras (STS de 10 de junio de 2004), acompañar al conductor que trasladaba inmigrantes desde Ceuta escondidos en un doble fondo de la furgoneta, resultando muerto por asfixia el hermano del acompañante escondido en el doble fondo (SAP Cádiz de 17 de junio de 2005, que fue anulada por la STS de 28 de abril de 2006), tripular un barco en el que iban su hermano y su primo con intención de llegar a las Canarias, y que son descubiertos de forma casual cuando se inspecciona el barco para ver si hay drogas (STS de 1 de octubre de 2007).

[18] *Vid.* STS de 18 de noviembre de 2009.

[19] Así, por ejemplo, la condena al Presidente del Sindicato Profesional de Espectáculos de Málaga por firmar dos ofertas de empleo a dos marroquíes para participar en espectáculos de música folclórica marroquí, porque ya residían ilegalmente en España (STS de 9 de marzo de 2012, donde se castiga, por tanto, por la ayuda a la permanencia ilegal, sin participar en la entrada ilegal, conducta que era impune), o el caso de un empresario canario que regenta varios restaurantes de comida brasileña, mexicana y tailandesa y que contrata en origen a cocineros expertos, que viene a prueba

adecuado que el Derecho Penal y la jurisdicción penal se tengan que ocupar de este tipo de tareas.

B. Expansión judicial

La criminalización secundaria en materia de inmigración clandestina se lleva a cabo a través de los órganos de control jurídico-penal encargados de la aplicación del art. 318 bis CP, es decir, de la persecución, investigación, acusación, enjuiciamiento y condena por el delito de ayuda a la inmigración clandestina. Por tanto, es el sistema judicial-penal en su conjunto el que, como en cualquier otra materia penal, lleva a cabo una labor selectiva de las conductas y casos que deben ser perseguidos judicialmente en esta materia. Por ello, hay que destacar también algunos aspectos críticos del tratamiento judicial que se ha venido haciendo del delito de ayuda a la inmigración clandestina y que lleva a una aplicación judicial extensiva de una ley ya de por sí extensiva, lo que nos permite hablar de una expansión penal al cuadrado (legal y judicial).

Pero lo más preocupante para el Estado de Derecho y la Justicia no es sólo la interpretación extensiva del art. 318 bis CP que han venido haciendo los jueces y tribunales españoles, sino su aplicación analógica a casos que no están previstos en el tenor literal de dicho precepto o en las leyes procesales-penales. Dicho de otro modo, lo más preocupante es que los tribunales españoles, con la Sala Segunda del Tribunal Supremo a la cabeza, han hecho uso de la analogía en contra del reo, lo que no les está constitucionalmente permitido, pues su labor constitucional y legal es interpretar y aplicar las leyes penales que han sido aprobadas por las Cortes Generales. Sin embargo, al menos en dos ámbitos problemáticos distintos, se ha hecho un uso ilícito de la analogía en Derecho Penal en contra del reo.

a) Elemento geográfico del delito

El art. 318 bis CP se refiere al tráfico ilegal o inmigración clandestina de personas "desde, en tránsito o con destino a España u otro país de la Unión Europea". Es claro, por tanto, que se prohíbe el tráfico de inmigrantes que tiene carácter transnacional, es decir, aquél que tiene a España como punto de partida hacia otro país, como punto de llegada desde otro país o bien como lugar de paso a otro país. Esta última situación parece la más difícil de entender por parte de nuestros tribunales. Sin embargo, el sentido común dicta que está en tránsito

---

durante 3 meses, respetando todos sus derechos laborales, pero alguno de ellos deviene en situación de permanencia ilegal por no tramitarse y resolverse a tiempo la concesión del permiso de trabajo (STS de 14 de diciembre de 2011).

por España la persona que ha llegado a nuestro territorio desde otro país con la intención de pasar o atravesarlo teniendo como destino final de su viaje un tercer país. Por tanto, la expresión en tránsito "implica la existencia de al menos tres países: el país de origen del migrante, el país de destino, y aquel otro que sirve de puente o enlace entre ambos, y denominado país de tránsito. Este es el sentido del término en la Orden Ministerial de 22 de febrero de 1989 en la que en su artículo sexto se refiere expresamente a los extranjeros en tránsito como aquellos cuya entrada en nuestro país tiene carácter de tránsito hacia terceros países"[20].

Sin embargo, esta expresión ha sido utilizada por nuestros tribunales para castigar por vía del delito de ayuda a la inmigración clandestina del art. 318 bis CP los supuestos de traslado o desplazamiento interno de inmigrantes, es decir, el desplazamiento de inmigrantes en situación irregular que se produce dentro de las fronteras del Estado español. Si el tráfico prohibido es el de carácter internacional y la expresión en tránsito requiere la presencia de tres países es imposible dar cabida en el art. 318 bis CP al traslado de personas dentro de España, que no salen de España. El texto de la ley no lo admite, por lo que se está creando Derecho Penal por parte de los tribunales para castigar el tráfico interno como si fuera el tráfico internacional. Además, se trata de una forma encubierta de castigar los supuestos de permanencia ilegal en España. Pero esta conducta no está prohibida ni penada en el art. 318 bis CP hasta la reforma de la LO 1/2015, antes no, ahora sí. Así, como señalaba la STS de 16-10-2003, en un caso de traslado interior, "no es lo mismo favorecer la inmigración que favorecer al inmigrante", lo primero si está prohibido en el art. 318 bis CP, pero lo segundo no.

Pero, lamentablemente, los tribunales españoles no han hecho caso de esta sentencia y se han dedicado a condenar a los que favorecen al inmigrante cuando se traslada de un lugar a otro de España, una vez que el delito de ayuda a la inmigración clandestina ya se ha consumado y que se trata, por tanto, de una conducta posterior impune, que no está prohibida de forma expresa por el art. 318 bis CP. Así, lamentablemente, hay decenas de sentencias que castigan la ayuda al inmigrante en situación irregular, que ya se encuentra en territorio español y que se traslada entre dos puntos de la península[21]. Un caso particular se ha presentado en los traslados de inmigrantes dentro de la Ciudad de Melilla, una vez que han entrado ilegalmente, para ser puestos a disposición de la autoridad gubernativa y su posterior ingreso en el centro de internamiento de extranjeros[22]. También hay decenas y decenas de sentencias condenatorias por la ayuda a inmigrantes que ya están en situación irregular en España, es decir, que ya se ha

---

[20]   *Cfr.* RODRÍGUEZ MESA, MARÍA JOSÉ, *Delitos contra los derechos...*, *op. cit.*, p. 66.

[21]   Así, por ejemplo, *vid.* las SSTS de 17 de septiembre de 2003; 13 de julio de 2005; 6 de marzo de 2006; 29 de junio de 2006; 3 de abril de 2007.

[22]   Así, por ejemplo, *vid.* la STS de 20 de octubre de 2006.

consumado el delito del art. 318 bis CP, por trasladarlos desde Ceuta, Melilla o las islas Canarias a la España peninsular (fundamentalmente a las costas andaluzas), lo que significa tanto como afirmar que la frontera sur española no está en los enclaves geográficos del norte de África, sino en el Mediterráneo, es decir, en las costas andaluzas, cuando, según creo, Ceuta, Melilla y las islas Canarias forman parte del territorio del Estado español[23].

b) Alcance de la jurisdicción penal española

La segunda cuestión controvertida a recordar se refiere a la determinación de la competencia de los tribunales penales españoles para conocer aquellos casos en que las pateras o cayucos que trasladaban a los inmigrantes hacia España eran interceptadas en alta mar, fuera de las doce millas náuticas del mar territorial español. Ante esta situación, la Audiencia Provincial de las Palmas de Gran Canaria, en varias ocasiones, y la Audiencia Provincial de Granada, en una ocasión, se declararon incompetentes para conocer de estos casos por falta de jurisdicción. Sin embargo, el TS anuló estas sentencias (y otras similares) y declaró que los tribunales españoles eran competentes acudiendo a tres argumentaciones diferentes, aunque igualmente criticables: las dos primeras porque no se pueden sostener jurídicamente con un mínimo de racionalidad y la tercera porque es ilegal en la medida que inventa un criterio de competencia que no está previsto en la ley[24].

La primera línea jurisprudencial considera que el problema reside en determinar el lugar de comisión del delito y en aplicación de la teoría de la ubicuidad entiende que el delito se comete en territorio español, dado que era el lugar donde se dirigían[25]. Pero, claro, esta opinión contradice la jurisprudencia mayoritaria del TS que considera el delito de ayuda a la inmigración clandestina como delito de mera actividad y de consumación instantánea y anticipada, por lo que bastaría con realizar cualquier actividad de favorecimiento para que el delito se haya consumado. Por ejemplo, la condena que impuso la STS de 11 de abril de 2009 por ayuda a la inmigración clandestina -de un ciudadano chino que nunca salió de China- a una mujer de nacionalidad china por solicitar la reagrupación familiar de un falso pariente. Si se aplica este criterio a las pateras interceptadas en alta mar, el delito se comete y consuma en alta mar y no en territorio español.

---

[23]   Así, por ejemplo, *vid.* las SSTS de 4 de abril de 2004; 10 de junio de 2004; 15 de febrero de 2005; 12 de septiembre de 2005; 10 de noviembre de 2005; 19 de enero de 2006; 27 de diciembre de 2006.

[24]   *Vid.* al respecto, con detalle, PÉREZ ALONSO, ESTEBAN, "Las últimas reformas del principio de justicia universal...", *cit.*, pp. 147 y ss.

[25]   *Vid.* en este sentido las SSTS de 29 de diciembre de 2007; 3 de enero de 2008; 23 de enero de 2008; 31 de enero de 2008.

Como este criterio no era convincente, el propio TS utiliza otra vía interpretativa considerando que en base a la legislación internacional que regula el derecho de visita y registro de buques conforme a la Convención del Mar de 1982 y el Protocolo de Palermo sobre tráfico ilícito de migrantes de 2000, se podría entender que se amplía la jurisdicción penal para conocer en estos casos[26]. Pero, claro una cosa es que se pueda inspeccionar o registrar un buque y otra muy distinta es que tal facultad inspectora se convierta o resulte equivalente a otorgar la competencia jurisdiccional en el orden penal. Al tiempo que una cosa es que el Protocolo admita la posibilidad de que los Estados puedan ampliar su jurisdicción penal en materia de inmigración ilegal, lo que se establece a título potestativo, y otra muy distinta es que esa facultad se convierta por ministerio de los tribunales españoles en ley vigente, cuando el parlamento español no ha llevado a efecto dicha potestad establecida a título facultativo a nivel protocolario.

Como este segundo criterio tampoco resultaba convincente, hay una tercera línea jurisprudencial que señala que, ante la falta de criterios de competencia de la LOPJ para estos supuestos, se podría acudir al principio de justicia supletoria para reconocer la competencia de los tribunales españoles y evitar así la impunidad de tales hechos[27]. Dicho de otro modo, el TS termina inventando o creando un criterio de competencia jurisdiccional que no está previsto en la LOPJ, por lo que vuelve a hacer uso de la analogía *in malam partem*, dado que un hecho que no está previsto por la ley procesal-penal como competencia de la jurisdicción penal española por ministerio de los tribunales españoles se intenta convertir en un criterio legal, cuando el principio de justicia supletoria no está contemplado en la LOPJ.

Posiblemente, por la debilidad argumental de las dos primeras líneas jurisprudenciales y la falta de apoyo legal de la tercera y ante la criticable situación que se estaba produciendo en el propio TS, el parlamento español en el ejercicio de sus competencias constitucionales reformó la LOPJ, a través de la LO 13/2007, de 19 de noviembre, para otorgar la competencia extraterritorial de la jurisdicción española para conocer del delito relativo al tráfico ilegal e inmigración clandestina de personas en base al principio de justicia universal. Por tanto, a partir de esa reforma legal, si se pueden perseguir y enjuiciar por el delito de ayuda a la inmigración clandestina del art. 318 bis CP a las embarcaciones interceptadas en alta mar, pero con anterioridad no, pues no lo permitía la ley y por ello se modificó. Así que, a partir de esa fecha, la ley permite hacer lo que antes no se

---

[26]   *Vid.* en este sentido las SSTS de 1 de junio de 2007; 15 de junio de 2007; 21 de junio de 2007; 25 de junio de 2007; 5 de julio de 2007; 18 de octubre de 2007; 27 de diciembre de 2007; 18 de febrero de 2008.

[27]   *Vid.* en este sentido las SSTS de 16 de junio de 2007; 5 de julio de 2007; 8 de octubre de 2007; 27 de diciembre de 2007.

podía hacer, pero nuestro TS lo hacía aplicando la analogía en contra del reo en un claro ejemplo de expansión judicial sobre la expansión legal del Derecho Penal en materia de inmigración clandestina. En suma, la LO 13/2007 legaliza a posteriori la jurisprudencia "creativa" del TS[28].

2. La reforma del art. 318 bis a través la LO 1/2015, de 30 de marzo

Como se ha advertido ya, la reforma de 2015 supone la adaptación definitiva de nuestra legislación penal a la comunitaria en esta materia, aunque sea trece años más tarde, llevando a cabo la transposición literal de la Directiva 2002/90/CE. Esto es, que se lleva a efecto la copia exacta y fidedigna de la definición del delito de ayuda a la inmigración ilegal que ofrece la directiva. No cabe duda de que esta forma de legislar por parte del legislador español deja mucho que desear desde el punto de vista técnico y político. La doctrina[29] ha denunciado que transponer una disposición comunitaria al derecho interno no consiste en trasladar literalmente los preceptos contenidos en dicha disposición, sino que "requiere una labor de *adaptación* al ordenamiento interno, en aras de guardar su coherencia y atendiendo siempre, como compromiso superior, a las reglas y garantías básicas que informan la tipificación en el ámbito penal en un Estado democrático de Derecho. Ésta no es una cuestión baladí, como ha reconocido el Parlamento Europeo en la Resolución, de 22 de mayo de 2012, sobre el enfoque de la Unión Europea acerca del Derecho Penal, preocupado por el cariz que ha estado tomando la armonización del Derecho Penal de la Unión Europea. Así, lamenta que "hasta el momento la Unión Europea ha desarrollado con frecuencia disposiciones de Derecho penal ad hoc y ha creado, por tanto, la necesidad de mayor coherencia". Se advierte, en definitiva, que la armonización no puede vulnerar los "aspectos fundamentales del Derecho Penal", de modo que la tarea de transposición de las Directivas "ha de satisfacer principios básicos, como el de última ratio de la intervención penal (…), el mandato de taxatividad, o el principio de proporcionalidad de las penas", atendiendo también a la coherencia interna de la legislación del Estado miembro.

Pero, respetar la coherencia del ordenamiento jurídico español en esta materia hubiera obligado al legislador, en base al principio de intervención mínima del Derecho Penal, a delimitar con claridad el ámbito sancionador administrativo (LOEX) del penal, cosa que nuevamente no se ha llevado a efecto. Es claro que el legislador penal de 2015, en la línea iniciada ya por el legislador penal de

---

[28]   Para una crítica a estas tres líneas jurisprudenciales y sobre la reforma de 2007, *vid.* PÉREZ ALONSO, ESTEBAN, "Las últimas reformas del principio de justicia universal...", *cit.*, pp. 156 y ss., 171 y ss.

[29]   *Vid.* al respecto, POMARES CINTAS, ESTHER, "La colaboración de terceros en la inmigración ilegal...", *loc. cit.*, pp. 622 y ss.

2000, cuando se introdujo el art. 318 bis CP, no ha tenido presente la legislación administrativa en materia de extranjería que precisamente fue introducida en el año 2000 a través de la LOEX. Por tanto, en este aspecto la reforma no supone ninguna novedad, sigue ahondando en la línea de confusión y expansión penal ya iniciada en 2000, guiada por una política trafiquista que pretende utilizar el Derecho Penal como el principal instrumento de control de los flujos migratorios, actuando, de este modo, en contra del carácter fragmentario y de última ratio del Derecho Penal, que se ha convertido en el protagonista principal en esta materia, relegando al Derecho Administrativo sancionador.

Además, dicha política se ha visto claramente confirmada en esta misma reforma de 2015 mediante la introducción del nuevo delito de empleo reiterado de trabajadores extranjeros sin permiso de trabajo en el art. 311 bis CP. Este precepto viene a complementar también la política legislativa plasmada en la LO 7/2012, de 27 de diciembre, con la introducción del delito de empleo simultáneo de una pluralidad de trabajadores (extranjeros) en el art. 311.2 CP. Con la inclusión de estos nuevos delitos ya no parece estar ya en tela de juicio la protección de los derechos de los trabajadores, sino más bien el sistema económico y la competencia empresarial en cuanto a la contratación, en la línea de lo establecido en la Directiva 2009/52/CE del Parlamento europeo y del Consejo, de 18 de junio de 2009, que como es sabido tiene por finalidad principal evitar sobre todo la entrada y permanencia ilegal de extranjeros en el ámbito de la UE[30].

En definitiva, sigue siendo muy discutible que el Derecho Penal tenga que intervenir en el control de los flujos migratorios, por lo que se propone la supresión de este delito en favor de la intervención administrativa. Por cierto, que la LOEX establece para las infracciones muy graves sanciones de multa muy superiores a las que establece ahora el nuevo delito de ayuda a la inmigración clandestina[31]. Disparidad punitiva que claramente cuestiona la necesidad y conveniencia político criminal de seguir manteniendo la intervención penal en esta materia,

---

[30] *Vid.* al respecto, TRAPERO BARREALES, MARÍA, "La transformación del derecho penal laboral: de protector de los derechos de los trabajadores a garante de la competencia empresarial y de las políticas migratorias", *Cuadernos de Política Criminal*, nº 114, 2014, pp. 5 y ss.; POMARES CINTAS, ESTHER, "La revisión de los delitos contra los derechos de los trabajadores según la reforma de 2015", en QUINTERO OLIVARES, GONZALO (Dir.), *Comentario a la reforma penal de 2015, op. cit.*, pp. 633 y ss.; HORTAL IBARRA, JUAN CARLOS, "Título XV. De los delitos contra los derechos de los trabajadores", en CORCOY BIDASOLO, MIRENTXU y MIR PUIG, SANTIAGO (Dirs.), *Comentarios al Código penal. Reforma LO 1/2915 y LO 2/2015*, Tirant lo Blanch, Valencia, 2015, pp. 1196 y ss.; *id.*, "Tutela de las condiciones laborales y reformas penales: ¿el ocaso del Derecho Penal del trabajo?", *Revista de Derecho Penal y Criminología*, 3ª Época, nº 20, 2018, pp. 65 y ss.

[31] Así, por ejemplo, la infracción del art. 54.1,b) LOEX, que tipifica el comportamiento equiparable al tipificado en el apartado 1 del art. 318 bis CP, se castiga con multa de 10.001 hasta 100.000 euros (art. 55 LOEX).

cuando lo que correspondería es dar paso exclusivo de una vez y para siempre al Derecho Administrativo sancionador[32].

3. La nueva configuración del art. 318 bis CP

Los dos aspectos más importantes de la reforma de 2015 en materia de ayuda a la inmigración clandestina, como venimos señalando, son el relativo a la considerable rebaja de las penas que se ha llevado a cabo en el art. 318 bis CP, así como la nueva configuración típica que se ofrece de este delito. Al igual que la Directiva 2002/90/CE, el art. 318 bis CP establece dos tipos básicos del nuevo delito de inmigración clandestina castigando con igual pena la conducta de ayuda a la entrada o circulación ilegal en territorio español (apartado 1 del art. 318 bis CP) que la conducta de ayuda a la permanencia ilegal (apartado 2 del art. 318 bis CP).

A. Primera modalidad típica: ayuda a la entrada o tránsito ilegal

a) Conducta típica

La primera modalidad típica del art. 318 bis 1 CP consiste en ayudar a la entrada o tránsito de personas extracomunitarias en territorio español vulnerando la legislación sobre entrada o tránsito de extranjeros. La nueva fórmula típica resulta más adecuada que la derogada, que castigaba conductas mucho más imprecisas de favorecimiento a la inmigración clandestina. Recuérdese que se castigaba promover, favorecer o facilitar el tráfico ilegal de personas o la inmigración clandestina, lo que resultaba sumamente ambiguo y expansivo, permitiendo castigar prácticamente cualquier tipo de colaboración o trato con inmigrantes en situación irregular. Ahora se tipifica solo la acción de ayudar, es decir, prestar colaboración, auxiliar o poner los medios para el logro de algo, según el DRAE. Por tanto, se castiga la acción de ayuda a la entrada o tránsito de extranjeros de forma ilegal, es decir, siempre que suponga la vulneración de la legislación de extranjería. En este sentido, se ha afirmado que "ya no basta que la operación migratoria en la que se colabore, así, la entrada en territorio español, sea "clandestina" u oculta, no basta que el extranjero al que se ayuda no reúna los requisitos administrativos necesarios para entrar, sino que ahora se exige expresamente la idoneidad del comportamiento colaborador para posibilitar que el extranjero

---

[32]   *Vid.* PÉREZ ALONSO, ESTEBAN y POMARES CINTAS, ESTHER, "Inmigración clandestina", en ÁLVAREZ GARCÍA, JAVIER (Coord.), *Estudio crítico sobre el anteproyecto de reforma penal de 2012*, Tirant lo Blanch, Valencia, 2013, pp. 871 y ss.

vulnere la legislación sobre entrada o tránsito de extranjeros, es decir, que éste cometa un ilícito administrativo relativo a la entrada o circulación según la legislación de extranjería"[33].

b) El ánimo de lucro como circunstancia agravante

El párrafo 3° del apartado 1 del art. 318 bis CP considera el "ánimo de lucro" como una mera circunstancia de agravación de la pena, tal y como hacía la redacción derogada, lo que resulta bastante criticable. El ánimo de lucro es un elemento subjetivo del injusto en este delito que le da sentido a la prohibición penal, de tal modo que si tiene relevancia penal este comportamiento es porque se lleva a cabo con la intención de obtener un provecho económico. No olvidemos que en la definición de tráfico ilícito de migrantes que ofrece el Protocolo de Palermo se incluye el ánimo de lucro como un elemento esencial de la definición, sin el cual no resulta punible, dado que forma parte del núcleo esencial de este delito[34]. Desdibujar su naturaleza como elemento esencial del delito para transformarlo en un elemento accidental que solo condiciona una agravación de la pena, pero no la pena, resulta criticable porque supone una injustificada ampliación del ámbito de intervención penal en esta materia, más propia del expansionismo y punitivismo del enfoque trafiquista mantenido hasta ahora por la política criminal del Estado español y de la UE. En este aspecto subjetivo el nuevo delito resulta tan criticable como el derogado.

c) La ayuda humanitaria como excusa absolutoria

El párrafo segundo del apartado 1 del art. 318 bis CP dispone que "los hechos no serán punibles cuando el objetivo perseguido por el autor fuere únicamente prestar ayuda humanitaria a la persona de que se trate". Se trata de una excusa absolutoria que supone la exclusión de la pena de aquellas personas que han cometido el delito de ayuda a la inmigración ilegal, pero lo han hecho con el objetivo de prestar ayuda humanitaria al inmigrante. De este modo, en la línea trafiquista que preside este precepto, cualquier tipo de ayuda a la inmigración ilegal es típica del art. 318 bis 1 CP y, por tanto, está prohibida, pero en los casos de que se lleve a efecto con fines humanitarios el delito cometido no resulta punible, es decir, hay delito, pero no se castiga al autor.

Esta cláusula constituye toda una novedad en la materia, aunque viene determinada por el art. 1.2 de la Directiva 2002/90/CE que permite a los Estados

---

33   *Cfr.* POMARES CINTAS, ESTHER, "La colaboración de terceros en la inmigración ilegal...", *loc. cit.*, p. 627.

34   *Vid.* PÉREZ ALONSO, ESTEBAN, *Tráfico de personas...*, *op. cit.*, pp. 157 y ss.

miembros no imponer sanciones a dicha conducta cuando tenga por finalidad prestar ayuda humanitaria. Sin embargo, como se ha cuestionado por la doctrina, "el precepto penal no define el término "humanitaria" ni evita la apertura del proceso penal contra la persona que presta esa ayuda; por otro es un criterio de exención de pena inaceptable porque significa invertir la carga de la prueba: requerirá que el acusado acredite la concurrencia de un propósito *humanitario*, lo que contradice el principio de presunción de inocencia como derecho fundamental. En definitiva, si lo que se pretende es impedir castigar *penalmente* conductas colaboradoras que responden a motivaciones solidarias, hubiera bastado integrar en el tipo básico el ánimo de lucro, es decir, la finalidad de obtener un enriquecimiento indebido (ni el desplazamiento transnacional ni los trasportes son servicios gratuitos), como se requiere respecto de la ayuda a la permanencia ilegal (artículo 318 bis 2)"[35]. Esta solución hubiera sido mucho más efectiva y se hubiera centrado solo en la prohibición penal de aquellos comportamientos que realmente tienen capacidad para poner en peligro el control de los flujos migratorios, es decir, aquellos que actúan solo por una finalidad de lucro y además se llevan a cabo en el marco de la delincuencia organizada[36]. Además, el concepto de "ayuda humanitaria" resulta bastante confuso y una interpretación restrictiva del mismo supondrá seguir criminalizando los actos de solidaridad y altruismo con inmigrantes en situación irregular, incluso entre familiares, en post de la defensa a ultranza de las fronteras españolas. Aunque luego cabe lavar la mala conciencia aplicando el tipo atenuado del art. 318 bis 6 CP, como se ha venido haciendo hasta ahora. Por ello, esta nueva excusa absolutoria tendrá realmente un escaso ámbito de juego[37].

B. Segunda modalidad típica: ayuda a la permanencia ilegal

Por otra parte, el apartado 2 del art. 318 bis CP castiga la ayuda a la permanencia ilegal en nuestro país, si se hace con ánimo de lucro, lo que constituye toda una novedad en esta materia, pues antes de la reforma de 2015 esta modalidad delictiva no resultaba legalmente punible. Aunque como ya advertimos la jurisprudencia la ha venido castigando en algunas situaciones de permanencia irregular, así como de tránsito que formalmente no eran típicas, haciendo uso de la analogía prohibida en contra del reo. Esta novedad tiene que ver con la

---

[35]   *Cfr.* POMARES CINTAS, ESTHER, "La colaboración de terceros en la inmigración ilegal...", *loc. cit.*, pp. 628 y 629.

[36]   Así, PÉREZ ALONSO, ESTEBAN y POMARES CINTAS, ESTHER, "Inmigración clandestina", pp. 871 y ss.

[37]   *Vid.* MUÑOZ CONDE, FRANCISCO, *Derecho Penal. Parte Especial*, 21ª ed., Tirant lo Blanch, Valencia, 2017, p. 323.

transposición fidedigna de la Directiva 2002/90/CE, en cuyo art. 1.1,b) castiga con los mismos términos las situaciones de ayuda a la permanencia ilegal de extranjeros.

Ahora el elemento subjetivo del ánimo de lucro sí constituye un elemento esencial de la infracción penal, teniendo la naturaleza de un elemento subjetivo del injusto, que tiene que concurrir necesariamente para que la ayuda a la permanencia ilegal resulte punible, pues de lo contrario no habría ilícito penal. Llama la atención, no obstante, que se castigue con la misma pena el comportamiento de ayuda a la entrada o tránsito ilegal de extranjeros sin que concurra este elemento crematístico, que el comportamiento de ayuda a la permanencia ilegal con ánimo de lucro.

Con esta nueva modalidad delictiva se amplía aún más la intervención penal, siguiendo la lógica trafiquista que venimos denunciando. Así, a partir de ahora se castigarán las acciones de ayuda a la permanencia ilegal de extranjeros, incluso aunque no se haya participado en su entrada o tránsito irregular, al haber regulado de forma separada e independiente esta segunda modalidad delictiva. De este modo, como se ha denunciado en la doctrina, "este criterio de política criminal en torno a la lucha contra la inmigración ilegal desnaturaliza la base conceptual del tráfico ilegal de migrantes: su inherente carácter *transnacional*, una connotación que ha sido subrayada en la Exposición de motivos de la Directiva 2002/90/CE y la Decisión Marco 2002/946/JAI, y en el Preámbulo de la LO 5/2010: el delito del art. 318 bis "siempre tendrá carácter transnacional". En consecuencia, la incriminación independiente de la *ayuda a la permanencia ilegal* del extranjero equivaldría expresamente al castigo del *mero favorecimiento del inmigrante,* y no de la inmigración ilegal"[38], tal y como ha venido denunciando la propia jurisprudencia del Tribunal Supremo[39].

C. Régimen punitivo

Como se ha señalado, la reforma de 2015 se caracteriza también por llevar a cabo una rebaja considerable de la pena en las modalidades del tipo básico del art. 318 bis CP con respecto a la legislación derogada, que establecía una pena de prisión de cuatro a ocho años, lo que a todas luces era absolutamente desproporcionado y excedía incluso de los cánones europeos (Decisión Marco 2002/946/JAI). Ahora se parte en el tipo básico de una pena de multa de tres a doce meses o prisión de tres meses a un año. Pero, la pena establecida para los tipos agravados previstos a partir del apartado 3 del art. 318 bis es de cuatro a ocho años

---

[38]   *Cfr.*. POMARES CINTAS, ESTHER, "La colaboración de terceros en la inmigración ilegal…", *loc. cit.*, p. 630.

[39]   Así, las SSTS de 16 de octubre de 2003 y 6 de marzo de 2006.

de prisión. Pese a la rebaja practicada, la pena de los tipos agravados sigue excediendo la normativa europea señalada[40] y sigue siendo desproporcionada para la gravedad de los hechos, sobre todo si se compara con la pena prevista con la trata de seres humanos, donde sí se produce una grave violación de los derechos humanos de la víctima, mientras que el delito de inmigración clandestina es un delito sin víctima. Pese a ello, hay que reconocer la importante rebaja de pena producida en el tipo básico, que ya no resulta contrario al principio de proporcionalidad. Aunque, como se propuso, lo mejor sería que se derogue este precepto para que sea solo el Derecho Administrativo sancionador quien intervenga en el control de los flujos migratorios o, en todo caso, que se restrinja la intervención penal sólo a aquellos casos en que la ayuda a la inmigración clandestina se lleve a efecto con ánimo de lucro y en el marco de la delincuencia organizada.

V. BIBLIOGRAFÍA

ARROYO ZAPATERO, LUIS, "Propuesta de un eurodelito de trata de personas", en *Homenaje al Dr. Marino Barbero Santos. In Memoriam*, vol. 2, Ediciones UCLM, Cuidad Real, 2001, pp. 25-44.

CANCIO MELIÁ, MANUEL y MARAVER GÓMEZ, MARIO, "El Derecho Penal español ante la inmigración: un estudio político-criminal", en BACIGALUPO, SILVINA y CANCIO MELIÁ, MANUEL (Coords.), *Derecho penal y política transnacional*, Atelier, Barcelona, 2005, pp. 343-416.

CARMONA SALGADO, CONCEPCIÓN, "La nueva regulación del tráfico ilegal de personas con fines de explotación sexual según la LO 11/2003: reflexiones críticas acerca de un injustificado despropósito legislativo", en ZUGALDÍA ESPINAR, JOSÉ MIGUEL (Dir.) y PÉREZ ALONSO, ESTEBAN (Coord.), *El Derecho Penal ante el fenómeno de la inmigración*, Tirant lo Blanch, Valencia, 2007, pp. 213-250.

DE LEÓN VILLALBA, JAVIER, *Tráfico de personas e inmigración ilegal*, Tirant lo Blanch, Valencia, 2003.

DÍAZ Y GARCÍA CONLLEDO, MIGUEL (Dir.), *Protección y expulsión de extranjeros en Derecho Penal*, La Ley, Madrid, 2007.

GONZÁLEZ CUSSAC, JOSÉ LUIS (Dir.), *Derecho Penal*, 5ª ed., Tirant lo Blanch, Valencia, 2016.

---

[40]   *Vid.* VILLACAMPA ESTIARTE, CAROLINA, en *Comentarios...*, *op. cit.*, pp. 17 y ss.

GUARDIOLA GARCÍA, JAVIER, "Tráfico ilegal o inmigración clandestina de personas: comentario a la reciente reforma del art. 318 bis del Código Penal", *Revista de Derecho y Proceso penal*, nº 13, 2005, pp. 13-32.

HORTAL IBARRA, JUAN CARLOS, "Título XV. De los delitos contra los derechos de los trabajadores", en CORCOY BIDASOLO, MIRENTXU y MIR PUIG, SANTIAGO (Dirs.), *Comentarios al Código penal. Reforma LO 1/2915 y LO 2/2015,* Tirant lo Blanch, Valencia, 2015.

HORTAL IBARRA, JUAN CARLOS, "Tutela de las condiciones laborales y reformas penales: ¿el ocaso del Derecho Penal del trabajo?", *Revista de Derecho Penal y Criminología,* 3ª Época, nº 20, 2018, pp. 65-85.

LAMARCA PÉREZ, CARMEN, *Delitos. La Parte Especial del Derecho Penal,* 4ª ed., Dykinson, Madrid, 2019.

MARTÍNEZ BUJÁN PÉREZ, CARLOS, *Derecho Penal económico y de la empresa, Parte Especial,* 6ª ed., Tirant lo Blanch, Valencia, 2019.

MARTÍNEZ ESCAMILLA, MARGARITA, *La inmigración como delito. Un estudio político criminal, dogmático y constitucional del tipo básico del art. 318 bis CP,* Atelier, Barcelona, 2007.

MUÑOZ CONDE, FRANCISCO, *Derecho Penal. Parte Especial,* 21ª ed., Tirant lo Blanch, Valencia, 2017.

PÉREZ ALONSO, ESTEBAN, "Regulación internacional y europea sobre el tráfico ilegal de personas", en ZUGALDÍA ESPINAR, JOSÉ MIGUEL (Dir.) y PÉREZ ALONSO, ESTEBAN (Coord.), *El Derecho Penal ante el fenómeno de la inmigración,* Tirant lo Blanch, Valencia, 2007, pp. 31-64.

PÉREZ ALONSO, ESTEBAN, *Tráfico de personas e inmigración clandestina: un estudio sociológico, internacional y jurídico-penal,* Tirant lo Blanch, Valencia, 2008.

PÉREZ ALONSO, ESTEBAN, "Las últimas reformas del principio de justicia universal legalizadoras de la jurisprudencia "creativa" del Tribunal Supremo español", *Estudios Penales y Criminológicos,* nº 32, 2012, pp. 131-196.

PÉREZ ALONSO, ESTEBAN, "El delito de trata de seres humanos: regulación internacional, europea y española", en LARA AGUADO, ÁNGELES (Dir.), *Nuevos retos en la lucha contra la trata de personas con fines de explotación sexual. Un enfoque interdisciplinar,* Civitas, Thomson Reuters, Pamplona, 2012, pp. 357-385.

PÉREZ ALONSO, ESTEBAN, "La trata de seres humanos en el Derecho Penal español", en VILLACAMPA ESTIARTE, CAROLINA, *La delincuencia organizada: un reto a la política criminal actual,* Thomson Reuters Aranzadi, Pamplona, 2013, pp. 93-112.

PÉREZ ALONSO, ESTEBAN, "Marco normativo y política criminal contra la trata de seres humanos en la Unión Europea", en PÉREZ ALONSO, ESTEBAN y

POMARES CINTAS, ESTHER (Coords.), *La trata de seres humanos en el contexto penal iberoamericano*, Tirant lo Blanch, Valencia, 2019, pp. 63-115.

PÉREZ ALONSO, ESTEBAN y POMARES CINTAS, ESTHER, "Inmigración clandestina", en ÁLVAREZ GARCÍA, JAVIER (Coord.), *Estudio crítico sobre el anteproyecto de reforma penal de 2012*, Tirant lo Blanch, Valencia, 2013, pp. 863-886.

PÉREZ CEPEDA, ANA, *Globalización, tráfico internacional de personas y derecho penal*, Comares, Granada, 2004.

PÉREZ FERRER, FÁTIMA, *Análisis dogmático y político-criminal de los delitos contra los derechos de los ciudadanos extranjeros*, Dykinson, Madrid, 2006.

POMARES CINTAS, ESTHER, "El delito de trata de seres humanos con finalidad de explotación laboral", *Revista Electrónica de Ciencia Penal y Criminología*, nº 13-15, 2011.

POMARES CINTAS, ESTHER, "La colaboración de terceros en la inmigración ilegal a partir de la reforma de 2015 (artículo 318 bis CP): ¿una cuestión penal?", en QUINTERO OLIVARES, GUILLERMO (Dir.), *Comentario a la reforma penal de 2015*, Aranzadi, Pamplona, 2015, pp. 619-632.

POMARES CINTAS, ESTHER, "La revisión de los delitos contra los derechos de los trabajadores según la reforma de 2015", en QUINTERO OLIVARES, GUILLERMO (Dir.), *Comentario a la reforma penal de 2015*, Aranzadi, Pamplona, 2015, pp. 633-642.

PORTILLA CONTRERAS, GUILLERMO, "Disposición Final segunda. Inclusión de un nuevo Título XV bis en el Código Penal", en MONEREO PÉREZ, JOSÉ LUIS y MOLINA NAVARRETE, CRISTÓBAL (Coords.), *Comentarios a la Ley y al Reglamento de Extranjería e Integración Social (LO 4/2000, LO 8/2000 y RD 864/2001)*, Comares, Granada, 2001, pp. 1000-1012.

RODRÍGUEZ MESA, MARÍA JOSÉ, *Los delitos contra los derechos de los ciudadanos extranjeros*, Tirant lo Blanch, Valencia, 2001.

SÁNCHEZ LÁZARO, FERNANDO, en ROMEO CASABONA, CARLOS, SOLA RECHE, ESTEBAN y BOLDOVA PASAMAR, MIGUEL ÁNGEL (Coords.), *Derecho Penal, Parte Especial*, Comares, Granada, 2016.

TRAPERO BARREALES, MARÍA, "La transformación del derecho penal laboral: de protector de los derechos de los trabajadores a garante de la competencia empresarial y de las políticas migratorias", *Cuadernos de Política Criminal*, nº 114, 2014, pp. 5-44.

VILLACAMPA ESTIARTE, CAROLINA, "El delito de trata de seres humanos en el Código Penal español", en LARA AGUADO, ÁNGELES (Dir.), *Nuevos retos en la lucha contra la trata de personas con fines de explotación sexual. Un enfoque interdisciplinar*, Civitas, Thomson Reuters, Pamplona, 2012, pp. 387-414.

VILLACAMPA ESTIARTE, CAROLINA, en QUINTERO OLIVARES, GONZALO (Dir.), *Comentarios a la Parte Especial del Código Penal*, 10ª ed. (electrónica), Aranzadi, Pamplona, 2016.

ZUGALDÍA ESPINAR, JOSÉ MIGUEL (Dir.) y PÉREZ ALONSO, ESTEBAN (Coord.), *El Derecho Penal ante el fenómeno de la inmigración*, Tirant lo Blanch, Valencia, 2007.

APATRIDIA Y NACIONALIDAD. TOMEMOS EN SERIO LA NACIONALIDAD ESPAÑOLA

MÓNICA GUZMÁN ZAPATER

Catedrática de Derecho internacional privado
Universidad Nacional de Educación a Distancia (UNED)

I. INTRODUCCIÓN

En el caso que da origen a la Sentencia de la Audiencia Provincial (SAP) de Guipúzcoa (Sección 2ª) nº 341/2022, de 11 de mayo de 2022 objeto de este comentario, actuaba como demandante el Ministerio de Justicia representado por el Abogado del Estado, contra la sentencia de 24 de noviembre de 2021 del Juzgado de Primera Instancia (J1ªI) nº 5 de San Sebastián, 310/2021, de 24 de noviembre[1]. En ésta se resolvía favorablemente la demanda presentada por la madre de una menor de seis años, por vulneración de derechos fundamentales, en particular, el derecho a la nacionalidad. La SJ1ªI establecía la atribución de la nacionalidad española con fundamento en el art. 17.1, apartados c) y d) del Código Civil (CC), en contra del criterio del Ministerio de Justicia y contra el Ministerio Fiscal, dado que su nacimiento habría tenido lugar en Marruecos en el transcurso del viaje de la madre desde Camerún a Europa. La SAP confirma la vulneración de derechos fundamentales de la menor, en particular, del derecho a una nacionalidad y se acuerda librar exhorto al Registro Civil Central para inscribir el nacimiento fuera de plazo y tras ello, que se proceda a inscribir la nacionalidad española que se declara al margen de la inscripción de nacimiento. Es el primer caso en que los tribunales españoles, en instancia y en apelación, atribuyen la nacionalidad española a una menor nacida en el extranjero y dudosamente apátrida[2].

---

[1]   ECLI: ES: JPI: 2021:2608. *LA LEY* 335650/2021
[2]   *Cf.* FERNÁNDEZ ROZAS, JOSÉ CARLOS, "Aplicación extensiva del artículo 17.1.c) reconociendo la nacionalidad española de origen por respeto al interés superior de la menor y para que no permanezca en el limbo de la apatridia" (*blog de* JOSÉ CARLOS FERNÁNDEZ ROZAS, 22 de agosto 2022).

Tengo para mí la idea de que el Derecho de la nacionalidad y el Derecho de extranjería han marcado hondamente la carrera académica de la Doctora Mercedes Moya en la labor de investigación desarrollada a lo largo de los años por nuestra homenajeada y lo ha transmitido generosamente a sus alumnos[3]. De ahí que me haya decantado por comentar estas Sentencias en las que se conecta la apatridia y la nacionalidad española, problemática francamente alejada de mis líneas de investigación, aunque no de mis dudas y preocupaciones.

II. HECHOS Y ASPECTOS RELEVANTES DEL *ITER* JUDICIAL

Es probable que el detonante de la interposición de la demanda en primera instancia tuviera que ver con la caducidad del permiso de residencia temporal de tres meses por circunstancias excepcionales que habría obtenido la menor, pese a que la madre habría sido autorizada a una residencia temporal de un año[4], lo cual no dejaba de ser una situación incongruente. En esa tesitura la demandante opta por intentar la atribución de la nacionalidad española de la menor esquivando la protección que eventualmente podría haber derivado del estatuto de apátrida. Pero esto es solo una suposición. Interesa examinar los hechos y el derecho aplicado en ambas instancias.

1. Sentencia del Juzgado 1ª Instancia de 24 de noviembre 2021

La Sentencia del J1ªI es más extensa en el relato de los hechos y en cuanto a la fase administrativa previa que es lo que resulta juzgado.

---

[3]   En la docencia se ha preocupado del Derecho de Extranjería ("Extranjeros en España, ¿un único régimen jurídico?". *Materiales docentes XXVI Cursos de verano de la Universidad de Granada en Ceuta*, Ed. Universidad de Granada, Granada, 2014, y ha sido tutora y directora de Trabajos de Fin de Master en numerosas ocasiones en el Título propio en Derecho de Extranjería). También se ha implicado en Proyectos de investigación sobre la materia (Directora del Proyecto de Investigación "Saber nombrar, saber convivir. El ABC de la extranjería". CS2009-05496-E., Ministerio de Ciencia e Innovación, 2009-2010). Su preocupación por el Derecho de extranjería se refleja igualmente en algunas de sus publicaciones: *Régimen jurídico del permiso de trabajo de los extranjeros en España: Una lectura a través de nuestra jurisprudencia (1981-1992)*, con la colaboración de CARRASCOSA GONZÁLEZ, JAVIER y TRINIDAD GARCÍA, Mª LUISA, Comares, Granada, 1993. ISBN 84-87708-76-5; *Comentario sistemático a la Ley de Extranjería (L.O. 4/2000 y L.O. 8/2000)*, MOYA ESCUDERO, MERCEDES (Coord.), Comares, Granada, 2001. ISBN 84-8444-263-2, pp. 197-225; "El derecho a la reagrupación familiar en la Ley de Extranjería", *La Ley*, vol. 1. 2000, pp. 1691-1703; "Modos de llegada de los menores extranjeros al territorio español", Web del Centro de Documentación Judicial (CENDOJ) del Consejo General del Poder Judicial. El reverso de la extranjería es la adquisición de la nacionalidad española, y, entre otros trabajos de investigación publicados en la materia, destaca *"Atribución de la nacionalidad española con valor de simple presunción"*, *Aranzadi Civil*, nº 11, 2007, pp.15-55.

[4]   *Vid.* SJ1ªI, Fundamento primero.

La menor había nacido en Marruecos en el transcurso del viaje de huida de la madre desde Camerún, según su propia declaración. Sin certificados o algún tipo de prueba registral o documental, ya en España se les asignaron tarjetas de reconocimiento temporal del derecho a la asistencia sanitaria por la Seguridad social y estuvieron 3 meses empadronadas. Una vez caducado el permiso de residencia, la madre alega que carece de la documentación requerida para la renovación del empadronamiento -documento de nacionalidad o de residencia-y le resulta imposible conseguirla, si bien ya se había dirigido por carta al Consulado de Camerún habiendo recibido como respuesta la negativa a documentarla. Dicha resolución denegatoria del empadronamiento fue recurrida y desestimada por la Subdelegación del Gobierno en Guipúzcoa.

Parece cierto, por otra parte, que la madre desarrolla un comportamiento activo en orden a obtener un certificado de la nacionalidad camerunesa de la menor (que solicita ante las autoridades de Camerún), recibiendo por respuesta que se dirigiera a la Embajada de Camerún en Marruecos dado que la niña había nacido en dicho país, aunque no habría obtenido certificado alguno en el momento del nacimiento ni inscripción de la nacionalidad camerunesa o la de Marruecos. Al mismo tiempo se habría dirigido y solicitado de la Embajada de Marruecos en Madrid solicitando certificado del nacimiento (marzo de 2021) sin que recibiera respuesta alguna, más lógico habida cuenta que el nacimiento habría tenido lugar en un domicilio particular.

Otra actuación tuvo lugar ante el Registro Civil de San Sebastián, solicitando la inscripción principal la declaración de la nacionalidad española con valor de simple presunción al amparo del art. 96 de la LRC de 1957 (con fecha 1 de agosto de 2019), así como la inscripción de nacimiento de la menor fuera de plazo. El Registro Civil de San Sebastián dicta una diligencia por la que se declara incompetente para conocer de dicha solicitud dado que la menor había nacido en Marruecos, remitiendo la cuestión al Registro Civil Central al tratarse de la inscripción de un hecho acaecido en el extranjero.

En efecto, con fecha 11 de noviembre 2020, el Encargado del Registro Civil de San Sebastián dicta un auto en el que deniega ambas solicitudes, concluyendo que la menor era nacional camerunesa de origen.

En cuanto a la petición subsidiaria de inscripción de nacimiento fuera de plazo, el Registro Civil Central, con fecha 14 de enero de 2021, deniega dicha solicitud alegando que para que un nacimiento pueda ser inscrito en un Registro español es necesario que el nacimiento haya acaecido en territorio español o que afecte a español, no cumpliéndose ninguno de los requisitos del supuesto planteado.

Y es que parece, siguiendo la averiguación del Derecho extranjero que hace el juzgador de instancia, que el Código de la nacionalidad camerunesa (art. 8.B y arts. 14 y 15) no atribuye la nacionalidad por filiación, sino que condiciona la adquisición de la nacionalidad, bien al retorno de la demandante a Camerún antes de la mayoría de edad de la menor para efectuar la declaración nacimiento en el plazo de 12 meses de caducidad o prescripción; o bien, en su defecto al reconocimiento de la nacionalidad camerunesa de origen en el curso de un proceso judicial de reconstitución de actos del estado civil[5]. Es decir, que la atribución de la nacionalidad camerunesa de origen (por filiación o por *ius soli*), en estas circunstancias, estaría subordinada al desarrollo de un acto posterior y, por tanto, ante la imposibilidad de regresar a Camerún por razones obvias, la niña era apátrida.

El Abogado del Estado, en representación del Ministerio de Justicia, se adhiere a la conclusión denegatoria, alegando que el nacimiento ha tenido lugar en el extranjero y que la menor podría ostentar la nacionalidad camerunesa. Finalmente, en la contestación a la demanda, afirma que no fue presentado recurso alguno contra la decisión del Registro de San Sebastián ante la Dirección General de Seguridad Jurídica y Fe pública.

Es en el Fundamento cuarto cuando el Juzgador de instancia reconduce el asunto al ámbito de los derechos fundamentales para admitir la infracción de distintos derechos fundamentales de la menor, no ya solo porque carezca de nacionalidad sino porque "se ve privada en nuestro territorio nacional del acceso a numerosos servicios públicos que implican la atención a derechos tan fundamentales como la educación o la integridad física entre otros…"; no dispone de pasaporte dada su entrada irregular; (…) ha habido un comportamiento activo en orden a acreditar ante las autoridades marroquíes que nació en Marruecos, gestiones de las que no ha obtenido respuesta por lo que no cabría esperar que se fuera a ver atribuida la nacionalidad marroquí. Para concluir que "en consecuencia (…) existe una vulneración de los derechos fundamentales de la menor (…) por la negativa de las autoridades españolas a reconocer su nacionalidad española de origen conforme al art.17.1 c) del CC, procediendo para la reparación de esta situación a declarar dicha nacionalidad y librar exhorto al registro civil central para inscribir el nacimiento fuera de plazo de la menor (…)". Prevalece por tanto el interés superior de la menor.

2. Sentencia de la Audiencia Provincial de 11 de mayo 2022

La SAP de 11 de mayo 2022 es el resultado del recurso presentado por el Abogado del Estado, en representación del Ministerio de Justicia, contra la SJ1ªI.

---

[5]   Son datos que aparecen en la SJ1ªI, Fundamento primero.

Retiene el marco fáctico y da por probados los hechos y el derecho aplicado en Instancia confirmando el fallo[6]. No obstante, ofrece otros aspectos de interés.

En primer lugar, amplía el marco normativo dentro del que debe enmarcarse el supuesto y se añade, junto al art. 7 de la Convención de Naciones Unidas sobre los Derechos del Niño de 20 de noviembre de 1989, el art. 15.1 de la Declaración Universal de los Derechos Humanos que reconoce el derecho a una nacionalidad; el art. 24 del Pacto Internacional de Derechos civiles y políticos; la Convención de 1954 sobre el Estatuto internacional de los Apátridas, que define en su art. 1.1 la condición de apátrida; la LO 1/1996, de 15 de enero, de Protección Jurídica del Menor, cuyo art. 2.1. proclama el interés superior del menor como un principio que debe guiar la actuación "en todas las acciones que les conciernan, tanto en el ámbito público como en el privado", criterio que la AP refuerza por referencia a la jurisprudencia del TC en su Sentencia 16/2006, de 1 de febrero; y finalmente, se retiene el art. 17.1, apartados c) y d) del CC[7].

En segundo lugar, destaca la doble argumentación sobre la que la AP construye la confirmación del fallo del J1ªI. Por una parte, la toma en consideración del interés superior del menor, si bien éste no se vincula expresamente a un eventual derecho fundamental a la atribución de la nacionalidad española, sino que se limita a recordar su naturaleza de principio rector e incluso de orden público en todas las decisiones que en cada caso corresponda adoptar al juez, conforme a lo dispuesto en el Convenio sobre Derechos del Niño y a cierta jurisprudencia constitucional[8].

Por otra, se acude al principio de la aplicación analógica de las normas: "cuando éstas no contemplen un supuesto específico, pero regulen otro semejante entre los que se aprecia identidad de razón", conforme a lo previsto por el art. 4 del CC[9].

Sobre estos argumentos se fundamenta y construye la aplicación extensiva del supuesto previsto por el art. 17.1 c) del CC al caso, reconociendo a la menor la nacionalidad española de origen, como "el único mecanismo que permite dar cumplimiento a las previsiones legales contenidas en los tratados internacionales en los que España es parte respetando y cumpliendo de manera efectiva el interés superior del menor consagrado en las disposiciones nacionales (...)"; pues lo contrario "(...) supondría (...) que permanezca en el limbo de la apatridia", "(...) en situación de desigualdad respecto de otros menores, con merma

---

[6] Fundamento tercero.
[7] Fundamento segundo.
[8] Fundamento cuarto, párrafo primero.
[9] Fundamento cuarto, párrafo segundo.

significativa para sus derechos básicos y fundamentales", mencionándose, entre otros, el derecho a la educación[10].

III. ASPECTOS CONTROVERTIDOS

Anticipo que, aunque resulte una solución cargada de buenas intenciones, parece como si los jueces llegaran primero a una conclusión y luego intentaran justificar en Derecho la solución adoptada. De ahí que la argumentación resulte errática o por lo menos está llamada a provocar discrepancias.

1. ¿Hay apatridia?

La primera cuestión es si estamos ante un supuesto de apatridia, dado que no parece acreditado que la menor no ostente la nacionalidad camerunesa de origen por transmisión de la madre de dicha condición (*ius sanguinis*). Cierto es que, conforme a la prueba del Derecho extranjero efectuada por el J1ªI, en la legislación camerunesa, cuando el interesado no se halle en el territorio, la atribución de origen está subordinada a la realización de una serie de actuaciones presenciales ante la administración, impracticables en este caso de connotaciones sin duda dramáticas. También lo es el resultado infructuoso derivado de todo el comportamiento activo de la madre en España en orden a obtener algún tipo de respuesta documental por parte de las autoridades diplomáticas y consulares de dicho país o de las marroquíes, dado que el lugar de nacimiento, siguiendo la declaración de la madre, tuvo lugar en Marruecos.

Con todo, no es éste un supuesto de *apatridia originaria o de iure*, como se plantea en la demanda original y asume el J1ªI de San Sebastián[11]. En general, como nos enseñara ELISA PÉREZ VERA, la apatridia responde a la defectuosa articulación de los distintos Derechos internos estatales por la existencia de lagunas en la conjugación del *ius sanguinis* con el *ius soli*, la incidencia del matrimonio o el peso de la naturalización del cabeza de familia[12]. El supuesto planteado no obedece a las causas descritas ni encaja con la definición de la Convención sobre

---

[10]   Fundamento cuarto, último párrafo.

[11]   Vid. Fundamento cuarto SJ1ªI: "En este momento cabe recoger el concepto que se cita en la demanda con invocación de distintas resoluciones de la Dirección General de los Registros y del Notariado de la situación de apatridia originaria de la menor, en la cual la atribución de la nacionalidad española iure soli se impone, y no ha de importar que el nacido pueda adquirir más tarde iure sanguinis la nacionalidad de sus progenitores, porque este solo hecho no puede llevar consigo la pérdida de nacionalidad atribuida ex lege en el momento del nacimiento".

[12]   *Cf.* PÉREZ VERA, ELISA, *Derecho internacional privado*, Tecnos, Madrid, 1980, p. 82.

el Estatuto de los Apátridas, de 23 de septiembre de 1954[13], cuyo art. 1.1 define el término apátrida a los efectos de la Convención como la condición de la "persona que no sea considerada como nacional suyo por ningún Estado, conforme a su legislación". Sorprende que, a pesar de que se invoque esta Convención, en ambas instancias se omita la referencia a esta disposición clave. Bien es cierto que la Convención responde a un contexto diverso, el derivado de los enormes desplazamientos de personas y desnacionalizaciones masivas que tuvieron lugar en la posguerra mundial, situación muy alejada de los actuales supuestos de inmigración ilegal desde el continente africano. Pero es el instrumento internacional en la materia por excelencia.

Convengamos que las causas de la apatridia puedan ser muy diversas y que se viene admitiendo que, junto a la *apatridia originaria o de iure*, cabría identificar los supuestos de *apatridia de facto*, caracterizados por los especialistas como aquellos en los que no hay una clara evidencia de la nacionalidad porque faltan las pruebas documentales o es preciso verificar la propia autenticidad de los documentos[14]. Este sería el caso en que nos hallamos: es probable que la menor posea la nacionalidad camerunesa por filiación materna pero no es posible acreditarlo[15]. Lo relevante en estos supuestos es que *de facto* el sujeto carece de nacionalidad en el momento en que se juzga, lo cual no impide que a futuro pueda verse atribuida su nacionalidad *iure sanguinis* cumplimentadas las exigencias del país de origen.

La cuestión se planteó con toda agudeza, por retener tiempos recientes, en relación con los refugiados y personas bajo protección temporal en el curso del conflicto en los Balcanes; y el Consejo de Europa llegó a la conclusión de que los supuestos de apatridia *de facto* podrían reducirse si se facilitaba la adquisición de la nacionalidad del Estado donde el interesado se encontrara acogido, por ejemplo, mediante la reducción de los años de residencia legal[16].

Por último, debe destacarse que tampoco consta que se solicitara la declaración de condición de apátrida de la menor. El reconocimiento de la situación de apátrida está regulado por el Real Decreto 865/2001, de 20 de julio, por el que se aprueba el Reglamento del reconocimiento del estatuto de apátrida[17], sometido a un procedimiento administrativo que culmina con la declaración de la

---

[13] *Cf.*, PÉREZ VERA, ELISA, *Derecho internacional privado, op. cit.*, p. 83.

[14] TRILLO MARTÍN-PINILLOS, EDUARDO, *Apatridia y Nacionalidad en Derecho internacional público*, Tesis doctoral, 2005 (https://creativecommons.org/licenses/by-nc-d/4.0), núms. 95 y 196.

[15] Al límite, la falta de documentos impediría creer que la menor es hija de esa madre, cuestión que no se plantea en ningún momento.

[16] *Cf.* Documento del Consejo de Europa CJ-NA (97)3, que tomo de la Tesis de TRILLO MARTÍN-PINILLOS, EDUARDO, *Apatridia y Nacionalidad..., op. cit.*, nº 202.

[17] *BOE* nº 174, de 21 de julio 2001.

situación de apatridia en quien lo inste ante la Oficina de Asilo y Refugio, siendo necesario la declaración previa de no tener nacionalidad (art. 1).

2. La situación de apátrida ¿otorga al menor un derecho fundamental a la nacionalidad?

Nos alinearemos con el Juez (y el Abogado del Estado) que no cuestionan la situación de apátrida de la menor en este caso. Pues bien, la situación de apatridia no asigna al sujeto un derecho automático a la adquisición de la nacionalidad del país de acogida, guste o no al juzgador. Se ha dicho que la Convención de 1954 pretende asegurar al apátrida la protección de sus derechos fundamentales y un tratamiento equivalente a los demás extranjeros en el país en que residan. La misma Convención sobre el Estatuto de los Apátridas prevé que se pueda proceder a su naturalización por el país de acogida, pero en modo alguno establece obligaciones de resultado para los Estados parte. Así se infiere de su art. 32, al disponer que "Los Estados Contratantes facilitarán en todo lo posible la asimilación y la naturalización de los apátridas. Se esforzarán, en especial, por *acelerar los trámites de naturalización* y por reducir en todo lo posible los derechos y gastos de los trámites". La Convención efectúa pues una *remisión* a la legislación interna de los Estados y corresponde a éstos decidir cómo reducir la apatridia por la vía de la naturalización[18]. Es decir, no genera un derecho automático a la adquisición o una obligación del estado receptor a la atribución de la nacionalidad.

La invocación y aplicación directa del Convenio sobre los Derechos del Niño de 1989 no deja de ser cuestionable. Sin poner en tela de juicio que esta Convención, y por lo demás el art. 15 de la Declaración de Derechos Humanos y demás instrumentos internacionales, incorporan normas jurídicamente obligatorias[19], requieren no obstante descender al análisis de su contenido. De este modo, aunque el art. 7 del Convenio sobre Derechos del Niño disponga que "el niño (…) tendrá derecho desde que nace…a adquirir una nacionalidad…", esta proclamación no puede desligarse del apartado 2, conforme al cual "Los Estados parte velarán por la aplicación de estos derechos *de conformidad con su legislación nacional* y las obligaciones que hayan contraído en virtud de los instrumentos internacionales pertinentes en esta esfera, sobre todo cuando el niño resultara de otro modo apátrida". De nuevo una remisión al Derecho interno de los Estados

---

[18]   Tampoco parece una obligación constitucional. El término apátrida no se menciona en sede del art. 11 CE relativo a la nacionalidad española. Únicamente se retuvo como presupuesto para gozar del derecho de asilo, al disponer el art. 13.4 CE "La ley establecerá los términos en que los ciudadanos de otros países y los apátridas podrán gozar del derecho de asilo en España".

[19]   PÉREZ VERA, ELISA, "Citoyenneté de l'Union Européenne, nationalité et condition des étrangers", *Rec. des Cours*, t. 261, 1996, pp. 251-425, pp. 387-388.

parte y, por tanto, al art. 17.1 c) del CC, que, como veremos a continuación, no contempla la apatridia fáctica.

3. ¿Estamos dentro del supuesto del art. 17.1 c) del Código Civil?

El CC prevé la apatridia como causa de atribución de la nacionalidad española de origen. Introducido como instrumento de lucha contra la apatridia en la gran reforma del Derecho de la nacionalidad por Ley 51/1982, fue retocado por Ley 18/1990. La doctrina coincide en diferenciar dos supuestos[20]: *uno*, aquel en el que ambos progenitores son apátridas y el hijo adquiere la nacionalidad española al no poder transmitirle ninguna nacionalidad los padres; *otro*, aquel en el que las leyes personales de los padres no permitan atribuir nacionalidad alguna al hijo, lo que podría darse si las respectivas leyes personales estuvieran exclusivamente basadas en el *ius soli*. Como regla general conlleva la necesidad de acreditar que los progenitores son apátridas o que los ordenamientos cuya nacionalidad ostentan los progenitores no otorgan la nacionalidad a los nacidos fuera de sus fronteras[21]. En todo caso literalmente presupone el nacimiento en España, exigencia ésta en la que insiste la doctrina reforzada sobre la base de la práctica de la DGRN[22].

Pues bien, la realidad es que el caso en análisis no estaría dentro del supuesto contemplado en el art. 17.1 c) del CC. En primer lugar, porque falta el nacimiento en España. En segundo término, ni los progenitores son apátridas (la madre, nada se dice del padre), ni queda acreditado que la ley personal de la madre cierre el paso a la nacionalidad (camerunesa) de la niña por filiación[23], si bien es obvio que ni la madre ni la hija están en condiciones de desarrollar la exigencia de retorno y presencia al país de origen, ni las actuaciones (procesales) exigidas por la ley extranjera.

---

[20]   En este sentido *vid.* ÁLVAREZ RODRÍGUEZ, AURELIA, *Nociones básicas de registro civil y problemas frecuentes en materia de nacionalidad*, 2ª ed. Ediciones GPS, Madrid, 2012, pp. 86 y 99; PALAO MORENO, GUILLERMO y otros, *Nacionalidad y Extranjería*, 2ª ed., Tirant lo Blanch, Valencia, 2018; VARGAS GÓMEZ-URRUTIA, MARINA, en GUZMÁN ZAPATER, MÓNICA (Dir.), *Lecciones de Derecho internacional privado*, Tirant lo Blanch, Valencia, 2ª ed., 2021, p. 206.

[21]   *Cf.* ÁLVAREZ RODRÍGUEZ, AURELIA, *Nociones básicas de registro civil...*, *op. cit.*, p. 99.

[22]   *Cf.* CARRASCOSA GONZÁLEZ, JAVIER, *Curso de Nacionalidad y Extranjería*, Colex, Granada, 2007, p. 57; ESPINAR VICENTE, JOSÉ MARIA y GUZMÁN PECES, MONSERRAT, *La nacionalidad y la extranjería en el sistema jurídico español*, Dickynson, Madrid, 2017, p. 59.

[23]   La referencia a la legislación extranjera debe interpretarse como nacionalidad de origen, a saber, la atribuida desde el nacimiento por el hecho de la filiación (*Cf.* FERNÁNDEZ ROZAS, JOSÉ CARLOS y otros, *Derecho español de la nacionalidad*, Tecnos, Madrid, 1987, p. 161; GONZÁLEZ CAMPOS, JULIO DIEGO, "Comentario al art. 17 del Código civil", en *Comentarios a las reformas de la nacionalidad y tutela*, Tecnos, Madrid, 1983, pp. 17-53, p. 47).

Finalmente, asumido que nos hallamos ante un supuesto de apatridia *de facto*, se ha sostenido que el art. 17.1 c) del CC la excluye, es decir, no opera respecto de aquellos que ostentan una nacionalidad extranjera pero no pueden probarla por falta de documento acreditativo[24]. Ejemplo paradigmático sería la situación de los saharauis[25] o los palestinos, que carecen de Estado desde la perspectiva española[26]. Y sí, en cambio, con apoyo en abundante práctica, respecto a la apatridia por razones jurídicas[27]: es decir, es necesario que la apatridia venga determinada por disposición expresa de una ley, por una privación de nacionalidad o por resolución judicial o administrativa de un estado extranjero.

4. ¿Es correcta la aplicación analógica?

La tentación del J1ªI fue establecer la analogía con respecto al art. 17.1 d) del CC, al disponer éste que "se presumen nacidos en territorio español los menores de edad cuyo primer lugar conocido de estancia sea territorio español"[28], de la que luego parece que se retracta dada la imposible analogía (la propia madre había declarado el nacimiento en Marruecos).

No deja de sorprender que la SAP refuerce la aplicación analógica del art. 17.1 c) del CC con base en la previsión general del art. 4 del mismo cuerpo legal para cubrir la laguna legal en el presente caso. Creo que resulta útil recordar el procedimiento analógico expuesto con tanta claridad por LUIS DÍEZ-PICAZO y cuyas premisas serían las siguientes: "1°) ninguna norma contempla de manera directa el caso dado; 2°) la norma que aplicamos contempla un supuesto distinto del caso; 3°) hay sin embargo semejanza o similitud entre el caso y el supuesto de hecho normativo"[29]. La clave es esta última premisa: establecer si hay semejanza entre el caso planteado y el supuesto del art. 17.1 c) del CC. Y la conclusión inicial sería negativa: falta el *título* de atribución de la nacionalidad española dado que no hubo nacimiento en territorio español[30], ni la madre es apátrida, ni es seguro que la legislación extranjera niegue la nacionalidad camerunesa de origen a la menor. Lo más relevante es la falta de nacimiento en territorio español

---

24   *Cf.* CARRASCOSA GONZÁLEZ, JAVIER, *Curso de Nacionalidad...*, *op. cit.*, p. 57.
25   RGDRN 2ª, de 18 de enero 2003, además de la jurisprudencia del Tribunal Supremo en la que se niega el derecho a la nacionalidad española de personas que en su día la ostentaron e incluso gozaron de un derecho de opción en el momento de la descolonización por Real Decreto de 1976.
26   RDGRN 3ª, de 5 de junio 1999.
27   MOYA ESCUDERO, MERCEDES, "Atribución de la nacionalidad española con valor de simple presunción", *Aranzadi Civil,* n° 11, 2007, pp. 15-55, p. 42.
28   SJ1ªI, fundamento cuarto.
29   *Cf.* DÍEZ-PICAZO, LUIS, *Experiencias jurídicas y Teoría del Derecho*, Ariel, Barcelona, 1987, pp. 282-283.
30   Ni siquiera el solo nacimiento en territorio español ha bastado históricamente para atribuir o adquirir la nacionalidad española (*Cf.* DE CASTRO Y BRAVO, FEDERICO, *Derecho civil de España*, vol. II, reedición, Civitas, Madrid, 1984, pp. 381-383).

-contradiciendo toda la práctica de la DGSJFP[31]-. Ahora bien, si éste hubiera tenido lugar en España, ya estaríamos dentro del supuesto del art. 17.1 c) del CC.

Si se rechaza la semejanza, acudir a la interpretación analógica desemboca en una *aplicación extensiva* del art. 17.1 c) del CC a deslindar con nitidez de la *analogía*[32]. La solución sería técnicamente incorrecta porque el caso planteado desborda los límites del supuesto de la norma.

Cabría sostener, no obstante, que la razón de ser o el objetivo del art. 17.1 c) del CC reside en evitar que haya menores en España sin nacionalidad. Visto así, no hay duda de que sería posible establecer la semejanza entre el caso planteado y el supuesto de la norma y, por tanto, admitir la aplicación analógica que permitiría la atribución de la nacionalidad española. En suma, el J1ªI y la AP, al confirmar la decisión del anterior, se decantan por la solución más fácil: al no quedar claro el criterio de atribución de la nacionalidad extranjera o al resultar impracticable, se opta por la naturalización aplicando el art. 17.1 c) del CC.

A nuestro modo de ver se podrá criticar el art. 17.1 c) del CC por su cicatería, dado que realmente la lucha contra la apatridia se limita a impedir la segunda generación de apátridas nacidos en España. Se podrá urgir su reforma por la perentoria necesidad de adecuación de nuestra legislación a una dramática realidad: la de la inmigración ilegal actual, si bien algunos de los supuestos más terribles (p.e., nacimiento a bordo de pateras) tendrían cabida dentro del supuesto del art. 17.1 d) del CC. Mientras ese cambio legislativo no tenga lugar, la aplicación analógica es una solución, si bien no encaja con el sistema de atribución de la nacionalidad española y, por eso, es urgente una revisión. Y en este sentido, es un caso que pone de manifiesto algunas de las incoherencias del sistema español de nacionalidad.

5. ¿Y los aspectos registrales?

Nótese que el fallo de la SJ1ªI exige reparar la vulneración del derecho fundamental de la menor a la nacionalidad española de origen conforme al art. 17.1 c) del CC mandando "librar exhorto al Registro Civil Central para inscribir el nacimiento fuera de plazo de la menor y, tras dicha inscripción se libre exhorto al Registro Civil de San Sebastián (o el que proceda en su caso) para que se

---

[31]   La solución tiene resonancias de un caso parecido planteado y resuelto por la DGSJFP unos meses antes, en el que se atribuía la nacionalidad española a una niña, hija de cubanos, nacida en España, una vez acreditado que "los hijos de cubanos nacidos fuera de Cuba no adquieren automáticamente al nacer la nacionalidad cubana (…) de modo que sufren una situación de "apatridia" originaria en la que se impone la aplicación *iure soli* de la nacionalidad española" (*cf.* Res DGSJFP de 16 diciembre 2021, F.III), si bien salta a la vista el dato diferencial respecto al caso en análisis y es que el nacimiento de la menor había tenido lugar en territorio español.

[32]   *Cf.* DÍEZ-PICAZO, LUIS, *Experiencias jurídicas…, op. cit.,* p. 282.

proceda a inscribir la nacionalidad que se declara al margen de la inscripción de nacimiento", fallo éste que confirma tal cual la SAP. ¿Por qué se asigna la competencia al Registro Civil Central para la inscripción principal del nacimiento y la inscripción marginal de nacionalidad al Registro civil de San Sebastián? Tal vez -no es posible verificar- finalmente se entendiera que el nacimiento, como hecho central a inscribir, tuvo lugar en el extranjero.

La legislación registral dispone que acceden al Registro Civil los hechos que afecten a españoles y los relativos a extranjeros acaecidos en territorio español (criterio personal y territorial). En el apartado segundo se establece que "Igualmente, se inscribirán los hechos y actos que hayan tenido lugar fuera de España, cuando las correspondientes inscripciones sean exigidas por el Derecho español" (art. 15.2 LRC 1957, hoy 9.2 LRC 2011). Es una *competencia por conexión* prevista para supuestos en que hechos determinantes que atañen a extranjeros deben no obstante acceder al Registro español. Señaladamente la adquisición de la nacionalidad española por extranjero que exige la inscripción previa del nacimiento. Habría otros supuestos: por ejemplo, la sentencia de incapacitación de un extranjero residente en España o el matrimonio anterior de un extranjero que se nacionaliza español o que pretende contraer nuevo matrimonio en España. Esta competencia por conexión es una previsión para ciertos supuestos, ante la imposibilidad de la práctica de la inscripción correspondiente, por no reunir los requisitos que la legislación requiere.

En nuestro caso, era necesaria la inscripción previa del nacimiento para inscribir la nacionalidad española[33]. La competencia inicial venía asignada indistintamente a los Registros consulares o al Registro Civil Central, dependiendo del domicilio del promotor (arts. 18 LRC 1957 y 68.2 RRC 1958) y si el promotor estaba domiciliado en España, la inscripción correspondía al Registro Civil Central, que luego daría traslado al correspondiente[34]. Luego se rompía el criterio de la territorialidad estricta y lo determinante era el domicilio del promotor en España, aunque el hecho determinante de la inscripción hubiera tenido lugar en el extranjero (p.ej. en la adopción internacional se admitió que los interesados promovieran la inscripción de la adopción constituida en el extranjero en el Registro de su domicilio, tras la reforma del art. 16 de la LRC 1957, por Ley 24/2005). En suma, la competencia en estos casos la ha venido asumiendo el Registro Civil Central, de modo que tiene sentido que tanto la SJ1ªI como la SAP remitan exhorto al Registro Civil Central para la inscripción del nacimiento, dada la singularidad del caso.

---

[33]   MARTÍN MORATO, MANUEL, "Artículo 9. Competencias generales del Registro Civil", en COBACHO GOMEZ, JOSÉ ANTONIO y LECIÑENA IBARRA, ASCENSIÓN (Dirs.), *Comentarios a la Ley del Registro Civil,* Thomson Reuters Aranzadi, Madrid, 2012, pp. 227-237.

[34]   Sigo en este punto a MARTÍN MORATO, MANUEL, "Artículo 9…", *op. cit.,* pp. 236-237.

Adicionalmente, el art. 66, último párrafo, del RRC 1958, todavía vigente, dispone que "en las inscripciones de nacimiento que hayan de practicarse en los Registros Consulares o Central, sin que esté acreditada conforme a la ley la nacionalidad española del nacido, se hará constar expresamente esta circunstancia". Este es el supuesto en el que estamos. Conforme a la legislación vigente hoy sería objeto de anotación y no de inscripción, dado que la nueva regulación distingue claramente unas y otras y son objeto de anotación[35], a tenor de lo previsto por el art. 40.2. 2° de la LRC 2011: "El hecho cuya inscripción no pueda extenderse por no resultar, en alguno de sus extremos, legalmente acreditado".

6. ¿De verdad la apatridia cierra el paso al derecho fundamental a la educación, a la obtención de asistencia sanitaria por la seguridad social y a otras prestaciones sociales?

Volvamos sobre la SJ1ªI, dado que el objeto de la demanda era la atribución de la nacionalidad española en tanto en cuanto la condición de apátrida de *facto* llevaría a la infracción de otros derechos fundamentales de la menor. Las resoluciones judiciales en análisis no se alejan de lo sostenido por un sector de la doctrina favorable a dejar primar en estos casos el interés del menor y a "permitir su integración automática en España" desde una concepción abierta y generosa [36]. Pero ocurre que hasta cierto punto la solución propuesta falta a la verdad: la condición de apátrida no conlleva la infracción de otros derechos fundamentales de la persona en el marco de nuestro ordenamiento. Retendré únicamente tres[37]: se afirma que impediría el empadronamiento municipal, el derecho a la educación y el derecho a la asistencia sanitaria por la sanidad pública española.

La falta de prueba documental cierra el paso al *empadronamiento municipal*, afirmaba la demandante. Es cierto que, caducado el empadronamiento temporal, la Ley de Bases de Régimen Local exige, bien el número de documento de nacionalidad, bien el número de la tarjeta de residente o en su defecto pasaporte expedido por las autoridades del país de origen, ninguno de los cuales era accesible[38]. Lo sorprendente es que no se acogieran a los mecanismos de

---

[35]   Art. 40.1 LRC 2011: "1. Las anotaciones registrales son la modalidad de asiento que en ningún caso tendrá el valor probatorio que proporciona la inscripción. Tendrán un valor meramente informativo, salvo los casos en que la Ley les atribuya valor de presunción".

[36]   En este sentido MOYA ESCUDERO, MERCEDES, "Atribución de la nacionalidad...", *cit.*, p. 43, alineándose en el parecer de PALAO MORENO, GUILLERMO, "La atribución de la nacionalidad española por nacimiento en España: algunas cuestiones conflictivas", *Derecho registral internacional. Homenaje a la memoria del profesor Rafael Arroyo Montero*, Iprolex, Madrid, 2003, p. 473.

[37]   *Vid.* Fundamento primero, párrafo 5°.

[38]   La menor habría disfrutado de un empadronamiento temporal de tres meses, con el soporte documental y la tramitación ante la Policía prevista para situaciones excepcionales por el art. 107

protección previstos por el RD 865/2001, de 20 de julio, por el que se aprueba el Reglamento de reconocimiento del estatuto de apátrida. Su art. 1, aunque impone que la tramitación se inicie en el plazo de un mes desde la entrada en territorio nacional y no se habría iniciado en el momento de la interposición de la demanda, prevé la excepción: "Cuando las causas que justifiquen la solicitud se deban a *circunstancias sobrevenidas*, se computará el plazo de un mes a partir del momento en que hayan acontecido dichas circunstancias"[39]. Esta, creo, era la vía correcta para desbloquear la situación en la que se hallaba la menor, teniendo en cuenta el dato muy relevante, de que la madre si contaba con un permiso de residencia de un año y por tanto sin problema de empadronamiento.

El *derecho a la educación* viene establecido en el art. 9 de la LO 4/2000, de 11 de enero sobre derechos y libertades de los extranjeros en España y su integración social, al disponer que "1. Los extranjeros menores de dieciséis años tienen el derecho y el deber a la educación, que incluye el acceso a una enseñanza básica, gratuita y obligatoria. (…) Este derecho incluye la obtención de la titulación académica correspondiente y el acceso al sistema público de becas y ayudas en las mismas condiciones que los españoles." Un derecho universal que no está subordinado en la Ley de Extranjería a exigencias formales o restricciones adicionales si bien sometido en la práctica a numerosas tensiones[40]. En este punto resulta sorprendente que el Juzgador asuma sin más la pretensión de la madre-demandante. Lo mismo ocurre con el derecho fundamental a la *asistencia sanitaria*, contemplado con carácter universal en el art. 12 de la misma LO 4/2000, al disponer que "Los extranjeros tienen derecho a la asistencia sanitaria en los términos previstos en la legislación vigente en materia sanitaria", una de las grandes conquistas del Estado social.

IV. CONSIDERACIONES FINALES

El análisis de las resoluciones judiciales comentadas produce una cierta perplejidad para quienes estudiamos o nos enseñaron que la nacionalidad es el vínculo jurídico político que une al individuo con el Estado[41], un modo de ser y

---

del Reglamento de Extranjería de 2009, de modo que realmente no había modo de desbloquear la situación por esa vía.

[39] Una vez obtenido, comienza a contar el tiempo de residencia que, en orden a la adquisición de la nacionalidad española es de diez años y, por lo demás, se les reconoce el derecho a residir en España y a desarrollar actividades laborales, profesionales y mercantiles de conformidad con lo dispuesto en la normativa de extranjería" (art. 13).

[40] *Vid.* REY MARTÍNEZ, FERNANDO, "El derecho fundamental a la educación inclusiva del alumnado extranjero o de origen extranjero", *Revista de Derecho Migratorio y Extranjería*, 2022, n.ª 60, pp. 43-64.

[41] PÉREZ VERA, ELISA, "Citoyenneté …", *cit.,* espec. p. 278.

estar en el mundo[42], que presupone una cierta vinculación y por qué no decirlo, una cierta lealtad. Es cierto también que corresponde al Estado decidir quiénes son sus nacionales de modo que atribuir o denegar la nacionalidad, especialmente si se hace de un modo arbitrario, es un instrumento del poder estatal[43]. Ahora bien, su incorporación como derecho fundamental en los principales instrumentos internacionales explican por sí solo que al mismo tiempo se conciba como instrumento protector de la persona[44]. Es en esa tensión entre el poder del Estado y una cierta obligación de protección de las personas es en la que discurre la apatridia.

Ocurre que falta una política legislativa clara o una visión de conjunto. En el caso del ordenamiento español y en su desarrollo práctico emergen y cristalizan cada vez mayor número de supuestos de naturalización -procedentes de países latinoamericanos, sefardíes, cónyuges, los propios apátridas, refugiados, etc.- y, entre éstos, se detecta enorme desigualdad en su tratamiento: muy restrictivo en unos supuestos y en exceso generoso en otros.

Exponente de un trato restrictivo que resulta difícilmente justificable ha sido el dispensado a ecuatoguineanos y saharauis tras la descolonización de España. Tuvieron que transcurrir más de cinco años para reconocer por sendos reales decretos (1976) un derecho de opción a la nacionalidad española a quienes se les había dicho que formaban parte del sustrato personal de las "provincias españolas de África". Ficción de consecuencias tanto más nefastas en cuanto a los saharauis, quienes tampoco pudieron acceder a la nacionalidad de un nuevo Estado que, como es sabido al día de hoy, no se ha creado; abocados, pues, a la apatridia masiva, que nuestros órganos judiciales solo en excepcionales ocasiones han rectificado[45]. Respecto de éstos, la situación real, y por todos conocida, de apatridia, ha sido irrelevante. No ha servido para que prosperaran ante los órganos judiciales españoles las demandas de declaración de nacionalidad, o en otros casos, el reconocimiento formal de la situación de apatridia.

En cambio, la solución judicial dada al caso comentado se ubicaría entre los segundos. Dado que el art. 17.1, en sus apartados c) y d), del CC no da una respuesta global o completa al problema de la apatridia, la práctica ha sido muy

---

[42]   *Cf.* DE CASTRO y BRAVO, FEDERICO, *Derecho civil de España, op. cit.,* p 371.

[43]   *Cf.* DE CASTRO y BRAVO, FEDERICO, *Derecho civil de España, op. cit.,* p 372; PEREZ VERA, ELISA, "Citoyanneté…", *cit.,* pp. 275-276

[44]   *Cf.* PÉREZ VERA, ELISA, "Citoyenneté…", *cit.,* p. 279.

[45]   La STS, Sala de lo Civil, 6268/1998, de 28 de octubre, es la única en la que se afirmó que los saharauis gozaron de la nacionalidad española durante la presencia de España. Una aproximación reciente y exacta a la situación de los saharauis en cuanto a la restrictiva política para reconocimiento del estatuto de apátrida como en lo que concierne al reconocimiento de la nacionalidad española se encuentra en RAMOS POLEY, LUIS, "El reconocimiento del estatuto de apátrida y la concesión de la nacionalidad a personas saharauis", *Revista de Derecho Migratorio y Extranjería,* 2022, nº 60, pp. 149-174.

meticulosa a la hora de establecer si se cumplían o no las condiciones de aplicación, en particular, en cuanto al art. 17.1 c) del CC (nacimiento en territorio español y apatridia de origen a través del expediente de declaración de nacionalidad con valor de simple presunción[46]).

En un contexto en que la cuestión migratoria alcanza cotas de dramatismo insospechadas y se afianza como el problema del siglo[47], la posición geográfica de España justificaría por sí sola un estudio en profundidad de los supuestos y sobre todo una política legislativa clara. ¿Por qué a esta menor sí se le atribuye la nacionalidad española? Piénsese en la discriminación que comporta la solución dada en el presente caso respecto a la situación en la que quedan los demás apátridas residentes en España, sujetos al plazo general de residencia de diez años, que se limita a cinco en el caso de los refugiados[48]. La propia cavilación del Ministerio de Justicia en cuanto a la posibilidad de recurrir la resolución de la AP de San Sebastián, finalmente abandonada, resulta sumamente ilustrativa. En resumen, tras cuarenta años de democracia no se ha planteado un debate para afrontar en serio la determinación de la nacionalidad española en tantos casos difíciles.

El razonamiento seguido, construido sobre la analogía, tal vez resulte justificable por las circunstancias del caso. Los jueces han decidido desde lo que en la mejor doctrina se llamó una "precomprensión" del asunto[49]: la autoridad judicial fundamenta con argumentos, pero el objetivo perseguido era resolver la situación de la menor de la forma más rápida y protectora: reconociéndole el derecho a la nacionalidad española.

---

[46] *Vid.* ÁLVAREZ RODRÍGUEZ, AURELIA, *Nociones básicas de registro civil..., op. cit.,* en donde se recoge la lista de Resoluciones de la DGRN favorables o denegatorias hasta la fecha de publicación (2012), pp. 86-100.

[47] O una "realidad estructural", en expresión de DE CASTRO SÁNCHEZ, CLARIBEL, "Seguridad de las fronteras exteriores de la UE y derecho de asilo: en busca de un necesario equilibrio", en FERNÁNDEZ CABRERA, MARTA y FERNÁNDEZ DIAZ, CARMEN ROCÍO (Dirs.), *Retos del Estado de Derecho en materia de Inmigración y Terrorismo,* Iustel, Madrid, 2022, pp. 231-255, p. 253.

[48] Por no mencionar a los más de 9000 menores no acompañados que han llegado a nuestro país en los últimos tiempos (un dato que tomo del exhaustivo estudio sobre la situación actual de los MENA de PÉREZ MARTÍN, LUCAS, "Protección de los MENA al alcanzar la mayoría de edad: incumplimiento de España de sus obligaciones internacionales y alcance de la reforma del Reglamento de Extranjería", *AEDIPr,* 2021, pp. 375-404).

[49] *Cf.* DÍEZ-PICAZO, LUIS, retomando a JOSEF ESSER, "La Justicia y el sistema de fuentes del Derecho", en *La vinculación del juez a la ley, Anuario de la Facultad de Derecho UAM 1,* 1997, pp. 205-218, p. 212.

V. BIBLIOGRAFÍA

ÁLVAREZ RODRÍGUEZ, AURELIA, *Nociones básicas de registro civil y problemas frecuentes en materia de nacionalidad*, 2ª ed., Ediciones GPS, Madrid, 2012.

CARRASCOSA GONZÁLEZ, JAVIER, *Curso de Nacionalidad y Extranjería*, Colex, Granada, 2007.

DE CASTRO Y BRAVO, FEDERICO, *Derecho civil de España*, vol. II, reedición, Civitas, Madrid, 1984.

DE CASTRO SÁNCHEZ, CLARIBEL, "Seguridad de las fronteras exteriores de la UE y derecho de asilo: en busca de un necesario equilibrio", en FERNÁNDEZ CABRERA, MARTA y FERNÁNDEZ DÍAZ, CARMEN ROCÍO (Dirs.), *Retos del Estado de Derecho en materia de Inmigración y Terrorismo*, Iustel, Madrid, 2022, pp. 231-255.

DÍEZ-PICAZO, LUIS, *Experiencias jurídicas y Teoría del Derecho*, Ariel, Barcelona, 1987.

DÍEZ-PICAZO, LUIS, "La Justicia y el sistema de fuentes del Derecho", en *La vinculación del juez a la ley*, Anuario de la Facultad de Derecho UAM 1, 1997, pp. 205-218.

ESPINAR VICENTE, JOSÉ MARÍA y GUZMÁN PECES, MONSERRAT, *La nacionalidad y la extranjería en el sistema jurídico español*, Dickynson, Madrid, 2017

FERNÁNDEZ ROZAS, JOSÉ CARLOS, *blog*

FERNÁNDEZ ROZAS, JOSÉ CARLOS, *Derecho español de la nacionalidad*, Tecnos, Madrid, 1987.

GONZÁLEZ CAMPOS, JULIO DIEGO, "Comentario al art. 17 del Código civil", en *Comentarios a las reformas de la nacionalidad y tutela*, Tecnos, Madrid, 1983, pp. 17-53.

MARTÍN MORATO, MANUEL, "Artículo 9. Competencias generales del Registro Civil", en COBACHO GOMEZ, JOSÉ ANTONIO y LECIÑENA IBARRA, ASCENSIÓN (Dirs.), *Comentarios a la Ley del Registro Civil*, Thomson Reuters Aranzadi, Madrid, 2012, pp. 227-234.

MOYA ESCUDERO, MERCEDES, "Atribución de la nacionalidad española con valor de simple presunción", *Aranzadi Civil*, nº 11, 2007, pp. 15-55.

PALAO MORENO, GUILLERMO, "La atribución de la nacionalidad española por nacimiento en España: algunas cuestiones conflictivas", en *Derecho registral internacional. Homenaje a la memoria del profesor Rafael Arroyo Montero*, Iprolex, Madrid, 2003, pp. 463-483.

PALAO MORENO, GUILLERMO y otros, *Nacionalidad y Extranjería*, 2ª ed., Tirant lo Blanch, Valencia, 2018.

PÉREZ MARTÍN, LUCAS, "Protección de los MENA al alcanzar la mayoría de edad: incumplimiento de España de sus obligaciones internacionales y alcance de la reforma del Reglamento de Extranjería", *AEDIPr*, 2021, pp. 375-404.

PÉREZ VERA, ELISA, *Derecho internacional privado*, Tecnos, Madrid, 1980.

PÉREZ VERA, ELISA, "Citoyenneté de l´Union Européenne, nationalité et condition des étrangers", *Rec. des* Cours, t. 261, 1996, pp. 251-425.

RAMOS POLEY, LUIS, "El reconocimiento del estatuto de apátrida y la concesión de la nacionalidad a personas saharauis", *Revista de Derecho Migratorio y Extranjería*, 2022, n° 60, pp. 149-174.

REY MARTÍNEZ, FERNANDO, "El derecho fundamental a la educación inclusiva del alumnado extranjero o de origen extranjero", Revista de Derecho Migratorio y Extranjería, 2022, n° 60, pp. 43-64.

TRILLO MARTIN-PINILLOS, EDUARDO, Apatridia y Nacionalidad en Derecho internacional público, Tesis doctoral, 2005 (https://creativecommons.org/licenses/by-nc-nd/4.0).

VARGAS GÓMEZ-URRUTIA, MARINA, en GUZMÁN ZAPATER, MÓNICA (Dir.), *Lecciones de Derecho internacional privado*, Tirant lo Blanch, Valencia, 2ª ed., 2021.